D1096737

發音指南

Vowels 元音

IPA 國際音標		Examples 示例
Jones	K.K.	
iː	i	see /siː/
ɪ	ɪ	give /gɪv/
e	ɛ	ten /ten/
æ	æ	back /bæk/
ɑː	ɑ	calm /kɑːm/
ɒ	ɑ	stop /stɒp/
ɔː	ɔ	all /ɔːl/
ʊ	ʊ	book /bʊk/
ʊː	u	too /tʊː/
ʌ	ʌ	up /ʌp/
ɜː	ɝ	bird /bɜːd/
ə	ə	ago /əˈgəʊ/

Diphthongs 雙元音

IPA 國際音標		Examples 示例
Jones	K.K.	
eɪ	e	late /leɪt/
əʊ	o	go /gəʊ/
aɪ	aɪ	five /faɪv/
aʊ	aʊ	now /naʊ/
ɔɪ	ɔɪ	boy /bɔɪ/
ɪə	ɪr	dear /dɪə/
eə	ɛr	where /weə/
ʊə	ʊr	tour /tʊə/

Consonants 輔音

IPA 國際音標		Examples 示例
Jones	K.K.	
p	p	peace /piːs/
b	b	boat /bəʊt/
t	t	take /teɪk/
d	d	dog /dɒg/
k	k	come /kʌm/
g	g	go /gəʊ/
tʃ	tʃ	child /tʃaɪld/
dʒ	dʒ	judge /dʒʌdʒ/
f	f	face /feɪs/
v	v	vase /vɑːz/
θ	θ	thing /θɪŋ/
ð	ð	then /ðen/
s	s	six /sɪks/
z	z	zoo /zʊː/
ʃ	ʃ	ship /ʃɪp/
ʒ	ʒ	pleasure /pleʒə(r)/
h	h	hat /hæt/
m	m	my /maɪ/
n	n	not /nɒt/
ŋ	ŋ	bring /brɪŋ/
l	l	life /laɪf/
r	r	red /red/
j	j	yes /jes/
w	w	wait /weɪt/

本詞典採用的IPA音標是英國Jones (Daniel Jones) 14版的音標形式，標示標準的英國讀音。

K.K.音標所標示的是美國讀音。

/ ˈ / 表示主重音。

/ ˌ / 表示次重音。

(r) 在英式讀音中，如 r 後面緊接一個元音，發 /r/ 音。

商務
袖珍英漢詞典

CP POCKET
ENGLISH-CHINESE DICTIONARY

尹元耀　史津海　陳榮烈　編

商務印書館

商務袖珍英漢詞典

編　　者：尹元耀、史津海、陳榮烈
繪　　圖：楊志強
責任編輯：莊雪韻
出　　版：商務印書館（香港）有限公司
香港筲箕灣耀興道3號東滙廣場8樓
http://www.commercialpress.com.hk
發　　行：香港聯合書刊物流有限公司
香港新界大埔汀麗路36號
中華商務印刷大廈3字樓
印　　刷：中華商務彩色印刷有限公司
香港新界大埔汀麗路36號中華商務印刷大廈
版　　次：2011年6月第15次印刷

ISBN 978 962 07 0219 8（平裝本）
ISBN 978 962 07 0220 4（精裝本）
Printed in Hong Kong

出版説明

英語是國際通用的語言，英語信息無處不在。**《商務袖珍英漢詞典》**的出版目的，就是為讀者提供一個可隨身攜帶的英語小詞庫，使讀者可隨時隨地解決英語詞語的拼寫、讀音、釋義等問題。

本詞典選詞嚴謹，共收錄超過40,000詞條，當中包括派生詞、複合詞、短語動詞、習語等，全屬常見常用的詞語，也包括近年出現的新詞新義。詞目拼寫、讀音、釋義等，信息簡單明瞭，易於掌握。正文後備多個實用附錄，為讀者正確使用英語提供指引。無論在學校、辦公室或家裏，在閱讀、購物、旅遊時，有了這本小巧輕便的詞典，就可隨時查閱不懂的詞語。

只要您並未完全掌握詞典中的信息，這本小書對您就一定有用。如果不能將十多萬項形、音、義信息記在腦袋裏，何不將它們放在口袋裏，隨時備用？

商務印書館(香港)有限公司

編輯部

一九九九年七月

鳴　謝

本詞典承蒙盧思源教授及路修先生仔細審閱，質量提高不少，謹此向兩位表示萬二分謝意。

商務印書館 (香港) 有限公司

目　錄

發音指南

出版說明 iii

鳴謝 iv

目錄 v

體例說明 vii

詞典正文 1-687

附錄 689

1. 標點符號使用法 690
2. 不規則動詞表 693
3. 度量衡表 700
4. 常見地名表 708
5. 常見英語人名（男） 712
6. 常見英語人名（女） 715
7. 親屬關係表 719

實用英語圖解 721

1. human body 人體 722
2. man's clothes 男士服裝 724
3. woman's clothes 女士服裝 726
4. houses 房屋 728
5. sitting-room 客廳 730
6. dining-room 飯廳 732
7. bedroom 臥室 734
8. bathroom 浴室 736
9. meals 餐食 738
10. electrical appliances 家用電器 740

11. audio-visual appliances 視聽器材 742
12. tools 工具 744
13. kitchenware 炊具 746
14. office 辦公室 748
15. computer 電腦 750
16. musical instruments 樂器 752
17. mathematics 數學 754
18. chemistry laboratory 化學實驗室 756
19. car 汽車 758
20. bicycle & motorcycles 腳踏車與摩托車 760
21. ships 船 762
22. aircraft 飛行器 764
23. Sports I 運動 I 766
24. Sports II 運動 II 768
25. Sports III 運動 III 770
26. Sports IV 運動 IV 772
27. trees 樹 774
28. flowers 花 776
29. fruits 水果 778
30. vegetables 蔬菜 780
31. wild animals 野生動物 782
32. domestic animals 家畜 784
33. birds 鳥 786
34. sea animals 海洋動物 788
35. shapes 形狀 790
36. patterns 圖案 792
37. colours 顏色 794

體例說明

[詞目]

1. 詞條按英文字母順序排列。
2. 詞條主要內容：詞目、國際音標、詞性、中文釋義。
3. 詞條內的詞目排列次序：(1) 主詞目 (2) 派生詞 (3) 複合詞 (4) 習語。例如：(1) salt (2) salted (3) salt-junk (4) worth one's salt。
4. 詞目的排序除按以上第3點所指以外，短語動詞 (phrasal verb) 也附於主詞目後，按英文字母排序。
5. 拼法、發音相同，但詞源不同的單詞，另立條目。例：bank[1] (銀行、庫)；bank[2] (堤岸)；bank[3] (一排開關)。
6. 派生詞與複合詞一般不另立詞條，只將詞尾變化部分列出。例如：safe詞條下的 ~ly (即safely)；但與詞根在拼寫上不能銜接時，則列出全拼寫。例如：sacrifice下的 sacrificial。

[拼法]

7. 詞目可省略部份以括號括起來。例如:：sal(e)able。
8. 詞目有兩種不同拼法，則二者以逗號"，"分隔，後者只列出差異部分，相同部份以短橫"-"代替。例如:：computerize, -se。

[注音]

9. 本詞典採用Daniel Jones系統的第14版國際音標，音標放斜號"/ /"內。關於音標讀法，請閱封面內頁的《發音指南》。
10. 詞頭有兩個不同讀音，則二者以逗號"，"分隔，後者只列出差異部分，相同部分以短橫"-"代替。例如：forehead / fɒrɪd , -red/。
11. 可省略不讀的音標，用斜體排出或放在括號內。例如：renter /rentə(r)/。
12. 因詞性或釋義不同而讀音有別時，會分別標出讀音。例如：contract *n.*/ˈkɒntrækt/ *v.*/kənˈtrækt/。

[詞性]

13. 詞性以白斜體標在詞目後，可參閱「略語表」。

[釋義]

14. 以序號①②③等分開同一詞條下的不同義項。
15. 圓括號“( )”用於習慣搭配、釋義等方面的補充說明。
16. 方括號“[ ]”用於有關語體、語域、語種等方面的略語，以及加註某些釋義、用法等方面的詞形變化、詞源說明等。
17. 魚尾括號“【 】”用於有關專科方面的略語。
18. 代字號“~”用於例證及習語中，代表省略的詞。
19. 連字號“-”用於連接可選擇連寫的複合詞。
20. 等號“=”用於表示釋義相同，但拼法或詞源不同的單詞。

[略語表]

以下為本詞典所用的略語：

（一）詞性略語

a. adjective 形容詞
ad. adverb 副詞
art. article 冠詞
conj. conjunction 連接詞
fem. feminine 陰性
int. interjection 感嘆詞
n. noun 名詞
num. numeral 數詞
pl. plural 複數
p. p. past participle 過去分詞
pref. prefix 前綴
prep. preposition 介詞
pro. pronoun 代詞
sing. singular 單數
suf. suffix 後綴
v. verb 動詞
v. aux. verb auxiliary 助動詞
vi. verb intransitive 不及物動詞
vt. verb transitive 及物動詞
& and 和

(二) 語種略語

[口] 口語
[方] 方言
[古] 古詞，古義
[忌] 禁忌
[罕] 罕用
[昵] 親昵
[兒] 兒語
[俚] 俚語
[書] 書面語
[貶] 貶義

[粗] 粗俗
[喻] 比喻
[婉] 委婉
[詩] 詩歌用語
[學] 學生用語
[諺] 諺語
[諷] 諷刺
[謔] 戲謔
[舊] 舊時用語
[廢] 廢詞，廢義

[日] 日語
[西] 西班牙語
[英] 英國特有用語
[拉] 拉丁語
[法] 法語
[俄] 俄語
[美] 美國特有用語
[意] 意大利語
[德] 德語

(三) 專科略語

【心】心理學
【天】天文學
【化】化學
【古生】古生物學
【史】歷史 (學)
【生】生物 (學)
【印】印刷術
【台】台球
【地】地理學，地質學
【交】交通運輸
【冰】冰球
【技】一般科技
【足】足球
【希神】希臘神話
【冶】冶金技術

【社】社會學
【板】板球
【英橄】英式橄欖球
【昆】昆蟲 (學)
【牧】畜牧
【物】物理學
【股】股票及證券 (交易)
【宗】宗教
【空】航空，航天
【軍】軍事 (學)
【食】食品 (工業)
【律】法律
【建】建築，土木工程

【計】電子計算機技術
【音】音樂
【核】核物理學
【哲】哲學
【氣】氣象學
【海】航海
【紡】紡織染整
【紙】造紙，紙張
【排】排球
【動】動物 (學)
【鳥】鳥類 (學)
【船】船舶，造船
【魚】魚類 (學)
【商】商業，貿易
【烹】烹飪

【棒】棒球
【棋】棋類
【植】植物 (學)
【畫】繪畫
【晶】晶體 (學)
【無】無線電技術
【測】測繪
【統】統計學
【電】電學
【農】農業
【牌】牌戲
【微】微生物 (學)
【解】解剖學
【經】經濟，財政
【漁】漁業
【語】語言學
【網】網球
【數】數學
【機】機械 (工程)
【雕】雕塑
【戲】戲劇
【縫】縫紉，編結
【醫】醫學
【壘】壘球
【獵】狩獵
【藥】藥物 (學)
【羅神】羅馬神話
【礦】礦物 (學)
【籃】籃球
【攝】攝影技術
【鐵】鐵路
【邏】邏輯學
【體】體育

註：部份專科略語近乎全寫，如【考古】、【生理】等，意義明顯，不再列入。

A

A, a /eɪ/ (*pl*. **A's, a's** /eɪz/) // *A1* = *A one* 頭等的;極好的;一流的.

a /強 eɪ; 弱 ə/, **an**/ 強 æn; 弱 ən, n/ *art*. ①一,一個②任何一個;某一個③相同的;同一的④一種;一類 [注意] *a* 一般用於以輔音音素開始的詞前;*an* 則用於以元音音素開頭的詞前.

a-[前綴]表示 on, to, in, into, of, not, out 等.

AA *abbr*. = Alcoholics Anonymous [美]嗜酒者互誡協會; Automobile Association[美]汽車駕駛協會.

AAA (亦作 **triple A**) /trɪpl 'eɪ/ *n*. *abbr*. = anti-aircraft artillery 高射炮.

aard vark /ɑːdvɑːkl/ *n*. 南非的一種長腿、長鼻的食蟻獸.

abaca /'æbəkə/ *n*. 馬尼拉麻.

aback /ə'bæk/ *ad*. 向後 // *be taken* ~ 嚇了一跳.

abacus /'æbəkəs/ *n*. (*pl*. **-cuses**/-kəsɪz/) 算盤.

abaft /ə'bɑːft/ *ad*. & *prep*. 在船尾;向船尾;在…後.

abalone /ˌæbə'ləunɪ/ *n*. 【動】鮑魚.

abandon /ə'bændən/ *vt*. ①放棄;拋棄;遺棄②戒絕③聽任 *n*. 放肆;任性;盡情 **~ed**/ *a*. ①放縱的;任性的②放蕩的;不道德的 **~ment** *n*.

abase /ə'beɪs/ *vt*. ①降低;貶低②使卑下;使屈辱 **~ment** *n*. 失意;屈辱;敗落.

abash /ə'bæʃ/ *vt*. 使…羞愧;使…臉紅 **~ed** *a*. 羞愧的;侷促不安的 **~ment** *n*.

abate /ə'beɪt/ *v*. ①減少;減輕②消除;作廢 **~ment** *n*.

abbess /'æbes/ *n*. 女修道院院長.

abbey /'æbɪ/ *n*. 修道院,寺院.

abbot /'æbət/ *n*. 男修道院院長.

abbr., abbrev. *abbr*. = abbreviation 縮寫詞;縮寫式.

abbreviate /ə'briːvɪeɪt/ *vt*. 省略;縮短 **abbreviation** /-vɪ'eɪʃn/ *n*. ①略語,縮寫②節略③【數】約分.

ABC /ˌeɪ biː 'siː/ *n*. ①初步;入門②火車時刻表.

abdicate /'æbdɪkeɪt/ *v*. ①棄(權)②退(位);辭(職)③【律】廢嫡 **abdication** *n*.

abdomen /'æbdəmən/ *n*. 腹;腹部 **abdominal** *a*.

abduct /əb'dʌkt/ *v*. *t*. 誘拐,拐走 **~ion** *n*. **~or** *n*. 拐子.

abeam /ə'biːm/ *ad*. 【航】正橫(與船的龍骨或飛機機身成直角).

abele /ə'biːl/ *n*. 【植】銀白楊.

abelmosk /'eɪbəlmɒsk/ *n*. 【植】麝香樹;秋葵.

aberrant / æ'berənt/*a*. 越軌的;【醫】失常的,異常的.

aberration /ˌæbə'reɪʃn /*n*. 越軌;【醫】失常;【生】畸變,變形.

abet /ə'bet/ *vt*. 唆使,慫恿 **~ter** *n*. 教唆者;煽動者 **~tor** *n*. 【律】教唆犯 // *aid and* ~【律】教唆;煽動.

abeyance /ə'beɪəns/ *n*. 中止,暫擱.

abhor /əb'hɔː(r)/ *vt*. 憎惡;厭弃 **~rence** *n*. ①厭惡;痛恨②極討厭的人或物 **~rent** *a*. ①可惡的,討厭的②不相容的.

abide /əˈbaɪd/ *v*. (過去式 **abided** 或 **abode** 過去分詞 **abided** 或 **abode** /əˈbəʊd/)①住在②(+by)遵守③等候④忍受 **abiding** *a*. 持久的;不變的.

ability /əˈbɪlətɪ/ *n*. 能力;本事;才能.

abiosis /ˌeɪbaɪˈəʊsɪs/ *n*. 【醫】生活力缺少;無生命狀態 **abiotic** *a*. 無生命的.

abject /ˈæbdʒekt/ *a*. ①落魄的;悲慘的②卑鄙的 **~ion** *n*. ①落魄②卑劣.

abjure /əbˈdʒʊə(r)/ *vt*. 發誓斷絕;公開宣佈放棄 **abjuration** *n*. 誓絕;公開放棄.

ablactation /ˌæblækˈteɪʃn/ *n*. 斷奶.

A-blast /ˈeɪblɑːst/ *n*. 原子彈爆炸.

ablaze /əˈbleɪz/ *ad*. & *a*. ①燃燒,着火②閃耀③激動.

able /ˈeɪbl/ *a*. 有才能的,能幹的 **ably** *ad*. ①能幹地②巧妙地③適宜地 **~d** *a*. 體格健全的(相對於 disabled 而言) **~-bodied** *a*. 強壯的 **~-minded** *a*. 能幹的.

abloom /əˈbluːm/ *ad*. & *a*. 開着花.

ablution /əˈbluːʃn/ *n*. 洗淨;沐浴 **abluent** *a*. & *n*. 洗滌的;洗滌劑.

ABM *abbr*. = antiballistic missile 反彈道導彈.

abnegate /ˈæbnɪgeɪt/ *vt*. ①拒絕;放棄②克制 **abnegation** *n*.

abnormal /æbˈnɔːml/ *a*. 反常的;變態的;不規則的 **~ly** *ad*. **~ity** *n*. 反常;變態;變體;畸形;反常事物.

aboard /əˈbɔːd/ *ad*. & *prep*. 在船(車、飛機)上;上船;登機.

abode /əˈbəʊd/ *n*. 住宅;住處.

abolish /əˈbɒlɪʃ/ *vt*. 取消;廢除 **abolition** *n*. **abolitionism** *n*. 奴隸制度(死刑)廢除論 **abolitionist** *n*. 奴隸制廢除論者.

A-bomb = atom bomb 或 atomic bomb 原子彈.

abominable /əˈbɒmɪnəbl/ *a*. 討厭的;可惡的 // *A- Snowman* (喜馬拉雅山的)雪人.

abominate /əˈbɒmɪneɪt/ *vt*. 厭惡;憎恨 **abomination** *n*. ①厭惡;憎恨②令人厭惡(憎恨)的事物(行為).

aboriginal /ˌæbəˈrɪdʒənl/ *a*. 原生的;土著的 *n*. ①土生動(植)物;土著居民② **(A-)**澳大利亞的土著居民.

aborigines /ˌæbəˈrɪdʒəniːz/ *pl*. *n*. 土著居民;**(A-)**澳大利亞土人.

abort /əˈbɔːt/ *vt*. 流產,墮胎;夭折;失敗 **~icide** /-ɪsaɪd /*n*. 墮胎藥 **~ive** *a*. 流產的;夭折的【藥】墮胎的.

abortion /əˈbɔːʃn/ *n*. ①流產,墮胎②夭折;失敗 **~ist** *n*. 為人墮胎者.

abound /əˈbaʊnd/ *vi*. ①豐富,大量存在②充滿.

about /əˈbaʊt/ *ad*. & *prep*. ①周圍②倒轉③附近④大約⑤關於⑥活動⑦(疾病)流行⑧傳開 // *~-turn* (=[美]*~-face*) ①向後轉(操練動作)②(立場、觀點等的)徹底改變 *be to* (+不定式)即將 *how ~...? what ~...?* [用於徵求意見或詢問消息](你以為)…怎麼樣?

above /əˈbʌv/ *ad*. & *prep*. ①在上面②超過③以上④高於⑤上述 **~board** *ad*. & *a*. 光明正大(地);公開(地) **~-ground** *ad*. & *a*. 在地上;活着(的) **~-mentioned** *a*. 上述的 **~-norm** *a*. 定額以上的 // *~ all* 尤其是;最重要的是.

abracadabra/ˌæbrəkəˈdæbrə/*n*. (尤指魔術師表演時所說的)咒語;符籙.

abrade, abrase /əˈbreɪd, əˈbreɪz/ *vt*. ①擦掉;擦傷②磨損 **abrasion** *n*. 擦傷

處 **abrasive** /*a*.①有磨損作用的②傷人感情的 *n*.磨料;金鋼砂.

abreast /ə'brest/ *ad*.並列;並肩 // *be/keep*～*of* 和…並列;(使)不落後於.

abridge /ə'brɪdʒ/ *vt*. 摘要;節略 **～ment**(或 **abridgment**) *n*.

abroad /ə'brɔːd/ *ad*. ①在國外;到國外②到處(傳開).

abrogate /'æbrəgeɪt/ *vt*. 取消;廢除 **abrogation** *n*.

abrupt /ə'brʌpt/ *a*. ①突然的②粗暴的③陡峭的 **～ness** *n*.

abscess /'æbsɪs/ *n*. 膿腫;潰瘍.

abscission /æb'sɪʒn/ *n*. 切除.

abscond /əb'skɒnd/ *vi*. 逃亡,潛逃.

abseil /'æbseɪl/ *vi*. & *n* 緣繩而下.

absence /'æbsəns/ *n*.①不在,缺席②沒有;缺少 // ～*of mind* 心不在焉.

absent /əb'sent/ *a*. ①缺席的②不在意的;恍惚的③缺乏的 **～ee** *n*.不在者 **～eeism** /-tiːɪzm /*n*.經常曠工,曠課 **～-minded**/ *a*.心不在焉的.

absinthe, absinth/'æbsɪnθ/*n*. 苦艾酒(一種由苦艾和芳香植物調製的含酒精飲料).

absolute /'æbsəluːt/ *a*. ①絕對的;完全的②無條件的③專制的④確實的 **～ly** *ad*.完全地;當然地.

absolution /ˌæbsə'luːʃn/ *n*. 赦免;解除.

absolve /əb'zɒlv/ *vt*. ①赦免;寬恕②解除;免除.

absorb /əb'sɔːb/ *vt*. ①吸收②吞併;同化③專心 **～ed** *a*.專心的 **～ent** *n*.【醫】吸收劑 *a*.吸收的 **～ing** *a*.非常吸引人的 **absorption** *n*.吸收;專心.

abstain /əb'steɪn/ *vi*. ①戒除(烟,酒等)②棄權(如投票) **abstention** *n*.

abstemious /əb'stiːmɪəs/ *a*. 有節制的;飲食有度的.

abstinence /'æbstɪnəns/ *n*. 禁欲;戒酒;節制;節約 **abstinent** *a*.

abstract /'æbstrækt/ *a*. ①抽象的;理論上的②難解的③[美]抽象派的 *n*.①摘要②抽象③【化】提出物 *vt*. /əb'strækt/①抽取②摘要③【化】提出 **～ed** *a*.①分心的;出神的②抽出了的.

abstraction /əb'strækʃn/ *n*. ①抽象②提取③出神 **～ism** *n*.[美]抽象派.

abstruse /əb'struːs/ *a*. 深奧的;難解的;奧妙的.

absurd /əb'sɜːd/ *a*.不合理的;荒謬的;荒唐可笑的 **～ity** *n*.荒謬;謬論;荒唐事.

abundance /ə'bʌndəns/ *n*. 豐富;富裕 **abundant** *a*.

abuse /ə'bjuːz/ *vt*. ①濫用;妄用;②辱罵;虐待 /ə'bjuːs /*n*.①濫用;虐待②辱罵③弊端;陋習 **abusive** *a*.

abut /ə'bʌt/ *v*. 鄰接,毗連;緊靠 **～ment**/ *n*.橋墩;拱座.

abuzz /ə'bʌz/ *a*. 嗡嗡叫的;嘈雜的;活躍的,熱鬧的.

abysmal /ə'bɪzməl/ *a*.①無底的;極端的②非常壞的.

abyss /ə'bɪs/ *n*. 深淵;無底洞.

AC *abbr*. = alternating current 交流電 注:DC *abbr*. = direct current 直流電.

a/c *abbr*. = account(current)(往來)帳戶.

acacia /ə'keɪʃə/ *n*. 阿拉伯樹膠.

academy /ə'kædəmɪ/ *n*. 學會;學院 **academic(al)** /ækə'demɪk, -əl /*a*.學會的;學院的;學術的 **academician** *n*.學會會員;院士 // *A- Award* 美國電影藝術科學院頒發的年度獎(即 Oscar 奧斯卡金像獎).

ACAS *abbr*. = Advisory, Conciliation

and Arbitration Service[英](解决勞資糾紛的)諮詢,調解和仲裁局.

accede /ək'siːd/ *vi*. ①同意;應允②就職③正式參加.

accelerate /ək'seləreɪt/ *vt*. 加速;促進 **acceleration** *n*. 加速度 **accelerator** *n*. 加速器;加速劑.

accent /'æksənt/ *n*. ①重音②口音;腔調 *vt*. /æk'sent/重讀;強調;加重音符號.

accentuate /ək'sentʃueɪt/ *vt*. 重讀;強調 **accentuation** *n*.

accept /ək'sept/ *vt*. ①接受;認可②【商】承兑 **~ance** *n*. **~ed** *a*. 公認的,認可的.

acceptable /ək'septəbl/ *a*. ①可接受的②合意的;受人歡迎的 **acceptability** *n*.

access[1]/'ækses/ *n*. ①接近②通路,門路 **~ible** *a*. 可接近的 **~ion** *n*. ①接近②就職③增加(物),(尤指)新增加的圖書,展品.

access[2]/'ækses/ *n*. 【計】存取時間(= ~time) *v*.【計】存取信息.

accessory /ək'sesərɪ/ *a*. ①附屬的②同謀的 *n*. ①附件;零件②(亦作 **accessary**) 從犯,幫凶 // *~ before/after the fact* 事前(後)從犯,幫凶/包庇,窩贓犯.

accident /'æksɪdənt/ *n*. ①事故;意外②橫禍③【地】起伏 **~al** *a*. 偶然的;意外的 *n*.【樂】臨時符.

acclaim /ə'kleɪm/ *v*. 歡呼;喝彩 **~ation** *n*. ①歡呼;喝彩②鼓掌,歡呼表示通過 **~atory** *a*.

acclimate /ə'klaɪmɪt/ *v*. [美] = acclimatize **acclimation** *n*. [美] = acclimatization.

acclimatize /ə'klaɪmətaɪz/ *v*. (使)服水土;(使)適應新環境 **acclimatization** *n*.

acclivity /ə'klɪvətɪ/ *n*. 斜坡;上斜.

accolade/'ækəuleɪd/*n*. 獎勵;榮譽;嘉獎,讚揚.

accommodate / ə'kɒmədeɪt / *vt*. ①容納②提供住宿③供應;適應 **accommodating** *a*. 隨和的;與人方便的 **accommodation** *n*. ①住所;膳宿②適應//*accommodation address* 臨時通訊地址 *accommodation ladder* 舷梯.

accompany /ə'kʌmpənɪ/ *vt*. 陪同,伴隨;伴奏;合奏 **accompaniment** *n*. 伴奏;伴隨物.

accomplice /ə'kʌmplɪs/ *n*. 【律】共犯;同謀;幫凶.

accomplish /ə'kʌmplɪʃ/ *vt*. 完成;做成;貫徹 **~ed** *a*. 有教養的;有才能的 **~ment** *n*. 成就(*pl*.)①才藝;技能②造詣.

accord /ə'kɔːd/ *v*. ①相一致,符合②給與 *n*. ①一致;調和;符合②協定 // *of one's own* ~自願地;主動地.

accordance /ə'kɔːdəns/ *n*. ①一致②給與 // *in ~ with* 按照,依據.

according /ə'kɔːdɪŋ/ *a*. 照,按,依 // *~ as* 根據;取决於 *~ to* 依據,按照.

accordion /ə'kɔːdɪən/ *n*. 手風琴.

accost /ə'kɒst/ *vt*. ①貿然地招呼;上前和…說話②(妓女)拉客;勾引.

account /ə'kaʊnt/ *n*. ①計算;帳②敍述,報道③理由,原因④重要性;利益 *v*. 說明;認為 **~able** *a*. 有責任的;可說明的 // *on ~ of* 因為 *on all ~s* (或 *on every ~*) 無論如何 *on no ~* (或 *not on any ~*) 决不 *on one's own ~* 為自己打算;自行負責;依靠自己.

accountant /ə'kaʊntənt/ *n*. 會計員.

accounting /ə'kaʊntɪŋ/ *n*. 會計(學).

accoutre, accouter /ə'kuːtə(r)/ *vt*.

穿;裝備 ~**ments** *n*.(士兵的)裝備(通常不包括軍服及武器).

accredit /əˈkredɪt/ *vt*. ①信任②委派③認為…是…所為~**ed** *a*.官方認可的;普遍接受的;立案的.

accretion /əˈkriːʃn/ *n*. 增加;合生;增加物.

accrue /əˈkruː/ *vi*. 產生;增殖;增長.

accumulate /əˈkjuːmjʊleɪt/ *v*. 積聚,積累,堆積 **accumulation** *n*. 積累物 **accumulator** *n*.①積累者②蓄電池.

accuracy /ˈækjərəsɪ/ *n*. 正確;準確;精密 **accurate** *a*.

accursed, accurst /əˈkɜːsɪd, əˈkɜːst/ *a*. ①被詛咒的②不幸的③可恨的;可惡的.

accuse /əˈkjuːz/ *vt*. 指責,譴責;控告 **accusation** *n*. 責備,譴責;控告 **accusatory** *a*. **the** ~**ed.** *n*. 被告.

accustom /əˈkʌstəm/ *vt*. 使習慣 ~**ed** *a*.慣常的.

ace /eɪs /*n*.①幺點②高手,行家③空中英雄④【網】發球得分 *a*.[俚]第一流的// *within an*~*of*[口]差一點.

acerbic /əˈsɜːbɪk/ *a*. ①酸的②尖刻的 **acerbity** *n*.①酸;澀味②尖刻.

acervate /əˈsɜːvət/ *a*. 叢生的;成堆生長的.

acetate /ˈæsɪteɪt/ *n*. ①【化】醋酸鹽②醋酸合成纖維(亦稱 ~**rayon,** ~**silk**).

acetic /əˈsiːtɪk/ *a*. 醋的;酸的 // ~ *acid* 醋酸.

acetous /ˈæsɪtəs/ *a*. 醋一樣酸的;醋的.

acetylene /əˈsetɪliːn/ *n*.【化】乙炔;電石氣.

ache /eɪk/ *n*. 痛 *vi*.痛;渴望,想念 **achy** *a*.[口]疼痛的.

achieve /əˈtʃiːv/ *vt*. 完成,實現,達到 **achievable** *a*.做得到的,可完成的 ~**ment** *n*.完成;成就.

Achilles' heel /əˈkɪliːz ˈhiːl/ *n*. 致命的弱點;致命的缺陷.

Achilles' tendon /əˈkɪliːz ˈtendən/ *n*.【解】跟腱.

achromatic /ˌækrəʊˈmætɪk/ *a*. 非彩色的;消色差的.

acid /ˈæsɪd/ *a*. 酸的;尖刻的 *n*.①【化】酸;②[俚]=LSD(lysergic acid diethylamide)迷幻藥 ~**ity** *n*.酸味;酸性;酸度 ~**ulous** *a*.有酸味的 ~-**proof** /*a*.耐酸的 //~ *precipitation n*.酸性降水 ~ *rain n*.酸雨 ~ *reaction n*.酸性反應.

acierate /ˈæsɪəreɪt/ *vt*. 使(鐵)鋼化.

aciform /ˈæsɪfɔːm/ *a*. 針狀的;銳利的.

ack-ack /ˌækˈæk/ *a*. & *n*. [俚][舊]高射炮(的).

acknowledge /əkˈnɒlɪdʒ/ *vt*. ①認,承認②告知收到③表示感謝 ~**d** *a*.公認的 ~**ment**(亦作 **acknowledg(e)-ment**) *n*.①承認②感謝③回帖;收條// *in* ~*ment of* 答謝.

acme /ˈækmɪ/ *n*. 極點,頂點.

acne /ˈæknɪ/ *n*. 痤瘡;粉刺.

acock /əˈkɒk/ *a*. (帽邊)反捲的.

acolyte /ˈækəlaɪt/ *n*. ①侍僧;侍祭②助手;侍者.

aconite /ˈækənaɪt/ *n*.【植】附子;草烏頭.

acorn /ˈeɪkɔːn/ *n*.【植】橡子~**cup** *n*.橡子殼~ **shell** *n*.【動】藤壺.

acoumeter /əˈkuːmɪtə(r)/ *n*. 測聽計;聽力計.

acoustics /əˈkuːstɪks/ *n*. 聲學;音響效果,音響裝置 **acoustical** *a*.

acquaint /əˈkweɪnt/ *vt*. 使熟悉;告知 ~**ance** *n*.相識;熟人.

acquiesce /ækwɪ'es/ *vi*. 默認,默許 **~nce** *a*. **~nt** *a*.
acquire /ə'kwaɪə(r)/ *vt*. 獲得 **~ment** *n*. 獲得(*pl*.)學識,技藝.
acquisition /ˌækwɪ'zɪʃn/ *n*. 獲得(物) **acquisitive** *a*. 渴望獲得的.
acquit /ə'kwɪt/ *vt*. 開釋;免(罪) **~tal** *n*. 宣判無罪;釋放 **~tance** *n*. 解除;清債.
acre /'eɪkə(r)/ *n*. 英畝 **~age** *n*. 英畝數;面積.
acrid /'ækrɪd/ *a*. 辛辣的;苦的;毒辣的 **~ity** *n*.
acrimony /'ækrɪmənɪ/ *n*. 毒辣;激烈 **acrimonious** *a*.
acrobat /'ækrəbæt/ *n*. 雜技演員 **~ic** *a*., **~ics** *pl*. *n*. 雜技;特技飛行.
acronym /'ækrənɪm/ *n*. 頭字語;首字母縮拼詞(如 NATO = North Atlantic Treaty Organization 北大西洋公約組織).
acrophobia /ˌækrəʊ'fəʊbjə/ *n*. 恐高症.
acropolis /ə'krɒpəlɪs/ *n*. (古希臘城市的)衛城 **the A-**雅典的衛城.
across /ə'krɒs/ *ad*. & *prep*. ①橫過,越過②在對面,在另一邊③交叉.
acrostic /ə'krɒstɪk/ *n*. & *a*. 離合詩句(的);離合詩體(的).
acrotheater /ækrə'θɪətə(r)/ *n*. [美]雜技曲藝聯合演出.
acrylic /ə'krɪlɪk/ *a*. & *n*. 【化】丙烯酸的;丙烯酸纖維,塑料或樹脂// ~ *acid* 丙烯酸.
act /ækt/ *n*. ①行為②法令,條例③(戲劇的)幕 *v*. ①做,幹②扮演(角色);演(戲)③奏效④假裝;充當 **~ing** *n*. & *a*. ①行為;演技②代理的;演出用的 **~or** *n*. 男演員 **~ress** *n*. 女演員.
actinism /'æktɪnɪzəm/ *n*. 射綫化學變化;光化作用.
actinium /æk'tɪnɪəm/ *n*. 【化】錒(元素名,符號為 Ac).
actinoid /'æktɪnɔɪd/ *a*. 放射綫狀的 **actinology** *n*. 放射綫學 **actinometer** *n*. 光度計;曝光計.
action /'ækʃn/ *n*. ①行動;作用②情節③戰鬥④訴訟 **~able** *a*. 可控告的// ~ *replay*(電視)某一鏡頭的重放.
active /'æktɪv/ *a*. ①活動的;積極的②活潑的③戰鬥的④放射性的⑤主動的⑥【醫】有特效的 **activate** *vt*. 使活動;使有放射性;活化 **activator** *n*. 【化】活化劑 **activity** *n*. 活動;放射性 **activist** *n*. (社會或政治活動的)積極分子.
actual /'æktʃʊəl/ *a*. 現實的,實際的 **~ly** *ad*. 實際上;竟然 **~ity** *n*. (*pl*.)現實,現狀.
actuary /'æktʃʊərɪ/ *n*. 保險統計員;[舊](法院的)記録員.
actuate /'æktʃueɪt/ *vt*. 開動;驅動 **actuation** *n*.
acuity /ə'kju:ətɪ/ *n*. 尖鋭;敏鋭.
acumen /æ'kjʊmen/ *n*. 敏鋭;聰明.
acupressure /'ækjʊˌpreʃə(r)/ *n*. 【醫】(亦稱 **shiatsu**)指壓(療法).
acupuncture /'ækjʊpʌŋktʃə(r)/ *n*. 針刺(法);針灸.
acute /ə'kju:t/ *a*. ①鋭利的;敏鋭的②劇烈的;嚴重的;厲害的③急性的(疾病).
ad /æd/ *n*. [口]廣告(= advertisement).
AD *abbr*. = anno Domini[拉]公元.
adage /'ædɪdʒ/ *n*. 格言;諺語.
adagio /ə'dɑ:dʒɪəʊ/ *ad*. & *a*. [意]緩慢地(的) *n*. 【樂】柔板.
Adam /'ædəm/ *n*. [俚]"亞當"迷幻藥

(亦稱 **ecstasy**).

adamant /'ædəmənt/ *a*. 堅决的;堅硬的.

Adam's apple /ædəms æpl/ *n*. 喉結.

adapt /ə'dæpt/ *v*. (使)適應;改編,改寫 **~able** *a*. ①可適應的②能改寫的 **~ability** *n*. 適應性 **~ation** *n*. ①適應②改編(的作品) **~er, ~or** *n*. 轉接器,多頭插座.

add /æd/ *v*. ①加,增加;增添②接着説// ~ *up* ①合計②[口]合情合理 ~ *up to* 合計達;[俗]意味着.

addendum /ə'dendəm/ *n*. (*pl*. **addenda**) 補遺;附録.

adder /'ædə(r)/ *n*. 【動】蝮蛇,蝰蛇.

addict /'ædikt/ *vt*. 使沉溺於;對…上癮 *n*. 有(毒)癮的人;[俗]醉心於,從事…的人 **~ed** *a*. 沉溺於;醉心於 **~ion** *n*. ①沉溺②吸毒成癮 **~ive** *a*. 使上癮的.

addition /ə'dɪʃn/ *n*. ①附加;加法②增加物 **~al** *a*. 附加的;另外的// *in* ~ 另外,加之 *in* ~ *to*;除…之外.

additive /'ædɪtɪv/ *n*. (食品中的)添加物;添加劑(=food ~).

addle /'ædl/ *v*. ①(使)腐壞②(使)混亂③(使)糊塗 **~d** *a*. ①變質腐敗的②混亂的③糊塗的.

address /ə'dres/ *n*. 地址;致辭;演説 *vt*. ①寫姓名地址於信件上②對…講演;致力於 **~ee** *n*. 收信人,收件人.

adduce /ə'djuːs/ *vt*. 引證;舉出(理由或例子).

adenoids /'ædɪnɔɪdz/ *pl*. *n*. 【醫】腺樣增殖體 **adenoidal** /-'nɔɪdl /*a*. 腺樣增殖體的;患腺樣增殖症的.

adept /'ædept/ *a*. 熟練的; *n*. 内行;能手.

adequate /'ædɪkwət/ *a*. 足夠的;適當的;勝任的 **adequacy** *n*.

adhere /əd'hɪə(r)/ *vi*. ①粘着②堅持③追隨 **~nce** *n*. 依附;堅持 **~nt** *a*. 粘着的;依附的 *n*. 支持者;信徒.

adhesion /əd'hiːʒn/ *n*. 粘着;支持;信奉【醫】粘連.

adhesive /əd'hiːsɪv/ *a*. 粘性的 *n*. 膠粘劑// ~ *plaster* 橡皮膏.

ad hoc /ˌæd 'hɒk/ *ad*. & *a*. [拉]為某一特定目的而安排地(的);特別(地).

adieu /ə'djuː/ *int*. 再會;一路平安 *n*. 告别.

ad infinitum /ˌæd ˌɪnfɪ'naɪtəm/ *ad*. [拉]無限地,永遠地.

adipose /'ædɪpəus/ *a*. (多)脂肪的;胖的 **adiposity** /ˌædɪ'pɒsətɪ/ *n*. 肥胖;多脂.

adj. *abbr*. = adjective【語】形容詞.

adjacent /ə'dʒeɪsnt/ *a*. 毗連的,鄰近的; **adjacency** *n*. ①毗連,鄰近②鄰接物.

adjective /'ædʒɪktɪv/ *n*. & *a*. ①形容詞(的)②附屬的.

adjoin /ə'dʒɔɪn/ *v*. 接近,鄰近;臨近 **~ing** *a*. 鄰接的;隔壁的.

adjourn /ə'dʒɜːn/ *v*. ①暫停;休會②到(另一地方去) **~ment** *n*. 休會;延期.

adjudge /ə'dʒʌdʒ/ *vt*. 判决;評判給 **adjudg(e)ment** *n*.

adjudicate /ə'dʒuːdɪkeɪt/ *v*. 判决;宣判 **adjudication** *n*.

adjunct /'ædʒʌŋkt/ *n*. ①附屬物;助手②【語】修飾語.

adjure /ə'dʒuə(r)/ *vt*. 嚴令;懇求 **adjuration** /ˌædʒuə'reɪʃn /*n*.

adjust /ə'dʒʌst/ *v*. ①對準;調整②(使)適應 **~able** *a*. 可調整的;可校準的, **~ment** *n*.

adjutant /ˈædʒʊtənt/ *a*. 輔助的 *n*. 副官;(印度產之)大鸛(亦作~ **bird**).

ad lib /ˌæd ˈlɪb/ *a*. [口]即興的, 即席的;臨時穿插的 *ad*. [口]①即興地, 即席地②隨心所欲地, 盡情地.

adman /ˈædmæn/ *n*. [口]廣告員;廣告製作人.

admin/ˈædmɪn/ *n*. [口] *abbr*. = administration.

administer /ədˈmɪnɪstə(r)/ *v*. ①管理;支配②行使;執行③給予;用(藥)④使做 **administration** *n*. ①管理②行政機構;部門③給予④(A-)[美]政府, 內閣 **administrative** *a*. 管理的;行政的 **administrator** *n*. 管理人;行政人員.

admirable /ˈædmərəbl/ *a*. 可欽佩的;極好的.

admiral /ˈædmərəl/ *n*. 海軍上將;艦隊司令 **Admiralty** *n*. [舊]英國海軍部.

admire /ədˈmaɪə(r)/ *vt*. 讚美;欽佩 **admiration** /ˌædməˈreɪʃn /*n*. 讚美;欽佩;令人讚美的人或物 **~r** *n*. 讚賞者;愛慕某一女子的男人.

admissible /ədˈmɪsəbl/ *a*. ①可採納的;許入的②【律】(證據)可接受的 **admissibility** *n*.

admission /ədˈmɪʃn/ *n*. ①許入;入場費②承認.

admit /ədˈmɪt/ *v*. ①許入;招收②容納;容③承認 **~tance** *n*. 許可入場 **~ted** *a*. 公認的 **~tedly** *ad*. 公認地.

admixture /ædˈmɪkstʃə(r)/ *n*. 混合(物);攙合(劑).

admonish /ədˈmɒnɪʃ/ *vt*. 告誡;勸告 **admonition** *n*. **admonitory** *a*.

ad nauseam /ˌæd ˈnɔːzɪæm/ *a*. [拉](冗長反覆得)令人厭煩的.

ado /əˈduː/ *n*. ①忙亂;無謂的紛擾②困難 // *make much ~ about nothing* 無事空忙;小題大作.

adobe /əˈdəʊbɪ/ *n*. 磚坯;(曬乾的)土坯;泥磚砌成的房屋.

adolescence /ˌædəˈlesns/ *n*. 青春期 **adolescent** *a*. 青春期的少年.

adopt /əˈdɒpt/ *vt*. ①採用;收養②選定③批准;通過 **~ed** *a*. 被收養的 **~ion** *n*. **~ive** *a*. 收養的.

adorable /əˈdɔːrəbl/ *a*. 值得敬慕的;[口]極可愛的.

adore /əˈdɔː(r)/ *vt*. 崇拜;敬慕,[口]喜歡 **adoration** /ˌædəˈreɪʃn /*n*. **adoring** *a*.

adorn /əˈdɔːn/ *vt*. 裝飾 **~ment** *n*. 裝飾(品).

ADP *abbr*. = automatic data processing 自動數據處理.

adrate /ˈædreɪt/ *n*. 附加稅.

adrenal /əˈdriːnl/ *a*. 腎上腺的 **~in(e)** /əˈdrenəlɪn/ *n*. 【藥】腎上腺素 // *~ gland* 腎上腺.

adrift /əˈdrɪft/ *ad*. & *a*. 飄浮, 漂流;漂泊;隨命運擺佈的;漫無目的地.

adroit /əˈdrɔɪt/ *a*. 靈巧的, 機敏的 **~ness** *n*.

adsorb /ædˈsɔːb/ *vt*. 吸附 **~ent** /-ənt /*a*. 【化】有吸附力的 *n*. 吸附劑 **adsorption** *n*. 吸附作用.

adulate /ˈædjʊleɪt/ *vt*. 諂媚, 拍馬屁 **adulation** *n*. **adulator** *n*. 拍馬屁的人 **adulatory** *a*. 拍馬屁的.

adult /ˈædʌlt/ *a*. 已成人的;成熟的 *n*. 成年人;成蟲;成熟的植物 **~hood** *n*. 成年.

adulterate /əˈdʌltəreɪt/ *vt*. 攙雜;攙假 **adulteration** *n*.

adultery /əˈdʌltərɪ/ *n*. 通奸, 私通 **aduterer** /-rə(r)/ *n*. 奸夫 **adulteress** *n*. 奸婦 **aduterous** *a*. 通奸的.

adumbrate /'ædʌmbreɪt/ *vt*. ①畫輪廓;略示②預示;暗示 **adumbration** *n*.
adv., *abbr*. = adverb【語】副詞.
advance /əd'vɑːns/ *v*. ①推進;提高;提升②提前;預付;貸款 *n*. ①前進;上漲②貸款;預付③(*pl*.)友好的表示;求愛 **~d** *a*. 先進的;年老的;高深的;(夜)深的 **~ment** *n*. 先進;促進;進步;晉升 // *in* ~預先;在前面.
advantage /əd'vɑːntɪdʒ/ *n*. 利益;優點;長處 *vt*. 使有利;有助於 **~ous** *a*. 有利的;有益的.
advent /'ædvənt/ *n*. ①到來②(**A-**)耶穌降臨;降臨節 **~itious**/ ˌædvən'tɪʃəs /*a*. ①外來的②偶然的③【醫】偶發的④【生】遺傳的.
adventure /əd'ventʃə(r)/ *n*. 冒險;冒險的經歷(或事業);奇遇; **~r**, (**~ss**) *n*. (女)冒險家;(女)投機家 **adventurous** *a*. (愛)冒險的 // ~ *playground* 兒童遊樂場.
adverb /'ædvɜːb/ *n*. 【語】副詞 **~ial** *a*. 副詞的;狀語的 *n*. 狀語.
adversary /'ædvəsərɪ/ *n*. 敵手;對手.
adverse /'ædvɜːs/ *a*. 逆的;相反的;不利的 **adversity** *n* 逆境;苦難;不幸.
advert /əd'vɜːt/ *vi*. 留意;談到 /'ædvɜːt /*n*. [英俗]廣告.
advertise /'ædvətaɪz/ *v*. (登)廣告 **~ment** /əd'vɜːtɪsmənt; [美] ˌædvər'taɪzmənt /*n*. 廣告 **advertising** *a*. 廣告的 *n*. 登廣告;廣告業 **advertorial** *n*. 社論式廣告.
advice /əd'vaɪs/ *n*. ①勸告;意見②【商】通知③(*pl*.)消息.
advisability /ədˌvaɪzə'bɪlətɪ/ *n*. 可取;得當.
advisable /əd'vaɪzəbl/ *a*. ①可取的②適當的③明智的.
advise /əd'vaɪz/ *v*. ①勸告②通知 **~d** *a*. 考慮過的;消息靈通的 **~dly** *ad*. ①深思熟慮地②故意地 **~r**(亦作 **advisor**) *n*. 勸告者;顧問 **advisory** *a*. 勸告的;諮詢的.
advocacy /'ædvəkəsɪ/ *a*. ①擁護;提倡②辯護.
advocate /'ædvəkəɪt/ *n*. ①擁護者;倡議者②律師 /-kət /*vt*. 擁護;提倡;辯護.
adz, adze /ædz/ *n*. 錛子;扁斧,手斧.
aegis /'iːdʒɪs/ *n*. ①【希神】主神宙斯(Zeus)的神盾②保護;支持;贊助 // *under the* ~ *of sb/sth* 在…庇護(支持)下;由…主辦(贊助).
aeon(亦作 **eon**) /'iːən/ *n*. 永世,萬古 **~ian** /iː'əunɪən /*a*. 永世的.
aerate /'eəreɪt/ *vt*. 充氣於;使暴露於空氣中 **aeration** *n*. 通風;通氣.
aerial /'eərɪəl/ *a*. 空中的 *n*. 【無】天綫.
aerie /'aɪərɪ/ *n*. (鷹)巢.
aeriform /'eərɪfɔːm/ *a*. 氣狀的;無形的.
aero-[前綴]表示"空氣","空中","航空" 如: **~-amphibious** /ˌeərəuæm'fɪbɪəs/ *a*. 海陸空(聯合)的 **~ballistics** /ˌeərəubə'lɪstɪks /*pl*. *n*. 航空彈道學 **~batics** /ˌeərəu'bætɪks /*n*. 花式飛行;特技飛行 **~bee** /-biː / *n*. 小火箭 **~biology** /ˌeərəubaɪ'ɒlədʒɪ /*n*. 大氣生物學 **~boat** *n*. 水上飛機 **~bus** / 'eərəubʌs /*n*. 客機,班機 **~cade** /eərəu'keɪd /*n*. ~飛行隊 **~done** /'eərəudəun /*n*. 滑翔機 **~drome** / 'eərəudrəum /*n*. 飛機場 **~dynamics** / ˌeərəudaɪ'næmɪks /*n*. 空氣動力學 **~foil** /'eərəufɔɪl/ *n*. 機翼;翼型;翼剖面 **~gram** /'eərəugræm /*n*. 航空信件 **~grapher** /eə'rɒgrəfə(r) /*n*. 氣象員 ~

lite, **~lith** /'eərəʊlaɪt, 'eərəʊlɪθ / *n*. 石隕石 **~meter** /eə'rɒmɪtə(r) / *n*. 氣體比重計 **~metry** /eə'rɒmɪtrɪ / *n*. 氣體測量(學) **~naut** /'eərənɔːt / *n*. 氣球(飛艇)駕駛員 **~nautics** /ˌeərə'nɔːtɪks / *n*. 航空學 **~phone** /'eərəfəʊn / *n*. 助聽器;擴音器 **~plane** /'eərəpleɪn / *n*. [英]飛機 **~shed** /'eərəʃed / *n*. 飛機庫 **~stat** /'eərəʊstæt / *n*. 氣球 **~track** /'eərətræk / *n*. 飛機場 **~view** /'eərəvjuː / *n*. 鳥瞰圖.

aerobe /'eərəʊb/ *n*. 需氧菌.

aerobics /eə'rəʊbɪks/ *n*. 健身舞;增氧健身術.

aerosol /'eərəsɒl/ *n*. (裝香水,殺蟲劑等)噴霧器.

aerospace /'eərəʊspeɪs/ *n*. 地球大氣層及其外層空間.

aesthete /'iːsθiːt;[美]**esthete** 'esθiːt/ *n*. 審美家 **aesthetic** *a*. 審美的;美學的 **aesthetics** *n*. 美學 **aestheticism** *n*. 唯美主義.

aether = ether.

aetiology/ˌiːtɪ'ɒlədʒɪ/ *n*. 病因學.

afar /ə'fɑː(r)/ *ad*. 遥遠地;在遠處.

affable /'æfəbl/ *a*. 和藹可親的;宜人的 **affability** /ˌæfə'bɪlətɪ / *n*.

affair /ə'feə(r)/ *n*. ①事情;事件②男女曖昧關係③ (*pl*.)業務;事務.

affect /ə'fekt/ *vt*. ①影響②感動③(指疾病)使感染④愛好⑤假裝,冒充 **~ation** *n*. 假裝;做作 **~ed** *a*. ①受了影響的②做作的③假裝的 **~ing** *a*. 感人的 **~ion** *n*. 感情;愛好;(*pl*.)愛慕 **~ionate** *a*. 充滿深情的,慈愛的.

affiance /ə'faɪəns/ *n*. ①信約;婚約②[古]信賴;信用.

affidavit /ˌæfɪ'deɪvɪt/ *n*. 宣誓書.

affiliate /ə'fɪlɪeɪt/ *vt*. 使隸屬於;吸收為會員;参與 *n*. /ə'fɪlɪət/會員;附屬機構 **affiliation** *n*. 加入;吸收為會員;關係.

affinity /ə'fɪnətɪ/ *n*. ①姻親②近似③吸引力;愛好④【化】親合力⑤【生】親緣.

affirm /ə'fɜːm/ *vt*. 斷言;肯定 **~ant** *n*. 斷言者;確認者 **~ation** *n*. **~ative** *a*.

affix /ə'fɪks/ *vt*. 貼上;附加上;簽上 *n*. /'æfɪks/①附件②【語】詞綴.

afflict /ə'flɪkt/ *vt*. 使苦惱;折磨 **~ion** /-ʃn/ *n*. 苦惱;憂傷.

affluent /'æfluənt/ *a*. 豐富的;富裕的 **affluence** *n*.

afford /ə'fɔːd/ *vt*. ①買得起;(在時間,金錢等上)承擔得起,花費得起②給予;提供 **~able** *a*.

afforest /ə'fɒrɪst/ *vt*. 造林;綠化 **~ation** *n*.

affray /ə'freɪ/ *n*. 打架;紛爭;鬧事.

affront /ə'frʌnt/ *vt*. & *n*. 侮辱;冒犯.

Afghan /'æfgæn/ *a*. 阿富汗人(語)的 *n*. 阿富汗人(語).

afield /ə'fiːld/ *ad*. 離;遠離 // *far* ~ 遠離;入歧途.

aflame /ə'fleɪm/ *ad*. & *a*. 燃燒着;大為激動(地).

AFL-CIO *abbr*. = American Federation of Labor and Congress of Industrial Organizations 美國勞工聯合會-產業工會聯合會(略作勞聯-產聯).

afloat /ə'fləʊt/ *ad*. & *a*. 漂浮;在海上;浸在水中;流傳.

afoot /ə'fʊt/ *ad*. & *a*. 進行中;活動中;[舊]步行.

aforecited /ə'fɔːsaɪtɪd/ *a*. 上述的.

aforesaid /ə'fɔːsed/ *a*. 前述的.

aforethought /ə'fɔːθɔːt/ *a*. 早先想到

的;預謀的 // *with malice* ~【律】(指罪行)預謀的.

aforetime /ə'fɔːtaɪm/ *ad*. 從前.

Afr. *abbr*. = Africa(n).

afraid /ə'freɪd/ *a*. 害怕的;擔心的;恐怕.

afresh /ə'freʃ/ *ad*. 重新.

African /'æfrɪkən/ *a*. 非洲(人,語)的 *n*. 非洲人.

Afrikaans/ˌæfrɪ'kɑːns/ *n*. 南非荷蘭語 *a*. 南非白人的;南非荷蘭語的.

Afrikaner /ˌæfrɪ'kɑːnə/ *n*. 南非白人.

Afro- [前綴] 表示"非洲(的)"之意 **~-American** /ˌæfrə ʊə'merɪkən/ *n*. & *a*. 美國黑人(的) **~-Asian** /ˌæfrəʊ 'eɪʃn/ *a*. 亞非的.

afro /'æfrəʊ/ *n*. & *a*. 蓬鬆捲曲髮型(的);埃弗羅髮式的.

aft /'ɑːft/ *a*. & *ad*. 在(或到)船(或飛機)尾.

after /'ɑːftə(r)/ *prep*. 在後;晚於;儘管;由於;依照;追求 *ad*. 後來;在後 *conj*. 在…之後【醫】**~birth** *n*. 胎衣 **~care** *n*. ①(病後)調養②(釋放後之)安置③(機器之)定期維修 **~clap** *n*. 意外變動 **~crop** *n*. 第二次收穫 **~effect** *n*. 後效;副作用 **~glow** *n*. ①餘輝;夕照②餘韵,餘味 **~grass** *n*. 再生草 **~image** *n*. ①【心】遺像②餘感 **~life** *n*. 來世;晚年 **~math** *n*. (不幸事件的)後果;結果 **~most** *a*. 最後面的 **~noon** *n*. 下午 **~pains**【醫】產後痛 **~s** *n*. 正餐最後一道之甜食 **~sales** *a*. 售後的 **~shock** *n*. 餘震 **~taste** *n*. 回味 **~thought** *n*. 事後的想法;計劃外添加物 **~ward(s)** *ad*. 後來;以後 **~wit** *n*. 事後諸葛亮 **~word** *n*. 跋;編後記 // *~all* 畢竟.

aftershave/'ɑːftəʃeɪv/ *a*. & *n*. 剃鬚後搽的(潤膚香水).

again /ə'gen/ *ad*. 又,再;加倍;另外;而且 // *~ and ~* 再三地 *as much (many) ~ as* 加倍,翻一番 *now and ~* 有時.

against /ə'geɪnst/ *prep*. ①對着②反對;違反③防備④倚靠⑤對照;對比⑥用…交換. // *~ a rainy day* 未雨綢繆地 *~ one's will (wishes)* 無奈;違背自己的意願.

agape /ə'geɪp/ *ad*. & *a*. ①張開着②目瞪口呆.

agar /'eɪgə(r)/, **agaragar** /eɪgər'eɪgə(r)/ *n*. 石花菜;瓊脂;凍粉.

agaric /'ægərɪk/ *n*. 蘑菇;木耳.

agate /'ægət/ *n*. 瑪瑙.

agave /ə'geɪvɪ/ *n*.【植】龍舌蘭.

age /eɪdʒ/ *n*. ①年齡②成年;老年③時代④壽命⑤長時間 *v*. 上年紀;(使)變老 **~d** *a*. 老年的;…歲的 **~less** *a*. 不會老的;永恆的 **~-old** *a*. 古老的.

ag(e)ism /'eɪdʒɪzəm/ *n*. 老人歧視;年齡歧視.

agenda /ə'dʒendə/ *n*. 議程表.

agent/'eɪdʒənt/ *n*. 代理人;動因;作用物;**agency** *n*. 作用;代理,代辦;代理處;經銷處;政府機構 // *secret* ~ 特務,密探.

agent provocateur /ˌæʒɒn prəˌvɒkə'tɜː(r)/ *n*. [法](政府或警方僱用的)坐探,內綫.

agglomerate /ə'glɒməreɪt/ *v*. (使)成團;(使)結塊 *n*. 團塊 *a*. /-rɪt/ 成團的;結塊的 **agglomeration** *n*. 凝聚作用.

agglutinate /ə'gluːtɪneɪt/ *v*. 膠合;(使)粘結 **agglutination** *n*. **agglutinative** *a*.

aggrandize /ə'grændaɪz/ *vt*. 擴張(權力);提高(地位);增加(財富) **~ment**

/-dɪzmənt/ *n*.[口].

aggravate /'ægrəveɪt/ *vt*. ①加重②使惡化③[口]使惱火 **aggravating** *a*. ①使…惡化的②惱人的 **aggravation** *n*.加重;惡化;激怒;令人惱火的事.

aggregate /'ægrɪgeɪt/ *vt*. 聚集;共計 *a*.聚集的;合計的./-gət/ *n*.聚集;聚合體;骨料 **aggregation** *n*.聚集.

aggression /ə'greʃn/ *n*. 侵略 **aggressive** *a*.①侵略的;愛尋釁的②有進取心的③敢作敢為的 **aggressor** *n*.侵略者.

aggrieved /ə'gri:vd/ *a*. 感到憤憤不平的.

aggro /'ægrəʊ/ *n*. [英俚]尋釁鬧事.

aghast /ə'gɑ:st/ *a*. 吃驚的;嚇呆的.

agile /'ædʒaɪl/ *a*. 敏捷的;機敏的 **agility** *n*.

agitate /'ædʒɪteit/ *v*. ①使不安,使焦慮②鼓動;煽動③攪動;搖動 **~d** *a*.焦慮不安的;激動的 **agitation** *n*. **agitator** *n*.鼓動者;攪拌器.

aglow /ə'gləʊ/ *ad*. & *a*. 發亮;發紅.

AGM *abbr*. = annual general meeting 年度大會,年會.

agnail /'ægneɪl/ *n*. = hangnail ①(指甲旁的)倒刺②(脚趾上)雞眼.

agnostic /æg'nɒstɪk/ *n*. 不可知論者 *a*.不可知論的 **~ism** *n*.不可知論.

ago /ə'gəʊ/ *ad*. 以前;前.

agog /ə'gɒg/ *a*. ①渴望的②興奮激動的.

agony /'ægənɪ/ *n*. 極度痛苦 **agonize** /'ægənaɪz/ *v*.(使)極度痛苦;折磨 **agonizing** *a*.使人苦惱的 // *~ column*(報刊上的)讀者來信專欄.

agoraphobia /ˌægərə'fəʊbɪə/ *n*. 【醫】廣場恐怖症 **agoraphobic** *n*.廣場恐怖症患者 *a*.患廣場恐怖症的.

agrarian /ə'greərɪən/ *a*. 土地的;耕地的.

agree /ə'gri:/ *v*. ①同意;答應②性情投合③意見一致;符合;相宜 **~able** *a*.①欣然贊同的②宜人的③一致的 **~ment** *n*.①一致②協議;契約 // *a gentleman's ~ment* 君子協定.

agriculture /'ægrɪkʌltʃə(r)/ *n*. 農業;農藝;農學 **agricultural** *a*.農業的;農藝的;農學的 **agricutur(al)ist** *n*.農學家.

agro-[前綴]表示"土壤,農業,田地"如: **~biology** *n*.農用生物學 **~chemical** /ˌægrəʊ'kemɪkl/ *n*.農業化學製品;農藥 **~logy** /ə'grɒlədʒɪ/ *n*.農業土壤學 **~nomy** /ə'grɒnəmɪ/ *n*.農藝學;作物學 **~techny** /'ægrəʊteknɪ/ *n*.農產品加工學.

aground /ə'graʊnd/ *ad*. & *a*. 擱淺.

ague /'eɪgju:/ *n*. 瘧疾;發冷.

ah /ɑ:/ *int*. 啊!.

ahead /ə'hed/ *ad*. & *a*.在前,向前;提前.

ahem /ə'həm/ *int*. 啊嗨! (輕咳聲).

ahoy /ə'hɔɪ/ *int*.【海】喂! 啊嗬! (船員招呼船隻或人的喊聲).

AI *abbr*. = artificial intelligence【計】人工智能.

AID *abbr*. = Agency for International Development [美]國際開發署.

aid /eɪd/ *n*. & *v*. 幫助,支持;救護;助手;助力;輔助物 **~man** *n*.戰地醫務急救員 **~ post, ~ station** *n*.前綫救護站 // *~ and abet*【律】同謀;夥同作案.

aide /eɪd/ *n*.(= aide-de-camp) 副官;助手.

aide-de-camp /ˌeɪd də 'kɒm/ [法]副官;隨從武官.

aide-mémoire /ˌeɪd mem'wɑ:(r)/ [法](外交上的)備忘錄.

AIDS *abbr*. = acquired immune deficiency syndrome 艾滋病, 愛滋病(獲得性免疫缺損綜合症).

aigrette /'eɪgret/ *n*. 【鳥】鷺鷥.

AIH *abbr*. = artificial insemination by husband 配偶人工授精.

ail /eɪl/ *v*. ①使苦惱; 使痛苦②生病 **~ing** *a*. [舊]不舒服的; 生病的. **~ment** *n*. 小病; 失調.

aileron /'eɪlərɒn/ *n*. 【空】副翼, 輔助翼.

aim /eɪm/ *v*. ①(把…)瞄準; (把…)針對②目的在於 *n*. 瞄準; 目的 **~less** *a*. 無目的的.

ain't /eɪnt /①[美口] = am not, are not, is not② *abbr*. = has not, have not.

air /eə(r)/ *n*. ①空氣, 大氣②天空③[舊]微風④曲調⑤神態; 外表⑥(*pl*.)做作的姿態或擺出來的架子 *vt*. ①晾乾②透氣通風③顯示; 誇示, **~ily** *ad*. 輕快地; 輕率地; 快活地 **~ing** *n*. 晾乾; 通風; 發表(意見、想法) **~less** *a*. 缺少新鮮空氣的; 空氣不流通的 **~y** *a*. ①空氣的②通風的③空虛的④輕快的; 輕浮的⑤裝腔作勢的 **~bed** (= ~mattress) *n*. 空氣床墊 **~bladder** *n*. 氣胞; 鰾 **~borne** *a*. 空運的; 空降的; 在飛行中的 **~brush** *n*. 噴槍 *vt*. 用噴槍噴 **~bus** *n*. (短程)大型客機, 空中巴士 **~cast** *n*. [美]無綫電廣播 **~conditioning** *n*. 空調 **~-cooler** *n*. 空氣冷却器 **~craft** *n*. 飛機 (**~craft carrier** *n*. 航空母艦) **~-cushion** *n*. 氣墊 **~drome** *n*. [美]機場 **~drop** *vt*. & *n*. 空投 **~field** *n*. 機場 **~fight** *n*. 空戰 **~gun,** ~ **rifle** *n*. 氣槍 **~lift** *vt*. & *n*. 空運 **~line** *n*. 航空公司 **~liner** *n*. 大型客機 ~ **lock** *n*. 氣塞; 氣密艙. **~mail** *n*. 航空郵件 *vt*. 用航空郵寄 **~man** *n*. 飛行員或機組人員; [英]皇家空軍士兵 *n*. 測氣計 **~plane** *n*. [美]飛機(= [英]aeroplane) **~-sailer** *n*. 滑翔機 **~screw** *n*. 飛機螺旋槳 **~shed** *n*. 飛機庫 **~ship** *n*. 飛船 ~ **show** *n*. 航空表演 **~sickness** *n*. 暈機 **~strip** *n*. 臨時飛機跑道 ~ **taxi** *n*. [美]出租飛機 **~tight** *a*. 不透氣的; 密封的 **~way** *n*. = ~line 航綫 **~wise** *a*. 熟悉航空的 **~worthy** *a*. 耐飛的, 適宜飛行的 // ~*base* 空軍基地 ~*brake* 空氣掣動器 ~ *conditioner* 空調機 *A-Corps*/'eəkɔː/[美]飛行大隊 ~ *cover*/*umbrella* 空中掩護 ~ *force* 空軍 ~ *gauge* 氣壓計 ~ *hostess* 空中小姐 ~ *shaft*(隧道、礦井的)(通)風井.

airhead /'eəhed/ *n*. [美俚]傻瓜.

aisle /aɪl/ *n*. 走廊; 過道 // *roll in the* ~(觀衆)捧腹大笑.

ajar /ə'dʒɑː(r)/ *ad*. & *a*. (門)半開着.

akimbo /ə'kɪmbəʊ/ *ad*. 兩手扠腰 // *with arms* ~ 兩手扠腰的(地).

akin /ə'kɪn/ *a*. 同族的; 同種的; 類似的.

Al 【化】元素鋁.

AL *abbr*. = American Legion 美國軍團(美國退伍軍人協會).

alabaster /'æləbɑːstə(r)/ *n*. 雪花石膏.

a la carte /ɑː lɑː 'kɑːt/ *a*. & *ad*. 按菜單點菜的(地).

alacrity /ə'lækrətɪ/ *n*. ①樂意②敏捷.

à la mode /ˌɑː lɑː 'məʊd/ *ad*. 時新 *a*. 流行的[美](食品)加冰淇淋的.

alarm /ə'lɑːm/ *n*. 驚慌; 警報; 警報器 *vt*. 使驚慌; 發警報 **~ing** *a*. **~ist** *n*. 大驚小怪; 無事驚擾者. **~word**

n.暗號;黑話. // ～*clock* 鬧鐘.

alas /əˈlæs/ *int*. [舊]哎呀!噫!.

Alaskan /əˈlæskən/ *a*. & *n*. 阿拉斯加的;阿拉斯加人.

Albanian /ælˈbeɪnɪən/ *a*. & *n*. 阿爾巴尼亞(人,語)的;阿爾巴尼亞人(語).

albatross /ˈælbətrɒs/ *n*.【鳥】信天翁.

albedo /ælˈbiːdəʊ/ *n*.【天】反射率;反照率.

albeit /ɔːlˈbiːɪt/ *conj*. [舊]雖然;儘管.

albino /ælˈbiːnəʊ/ *n*. 白化病患者;【生】白化體;白變種 **albinism** ～ *n*.【醫】白化病.

album /ˈælbəm/ *n*. 相冊;照片集;郵冊;唱片集.

albumin /ˈælbjʊmɪn/ *n*.【化】白蛋白;白朊 **～oid** *a*.白朊似的. *n*.【化】賽白朊 **～ous** *a*.含白朊的;有胚乳的.

alchemy /ˈælkemɪ/ *n*.煉金術,煉丹術 **alchemist** *n*. 煉金術士,煉丹術士.

alcohol /ˈælkəhɒl/ *n*. 酒精;醇;乙醇 **～ic** *a*.(含)酒精的 *n*.酒鬼 **～ism** *n*.酗酒;酒精中毒// ～*abuse* 酗酒.

alcove /ˈælkəʊv/ *n*. 壁龕;涼亭.

aldehyde /ˈældɪhaɪd/ *n*.【化】醛;乙醛.

alder /ˈɔːldə(r)/ *n*.【植】赤楊,接骨木.

alderman /ˈɔːldəmən/ *n*. 市參議員;市議員.

ale /eɪl/ *n*.(淺色)濃啤酒 **～house** *n*.(昔日英國)酒吧.

aleatory /ˈeɪlɪətərɪ/ *a*. 碰運氣的;尚未肯定的.

alembic /əˈlembɪk/ *n*. 蒸餾器.

alert /əˈlɜːt/ *a*. 警惕的;機敏的 *n*.警報,警戒狀態;警戒期間 *v*.使警覺// *on the*～警惕着,警戒着.

A level /eɪ levl/ [英俗] = Advanced level 高級程度(英國大學入學需具備的高級考試成績).

alexandrite /ˌælɪgˈzændraɪt/ *n*. 紫翠玉;變色寶石.

alfalfa /ælˈfælfə/ *n*.【植】紫花苜蓿.

alfresco /ælˈfreskəʊ/ *ad*. & *a*. 在戶外(的).

alga /ˈælgə/ (*pl*. **-gae** /-dʒiː/) *n*.【植】海藻.

algebra /ˈældʒɪbrə/ *n*. 代數學 **～ic** /-ˈbreɪk/ *a*.

Algerian /ælˈdʒɪərɪən/ *a*. 阿爾及利亞的;阿爾及利亞人的;阿爾及利亞語的 *n*.阿爾及利亞人(語).

ALGOL (亦作 **Algol**) *n*. *abbr*.【計】算法語言.

algorithm /ˈælgərɪðəm/ *n*.【計】算法;演段.

alias /ˈeɪlɪəs/ *n*. 別名;化名 *ad*.別名叫;化名為.

alibi /ˈælɪbaɪ/ *n*.【律】不在現場的申辯(或證據)[口]藉口,托詞 *v*.[美俗](為…)辯解.

alien /ˈeɪlɪən/ *a*. ①外國(人)的②異己的;相異的;陌生的 *n*.外國人;外僑 **～able** *a*.【律】可讓渡的,可轉讓的 **～ate** *vt*.使疏遠;離間【律】讓渡;轉讓(所有權) **～ation** *n*.

alight /əˈlaɪt/ *vt*. ①下車(馬)②飛落,降落③偶然碰見 *a*.燒着的;照亮的.

align /əˈlaɪn/ *v*.(使)成一行;(使)結盟 **～ment** *n*.列隊;結盟.

alike /əˈlaɪk/ *a*. 相同的 *ad*.一樣地;相似地.

alimentary /ˌælɪˈmentərɪ/ *a*. 有關食物的;有關營養的 **alimentotherapy** /ˌælɪmentəʊˈθerəpɪ/ *n*.食物療法 // ～*canal* *n*.消化道.

alimony /ˈælɪmənɪ/ *n*.【律】贍養費,生活費.

A-line /eɪ'laɪn/ *a*. (裙褲等)上窄下寬成喇叭型的.

aliquant /'ælɪkwənt/ *a*. & *n*. 除不盡的(數).

aliquot /'ælɪkwɒt/ *a*. & *n*. 除得盡的(數).

alive /ə'laɪv/ *a*. ①活着;繼續存在的②有生氣的③充滿的④知曉的.

alkali /'ælkəlaɪ/ (*pl*. ~(**e**)**s** /-laɪz/) *n*.【化】鹼 **alkaline** *a*.(含)鹼的 **alkaloid** /-lɔɪd/ *n*.生物鹼.

all /ɔ:l/ *a*. ①所有的;全部的;整個的②極度的 *n*. & *pro*. 一切, 全體 *ad*.①完全, 全然, 都②(球賽)各方得分均為… **~-clear** *n*.解除警報 **~-embracing** *a*. 無所不包的 **~-fired** *a*. & *ad*. 非常的(地) **~-overish** *a*.[口]渾身不舒服的 **~-purpose** *a*.通用的,可作各種用途的 **~-round** *a*.全面的;全能的;廣博的 **~-rounder** *n*. 多面手;全能運動員 **~-star** *a*.由明星們主演的 **~-time** *a*.空前的;前所未聞的 **~-weather** *a*.全天候的 // ~*along* 始終;一路 ~*at once* 突然 ~*but* 簡直是, 幾乎 ~*in*[口]疲倦極了 ~*in* ~總之 ~*out* 竭盡全力 ~*over*①渾身, 到處②全完了③十足;完全是 ~*ready* 一切就緒的 ~*right* 行, 好;良好;平安 ~*there*[口]頭腦清醒的;機警的 ~*told* 總共, 合計.

Allah /'ælə/ *n*. (伊斯蘭教)安拉, 真主;神.

allay /ə'leɪ/ *vt*. 減輕, 解除(痛苦, 憂慮等).

allege /ə'ledʒ/ *vt*. 斷言;宣稱 **allegation** /ˌælɪ'geɪʃn/ *n*. 斷言;辯解 **~d** *a*.被説成的;被指控的. **~dly** *ad*.據説;被指控地.

allegiance /ə'li:dʒəns/ *n*. 忠誠;歸順;忠心.

allegory /'ælɪgərɪ/ *n*. 寓言;諷喻 **allegoric**(**al**) *a*. **allegorist** /*n*.寓言作家;諷喻家 **allegorize** *v*.用諷喻方式敍述;作寓言.

allegretto /ˌælɪ'gretəʊ/ *ad*. [意]【樂】稍快 *n*.小快板.

allegro /ə'leɪgrəʊ/ *ad*. [意]【樂】輕快地, 活潑地 *n*. & *a*.快板(的).

allergy /'ælədʒɪ/ *n*.【醫】變(態反)應性;過敏[口]憎惡 **allergen** *n*.【醫】變應源;過敏源. **allergic** *a*. **allergist** *n*.治療變應症或過敏症專家.

alleviate /ə'li:vɪeɪt/ *vt*. 減輕, 緩和(痛苦, 疼痛等) **alleviation** *n*.

alley /'ælɪ/ *n*. ①小路;巷;里弄②(九柱戲或保齡球之)球道.

alliance /ə'laɪəns/ *n*. 聯盟, 同盟;聯姻.

allied 是 ally 之過去式.

alligator /'ælɪgeɪtə(r)/ *n*.【動】短吻鱷魚;短吻鱷魚皮革.

alliterate /ə'lɪtəreɪt/ *v*. (使)押頭韻 **alliteration** *n*.頭韻(法) **alliterative** *a*.

allocate /'æləkeɪt/ *vt*. 分配;分派;劃撥 **allocation** *n*.分配物;分配量;分配;分派.

allogamy /ə'lɒgəmɪ/ *n*. ①【植】異花受粉②【動】異體受精.

allopath (**allopathist**) /'æləʊpæθ, (ə'lɔpʊθɪst)/ *n*. 對抗療法醫師 **~ic** *a*. **~y** *n*.對抗療法.

allot /ə'lɒt/ *vt*. 分配;撥給 **~ment** *n*. ①分配;份額②[英]租給私人種蔬菜的)小塊公地.

allotrope /'æləʊtrəʊp/ *n*.【化】同素異形體 **allotropic**(**al**) *a*. **allotropism, allotropy** *n*.同素異形.

allow /ə'laʊ/ *v*. ①允許;准許;容許②

讓…得到③考慮到;顧及 **~able** *a*.

allowance /ə'laʊəns/ *n*. ①津貼,補助②折扣③份額 // *make ~s for* 考慮到;顧及;扣除.

alloy /'ælɔɪ/ *n*. 合金; /ə'lɔɪ/ *v*. ①熔合;合鑄②減低…成色;降低(品質,價值);(使)損壞.

allspice /'ɔːlspaɪs/ *n*. 牙買加胡椒.

allude /ə'luːd/ *vi*. 暗指,暗示;間接提及 **allusion** *n*. 引喻.

allure /ə'lʊə(r)/ *v*. 引誘;誘惑 **~ment** *n*. 誘惑力;誘餌.

alluvium /ə'luːvɪəm/ *n*. 【地】冲積層 **alluvial** *a*.

ally /ə'laɪ/ *v*. (使)結盟;(使)聯姻 *n*. /'ælaɪ/同盟國;同盟者 **allied** *a*. ①同盟的② **A-**(第一次世界大戰中)協約國的;(第二次世界大戰中)同盟國的. **the Allies**(第一次世界大戰中的)協約國;(第二次世界大戰中的)同盟國.

Alma Mater /ˌælmə 'mɑːtə(r)/ *n*. [拉]母校.

almanac /'ɔːlmənæk/ *n*. 曆書,月曆,日曆;年鑒.

almighty /ɔːl'maɪtɪ/ *a*. 全能的;[口]極大的. **the A-** *n*. 上帝(=A- God).

almond /'ɑːmənd/ *n*. 杏仁;扁桃 **~-eyed** *a*. 杏眼的.

almoner /'ɑːmənə(r)/ *n*. [英舊]醫院之社會服務員(現稱 medical social worker);[美舊]施賑吏.

almost /'ɔːlməʊst/ *ad*. 差不多,幾乎.

alms /ɑːmz/ *n*. (單複數同形)[舊]捐款;救濟品 **~giving** *n*. 賑濟 **~house** *n*. [舊]濟貧所;養老院.

aloe /'æləʊ/ *n*. 【植】蘆薈 *pl*. 【藥】蘆薈(亦作 **bitter~s**) **~swood** *n*. 伽羅木,沉香.

aloft /ə'lɒft/ *ad*. 高高地;向上.

aloha /ə'ləʊə/ *int*. [夏威夷語]你好;再見.

alone /ə'ləʊn/ *a*. & *ad*. 獨;只,僅 // *let* ~不管;別碰;更不用說.

along /ə'lɒŋ/ *prep*, & *ad*. 沿着;一道;向前 **~shore** *ad*. 沿海,沿岸 **~side** *ad*. & *prep*. 在旁,靠着;並排地,並肩地[口]與…一道;除…以外.

aloof /ə'luːf/ *ad*. 離開,避開; *a*. 冷漠的 **~ness** *n*. 超然;冷漠.

alopecia /ˌæləˈpiːʃɪə/ *n*. 禿頭症;脫毛症.

aloud /ə'laʊd/ *ad*. 高聲地.

alp /ælp/ *n*. 高山;(瑞士的)山地牧場 **the Alps** 阿爾卑斯山脈.

alpaca /æl'pækə/ *n*. ①【動】羊駝②羊駝毛;羊駝呢.

alpenstock /'ælpənstɒk/ *n*. 鐵頭登山杖.

alpha /'ælfə/ *n*. ①希臘字母表中第一個字母②最初;開始;(考試成績)優等,最高分 // *~ and omega* 首尾;始終 *~ particle* 阿爾法粒子 *~ ray* 阿爾法射綫,阿爾法粒子流.

alphabet /'ælfəbət/ *n*. 字母表 **~ical** *a*. 按字母表順序的 **~ize** *vt*. 按字母表順序排列.

alpine /'ælpaɪn/ *a*. 高山的; **(A-)**阿爾卑斯山脈的 *n*. 高山植物.

already /ɔːl'redɪ/ *ad*. ①已經②(沒想到)早已.

Alsatian /æl'seɪʃn/ *n*. 阿爾薩斯大狼狗(常訓練作警犬).

also /'ɔːlsəʊ/ *ad*. 也,亦,同樣,還 **~-ran** *n*. [口]落選的馬;(競賽、競爭)落選者,失敗者.

Altair /æl'teə(r)/ *n*. 【天】牽牛星.

altar /'ɔːltə(r)/ *n*. 祭壇;聖餐枱 **~-piece** *n*. 祭壇上方及後面的繪畫或其它藝術品.

altazimuth /æl'tæzɪməθ/ *n*. 【天】經緯儀.

alter /'ɔːltə(r)/ *v*. 變更,改變 **~able** *a*. **~ation** *n*. **~ative** *a*.

altercation /ˌɔːltə'keiʃn/ *n*. 爭辯;爭吵.

alter ego /'æltər 'egəʊ/ *n*. [拉]另一個自己;知己朋友.

alternate /ɔː'tɜːnət/ *a*. 交替的,輪流的;候補的;間隔的 *n*.替換物;代理人 /'ɔːltəneɪt/ *v*. (使)輪流;(使)交替 **alternation** /-'neɪʃn/ *n*. **alternating** *a*.交流的(alternating current 交流電) **alternator** *n*.交流發電機.

alternative /ɔː'tɜːnətɪv/ *a*. 兩者(或兩者以上)擇一的;別種的 *n*.兩者(或兩者以上)擇一;可選用的方法// ~*birthing*【醫】非傳統分娩法(指在產院以外場所的土法分娩) ~*energy* 新能源(如太陽能,風力等) ~*technology* 替代技術(為保護環境和自然資源而開發的新科技).

althorn /'æltho:n/ *n*. 【樂】中音薩克號.

although /ɔː'ðəʊ/ *conj*. 雖然;儘管.

altimeter /'æltɪmiːtə(r)/ *n*. 高度計.

altitude /'æltɪtjuːd/ *n*. (海拔)高度.

alto /'æltəʊ/ *n*. 【樂】男聲最高音;女低音(=contralto);中音樂器.

altogether /ˌɔːltə'geðə(r)/ *ad*. ①全然;總共②總之.

altruism /'æltruːɪzəm/ *n*. 利他主義 **altruist** *n*.利他主義者.

alum /'æləm/ *n*. 明礬.

alumina /ə'ljuːminə/ *n*. 【化】礬土;鋁氧土.

aluminium /ˌæljʊ'mɪnɪəm/(**aluminum** /ə'luːmɪnəm/[美]) *n*. 鋁.

alumna /ə'lʌmnə/ (*pl*. **-nae** /niː/) *n*. [美]女畢業生;女校友.

alumnus /ə'lʌmnəs/ *n*(*pl*. **-ni** /-naɪ/) [美]男畢業生;男校友.

alumroot /'æləmruːt/ *n*. 【植】礬根草.

alveolar /æl'vɪələ(r)/ *n*. & *a*. 【語】齒齦音(的)(如t,d等).

alveolus /æl'vɪələs/ *n*. 蜂窩 **alveolate** *a*.蜂窩狀的.

alvine /'ælvaɪn/ *a*. 腸的;腹部的.

always /'ɔːlweɪz/ *ad*. 永遠;總是.

alyssum /'ælɪsəm/ *n*. 【植】十字花科庭薺屬植物.

am /æm 強音;əm, m 弱音/ *v*. (動詞be的第一人稱,單數,現在式)是;為.

AM *abbr*. = amplitude modulation 調幅.

A.M. *abbr*. = Master of Arts 文學碩士.

a.m., A.M. *abbr*. 上午.

amalgam /ə'mælgəm/ *n*. 混合物;【冶】汞合金,汞齊.

amalgamate /ə'mælgəmeɪt/ *v*. (使)混合,(使)合併 **amalgamation** *n*.

amanuensis /əˌmænjʊ'ensɪs/ *n*.(*pl*. **-ses**) 抄寫員;聽寫員.

amaranth /'æmərænθ/ *n*. (人們想像中的)不凋花;莧.

amaryllis /ˌæmə'rɪlɪs/ *n*. 【植】宮人草;孤挺花.

amass /ə'mæs/ *vt*. 積累;積聚.

amateur /'æmətə(r)/ *a*. 業餘的;外行的,不熟練的 *n*.①業餘愛好者②非專業性人員;外行 **~ish** *a*.[貶]不熟練的.

amatory /'æmətərɪ/ *a*. 戀愛的;色情的.

amaurosis /ˌæmɔː'rəusis/ *n*.【醫】黑內障,青盲 **amaurotic** *a*.

amaze /ə'meɪz/ *vt*. 使大為吃驚,使驚愕 **~ment** *n*. **amazing** *a*,令人驚奇

的.

Amazon /'æməzən/ *n*. ①傳說中的女戰士②強壯高大的婦女.

ambassador /æm'bæsədə(r)/ *n*. 大使 **~ial** *a*. **ambassadress** *n*.女大使;大使夫人// ~-*at-large* 無任所大使.

amber /'æmbə(r)/ *n*. 琥珀 *a*.琥珀色的,黃褐色的.

ambergris /'æmbegri:s/ *n*. 龍涎香.

ambidextrous /ˌæmbɪ'dekstrəs/ *a*. 左右兩手同樣靈巧的.

ambience /'æmbɪəns/ *n*. 環境;氣氛 **ambient** *a*.周圍的;包圍着的.

ambiguous /æm'bɪgjʊəs/ *a*. ①多義的②含糊不清的;不明確的 **ambiguity** /-'gju:ətɪ/ *n*.含糊;不明確;模棱兩可的話(或文字).

ambit /'æmbɪt/ *n*. [書](權力,職權等的)界限;範圍.

ambition /æm'bɪʃn/ *n*. 野心;雄心 **ambitious** *a*.野心勃勃的;有雄心壯志的. **ambitiousness** *n*.

ambivalence /æmbɪ'væləns/ *n*. 矛盾心理 **ambivalent** *a*.有矛盾感情的.

amble /'æmbl/ *n*. & *vi*. (人)漫步,徐行;(馬)溜蹄.

ambrosia /æm'brəʊzɪə/ *n*. ①【羅神】神仙的食物②美味芳香的食物 **~l** *a*.

ambulance /'æmbjʊləns/ *n*. 救護車.

ambuscade /ˌæmbəs'keɪd/ *n*. & *v*. 埋伏;伏擊.

ambush /'æmbʊʃ/ *n*. & *v*. 埋伏(處);伏擊;伏兵.

ameba /ə'mi:bə/ = amoeba.

ameliorate /ə'mɪ:lɪəreɪt/ *v*. 改善,改良 **amelioration** *n*. **ameliorative** *a*.

amen /ɑ:'men/ *int*. 阿門(心願如此)(用於祈禱結尾).

amenable /ə'mi:nəbl/ *a*. ①願服從的;肯聽話的②可檢測的 **amenability** *n*.

amend /ə'mend/ *v*. 改正,修正 **~able** *a*, **~ment** *n*.

amends /ə'mendz/ *n*. 賠償;賠罪 // *make ~ for* 為…賠償(損失);為…賠罪道歉.

amenity /ə'mi:nətɪ/ *n*. ①舒適,適意②(常用複)令人舒適愉快的事物或設施.

ament /ə'mənt/ *n*. 【植】葇荑花序.

amerce /ə'mɜ:s/ *vt*. 罰款 **~ment** *n*. **amerciable** *a*.

American /ə'merɪkən/ *a*. 美洲的;美國的 *n*.美洲人;美國人 **~ism** *n*.美國式英語的用詞;美國習俗 **~ize** /-aɪz/ *vt*.使美國化 **~-Indian** *n*. (亦作 *Amerindian*)美洲印地安人.

Ameripol /ə'merɪpɒl/ *n*. [美]人造橡膠.

amethyst /'æmɪθɪst/ *n*. 【礦】紫晶;紫水晶.

amiable /'eɪmɪəbl/ *a*. 和藹可親的 **amiabibity** *n*. **amiably** *ad*.

amicable /'æmɪkəbl/ *a*. 友好的;和睦的 **amicability** *n*. **amicably** *ad*.

amide /'æmaɪd/ *n*. 【化】酰胺.

amid(st) /ə'mɪd(st)/ *prep*. 在…中間;在其中.

amino acid /əˌmi:nəʊ 'æsɪd/ *n*. 氨基酸,胺酸.

amiss /ə'mɪs/ *a*. & *ad*. 差錯(地);不恰當(地) // *come* ~不稱心;有妨礙 *go* ~不順當 *take sth* ~見怪;生氣.

amity /'æmətɪ/ *n*. 親善;友好;和睦.

ammeter /'æmɪtə(r)/ *n*. 安培計;電流表.

ammo /'æməʊ/ *n*. [軍俚] = ammunition 彈藥.

ammonia /ə'məʊnɪə/ *n*. 【化】氨(NH_3);氨水(亦作 **liquid ~**).

ammonite /'æmənaɪt/ *n*. 【古生】菊石,鸚鵡螺化石.
ammunition /ˌæmjʊ'nɪʃn/ *n*. 彈藥;爭辯中使用的論據.
amnesia /æm'niːzɪə/ *n*.【醫】健忘症.
amnesty /'æmnəstɪ/ *n*. 大赦.
amniocentesis /ˌæmnɪəʊsen'tiːsɪs/ *n*.【醫】羊膜刺透(術).
amniotic fluid /'æmnɪətɪk fluːɪd/ *n*.【解】羊水.
amnion /'æmnɪən/ *n*.【解】羊膜.
amoeba /ə'miːbə/ (*pl*. **-bae** /-biː/ , **-bas**) *n*.【生】變形蟲;阿米巴.
amok, amuck /ə'mɒk, ə'mʌk/ *ad*. & *a*. 狂暴;狂怒// *run*~橫衝直撞;胡砍亂殺.
among(st) /ə'mʌŋ(st)/ *prep*. 在(多數)之中,在…中間;在…之間分給每個成員.
amoral /ˌeɪ'mɒrəl/ *a*. 不基於道德標準的;不知是非的. **~ity** *n*.
amorous /'æmərəs/ *a*. 好色的;色情的;多情的 **~ly** *ad*. **~ness** *n*.
amorphous /ə'mɔːfəs/ *a*. 無定形的;無組織的.
amortize /ə'mɔːtaɪz/ *vt*. ①【律】讓渡(不動產)給法人②【經】攤提(資產)③分期償還(債務) **amortization** *n*. ①【律】不動產的讓渡②分期償還.
amount /ə'maʊnt/ *vi*. 總計;等於 *n*. ①總數;數量②要旨.
amour /ə'mʊə(r)/ *n*. 婚外戀,奸情.
amp /æmp/ ①(ampere 之略)安培②([口]=amplifier)擴音器.
amperage /'æmpərɪdʒ/ *n*. 安培數.
ampere /'æmpeə(r)/ *n*.【電】安培 **~-meter** *n*. 電表.
ampersand /'æmpəsænd/ *n*. "&"(表示 and 之符號).
amphetamine /æm'fetəmiːn/ *n*.【藥】安非他明,氨基丙苯.
amphibian /æm'fɪbɪən/ *n*. ①兩栖類動物②水陸兩用飛機(車輛) **amphibious** *a*. 水陸兩栖的;水陸兩用的.
amphitheatre, -ter /'æmfɪˌθɪətə(r)/ *n*. 圓形競技場;圓形劇場.
amphora /'æmfərə/ *n*. (古希臘或羅馬的)兩耳酒(油)罐.
ample /'æmpl/ *a*. 充分的;富足的;廣大的 **amply** *ad*.
amplify /'æmplɪfaɪ/ *vt*. 擴大, 增強;詳述 **amplification** *n*. **amplifier** /-ə/ *n*.【電】擴音器,放大器.
amplitude /'æmplɪtjuːd/ *n*. 廣闊;充足;【物】振幅// ~*modulation* 振幅調制.
amp(o)ule /'æmpuːl/ *n*. 安瓿(裝注射液的密封小玻璃瓶).
amputate /'æmpjʊteɪt/ *vt*.【醫】截(肢) **amputation** *n*. **amputator** *n*. 施行截肢手術者 **amputee** *n*. 被截肢者.
amtrack /'æmtræk/ *n*. 水陸兩用車輛.
amuck =amok.
amulet /'æmjʊlɪt/ *n*. 護身符.
amuse /ə'mjuːz/ *vt*. 逗…樂(笑);使…高興;給…娛樂 **~ment** *n*. 娛樂;消遣 **amusing** *a*. 有趣的, 好笑的// *amusement arcade* 遊樂廳 *amusement park* 遊樂園.
an→a.
anabolic steroid /ˌænə'bɒlɪk s'terɔɪd/ *n*. 合成代謝類固醇(運動員服用之興奮劑——為國際比賽所禁用者).
anabolism /ə'næbəʊlɪzəm/ *n*.【生】合成代謝.
anachronism /ə'nækrənɪzəm/ *n*. 時代錯誤; 不合時宜的人或事物

anachronistic(al) *a*.

anaconda /ˌænəˈkɒndə/ *n*. (南美產的)蟒蛇.

an(a)emia /əˈniːmɪə/ *n*. 【醫】貧血症 **an(a)emic** *a*. ①貧血的②蒼白的;缺少生氣的.

anaerobe /æˈneərəʊb/ *n*. 【微】厭氧微生物 **anaerobic** *a*. 厭氧的.

anaesthesia /ˌænɪsˈθiːzɪə/ *n*. 麻醉 **anaesthetic** /-ˈθetɪk/ *a*. *n*. 麻醉的;麻醉劑 **anaesthetist** *n*. 麻醉師 **anaesthetize** *vt*. 使麻醉,使麻木.

anagram /ˈænəgræm/ *n*. (變動字母排列順序而形成的)變位字(詞句).

anal /ˈeɪnl/ *a*. 肛門的.

analgesia /ˌænælˈdʒiːzɪə/ *n*. 【醫】痛覺缺失;止痛法 **analgesic** *a*. 痛覺缺失的;止痛的. *n*. 止痛藥.

analogic(al) /ˌænəˈlɒdʒɪk(əl)/ *a*. 類似的;類推的.

analogous /əˈnæləgəs/ *a*. 類似的;模擬的.

analogue /ˈænəlɒg/ *n*. 類似物 // ~ *computer* 模擬電腦.

analogy /əˈnælədʒɪ/ *n*. 類似;【邏】類推.

analyse /ˈænəlaɪz/ *vt*. 分解;分析;精神分析(=psychoanalyse) **analysis** /əˈnæləsɪs/ *n*. (*pl*. **-ses**)①分解;分析②精神分析(=psychoanalysis) **analyst** /ˈænəlɪst/ *n*. 分析家;精神分析學家(=psychoanalyst) **analytic(al)** *a*.

anaphora /əˈnæfərə/ *n*. 【語】指代法.

anaplasty /ˈænəplæstɪ/ *n*. 整形外科術 **anaplastic** *a*.

anarchy /ˈænəkɪ/ *n*. 無政府狀態 **anarchic** /əˈnɑːkik/ *a*. 無政府(主義)的 **anarchism** /ˈænəkɪzəm/ *n*. 無政府主義 **anarchist** *n*. 無政府主義者.

anathema /əˈnæθəmə/ *n*. ①極討厭的人或事物;詛咒②【宗】咒逐 **anathematize** *vt*. 詛咒.

anatomy /əˈnætəmɪ/ *n*. ①解剖學②(動、植物的)構造③人體④剖析 **anatomical** *a*. 解剖(學)的 **anatomist** *n*. 解剖學家.

ancestor /ˈænsəstə(r)/ *n*. 祖先 **ancestral** *a*. **ancestry** *n*. (集合詞)列祖列宗;世系;血統.

anchor /ˈæŋkə(r)/ *n*. 錨 *v*. 拋錨;(把…)固定 **~age** *n*. 錨地 **~man(woman)** *n*. ①(廣播或電視的)節目主持人②(團體賽或接力賽中)最後出場的運動員.

anchorite /ˈæŋkəraɪt/ *n*. 隱士.

anchovy /ˈæntʃəvɪ/ *n*. 【魚】鯷.

ancient /eɪnʃənt/ *a*. 古代的;古老的 *n*. 古代的人.

ancillary /ænˈsɪlərɪ/ *a*. 輔助的;附屬的.

and /ənd, ən/ *conj*. ①和,與②又,並③那麼;然後④因而,於是.

andante /ænˈdæntɪ/ *a*. & *ad*. 【樂】用行板(演奏)的(地) *n*. 行板.

andiron /ˈændaɪən/ *n*. (壁爐的)柴架.

androgynous /ænˈdrɒdʒɪnəs/ *a*. 雌雄同體的;兼兩性的.

android /ˈændrɔɪd/ *n*. 擬人自動機,機器人.

anecdote /ˈænɪkdəʊt/ *n*. 軼事;趣聞 **anecdotal** *a*.

anemometer /ˌænɪˈmɒmɪtə(r)/ *n*. 風速計.

anemone /əˈnemənɪ/ *n*. 【植】白頭翁;秋牡丹.

aneroid barometer /ˌænərɔɪd bəˈrɒmɪtə(r)/ *n*. 無液氣壓計.

aneurysm, aneurism /ˈænjʊərɪzəm/ *n*.

【醫】動脈瘤.

anew /əˈnjuː/ *ad*. 重新.

angel /ˈeɪndʒl/ *n*. 天使;仁慈善良的人 // ~*dust* [俚]"天使塵"(一種粉狀迷幻藥).

angelica /ænˈdʒelɪkə/ *n*.【藥】白芷 Chinese~當歸.

angelus /ˈændʒɪləs/ *n*.【天主】(早中晚三次祈禱時念的)三鐘經;宣告念三鐘經的鐘聲.

anger /ˈæŋɡə(r)/ *n*. 怒, 憤怒, *vt*. 使發怒;使生氣.

angina (pectoris) /ænˌdʒaɪnə (ˈpektərɪs)/ *n*.【醫】心絞痛;咽喉痛.

angle /ˈæŋgl/ *n*. ①角;角度;角落;棱角②觀點 *v*. ①(使)轉變角度②釣魚;謀取 **~r** *n*. 釣魚者 **angling** *n*. 釣魚.

Anglican /ˈæŋglɪkən/ *a* & *n*. (英國國教)聖公會的(教徒) **~ism** *n*. 聖公會教義.

anglicize, -se /ˈæŋglɪsaɪz/ *v*. (在語言, 習俗方面)(使)英國化 **anglicism** *n*. 英國式的語言和習俗.

Anglo- /ˌæŋgləʊ-/ [前綴]表示"英國", "英國的"和"英裔的", 如: ~-*American n*. 英裔美國人 *a*. 英美的 ~-*Catholic a*. & *n*. 英國國教聖公會高教派的(教徒) ~-*Indian n*. & *a*. 英印混血兒(的) ~*phil*(*e*) /-faɪl/ *n*. 親英派的人 ~*phobe* /-fəʊb/ *n*. 仇(或恐)英派的人 ~*phobia* /-fəʊbɪə/ *n*. 仇(或恐)英心理 ~-*Saxon* /-ˈsæksn/ *n*. & *a*. 盎格魯撒克遜族(的);盎格魯撒克遜語(的).

angora /æŋˈgɔːrə/ *n*. ①安哥拉長毛兔(羊或貓)②安哥拉長毛兔(或羊)毛③安哥拉長毛兔(或羊)毛織成之毛呢.

Angostura /ˌæŋgəˈstjʊərə/ *n*. ①(南美產的)安哥斯圖拉苦味樹皮②(用這種樹皮製的)安哥斯圖拉滋補液(亦作 **~Bitters**).

angry /ˈæŋgrɪ/ *a*. 發怒的;憤怒的.

angst /æŋst/ *n*. 焦慮;擔心.

angstrom /ˈæŋstrəm/ *n*.【物】埃(測量波長之單位, 為一億分之一厘米).

anguish /ˈæŋgwɪʃ/ *n*. (極度的)痛苦 **~ed** *a*. 極痛苦的.

angular /ˈæŋgjʊlə(r)/ *a*. ①有角的;用角度量的②瘦骨嶙峋的③不靈活的 **~ity** *n*.

anhydrite /ænˈhaɪdraɪt/ *n*.【礦】硬石膏.

anhydrous /ænˈhaɪdrəs/ *a*. 無水的.

anil /ˈænɪl/ *n*.【植】木藍;靛藍.

aniline /ˈænɪliːn/ *n*. 苯胺.

animadvert /ˌænɪmædˈvɜːt/ *v*. 指責;批評 **animadversion** /-ʃən/ *n*.

animal /ˈænɪml/ *n*. ①動物;禽獸;牲畜②牲畜般的人 *a*. 動物的;肉欲的 **~cule** /ænɪˈmælkjuːl/ *n*. 微動物;微生物.

animalist /ˈænimәlɪst/ *n*. ①縱欲者;獸性主義者②擁護動物生存權者.

animate /ˈænɪməɪt/ *vt*. ①賦與生命;使有生氣;激勵②繪製(卡通, 動畫片) *a*. 有生氣的 **animation** *n*. ①興奮②卡通製作 **animator** *n*. 卡通製作者.

animated /ˈænɪməɪtɪd/ *a*. 栩栩如生的;生氣勃勃的 // ~ *cartoon* 動畫片, 卡通.

animism /ˈænɪmɪzəm/ *n*. 泛靈論;萬物有靈論 **animist** *n*. 泛靈論者 **animistic** *a*.

animosity /ˌænɪˈmɒsətɪ/ *n*. 仇恨;憎惡;敵視.

animus /ˈænɪməs/ *n*. 仇恨;敵意.

anion /'ænɑɪən/ *n*. 陰離子.
anise /'ænɪs/ *n*. 【植】大茴香.
aniseed /'ænɪsiːd/ *n*. 茴香子.
ankle /'æŋkl/ *n*. 踝 **~t** *n*. 脚鐲.
annals /'ænlz/ *pl*. *n*. 編年史;年表;年鑒 **annalist** *n*. 編年史作者.
anneal /ə'niːl/ *vt*. 【冶】使退火;使鍛煉.
annelid /'ænəlɪd/ *n*. 【動】環蟲;蠕蟲.
annex /ə'neks/ *vt*. ①併吞;擅自拿走②附加 **~ation** *n*. ①吞併;吞併物②附加;附加物.
annex(e) /'æneks/ *n*. 附屬建築.
annihilate /ə'naɪəleɪt/ *vt*. 消滅;殲滅, **annihilation** *n*.
anniversary /ˌæni'vɜːsərɪ/ *n*. 周年紀念(日)*a*. 每年的;周年(紀念)的.
anno Domini /ˌænəʊ 'dɒmɪnaɪ/ [拉]公元;耶穌紀元(略作 **A.D.**).
annotate /'ænəteɪt/ *vt*. 註解 **annotation** *n*. **annotator** *n*. 註解者.
announce /ə'naʊns/ *vt*. 通告;宣告;宣佈 **~ment** *n*. **~r** /-ə(r)/ *n*. 報告員;廣播員.
annoy /ə'nɔɪ/ *vt*. 使煩惱;使生氣 **~ance** *n*. 煩惱;令人煩惱之事物 **~ing** *a*. 討厭的;惱人的.
annual /'ænjʊəl/ *a*. 每年的;一年的 *n*. ①一年生植物②年刊,年鑒.
annuity /ə'njuːətɪ/ *n*. 年金;養老金.
annul /ə'nʌl/ *vt*. 廢除,取消;解除(尤指婚約) **~ment** *n*.
annular /'ænjʊlə(r)/ *a*. 環狀的.
Annunciation /əˌnʌnsɪ'eɪʃn/ *n*. 【宗】天使報喜(亦作聖母領報);天使報喜節(亦作聖母領報節)(3月25日).
anode /'ænəʊd/ *n*. 【電】陽極 **anodize** /'ænəʊdaɪz/ *vt*. 對(金屬)進行陽極電鍍.
anodyne /'ænədaɪn/ *n*. 止痛藥 *a*. 鎮痛的,止痛的.
anoint /ə'nɔɪnt/ *vt*. (尤指宗教儀式)塗油於.
anomaly /ə'nɒməlɪ/ *n*. 不規則;反常;反常之人或事物 **anomalous** *a*.
anon /ə'nɒn/ *ad*. [舊]不久;即刻.
anonymous /ə'nɒnɪməs/ *a*. 匿名的 **anonymity** /ˌænə'nɪmətɪ/ *n*. 匿名;無名;作者不明.
anopheles /ə'nɒfɪliːz/ *n*. 【蟲】瘧蚊.
anorak /'ænəræk/ *n*. 帶風帽的防雨短外衣或茄克衫.
anorexia (**nervosa**) /ˌænə'reksɪə (nɜː'vəʊsə)/ *n*. 【醫】厭食症;神經性食欲缺乏.
another /ə'nʌðə(r)/ *a*. 又一;另外的 *pron*. 另一個;別的東西(人).
anoxia /æ'nɒksɪə/ *n*. 【醫】缺氧症.
answer /'ɑːnsə(r)/ *n*. ①回答,答覆②答案;答辯 *v*. ①回答,答覆②答辯,響應③員責;符合 **~-able** *a*. 可答覆的;應員責的 **~-ing-machine**(亦作 **~ phone**) *n*. 自動接話録話機.
ant /ænt/ *n*. 【蟲】蟻 **~-bear** *n*. 大食蟻獸 **~-cow** *n*. 蚜蟲 **~-eater** *n*. 食蟻獸 **~-hill** *n*. 蟻冢.
antacid /ænt'æsɪd/ *n*. & *a*. 抗酸劑;解酸藥;解酸的;防酸的,中和酸的.
antagonism /æn'tægənɪzəm/ *n*. 敵對,對抗 **antagonist** *n*. ①敵手②【解】頡頏肌,對抗肌③【藥】解藥.
antagonize /æn'tægənaɪz/ *vt*. ①使對抗②中和,抵銷.
antalkali /ænt'ælkəlaɪ/ *a*. 解鹼藥;抗鹼劑.
Antarctic /æn'tɑːktɪk/ *n*. & *a*. 南極(的).
ante /'æntɪ/ *n*. (發新牌前)預下的賭注 *v*. 預下賭注;預付.
ante [前綴]表示"前","在…前".

antecedent /ˌæntɪ'siːdnt/ *n*. ①前例;前事②【語】先行詞③【數】前項④【邏】前提⑤(*pl*.)經歷;身世;祖先 *a*.先行的;先前的 **antecedence** *n*.①先行;居先②【天】逆行.
antechamber /'æntɪtʃeɪmbə(r)/ *n*. 前室;接待室(亦作 **anteroom**).
antedate /ˌæntɪ'deɪt/ (亦作 **predate**) *vt*. ①把日期填早②先於,早於.
antediluvian /ˌæntɪdɪ'luːvɪən/ *a*. ①上古的②過時的;陳舊的.
antelope /'æntɪləʊp/ *n*.【動】羚羊.
antemeridian /ˌæntɪmə'rɪdɪən/ *a*.午前的.
antenatal /ˌæntɪ'neɪtl/ *a*. 胎兒的;胎前的.
antenna /æn'tenə/ *n*.(*pl*. **-nae** /-niːl/ ①【動】觸角②(*pl*.為 **-nas**)【無】[美]天綫(=[英]aerial).
antepenultimate /ˌæntɪpɪ'nʌltɪmət/ *n*. & *a*. 倒數第三(的).
anterior/æn'tɪərɪə(r)/*a*.位於前面的;先前的.
anteroom /'æntɪrʊm/ *n*. =antechamber.
anthem /'ænθəm/ *n*. 聖歌;讚美詩;頌歌.
anther /'ænθə(r)/ *n*. 花藥,花粉囊.
anthology /æn'θɒlədʒɪ/ *n*. (詩、文學作品等的)選集.
anthracite /'ænθrəsaɪt/ *n*. 無烟煤,白煤.
anthrax /'ænθræks/ *n*. 【醫】炭疽(病).
anthropoid /'ænθrəpɔɪd/ *a*. 似人類的 *n*.類人猿.
anthropology /ˌænθrə'pɒlədʒɪ/ *n*. 人類學 **anthropological** *a*. **anthropologist** *n*.人類學家.
anthropomorphism /ˌænθrəpə'mɔːfɪzəm/ *n*. (把神、動物或物體說成具有人形和人性的)擬人說 **anthropomorphic** *a*.擬人的.
anti-[前綴]表示"反,抗,非"等.
antiaircraft /ˌæntɪ'eəkrɑːft/ *a*. 防空的.
antiballistic missile /ˌæntɪbəlɪstɪk 'mɪsaɪl/ *n*. 反彈道導彈.
antibiotic /ˌæntɪbaɪ'ɒtɪk/ *n*.【生】抗生素;抗菌素 *a*.抗菌的;抗生的.
antibody /'æntɪbɒdɪ/ *n*.【醫】抗體 ~-**positive** *a*.【醫】愛滋病抗體測試為陽性的;有愛滋病病毒的.
antichoice /æntɪ'tʃɔɪs/ *a*. 反對墮胎的.
Antichrist /'æntɪˌkraɪst/ *n*.(亦作 **a-**)基督的反對者;基督教的敵人.
anticipate /æn'tɪsɪpeɪt/ *vt*. 預期;期待;預支;占先 **anticipation** /-'peɪʃn/ *n*. 預測;期待 **anticipatory** /-tərɪ/ *a*.預期的;先發制人的.
anticlimax /ˌæntɪ'klaɪmæks/ *n*. ①【語】突降法②虎頭蛇尾.
anticlockwise /ˌæntɪ'klɒkwaɪz/ *a*. & *ad*. 逆時針方向的(地)(亦作 **counterclockwise**).
antics /'æntɪks/ *pl*.*n*. 滑稽奇怪的動作(或姿態).
anticyclone /ˌæntɪ'saɪkləʊn/ *n*. 【氣】反氣旋;高氣壓.
antidote /'æntɪdəʊt/ *n*. 解毒劑.
antifreeze /'æntɪfriːz/ *n*. 防凍液;抗凝劑(用於汽車散熱器中).
antigen /'æntɪdʒən/ *n*.【醫】抗原.
antihero /'æntɪ'hɪərəʊ/ *n*. (小說等)不按傳統主角品格塑造的主角;非英雄主角.
antihistamine /ˌæntɪ'hɪstəmiːn/ *n*.【藥】抗組織胺(用以治療過敏症).
antimacassar /ˌæntɪmə'kæsə(r)/ *n*. 椅(或沙發背)的罩布.

antimony /æntɪmənɪ/ *n*.【化】銻.
antinuclear /ˌæntɪ'nju:klɪə(r)/ *a*. 反對核子武器(或核大國)的.
antipasto /ˌæntɪ'pɑ:stəʊ/ *n*.［意］飯前的開胃小菜.
antipathy /æn'tɪpəθɪ/ *n*. 厭惡；憎恨 **antipathetic** *a*. 引起厭惡的.
antipersonnel /ˌæntɪpɜ:sə'nel/ *a*. (指炸彈或地雷等)殺傷性的.
antiperspirant /ˌæntɪ'pɜ:spərənt/ *n*. 止汗藥.
antipodes /æn'tɪpədi:z/ *pl*. *n*. 對跖地；地球上相反的兩地區；**the A-** 澳大利亞和新西蘭所處位置正好與英國相對 **antipodean** *a*.
antipyretic /ˌæntɪpaɪ'retɪk/ *a*. 退熱的 *n*. 退熱藥.
antiquarian /ˌæntɪ'kweərɪən/ *a*. ①古物的②研究古籍文物的；搜集買賣古籍文物的 *n*. = antiquary.
antiquary /'æntɪkwərɪ/ *n*. 文物工作者；古籍收藏家；古董商.
antiquated /'æntɪkweɪtɪd/ *a*. 陳舊的；老式的；過時的.
antique /æn'ti:k/ *a*. 古代的；老式的；過時的 *n*. 古玩，古物 **antiquity** /æn'tɪkwətɪ/ *n*. 古老；古代；古迹；古物.
antiracism /æntɪ'reɪsɪzəm/ *n*. 反種族主義；反種族歧視.
antirrhinum /ˌæntɪ'raɪnəm/ *n*.【植】金魚草.
anti-Semite /ˌæntɪ 'si:maɪt/ *n*. 反猶排猶份子 **anti-Semitism** /-'semɪtɪzəm/ *n*. 反猶主義 **anti-Semitic** *a*.
antiseptic /ˌæntɪ'septɪk/ *a*. 防腐的 *n*. 防腐劑；抗菌劑.
antisocial /ˌæntɪ'səʊʃl/ *a*. 反社會的；厭惡社交的.
antistatic/æntɪ'stætɪk/ *n*. 抗靜電劑 *a*. 抗靜電的.
antitank /æntɪ'tæŋk/ *a*. 反坦克的.
antithesis /æn'tɪθəsɪs/ *n*. (*pl*. **-ses** /si:z/) 對立，對立面；【修】對偶，對句，對語 **antithetical** *a*.
antitoxin /-'tɒksɪn/ *n*.【生】抗毒素 **antitoxic** *a*.
antler /'æntlə(r)/ *n*. 鹿角.
antonym /'æntənɪm/ *n*. 反義詞.
ANTU, Antu /'æntu:/ *n*. 安妥(殺鼠藥).
anus /'eɪnəs/ *n*. 肛門.
anvil /'ænvɪl/ *n*. 鐵砧.
anxiety /æŋ'zaɪətɪ/ *n*. 挂慮；焦急.
anxious /'æŋkʃəs/ *a*. ①挂慮的；焦急的②渴望的.
any /'enɪ/ *a*. ①甚麼；一些②任何一個；無論哪個 *pro*. (*sing*. & *pl*.) 哪個；無論哪個 *ad*. 略微；一點也.
anybody /'enɪbɒdɪ/ *pro*. ①(用於肯定句中)誰都，隨便哪一個人②(用於否定句中)誰也③(用於疑問，條件句中)誰；任何人 *n*. 重要人物；有名聲的人.
anyhow /'enɪhaʊ/ *ad*. ①總之；不管怎麼樣，無論如何②隨隨便便地，馬馬虎虎地.
anyone /'enɪwʌn/ *pro*. = anybody *pro*.
anything /'enɪθɪŋ/ *pro*. ①(用於疑問或否定句中)任何事物②(用於肯定句中)甚麼事物都；任何重要或嚴重的事 // ~*but* 絕不是 *if*~要說有甚麼不同的話；甚至可以這麼說 *like*~非常激烈地，拼命地 *or*~或別的類似的事物.
anyway /'enɪweɪ/ *ad*. 總之；不管怎麼樣.
anywhere /'enɪweə(r)/ *ad*. 無論何處；任何地方.

AOB, a. o. b. *abbr*. = (on the agenda for a meeting) any other businses 任何其他事情.

aorta /eɪ'ɔːtə/ *n*. (*pl*. **-tas** 或**-tae** /-tiː/)【解】主動脉, 大動脉.

A. P., AP *abbr*. = Associated Press (美國)聯合通訊社(簡稱美聯社).

apace /ə'peɪs/ *ad*. 飛速地.

apart /ə'pɑːt/ *ad*. ①分, 離②分別; 相隔③在一邊④拆開地 // ~ *from* 除…以外; 此外.

apartheid /ə'pɑːthaɪt, -heɪt/ *n*. (南非的)種族隔離(政策).

apartment /ə'pɑːtmənt/ *n*. 房間; [美]公寓 = [英] flat.

apathy /'æpəθɪ/ *n*. 冷淡; 漠不關心 **apathetic** /-'θetik/ *a*.

apatite /'æpətaɪt/ *a*.【礦】磷灰石.

APC *abbr*.【藥】複方阿司匹林.

ape /eɪp/ *n*. 猿 *vt*. 模仿 **apish** *a*. ①猿一樣的②傻裏傻氣的③學人樣的. **~-man** *n*. 猿人.

APEC *abbr*. *n*. = Asian Pacific Economic Cooperation Forum 亞太經濟合作論壇.

aperient /ə'pɪərɪənt/ *a*. 有輕瀉作用的, *n*. 輕瀉劑.

aperitif /ə'perətɪf/ *n*. 開胃酒, 飯前酒.

aperture /'æpətʃə(r)/ *n*. ①孔, 隙縫②(照相機等的)孔徑, 光圈.

apex /'eɪpeks/ *n*. (*pl*. **-es, apices** /'eɪpɪsiːz/) 頂; 頂點.

APEX/'eɪˌpeks/*n*. *abbr*. = Advance Purchase Excursion (在指定時期內預訂)可享受折扣優惠票價.

aphasia /ə'feɪz'ɪə/ *n*.【醫】失語症.

aphid, aphis /'eɪfɪd, 'eɪfɪs/ *n*. (*pl*. **aphides** /'eɪfɪdiːz/) 蚜蟲.

aphorism /'æfərɪzəm/ *a*. 格言; 警句.

aphrodisiac /ˌæfrə'dɪzɪæk/ *a*. 激發性欲的 *n*. 催欲劑; 春藥; 壯陽藥.

apiary /'eɪpɪərɪ/ *n*. 養蜂場 **apiarist** *n*. 養蜂者 **apiculture** /'eɪpɪkʌltʃə(r)/ *n*. 養蜂(業).

apiece /ə'piːs/ *ad*. 每個, 每人, 各.

aplomb /ə'plɒm/ *n*. [法]沉着, 鎮靜; 自若.

apocalypse /ə'pɒkəlɪps/ *n*. 世界末日; 大災難 **the A-**(基督教《聖經·新約》中的)《啓示録》 **apocalyptic** *a*. 啓示將發生大災禍的.

Apocrypha /ə'pɒkrɪfə/ *n*. 僞經; 經外書 **~l** *a*. 僞的; 不足憑信的.

apogee /'æpədʒiː/ *n*. ①【天】遠地點②最高點; 最遠點; 頂點.

apolitical /ˌeɪpə'lɪtɪkl/ *a*. 與政治無關的, 非政治的.

apologia /ˌæpə'ləudʒɪə/ *n*. 辯解書; 道歉.

apology /ə'pɒlədʒɪ/ *n*. ①道歉, 認錯②辯解③聊以充數的東西; 勉強湊合的代用品 **apologetic** *a*. ①道歉的②辯解的 **apologetics** *n*. (基督教神學中的)護教學 **apologist** *n*. 辯護士; 辯解者 **apologize** *vi*. 道歉; 認錯.

apophthegm, apothegm /'æpəθem/ *n*. 格言, 箴言.

apoplexy /'æpəpleksɪ/ *n*.【醫】中風 **apoplectic** /-'plektɪk/ *a*.

apostasy /ə'pɒstəsɪ/ *n*. 背教; 脱黨; 變節 **apostate** *a*. 背教的, 脱黨的 *n*. 背教者; 脱黨者.

a posteriori /ˌeɪ ˌpɒsterɪ'ɔːraɪ/ *a*. [拉]【邏】由結果追溯到原因的; 歸納的.

Apostle /ə'pɒsl/ *n*. ①【宗】(耶穌的)使徒, 傳道者② (**a-**)倡導者, 積極鼓吹者 **apostolic** /ˌæpə'stɒlɪk/ *a*. ①使徒的②【宗】教宗的; 教皇的.

apostrophe /ə'pɒstrəfɪ/ *n*. ①省字符號或所有格符號"，"②【語】頓呼語 **apostrophize** /ə'pɒstrəfaɪz/ *v*. 用頓呼語稱呼.

apothecary /ə'pɒθəkərɪ/ *n*. ［舊］藥劑師；藥商.

apotheosis /əˌpɒθɪ'əusɪs/ *n*. (*pl*. **-ses** /-siːz/) 尊為神, 神化, 聖化；盡善盡美之典範.

appall /ə'pɔːl/ *vt*. 嚇壞；使膽寒 **~ing** *a*. 駭人的 **~ingly** *ad*.

apparatus /ˌæpə'reɪtəs/ *n*. 器具, 裝置, 設備.

apparel /ə'pærəl/ *n*. ［舊］衣服, 服裝.

apparent /ə'pærənt/ *a*. 明顯的, 顯而易見的；表面上的；貌似的.

apparition /ˌæpə'rɪʃn/ *n*. 鬼, 幽靈.

appeal /ə'piːl/ *v*. ①懇求；呼籲；求助②引起興趣；有吸引力③上訴 *n*. 呼籲；上訴；吸引力；感染力 **~ing** *a*.

appear /ə'pɪə(r)/ *vi*. 顯現；來到；看來；出場；出庭；公開露面, 發表, 出版 **~ance** *n*. ①出現②外貌③(*pl*.)表面的迹象(徵兆).

appease /ə'piːz/ *vt*. ①平息；緩和②滿足③撫慰；姑息；綏靖 **~ment** *n*.

appellant /ə'pelənt/ *n*. 【律】上訴人 *a*. 上訴的.

appellate /ə'pelət/ *a*. 【律】受理上訴的// *an ~ court* 上訴法院.

appellation /ˌæpə'leɪʃn/ *n*. 名稱；稱呼.

append /ə'pend/ *vt*. 附加；添加；增補 **~age** *n*. 附加物；附屬物 **~ant** *a*. 附加的；附屬的.

appendectomy /ˌæpən'dektəmɪ/ *n*. 【醫】闌尾切除術.

appendicitis /əˌpendɪ'saɪtɪs/ *n*. 【醫】闌尾炎.

appendix /ə'pendɪks/ *n*. (*pl*. **-dixes**, **-dices**/-dɪsɪz/) ①附録, 補遺②【解】闌尾.

appentice /ə'pentɪs/ *n*. 【建】廂房；耳房.

appertain /ˌæpə'teɪn/ *vi*. 屬於；和…有關；適合於.

appetite /'æpɪtaɪt/ *n*. ①食欲；欲望②愛好 **appetizer** *n*. (正餐前吃或喝的)開胃物 **appetizing** *a*. 開胃的.

applaud /ə'plɔːd/ *v*. 鼓掌歡迎；歡呼；喝彩；稱讚 **applause** *n*.

apple /'æpl/ *n*. 蘋果 **~jack** ［美］蘋果酒 **~-pie** *n*. 蘋果餡餅 // *Adam's ~* 喉結 *~-pie order* ［口］井然有序 *the ~ of sb's eye* 眼珠；掌上明珠.

appliance /ə'plaɪəns/ *n*. 器具；裝置；設備.

applicable /'æplɪkəbl/ *a*. ①可適用的；能應用的②適當的；合適的 **applicability** *n*. **applicably** *ad*.

applicant /'æplɪkənt/ *n*. 申請者.

application /ˌæplɪ'keɪʃn/ *n*. ①申請；申請表格②適用；應用；敷用③專心致志.

applicator /'æplɪkeɪtə(r)/ *n*. 塗藥器；敷貼器.

appliqué /æ'pliːkeɪ/ *n*. ［法］縫飾；鑲飾；補花 *vt*. 用縫飾(或補花)來裝飾.

apply /ə'plaɪ/ *vt*. ①申請②應用；適用③敷, 塗, 搽 **applied** *a*. 應用的；實用的.

appoint /ə'pɔɪnt/ *vt*. ①約定②任命, 委派, 指定 **~ed** *a*. ①指定的；約定的②任命的③設備…的 **~ee** *n*. 被任命者；被指定者 **~ment** *n*. ①任命②約會③職位④(*pl*.)設備；傢具.

apportion /ə'pɔːʃn/ *vt*. 分派, 分攤 **~ment** *n*.

apposite /'æpəzɪt/ *a*. 適當的;恰當的 **~ness** *n*.

apposition /ˌæpə'zɪʃn/ *n*. ①並置②【語】同格,同位 **~al** *a*.

appositive /ə'pɒzɪtɪv/ *n*.【語】同位語.

appraise /ə'preɪz/ *vt*. 評價;鑒定 **appraisal** *n*. **appraising** *a*.

appreciable /ə'priːʃəbl/ *a*. ①可覺察到的②相當多(或大)的.

appreciate /ə'priːʃɪeɪt/ *v*. ①鑒賞;賞識;讚賞②感激③意識到;評價④(使)增值;漲價 **appreciation** *n*. **appreciative** *a*.①有眼力的②感激的;讚賞的③意識到的.

apprehend /ˌæprɪ'hend/ *vt*. ①領悟,理解②逮捕③憂慮 **apprehension** *n*. **apprehensive** *a*.憂慮的,敏捷的;意識到的.

apprentice /ə'prentɪs/ *n*. 學徒;見習生 *vt*.使當學徒 **~ship** *n*.學徒的身份(或年限).

apprise /ə'praɪz/ *vt*. 通知;報告.

appro /'æprəʊ/ *n*. = approval, approbation// *on*~[英口]=on approval.

approach /ə'prəʊtʃ/ *v*. ①走近;接近②探討,處理③向…接洽;打交道 *n*.①走近;接近②通路③入門;方法④近似 **~able** *a*.易接近的 **~ability** *n*.

approbation /ˌæprə'beɪʃn/ *n*. 認可,核准;贊許.

appropriate /ə'prəuprɪət/ *vt*. ①撥出(款項)②擅用,挪用; *a*.適當的 **~ly** *ad*. **appropriation** *n*.①專用;挪用②撥款.

approval /ə'pruːvl/ *n*. 批准;贊成 // *on*~(=on appro)(指商品)供試用的;包退包換的.

approve /ə'pruːv/ *v*. 批准;贊成 **~d** *a*.已被批准的 **~d school**[英]少年犯教養院;工讀學校.

approx. *abbr*. = approximate(ly).

approximate /ə'prɒksɪmeɪt/ *v*. ①(使)接近②近似;概算 /-mət/ *a*.近似的,大概的 **approximation** *n*.①接近②【數】近似值③概算.

appurtenance /ə'pɜːtɪnəns/ *n*.【律】附屬物;附屬權利.

Apr. *abbr*. = April.

après-ski /ˌæpreɪ 'skiː/ *a*. [法]滑雪運動後的 *n*.(在滑雪勝地白天滑雪後)晚間進行的悠閑的交誼活動.

apricot /'eɪprɪkɒt/ *n*. ①【植】杏②杏黃色.

April /'eɪprəl/ *n*. 四月// ~*fool* 愚人節時受愚弄者~ *Fool's Day* 愚人節(四月一日).

a priori /ˌeɪ praɪ'ɔːraɪ/ *a*. & *ad*. [拉]由原因推及結果的(地),演繹的(地).

apron /'eɪprən/ *n*. ①圍裙②【空】停機坪③【劇】(舞台幕前的)台口.

apropos /ˌæprə'pəʊ/ *ad*. & *a*. [法]適當(的);及時(的)// ~*of* 關於;至於.

apse /æps/ *n*. (尤指教堂內之)拱頂或圓頂的凹室.

apt. /æpt/ *a*. ①恰當的②傾向於…的,易於…的③靈敏的④擅長於…的 **~ly** *ad*. **~ness** *n*.

APT /ˌeɪ piː tiː/ *abbr*. = Advanced Passenger Train[英]高級旅客列車.

aptitude /'æptɪtjuːd/ *n*. 天資;才能.

aqualung /'ækwəlʌŋ/ *n*. (潛水員用的)水下呼吸器;水肺.

aquamarine /ˌækwəmə'riːn/ *n*.【礦】海藍寶石,藍晶.

aquaplane /'ækwəpleɪn/ *n*. 滑水板 *vi*.站在滑水板上滑行;(車輛在濕路面上)失控地滑行.

aquarium /ə'kweərɪəm/ (*pl*. ～**s, -ria** /-rɪə/) *n*. 養魚缸;水族館;水族池.

Aquarius /ə'kweərɪəs/ *n*.【天】寶瓶(星)座.

aquatic /ə'kwætɪk/ *a*. ①(指動植物)水生的,水栖的②(指運動)水上的,水中的 ～**s** *n*.水上運動.

aquatint /'ækwətɪnt/ *n*.【印】銅版蝕刻法;銅版蝕刻畫.

aqueduct /'ækwɪdʌkt/ *n*. ①溝渠,導水管②水管橋.

aqueous /'eɪkwɪəs/ *a*. 水的;似水的;含水的;水多的.

aquiline /'ækwɪlaɪn/ *a*. ①(似)鷹的②(指鼻子)鷹鉤似的.

Ar【化】元素氬(argon)的符號.

Arab /'ærəb/ *n*. 阿拉伯人;阿拉伯馬 *a*.阿拉伯(人)的.

arabesque /ˌærə'besk/ *n*. ①芭蕾舞的一種舞姿(一足着地一足後伸,雙臂前後平伸)②精緻的圖飾.

Arabian /ə'reɪbɪən/ *a*. 阿拉伯(人)的 *n*.[舊]阿拉伯人.

Arabic /'ærəbɪk/ *a*. 阿拉伯人的;阿拉伯語的 *n*.阿拉伯語 // ～ *numerals*, ～*figures* 阿拉伯數字.

arable /'ærəbl/ *a*. 適於耕種的 *n*.可耕地.

arachnid /ə'ræknɪd/ *n*. 蜘蛛類節肢動物.

arb /ɑːb/ *n*.【經】套利人(亦作 **arbitrageur**).

arbiter /'ɑːbɪtə(r)/ *n*. ①公斷人,仲裁者,裁决者②權威人士.

arbitrary /'ɑːbɪtrərɪ/ *a*. ①任意的;武斷的②專橫的.

arbitrate /'ɑːbɪtreɪt/ *v*. 仲裁,公斷;進行仲裁 **arbitration** *n*. 仲裁,調解 **arbitrator** *n*.仲裁人;裁决者.

arboreal /ɑː'bɔːrɪəl/ *a*. 樹林的;栖息或生活在樹上的.

arboretum /ˌɑːbə'riːtəm/ *n*.(*pl*. **-ta** /-tə/ , **-tums**) 樹林園;植物園.

arboriculture /'ɑːbərɪˌkʌltʃə(r)/ *n*. 樹木栽培;造林(學).

arbo(u)r /'ɑːbə(r)/ *n*. 棚架;凉亭.

arc /ɑːk/ *n*. ①弧;弓形拱(洞)②電弧;弧光 *v*.形成弧光 // ～*lamp*, ～*light* 弧光燈, ～*welding*(電)弧焊.

arcade /ɑː'keɪd/ *n*. 拱廊;有拱廊(或騎樓)的街道.

Arcadia /ɑː'keɪdɪə/ *n*. 具有淳樸宜人田園風光的地方;世外桃源.

arcane /ɑː'keɪn/ *a*. 神秘的;秘密的.

arch /ɑːtʃ/ *n*. ①【建】拱;拱門②弓形結構③足底弓 *v*.使成弓形 *a*.①首要的②詭詐的;狡黠的;調皮的.

arch-[前綴]表示"主要的"、"最高的"、"總的".

archaeology /ɑːkɪ'ɒlədʒɪ/ *n*. 考古學 **archaeological** *a*. **archaeologist** *n*. 考古學家.

archaic /ɑː'keɪɪk/ *a*. ①古代的②(指語言)古體的,陳舊的.

archaism /'ɑːkeɪɪzəm/ *n*. 古詞;古語.

archangel /'ɑːkˌeɪndʒl/ *n*. 天使長,大天使.

archbishop /ˌɑːtʃ'bɪʃəp/ *n*.【宗】大主教 ～**ric** *n*.大主教的職位,任期或管轄區.

archdeacon /ˌɑː'tʃdiːkən/ *n*. 副主教 ～**ry** *n*.副主教的職位或住宅.

archdiocese /ˌɑːtʃ'daɪəsɪs/ *n*. 大主教的管轄區.

archduke /ˌɑːtʃ'djuːk, -duːk/ *n*. 大公;大公爵(尤指奧國皇太子).

archenemy /ˌɑːtʃ'enəmɪ/ *n*. 首敵,大敵 **the A-**【宗】(魔王)撒旦.

archer /'ɑːtʃə(r)/ *n*. ①弓箭手;射手② (**A-**)【天】射手座,人馬宮 ～**y** *n*.

射箭(術) **~-fish** *n*.射手魚.

archetype /ˈɑːkɪtaɪp/ *n*. 原型;典型 **archetypal** *a*.

archiepiscopal /ˌɑːkɪɪˈpɪskəpəl/ *a*. 大主教的.

archipelago /ˌɑːkɪˈpeləgəʊ/ *n*. (*pl*. **-gos**) 群島;多島海 **archipelagic** *a*.

architect /ˈɑːkɪtekt/ *n*. 建築師;設計師.

architecture /ˈɑːkɪtektʃə(r)/ *n*. 建築(學) **architectural** *a*.

architrave /ˈɑːkɪtreɪv/ *n*.【建】框緣;(門窗的)嵌綫.

archives /ˈɑːkaɪvz/ *pl*. *n*. 檔案(室) **archival** *a*. **archivist** *n*. 檔案保管員.

archway /ˈɑːtʃweɪ/ *n*. 拱道;拱門.

Arctic /ˈɑːktɪk/ **the**~ *n*. 北極圈 *a*.①北極的;寒帶的②(a-)極冷的.

ardent /ˈɑːdnt/ *a*. 熱情的;熱心的;熱烈的;強烈的 **~ly** *ad*.

ardo(u)r /ˈɑːdə(r)/ *n*. 熱情;熱心.

arduous /ˈɑːdjʊəs/ *a*. 艱難的;費力的 **~ly** *ad*. **~ness** *n*.

are /ɑː(r)強音;ə(r)弱音/ *vi*. be 的第二人稱單數以及第一,二,三人稱複數現在式.

area /eərɪə/ *n*. ①面積;空地;地區②學科;領域③(地下室前的)庭院 **~ code** [美國、加拿大]地區電話代碼.

areca /ˈærɪkə/ *n*.【植】檳榔(樹) // ~ *nut* (= *betel nut*)檳榔果.

arena /əˈriːnə/ *n*. ①競技場②活動(或競爭)場所.

aren't /ɑːnt/ = are not.

areola /æˈrɪəʊlə/ (*pl*. **-lae** /-liː/ **-las**) *n*. ①小空隙②【解】乳頭暈③【植】果臍.

arête /æˈret, æˈreɪt/ *n*. [法]陡峭的山脊【地】刃嶺.

argentine /ˈɑːdʒəntaɪn/ *a*. ①銀色的②(A-)阿根廷的; *n*.包銀物;(*A*-)阿根廷人.

argon /ˈɑːgɒn/ *n*.【化】氬(符號為A).

argot /ˈɑːgəʊ/ *n*. [法]行話;隱話;暗語.

argue /ˈɑːgjuː/ *v*. 爭論;爭辯;論證;說服;顯示出 **arguable** *a*.可爭辯的;可論證的;有疑義的.

argument /ˈɑːgjʊmənt/ *n*. ①爭論,爭辯②論據,論點③理由 **argumentation** *n*.推論,立論,論證 **argumentative** *a*.好爭辯的.

argy-bargy /ˈɑːdʒɪˈbɑːdʒɪ/ *n*. [俗]爭吵;抬槓.

aria /ˈɑːrɪə/ *n*. [意]①【樂】咏歎調②(歌劇中的)獨唱曲段.

arid /ˈærɪd/ *a*. ①乾旱的②枯燥的,乏味的③荒蕪的 **~idity** *n*. **~ly** *ad*.

Aries /ˈeəriːz/ *n*.【天】白羊座,白羊宮.

aright /əˈraɪt/ *ad*. [舊]正確地,不錯.

arise /əˈraɪz/ *vi*. (**arose** /əˈrəʊz/, **arisen** /əˈrɪzən/) ①起來②出現;發生③起因於.

aristocracy /ˌærɪˈstɒkrəsɪ/ *n*. ①貴族(政治)②上層階級;最優秀或最有錢有勢的人物.

aristocrat /ˈærɪstəkræt, əˈrɪs-/ *n*. 貴族;最優秀者 **~ic(al)** *a*.貴族政治的;貴族氣派的 **~ism** *n*.貴族(政治)主義;貴族氣派.

arithmetic /əˈrɪθmətɪk/ *n*. 算術(學) **~al** *a*. **~ian** *n*.算術家.

ark /ɑːk/ *n*. ①基督教《聖經》中挪亞為避洪水而造的方舟;櫃②[喻]避難所// *Noah's*~挪亞方舟.

arm /ɑːm/ *n*. ①臂,臂狀物②扶手③衣袖④(*pl*.)武器,武力,紋章 *v*.武裝;配備 **~chair** *n*.扶手椅 **~ful** *n*.

一抱 **~hole** *n*. 袖孔 **~less** *a*. 無臂的;無武裝的 **~pit** *n*. 腋窩.

armada /ɑːˈmɑːdə/ *n*. 艦隊.

armadillo /ˌɑːməˈdɪləʊ/ *n*. 【動】犰狳.

Armageddon /ˌɑːməˈgedn/ *n*. ①基督教《聖經》中所說的世界末日善惡決戰的戰場②傷亡慘重的大決戰.

armament /ˈɑːməmənt/ *n*. 軍備;武裝.

armature /ˈɑːmətʃə(r)/ *n*. 【電】轉子;電樞.

armed /ɑːmd/ *a*. 武裝的 // *~ forces* (= *~services*)武裝力量(指陸海空三軍).

armistice /ˈɑːmɪstɪs/ *n*. 停戰.

armorial /ɑːˈmɔːrɪəl/ *n*. 紋章的,盾徽的.

armo(u)r /ˈɑːmə(r)/ *n*. 盔甲;裝甲;裝甲部隊 **~ed** *a*. 裝甲的 **~er** *n*. 武器製造者;軍械士 **~y** *n*. 軍械庫;兵工廠 **~-clad** *a*. 裝甲的 *n*. 裝甲艦.

army /ˈɑːmɪ/ *n*. ①陸軍;軍隊②大群,團體 // *~ corps* 軍團.

aroma /əˈrəʊmə/ *n*. 芳香 **~tic** *a*. 芬芳的 **~tics** *n*. 香料.

aromatherapy /əˌrəʊməˈθerəpɪ/ *n*. 芳香油按摩療法.

arose /əˈrəʊz/ arise 的過去式.

around /əˈraʊnd/ *ad*. 周圍;各處;在附近 *prep*. 在周圍;圍着;大約;左右.

arouse /əˈraʊz/ *vt*. ①喚醒;喚起②引起;激起 **arousal** *n*.

arpeggio /ɑːˈpedʒɪəʊ/ (*pl*. **-gios**) *n*. 【樂】琶音,急速和弦.

arr. *abbr*. = arranged(by)由…改寫的; = arrival, 或 arrive(d)到達,抵達.

arraign /əˈreɪn/ *vt*. ①【律】傳訊;提審②控告③彈劾 **~ment** *n*.

arrange /əˈreɪndʒ/ *v*. ①整理;商定,調停②安排 **~ment** *n*.

arrant /ˈærənt/ *a*. (形容壞人壞事)徹頭徹尾的,十足的,透頂的.

arras /ˈærəs/ *n*. [舊]花毯;挂毯.

array /əˈreɪ/ *vt*. ①盛裝打扮②佈置③列陣 *n*. 陳列;盛裝;(陳列着的)一大批.

arrears /əˈrɪəz/ *n*. *pl*. ①欠款;尾數②欠工;尾活 // *in~* 拖欠;拖延.

arrest /əˈrest/ *vt*. ①逮捕,扣留②阻止,抑制③引起 *n*. 逮捕;阻止,抑制 **~er** *n*. ①捕拿者②制動裝置③避雷器 **~ing** *a*. 引人注意的 // *under (house) ~* 遭拘留(被軟禁).

arrival /əˈraɪvəl/ *n*. 到達;到達者,到達物.

arrive /əˈraɪv/ *vi*. ①到達;來臨②發生;[口]降生③成功,成名.

arrivederci /ɑːˌriːveˈdertʃɪ/ *int*. [意]回頭見,再見.

arrogant /ˈærəgənt/ *a*. 傲慢的;自大的 **~ly** *ad*. **arrogance** *n*.

arrogate /ˈærəgeɪt/ *vt*. ①僭稱,冒稱②擅取,僭取.

arrow /ˈærəʊ/ *n*. 矢,箭;箭頭標記(the A-)【天】天箭座 **~head** *n*. ①箭頭②【植】慈菇 **~root** *n*. 【植】葛,葛粉.

arse /ɑːs/ *n*. (=[美]ass /æs/)①[卑]屁股②討厭的笨蛋 **~hole**[卑]屁眼.

arsenal /ˈɑːsənl/ *n*. 武器庫;兵工廠.

arsenic /ˈɑːsnɪk/ *n*. 【化】砷;砒霜 **~al** *a*.

arson /ˈɑːsn/ *n*. 縱火 **~ist** *n*. 縱火犯.

art /ɑːt/ *n*. ①藝術,美術②技術,技藝③策略;詭計④ (*pl*.)(人)文(學)科 **~ful** *a*. 狡猾的,詭計多端的;巧妙的 **~fully** *ad*. **~fulness** *n*. **~less** *a*. 樸實無華的;天真的;粗笨的 ~

lessness *n*. 樸質；率直；拙劣 // ~ *nouveau* /ˌɑːnuːˈvəʊ/ *n*. [法](19世紀末流行於歐美的)新藝術.

artefact /ɑrtɪfækt, ˈɑːtɪfækt/ *n*. 人工製品.

artemisia /ˌɑːtɪˈmiːzɪə/ *n*. 【植】艾屬.

arterial /ɑːˈtɪərɪəl/ *a*. 動脈的.

arteriosclerosis /ɑːˈtɪərɪəʊskləˈrəʊsɪs/ *n*. 【醫】動脈硬化(症).

artery /ˈɑːtərɪ/ *n*. ①動脈②命脉；幹綫.

artesian /ɑːˈtiːzɪən/ *a*. 自流的 // ~ *well* 自流井.

arthritis /ɑːˈθraɪtɪs/ *n*. 關節炎 **arthritic** /-ˈθrɪtɪk/ *n*. 關節炎患者 *a*. 關節炎的.

arthropod /ˈɑːθrəpɒd/ *n*. & *a*. 節肢動物(的).

arthrosis /ɑːˈθrəʊsɪs/ *n*. 【解】關節.

artic /ˈɑːtɪk/ *n*. [口]=articulated lorry.

artichoke /ˈɑːtɪtʃəʊk/ *n*. 【植】朝鮮薊；法國百合 // *Jerusalum* ~ 菊芋.

article /ˈɑːtɪkl/ *n*. ①物品②條款③文章④【語】冠詞 *vt*. 訂約收…做學徒.

articulate /ɑːˈtɪkjʊlət/ *a*. ①(指説話)發音清晰明白的②(指人)口齒伶俐的, 能明確表達的③有關節的 /-leɪt/ *v*. 明確表達；發音清晰；(用關節)連接 **articulation** *n*. 發音；關節連接 **~d** *a*. 用關節相連而能活動自如的 // ~*d lorry*, ~*d vehicle* (= [美] ~d trailer)(用鉸鏈連接拖車的)大卡車, 大客車.

artifice /ˈɑːtɪfɪs/ *n*. 詭計, 巧計；謀略；技巧 **~r** *n*. 技工；(海陸軍中的)技術兵.

artificial /ˌɑːtɪˈfɪʃl/ *a*. ①人造的；人工的②虛假的；不自然的；不真誠的 // ~*insemination* 人工授精 ~ *intelligence* (略作 **AI**)【計】人工智能(研究).

artillery /ɑːˈtɪlərɪ/ *n*. 大炮；炮兵.

artisan, -zan /ˌɑːtɪˈzæn/ *n*. 工匠；技工.

artist /ˈɑːtɪst/ *n*. 藝術家；美術家 **~ic(al)** /-ɪk(əl)/ *a*. 藝術的 **~ry** *n*. 藝術性；藝術技巧；藝術才華.

artiste /ɑːˈtiːst/ *n*. [法]藝人.

artsy-craftsy /[美] ˈɑːtsɪˈkrɑːftsɪ/ = **arty-crafty**.

arty /ˈɑːtɪ/ *a*. [口]冒充藝術品的；對藝術不懂裝懂的；附庸風雅的 **~-crafty** *a*. [口]①(傢具)華而不實的②(人)附庸風雅的.

arum(lily) /ˈeərəm(ˈlɪlɪ)/ *n*. 【植】白星海芋.

Aryan /ˈeərɪən/ *n*. *a*. 雅利安人(的)；雅利安語(的).

As 【化】元素砷(arsenic)的符號.

as /æz, əz, z/ *ad*., *conj*. *pro*. *prep*. ①像, 如②當③同為, 由於④雖然, 儘管⑤作為 // ~*against* 與…比起來 ~*for*, ~*to*, ~*regards* 就…而言, 至於 ~*from* (=[美]~of)由…日起 ~*if*(*though*) 好像, 彷彿 ~*it is* 實際上；原樣的(地) ~*it was* 其實是 ~*it were* 就好像是, 可以説是.

ASA *abbr*. = Advertising Standards Authority [英]廣告標準局.

asaf(o)etida /ˌæsəˈfetɪdə/ *n*. 【植】阿魏；阿魏膠.

asap, a.s.a.p. *abbr*. =as soon as possiple 儘快, 儘早.

asbestos /æsˈbestɒs/ *n*. 【礦】石棉 **~is** /-ˈtəʊsɪs/ *n*. 【醫】石棉沉着病.

ascarid /ˈæskərɪd/ *n*. 【動】蛔蟲.

ascend /əˈsend/ *v*. 上升；登高 **~ancy, ~ency** *n*. 優勢；支配地位 **~ant, ~ent** *a*. 上升的, 占優勢的 *n*. (用於 in the ~ant 的短語中)(影響及支配

力)日益增長 **~ing** *a*.

ascension /-əsenʃn/ *n*. 上升;登位 **the A-** (耶穌)升天 **A-Day** *n*. 耶穌升天節.

ascent /əˈsent/ *n*. 上升;攀登;上坡.

ascertain /ˌæsəˈteɪn/ *vt*. 查明;確定 **~able** *a*. **~ment** *n*.

ascetic /əˈsetɪk/ *a*. 禁欲(主義)的;苦行的 *n*. 禁欲(主義)者;苦行僧 **~ally** *ad*. **~ism** *n*. 禁欲主義;苦行.

ascorbic acid /əˈskɔːbɪk ˈæsɪd/ *n*. (= Vitamin C)抗壞血酸;維生素 C.

ascribe /əˈskraɪb/ *vt*. 把…歸於;歸因於 **ascribable** *a*. 可歸(因)於 **ascription** *n*.

ASEAN /ˈæzɪæn/ *abbr*. = Association of South-East Asian Nations 東南亞國家聯盟.

aseptic /eɪˈseptɪk/ *a*. 無菌的;防腐的 **asepsis** *n*. 無菌(狀態).

asexual /ˌeɪˈsekʃʊəl/ *a*. 無性(器官)的;沒有性欲的 **~ity** *n*.

ash /æʃ/ *n*. ①灰,灰燼② (*pl*.)骨灰③【植】梣,秦皮 **~en** *a*. 灰(色)的;蒼白的;梣木做的 **~-bin, ~-can** *n*. ([美] = [英] dust-bin)垃圾桶 **~-cart** *n*. 垃圾車 **~-fire** *n*. 灰火;餘燼 **~ tray** *n*. 烟灰盤 // *A-Wednesday*【宗】聖灰星期三(四旬節的第一天).

ashamed /əˈʃeɪmd/ *a*. (感到)羞耻的,慚愧的;(感到)耻於(去做…)的.

ashlar /ˈæʃlə(r)/ *n*.【建】方石;琢石.

ashore /əˈʃɔː(r)/ *ad*. 在(向)岸上.

ashram/ˈɑːʃrəm/ *n*. (印度教高僧的)修行處.

Asian, Asiatic /ˈeɪʃn, ˌeɪʃɪˈætik/ *n*. & *a*. 亞洲人(的).

aside /əˈsaɪd/ *ad*. 在(向)旁邊;在(向)邊 *n*. ①【劇】旁白,獨白②離題的話 // *~ from* [美](= apartfrom)除外.

asinine /ˈæsɪnaɪn/ *a*. 愚蠢的 **asininity** *n*. 蠢事.

ask /ɑːsk/ *v*. ①問,詢問,質問②求,請求;邀請 // *~ for trouble* [口]自找麻煩,自討苦吃 *~ after* 問候.

askance /əˈskæns/ *ad*. 橫;斜 // *look ~ at* (因懷疑,厭惡,不贊成)斜眼看.

askew /əsˈkjuː/ *ad*. & *a*. 斜,歪.

aslant /əˈslɑːnt/ *ad*. & *prep*. 歪;傾斜;斜跨.

asleep /əˈsliːp/ *a*. ①睡着②(四肢)麻木③長眠.

asp /æsp/ *n*. 小毒蛇,蝮蛇.

asparagus /ˈəspærəgəs/ *n*.【植】蘆筍.

aspect /ˈæspekt/ *n*. ①樣子,容貌②方面;方向.

aspen /ˈæspən/ *n*.【植】白楊.

asperity /æˈsperətɪ/ *n*. ①粗糙②粗暴;嚴厲;嚴酷.

aspersion /əˈspɜːʃn/ *n*. 誹謗,中傷 // *cast ~ s on* (*sb*)對(某人)進行誹謗.

asphalt /ˈæsfælt/ *n*. 柏油,瀝青 *vt*. 鋪柏油於;塗瀝青.

asphodel /ˈæsfədel/ *n*.【植】日光蘭;水仙.

asphyxia /əsˈfɪksɪə/ *n*. 窒息 **~te** *v*. (使)窒息 **~tion** *n*.

aspic /ˈæspɪk/ *n*. 肉凍.

aspidistra /ˌæspɪˈdɪstrə/ *n*.【植】蜘蛛抱蛋,葉蘭.

aspirate /ˈæspəreɪt/ *vt*.【語】發"h"音;發送氣音 *n*. "h"音;送氣音.

aspire /əˈspaɪə/ *vi* 熱望;立志要 **aspirant** *n*. 抱負不凡者,有志者 **aspiration** *n*. 熱望;抱負 **sapiring** *a*. 有雄心壯志的;熱望的.

aspirin /ˈæsprɪn/ *n*. 阿斯匹林(片).

ass /æs/ *n*. 驢;傻子 **~hole** *n*.[俚]肛門;笨蛋.

assagai, assegai /'æsəgaɪ/ *n*. (南非土著使用的)細柄標槍.

assail /ə'seɪl/ *vt*. ①猛攻;抨擊;指責②着手解決,毅然應付(困難,任務) **~ant** *n*.攻擊者;抨擊者.

assassin /ə'sæsɪn/ *n*. 刺客,暗殺者 **~ate** *vt*. 行刺,暗殺 **~ation** *n*.

assault /ə'sɔːlt/ *vt*. & *n*. 猛擊,突擊;強奸.

assay /ə'seɪ/ *n*. & *vt*. 化驗;分析;鑒定.

assemble /ə'sembl/ *v*. 集合;裝配 **assemblage** *n*.①集合②(機器等的)裝配③大群,會衆④集合物.

assembly /ə'semblɪ/ *n*. ①集合;集會②裝配③【軍】集合號④議會,(尤指)下議院 **~-line** *n*.裝配綫 **~man (woman)** [美]衆議院(女)議員.

assent /ə'sent/ *n*. & *vt*. 同意;贊成.

assert /ə'sɜːt/ *vt*. ①斷言,極力主張②宣稱;維護 **~ion** *n*. **~ive** *a*.斷言的;武斷的 // *~oneself* 極力顯示自己.

assess /ə'ses/ *vt*. (為課税而)估值;評價 **~able** *a*.可估值的;可評價的 **~ment** *n*.①評估;評價②意見③税額 **~or** *n*.①估價員;評税員②(法庭的)技術顧問,助理.

asset /'æset/ *n*. ①有價值的人或物②(*pl*.)資產,財產 **~-stripping** *n*.【經】資產折售(低價收購虧損公司;再出售以謀利).

asseverate /ə'sevəreɪt/ *vt*. 鄭重聲明,斷言 **asseveration** *n*.

assiduous /ə'sɪdjuəs/ *a*. 刻苦的;勤勉的, **assiduity** *n*.

assign /ə'saɪn/ *vt*. ①分配②委派;指定③【律】轉讓 **~ment** *n*.(分配的)任務;(指定的)作業;分配,指派;轉讓.

assignation /ˌæsɪg'neɪʃn/ *n*. ①(秘密或非法)約會;幽會②分配;指定.

assimilate /ə'sɪməleɪt/ *v*. ①(被)同化;(被)消化;(被)吸收②使相似 **assimilation** *n*.

assist /ə'sɪst/ *vt*. 幫助,支援 **~ance** *n*.援助 **~ant** *a*.助理的;副職的 *n*.助手;助理.

assizes /ə'saɪzɪs/ *pl*.*n*. [舊](英國各郡的)巡迴裁判庭.

Assoc., assoc. *abbr*. = associate, association 或 association.

associate /ə'səʊʃɪeɪt/ *v*. ①使聯合;合夥②結交③聯想,聯繫 /-ʃɪət/ *a*.①同夥的;有聯繫的②準會員的;副的 *n*.夥伴;同事;準會員.

association /əˌsəʊsɪ'eɪʃn/ *n*. ①聯合②協會 // *A-football* [英] = Soccer 英式足球.

assonance /'æsənəns/ *n*. 詞或音節中的半諧音 **assonant** *a*. 半諧音的.

assorted /ə'sɔːtɪd/ *a*. 各色俱備的;什錦的.

assortment /ə'sɔːtmənt/ *n*. 各色各樣物品的混合.

Asst., asst. *abbr*. = assistant.

assuage /ə'sweɪdʒ/ *vt*. 緩和;減輕.

assume /ə'sjuːm/ *vt*. ①假定②假裝③承擔④呈現⑤採取;僭取 **~d** *a*.假裝的;虛構的 **~dly** *ad*.大概,也許.

assumption /ə'sʌmpʃn/ *n*. ①假定②假裝③採取④承擔 **the A-** 聖母升天(節)(8月15日) **assumptive** *a*.假定的.

assure /ə'ʃɔː(r)/ *vt*. ①保證②保險③使確信;使放心 **~d** *a*.確定的;自信的;有把握的 **~dly** *ad*.肯定地 **the ~d** 參加人壽保險者 **assurance** *n*.

①自信;保證②(尤指)人壽保險 // *rest* ~*d*(*that*...)可以放心.

aster /'æstə(r)/ *n*.【植】紫苑.

asterisk /'æstərɪsk/ *n*. 星號(即☆) *vt*.加星號於.

asterism /'æstərɪzəm/ *n*. ①三星標②【天】星群.

astern /ə'stɜːn/ *ad*. ①在船(飛機)尾;向船(飛機)尾②在後;向後.

asteroid /'æstərɔɪd/ *n*.【天】(火星和木星軌道間的)小行星.

asthma /'æsmə/ *n*.【醫】哮喘(病) **~tic** *a*. & *n*.哮喘的(患者).

astigmatism /ə'stɪgmətɪzəm/ *n*. ①散光,亂視②散射現象 **astigmatic** *a*.(矯正)散光的.

astir /ə'stɜː(r)/ *a*. & *ad*. ①起床②轟動起來.

astonish /ə'stɒnɪʃ/ *vt*. 使吃驚 **~ed** *a*. 吃驚的 **~ing** *a*.極為驚人的 **~ment** *n*.驚奇.

astound /ə'staʊnd/ *vt*. 使…大吃一驚;使…驚駭 **~ing** *a*.令人驚駭的.

astrakhan /ˌæstrə'kæn/ *n*. (俄國)捲毛羔羊皮;仿羔羊皮織物.

astral /'æstrəl/ *a*. ①星(狀)的②鬼魂的.

astray /ə'streɪ/ *ad*. & *a*. ①迷路,入歧途②墮落.

astride /ə'straɪd/ *ad*. & *prep*. 跨(着);兩脚分開.

astringent /ə'strɪndʒənt/ *a*. ①嚴厲的,嚴格的②【醫】止血的;收斂的 *n*.止血劑;收斂藥 **astringence** *n*.①嚴厲;嚴格②收斂性.

astro- [前綴]表示"星"、"天體"、"宇宙".

astrolabe /'æstrəleɪb/ *n*.【天】(測定天體位置的)星盤.

astrology /ə'strɒlədʒɪ/ *n*. 占星(術),占星學 **astrologer** *n*.占星學家.

astrometeorology /'æstrəʊmiːtjə'rɒlədʒɪ/ *n*. 天體氣象學.

astronaut /'æstrənɔːt/ *n*. 宇航員,太空人 **~ics** *n*. 宇航學,太空航行學.

astronomy /ə'strɒnəmɪ/ *n*. 天文學 **astronomer** *n*.天文學家 **astronomical** *a*. ①天文學的②極大的.

astrophysics /ˌæstrəʊ'fɪzɪks/ *n*. 天體物理學 **astrophysicist** *n*.天體物理學家.

astute /ə'stjuːt/ *a*. 機敏的;精明的;狡猾的 **~ly** *ad*. **~ness** *n*.

asunder /ə'sʌndə(r)/ *ad*. (分)開;(扯)碎;(折)斷.

asylum /ə'saɪləm/ *n*. ①避難(所),庇護(所)②政治避難(權)=political~ ③[舊]瘋人院.

asymmetry /æ'sɪmətrɪ/ *n*. 不對稱 **asymmetric(al)** *a*.

asymptote /'æsɪmptəʊt/ *n*.【數】漸近綫.

at /æt, ət/ *prep*. ①在;向;以②從事;於③由於.

atavism /'ætəvɪzəm/ *n*. 返祖現象 **atavistic** *a*.

ataxia /ə'tæksɪə/ *n*.【醫】(肌肉的)運動失調 **ataxic** *a*.

ate /et, eɪt/ *v*. eat 的過去式.

atheism /'eɪθɪɪzəm/ *a*. 無神論 **atheist** *a*.無神論者.

atherosclerosis /ˌæθərəʊsklə'rəʊsɪs/ *n*.【醫】動脉粥樣硬化.

athlete /'æθliːt/ *n*. 運動員.

athletic /æθ'letɪk/ *a*. ①體育運動的;運動員的②體格健壯行動敏捷的 **~s** *n*. 體育運動;[英]田徑運動; **~ism** /æθ'letɪsɪzəm/ *n*.運動練習.

at-home /ət'həʊm/ *n*. [舊]家庭招待

會.

athwart /əˈθwɔːt/ *ad*. & *prep*.(斜向地)橫越過.

Atlantic /ətˈlæntɪk/ *a*. 大西洋的 *n*. **the** ~大西洋.

atlas /ˈætləs/ *n*. ①地圖冊②(A-)大力神洲際飛彈.

ATM *n*. *abbr*. = automated teller machine【經】自動出納機;櫃員機.

atmometer /ætˈmɒmɪtə(r)/ *n*. 汽化計.

atmosphere /ˈætməsfɪə(r)/ *n*. ①大氣(層);空氣②氣氛③【物】大氣壓.

atmospheric /ˌætməsˈferɪk/ *a*. ①大氣的②有…氣氛的③氣壓的 **~s** *pl*. *n*.【無】天電干擾.

atoll /ˈætɒl/ *n*. 環狀珊瑚島;環礁.

atom /ˈætəm/ *n*. ①原子②微量;微粒 *v*.用原子彈攻擊 **~-blitz** *n*.用原子彈進行的閃電式空襲 // ~*bomb* (= ~*ic bomb*).

atomic /əˈtɒmɪk/ *a*.原子的 // ~*bomb* (= *atom bomb*, *A-bomb*)原子彈 ~*energy* 原子能 ~*number* 原子序數 ~*pile* 早期的原子反應堆(現稱 *nuclear reactor*) ~*weight* 原子量.

atomize /ˈætəumaɪz/ *vt*. ①使成原子②使成為微粒 **~r** *n*.噴霧器.

atonal /eɪˈtəunl/ *a*.【樂】無音色的;無調的 **~ity** *n*.

atone /əˈtəun/ *vi*. 彌補(過錯);贖(罪) **~ment** *n*.

atop /əˈtɒp/ *prep*. 在…頂上.

atrium /ˈɑːtrɪəm/ (*pl*. **-tria** /-trɪəl/) *n*. ①(古羅馬建築的)中庭②(現代建築的)中廳.

atrocious /əˈtrəuʃəs/ *a*. ①非常凶殘的;十分惡毒的②[俗]糟透的 **atrocity** *n*.①凶殘;惡毒②暴行.

atrophy /ˈætrəfɪ/ *n*. ①【醫】萎縮症②虛脫;衰退 *v*.(使)萎縮;(使)虛脫.

atropine /ˈætrəpɪn/ *n*.【藥】顛茄鹼;阿托品.

attach /əˈtætʃ/ *v*. ①繫;接;貼②附上③(使)附屬④拘留⑤任命 **~d** *a*.依戀的;愛慕的 **~ment** *n*.①附着;附屬物②友愛③【律】拘留,扣押.

attaché /əˈtæʃeɪ/ *n*. [法]隨員;專員 // ~*case* 公文包.

attack /əˈtæk/ *vt*. & *n*. ①攻擊,進攻;抨擊②(疾病)侵襲,發作③努力從事;動手(去做) **~er** *n*.攻擊者.

attain /əˈteɪn/ *v*. 達到;獲得;完成 **~able** *a*. **~ment** *n*.完成;獲得;(常 *pl*.)成就;造詣.

attar /ˈætə(r)/ *n*. 玫瑰油;香精.

attempt /əˈtempt/ *vt*. 試;企圖 *n*.試;企圖;努力.

attend /əˈtend/ *v*. ①參加,出席②照顧;服侍③留意;專心④伴隨 **~ance** *n*. 出席;照料;出席人數 **~ant** *a*.隨行的 *n*. 隨員;服務員 **~ee** *n*.出席者,參加者.

attention /əˈtenʃn/ *n*. ①注意,留心②【軍】立正 *int*. (亦作 **shun** /ʃʌn/)(軍口令)立正!.

attentive /əˈtentɪv/ *a*. 注意的,周到的,慇懃的 **~ly** *ad*. **~ness** *n*.

attenuate /əˈtenjueɪt/ *v*. (使)變稀薄;(使)減弱;(使)減少 **attentuation** *n*.

attest /əˈtest/ *v*. 證明,證實 **~ation** *n*.證明(書) **~ed** *a*.(=[美] certified)(牛或牛奶)經檢驗證明無病或不帶病菌的.

attic /ˈætɪk/ *n*. 頂樓,閣樓.

attire /əˈtaɪə/ *n*. 服裝 *vt*.使穿着;打扮.

attitude /ˈætɪtjuːd/ *n*. 姿態;態度;看法.

attorney /əˈtɜːnɪ/ *n*. 代理人;[美]律師

// ~ *general* 檢察長;[美]司法部長.

attract /ə'trækt/ *vt*. 吸引;有吸力 **~ion** *n*.吸引,吸引物;【物】引力 **~ive** *a*.有吸引力的,漂亮的 **~iveness** *n*.

attribute /ə'trɪbjuːt/ *vt*. ①歸於;諉於②認為…是某人所為 *n*.①屬性,特質;標志,象徵②【語】定語 **attribution** *n*.歸屬;屬性 **attributive** *a*.【語】定語的 *n*.修飾語,定語.

attrition /ə'trɪʃn/ *n*. 消耗;磨損 // *war of* ~ 消耗戰.

attune /ə'tjuːn/ *vt*. 使調和;使協調.

Atty-Gen *abbr*. = Attorney General.

atypical /ˌeɪ'tɪpɪkl/ *a*. 非典型的;不規則的.

Au 【化】元素金之符號.

aubergine /'əubəʒiːn, əubæ'ʒiːn/ *n*. (=[美]eggplant)【植】茄子;紫紅色.

aubrietia /ɔː'briːʃə/ *n*. 十字花科植物.

auburn /'ɔːbən/ *n*. & *a*. (指毛髮)赤褐色(的).

auction /'ɔːkʃn/ *n*. & *vt*.拍賣 **~eer** *n*.主持拍賣者 // ~ *bridge* 拍賣式橋牌(玩法).

audacious /ɔː'deɪʃəs/ *a*. 大膽的;魯莽的,放肆的 **audacity** *n*.

audible /'ɔːdəbl/ *a*. 聽得見的 **audibility** *n*.①聽得見②【物】可聞度.

audience /'ɔːdɪəns/ *n*. ①聽衆;觀衆②謁見;覲見.

audio /'ɔːdɪəʊ/ *a*. ①聽覺的;聲音的②【無】音頻的 ~ **frequency** (成)聲頻(率) **~meter** *n*.聽力計 **~typist** *n*.録音打字員 **~-visual**(略作 **AV**) *a*.視聽的.

audit /'ɔːdɪt/ *n*. & *v*. 審計;核數;查帳 **~or** *n*.①審計員;核數員②傍聽生.

audition /ɔː'dɪʃn/ *n*. 試聽 *v*.試聽;試音.

auditorium /ˌɔːdɪ'tɔːrɪəm/ *n*.(*pl*. **-ria** /-rɪə/)①大禮堂;會堂②(音樂廳、劇院之)觀(聽)衆席.

auditory /'ɔːdɪtrɪ/ *a*. 聽覺的.

au fait /ˌəʊ 'feɪ/ *a*. [法]熟諳;精通.

au fond /əʊ 'fɒŋ/ *ad*. [法]基本上;實際上.

auf Wiedersehen /ɑʊf 'viːdər'zeɪn/ *int*. [德]再見.

Aug. *abbr*. = August.

auger /'ɔːgə(r)/ *n*. 螺旋鑽.

aught /ɔːt/ *n*. [舊] = anything // (尤用於詞組) *for* ~ *I know/care* 我才不清楚/不管.

augment /ɔːg'ment/ *v*. /'ɔːgment/ *n*. 增大 **~ation** *n*. 增大(之物).

au gratin /ˌəʊ 'grætæn/ *a*. [法]裹麵包屑或乾酪而煮成焦黃色的.

augur /'ɔːgə(r)/ *v*. 預卜;預示 **~y** *n*.預卜,預兆.

august /ɔː'gʌst/ *a*. 尊嚴的;威嚴的;令人敬畏的.

August /'ɔːgəst/ *n*. 八月.

auk /ɔːk/ *n*.【動】海雀.

aunt /ɑːnt/ *n*. ①伯母,嬸嬸,舅媽,姨媽、姑媽②阿姨,大媽,大娘(俗亦稱作 **~ie** 或 **~y**) // *A-Sally* ①(集市上當作一種投擲遊戲靶子的木製女人像;(~sally) 無聊的娛樂節目)②(莫名其妙地受到大家指責的)衆矢之的.

au pair (girl) /ˌəʊ'peə(r)(gɜːl)/ *n*. [法]換工者(常指為學習僑居國語言而幫人料理家務以換取免費膳宿的年輕外國女僑民或留學生).

aura /'ɔːrə/ *n*. 氣氛;氣息.

aural /'ɔːrəl/ *a*. 耳的;聽力的.

aureola, aureole /ɔː'rɪələ, 'ɔːrɪəʊl/ *n*.

光環;暈.

au revoir /ˌəʊ rəˈvwɑː(r)/ *int*. [法]再見.

auricle /ˈɔːrɪkl/ *n*. ①【解】耳廓②【解】心耳 **auricular** *a*.

Auriga /ɔːˈraɪgə/ *n*.【天】御夫座.

aurochs /ˈɔːrɒks/ *n*. 古代歐洲野牛.

aurora /əˈrɔːrə/ *n*. (*pl*. **-ras, -rae**)【天】極光;曙光 // ~ *australis* /-ɔːsˈtreɪlɪs/ 南極光 ~ *borealis* /-ˌbɔːrɪˈælɪs/ 北極光.

auscultation /ˌɔːskəlˈteɪʃn/ *n*. 聽診.

auspices /ˈɔːspɪsɪz/ *pl*. *n*. 贊助,資助;主辦 // *under the ~ of* 由…贊助(主辦);在…保護下.

auspicious /ɔːsˈpɪʃəs/ *a*. 吉兆的;順利的;幸運的.

Aussie /ˈɒzɪ/ *a*. & *n*. [俗]澳大利亞的(人).

austere /ɒˈstɪə(r)/ *a*. ①嚴格的,嚴肅的②克己的③簡樸的,質樸的 **austeriby** *n*.

Australasian /ˌɒstrəˈleɪʒjən/ *a*. & *n*. 澳大拉西亞(澳大利亞,新西蘭及鄰近諸島之統稱)的(人).

Australian /ɒˈstreɪljən/ *a*. & *n*. 澳大利亞的(人).

Austrian /ˈɒstrɪən/ *a*. & *n*. 奧地利的(人).

Austro- /ˈɒstrəʊ/ [前綴]表示"奧地利"或"奧地利人的"如: the ~-Italian border 奧意邊境.

autarchy /ˈɔːtɑːkɪ/ *n*. 專制;獨裁;專制國家.

autarkic /ɔːtɑːkɪk/ *n*. 自給自足的政策.

autarky/ˈɔːtɑːkɪ/ *n*. =autarchy.

authentic /ɔːˈθentɪk /*a*, ①真正的②可信的,可靠的 **~ally** *ad*. **~ity** *n*.

authenticate/ɔːˈθentɪkeɪt/ *vt*. 證實;鑒定;認證 **authentication** *n*.

author /ˈɔːθə(r)/ *n*. ①著者,作家②創始人 **~ess** *n*.女作家 **~less** *a*.匿名的 **~ship** *n*.①作者身份②(書的)來源.

authority /ɔːˈθɒrətɪ/ *n*. ①權威,權力;職權②(常 *pl*.)當局,官方③權威人士 **authoritarian** *a*. & *n*.專制主義的(者) **authoritative** *a*.①有權威的②可靠的;官方的③發號施令的.

authorize /ˈɔːθəraɪz/ *vt*. 授權;認可,批准 **authorization** *n*.①授權②委任(狀) **~d** *a*.公認的;核准的;授權的 **the Authorized Version** (略作 **AV** 亦作 **King James Version**)(1611年英王 James 一世核定發行的)欽定聖經英譯本.

autism /ˈɔːtɪzəm/ *n*.【心】(兒童常患的)孤獨性;孤癖症,自閉症 **autistic** *a*.患有自閉症的.

auto /ˈɔːtəʊ/ *n*. [美俗]汽車.

auto- / [前綴]表示"自己"、"自身";"自動";"汽車".

autobahn /ˈɔːtəbɑːn/ *n*. [德](德、奧、瑞士等國的)高速公路.

autobiography /ˌɔːtəbaɪˈɒgrəfɪ/ *n*. 自傳 **autobiographical** *a*.

autocrat /ˈɔːtəkræt/ *n*. ①獨裁者,專制君主②專橫的人 **autocracy** 專制政體,獨裁政治.

autocross /ˈɔːtəʊkrɒs/ *n*. 汽車越野賽.

autocue /ˈɔːtəʊkjuː/ *n*. 電視講詞提示器.

autocycle /ˈɔːtəusaɪkl/ *n*. 機器脚踏車,摩托車.

autoeroticism, autoerotism /ˌɔːtəʊɪrˈɒtɪsɪzəm, ˌɔːtəʊˈeərətizəm/ *n*. 手淫.

autogamy /ɔːˈtɒgəmɪ/ *n*.【植】自花授粉.

autogiro, -gyro /ˌɔːtəʊ'dʒaɪərəʊ/ *n*. 自轉旋翼飛機.

autogrph /'ɔːtəgrɑːf/ *n*. & *v*. 親筆(署名於…).

automat /'ɔːtəmæt/ *n*. [美]自動售貨機;(顧客從自動售機取食的)自助餐館.

automate /'ɔːtəmeɪt/ *vt*. 使自動化 **automation** /ˌɔːtə'meɪʃn/ *n*.

automatic /ˌɔːtə'mætɪk/ *a*. ①自動操作的②(指行動)自然而然的;無意識的 *n*. 自動機械(裝置,武器) // ~ *transmission* 自動換擋;自動變速裝置.

automaton /ɔː'tɒmətən/ *n*. (*pl*. **-tons, -ta**) 機器人;機械式動作的人;自動玩具.

automobile /'ɔːtəməbiːl/ *n*. [美]汽車.

autonomy /ɔː'tɒnəmɪ/ *n*. 自治 **autonomous** /-məs/ *a*.

autopsy /'ɔːtɒpsɪ/ *n*. 驗屍;屍體解剖.

autostrada /'ɔːtəʊstrɑːdə/ *n*. (*pl*. **-de** /-deɪ/) [意]高速公路.

autosuggestion /ˌɔːtəʊsə'dʒestʃən/ *n*. 【心】自我暗示.

autumn /'ɔːtəm/ *n*. 秋 **~al** *a*. 秋天的.

auxiliary /ɔːg'zɪlɪərɪ/ *a*. 輔助的;從屬的 *n*. 輔助者(物)(*pl*.)外國援軍;【語】助動詞(亦作 **~verb**).

avail /ə'veɪl/ *v*. 有益(於);有用 *n*. 效用 // *to little/no* ~ 沒有甚麼用處/完全沒用.

available /ə'veɪləbl/ *a*. ①可得到的;可買到的;可用的②可以會見的;有空的 **availability** *n*.

avalanche /'ævəlɑːnʃ/ *n*. ①雪崩②(雪崩似的)大批湧現.

avant-grade /ˌævɒŋ'gɑːd/ *n*. & *a*. (尤指藝術)先鋒派(的),前衛派(的).

avarice /'ævərɪs/ *n*. 貪婪;貪欲 **avaricious** /rɪʃəs/ *a*.

avatar /ˌævə'tɑː(r)/ *n*. (印度教中神的)降凡(而成為人或動物).

Ave. *abbr*. = Avenue.

Ave Maria /ˌɑːvɪ mə'rɪə/ *n*. 【宗】萬福瑪利亞.

avenge /ə'vendʒ/ *vt*. 復仇;進行報復 **~r** *n*. 復仇者,報復者.

avenue /'ævənjuː/ *n*. ①林蔭路;大街②途徑.

aver /ə'vɜː(r)/ *vt*. 斷言;極力聲明.

average /'ævərɪdʒ/ *n*. ①平均(數)②一般水平;普通③【商】海損 *a*. 平均的;平常的 *v*. 平均;均分;平均為.

averse /ə'vɜːs/ *a*. 厭惡的;反對的;不願意的 **aversion** *n*. 厭惡;反感.

avert /ə'vɜːt/ *vt*. 避免,防止;避開,轉移. **~ment** *n*.

aviary /'eɪvɪərɪ/ *n*. 大鳥籠;鳥舍.

aviation /ˌeɪvɪ'eɪʃn/ *n*. 飛行(術);航空(學);飛機製造業.

aviator /'eɪvɪeɪtə(r)/ *n*. [舊]飛行員,飛機師.

avid /'ævɪd/ *a*. ①渴望的②熱心的③貪婪的 **~ity** *n*.

avionics /eɪvɪ'ɒnɪks/ *n*. 航空電子學.

avocado /ˌævə'kɑːdəʊ/ *n*. 【植】鱷梨.

avocation /ˌævəʊ'keɪʃn/ *n*. 副業;嗜好.

avocet /'ævəset/ *n*. 【鳥】反嘴長脚鷸.

avoid /ə'vɔɪd/ *vt*. 迴避;避免;防止 **~able** *a*. 可避免的 **~ance** *n*.

avoirdupois /ˌævədə'pɔɪz/ *n*. ①常衡(以 16 盎司為 1 磅之衡制)②體重.

avow /ə'vaʊ/ *vt*. ①公開聲明②供認 **~al** *n*. **~ed** *a*. 公然承認的;明言的 **~edly** *ad*. 公然地.

avuncular /ə'vʌŋkjʊlə(r)/ *a*. 像長輩

似慈愛關懷的.

await /əˈweɪt/ *vt*. 等待;等候.

awake /əˈweɪk/ *v*. (**awoke** /əˈwəʊk/ **awoken** /əˈwəʊkən/) ①喚醒;喚起;激起②(使)覺悟;醒悟到 *a*.醒着的;意識到的.

awaken /əˈweɪkən/ *v*. 喚醒;使覺醒;醒悟到 **~ing** *n*. 覺悟;覺醒.

award /əˈwɔːd/ *vt*. 授與;判給 *n*.①獎品②裁定;判定③[英]助學金.

aware /əˈweə(r)/ *a*. ①知悉;意識到②有…意識的 **~ness** *n*.

awash /əˈwɒʃ/ *a*. 被波浪冲擊的;被水淹的.

away /əˈweɪ/ *ad*. ①離開②在它處;不在③立刻④(直至)消失掉.

awe /ɔː/ *n*. 敬畏 *vt*.①使敬畏②威嚇 **~some** *a*.①可怕的;②[美俚]好極了,棒極了 **~-struck** *a*. 令人敬畏的.

awful /ˈɔːfl, ˈɔfl/ *a*. ①可怕的②[口]糟透了,非常的 **~ly** *ad*.[口]糟糕地,非常 **~ness** *n*.

awhile /əˈwaɪl, [美] əˈhwaɪl/ *ad*. 暫時,片刻.

awkward /ˈɔːkwəd/ *a*. ①笨拙的;不靈活的②難使用的③棘手的;難對付的;尷尬的 **~ly** *ad*. **~ness** *n*. **~age** 未成年的青春期 // *~ customer* 危險或難以對付的人或動物.

awl /ɔːl/ *n*. 錐子.

awning /ˈɔːnɪŋ/ *n*. (擋風雨遮陽用的塑料或帆布)遮篷.

awoke /əˈwəʊk/ awake 之過去式.

awoken /əˈwəʊkən/ awake 之過去分詞.

AWOL /ˈeɪwɒl/ *abbr*. = absent without leave【軍】擅離職守,開小差.

awry /əˈraɪ/ *ad*. & *a*. 曲,歪,斜;差錯;錯誤.

axe [美] **ax** /æks/ *n*. (*pl*. **axes** /ˈæksɪz/) 斧;[口]突然解僱,開除;削減 *vt*.①[口]解僱,開除②大削減;終止(一項計劃).

axil /ˈæksɪl/ *n*.【植】葉腋.

axiom /ˈæksɪəm/ *n*. 公理;自明之理 **~atic** *a*.公理的;自明的.

axis /ˈæksɪs/ (*pl*. **axes** /ˈæksiːz/) *n*. ①軸;軸綫②(國與國之間的)聯盟 **the A-** (第二次世界大戰德、日、意聯盟結成之)軸心國 **axial** /ˈæksɪəl/ *a*.

axle /ˈæksl/ *n*. 輪軸,車軸 **~-beaning** *n*.軸承.

axolotl /ˌæksəˈlɒtl/ *n*.【動】墨西哥蝶螈.

ayatollah /ˌaɪəˈtɒlə/ *n*. (伊朗)伊斯蘭教領袖.

ay(e) /aɪ/ *int*. 是,行 *n*.贊成票;投贊成票者 // *the ayes have it* 贊成的占多數.

azalea /əˈzeɪlɪə/ *n*.【植】杜鵑(花).

azimuth /ˈæzɪməθ/ *n*. 方位(角);【天】地平經度.

AZT / *abbr*. *n*. = azidothymidine【醫】叠氮胸苷(抗愛滋病藥).

Aztec /ˈæztek/ *n*. & *a*. (墨西哥印地安原始部族)阿兹台克人(的);阿兹台克語(的).

azure /ˈæʒə(r)/ *n*. & *a*. 天藍色(的);青天的.

B

BA *abbr*. = ① Bachelor of Arts 文學士②British Airways 英國航空公司.

baa /bɑː/ *v*. (過去式和過去分詞 **baaed**)羊叫;咩咩地叫 *n*. 咩.

baba /'bɑːbə/ *n*. 朗姆甜酒泡糕.

babble /'bæbl/ *v*.①喋喋不休,嘮叨②發出潺潺流水聲 *n*.①空話,胡話②潺潺流水聲 **~r** *n*.胡言亂語者,說話前言不搭後語者.

babe /beɪb/ *n*. ①[古]嬰孩②[美俚]姑娘,小妞;漂亮的女人.

babel /'beɪbl/ *n*. 喧嘩;混亂嘈雜的景象.

baboon /bə'buːn,[美]'bæ-/ *n*.【動】狒狒.

baby /'beɪbɪ/ *n*. ①嬰孩;幼畜②[俚]寶貝,心肝;家庭(或集團)中最年幼的成員③孩子氣的人 *vt*.把…當嬰兒看待;嬌養 *a*.小型的,微型的 **~hood** *n*. 嬰兒期 **~ish** *a*.孩子氣的 **~-bound** *a*. [美]懷孕的. **~-minder** *n*. [英]保姆 **~-sit** *v*. 充任臨時保姆 **-sitter** *n*. 臨時保姆 **~-talk** *n*. 兒語. // ~*grand* 小型三角鋼琴.

baccara(t) /'bækərɑː/ *n*. [法]一種三人玩的紙牌賭博(俗稱百家樂).

bacchanal /'bækənl/ *n*. (*pl*. **-s, -ia**) 酗酒狂歡~**ian** *a*.

bachelor /'bætʃələ(r)/ *n*. ①單身漢②學士 **~hood** *n*.(男子)獨身.

bacillus /bə'sɪləs/ *n*. (*pl*. **~-cilli** /-sɪlaɪ/) 杆菌.

back /bæk/ *n*. ①背,背部②背面,後面③靠背④(球類運動的)後衛 *a*. ①背後的②邊遠的,偏僻的③過期的(雜誌,期刊等) *ad*. 向後;回原處,回復 *v*. ①後退②資助,支持③下賭注於④背書(支票等)⑤裱(畫);襯裏於**~er** *n*.支持(資助)者**~ing** *n*. ①支持②音樂伴奏**~ward** *a*. 向後的;落後的;倒的 **~wards**, [美] ~**ward** *ad*. 在後;倒 **~bencher** *n*. (英國、澳大利亞及新西蘭下院,在政府或黨內無官職的)後座普通議員 **~biting** *n*. 背後誹謗 **~bone** *n*. 脊骨;骨幹 **~breaking** *a*. 累死人的 **~chat** *n*. [俗]頂嘴 **~cloth**, **~drop** *n*. 背景幕布 **~date** *v*. 回溯至(過去某時)生效;故意將日期填早 **~down** *v*. 退讓 **~fire** *v*. 發生逆火;產生事與願違的後果 **~ground** *n*. 背景;出身,經歷 **~handed** *a*. 反手的;諷刺的 **~hander** *n*. [俚]賄賂 **~lash** *n*. (社會或政治上的)強烈反應 **~log** *n*. 積壓待辦之事 **~pack** *n*. 背包 **~pedal** *v*. 變卦,出爾反爾 **~-seat driver** [俚]不在其位卻愛亂出主意的人**~side** *n*. [俚]屁股 **~slide** *v*. 退縮;倒退;故態復萌(**~slider** *n*.) **~stage** *ad*. ①在後台,往後台②私下 *a*. 後台的;幕後的;私下的 **~stairs** *a*. 秘密的;見不得人的 **~stroke** *n*. 仰游 **~track** *v*. 走回頭路;變卦 **~-up** *n*. 支持(**~up** *vt*.) **~water** *n*. ①回水;死水②窮鄉僻壤③思想閉塞 **~woods** *n*. 人口稀少的邊遠地區 // ~*door* 非法途徑(的);後門(的) ~*issue*/*number* ①過期的報刊雜誌②落伍於時代的人(或物) ~ *out* 不履行(協議,諾言等) ~ *room* (進行秘密研究或從事

陰謀策劃的)密室.

backgammon /ˌbækˈgæmən/ *n*. 西洋十五子棋.

back-up /ˈbækʌp/ *n*. 備份複製.(多指電腦數據)

bacon /ˈbeɪkən/ *n*. 鹹猪肉,熏猪肉.

bacteria /bækˈtɪərɪə/ *pl*. *n*. (*sing*. **-rium**)細菌 **~l** *a*. 細菌的.

bacteriology /bækˌtɪərɪˈɒlədʒɪ/ *n*. 細菌學 **bacteriological** *a*. 細菌學的 **bacteriologist** *n* 細菌學家.

bad /bæd/ *a*. (**worse** /wɜːs/, **worst** /wɜːst/)①壞,惡,歹②不正確的;低劣的;有害的;令人不愉快的③嚴重的④[美俚]出色的 *ad*.[美俗]非常 **~ly** *ad*. ①惡劣地,拙劣地②非常 **~dy** *n*. [俚]電影,小說中的反派角色,壞人 **~-mouth** *vt*. 詆毀;貶低,// *~debt* 倒帳,呆帳 *~blood* 怨恨 *be ~ly off* (尤指經濟上)景況不佳.

bade /bæd/ bid 的過去式.

badge /bædʒ/ *n*. 徽章,證章;標記.

badger /ˈbædʒə(r)/ *n*.【動】獾 *vt*. 煩擾;糾纏.

badinage /ˈbædɪnɑːʒ, bædənˈɑːʒ/ *n*. [法]開玩笑,打趣.

badminton /ˈbædmɪntən/ *n*. 羽毛球.

baffle /ˈbæfl/ *vt*. 使困惑;使為難 *n*. 隔板,障板 **~ment** *n*. 為難;困惑.

bag /bæg/ *n*. ①袋囊;提包②[蔑]性格暴躁的醜女人③(*pl*.)(+of)許多 *v*. ①把…裝入袋內②捕獲③(使)膨脹;(使)膨大鬆垂(成袋狀) **~gy** *a*. (指衣服)鬆弛下垂的// *~ people* 把家當放在購物袋中浪迹街頭的人.

bagatelle /ˌbægəˈtel/ *n*. ①瑣事;微不足道之物②九穴枱球戲.

baggage /ˈbægɪdʒ/ *n*. ①[美]行李(=[英]luggage)②[軍]輜重③[貶]醜陋討厭的老女人// *~car*[美](=[英]luggage van)行李車 *~room*[美](=[英]left luggage office)(車站的)行李寄存處.

bagpipes /ˈbægpaɪps/ *pl*. *n*. 風笛(亦作 **pipes**).

bail[1] /beɪl/ *n*.【律】保釋(金);保釋人 *v*.【律】准許保釋;保釋(某人).

bail[2], **bale** /beɪl/ *v*. (+out)①(從船中)舀水②(從飛機上)跳傘③幫助…擺脫困境 **bailout** *n*.【經】緊急財政援助.

bail[3] /beɪl/ *n*.【板球】三柱門上的橫木.

bailey /ˈbeɪlɪ/ *n*. 城堡的外牆或外牆內之庭院// *Bailey bridge*【軍】活動便橋.

bailiff /ˈbeɪlɪf/ *n*. 法警;執行官;地主管家.

bailiwick /ˈbeɪlɪwɪk/ *n*. 執行官的職權範圍.

bairn /beən/ *n*. [蘇格蘭]小孩;孩子.

bait /beɪt/ *n*. 餌;誘惑 *vt*. ①裝餌於;引誘②折磨;耍弄.

baize /beɪz/ *n*. (綠色)枱面呢.

bake /beɪk/ *v*. 烤,烘;焙;燒硬;焙乾 **~r** *n*. 麵包師傅 **~ry** *n*. 麵包房 // *~r's dozen* 十三 *baking powder* 發酵粉.

baksheesh /ˈbækʃiːʃ/ *n*. (中東國家的)小費;賞錢.

balaclava (亦作 **B-helmet**) /ˌbæləˈklɑːvə (ˈhelmɪt)/ *n*. 大絨帽,大氈帽.

balalaika /ˌbæləˈlaɪkə/ *n*. 巴拉拉伊卡琴(流行於斯拉夫國家的)三弦三角琴.

balance /ˈbæləns/ *n*. ①天平,秤②平衡③【商】差額,餘額 *v*. ①(用天平)秤②(使)平衡;(使)相等③對比;權

衡 **~d** *a*. 平衡的;均衡的 // ~ *of payment*, ~ *of trade* 國際收支差額;貿易(輸出入)差額 ~*sheet* 資產負債表 *in the* ~ 懸而未決.

balcony /'bælkənɪ/ *n*. 陽台;(戲院的)樓座.

bald /bɔːld/ *a*. ①禿的②(指車胎)胎面花紋磨損的③(指講話或文章等)直率的,開門見山的 **~ing** *a*. 變禿的 **~ly** *ad*. 直率地 **~ness** *n*. // ~ *eagle* (北美產)白頭鷹,禿鷹(用作美國的象徵).

balderdash /'bɔːldədæʃ/ *n*. 胡言亂語.

bale /beɪl/ *n*. 大包,大捆 *vt*. 把…打包.

baleful /'beɪlful/ *a*. 惡意的;懷恨的;有害的.

ba(u)lk /bɔːk/ *v*. ①畏縮不前②阻止,妨礙.

ball[1] /bɔːl/ *n*. ①球;投出的球② (*pl*.) [俗]胡說八道;[俚]睾丸 *v*. 捏(或繞)成球形 **~-bearing** 滾珠軸承 **~-cock** 浮球活栓 // ~ *pen* (= ~-point 或~-point pen)圓珠筆,原子筆.

ball[2] /bɔːl/ *n*. 舞會 **~room** *n*. 跳舞廳.

ballad /'bæləd/ *n*. 民謠,民歌;抒情小曲 **~-monger** *n*. 民謠作者.

ballast /'bæləst/ *n*. ①【船】壓艙物②(鐵路、公路上鋪路基用的)石碴.

ballet /'bæleɪ/ *n*. 芭蕾舞 **ballerina** /ˌbælə'riːnə/ *n*. [意]芭蕾舞女演員.

ballistics /bə'lɪstɪks/ *n*. 彈道學 // *ballistic missile* 彈道導彈;彈道飛彈.

balloon /bə'luːn/ *n*. 氣球 *v*. ①(使)膨脹成氣球狀;(使)充氣②乘氣球飛行(常作 **go ~ing**) **~ist** *n*. 駕駛氣球者 **~fish** *n*. 河豚 **~angioplasty** *n*. 【醫】氣球血管整形術(用於治療心肌梗塞症).

ballot /'bælət/ *n*. ①(無記名)投票,投票權②選票 *v*. (使)投票(表决或選出) ~ **box** *n*. 投票箱.

ballyhoo /ˌbælɪ'huː/ *n*. 大肆宣揚;喧鬧;大吹大擂.

balm /bɑːm/ *n*. ①(止痛或療傷用的)香油,香膏②安慰物 **~y** *a*. ①(指天氣)溫和宜人的②[英俚] = barmy.

baloney /bə'ləunɪ/ *n*. ①[俚]胡說八道②大香腸.

balsa /'bɔːlsə/ *n*. [西](美洲熱帶)輕木(樹).

balsam /'bɔːlsəm/ *n*. ①【植】鳳仙花②鎮痛膏.

baluster /'bæləstə(r)/ *n*. 【建】欄杆柱 **balustrade** *n*. 欄杆.

bamboo /bæm'buː/ *n*. 竹 // ~ *shoot n*. 竹筍.

bamboozle /bæm'buːzl/ *v*. ①[俚]哄,騙②(使)困惑.

ban /bæn/ *vt*. 禁止;取締 *n*. 禁令;禁止.

banal /bə'nɑːl/ *a*. 平庸的;陳腐的 **~ity** *n*. ①平庸,陳腐②陳詞濫調.

banana /bə'nɑːnə/ *n*. 香蕉 // ~ *republic* 貶香蕉共和國(指中南美洲經濟落後,政治不穩定的農業小國).

band /bænd/ *n*. ①帶;箍②【無】(亦作 **wave ~**)波段,頻帶③一幫,一夥④樂隊 *v*. ①用帶綁(捆或扎)②聯合 **~master** *n*. 樂隊指揮 **~sman** *n*. 樂隊隊員 **~stand** *n*. 室外音樂台.

bandage /'bændɪdʒ/ *n*. 繃帶 *vt*. 用繃帶包扎.

Band-Aid /'bændeɪd/ *n*. [美商標]急救膠帶,邦迪創可貼.

banda(n)a /bæn'dænə/ *n*. (帶彩色斑點的)大圍巾;大頭巾.

b and b, B and B /ˌbiː ən 'biː/ [英俚]

提供住宿及早餐(＝bed and breakfast).

bandeau /'bændəʊ/ *n*.(*pl*. **-deanx** /-dəʊz/ [法]束髮帶.

bandit /'bændɪt/ *n*. 土匪,強盜 **~ry** *n*.盜匪的活動.

bandoleer, -lier /ˌbændə'lɪə/ *n*.【軍】子彈帶.

bandwagon /'bændˌwægən/ *n*. ①樂隊花車②潮流③一時得勢的黨派或思想 // *Climb/Jump on the* ~ 趕浪頭;看風使舵.

bandy[1]/'bændɪ/ *vt*. ①吵(嘴)②散佈(謠言等).

bandy[2]/'bændɪ/ *a*. (膝)向外彎曲的 **~-legged** *a*.羅圈腿的.

bane /beɪn/ *n*. 禍害,禍根 **~ful** *a*.有害的;致禍的.

bang /bæŋ/ *v*. ①(咚咚地)重擊(或猛撞)②砰地(把門等)關上;砰砰作響③[卑]性交④把頭髮剪成劉海兒式 *n*.①砰的一聲重響②猛擊,重敲③[卑]性交④劉海式髮型 *ad*.砰地;突然.

banger/'bæŋə(r)/*n*.[英口]①香腸②爆竹;鞭炮③噪聲很大的舊汽車.

bangle /'bæŋgl/ *n*. 手鐲,脚鐲.

banian, banyan /'bænɪən;'bænjən/ *n*.【植】印度榕樹.

banish /'bænɪʃ/ *vt*. ①放逐;流放②(從頭腦中)消除,忘却 **~ment** *n*.流放,驅逐.

banisters /'bænɪstə(r)s/ *pl*. *n*. ①樓梯;扶手②欄杆.

banjo /'bændʒəʊ/ *n*. 班卓琴.

bank[1]/bæŋk/ *n*. 銀行;庫 *v*. ①存(款)於銀行②(在賭博中)當莊家 **~er** *n*. 銀行家;(賭博的)莊家 **~ing** *n*. 銀行業;金融 **~note** *n*. 鈔票 **~-book** *n*. 銀行存摺 **~rate** *n*. 銀行貼現率 // ~*on*/*upon* 依靠,指望.

bank[2]/bæŋk/ *n*. ①堤岸;埂②堆③斜坡,邊坡 *v*. ①築堤;堆積②使(飛機,車輪轉變時)傾斜飛行或行駛.

bank[3]/bæŋk/ *n*. (機器等中的)一排或一系列(開關、按鍵).

bankable /'bæŋkəbl/ *a*. 會賺錢的;能叫座的.

bankrupt /'bæŋkrʌpt/ *n*.【律】破產者 *a*.【律】①破產的;無力還債的②完全喪失…的 *vt*. 使破產 **~cy** *n*. 破產;完全喪失.

banner /'bænə(r)/ *n*. ①旗;旗幟②橫幅標語 *a*.[美褒]極好的 **~bearer** *n*. 旗手 // ~*headline*(＝streamer)報紙上的通欄標題 *under the* ~*of* 以…的名義;在…旗幟下.

bannock /'bænək/ *n*. 蒸麥(大麥)烤餅.

banns /bænz/ *pl*.*n*. (在教堂宣佈的)結婚預告.

banquet /'bæŋkwɪt/ *n*. 宴會,盛宴 *v*. 宴請;參加宴會.

banshee, banshie /'bænʃiː/ *n*.(愛爾蘭傳說中的)報喪女妖.

bantam /'bæntəm/ *n*. 矮脚雞 // ~*weight* 次輕量級拳擊手(體重在51至53.5公斤之間).

banter /'bæntə(r)/ *n*.& *v*. 開玩笑,打趣.

Bantu /ˌbæn'tuː/ *n*. (非洲)班圖人,班圖語.

baobab /'beɪəbæb/ *n*.【植】猴麵包樹.

bap /bæp/ *n*. 小麵包捲.

baptism /'bæptɪzəm/ *n*.【宗】洗禮,浸禮 **~al** *a*. **baptize** *vt*. 給…施洗禮;通過洗禮儀式使成為教徒.

Baptist /'bæptɪst/ *n*. (基督教新教)浸禮會教徒.

bar /bɑː/ *n*. ①(金屬、木等)條,棒,

杆;棒狀物②(門窗)閂③酒吧④【樂】小節綫⑤障礙(物)⑥法庭 *v*. 閂上;阻擋;不准 *prep*. 除…外 **the ~, the Bar** 律師業,律師 **~maid** *n*. 酒吧女招待 **~man** *n*. 男招待(=[美]~tender) // *~ code* 條形碼(用電腦讀取資料的編碼化標籤).

barb /bɑːb/ *n*. ①倒刺,倒鈎②[喻]刺耳之言論 **~ed** *a*. 有倒刺的;刺耳的 // *~ed wire* 有刺鐵絲.

barbarian /bɑːˈbeərɪən/ *n*. & *a*. 野蠻人(的) **barbaric** *a*. ①野蠻(人似)的②粗俗的 **barbarism** *n*. ①野蠻②粗俗 **barbarity** *n*. ①野蠻行為②=barbarism **barbarous** *a*. ①野蠻的;殘暴的②粗野的.

barbecue /ˈbɑːbɪkjuː/ *n*. 野餐烤肉架;野餐烤肉會 *v*. (用烤肉架)燒烤(食物).

barber /ˈbɑːbə(r)/ *n*. (為男人服務的通常為男性的)理髮師.

barbiturate /bɑːˈbɪtjʊrət/ *n*. 【藥】巴比土酸鹽(一種鎮靜劑).

bard /bɑːd/ *n*. [書]吟遊詩人 **the Bard** 詩翁(指莎士比亞).

bare /beə(r)/ *a*. ①赤裸的②無遮蔽的;無裝飾的③質樸的④勉強夠的⑤空白 *vt*. 剝去;敞開 **~ly** *ad*. ①僅僅;勉強②幾乎沒有 **~ness** *n*. **~back** *ad*. & *a*. 不用馬鞍(的) **~faced** *a*. 不要臉的 **~facedness** *n*. 厚顏無恥 **~foot, ~footed** *ad*. & *a*. 赤脚(的) **~handed** *ad*. & *a*. ①未戴手套(的)②赤手空拳(的) **~headed** *ad*. & *a*. 光着頭(的).

bargain /ˈbɑːgɪn/ *n*. ①交易②合同;協議;成交條件③便宜貨 *v*. 討價還價;(為成交達成協議而)講條件 // *~counter* [美]廉價品櫃台 *~ for* 指望;預計 *~hunter* 專找廉價商品的人 *~ money* 定金 *~ sale* 大廉價 *in/into the ~* 另外,而且.

barge /bɑːdʒ/ *n*. 平底貨船;駁船 *v*. [俗]衝撞,碰撞 // *~in/into* 闖入;打擾.

baritone /ˈbærɪtəʊn/ *n*. 【樂】男中音(歌手).

barium /ˈbeərɪəm/ *n*. 【化】鋇 // *~ meal* 【醫】鋇餐(消化道作 X 光檢查前服用或注射的化學藥劑).

bark /bɑːk/ *n*. ①犬吠聲②樹皮 *v*. ①吠,狗叫②怒吼③剝去(樹)皮 **~ing** *a*. [俚]瘋狂的.

barley /ˈbɑːlɪ/ *n*. 大麥 // *~sugar* 麥芽糖 *~water* 大麥茶.

barmitzvah /ˌbɑːˈmɪtsvə/ *n*. 【宗】(滿十三歲男孩的)受戒儀式;受戒齡少年(亦作 **~boy**).

barmy /ˈbɑːmɪ/ *a*. (=[美]balmy)[英俚]呆笨瘋狂的;精神不正常的.

barn /bɑːn/ *n*. 糧倉;穀倉 **~storm** [美]在鄉間作巡迴演出;在各地巡迴作政治性演說 // *~dance* 鄉間的穀倉舞(會).

barnacle /ˈbɑːnəkl/ *n*. ①【動】藤壺②[喻]跟屁蟲.

barney /ˈbɑːnɪ/ *n*. [俗]大吵大鬧;吵吵嚷嚷.

barometer /bəˈrɒmɪtə(r)/ *n*. ①氣壓計;晴雨表②[喻]顯示輿論(市場行情或人們情緒變化)的事物 **barometric** *a*.

baron /ˈbærən/ *n*. ①男爵②富商;工商業巨頭 **~ess** *n*. 男爵夫人,女男爵 **~ial** *a*. **~y** *n*. 男爵爵位.

baronet/ˈbærənɪt/*n*. 准男爵(英國世襲爵位中最低等級的受勛者).

baroque /bəˈrɒk/ *n*. (16 世紀末至 18 世紀流行於歐洲)過份雕琢的藝術風格和建築風格;巴羅克風格 *a*. 十分

複雜和怪异的;精緻和華麗的;巴羅克風格的.

barque /bɑːk/ *n*. 三桅帆船.

barrack /ˈbærək/ *v*. (對運動員, 演講)喝倒彩;起哄.

barracks /ˈbærəks/ *pl*. *n*. 兵營.

barracuda /ˌbærəˈkuːdə/ *n*. 梭子魚.

barrage /ˈbærɑːʒ/ *n*. ①【軍】掩護炮火, 火網②連珠炮似的提出(問題, 批評等)③堰, 攔河壩.

barrel /ˈbærəl/ *n*. ①桶, 大琵琶桶②槍管, 炮管, 筆管 **~organ** 手搖風琴.

barren /ˈbærən/ *a*. ①貧瘠的;不結果實的;不育的②無益的;無效的 **~ness** *n*.

barricade /ˌbærɪˈkeɪd/ *n*. 防寨, 防柵;路障 *vt*. 設柵於;阻塞.

barrier /ˈbærɪə(r)/ *n*. ①柵欄;關卡②障礙(物) // *~cream* 護膚霜 *~reef* 堡礁.

barrister /ˈbærɪstə(r)/ *n*. [英](可出席高等法庭的)律師, 大律師;[美]法律顧問;律師.

barrow /ˈbærəʊ/ *n*. ①(獨輪或兩輪)手推車②(攤販的)擔架;活動攤位③(史前人的)古墳, 冢.

barter /ˈbɑːtə(r)/ *v*. 以物易物;作易貨貿易 *n*. 易貨(貿易).

basalt /ˈbæsɔːlt/ *n*. 【地】玄武岩 **~ic** *a*.

bascule /ˈbæskjuːl/ *n*. (亦作 **~bridge**)活動吊橋, 開合橋.

base /beɪs/ *n*. ①底部;基礎;根據②基地;起點③【數】底邊, 底线;基數④【棒球】壘⑤【化】鹼⑥【語】詞根 *vt*. 基於…;以…作為根據 *a*. ①卑鄙的②低劣的 **~ly** *ad*. **~ness** *n*. 卑鄙, 無耻 **~less** *a*. 無根據的 **~ball** *n*. 棒球(運動) **~ment** *n*. 地下室;底層 **~minded** *a*. 品質惡劣的 // *off~* [美俚]大錯特錯的;冷不防地.

bash /bæʃ/ [俗] *v*. & *n*. 猛擊.

bashful /ˈbæʃfl/ *a*. 害羞的, 羞怯的 **~ly** *ad*. **~ness** *n*.

basic /ˈbeɪsɪk/ *a*. 基本的, 基礎的 **~s** *n*. 基礎, 基本;要點.

BASIC, Basic *abbr*. = beginners' all purpose symbolic instruction code 【計】(電腦程序使用的) basic 程式語言.

basil /ˈbæzl/ *n*. 【植】(調味用的)羅勒, 紫蘇.

basin /ˈbeɪsn/ *n*. ①臉盆②盆地;流域;水窪③【船】繫船池.

basis /ˈbeɪsɪs/ *n*. (*pl*. **bases** /ˈbeɪsiːz/) ①基礎;根據②主要成份.

bask /bɑːsk/ *vi*. ①(舒適地)取暖(如曬太陽, 烤火等)②感到舒服;得到樂趣.

basket /ˈbɑːskɪt/ *n* ①籃, 簍, 筐②(籃球場的)籃;一次投籃的得分③【空】氣球的吊籃 **~ful** *n*. 一滿籃(簍或筐) **~ry** *n*. ①編籃技藝(亦作 **~ry weaving**)②籃, 筐等編織品 **~ball** *n*. 籃球(賽) **~work** *n*. = **~ry** **~worm** *n*. 【蟲】結草蟲.

basque /bæsk/ *n*. (婦女的)緊身上衣 (B-) *n*. & *a*. (居住在比利牛斯山西部法國和西班牙的)巴斯克人(的), 巴斯克語(的).

bas-relief /ˌbæsrɪˈliːf/ *n*. 淺浮雕.

bass[1] /beɪs/ *n*. 【樂】男低音(歌手) *a*. 低音的.

bass[2] /bæs/ *n*. ①【植】椴木②鱸魚.

basset /ˈbæsɪt/ *n*. (亦作 **~hound**)矮脚長耳獵犬.

bassinet /bæsɪˈnet/ *n*. (有篷蓋的)搖籃;嬰兒車.

bassoon /bəˈsuːn/ *n*. 【樂】巴松管;低音管.

bastard /'bæstəd/ *n*. ①私生子②[卑]雜種;壞蛋③[俚]傢伙(對男性熟人的稱呼)④令人頭痛的事 *a*. 不純正的;不合標準的 **~ize** *v*.(使)變為不純正;(使)變壞;醜化 **~y** *n*.【律】私生;庶出.

baste[1]/beɪst/ *vt*. (用長針腳)疏縫.

baste[2]/beɪst/ *vt*. ①塗脂油於(烤或煎的肉上)②[俚](用棍子)狠揍,痛打.

bastion /'bæstɪən, 'bæstʃn/ *n*. ①棱堡②[喻]堡壘;捍衛者.

basuco /bə'su:kəʊ/ *n*. 【毒】一種含有雜質的廉價古柯鹼.

bat[1]/bæt/ *n*. 蝙蝠.

bat[2]/bæt/ *n*. ①短棍;球棒②(棒球等的)擊球;(板球等的)擊球手(= batsman) *v*. ①用球棒打(球);擊球②擊打,棒擊 // *off one's own* ~ 憑自己努力,獨立地 *off the* ~ [俗]馬上,立即.

batch /bætʃ/ *n*. 一爐;一批;一群;一束 // *in ~es* 分批地,成批地.

bated /'beɪtɪd/ *a*. 抑制住的 // *with ~ breath*(由於焦急,恐懼或其它強烈情緒而)屏息靜氣地.

bath /bɑ:θ/ *n*.(*pl*. **baths** /bɑ:ðz/)①洗澡②澡盆,浴缸(= ~-tub)③(*pl*.)室內公共游泳池;公共浴室 *v*.洗澡 **~ chair**(或 **Bath chair**) *n*.(病殘人坐的)輪椅 **~room** *n*.浴室,盥洗間.

bathe /beɪð/ *v*. ①(在河、海、湖中)游泳②用水清洗(皮膚,傷口等)③沐浴,籠罩 *n*.(河、海、湖中的)游泳 **~r** *n*. 洗澡者,游泳者.

bathing /'beɪðɪŋ/ *n*. 游泳 **~-cap** *n*. 游泳帽 **~-costume** *n*.(亦作 **~-suit**)游泳衣 // ~ *machine*(海濱浴場的)更衣車 ~ *place* 海濱浴場.

bathos /'beɪθɒs/ *n*. ①【語】頓降法(由嚴肅突轉庸俗之法)②虎頭蛇尾③平凡的風格.

bathyscaph(e) /'bæθɪskæf, -keif/ *n*.(觀察海洋生物的)深海潛測艇;深海潛艇.

batik /'bætik/ *n*. ①【紡】蠟染(法)②蠟染花布.

batman /'bætmən/ *n*.(軍官的)勤務兵.

baton /'bætɒn/ *n*. ①(樂隊的)指揮棒②接力棒③警棍.

bats /bæts/ *a*. 發瘋的;古怪的.

battalion /bə'tælɪən/ *n*. 【軍】營.

batten /'bætn/ *n*. ①【建】板條②【船】壓條 *v*. ①用板條固定②肥私囊 // ~*on v*. 損人以自肥.

batter[1]/'bætə(r)/ *v*. ①連續猛擊;打爛②用壞,磨損 **~ed** *a*. 破舊的 **~ing-ram**(古代攻城用之)破城槌.

batter[2]/'bætə(r)/ *n*.(做糕餅時用麵粉、雞蛋調成的)牛奶麵糊.

battery /'bætərɪ/ *n*. ①【電】電池(組)②炮兵連;炮台;(戰艦上的)炮組③【律】毆打④(金屬器具的)一套,一組⑤(問題等)一連串⑥孵蛋箱組 // *assault and* ~【律】非法毆打罪.

battle /'bætl/ *n*. ①戰鬥,戰役;鬥爭②(the~)勝利,成功 *v*. 戰鬥,作戰,鬥爭 **~-axe** *n*. ①(古代之)大戰斧②[俗]悍婦 **~-cry** *n*. 作戰時的吶喊;(鬥爭)口號 **~ dress** *n*. 軍裝 **~field, ~ground** *n*. 戰場 **~ship** *n*. 戰艦 **~some** *a*. 愛爭吵的 **~wise** *a*. 有戰鬥經驗的.

battlement /'bætlmənt/ *n*.(常 *pl*.)城垛;雉堞.

batty /'bætɪ/ *a*. [俚]瘋狂的;古怪的 **battiness** *n*.

bauble /'bɔ:bl/ *n*. 華而不實的小擺設;不值錢的小裝飾品;騙錢貨.

baulk /bɔːk, bɔk/ =balk.
bauxite /'bɔːksaɪt/ *n*.【礦】鋁礬土.
bawdy /'bɔːdɪ/ *a*. 詼諧下流的 **bawdiness** *n*.
bawl /bɔːl/ *v*.& *n*. 喊叫;大聲哭泣.
bay[1]/beɪ/ *n*. 海灣.
bay[2]/beɪ/ *n*.【植】月桂樹(亦作 ~**tree**) ~**-leaf** 月桂葉(調味用).
bay[3]/beɪ/ *n*.①【建】壁洞②車庫 // ~ *window* 凸窗.
bay[4]/beɪ/ *a*.& *n*. 赤褐色的(馬).
bay[5]/beɪ/ *n*.①(狼、狗的)吠聲②絕境 *v*.(向…)吠叫 // *at* ~①(指獵物)作困獸鬥②(指人遭受猛烈攻擊面)陷入絕境 // *bring/drive... to* ~ 使陷入絕境 *keep/hold... at* ~ 不使…接近;牽制.
bayonet /'beɪənɪt/ *n*.刺刀 *vt*.用刺刀刺.
baza(a)r /bə'zɑː(r)/ *n*. ①義賣(市場)②(東方國家的)市場,集市.
bazooka /bə'zuːkə/ *n*. 反坦克火箭筒.
BBC *abbr*. = British Broadcasting Corperation 英國廣播公司.
BC /biː'siː/ *abbr*. =Before Christ 公元前.
BD /biː'dɪ/ *abbr*. =Bachelor of Divinity 神學士.
be /biː, bɪ/ *vi*.& *v.aux*. ①有,在②是③成為④發生⑤屬於⑥聽任(第一人稱單數現在時 *am*,第二人稱單數現在時 *are*,第三人稱單數現在時 *is*,複數現在時 *are*,第一及第三人稱單數過去時 *was*,第二人稱單數及所有人稱複數過去時 *were*,過去分詞 *been*,現在分詞 *being*.)
beach /biːtʃ/ *n*. 海(湖或河)濱,海灘,*v*. ①(使)船靠岸②把(船)拖至岸邊 ~**comber** *n*.(在海灘上趕海拾東西謀生的)海灘遊民 ~**-head** *n*. 灘頭陣地,灘頭堡.
beacon /'biːkən/ *n*. ①烽火;信號②燈塔③(機場的)信標④【交】指向標.
bead /biːd/ *n*. ①有孔小珠;水珠②滴③(*pl*.)念珠;珠鍊 ~**ing** *n*.串珠狀緣飾 ~**y** *a*.(指眼睛)小圓而明亮的.
beadle /'bɪːdl/ *n*. ①(英國舊時教區)牧師助理②(英國某些大學舉行典禮時的)執禮杖者.
beagle /'biːgl/ *n*. 小獵兔犬.
beak /bɪːk/ *n* ①鳥嘴;鈎鼻②[英俚]治安法官,地方法官;③(中小學)校長.
beaker /'bɪːkə(r)/ *n*. ①【化】燒杯②(有脚)大酒杯.
beam /bɪːm/ *n*. ①樑;(船的)横樑②秤杆③光綫;光束④【無】波束,射束⑤笑容;喜色 *v*.①(定向地)發射(光綫,無綫電信號等)②眉開眼笑 ~**ing** *a*.眉飛色舞的;閃閃發光的 // *off/on the* ~ (不)對.
bean /bɪːn/ *n*.①豆,豆科植物②豆形果實;結豆形果實的植物 ~**pole** 瘦高個子 // ~*curd* 豆腐 ~*sprouts* 豆芽菜 *fall of* ~*s*[俗]精力充沛,興高采烈 *spill the* ~*s* [俚]不慎泄密,說漏嘴.
bear[1]/beə(r)/ *v*.(**bore** /bɔː/; **borne** /bɔːn/, **born** /bɔːn/)①支持;負擔②忍受③適宜於④携帶⑤產(子);結(果實)⑥懷有⑦朝向 ~**able** *a*.可忍受的;承受得起的 ~**er** *n*.①持票人;帶信人②搬運人;抬棺人③擔架 // ~ *on/upon* 與…有關 ~*out* 證實.
bear[2]/beə(r)/ *n*. ①【動】熊②魯莽漢③【股】做空頭者 ~**hug**[俗]熱烈的擁抱 ~**market**【股】熊市 // *the Great/Little Bear* *n*.【天】大/小熊

座.

beard /bɪəd/ *n*. (頰上的)鬍子 **~ed** *a*. 有鬍子的 **~less** *a*. 無鬍子的;年輕無知的.

bearing /'beərɪŋ/ *n*. ①關係;聯繫②忍耐③舉止,儀態④【機】軸承⑤(*pl*.)方向;方位 // *lose one's ~s* ①迷失方位②不知所措.

beast /bi:st/ *n*. ①野獸②凶殘粗暴的人 **~ly** *a*. 令人厭惡的;糟透了的.

beat /bi:t/ *v*. (**beat**; **beaten** /'bi:tn/ ①(連續)敲打②打敗;勝過;難倒③(心)跳動④攪拌(蛋,麵粉等) *n*. ①心跳②【樂】拍子③(警察等的)巡邏路綫 *a*. 疲乏的 **~en** *a*. 打敗的;踏平的;陳腐的 **~er** *n*. 攪拌器 **~ing** *n*. ①責打②(心)跳動③打敗 // *~ about/around the bush* 旁敲側擊 *~ down* [口]殺價 *~ time*【樂】打拍子.

beatify /bɪ'ætɪfaɪ/ *vt*. 【宗】為死者行宣福禮(宣佈死者已升天) **beatific** *a*. 賜福的;極樂的 **beatification** *n*.

beatitude /bɪ'ætɪtju:d/ *n*. 至福 **the Beatitudes**【宗】(耶穌論福時所發表的)八福詞.

beatnik /'bi:tnɪk/ *n*. (五十年代末至六十年代初的)"垮掉的一代"的成員.

beau /bəʊ/ *n*. (*pl*. **beaus, beaux** /bəʊz/)①紈絝子弟,花花公子②情郎 // *the ~ monde* [法]上流社會.

Beaufort scale /ˌbəʊfət 'skeɪl/ *n*. 【氣】(測量風級的)蒲福風級.

beautiful /'bju:tɪfl/ *a* (亦作 **beauteous** /'bju:tɪəs/)①美麗的②好極了 **~ly** *ad*.

beautify /'bju:tɪfaɪ/ *v*. 使美麗;變美 **beautification** *n*.

beauty /'bju:tɪ/ *n*. ①美麗;美人②美好的東西③妙處,優點④[俗]極好(或極壞)的人或事物 **beautician** *n*. 美容師 // *~ parlour*, *~ saloon*, [美]*~ shop* 美容院 *~ queen* 選美賽的獲勝者 *~ spot* ①美景,名勝②美人痣,美人斑.

beaver /'bi:və(r)/ *n*. 【動】海狸(皮毛) *v*. (+away)[俗]賣力地幹 // *eager ~* [俗]努力工作的人.

becalmed /bɪ'kɑ:md/ *a*. (帆船)因無風而不能前進的.

became/bɪ'keɪm/become 的過去式.

because /bɪ'kɒz/ *conj*. 因為 **~ of** *prep*. 因為,由於.

beck[1]/bek/ *n*. 小溪,山澗.

beck[2]/bek/ *n*. 招手;點頭(表示招喚) // *at sb's ~ and call* 聽人命令,受人指揮.

beckon /'bekən/ *v*. 打手勢;點頭.

become /bɪ'kʌm/ *v*. (**became** /bɪ'keɪm/ **become**) ①變成,成為②適宜於 **becoming** *a*. 合適的,相稱的 // *~ of* (人或事物)發生情況,遭遇.

bed /bed/ *n*. ①床;河床②海底;湖底③路基④菌床;花圃⑤地層 *v*. ①安置;嵌入②栽植③[俗]性交 **~ridden** *a*. 臥病在床的 **~bug** *n*. 臭蟲 **~clothes** *n*. 被單;床罩 **~pan** *n*. 病人在床上用的便盆 **~rock** *n*. ①岩床②基本事實(或原理) **~sit(ter)** *n*. [英]寢室兼起居室 **~time** *n*. 就寢時間 **~-wetting** *n*. 尿床 **~stead** *n*. 床架 // *~ and breakfast* (略作 **B and B, b and b**)[英](一夜的)住宿及早餐 *~ down* (使)睡下.

bedaub /bɪ'dɔ:b/ *vt*. 塗污;亂塗.

bedeck /bɪ'dek/ *vt*. 裝飾.

bedevil /bɪ'devl/ *vt*. 使十分苦惱,折磨.

bedlam /'bedləm/ *n*. [俗]喧鬧;吵鬧

的地方.

bedraggled /bi'drægld/ *a*.(指衣服,頭髮)凌亂不堪的;邋遢的.

bee /biː/ *n* 蜜蜂 **~hive** *n*.蜂房,蜂箱 **~keeper** *n*.養蜂人 **~-line** *n*.(兩點間的)直綫;捷徑 **~swax** *n*. 蜂蠟.

beech /biːtʃ/ *n*.【植】山毛櫸.

beef /biːf/ *n*.(*pl*. **beeves**) 牛肉 *v*.[俚]訴苦 **~y** /'biːfɪ/ *a*. ①牛(肉)一樣的②[俗]強壯結實的③肥胖的 **~burger** *n*.煎牛肉餅;漢堡包 **~eater** *n*. 英皇或倫敦塔的衛兵 **~steak** *n*. 牛排.

been /biːn, bɪn/ be 的過去分詞.

beep /biːp/ *n*.(汽車喇叭或電子設備發出的)嘟嘟聲 *v*.(使)發出嘟嘟聲.

beer /bɪə(r)/ *n*. 啤酒;一杯啤酒 **~y** *a*.(似)啤酒的 // *~ and skittles* [諺]享樂;樂事 *~money* 丈夫(為喝啤酒等用)的私房錢, *small ~* [俚]不重要的(人或事物).

beet /bɪːt/ *n*. ①甜菜②[美](=~root)甜菜根.

beetle /biːtl/ *n*. ①甲蟲②大木槌 *v*.[英俚](坐車或步行)匆匆離去// *~ off* 急速離開.

befall /bɪ'fɔːl/ *v*.(**befell** /bɪ'fel/; **befallen** /bɪ'fɔːlən/) ①[舊]降臨(到…頭上)②發生(於).

befit /bɪfɪt/ *vt*. 適宜於;適合 **~ting** *a*.適宜的;得體的.

befog /bɪ'fɒg/ *vt*. 使迷惑;使模糊不清.

before /bɪ'fɔː(r)/ *ad*. & *prep*. ①在前,當着…的面②以前③寧願 *conj*. 在…以前;與其…(寧可) **~hand** *ad*. 事先,提前 **~-mentioned** *a*.上述的.

befriend /bɪ'frend/ *vt*. 友好對待;照顧;待之如友.

beg /beg/ *v*. ①乞求②乞討(食物,金錢等)③懇求;請(原諒);請(允許) // *go ~ging* (指商品)無銷路.

began /bɪ'gæn/ begin 的過去式.

beget /bɪ'get/ *vt*.(**begot** /bɪ'gɒt/; **begotten** /bɪ'gɒtn/, **begot**)①[舊](父親)生子女②產生,引起.

beggar /'begə(r)/ *n*. ①乞丐②[俚]傢伙 *vt*.①使…淪為乞丐;使貧窮②使…難以 **~ly** *a*. **~y** *n*.赤貧 // *~ description* 筆墨難以形容.

begin /bɪ'gɪn/ *v*.(**began** /bɪ'gæn/; **begun** /bɪ'gʌn/)開始;動手 **~ner** *n*.初學者;創始人 **~ning** *n*. 初;開端 // *to ~ with* 首先,第一點.

begone /bɪ'gɒn/ *int*. [舊]出去,滾開.

begonia /bɪ'gəʊnɪə/ *n*.【植】秋海棠.

begot, begotten beget 的過去式及過去分詞.

begrudge /bɪ'grʌdʒ/ *vt*.(=grudge)①捨不得給;吝惜②嫉妒.

beguile /bɪ'gaɪl/ *vt*. ①欺騙;哄②消磨(時間);消遣③迷住 **beguiling** *a*.消遣性的.

begum /'beɪgəm/ *n*.(穆斯林)公主,貴婦人.

begun /bɪ'gʌn/ begin 的過去分詞.

behalf /bɪ'hɑːf, [美]bɪ'hæf/ *n*.用於下列習語中)// *on ~ of sb*, *on sb's ~*, [美]*in ~ of sb*, *in sb's ~* 代表某人;為了某人(的利益).

behave /bɪ'heɪv/ *v*. ①行為,舉止②行為得體;講禮貌③(指機器)運轉,工作.

behavio(u)r /bɪ'heɪvjə(r)/ *n*. 行為,舉止 **~al** *a*. **~ism** *n*.【心】行為主義 // *be on one's best ~* 行為檢點.

behead /bɪ'hed/ *vt*.砍頭,斬首.

beheld /bɪ'held/ behold 的過去式及過去分詞.

behest /bɪ'hest/ *n*. [舊或書]命令;訓諭 // *at sb's* ~ 遵照某人指令.

behind /bɪ'haɪnd/ *ad*. & *perp*. ①在後;向後②落後於③遲於④支持 *n*. [口]屁股 **~hand** *a*. & *ad*. 遲(的);拖欠;過期(的).

behold /bɪ'həʊld/ *v*. (過去式及過去分詞 **beheld** /bɪ'held/)[舊或書]看;見到 *int*. 看哪! **~er** *n*. 觀看者.

beholden /bɪ'həʊldən/ *a*. [舊或書]感激的;受惠的.

behove, [美]**behoove** /bɪ'həʊv, bɪ'hu:v/ *vt*. [舊或書]對…來說是應該(必要或值得)的.

beige /beɪʒ/ *a*. 米黃色的 *n*. 嗶嘰.

being /'bi:ɪŋ/ *be* 的現在分詞 *n*. ①存在(物)②生物;人③本質④ (*pl*.)上帝 // *bring/call sth into* ~使產生,使形成 *come into* ~ 產生,形成;成立 *for the time* ~ 暫時;目前.

belabo(u)r /bɪ'leɪbə(r)/ *vt*. ①[舊]痛打,痛斥②囉囉嗦嗦地反覆說明(或強調).

belated /bɪ'leɪtɪd/ *a*. 誤期的;來得太遲的**~ly** *ad*.

belay /bɪ'leɪ/ *v*. 【海】(登山)把繩繫在繫索栓上(或岩石上).

belch /beltʃ/ *v*. & *n*. ①打嗝②猛烈地噴發;大量冒出.

beleaguer /bɪ'li:gə(r)/ *vt*. ①圍困;圍攻②使煩惱 **~ed** *a*. **~ment** *n*.

belfry /'belfrɪ/ *n*. ①鐘樓;(教堂之)鐘塔②[口]頭腦.

belie /bɪ'laɪ/ *vt*. ①使人誤解;掩飾②證明…是假的;與…不符.

belief /bɪ'li:f/ *n*. ①信任;信念②意見③信仰;信條 // *beyond* ~ 難以置信.

believe /bɪ'li:v/ *v*. ①信,相信②信奉;信任③認為;以為 **believable** *a*. **~r** *n*. 信仰者,信徒 // ~ *it or not* [口]信不信由你 *make* ~ 假裝.

Belisha beacon /bə'li:ʃə 'bi:kən/ *n*. (英國城市中標明人行橫道的)橙色閃光指示燈.

belittle /bɪ'lɪtl/ *vt*. ①輕視;貶低②(相形之下)使顯得微小.

bell /bel/ *n*. ①鐘(聲);鈴(聲)②鐘狀物③(*pl*.) 喇叭褲(= ~-bottoms) **~boy, ~hop, ~man** [美](=[英] page(-boy) *n*. 旅館侍者 ~ **captain** [美]旅館侍者領班 **~wether** *n*. ①(繫鈴的)帶頭羊②(一群人的)首領 // ~ *the cat* 為助人而甘冒風險(猶如老鼠壯膽為貓繫鈴) (*as*) *sound as a* ~ 極健康;情況極佳.

belladonna /ˌbelə'dɒnə/ *n*. 【植】顛茄;【藥】顛茄製劑.

belle /bel/ *n*. 美女;女中西施.

belles lettres /ˌbel'letrə/ *n*. [法]純文學.

bellicose /'belɪkəʊs/ *a*. 好戰的;愛打架的.

belligerent /bɪ'lɪdʒərənt/ *a*. ①好戰的,好鬥的②交戰中的 *n*. 交戰國;交戰的一方 **belligerence** *n*. 交戰(狀態).

bello and whistles *n*. 【自】系統,程式的附帶功能.

bellow /'beləʊ/ *v*. ①(公牛,象等)吼叫②(痛苦地)大聲喊叫;怒吼 *n*. ①(牛等)吼聲②怒吼聲.

bellows /'beləʊz/ *pl*. *n*. 風箱.

belly /'belɪ/ *n*. ①肚子,腹部②胃,胃口③(物件的)前部(下部或內部) *v*. (使)鼓起;(使)漲滿 **~ful** *n*. [俚]過量,太多 **~ing** *a*. 漲滿的,鼓起的 **~-bound** *a*. 便秘 **~-flop** [俗]一種腹部首先擊水的拙劣跳水動作 **~-worm** *n*. [俚]蛔蟲.

belong /bɪ'lɒŋ/ *vi*. ①屬於②是…的財物③應歸入(某種)類別;是…的成員;適合於(某種處境) **~ings** *pl*. *n*. 所有物.

beloved /bɪ'lʌvd/ *a*. 心愛的 *n*. /bɪ'lʌvɪd/ *n*. 心愛的人.

below /bɪ'ləʊ/ *ad*. & *prep*. ①在下,向下②低於.

belt /belt/ *n*. ①腰帶,皮帶;傳動帶②【軍】子彈帶③區;地帶 *v*. ①用帶繫住②[俚]重擊③[俚]快速移動.

bemoan /bɪ'məʊn/ *vt*. 悲嘆.

bemused /bɪ'mju:zd/ *a*. 困惑的;迷迷糊糊的.

bench /bentʃ/ *n*. ①長凳;工作枱②法官席;列席的法官;法院 **~-mark** 【測】水準基點;標準;規範 // ~ *warrant* 法院傳票.

bend /bend/ *v*. (過去式及過去分詞 **bent** /bent/)①(使)彎曲②(使)屈從;屈身③(目光、精力等)集中於;轉向 *n*. 彎曲(部);(道路的)轉變處 **the ~s**【醫】沉箱病,潛函病;[英口]航空病 // *on*/*upon* ~ *ed knees* [書]屈膝祈求;跪着(祈禱或哀求).

beneath /bɪ'ni:θ/ *prep*. & *ad*. ①在下②不值得,不相稱.

Benedictine /ˌbenɪ'dɪktɪn/ *n*. ①聖本篤教會的修士或修女②(b-)聖本篤修士修女首創的一種烈性甜酒 *a*. 聖本篤教會的.

benediction /ˌbenɪ'dɪkʃn/ *n*. 祝福,賜福;祈禱.

benefaction /ˌbenɪfækʃn/ *n*. ①善行②捐助物;捐款.

benefactor /ˌbenɪfæktə(r)(陰性 **benefactress** /-trɪs/) *n*. 恩人;捐助人;保護人.

benefice /'benɪfɪs/ *n*. (教區牧師的)有俸聖職.

beneficent /bɪ'nefɪsnt/ *a*. 行善的;慈善的;慷慨的 **beneficence** *n*.

benefit /'benɪfɪt/ *n*. ①利益;好處;恩惠②救濟金③義演;義賽 *v*. 有益於,受益 **beneficial** *a*. 有益的 **beneficiary** *n*. (尤指遺產的)受益人;受惠者.

benevolent /bɪ'nevələnt/ *a*. 慈善的;仁慈的 **benevolence** *n*. 善心;仁慈.

benighted /bɪ'naɪtɪd/ *a*. 愚昧的;無知的;未開化的.

benign /bɪ'naɪn/ *a*. ①仁慈的②和藹可親的③(氣候)溫和宜人的④(腫瘤)良性的 **~ity** *n*. **~ly** *ad*.

bent /bent/ bend 的過去式及過去分詞 *a*. ①[俚]不誠實的,受賄的②[俚]同性戀的③(+on)决心的;專心的;一心想要 *n*. 嗜好;擅長.

benumbed /bɪ'nʌmd/ *a*. [書]①失去感覺的;麻木的②凍僵的.

benzene /'benzi:n/ *n*. 【化】苯.

benzine /'benzi:n/ *n*. 【化】汽油;揮發油.

bequeath /bɪ'kwi:ð/ *vt*. 【律】[書]遺贈給 **bequest** /bɪ'kwest/ *n*. 【律】遺贈(物);遺產.

berate /bɪ'reɪt/ *v*. [書]嚴責;訓斥.

bereaved /bɪ'ri:vd/ *a*. 喪失至親好友的 **bereavement** *n*. 喪親(之痛).

bereft /bɪ'reft/ *a*. (+of)喪失的.

beret /'bereɪ/ *n*. 貝雷軍帽;扁圓便帽 // *the Green Beret* [美]特種部隊.

bergamot /'bɜ:gəmɒt/ *n*. 【植】佛手柑,香檸檬.

beriberi /ˌberɪ'berɪ/ *n*. 【醫】脚氣病.

berk /bɜ:k/ *n*. [英俚][貶]傻瓜(尤指男人).

Bermuda shorts /bə'mju:də ʃɔ:ts/ *pl*. *n*. (長及膝部,散步時穿的)百慕大短褲.

berry /'berɪ/ *n*. ①漿果②【植】乾果種,乾果仁(如咖啡豆)③(蝦或魚的)籽.

berserk /bə'sɜːk/ *a*. 狂暴的 // *go* ~ 氣得發瘋 *send sb* ~ 使狂怒.

berth /bɜːθ/ *n*. ①(火車、船等)卧鋪,鋪位②泊地,錨位 *v*. (使)停泊.

beryl /'berəl/ *n*. 【礦】綠玉;海綠色.

beseech /bɪ'siːtʃ/ *v*. (過去式及過去分詞 **besought**)懇求,乞求 ~**ing** *a*. ~**ingly** *ad*.

beseem /bɪ'siːm/ *v*. [書或舊]適合(於);(與…)相稱.

beset /bɪ'set/ (過去式及過去分詞 **beset**) *vt*. 困擾;圍困 ~**ment** *n*. ~**ting** *a*. 不斷侵襲的;(念頭等)老是纏着人的.

beside /bɪ'saɪd/ *prep*. ①在…之旁,在…附近②和…相比 // ~ *the point* (或 *question*, *mark*)離題,不中肯~ *oneself* (with)(由於煩惱,激動)發狂,若狂,忘形.

besides /bɪ'saɪdz/ *prep*. ①除…之外(還有)②除…之外(不再有) *ad*. 而且,此外.

besiege /bɪ'siːdʒ/ *vt*. ①圍困,圍攻②對…不斷提出(質問,要求等)③困擾;(使)感到煩惱.

besmear /bɪ'smɪə(r)/ *vt*. 塗抹;弄髒.

besmirch /bɪ'smɜːtʃ/ *vt*. ①弄髒;醜化②玷污③誹謗(某人或其人格);糟蹋(名聲).

besom /'bɪːzəm/ *n*. 長把細枝掃帚;竹掃帚.

besotted /bɪ'sɒtɪd/ *a*. (尤指因愛情而)痴迷的;陶醉的.

besought /bɪ'sɔːt/ beseech 的過去式及過去分詞.

bespeak /bɪ'spiːk/ *vt*. (**bespoke**; **bespoken**) 顯示;表明;暗示.

bespoke /bɪ'spəʊk/ *a*. [英](指衣服)定製的.

best /best/ *a*. (good 和 well 的最高級)最好的;最合適的 *ad*. (well 的最高級)最好地;最;極 *n*. 最好的人(或東西) ~**-seller** *n*. 暢銷貨(尤指暢銷書) ~**-selling** *a*. 暢銷的,受人歡迎的 // *at* ~充其量,至多 *at one's* ~ 處於最佳狀態 ~*man* 伴郎,男儐相 ~*of all* 最;首先 *do*/*try one's* ~ 盡力 *get*/*have the* ~ *of* 勝過 *had* ~ 最好 *make the* ~ *of* 充分利用 *one's Sunday* ~ 最好的衣服 *to the* ~ *of one's knowledge* (*belief*, *ability*)就某人所知(所信,能力所及).

bestial /'bestɪəl/ *a*. [貶]①禽獸(般)的;獸性的②殘忍的 ~**ity** *n*. ①獸性;獸行②獸欲;獸奸.

bestir /bɪ'stɜː(r)/ *vt*. [書]激勵;使發奮.

bestow /bɪ'stəʊ/ *vt*. 給予,賜贈,授予 ~**al** *n*.

bestrew /bɪ'struː/ *vt*. (過去式 **-ed**;過去分詞**-ed, -n**)撒滿;撒佈(在).

bestride /bɪ'straɪd/ *vt*. (**bestrode**; **bestridden**) ①跨;騎(馬或自行車等)②(兩腿分開)跨騎(或跨立)在…之上;横跨在…之上.

bet /bet/ *v*. (過去式及過去分詞 **bet** 或 **betted**)①(與人)打賭;(用…)打賭②[俚]敢斷定 *n*. ①打賭;賭注②[俗]看法;預測 // ~ *one's boot*/*bottom dollar*/*shirt on* (*that*)...[俗]確信;絕對肯定 *you* ~ [俚]當然;的確(會如此);一定.

beta /'biːtə, 'beɪtə/ *n*. ①希臘字母第二個字(B, β)②(學生成績)乙等(亦作 **B**) ~**-blocker** *n*. 【藥】(治療高血壓及心絞痛)藥物 // *particle*【物】β粒

子, β 質子 ~*ray*【化】β 射綫.

betatron /ˈbiːtətrɒn/ *n*.【物】電子迴旋感應加速器.

betel /ˈbiːtl/ *n*.(亞洲熱帶植物)蒟醬(葉)(其葉用來包檳榔嚼食)// ~*nut* 檳榔子 ~*palm* 檳榔樹.

bête noire /ˌbeɪt ˈnwɑː(r)/ [法]最為討厭之人或物.

betide /bɪˈtaɪd/ *v*. [書]發生;降臨於(常用於 *woe* ~ *sb*"願灾禍(或不幸)降臨某人頭上"習語中).

betoken /bɪˈtəʊkən/ *vt*. [書]顯示,表示;預示.

betray /bɪˈtreɪ/ *vt*. ①背叛,出賣;陷害②泄露(秘密等)③(不自覺地)顯露,暴露 **~al** *n* **~er** *n*.①背叛者,叛徒②告密人.

betroth /bɪˈtrəʊð/ *vt*. [舊或書]和…訂婚,把…許配給 **~al** *n*.訂婚,許配 **~ed** *a*.訂了婚的 *n*.未婚夫(妻)// *the* ~*ed*(*pair*)一對未婚夫妻.

better /ˈbetə(r)/ *a*. (good 的比較級)①較好地,更好的②更適合的③(健康情況)轉好的;(疾病)痊愈的 *ad*. (well 的比較級)①更加;更②更好地 *n*.①較好的事物②(*pl*.)長輩;上級 *v*. 改善;超過 **~ment** *n*. 改善,改進 // *against one's* ~ *judgement* 明知不該做而做了 ~ *than one's word* 做的比答應的還要好(更多,或更慷慨) *be the* ~ *for it* 因此反而更好 ~ *late than never* [諺]遲做總比不做好 *for* ~ (*for*) *worse* 禍福與共,同甘共苦(婚禮時主婚牧師用語) *for the* ~(處境,病情等)轉好 *get the* ~ *of* 勝過,占上風 *had* ~ (= *had best*)最好 *have seen* ~ *days*[俗]今非昔比 *no* ~ *than* 簡直就是;幾乎一樣 *one's* ~ *half* [謔]妻子 *so much the* ~ 這樣就更好了.

between /bɪˈtwiːn/ *prep*. (指空間,時間或關係)在…之間 *ad*.(在兩者)中間,當中 **~-decks** *n*.【船】中艙 // ~ *ourselves*, ~ *you and me*. ~ *you, me and the gate-post* (只有)你知我知,別對人說 ~ *the devil and deep sea* 進退兩難,左右為難.

betwixt /bɪˈtwɪkst/ *prep*.& *ad*. [舊] = between // ~ *and between* 介乎兩者之間.

bevel /ˈbevl/ *n*. ①斜面,斜角②斜角規 *v*.(在木材或玻璃上)斜切,斜截 // ~*gear* 斜齒輪.

beverage /ˈbevərɪdʒ/ *n*. 飲料(指除水之外的各種飲料).

bevy /ˈbevɪ/ *n*.一群(少女或婦女);一群鳥(尤指鵪鶉).

bewail /bɪˈweɪl/ *v*. ①悲嘆,哀悼②痛哭.

beware /bɪːweə(r)/ *v*. 謹防,當心.

bewilder /bɪˈwɪldə(r)/ *vt*. ①使迷惑;使為難②把…弄糊塗 **~ing** *a*. **~ingly** *ad*. **~ment** *n*.

bewitch /bɪˈwɪtʃ/ *vt*. ①使着迷;使消魂②施魔術於;蠱惑 **~ing** *a*.迷人的;令人神魂顛倒的 **~ment** *n*.①迷惑②魔力;妖術.

beyond /bɪˈjɒnd/ *prep*. ①在…的那邊②在…以上;為…所不能及;超出…的範圍③(表示時間)遲於 *ad*.在(向)遠處 // ~ *compare*(*comparison*)無與倫比 ~ *all praise* 好極了 ~ *one's hope*, ~ *one's wildest dream* 做夢也沒有想到這麼好.

bi [前綴]表示"二,兩,雙,複;每…兩次,每兩…一次.

biannual /baɪˈænjʊəl/ *a*. 一年二次的 **~ly** *ad*.

bias /ˈbaɪəs/ *n*. ①偏見②傾向;嗜好③

斜裁④【保齡球】(使)球斜進(的偏力) *v*.使有偏見;使有傾向性 **~ed** *a*.有偏見的 // *~ binding* (縫衣時滾邊用的)斜料.

bib /bɪb/ *n*. ①(小兒)圍嘴②圍裙;(工裝褲)腰圍以上的部份.

Bible /'baɪbl/ *n*. ①(基督教、猶太教)聖經②(b-)權威性典籍 **biblical**(有時大寫) *a*.聖經的.

bibliography /ˌbɪblɪ'ɒgrəfɪ/ *n*. ①書目(提要);參考書目②目錄學;文獻學 **bibliographer** *n*.

bibliophile /'bɪblɪəfaɪl/ *n*. 珍愛書籍者;藏書家.

bibulous /'bɪbjʊləs/ *a*. ①嗜酒的②很能吸水的.

bicarbonate /ˌbaɪ'kɑːbənət/ *n*. 【化】碳酸氫鹽 // *~ of soda* (= *sodium ~*)碳酸氫鈉,小蘇打.

bicentenary /ˌbaɪsen'tiːnərɪ/ *n*. 二百周年(紀念).

bicentennial /ˌbaɪsen'tenɪəl/ *a*. 二百年周年(紀念)的;每二百年一次的 *n*. = **bicentenary**.

biceps /'baɪseps/ *n*. 【解】二頭肌.

bicker /'bɪkə(r)/ *v*. (為小事)鬥嘴.

bicycle /'baɪsɪkl/ *n*. 自行車,腳踏車,單車.

bid /bɪd/ *v*. (**bade** beid/或 **bid**; **bidden** /bɪdn/或 **bid**)①[舊][書]吩咐;命令②[舊][書]表示歡迎;祝;告(別)③出價;投標④爭取得到⑤【牌】叫牌 *n*. ①出價;投標;②叫牌③力求獲得 **~dable** *a*.[英]順從的,聽話的 **~der** *n*.(拍賣中)出價者,競買人 **~ding** *n*.出價;叫牌;命令.

bide /baɪd/ *vi*. [舊][書] = abide *vt*. 等待(只用於習語 *~ one's time* 等待時機).

bidet /'biːdeɪ, bi'de/ *n*. [法](尤指洗下身用的)坐浴盆.

biennial /baɪ'enɪəl/ *a*. ①兩年一次的②【植】兩年生的 *n*.【植】兩年生植物.

bier /bɪə(r)/ *n*. ①棺架;屍架②棺材.

biff /bɪf/ *n*. [俗](用拳頭)快速重擊.

bifocals /ˌbaɪ'fəʊklz/ *pl*. *n*. (遠視近視兩用)雙光眼鏡.

bifurcate(d) /'baɪfəkeɪt/ *a*. (道路、河流、樹枝)分為兩支的;兩叉的.

big /bɪg/ *a*.(**~ger**, **~gest**) ①大,巨大②重要的,重大的③已長大的④懷孕的⑤[美俚]極受歡迎的⑥寬宏的;大度的 *ad*.①大量地②[俚]自大③寬宏地;大度地④成功地 **~-head** *n*.[俗]自大的人 **~-headed** *a*. 自大的 **~-hearted** *a*. 寬宏大量的 **~-name** *a*.[俚]大名鼎鼎的(*~ name n*.名人) **big-time** *a*.[美俚]第一流的;有名的;成功的(*~ time n*.) **~wig** *n*.(= *~ gun*, *~ shot*, *~ wheel*) [俚]大亨,要人,大人物 // *a ~ fish in a little pond* 鶴立雞群 *~ deal*! [美俚]有甚麼了不起! *~ top*[俗]馬戲團的大帳篷 *talk ~*吹牛,說大話 *think ~*有抱負,雄心勃勃.

bigamy /'bɪgəmɪ/ *n*. 重婚(罪) **bigamist** *n*. **bigamous** *a*.

bight /baɪt/ *n*. 海灣(海岸綫向內彎曲部份).

bigot /'bɪgət/ *n*. [貶](尤指對宗教或政治信仰)執拗的人;盲信者 **~ed** *a*.執迷不悟的;盲信的 **~ry** *n*.頑固;偏執.

bijou /'biːʒuː/ *n*.(*pl*. **joux** /-'ʒuː/) *n*. [法]珠寶 *a*.小巧精緻的.

bike /baɪk/ *n*. [俗]自行車,腳踏車;摩托車.

bikini /bi'kiːnɪ/ *n*. 比基尼(三點)式泳裝 *a*.比基尼式的,三點式的.

bilateral /ˌbaɪˈlætərəl/ *a*. 雙邊的；兩方的 **~ism** *n*. (貿易)互惠主義.

bilberry/ˈbɪlbərɪ/*n*.歐洲越橘；可食的深藍色的歐洲越橘漿果.

bile /baɪl/ *n*. ①膽汁②壞脾氣 **bilious** *a*.(令人)噁心的 **~-duct** 膽管 **~stone** 膽石 // *raise/stir sb's ~* 惹惱某人.

bilge /bɪldʒ/ *n*. ①艙底；艙底污水(亦作 **~-water**)②[俚]無聊的話.

bilingual /ˌbaɪˈlɪŋgwəl/ *a*. & *n*. 兩種語言的；能講兩種語言的(人).

bilk /bɪlk/ *vt*. ①賴…的帳；躲…的債②騙取.

bill[1]/bɪl/ *n*. ①議案，法案②帳單③廣告，招貼④[美]鈔票⑤娛樂節目單 *vt*.①開帳單給②貼廣告；發傳單 **~board** *n*.[美]廣告牌 // *~ of exchange* 匯票 *~ of fare* 菜單 *~ of health*(船員、乘客)健康證書 *~ of lading* 提貨單 *~ of rights*(常大寫)人權法案 *~ of sale* 賣據 *fill the ~* [口]符合要求 *foot the ~* [口]付帳；承擔責任 *head/top the ~* [口]名列榜首；領銜主演.

bill[2]/bɪl/ *n*. ①(鳥類，水禽等的)嘴②(常大寫)海岬 *v*.(常用於習語 *~ and coo* 談情說愛，接吻).

billabong /ˈbɪləbɒŋ/ *n*. [澳]回水湖；死水潭.

billet /ˈbɪlɪt/ *n*. (在民房或公共建築駐屯士兵之)營舍 *v*.為(士兵在民間)分配宿舍；駐屯.

billet-doux /bɪleɪˈduː/ *n*. (*pl*, **billets-doux** /ˌbɪleɪˈduːz/) [法][謔]情書；(不願意看到的)催帳單.

billhook /ˈbɪlhʊk/ *n*. (修剪樹枝用的)長柄鈎鐮.

billiard /ˈbɪlɪəd/ *a*. 枱球戲的，彈子戲的 **~s** *n*.枱球戲 // *~cue* 枱球棒 *~room* 枱球室，彈子房.

billion /ˈbɪlɪən/ *n*. [美、法]十億；[英]兆 **~th** *n*.第十億(個)，十億分之一.

billow /ˈbɪləʊ/ *n*. 巨浪；巨浪般滾滾而來之物(例如烟、霧等) *v*.使(巨浪般)翻騰；波濤洶涌；揚起 **~y** *a*.

billy, billycan /ˈbɪlɪ, ˈbɪlɪkæn/ *n*. (野營時燒水用的)洋鐵罐.

billy goat /ˈbɪlɪ gəʊt/ *n*. 公山羊.

biltong /ˈbɪltɒŋ/ *n*. [南非]乾肉條.

bimbo /ˈbɪmbəʊ/ *n* [俚](與名人有曖昧關係的)性感而輕浮的年輕女子；行為不檢的女人.

bimetalism /ˌbaɪˈmetəlɪzəm/ *n*. (金銀)複本位幣制.

bimonthly /ˌbaɪˈmʌnθlɪ/ *ad*. & *a*. ①每兩月一次(的)②一月兩次(的) *n*.雙月刊；半月刊.

bin /bɪn/ *n*. (存放垃圾，糧食，煤等的)箱子.

binary /ˈbaɪnərɪ/ *a*. ①二；雙；複②【計】【數】二進制的 // *~ notation system* 二進位數字系統 *~star*【天】雙星，聯星.

bind /baɪnd/ *v*.(**bound** /baʊnd/) ①縛捆，綁②(用綳帶)包扎③裝訂④使結合⑤給…鑲邊⑥束縛，使受約束；使承擔義務 *n*. [俚]困境 **~er** *n*. 活頁封面 **~ing** *n*. 封皮；鑲邊 *a*.有約束力的；附有義務的 **~weed** *n*.旋花屬植物 **~-wood** *n*.【植】常青藤.

binge /bɪndʒ/ *n*. [俚]狂飲作樂；大吃大喝.

bingo /ˈbɪŋgəʊ/ *n*. 賓戈遊戲(一種排五點的賭博遊戲).

binnacle /ˈbɪnəkl/ *n*.【海】羅經箱.

binoculars /bɪˈnɒkjʊləz, bai-/ *pl*. *n*. 雙筒望遠鏡.

binomial /baɪˈnəʊmɪəl/ *n* & *a*.【數】

二項式(的).

bio /baɪəʊ/ [前綴]表示"生命","生物".

biochemistry /ˌbaɪəʊ'kemɪstrɪ/ *n*. 生物化學 **biochemist** *n* 生物化學家.

biodegradable /ˌbaɪəʊdɪ'greɪdəbl/ *a*. (指物質)能被微生物分解的,可能遭細菌侵蝕破壞的.

biography /baɪ'ɒgrəfɪ/ *n*. 傳記 **biographical** *a*. **biographer** *n*. 傳記作者.

biology /baɪ'ɒlədʒɪ/ *n*. 生物學 **biological** *a*. **biologist** *n*. 生物學家 // *biological control* (對害蟲的)生物防治 *biological warfare* 生物戰(= germ warfare 細菌戰).

bionic /baɪɒnɪk/ *a*. (科幻小說中)電子機器人的,超人的(指在力量、速度等方面).

biopsy /'baiɒpsɪ/ *n*. 【醫】活組織檢查.

biosphere /'baɪəsfɪə(r)/ *n*. 生物圈;生命層.

biotechnology /ˌbaɪəʊtek'nɒlədʒɪ/ *n*. 生物工藝學;生物科技.

bipartisan /ˌbaipɑːtɪ'zæn/ *a*. (代表)兩黨的.

bipartite /baɪ'pɑːtaɪt/ *a*. 由兩部份構成的;雙方的.

biped /'baɪped/ *n*. 二足動物.

biplane /'baɪpleɪn/ *n*. 雙翼飛機.

bipolar /baɪ'pəʊlə(r)/ *a*. ①【電】雙極的②有兩種截然相反性質的.

birch /bɜːtʃ/ *n* ①【植】樺木,赤楊②(鞭打用的)樺樹條.

bird /bɜːd/ *n*. ①鳥,禽②[英俚]姑娘;[口]人,傢伙③[俚]刑期 **~brained** *a*. [口][貶]愚蠢的 **~lime** *n*. (塗在樹上的)粘鳥膠 // *a ~ in the hand is worth two in the bush* [諺]雙鳥在林不如一鳥到手 *an early ~* 早起的人;早到者 *~ of prey* 猛禽 *~'s eye view* 鳥瞰;概觀 *~s of a feather (flock together)* 一丘之貉,([諺]物以類聚,人以群分) *kill two ~s with one stone* [諺]一箭雙鵰 *The early ~ catches/gets the worm* [諺]捷足先登.

birdie /bɜːdɪ/ *n*. ①[口][兒]小鳥②【體】較標準杆數少一擊而入穴.

biretta /bɪ'retə/ *n*. (天主教教士的)四角帽.

biro /'baɪərəʊ/ *n*. (*pl*. **-s**) 拜羅牌可吸墨水的原子(圓珠)筆(商標名).

birth /bɜːθ/ *n*. ①分娩;出生②身世;血統③起源;開始 **~day** *n*. 生日 **~mark** *n* 胎記,痣 **~place** *n*. 出生地;發源地 **~rate** *n*. 出生率 **~right** *n*. 生來就有的權利 // *by ~* 在血統上;生來 *give ~ to* 生,產生.

biscuit /'bɪskɪt/ *n*. ①[英]餅乾(=[美]cracker)②[美]熱鬆圓餅③淡褐色④本色陶器(或瓷器),素坯 // *take the ~* [英俚]得頭獎,獲勝.

bisect /baɪ'sekt/ *vt*. 把…二等分 **~ion** *n*.

bisexual /ˌbaɪ'sekʃʊəl/ *a*. & *n*. 雙性戀的(人),對男女兩性都有性欲的(人) **~ity** *n*. 雌雄共體.

bishop /'bɪʃəp/ *n* ①【宗】主教②【體】象 **~ric** /-rɪk/ *n*. 主教的職位或管區.

bismuth /'bɪzməθ/ *n*. 【化】鉍.

bison /'baɪsn/ *n*. (*pl*, 不變)【動】(北美及歐洲)野牛,犎牛.

bisques bisk /bɪsk/ *n*. 海貝濃湯,海鮮濃湯.

bistro /'bɪːstrəʊ/ *n*. (*pl*, **-s**) 小餐館;小型酒吧.

bit[1] /bɪt/ *n*. ①馬嚼子,馬銜②鑽頭;錐.

bit² /bɪt/ *n*. ①少許,一點;小塊(片)②一會兒,片刻③[英]輔幣;[美]十二美分半 // *a* ~[口]有點;稍微 *a* ~ *of* 有點…的味道 ~ *by* ~ 一點一點地 ~ *part* (戲劇中的)次要角色 ~*s and pieces* [口]零散的小東西 *do one's* ~ [口]盡自己的本份 *every* ~ *as* [口]就像…,正如… *not a* ~, *not one* (*little*) ~ 一點也不 *to* ~*s* 成為碎片.

bit³ /bɪt/ *n*. 【計】比特(二進位制信息單位).

bitch /bɪtʃ/ *n*. ①母狗(母狐或母狼)②[俚][貶]娼婦,潑婦,淫婦③[俚]難題;窘境 *vi*. 抱怨,發牢騷 **~ing** [美俚] *a*. 好極了 *ad*. 非常;極 **~y** *a*. 下流的 // *son of a* ~ [罵人語]狗娘養的;畜生.

bite /baɪt/ *v*. (**bit** /bɪt/; **bitten** /bɪtn/)①咬,叮②(魚)吞餌,上鈎③刺痛;[喻]產生不快之後果④(酸等)腐蝕⑤緊抓;咬住 *n*. ①咬(傷);叮(傷)②腐蝕;刺痛③緊咬;上鈎④少量(食物) **biting** *a*. 銳利的;刺痛的;辛辣的;譏諷的 // *be bitten by* (或 *with*)[口]迷上 ~ *back* (咬住嘴把(話)咽下去,不說出來) ~ *on* [口]思考 *the* ~*r bit* (或 *bitten*)騙人者反遭騙了 ~ *sb's head off* [口](不公正地)嚴責某人 ~ *the dust* [俚]倒下死去;大敗 ~ *the hand that feeds one* 恩將仇報,以怨報德 *Once bitten twice shy* [諺]一朝遭蛇咬十年怕草繩.

bitter /ˈbɪtə(r)/ *a*. ①苦②辛酸的;痛苦的③懷恨的,抱怨的;傷心的④嚴(寒)的;刺骨的;劇烈的 *ad*. 劇烈地,厲害地 *n*. [英]苦味啤酒 **~ly** *ad*. 苦苦地;慘痛地,厲害地 **~ness** *n*. **~s** *n*. (調製雞尾酒用的)苦味藥酒 **~-sweet** *a*. 又苦又甜的;苦樂参半的 // *a* ~ *pill* (*for sb*) (*to swallow*)難以忍受或令人感到丢臉的事 *to the* ~ *end* 堅持到底.

bittern /ˈbɪtən/ *n*. 【鳥】(麻)鳽.

bitumen /ˈbɪtjʊmən/ *n*. 【礦】瀝青 **bituminous** *a*. // *bituminous coal* (=[口]soft coal)烟煤.

bivalve /ˈbaɪvælv/ *n*. 雙殼貝;牡蠣.

bivouac /ˈbɪvʊæk/ *n*. (軍隊或登山運動員的)露營(地) *vi*. (過去式及過去分詞 **bivouacked**, 現在分詞 **bivouacking**) 野營,露宿.

bizarre /bɪˈzɑː(r)/ *a*. 稀奇古怪的,异乎尋常的.

blab /blæb/ *vt*. 泄漏(秘密等).

blabber /ˈblæbə(r)/ *v*. 胡扯,亂說;饒舌 **~mouth** *n*. 饒舌者;嘴巴不牢靠的人.

black /blæk/ *a*. ①黑色的②黑人的③污穢的④(咖啡)不加牛奶或奶油的⑤怒氣冲冲的⑥邪惡的⑦暗淡的⑧非法交易的 *n*. 黑色;黑人;黑漆,黑顏料;黑衣;污點 *v*. ①弄黑,變黑②(工會)對(貨物或人員)進行抵制 **~en** *v*. ①(使)變黑②詆毀 **~berry** *n*. 黑莓 **~bird** *n*. 【鳥】畫眉,燕八哥 **~board** *n*. (=[美]chalkboard) *n*. 黑板 **~mail** *n*. & *vt*. 勒索,訛詐 **~smith** *n*. 鐵匠 // ~ *box*(飛機上詳細記録飛行情况的電子自動儀器)黑箱,黑匣 ~ *death* 黑死病(十四世紀在歐洲流行的傳染病) ~ *economy* 【經】(無視法令,税捐等)違法僱傭(職工) ~ *eye* (遭打後的)眼圈發青的眼睛 ~ *flag n*. 海盜旗 ~ *hole* (外太空的)黑洞 ~ *guard* 無賴;流氓 ~ *humo(u)r* 黑色幽默 ~ *jack* 短棒;【牌】二十一點牌戲 ~ *leg* [英貶](破壞罷工的)工賊 ~ *list* 黑名單

Black Maria [俚]囚車 ~ *market* 黑市 ~ *out* 實施燈火管制 *Black Panther* (倡導黑人民權運動的)美國黑豹黨黨員 ~ *sheep* 害群之馬;敗家子 *Black shirt* (前意大利法西斯組織)黑衫黨黨員 ~ *spot* (道路上)交通事故多發地段 ~ *tea* 紅茶 ~ *widow* (吃掉雄蜘蛛的)有毒的美洲雌蜘蛛 *Call white* ~, *call* ~ *white* 顛倒黑白 *in the* ~ 有盈利 *not as* ~ *as one is painted* 不像人們所說的那樣壞.

bladder /'blædə(r)/ *n*. 【解】膀胱;汽泡;水囊.

blade /bleɪd/ *n*. ①刀口;劍鋒;刀刃②(保險剃刀的)刀片③草葉;葉片④槳葉;螺旋槳翼.

blame /bleɪm/ *vt*. 責備,責怪;歸咎於 *n*. ①責怪②過錯;責任 **~less** *a*. 無可責難的;無過錯的 **~worthy** *a*. 該受責備的 // *be to* ~ *for* (為…)應負責任;應受責備.

blanch /blɑːntʃ/ *v*. ①(因恐懼、寒冷而)變蒼白②(用沸水)煮白(果菜等).

blancmange /blə'mɒnʒ/ *n*. 牛奶凍(一種膠狀甜食).

bland /blænd/ *a*. ①乏味的,平淡無味的②(食品、烟草等)溫和的,味醇的 **~ly** *ad*. **~ness** *n*.

blandishments /'blændɪʃmənts/ *pl*.*n*. 奉承,討好;哄誘.

blank /blæŋk/ *a*. ①空白的②沒有表情的;茫然的;漠然的 *n*.空白;【軍】空彈(= ~cartridge) **~ly** *ad*. // ~ *cheque* ①空白支票②自行處置權 ~ *verse* 無韻詩 *draw a* ~ [口]落空,失敗.

blanket /'blæŋkɪt/ *n*. ①毛毯,絨被②厚厚的覆蓋物(如雪、黑夜等) *vt*.覆蓋,掩蓋 *a*.總括的,一攬子的 // *a wet* ~使人掃興的事物(或人).

blare /bleə(r)/ *v*. & *n*. (發出)刺耳的響聲.

blarney /'blɑːnɪ/ *n*. [口]奉承(話),甜言蜜語.

blasé /'blɑːzeɪ/ *a*. [法]厭倦的;(因司空見慣而)不感興趣的.

blaspheme /blæs'fiːm/ *v*. 褻瀆;咒罵 **blasphemous** *a*. **blasphemy** *n*.瀆神(之言詞) **~r** *n*.

blast /blɑːst, [美]blæst/ *n*. ①爆炸(氣浪)②一陣(疾風)③銅管樂(或汽笛等)刺耳的聲音④[美俚]激動人心的愉快經歷 *v*.①炸開;爆破②摧毀;(使)枯萎 **~ed** *a*. [俚]非常討厭的;該死的 **~ing** *n* [俚]尖銳批評 **~off** *n*.(太空船等的)發射,升空 // ~ *furnace* 【冶】鼓風爐 ~*off* 發射(太空船等);(太空船)發射,升空(*at*) *full* ~ [口]全速地;全力地.

blatant /'bleɪtnt/ *a*. ①露骨的;顯眼的②無恥的 **~ly** *ad*.

blather, blether /'blæðə(r)/ *n*. & *vi*. [蘇格蘭]胡說.

blaze[1] /bleɪz/ *n*. ①火焰,烈火;強光;光輝②(感情等的)迸發,爆發 *v*.①(使)冒火焰;熊熊燃燒;發強光②激發 **blazing** *a*. ①熊熊燃燒的②引人注目的,昭然若揭的 // ~ *away* 連續速射 ~ *up* 燃燒起來;勃然發怒.

blaze[2] /bleɪz/ *n*. (樹皮上刻的)路標 *v*.(在樹皮上)刻路標 // ~ *a trail* 領先,開路.

blaze[3] /bleɪz/ *n*. (馬臉上的)白斑.

blazer /'bleɪzə(r)/ *n*. (有學校、球隊等社團的特殊標記或色彩的)運動衣或輕便茄克.

blazes /'bleɪzɪz/ *pl*.*n*. [俚](用於加強語氣)地獄 // *go to* ~! 見鬼! 該

死! *like* ～ 迅猛地.

blazon /'bleɪzn/ *n*. 纹章 *vt*. 傳佈;宣佈;表彰.

bleach /bli:tʃ/ *v*. 漂白;變白;(使)脱色 *n*.漂白劑// *bleaching powder* 漂白粉.

bleachers /'bli:tʃəz/ *pl*. *n*. [美](運動場的)露天看台.

bleak /bli:k/ *a*.①荒凉的②陰冷的③凄凉的④(指前景)黯淡的.

bleary /'blɪərɪ/ *a*. (因泪水或疲勞而)視力模糊的, 眼花的 **blearily** *ad*. **bleariness** *n*.

bleat /bli:t/ *v*. *n*. (小牛或羊)咩咩叫(聲).

bleed /bli:d/ *v*. (過去式和過去分詞 **bled**/bled/)①(使)流血;【醫】給…放血②榨取,敲詐.

bleeder /'bli:də(r)/ *n*. ①[英俚][貶]討厭的人②傢伙.

bleep /bli:p/ *v*. & *n*. ①(電子機械等)發出嗶嗶(或嘟嘟)聲②嗶嗶(或嘟嘟)的聲音③用傳呼機傳呼 **~er** *n*.無綫電傳呼機,BP機.

blemish /'blemɪʃ/ *n*. 瑕疵;缺點;污點 *v*.損傷;玷污.

blench /blentʃ/ *vi*. 退縮,畏縮.

blend /blend/ *v*. 混合,攙合;調和;融合 *n*.混合(物) **~er** *n*.①合群的人②攪拌器③[美]榨汁器(=[英]liquidizer).

bless /bles/ *vt*. (過去式及過去分詞 **blessed** /blest/或 **blest** /blest/)①祈(求上帝賜)福於;為…祝福;求神保祐②(用宗教儀式等)使神聖;贊美,稱頌(上帝) **~ed** /'blesɪd/ *a*.神聖的;有福的,幸福的[反話]該死的,遭天罰的 **~ing** *n*.①賜福,祝福②(飯前或飯後的)祈禱③幸事④(常 *sing*.)[口]批准 // *a ~ing in disguise* [諺]因禍得福 *be ~ed with* 使有福氣(得到),使幸運(地具有).

blether /'bleðə(r)/ *v*. =blather.

blew /blu:/ blow 的過去式.

blight /blaɪt/ *n*. ①枯萎病②(使計劃､希望等落空的)破壞性因素(或人)③(尤指城市中)醜陋或雜亂無章的地區 *vt*.使枯萎;挫折,損毀.

blighter /'blaɪtə(r)/ *n*. [口]討厭鬼;傢伙.

blimey /'blaɪmɪ/ *int*. [英俚](表示驚訝或厭煩)啊呀!.

blimp /blɪmp/ *n*. 小型飛艇.

blind /blaɪnd/ *a*. ①瞎,盲②供盲人用的③視而不見的;無識別能力的④盲目的;輕率的,魯莽的⑤隱蔽的,不顯露的⑥【空】全憑儀器操作飛行的 *vt*.弄瞎;把…的眼睛弄花;朦蔽;使失去理智或判斷力 *n*.①窗簾,百葉窗(=[美]window shade)②口實,擋箭牌;障眼物 **the ~***n*. 盲人們 **~ly** *ad*. **~ness** *n*. **~fold** *vt*. 朦住…的眼睛 *a*. 被朦住眼睛的;盲目的 *n*. 朦眼布,眼罩// *~alley* 死胡同;絕路 *~date* (由別人安排約會的)男女間的首次見面 *~man's buff* 捉迷藏 *~ spot* ①盲點(眼中無光感處)②(駕駛員)不易看見處③不理解的事物 *turn a ~eye to* 熟視無睹,假裝不見 *the ~ leading the ~* [諺]無知者指導其同類.

blinder /'blaɪndə(r)/ *n*. [英俚]①狂飲作樂②(球賽中)精彩的高難動作 **~s** *n*.[美]=[英]blinkers.

blink /blɪŋk/ *v*. ①眨眼②(燈等)閃亮,閃爍③閉眼不見;不顧(事實等) *n*.①眨眼②閃爍 **~ers** *pl*. *n*.馬的眼罩 // *~ at* 對…表示驚訝 *~ away/back* 眨眼抹掉(或止住)(泪水) *~ the fact* 無視(或迴避)事實

on the～[俚](機器)出毛病;運轉不靈.

blip /blɪp/ *n*.(雷達屏幕上所閃現的)可視信號,光點.

bliss /blɪs/ *n*. 極樂,至福 **～ful** *a*. **～fully** *ad*. **～fulness** *n*.

blister /ˈblɪstə(r)/ *n*.(皮膚上起的)水泡;(油漆後表面起的)氣泡,浮泡 *v*.(使)起泡 **～ing** *a*.①(指天氣等)酷熱的②(指批評等)激烈惡毒的 // ～*beetle*【蟲】斑蝥.

blithe /blaɪð/ *a*. ①輕率的;漫不經心的②快樂的;無憂無慮的 **～ly** *ad*.

blithering /ˈblɪðərɪŋ/ *a*. [俚][貶]①胡說八道的②絕頂的;無以復加的.

B Litt /biːˈlɪt/ *abbr*. = Bachelor of Letters 文學士.

blitz /blɪts/ *n*. ①閃電戰,(尤指)閃電式猛烈空襲②[俚](在某方面)閃電式的大舉行動 *vt*. 用閃電戰攻擊(或摧毀) **the Blitz** *n*. 一九四〇年德國對英國的大規模閃電式空襲 **～krieg** *n*. = blitz.

blizzard /ˈblɪzəd/ *n*. 暴風雪;雪暴.

bloated /ˈbləʊtɪd/ *a*. ①腫脹的;臃腫的②過大的③趾高氣揚的.

bloater /ˈbləʊtə(r)/ *n*. 腌熏鯡魚.

blob /blɒb/ *n*. 一滴;軟綿綿的一團.

bloc /blɒk/ *n*. (政黨或國家等組成之)集團.

block /blɒk/ *n*. ①大塊(木,石,或金屬等);砧板②(辦公室或公寓)大廈,大樓③街區,街段④障礙,阻礙⑤[俚]人頭 **～age** *n*. 阻塞物,堵塞(物) **the～** *n*. 斷頭台 **～head** *n*. [口]傻瓜// ～*and tackle* 滑輪組 ～*house* 碉堡 ～*letter* (=～capital)印刷體(正楷)大寫字母 *go* (或 *be sent*) *to the*～(被送)上斷頭台 *have a*～(*about sth*)(因緊張而)對…感到茫然不解 *knock sb's*～/*head off* 給某人吃苦頭;痛打某人.

blockade /blɒˈkeɪd/ *n*.& *vt*. 封鎖 // *break*/*run a*～(尤指船隻)越過封鎖綫 *lift*/*raise a*～ 解除封鎖.

bloke /bləʊk/ *n*. [俚]傢伙(指男人).

blond(e) /blɒnd/ *a*.(指女人時作 **blonde**)(頭髮)亞麻色的,金色的 *n*.白膚金髮碧眼的人.

blood /blʌd/ *n*. ①血②血統;種族,家族 **～less** *a*.不流血的;無血色的,無生氣的;冷酷的 **～-bath** *n*.血洗;大屠殺 **～hound** *n*.警犬 // ～*bank* 血庫,血站 ～*brother* 歃血為盟的結拜兄弟 ～*count*【醫】血球計數 ～*curdling* 令人毛骨悚然的 ～*donor* 獻血者 ～*feud* 家族間的宿仇 ～*group*, ～*type* 血型 ～*heat* 人體的正常溫度 ～*letting* 放血[俚](戰鬥等的)流血 ～*lust* 殺戮欲 ～*money* 血腥錢;(償付被害者家屬的)撫恤金 ～*poisoning*【醫】血毒症 ～*pressure* 血壓 ～*relation* 血親;骨肉 ～*sucker* 吸血蟲;吸血鬼 ～*thirsty* 嗜血的;殘忍的 ～*transfusion* 輸血 ～*vessel* 血管.

bloody /ˈblʌdɪ/ *a*. ①血污的;流血的②殺戮的;血腥的③[俚] *a*. & *ad*. 完全的(地);極端的(地) *vt*. 血污,血染 **bloodily** *ad*. **bloodiness** *n*. **～-minded** *a*.存心作梗的,故意刁難的.

bloom /bluːm/ *n*. ①(供觀賞用的植物)花②盛開③青春;最盛期 *v*.(使)開花;(使)繁盛;使艷麗 // *in* (*full*)～(盛)開着花 *take the*～*off* 使…失去美貌;使…不完美或鮮美.

bloomer /ˈbluːmə(r)/ *n*.[英俚]大錯.

bloomers /ˈbluːməz/ *pl*.*n*. 女式燈籠褲.

blossom /'blɒsəm/ *n*. (尤指果樹的)花;群花 *vi* ①開花②繁榮,興旺 // *in (full)*~ (盛)開着化;(非常)興旺時期.

blot /blɒt/ *n*. ①污漬;墨迹②污點 *v*. (使)沾上污漬;(用吸墨水紙)吸乾 **~ter** *n*. 吸墨水紙滾台 **~ting-paper** *n*. 吸墨水紙 // *a ~ on/in the escutcheon* [書]名譽上之污點 *a ~ on the landscape* 破壞周圍景緻的不雅觀之物(尤指建築物) *~ one's copy book* [諺]敗壞自己的名聲 *~ out* 抹去(字迹等);遮住.

blotch /blɒtʃ/ *n*. (皮膚,紙等上的)斑、疱,大污漬 **~y** *a*. 有疱的;斑斑點點的.

blotto /'blɒtəʊ/ *a*. [英俚]爛醉如泥的.

blouse /blaʊz/ *n*. 女襯衫;(士兵或飛行員的)軍服上裝.

blow[1]/bləʊ/ *v*. (**blew** /bluː/, **blown** /bləʊn/) ①(風)吹②吹氣;喘氣③噴水④(保險絲)(使)燒斷⑤使爆炸⑥吹響⑦[俚]揮霍(錢財) *n*. ①吹風②疾風③擤(鼻子) **~er** *n*. 吹風機;鼓風器;[英俚]電話 **~y** *a*. [俚]多風的,颳風的 **~-dry** *vt*. & *n*. (用吹風機)吹乾並做髮型 **~fly** *n*. 綠頭蠅 **~hard** *n*. [美俚]吹牛大王 **~lamp** (亦作 **~torch**) *n*. 噴燈 **~-out** *n*. ①(車胎)爆裂②(油井或天然氣井的)井噴③[俚]盛宴 // *~ hot and cold* [俚]反覆無常,出爾反爾 *~ one's nose* 擤鼻子 *~ one's own trumpet/horn* [俚]自吹自擂 *~ one's stack/top* [俚]大發雷霆 *~ up* ①(使)爆炸;炸毀②(使)充氣③放大(照片等)④勃然大怒.

blow[2]/bləʊ/ *n*. 重擊;打擊;灾禍 // *come to ~s* 互毆 *exchange ~s* 互毆 *strike a ~ against (for)* 反對(支持,為…而奮鬥) *without (striking) a ~* 輕而易舉地;兵不血刃地 *with/at a single ~, with/at one ~* 一擊,一下子.

blown /bləʊn/blow 的過去分詞.

blowzy, blowsy /'blaʊzɪ/ *a*. [貶](指女人)肥胖、邋遢和臉色赤紅的.

blubber[1]/'blʌbə(r)/ *v*. [常貶]號啕大哭 // *~ out* 哭訴.

blubber[2]/'blʌbə(r)/ *n*. 鯨脂,海獸脂.

bludgeon /'blʌdʒən/ *n*. 大頭短棒 *v*. 用大頭棒連續打 // *~ into* 強迫做.

blue /bluː/ *n*. 藍色;藍布;藍色服裝 *a*. ①藍色的②[俚]沮喪的,憂鬱的③淫猥的,下流的 **~s** *n*. ①憂鬱,沮喪②布魯斯(美國南方的一種感傷的緩慢爵士樂) **bluish** *a*. 帶藍色的 **~bell** *n*. 【植】野信風子 **~bird** *n*. 藍知更鳥 **~-blooded** *a*. 貴族出身的 **~-bottle** *n*. (= blowfly)大綠頭蠅 **~-collar** *a*. 藍領工人的 **~print** *n*. 藍圖,設計圖;計劃大綱 **~stocking** *n*. [貶](高不可攀的)女才子,女學者 // *a bolt from the ~* [俚]晴天霹靂 *once in a ~ moon* 千載難逢(地) *out of the ~* 突然地 *scream/shout ~ murder* 大聲訴苦或抗議.

bluff[1]/blʌf/ *a*. ①壁立的,陡的②粗率的,坦率的 *n*. 陡岸,峭壁.

bluff[2]/blʌf/ *v*. (虛張聲勢地)嚇唬,恫嚇 *n*. 恫嚇 // *~ it out* [口]矇騙別人以逃避麻煩或擺脫困境 *~ call sb's ~* 針鋒相對地頂住某人的恫嚇;要某人攤牌.

blunder /'blʌndə(r)/ *n*. 大錯,失策 *v*. ①犯大錯②笨手笨脚地瞎動亂轉 **~er** *n*. 容易出大錯的人.

blunderbuss /'blʌndəbʌs/ *n*. 老式大口徑短程散彈槍.

blunt /blʌnt/ *a*. ①鈍②(指人或言

語)直率的,生硬的,不轉彎抹角的 *vt*. 弄鈍 **~ly** *ad*.

blur /blɜː(r)/ *n*. 模糊不清的東西;一片模糊 *v*. 把…弄模糊;變模糊.

blurb /blɜːb/ *n*. 出版商介紹書籍內容的簡要說明(多印於書的護封上);新書廣告.

blurt /blɜːt/ *v*. 脫口說出.

blush /blʌʃ/ *v*. & *n*. 臉紅,羞愧,害臊 **~er** *n*.胭脂 **~ingly** *ad*. // *spare sb's ~es*.[俚]別讓某人臉紅.

bluster /ˈblʌstə(r)/ *v*. ①(人)咆哮,氣勢洶洶地喊叫;②(風)狂吹 *n*.①狂風聲②恫嚇③大話 **~y** *a*.狂風大作的.

BM /biːem/ *abbr*. = Bachelor of Medicine 醫學士.

BMA /biːemˈeɪ/ *abbr*. = British Medical Association 英國醫學學會.

BMX *abbr*. = Bicycle Motor-Cross 自行車越野賽.

BO, B.O., b.o. /biːˈəʊ/ *abbr*. = body odo(u)r 體臭,狐臭.

boa (constrictor) /bəʊə (kənˈstrɪktə)/ *n*. 蟒蛇,王蛇.

boar /bɔː(r)/ *n*. (未閹的)公豬;野公豬(=wild~).

board /bɔːd/ *n*. ①木板,板②(棋)盤③委員會,理事會,董事會④(政府機關或商業)部門⑤膳食(費用) *v*.①用板鋪上②上(船);登上(公共交通工具)③供膳(宿);寄膳(宿) **~er** *n*.寄宿學校的學生;寄宿者 **~ing-school** 寄宿學校 **~s** *pl*. *n*. (作書封面的)紙板 **the ~s** [舊][謔]舞台;劇院 **~sailing** *n*. 滑浪風帆(亦稱 **windsurfing**) // *above ~* 光明正大 *across the ~* 全面的;包括所有團體和全體成員的 *~ing card* 登船證,登機證 *~room* 董事會會議室 *go by the ~* (計劃等)落空,失敗 *on ~* 在船(飛機或車)上 *sweep the ~* 全勝.

boast /bəʊst/ *n*. & *vi*. 自誇,誇口 *vt*. 以擁有…而自豪 **~er** *n*. 自誇者 **~ful** *a*.

boat /bəʊt/ *n*. ①小船,艇②船形器皿 *vi*. 乘船或划船(遊玩) **~er** *n*. 硬草帽 **~ing** *n*. 划船 **~hook** *n*. 有鈎的船篙 **~house** *n*. 船庫 **~man** *n*. 船伕 **~swain** (亦作 **bo's'n, bosun**) *n*.水手長 **~train** (與船運銜接的)聯運火車 // *in the same ~* 同舟共濟;共患難 *miss the ~* 坐失良機 *~ people* (乘船逃離本國的)船民 *rock the ~* 搗亂 *take to the ~s* (沉船時)乘救生艇逃命.

bob[1] /bɒb/ *n*. & *v*. ①上下急動②(行)屈膝禮 // *~ up* 突然又出現.

bob[2] /bɒb/ *n*. 女式短髮 *vt*.剪短(髮、尾等) **~tail** *n*.截短的尾巴;截短尾巴的狗(或馬).

bobbin /ˈbɒbɪn/ *n*. (縫紉機等之)綫軸,筒管.

bobble /ˈbɒbl/ *n*.裝飾用的小絨綫球(尤指縫在帽子上的).

bobby /ˈbɒbɪ/ *n*. [英俚]警察 **~-pin** *n*.[美]髮夾(=[英]hair grip).

bobsleigh (亦作 **bobsled**) /ˈbɒbsleɪ (ˈ-sled)/ *v*. & *n*. (乘)連橇(一種雪上交通工具,亦作運輸之用).

bod /bɒd/ *n*. [英俚]人(尤指男子).

bode /bəʊd/ *v*.[舊][書] 預示,預兆 // *~ well/ill* 主吉(凶).

bodice /ˈbɒdɪs/ *n*. (女)緊身胸衣.

bodkin /ˈbɒdkɪn/ *n*.大眼鈍頭粗針.

body /ˈbɒdɪ/ *n*. ①(人或動物的)身體,軀體;(植物的)軀幹②屍體③主體;本文;正文④物體⑤團體,機構⑥(一)群;(一)批⑦女胸衣 **bodied** [後綴]具有…軀體(或形體)的 **bodily**

a. 身體的 *ad*. 全體, 全部 **~guard** *n*. 警衛員, 保鏢 **~work** *n*. 機動車的車身製造 // ~ *clock* 生物鐘 ~ *corporate*【律】法人團體 ~ *odo*(*u*)*r* (略作 **BO**) 體臭, 狐臭 ~ *politic* (由全體公民組成之) 國家 ~ *scanner*【醫】人體掃描機 ~ *stocking* 緊身女內衣褲 ~ *suit* 一件式貼身女裝 ~ *and soul* 全心全意; 整個 *give* ~ *to* 使具體化; 實現 *in a* ~ 全體 *keep* ~ *and soul together* 勉強維持生命.

Boer /bɔː(r)/ *n*. 布爾人(荷蘭裔南非人).

boffin /ˈbɒfɪn/ *n*. [英俚]科學家.

bog /bɒg/ *n*. ①泥炭地; 沼澤②[英俚]廁所 *vt*. (使)陷於泥潭; (使)陷入困境 **~gy** *a*.

bogey /ˈbəʊgɪ/ *n*. [英]【體】球手的標準進球分數.

boggle /ˈbɒgl/ *vi*. [俚](由於驚慌而)猶豫, 畏縮不前 // ~ *sb's/the mind* [美俚]使大吃一驚 *the mind/imagination* ~*s* [俚]簡直不敢相信.

bogus /ˈbəʊgəs/ *a*. 偽造的, 假的.

bogy(亦作 **bogey, bogie**) /ˈbəʊgɪ/ *n*. ①(用來嚇唬小孩的所謂)妖怪(= ~man)②可怕或令人擔心的東西③【兒】鼻涕.

bohemian /bəʊˈhiːmɪən/ *a*. & *n*. ①生活放蕩不羈的(人)(尤指藝術家)②流浪者.

boil /bɔɪl/ *v*. ①煮沸; (使)沸騰; (在開水中)煮②激昂, 奮激 *n*. ①煮沸②沸點③【醫】癤子, 膿腫 **~er** *n*. 鍋爐 **~ing(hot)** *a*. 酷熱的 // ~ *away* 煮乾 ~ *down* 熬濃; 壓縮 ~ *down to* 壓縮成; 歸結為 ~ *over* 沸溢; 發怒 ~ *over into* (形勢、爭吵等)惡化而發展為 ~*er suit* 連褲工作服 ~*ing point* 沸點.

boisterous /ˈbɔɪstərəs/ *a*. ①(指人)喧鬧的, 興高采烈的②(指風, 海水)狂暴的 **~ly** *ad*.

bold /bəʊld/ *a*. ①大膽的, 果敢的②魯莽的; 冒失的; 厚顏無耻的③醒目的; 用粗體鉛字印刷的 **~ly** *ad*. **~ness** *n*. **~face** *n*.【印】黑體, 粗體 **~faced** *a*. ①厚顏無耻的; 魯莽的②【印】黑體的, 粗體的 // *as* ~ *as brass* 極其無耻的.

bole /bəʊl/ *n*. 樹幹.

bolero *n*. /bəˈleərəʊ/ [西]①波萊羅舞(曲)② /ˈbɒlərəʊ/波萊羅女短上衣.

boll /bəʊl/ *n*. (植物之)圓莢.

bollard /ˈbɒlɑːd/ *n*. ①【海】繫纜柱②[英](人行道或行人安全島的)護柱; (花壇的)矮欄.

boloney /bəˈləʊnɪ/ *n*. = baloney.

Bolshevik /ˈbɒlʃəvɪk/ *n*. & *a*. ①布爾什維克(的)②[俚][貶]激進的社會主義者 **Bolshevism** *n*. 布爾什維克主義.

bolshie, bolshy /ˈbɒlʃɪ/ *a*. [俚][貶]存心與人為難的, 故意鬧彆扭的; 與正統社會秩序格格不入的.

bolster /ˈbəʊlstə(r)/ *vt*. 支持, 支撐 *n*. 長枕.

bolt /bəʊlt/ *n*. ①螺釘②門閂, 窗閂; 插銷③閃電 *v*. ①閂(門), 上插銷②匆匆吞咽; 慌忙逃跑③篩(麵粉)④[美]退出(政黨) **~hole** *n*. 安全藏匿所 // *a* ~ *from the blue* 晴天霹靂 ~ *upright* 筆直的 *make a* ~ *for* 企圖藉…迅速逃走 *make a* ~ *for it* 迅速逃走.

bomb /bɒm/ *n*. ①炸彈; (the ~)原子彈或核彈②(a ~)[俚]一大筆錢 *v*. 轟炸; [英俚]迅速移動(或行駛) **~er** /ˈbɒmə/ *n*. 轟炸機; 投彈手; 安

放炸彈者(尤指恐怖分子) **~-bay** *n*.機上的炸彈艙 **~-proof** *a*. 防炸彈的 **~shell** *n*. [俚](令人吃驚且不快的)爆炸性事件 **~-sight** *n*.投彈瞄準器 // *go like a ~* ①飛速行駛;②獲得極大成功.

bombard /bɒm'bɑ:d/ *v*. ①炮轟,轟擊②痛斥;(連珠炮似地)質問③【原】(以中子等)轟擊,對…進行高速粒子流輻射 **~ier** *n*. [英]炮兵下士[美]轟炸機投彈手 **~ment** *n*.

bombast /'bɒmbæst/ *n*. [貶]高調,大話 **~ic** *a*. **~ically** *ad*.

bona fide /ˌbəunə 'faɪdɪ/ *a*. & *ad*. 真正的(地);真誠的(地);善意的(地) **~s** *n*.【律】誠意,真誠.

bonanza /bə'nænzə/ *n*. [口]財運亨通,走鴻運;茂盛的財運.

bonbon /'bɒnbɒn/ *n*. [法]糖果.

bond /bɒnd/ *n*. ①契約,合同②羈絆③粘合劑;結合物④債券,證券⑤(聯結人與人或團體間的)情感,友誼,共同點⑥ (*pl*.)鐐銬,鎖練 *v*. ①結合在一起,②把(貨物)存入保稅倉庫以待完稅 **~age** *n*. 奴役;束縛 **~ed** *a*. ①(多層)粘合在一起的②(進口貨物)尚未完稅的 // *~ed warehouse* 保稅倉庫.

bone /bəun/ *n*. 骨頭 *vt*. 去…骨 **bony** *a*.瘦的,憔悴的;多骨的 **~-dry** *a*. 乾透的 **~head** *n*. [俚]笨蛋 **~-idle** *a*. 極懶的 **~shaker** *n*. [俚][謔]破舊搖晃的老爺汽車(或自行車) // *all skin and ~* [俚]瘦得皮包骨似的 *~china* 骨灰瓷 *to the ~* 深入骨髓的;透骨的;到極點.

bonfire /'bɒnfaɪə(r)/ *n*. 大篝火,營火.

bongo (drum) *n*. /'bɒŋgəu (drʌm)/ (用手指敲打的)小鼓.

bonhomie /'bɒnəmɪ/ *n*. [法]和藹;親切;友好.

bonito /bə'ni:təu/ *n*.【魚】鰹.

bonk /bɒŋk/ *v*. & *n*. [俚]性交.

bonkers /'bɒŋkəz/ *a*. [俚]瘋狂的.

bon mot /ˌbɒn 'məu/ *n*. (*pl*. **bons mots**)[法]俏皮話;雋語.

bonnet /'bɒnɪt/ *n*. ①(無邊繫帶)女帽②(汽車發動機上的)蓋罩(=[美]hood).

bonny, bonnie /'bɒnɪ/ *a*. [蘇][褒]美麗的;健康的.

bonsai /bɒnsaɪ/ *n*. 盆栽植物,盆景.

bonus /'bəunəs/ *n*. ①獎金;紅利;津貼②[俚]意外的收穫.

bon voyage /ˌbɒn vɔɪ'ɑ:ʒ/ *int*. [法]一路平安! 再見!.

bonzer /'bɒnzə(r)/ *a*. [澳俚]極好的;漂亮的.

boo /bu:/ *int*. & *n*. 呸! (表示反對或輕蔑的喊聲);噓聲 *v*. 發出呸聲;喝倒彩 // *~ sb off* 用噓聲(或喝倒彩)轟走某人 *can't/couldn't say a ~ to a goose* [俚]非常膽小;羞怯.

boob /bu:b/ *n*. [俚]愚蠢的錯誤 *v*. 犯愚蠢的錯誤.

boobs /bu:bs/ *n*. [俚](婦女的)乳房.

booby /'bu:bɪ/ *n*. (美亦作 **boob**)[俚]笨蛋 // *~ prize* (= wooden spoon) 末獎 *vt*. 放置詭雷於;安設惡作劇性的陷阱於 *~ trap* ①【軍】餌雷,詭雷②(無傷大雅之惡作劇性的)陷阱.

boodle /'bu:dl/ *n*. [美俚](受賄或盜竊所獲的大筆)贓款;偽鈔.

boogie /'bu:gɪ/ *vi*. [俚](隨着流行音樂樂曲的節奏)跳搖擺舞 *n*.(亦作 **~-woogie**)一種用鋼琴彈奏的節奏很強的布魯斯舞曲.

book /buk/ *n*. ①書,書籍②著作③裝訂成冊的一本東西(如車票,支票等)

④(*pl.*)帳簿;名冊 *v.*(=[美]reserve)①定位,預定(機票,戲票等)②登記…在冊③記下(某人的)違法行為(進行指控或處罰) **~able** *a.* 可預定的 **~ish** *a.* 好讀書的;書生氣的;咬文嚼字的 **~let** *n.* 小冊子 **~keeper** *n.* 簿記員,記帳人 **~keeping** *n.* 簿記 **~maker** *n.*(賽馬場上的)賭注登記員 **~worm** *n.* 書迷;書呆子.

booking /'bʊkɪŋ/ *n.*(座位等的)預定(=[美]reservation) **~-clerk** [英]售票員 **~-office** [英]售票處.

boom /buːm/ *n.* ①隆隆聲②景氣,繁榮③帆的下桁④吊杆;(掛麥克風等的)活動懸臂⑤橫江鐵索 *v.*①發出隆隆聲②(使)興旺;(使)迅速發展 // *~town* 新興城鎮.

boomer /'buːmə(r)/ *n.* [美俚]在生育高峰期出生的嬰孩(=baby ~).

boomerang /'buːməræŋ/ *n.* ①回飛器(澳洲土著用的飛鏢投出後能飛回原處)②自食其果的言行 *v.*(意外地)產生反效果;自作自受.

boon /buːn/ *n.* 裨益;福利;(給人帶來)方便(之事物) // *~ companion* 好友.

boor /bʊə(r)/ *n.* [貶]粗俗遲鈍的人(尤指男子) **~ish** *a.*

boost /buːst/ *v.* & *n.* ①提高;增加②促進;支援;鼓勵③吹捧 **~er** *n.* ①【電】調壓器②助推火箭(亦作 ~ **rocket**)③【藥】(增強免疫力的)輔助藥劑.

boot[1] /buːt/ *n.* ①皮靴,膠靴②(汽車後的)行李箱(=[美]trunk)③[俚](用靴子)一踢 *vt.*[俚]①踢②解僱 **~ed** *a.* 穿着…靴的 **~ee** /'buːtiː/ *n.*(常 *pl.*)嬰兒的毛綫鞋 **~lace** *n.* 靴帶,鞋帶 // *~ out* [俚]攆走(尤指)解僱 *by one's own ~ strap* [俚]靠自己力量.

boot[2] /buːt/ *vt.* 啓動;使起作用 *n.* 效用 // *to ~* 此外,再者.

bootleg /'buːtleg/ *v.* & *a.*(指酒)非法釀造或販運(的) **~ger** *n.* 從事上述非法活動者.

booth /buːð/ *n.* 攤位;隔開的小間;貨攤.

booty /'buːtɪ/ *n.* 掠奪物,戰利品;贓物.

booze /buːz/ *vi.* [俚]痛飲 *n.*[俚]酒,杯中物 **~r** *n.*①[俚]貪杯者,痛飲者②[英俚]小酒店(=pub) **boozy** *a.* 狂飲的 // *be/go on the ~* 縱酒狂飲.

bop /bɒp/ *v.* ①[俚](隨着流行音樂節奏)跳舞②(用拳,棒等)打 *n.*①毆打②(節奏瘋狂的)流行爵士樂.

borage /'bɒrɪdʒ/ *n.* 【植】琉璃苣(地中海地區生長的一種植物,花為藍色葉多毛,可作調味品).

borax /'bɔːræks/ *n.* 【化】硼砂.

border /'bɔːdə(r)/ *n.* ①邊,邊緣②邊境;國界 *v.*①與…接壤;鄰接②鑲邊③近似(+on) **~land** *n.* 邊疆 **~line** *n.* 界綫.

bore[1] /bɔː(r)/ *v.* 鑽(孔),挖(洞) *n.*①鑽孔(亦作 ~**-hole**)②(槍炮的)口徑 **~r** *n.* 鑽孔或打洞的人(工具或昆蟲).

bore[2] /bɔː(r)/ *vt.* 使厭煩 *n.*[貶]令人厭煩的人(或物) **~dom** /'bɔːdəm/ *n.* 厭煩,無趣 **boring** *a.* 令人厭煩的;無趣的.

bore[3] /bɔː(r)/ *n.* 怒潮,激浪.

bore[4] /bɔː(r)/ bear 的過去式.

born /bɔːn/ bear 的過去分詞 *a.* 出身…的;生來的 **~-again** /'bɔːnəgen/ *a.* 對某種活動或信仰突然或新近又

感興趣的.

borne /bɔːn/ bear 的過去分詞.

boron /ˈbɔːrɒn/ *n*. 【化】硼.

borough /ˈbʌrə/ *n*. ①自治城鎮, 自治區②[美]紐約市的行政區.

borrow /ˈbɒrəʊ/ *v*. ①借入, 借用②剽竊; 擅自取用 **~er** *n*. 借物者, 借用人 **~ing** *n*. 借入; 借用(物, 尤指借用的外來單詞).

borsch, borscht, borshcht /bɔːʃ, bɔːʃt/ *n*. 俄國甜菜湯, 羅宋濃湯.

borstal /ˈbɔːstl/ *n*. 少年犯教養院.

borzoi /ˈbɔːzɔɪ/ *n*. 俄國大獵犬.

bosh /bɒʃ/ *n*. [俚]胡說, 廢話.

bosom /ˈbʊzəm/ *n*. 胸部, (尤指)婦女乳房 *a*. 親密的 **~y** *a*. [口]胸部豐滿的 // *~friend* 知交, 密友.

boss[1]/bɒs/ *n*. ①老闆, 主; 工頭; 經理; 上司②[美](政黨的)領袖 *vt*. 指揮; 對…發號施令 **~y** /ˈbɒsɪ/ *a*. [口][貶]霸道的, 專橫的 // *~ sb about/around* 把某人差來遣去.

boss[2]/bɒs/ *n*. ①瘤; 突起部②【建】浮凸飾.

bosun /ˈbəʊsn/ *n*. =boatswain.

botany /ˈbɒtənɪ/ *n*. 植物學 **botanic (al)** /bəˈtænɪk(əl)/ *a*. 植物(學)的 **botanist** /ˈbɒtənɪst/ *n*. 植物學家 **botanize, -ise** /ˈbɒtənaɪz/ *v*. ①研究並採集植物②為研究植物而勘察(某地區).

botch /bɒtʃ/ *v*. ①拙劣地修補②笨手笨腳地弄壞 *n*. (亦作 **~-up**)笨拙的工作; 笨活 // *make a ~ of sth* 把某事弄糟.

both /bəʊθ/ *a*. 兩, 雙; 兩方的 *pro*. 兩者; 兩人; 雙方 // *~... and...* 兩個都; 既…又….

bother /ˈbɒðə(r)/ *v*. ①打擾, 煩擾②煩惱; 操心 *n*. ①麻煩; 不便; 吵鬧②討厭的人; 麻煩的事物 **~some** *a*. 麻煩的; 討厭的.

bottle /ˈbɒtl/ *n*. ①瓶; 一瓶的量②(the~)牛奶; 酒; 喝酒 *vt*. 把…裝入瓶中 **~-feed** (用奶瓶)人工喂養 **~-neck** *n*. ①瓶頸口②(交通易堵塞的)隘道, 狹口③(影響, 妨礙事情進度的)因素 // *~ up* 抑制(感情) *hit the ~* [俚](開始)狂飲; 酗酒.

bottom /ˈbɒtəm/ *n*. ①底部, 底②盡頭; 末端③最低點; 最壞的地步④根底; 起因⑤[口]屁股 *a*. ①最低的; 最後的②根本的 **~less** *a*. 無底的; 無限的; 深不可測的 // *at (the) ~* 實際上; 內心裏; 本質上 *Bottoms up!* [口]乾杯! *from the ~ of one's heart* 衷心地; 真誠地.

botulism /ˈbɒtjʊlɪzəm/ *n*. 【醫】嚴重的罐頭食品中毒.

boudoir /ˈbuːdwɑː(r)/ *n*. [法]閨房.

bouffant /ˈbuːfɑːn/ *a*. [法](髮式或女裙)蓬鬆的, 鼓脹的.

bougainvillaea /ˌbuːgənˈvɪlɪə/ *n*. 【植】九重葛屬類攀綠植物.

bough /baʊ/ *n*. 粗大的樹枝.

bought /bɔːt/ buy 的過去式及過去分詞.

bouillon /ˈbuːjɒn/ *n*. [法]肉湯.

boulder /ˈbəʊldə(r)/ *n*. 大圓石.

boulevard /ˈbuːləvɑːd/ *n*. ①林蔭大道②[美]大街, 幹道.

bounce /baʊns/ *v*. ①(球等)反跳, 彈起②(人)(使)跳起, 急促行動③(支票)被退票, 拒付 *n*. ①跳起; 彈回; 彈力②[俚]活力 **~r** *n*. [口](夜總會或劇院中的)保鏢 **bouncing** *a*. (指人)①活躍的; 生氣勃勃的②健壯的 **bouncy** *a*. ①有彈性的②活躍的; 生氣勃勃的 // *~ back* 恢復元氣; 挽回(敗局等).

bound[1]/baʊnd/ bind 的過去式及過去分詞 *a*.①一定的,必定的②有義務的;受(法律、合同等)約束的③裝訂的.

bound[2]/baʊnd/ *v*. & *n*. (向前或向上)跳動;跳躍 // *by leaps and* ~ *s* 飛快地;連跳帶跑地.

bound[3]/baʊnd/ *a*. (+for)開往(某處)去的,要往(某處)去的.

bound[4]/baʊnd/ *vt*. ①限制②以…為界,鄰接 **~s** *pl*. *n*. 邊界;界限;範圍 **~less** *a*. 無邊際的;無限的 **~lessly** *ad*. // *know no* ~*s* 無限;不知足.

boundary /'baʊndrɪ/ *n*. 分界綫;邊界.

bounty /'baʊntɪ/ *n*. ①慷慨;恩惠②賜物;贈物③獎金;補助金 **bounteous** *a*.[書]①慷慨的②豐富的;富裕的 **bountiful** *a*. ①慷慨的②豐富的.

bouquet /bʊ'keɪ, bʊ'ke/ *n*. [法]①花束②恭維話③ /bʊ'ke/(酒等的)香味// ~*garni* (炖肉煮湯用的)調味香草.

bourbon /' bɜːbən/ *n*. (一種用玉米釀製的)美國威士忌酒.

bourgeois /'bɔːʒwɑː/ *a*. & *n*. ①中產階級的(人);資產階級的(人)②勢利,庸俗,守舊的(人) **~ie** /'bʊəʒwɑːziː/ *n*.資產階級;中產階級.

bout /baʊt/ *n*. ①(工作、活動等)一陣,一次,一場,一番②(疾病的)一次發作③(拳擊或摔跤的)一場比賽.

boutique /buː'tiːk/ *n*. [法]①(婦女)時裝用品小商店②(百貨商店的)婦女時裝用品部(櫃).

bouzouki /buː'zuːkɪ/ *n*. 一種希臘弦樂器.

bovine /'bəʊvaɪn/ *a*. ①牛的;牛般的②(牛般)遲鈍的.

bow[1]/bəʊ/ *n*. ①弓②琴弓③蝴蝶結;蝴蝶領結(=~tie) **~-legged** *a*.弓形腿的,羅圈腿的.

bow[2]/baʊ/ *v*. & *n*. ①鞠躬,點頭(表示感謝,同意、敬意)②屈從.

bow[3]/baʊ/ *n*. 船頭,艦首.

bowdlerize /'baʊdləraɪz/ *vt*. 删除(書或劇本中)不宜於婦女兒童的部份或欠妥之處.

bowels /'baʊəlz/ *n*. ①(人的)腸②內臟;內部③[書]憐憫心,同情心 // *move*/*loosen* 或 *relax the* ~ 大便 *relieve the* ~ 通便(大便或小便).

bower /'baʊə(r)/ *n*. 凉亭;樹蔭處.

bowl[1]/bəʊl/ *n*. ①碗,鉢②碗狀物.

bowl[2]/bəʊl/ *n*. ①滾木球② **~s** 滾木球戲,保齡球 *v*. ①玩保齡球②【板球】投球給擊球員 **~ing** 保齡球(戲).

bowler /'bəʊlə(r)/ *n*. [英]圓頂硬禮帽(亦作 **~hat** =[美]derby).

box[1]/bɒks/ *n*. ①箱,盒②(戲院的)包廂③[英俚]電視 *vt*. 把…裝入箱(或盒)內 **~y** *a*. 盒狀的,四四方方的 **~-office** (劇院等)售票處 // ~*lunch* 午餐盒飯 ~*number* 信箱號 ~*-office value* 票房價值.

box[2]/bɒks/ *v*. 拳擊;打拳 *n*.一巴掌;一拳 **~ing** *n*. 拳擊 // ~*sb's ear*(*s*)=*give sb a* ~ *on the ear*(*s*) 打耳光.

box[3]/bɒks/ *n*. 【植】①黃楊②黃楊木(=~wood).

boxer[1]/'bɒksə(r)/ *n*. 拳擊家,拳師 **the Boxers** (19 世紀末在中國興起的反洋組織)義和團.

boxer[2]/'bɒksə(r)/ *n*. 拳師犬,柏克瑟狗.

boy /bɔɪ/ *n*. 男孩**~cott** /'bɔɪkɒt/ *vt*. & *n*. ①(聯合)抵制②拒絕出席(或參加,從事) **~hood** *n*. 男孩時代,少年時期 **~ish** *a*. 男孩(似)的 //~*friend n*. 男朋友 *the B-Scouts* 童子

軍.

Br.【化】元素溴(bromine)的符號.

bra /brɑː/ *n*. [口]乳罩.

brace /breɪs/ *n*. ①支柱;支持物②【醫】支架③一雙,一對(獵物等)④(*pl*.)(褲子的)背帶 *v*.①振作(精神);作好準備(面對困難等)②支住,撐牢 **bracing** *a*. 振奮精神的,令人心神爽快的.

bracelet /ˈbreɪslɪt/ *n*. ①手鐲②(*pl*.)[俚]手銬(=handcuffs).

bracken /ˈbrækən/ *n*.【植】歐洲蕨.

bracket /ˈbrækɪt/ ①(常 *pl*.) 括號②托架,撐架③(按某些特性如收入,年齡等區分的)階層,等級,類別 *v*.①把…放在括號内②把…歸為一類.

brackish /ˈbrækɪʃ/ *a*. (水)稍有鹹味的.

bract /brækt/ *n*.【植】苞(片);托葉.

brad /bræd/ *n*. 角釘,土釘.

brag /bræg/ *v*. 吹牛,自誇 **~gart** /ˈbrægət/ *a*. & *n*.吹牛的(人);大言不慚的(人).

Brahman, Brahmin /ˈbrɑːmən, ˈbrɑːmɪn/ *n*. 婆羅門(印度四大種姓中最高的等級即僧侶);名門貴族.

braid /breɪd/ *n*. ①髮辮;編帶;緶②(衣服上的)繐帶 *vt*. ①編成辮帶②飾成繐帶.

Braille /breɪl/ *n*. (盲人使用的)點字(法).

brain /breɪn/ *n*. ①【醫】腦②腦力;智力;智囊③[口]聰明人 *vt*. 打…的腦袋 **~less** *a*. 沒有頭腦的;愚蠢的 **~y** *a*. [口]聰明的 **~-child** *n*. [口]智力產兒(指腦力勞動的成果如計劃、創造和發明等) **~dead** *a*. **~death** *n*.①腦死亡(的)②不動腦子(的) **~drain** 人才外流 **~storm** *n*. ①【解】腦猝病②=~wave **~wash** *v*.[口]對(人)實行洗腦;把某種思想信仰強加於(人) **~washing** *n*. **~wave** *n*. 靈感;妙想 // ~(*s*) *trust* 智囊團.

braise /breɪz/ *vt*. (用文火)炖,燜(肉等).

brake /breɪk/ *n*. 制動器,剎車,閘 *v*. (把車)剎住.

bramble /ˈbræmbl/ *n*.【植】荆棘.

bran /bræn/ *n*. 麥麩;糠.

branch /brɑːntʃ/ *n*. ①樹枝,分枝②支部;分部;分行;分店③(學科)分科④支流;支綫;支脈 *v*.(使)分支;分岔 // ~*out* (事業等)擴大規模.

brand /brænd/ *n*. ①(產品的)商標,牌子②品種③烙印 *v*.①在…上打烙印②污辱;玷污 **~-new** *a*. 嶄新的.

brandish /ˈbrændɪʃ/ *vt*. & *n*. 揮舞(武器等).

brandy /ˈbrændɪ/ *n*. 白蘭地(酒) // ~ *snap* (以白蘭地酒調味的)薑餅.

brash /bræʃ/ *a*. ①性情急躁的;傲慢無禮的②魯莽的;輕率的 **~ness** *n*.

brass /brɑːs/ *n*. ①黃銅②(總稱)銅管樂器③[俚]錢④[俚]厚顏無耻 **~y** *a*.①(音、色)似黃銅的②厚顏無耻的 // ~*band* 銅管樂隊.

brasserie /ˈbræsərɪ/ *n*. (兼賣小吃的)啤酒店.

brassière /ˈbræsɪə(r)/ *n*. [法]乳罩(=bra).

brat /bræt/ *n*. [蔑](調皮搗亂的)小傢伙,小鬼.

bravado /brəˈvɑːdəʊ/ *n*. 虛張聲勢;逞能;恐嚇.

brave /breɪv/ *a*. 勇敢的 *n*.北美印第安年輕戰士 *vt*.勇敢地面對(危險,困難,痛苦等) **~ly** *ad*. **~ry**. *n*. // ~ *it out* 硬着頭皮幹到底.

bravo /ˌbrɑːˈvəʊ/ *int*. 好極了! 要

得!.

bravura /brəˈvʊərə/ *n*. ①壯舉;雄糾糾氣昂昂的樣子②【樂】氣勢磅礴的演奏.

brawl /brɔːl/ *n*. & *vi*. 爭吵;打架.

brawn /brɔːn/ *n*. ①膂力,體力②腌豬肉,鹹豬頭肉 **~y** *a*.(指人)強壯的;肌肉結實的.

bray /breɪ/ *v*. & *n*. 驢叫(聲).

brazen /ˈbreɪzn/ *a*. 厚顏無耻的 *v*.厚着臉皮幹 // *~ it out* 厚着臉皮幹下去.

brazier /ˈbreɪzɪə(r)/ *n*. 火盆.

breach /briːtʃ/ *n*. ①違犯(法紀);毀(約);破壞;不履行②(城堡等被攻破的)缺口;裂口③【軍】突破(口) *v*.①攻破;突破②違(約);不履行(義務);破壞// *~ of confidence* 泄密 *~ of promise* 毀約.

bread /bred/ *n*. ①麵包②食物;糧食;[喻]生計③[俚]錢 **~line** *n*. 排隊領救濟食物的窮人隊伍 **~-winner** *n*. 養家活口者 **~-and-butter** *a*. ①生計的;最低生活必需的②對所受款待表示謝意的(a ~-and-butter letter 給東道主的感謝信)// *~ and butter* [俚]生計.

breadth /bredθ/ *n*. ①寬度,闊度②(學識等的)廣博③(性格,胸襟等的)寬宏大量 // *by a hair's ~* 差一點兒;險些 *to a hair's ~* 精確地.

break /breɪk/ *v*. (**broke** /brəʊk/; **broken** /ˈbrəʊkən/)①打破;折斷;衝破②損壞,弄壞③破壞;違犯④泄漏(秘密等)⑤透露(消息等)⑥使(突然)中止;打斷⑦削弱,減弱⑧超過;打破(記錄)⑨強行通過;衝破;⑩暫停工作(或活動)⑪破產,倒閉;(健康等)垮掉 *n*. ①破裂(處)②决裂③破曉④中止;停頓⑤暫停;休息⑥突變⑦[俚](好)運氣⑧闖進;衝出 **~able** *a*.易碎的 **~ables** *n*. 易碎的東西 **~age** *n*. ①破損(處)② **~ages** 破損物;損耗 **~-dancing** *n*. 霹靂舞 **~neck** *a*. 極危險的 // *~ down* ①打破;毀掉;破除②(感情,精神等)失控,崩潰③(機器等)發生故障,損壞④(化合物等)分解;拆散(機器等) *~-even* 得失相當;收支平衡;不賠不賺 *~ in* ①(竊賊等)破門而入,闖入②插嘴 *~off* ①(使)折斷②(使)終止;中止 *~-out* 爆發 *~through* 突破,衝破(*~-through*) *~up* ①打破;拆散②解散③(使)終止;結束④(學校)放假.

breakfast /ˈbrekfəst/ *n*. & *v*. (吃)早餐.

bream /briːm/ *n*. 鯿(一種淡水魚).

breast /brest/ *n*. ①乳房②胸(脯)③[書]心情;胸懷 *vt*. ①挺胸面對…②用胸部觸及… **~-feed** *v*. 用母乳喂養(自己的嬰兒) **~-stroke** *n*. 俯泳(蛙式游泳;蝶式游泳) // *make a clean ~ of sth* 和盤托出某事.

breath /breθ/ *n*. ①呼吸(的空氣)②微風;微音③一瞬間④迹象 **~less** *a*. ①屏息的②氣喘吁吁的③斷了氣的 **~taking** *a*. 驚險的;令人透不過氣來的 // *below/under one's ~* 低聲地 *catch one's ~* ①喘息②歇一口氣 *hold one's ~* 屏息 *lose one's ~* 喘不過氣來 *out of ~* 上氣不接下氣 *short of ~* 呼吸短促.

breathalyser, breathalyzer /ˈbreθəlaɪzə(r)/ *n*. (測醉用)呼吸試驗器 *vt*. 用測醉器對…進行試驗.

breathe /briːð/ *v*. ①呼吸②低聲說③散發出(氣味、感情等) **~r** *n*. 呼吸者;休息片刻 **breathing** *n*. 呼吸 // *~ one's last* 斷氣.

bred /bred/ breed 的過去式及過去分詞.

breech /briːtʃ/ *n*. ①屁股②(槍炮的)後膛 // ~ *delivery*【醫】(臀部或横位)异常分娩.

breeches /ˈbrɪtʃɪz/ *pl*. *n*. (長僅及膝的)褲子;短褲.

breed /briːd/ (過去式及過去分詞 **bred**) *v*. ①(動物)生產②(使)繁殖;飼養③產生,引起④養育;教養 *n*. 品種;種類 **~er** *n*. ①種畜②飼養員 **~ing** *n*. ①薰陶;教養②(動物的)繁殖,生育 //*close* ~*ing* 近親繁殖 *cross* ~ *ing* 雜交.

breeze /briːz/ *n*. ①微風,和風②[美]輕而易舉的事情 *v*. [俚]急匆匆地行走 **breezy** *a*. ①有風的②輕鬆自在的;談笑風生的.

brethren /ˈbreðrən/ *pl*. *n*. [古] = brothers 會友;同志;教友.

breve /briːv/ *n*.【樂】=全音符.

breviary /ˈbriːvɪərɪ/ *n*.【宗】(神父用的)每日祈禱書.

brevity /ˈbrevətɪ/ *n*. 簡短;短暫.

brew /bruː/ *vt*. ①釀造(啤酒等)②調製(飲料)③醞釀;策劃④即將來臨 *n*. 釀造(出來的飲料,酒等) **~er** *n*. 釀(啤)酒人 **~ery** *n*. 啤酒廠;釀酒廠.

briar /ˈbraɪə(r)/ *n*. =brier.

bribe /braɪb/ *n*. 賄賂 *v*. (向…)行賄 **~ry** *n*. 行賄;受賄.

bric-à-brac /ˈbrɪkəbræk/ *n*. 小擺設;小裝飾品;古玩.

brick /brɪk/ *n*. ①磚(塊)②磚狀物③[英]積木(=[美]block) *v*. 用磚建造(圍砌或填補) **~bat** *n*. [口]批評;抨擊 **~layer** *n*. 泥水匠,泥瓦工.

bride /braɪd/ *n*. 新娘 **~al** *a*. ①新娘的②婚禮的 **~groom** *n*. 新郎 **~smaid** /ˈ-zmeɪd/ *n*. 女儐相,伴娘.

bridge[1] /brɪdʒ/ *n*. ①橋②【船】船橋,艦橋③鼻樑;(眼鏡的)鼻架;(假牙上的)齒橋④(提琴的)弦馬 *vt*. 架橋於 **~head** *n*.【軍】橋頭堡 //~ *over* 克服,渡過(困難,難關等).

bridge[2] /brɪdʒ/ *n*.【體】橋牌.

bridle /ˈbraɪdl/ *n*. 馬勒;籠頭 *v*. ①給(馬)套上籠頭②抑制;約束③昂首(表示輕蔑、不悅或憤怒) // ~ *path*, ~ *way*, ~ *road* (騎馬專用的)馬道.

Brie /briː/ *n* (法國布里產)白乳酪.

brief /briːf/ *a*. 短暫的;簡短的 *n*. ①概要,摘要②簡短指令③ **~s** 三角褲 *vt*. ①向…下達簡令;向…作指示②向…作簡要介紹 **~ing** *n*. (下達)指令;簡况(介紹) **~ly** *ad*. **~ness** *n*. **~case** /ˈbriːfkeɪs/ *n*. 公文皮包 // *in* ~ 簡單地說.

brier, briar /ˈbraɪə(r)/ *n*.【植】荆棘(尤指野薔薇).

brig /brɪg/ *n*. 方帆雙桅船.

brigade /brɪˈgeɪd/ ①【軍】旅②(從事某項活動的)(一)隊/組(人).

brigadier /ˌbrɪgəˈdɪə(r)/ *n*. 旅長 // ~ *general* 准將.

brigand /ˈbrɪgənd/ *n*. 土匪,強盜,草寇.

brigantine /ˈbrɪgəntiːn/ *n*. 雙帆帆船.

bright /braɪt/ *a*. ①明亮的,發亮的②(顏色)鮮艷的③(聲名)顯赫的④歡快的;生氣勃勃的⑤聰明的 **~ly** *ad*. **~ness** *n*. // *look on*/*at the* ~ *side of things* 對事物抱樂觀態度.

brighten /ˈbraɪtn/ *v*. ①(使)發光,(使)發亮②(使)快活③(天)放晴.

brilliant[1] /ˈbrɪlɪənt/ *a*. ①光輝的;輝煌的②卓越的;英明的③才氣煥發的④

[俚]極好的 **brilliance, brillancy** *n*. **~ly** *ad*.

brilliant[2] /ˈbrɪlɪənt/ *n*. ①(琢成多角形的特別明亮的)寶石②人造寶石.

brilliantine /ˈbrilɪəntiːn/ *n*. (男用)潤髮油.

brim /brɪm/ *n*. ①(杯、碗等的)邊,緣②帽邊 *v*. ①滿溢②注滿(容器等) **~ful** /ˈbrɪmful/ *a*. ①滿到邊緣的②洋溢着…的(+of) **~less** *a*. 無邊緣的.

brimstone /ˈbrɪmstəʊn/ *n*. [舊]硫黄(石).

brindled /ˈbrɪndld/ *a*. (動物毛皮上)有斑紋的.

brine /braɪn/ *n*. 鹽水,鹹水.

bring /brɪŋ/ *v*. (過去式及過去分詞 **brought** /brɔːt/)①拿來;帶來;(使)來到②產生;引起③使處於(某種狀態)④提出(訴訟,抗議等) // *~ about* 帶來;造成 *~ off* 辦完;圓滿完成 *~ out* ①生產②出版;發表③使顯出 *~ up* ①養育,培養(子女)②提出③嘔吐.

brink /brɪŋk/ *n*. (懸崖、峭壁等處的)邊沿;界;涯 // *on the ~ of* 瀕臨,在…的邊緣.

briny /ˈbraɪnɪ/ *a*. 很鹹的 **the ~** *n*. [俚]大海.

brisk /brɪsk/ *a*. ①輕快的;活潑的②(天氣等)令人爽快的,清新的③(生意)興旺的 **~ly** *ad*. **~ness** *n*.

brisket /ˈbrɪskɪt/ *n*. (牛、羊、豬等)胸肉;胸部.

bristle /ˈbrɪsl/ *n*. ①(動植物的)短硬毛②(豬等)鬃毛 *v*. ①(使)毛髮等直立②發怒(+with)③(~with sth)充滿 **bristly** *a*. ①有硬毛的;硬毛般的②(毛髮等)短而硬的③易怒的.

bristols /ˈbrɪstəlz/ *pl*. *n*. [英俚]女子的乳房.

Brit *abbr*. ① = Britain; Britannia; British②[口]英國人.

brittle /ˈbrɪtl/ *a*. ①脆的②易損壞的③易生氣的 **~ness** *n*.

broach /brəʊtʃ/ *v*. ①打開(桶或瓶子)②提出(問題)加以討論.

broad /brɔːd/ *a*. ①寬的;闊的②廣大的;遼闊的③(思想,心胸)開闊的,寬厚的④粗略的;概括的⑤粗俗的⑥明顯的 **~ly** *ad*. **~ness** *n*. **~-minded** *a*. (心胸)寬宏大量的 **~sheet** *n*. (印刷品)大幅印張 **~side** *n*. ①【軍】一邊舷側的火炮齊發②(口頭或文字上的)激烈抨擊 **~ways, ~wise** *ad*. 橫着;寬面向前地 // *~ bean* 蠶豆 *Broad Church* (英國國教的)廣教派.

broadcast /ˈbrɔːdkɑːst/ *v*. ①(用無綫電、電視)廣播;(在廣播節目中)講話(或演出)②傳播;傳佈 *n*. (無綫電、電視的)廣播(節目) **~er** *n*. ①廣播者②廣播電台;廣播機構 **~ing** *n*. 廣播,播音.

broaden /ˈbrɔːdn/ *v*. (使)變闊;擴大;加寬.

Broadway /ˈbrɔːdweɪ/ *n*. ①百老匯(美國紐約市一街道以其衆多的一流劇院及夜總會而著稱)②美國的戲劇(娛樂)業.

brocade /brəˈkeɪd/ *n*. 浮花錦緞.

broc(c)oli /ˈbrɒkəlɪ/ *n*. 硬花甘藍;花椰菜.

brochure /ˈbrəʊʃə(r)/ *n*. 小冊子;(以小冊子形式出版的)論文.

brogue[1] /brəʊg/ *n*. 結實的厚底皮鞋.

brogue[2] /brəʊg/ *n*. (尤指愛爾蘭英語的)土腔,土調.

broil /brɔɪl/ *v*. ①焙、燒、烤(肉、雞、魚等)②(陽光)灼(人);(使)感到炎

熱 // ~*ing hot* 酷熱.

broke /brəuk/ break 的過去式 *a*. [俚]破了產的;一文不名的 // *go* ~ 破產.

broken /'brəukən/ break 的過去分詞 *a*.①破碎的;被打碎的;弄壞了的②(腿臂)已骨折的③(地面)高低不平的④(語言文字)蹩脚的,不標準的 **~-hearted** *a*. 心碎的,極度悲痛的 // ~ *home* (父母離異造成的)破裂的家庭.

broker /'brəukə(r)/ *n*. 經紀人;掮客;(買賣的)中間人 **~age** /'brəukərɪdʒ/ *n*.傭金;回扣.

brolly /'brɒlɪ/ *n*. [英俚]傘.

bromide /'brəumaɪd/ *n*. ①【化】溴化物②陳詞濫調;平庸的思想或看法.

bromine /'brəumi:n/ *n*. 【化】溴.

bronchus /'brɒŋkəs/ *n*. (*pl*. **bronchi** /'brɒŋkaɪ/)【解】支氣管 **bronchial** *a*. 支氣管的 **bronchitis** *n*.【醫】支氣管炎.

bronco /'brɒŋkəu/ *n*. (美國西部的)(半)野(生)馬.

brontosaur (**us**) /'brɒntəsɔ:; ˌbrɒntə'sɔ:rəs/ *n*. 【古生】雷龍.

Bronx cheer /ˌbrɒŋks 'tʃɪə(r)/ *n*. [美俚](=[英]raspberry)(表示嘲笑、厭惡的)咂舌聲;嘘嘘聲.

bronze /brɒnz/ *n*. ①青銅(銅錫合金)②青銅製品(如塑像,獎章等)③青銅色 *a*.青銅(製)的;青銅色的 *v*. (把…)曬成青銅色 // *Bronze Age* 青銅器時代.

brooch /brəutʃ/ *n*. 胸針;飾針.

brood[1] /bru:d/ *n*. ①(雞,鳥等)一窩幼雛②[貶](一家的)孩子們;同黨;同夥.

brood[2] /bru:d/ *v*. 悶悶不樂地沉思.

broody /'bru:dɪ/ *a*. ①(母雞)要孵卵的②鬱鬱沉思的.

brook[1] /brʊk/ *n*. 溪流,小河.

brook[2] /brʊk/ *v*. 容忍;忍受.

broom /bru:m/ ①掃帚②金雀花 **~stick** *n*.掃帚柄 // *A new ~ sweeps clean*. 新官上任三把火.

broth /brɒθ/ *n*. (肉,魚,蔬菜)湯.

brothel /'brɒθl/ *n*. 妓院.

brother /'brʌðə(r)/ *n*. ①兄或弟②(常 *pl*.)(基督教)修士 **~ly** *a*. 兄弟(般)的 **~hood** *n*. ①手足情誼②同業;同僚③協會;社團 **~-in-law** *n*.①姐夫;妹夫②大伯;小叔③内兄;内弟.

brought /brɔ:t/ bring 的過去式及過去分詞.

brouhaha /'bru:hɑ:hɑ:/ *n*. 騷動;喧鬧;哄動.

brow /brau/ *n*. ①眉毛②額③山頂;坡頂.

browbeat /'braubi:t/ *vt*. 恫嚇;威逼.

brown /braun/ *n*. & *a*. 棕色(的);褐色(的) *v*. (使)成為褐色(或棕色) **~ish** *a*. 帶褐色的 **~ed-off** *a*.[俚]厭煩透了;沮喪的 // *in a ~ study* 沉思.

brownie /'braunɪ/ *n*. ①棕仙(傳說中夜間替人作家務的小精靈)②胡桃巧克力小方餅.

Brownie(Guide) /'braunɪ('gaɪd)/ *n*. (十歲以下的)女童子軍.

browse /brauz/ *v*. & *n*. ①瀏覽(書刊)②(牛羊)吃嫩枝或草.

bruise /bru:z/ *n*. 瘀傷;擦傷 *v*. 擦傷;(使)成瘀傷 **~r** *n*.彪形大漢.

brunch /brʌntʃ/ *n*. (= breakfast + lunch,早午餐併作一頓的)晚早餐,早午飯.

brunette, (美作 **brunet**)/bru:'net/ *n*. 毛髮淺黑色的白種女子.

brunt /brʌnt/ *n*. 正面的衝突;主要的衝力或壓力 // *bear the* ~ 首當其衝.

brush[1]/brʌʃ/ *n*. ①刷子,毛刷②毛筆,畫筆③小衝突;遭遇戰④狐狸尾巴⑤刷;拂拭 *v*. ①刷(掉);擦(掉)②擦過,掠過 // ~ *aside/away* 不顧;漠視 ~ *off* [俚]不理睬;打發走(某人)(~*-off*) *give sb a/the* ~*-off* 不理睬某人 ~ *up* 溫習,複習.

brush[2]/brʌʃ/ *n*. 灌木叢(地帶) // ~*-fire war* 灌木林式戰爭,小規模(局部)戰爭.

brusque, brusk /bruːsk/ *a*. 魯莽無禮的;唐突的 **~ly** *ad*. **~ness** *n*.

Brussels sprout /ˈbrʌsəlz spraʊt/ *n*. 湯菜;抱子甘藍.

brutal /ˈbruːtl/ *a*. ①獸性的;殘忍的;蠻橫的②(天氣)令人難受的,嚴酷的 **~ity** /bruˈtælətɪ/ *n*. 暴行;獸性 **~ize, ~ise** *v*. (使)變成野獸般殘忍無情.

brute /bruːt/ *n*. ①獸;畜生②人面獸性的人;殘忍的人 *a*. ①畜生(般)的;野蠻的②沒有理性的 **brutish** *a*. ①禽獸(般)的②野蠻的;愚鈍的.

BS *abbr*. = British standard 英國標準.

B.Sc. *abbr*. =Bachelor of Science 理學士.

BST *abbr*. = British Summer Time 英國夏令時間.

bubble /ˈbʌbl/ *n*. ①氣泡;水泡②幻想;妄想;泡影 *v*. ①(使)冒泡;沸騰②(水)汩汩地流;發出噗噗聲③興奮;歡騰;激動(+over, with) **bubbly** *a*. ①興奮的;歡騰的②發泡的;泡沫多的 // ~*gum* 泡泡糖.

bubonic plague /bjuːˌbɒnɪk ˈpleɪg/ *n*. 【醫】淋巴腺鼠疫.

buccaneer /ˌbʌkəˈnɪə(r)/ *n*. 海盜;冒險家.

buck /bʌk/ *n*. ①【動】公鹿;公羊;雄兔②[美、澳俚]元 *v*. ①(馬等)拱背躍起(把騎手摔下)(+off)②[美俚]反對 // ~ *up* ①(使)精神振作起來②快點 *pass the* ~ *to* [口]推卸責任給….

bucket /ˈbʌkɪt/ *n*. 水桶;吊桶 *v*. ①下傾盆大雨;(雨)傾盆而下(+down)②顛簸而行 **~ful** *n*. 一滿桶 // ~ *seat* (火車或飛機上的)單人摺椅 *in* ~*s* 大量地(尤指雨水) *kick the* ~ [俚、諧]翹辮子,死掉.

buckle /ˈbʌkl/ *n*. 皮帶扣環;扣狀裝飾品 *v*. ①(用扣環)扣住;(把…)扣緊②(使)變彎曲 // ~*down to sth* 全力以赴幹某事.

buckram /ˈbʌkrəm/ *n*. 硬麻布.

buckshee /ˌbʌkʃiː/ *a*. & *ad*. [英俚]免費的(地).

buckshot /ˈbʌkʃɒt/ *n*. (打獵用)粗鉛彈.

buckteeth /ˈbʌktiːθ/ *pl*. *n*, 齙牙;獠牙.

buckwheat /ˈbʌkwiːt/ *n*. 蕎麥.

bucolic /bjuːˈkɒlɪk/ *a*. 田園生活的;農家風味的.

bud /bʌd/ *v*. 芽;蓓蕾 *n*. ①(使)發芽;萌芽②開始生長(發展或發育) // *in* (*the*) ~ 含苞待放;發芽 *nip in the* ~ 把…消滅於萌芽狀態;防患於未然.

Buddhism /ˈbʊdɪzəm/ *n*. 佛教 **Buddhist** *n*. 佛教徒 *a*. 佛(教)的.

buddy /ˈbʌdɪ/ *n*. [美俚]夥伴;弟兄.

budge /bʌdʒ/ *v*. ①微微移動;推動②(指立場、態度等)(使)動搖.

budgerigar /ˈbʌdʒərɪgɑː(r)/ *n*. 【鳥】(澳洲的)虎皮鸚鵡.

budget /ˈbʌdʒɪt/ *n*. ①預算(案)②經費 *v*.①安排,預定(金錢、時間等)②編預算;作好安排 **~ary** *a*. // *balance the ~* 使收支平衡.

budgie /ˈbʌdʒɪ/ *n*. [口] *abbr*. = budgerigar.

buff[1]/bʌf/ *n*. & *a*. ①淺黃色(的)②淺黃色皮革(的) *vt*.(用軟皮等)擦亮 // *in the ~* 一絲不掛 *strip to the ~* 把衣服剝得精光.

buff[2]/bʌf/ *n*. 愛好者;迷.

buffalo /ˈbʌfələʊ/ *n*. ①水牛②[美]野牛.

buffer /ˈbʌfə(r)/ *n*. 緩衝器;能起緩衝作用的人或物.

buffet[1]/ˈbʌfɪt/ *n*. & *v*. 毆打;打擊.

buffet[2]/ˈbʊfeɪ/ *n*. ①自助餐;快餐②快餐櫃台;小吃店.

buffoon /bəˈfuːn/ *n*. ①小丑②愚蠢而滑稽的人;言行荒謬可笑的人 **~ery** *n*.

bug /bʌg/ *n*. ①臭蟲;昆蟲②[口]病菌;(病菌引起的)疾病③(電腦程序上的)小錯;(機器上的)小毛病④竊聽器⑤着迷;癖好;[口]…迷 *vt*.①(在房間、電話內)安裝竊聽器;竊聽②煩擾,折磨.

bugbear /ˈbʌgbeə(r)/ *n*. 嚇人或令人頭痛的事物.

bugger /ˈbʌgə(r)/ *n*. ①[俚]壞蛋;討厭的東西②雞奸犯 *v*.①雞奸②使疲乏不堪 **~y** *n*. 雞奸.

buggy /ˈbʌgɪ/ *n*. ①嬰兒車②輕便車;舊汽車.

bugle /ˈbjuːgl/ *n*. 軍號,喇叭 **~r** *n*;號手;司號兵.

build /bɪld/ (過去式及過去分詞 **built**) *v*. ①建築,造,蓋②建立;發展;增進;培養 *n*. 體格,體型 **~er** *n*. 建造者,建築商 // *~ up* ①(使)增進,加強,擴大②【軍】集結(部隊)③吹捧(*~-up*).

building /ˈbɪldɪŋ/ *n*. 建築物 // *~ society*[英]建房互助協會(協助會員集資並貸款建房).

built /bɪlt/ build 的過去式及過去分詞 **~-in** *a*.①不可分的;固定的②內在的;固有的 **~-up** *a*.建築物多的.

bulb /bʌlb/ *n*. ①【植】球莖②球莖狀物;電燈泡 **~ous** *a*.[常貶]球莖狀的;又肥又圓的.

bulge /bʌldʒ/ *n*. ①腫脹;膨脹②激增;暴漲 *v*.(使)膨脹;(使)凸出 **bulging, bulgy** *a*.

bulk /bʌlk/ *n*. ①(尤指大的)體積,容積;數量②大部份;大多數 *v*.(~ large)顯得重要;突出 **~y** *a*. 龐大的;笨重的 // *in ~* ①大量,大批②散裝.

bulkhead /ˈbʌlkhed/ *n*.【船】艙壁.

bull[1]/bʊl/ *n*. ①(公牛,雄象,雄鯨等)雄性大動物②粗壯如牛的人③(股市中的)買方,多頭 **~dog** *n*.牛頭犬 **~fight** *n*. 鬥牛 **~fighter** *n*.鬥牛士 **~frog** *n*.牛蛙 **~'s-eye** *n*.靶心 // *~ market*【股】牛市.

bull[2]/bʊl/ *n*. (教皇的)勅書;訓諭.

bull[3]/bʊl/ *n*. [俚]胡說八道.

bulldoze /ˈbʊldəʊz/ *vt*. ①用推土機推平②威脅,強迫 **~r** *n*.推土機.

bullet /ˈbʊlɪt/ *n*. 子彈.

bulletin /ˈbʊlətɪn/ *n*. ①公報;公告②新聞簡報.

bullion /ˈbʊljən/ *n*. 金條(塊);銀條(塊).

bullock /ˈbʊlək/ *n*. 小公牛;閹牛.

bully /ˈbʊlɪ/ *n*. 欺侮弱者的人;惡霸;小流氓(尤指學童中欺侮弱小學生者) *v*.威嚇;欺侮.

bulrush /ˈbʊlrʌʃ/ *n*.【植】寬葉香蒲;

蘆葦.

bulwark /'bʊlwək/ *n*. 堡壘;防禦物;保障.

bum[1]/bʌm/ *n*. [口]屁股.

bum[2]/bʌm/ *n*. [英俚]無業遊民;叫花子.

bumble /'bʌmbl/ *v*. 結結巴巴地講話;笨手笨脚地做;踉蹌地前進 **bumbling** *a*.常出錯差的 *n*,無能;失職.

bumble bee /'bʌmbl 'bi:/ *n*. 大黃蜂.

bump /bʌmp/ *v*. ①碰;撞;撞擊②(車輛)顛簸地行駛 *n*.①碰;撞;(碰、撞發出的)撲通聲②腫塊 *ad*. 突然地,猛烈地;撲通一聲地 **~y** *a*. ①(路等)崎嶇不平的②(車等)顛簸的 // ~ *off* [俚]謀殺;把…幹掉.

bumper[1]/'bʌmpə(r)/ *n*. (汽車前後的)保險槓 // ~ to ~ (汽車)一輛接一輛的(地).

bumper[2]/'bʌmpə(r)/ *a*. 豐盛的;特大的 // ~ *harvest*/*crop* 大豐收.

bumph, bumf /bʌmf/ *n*. [俚]公文,文件;表格.

bumpkin /'bʌmpkɪn/ *n*. [貶]鄉巴佬,土包子,笨伯.

bumptious /'bʌmpʃəs/ *a*. 自以為是的;狂妄的.

bun /bʌn/ *n*. ①小圓甜麵包②(盤捲成圓形的)髮髻.

bunch /bʌntʃ/ *n*. ①(一)束;(一)串②(指人群)一夥 *v*. (使)捆成一束(或一串);(使)集攏.

bundle /'bʌndl/ *n*. ①包;捆;束②【生】(神經等)纖維束 *v*.①匆匆離去;把…匆匆打發走②把…胡亂地塞進(in, into) // ~ *up* ①把…包扎起來②使穿得暖和.

bung /bʌŋ/ *n*. (桶、瓶等)塞子 *v*.①[口](用塞子)塞住(+up)②[俚]扔丟.

bungalow /'bʌŋgələʊ/ *n*. 平房;小屋.

bungle /'bʌŋgl/ *v*. ①粗製濫造②(把事情)做得一團糟 **~r** *n*. **bungling** *a*. 笨拙的;粗劣的.

bunion /'bʌnjən/ *n*.【醫】拇囊炎腫.

bunk[1]/'bʌŋk/ *n*. (車、船上依壁而設的)床鋪;床位 *v*. 睡在鋪位上 //~ *bed* 雙層床.

bunk[2]/bʌŋk/ *n*. =bunkum.

bunk[3]/bʌŋk/ *n*. [俚]逃走 //(僅用於) *do a* ~ (這一習語中)逃走.

bunker /'bʌŋkə(r)/ *n*. ①煤箱;(船上的)煤倉②【體】沙坑,障礙洞③【軍】掩蔽壕,地堡.

bunkum /'bʌŋkəm/ *n*. 胡說.

bunny /'bʌnɪ/ *n*. ①[兒]小兔子②(亦作 **~girl**)(夜總會中衣著打扮如小兔的)女招待,兔女郎.

Bunsen burner /ˌbʌnsn 'bɜ:nə/ *n*. 本生燈(實驗室用的煤氣燈).

bunting[1]/'bʌntɪŋ/ *n*. 彩旗.

bunting[2]/'bʌntɪŋ/ *n*.【鳥】白鵐鳥,黃胸鵐.

buoy /bɔɪ/ *n*. ①浮標②(=life ~)救生圈 *vt*. ①使浮起②鼓勵;支持.

buoyance, -cy /'bɔɪəns, 'bɔɪənsɪ/ *n*. ①浮力;浮性②輕快;開朗 **buoyant** /'bɔɪənt/ *a*.①有浮力的②輕快的;開朗的.

bur /bɜ:(r)/ *n*. burr[1].

burble /' bɜ:bl/ *vi*. ①(水、河流等)發出汩汩聲②嘰嘰咕咕地說.

burden[1]/' bɜ:dn/ *n*. ①負擔;重載②重任;艱難 *vt*.使負重擔;使麻煩;勞累 **~some** /'bɜ:dnsəm/ *a*.難於負擔的;沉重的;令人煩惱的.

burden[2]/'bɜ:dn/ *n*. ①歌曲末尾的叠句;重唱句②(詩歌、發言等的)要點,主旨.

bureau /'bjʊərəʊ/ *n*. (*pl*. **bureaux**

/'bjʊərəʊz/, **bureaus**) *n*. ①局;司;處;辦公署②大書桌;寫字枱.

bureaucracy /bjʊə'rɒkrəsɪ/ *n*. ①官僚政治;官僚機構②官僚主義 **bureaucrat** *n*. 官僚;官僚派頭的人 **bureaucratic** *a*. 官僚主義的;官僚作風的.

burgeon /'bɜːdʒən/ *vi*. (迅速)發展;成長.

burgh /'bʌrə/ *n*. [蘇格蘭] = borough 自治市.

burglar /'bəɜːglə(r)/ *n*. (入戶行竊的)夜盜,竊賊 **~y** *n*. 夜盜(罪),盜竊.

Burgundy /'bɜːgəndɪ/ *n* (法國東部)勃艮第葡萄酒.

burial /'berɪəl/ *n*. 埋葬.

burlesque /bɜː'lesk/ *n*. 打油詩;遊戲文字;滑稽戲;諷刺畫.

burly /'bɜːlɪ/ *a*. 健壯的;魁偉的.

burn[1]/bɜːn/ *v*. (過去式及過去分詞 **burned** 或 **burnt**)①燃燒②(被)燒毀;(被)燒焦;燒傷③點(燈,燭等);(燈等)點着④激動;(使)發怒;渴望 *n*.①燒傷;灼燒;灼痛感②宇宙飛船發動機的點火起動 **~ing** *a*.①強烈的;熱烈的②緊要的;迫切的 **~out** *n*.【醫】精疲力竭 // *~ bag* [美](存放待燒毀機密文件的)焚燒袋 *~ the candle at both ends* 過分耗費精力 *~ the midnight oil* 開夜車 *do a slow ~* [俚]愈來愈生氣.

burn[2]/bɜːn/ *n*. (蘇格蘭)小溪,小河.

burnish /'bɜːnɪʃ/ *v*. (被)擦亮;打磨.

burp /bɜːp/ *n*. & *v*. [俚](使)打嗝.

burr[1]/bɜː(r)/ *n*.【植】(栗,牛蒡等)刺果植物.

burr[2]/bɜː(r)/ *n*. ①(發'r'音時小舌顫動的)粗喉音②嗡嗡聲;嘎嘎聲.

burrow /'bʌrəʊ/ *n*. (兔、狐等的)穴,地洞 *v*.挖(穴);打(洞).

bursar /'bɜːsə(r)/ *n*. (大學財務部門的)會計員,出納員 **~y** *n*.①(大學的)財會處②獎學金.

burst /bɜːst/ *v*. (過去式及過去分詞,**burst**)①(使)爆炸;(使)脹裂;衝破②突然出現;突然發作③(使)充滿 *n*.①突然破裂;爆炸②突發;突然出現 // *~ into* ①(感情等)突然發作;突然…起來②闖入 *~ out* ①突然說起來②突然…起來.

bury /'berɪ/ *vt*. ①埋;埋葬②埋藏;掩蓋.

bus /bʌs/ *n*. 公共汽車 *v*.乘公共汽車;用公共汽車運送.

busby /'bʌzbɪ/ *n*. 高頂毛皮軍帽.

bush /bʊʃ/ *n*. ①灌木;矮樹叢②(the ~)(一國尤指澳洲或非洲的)未開墾荒地 **~y** /'bʊʃɪ/ *a*. (毛髮)濃密的 // *beat about/around the ~* [口]旁敲側擊;(說話)轉彎抹角.

bushbaby /'bʊʃbeɪbɪ/ *n*.【動】(一種非洲產小猿)狸.

bushel /'bʊʃl/ *n*. 蒲式耳(穀物計量單位約為三十六公升半).

business /'bɪznɪs/ *n*. ①商業;生意;營業②事務,事業③職業,工作④職責,本份;權利⑤商店;企業 **~like** *a*.①井然有條的;有效的②實事求是的 **~(wo)man** *n*.(女)商人;(女)實業家 // *~ is ~* 公事公辦 *mean ~* 是當真的 *mind your own ~* [口]別多管閒事 *no ~ of yours* [口]沒有你的事.

busk /bʌsk/ *v*. 沿街賣藝 **~er** *n*.街頭藝人.

bust[1]/bʌst/ *n*. ①(婦女的)胸部,胸圍②半身雕像.

bust[2]/bʌst/ *v*. (過去式及過去分詞 **bust** 或 **busted**)①打破②逮捕;突然搜查 *a*.①破壞的②破了產的 **~-up**

n.①爭吵,打架②(關係)破裂 // *go* ~ 破產.

bustier /ˈbʌstɪe(r)/ *n*. [法]婦女無肩帶緊身胸衣.

bustle[1]/ˈbʌsl/ *v*. (使)奔忙;(使)忙亂;催促;喧鬧 *n*. 喧鬧;忙亂 **bustling** *a*. 忙忙碌碌的;喧鬧的.

bustle[2]/ˈbʌsl/ *n*. (以前婦女撐裙褶的)腰墊,裙撐.

busy /ˈbɪzɪ/ *a*. ①忙的;繁忙的;熱鬧的②[美](電話)占綫,綫沒空 *vt*. 使忙於 **busily** *ad*. **~body** *n*. 好管閒事的人 // *as ~ as a bee* 非常忙碌.

but /bʌt/ *conj*. ①但是,可是,然而②而是;儘管…還是③除非;若不④只能;不得不 *prep*. 除…之外 *ad*. 只,僅僅;剛剛 // ~ *for* 要不是,如果沒有 *not only*... ~*also* 不但…而且.

butane /ˈbjuːteɪn/ *n*. 【化】丁烷.

butch /bʊtʃ/ *a*. [俚]男子似的,男性化的 *n*. 大老粗.

butcher /ˈbʊtʃə(r)/ *n*. ①屠夫;肉販子②劊子手;殘殺者 *vt*. ①屠宰②殘殺;濫殺無辜 **~y** *n*. ①屠宰業②屠殺.

butler /ˈbʌtlə(r)/ *n*. 男管家;主管膳食的男僕.

butt[1]/bʌt/ *n*. ①粗端②[俚]屁股③香烟頭,烟蒂.

butt[2]/bʌt/ *n*. ①靶子;箭垛②笑柄;抨擊的對象.

butt[3]/bʌt/ *n*. 大酒桶.

butt[4]/bʌt/ *v*. 用(頭或角)頂撞;碰撞 // ~ *in v*. 插嘴,干擾.

butter /ˈbʌtə(r)/ *n*. ①黃油,白脫油②黃油狀的東西 *vt*. (在…上)塗黃油 // *peanut* ~ 花生醬 ~ *up* [口]拍馬屁,巴結.

buttercup /ˈbʌtəkʌp/ *n*. 【植】毛茛.

butterfingers /ˈbʌtəfɪŋgəz/ *n*. [口]拿不穩東西的人;笨手笨脚的人.

butterfly /ˈbʌtəflaɪ/ *n*. ①蝴蝶②【體】蝶泳③遊手好閑的人.

buttermilk /ˈbʌtəmɪlk/ *n*. 脫脂奶.

butterscotch /ˈbʌtəskɒtʃ/ *n*. 黃油硬糖.

buttery /ˈbʌtərɪ/ *n*. (英國大學的)食堂,小賣部.

buttock /ˈbʌtək/ *n*. (半邊)屁股.

button /ˈbʌtn/ *n*. ①鈕扣②按鈕,電鈕③鈕扣狀的東西;扣狀徽章 *v*.(用鈕扣)扣住;扣上鈕扣 **~hole** *n*.①鈕孔,扣眼②西服翻領鈕孔上插的花 *vt*. 強留人談話.

buttress /ˈbʌtrɪs/ *n*. ①【建】扶垛,扶壁②支柱;支持者(物) *vt*. 支撐;支持.

buxom /ˈbʌksəm/ *a*. (婦女)豐滿的;健美的.

buy /baɪ/ *v*. (過去式及過去分詞 **bought**)①買②(用賄賂)收買③[俚]相信;同意 *n*. 購得的(便宜)貨 **~er** *n*.①買者,顧客②採購員 // ~ *out* 買下…全部產權 ~*time* [口]拖延時間.

buzz /bʌz/ *u*. ①嗡嗡聲;營營聲②[口](交頭接耳的)喊喊喳喳聲③[俚]電話④興奮激動感 *v*.①(使)嗡嗡叫②喊喊喳喳地說③用蜂音器傳呼 **~er** *n*. 蜂音器(聲) **~-word** *n*. 流行的行話 // ~ *about*/*around* 匆匆地來回走動.

buzzard /ˈbʌzəd/ *a*. 【鳥】鵟鵰(一種食肉鷹).

by /baɪ/ *ad*. ①在近旁②經過③(擱、存)在一邊 *prep*. ①在…旁;靠近②被;由③(指手段,方法)靠,用,通過④(指時間)不遲於⑤由於⑥根據⑦在…時間⑧用…去乘(或除) // ~ *and* ~ [口]不久 ~ *and large* 總的說來;大體上.

bye, bye bye *int*. [口]再見.

by-election /'baɪɪlekʃn/ *n*. (英國國會)補缺選舉.

bygone /'baɪgɒn/ *a*. 過去的, 以前的 **~s** *n*.往事 // *let ~s be ~s* [口]既往不咎;捐棄前嫌.

bylaw, bye-law /'baɪlɔː/ *n*. (地方當局所訂的)地方法.

by-line /'baɪlaɪn/ *n*. (報刊雜誌標題下的)作者署名.

bypass /'baɪpɑːs/ *n*. ①旁道;小路②【醫】旁通管 *vt*.迴避;越過.

by-product /'baɪ'prɒdʌkt/ *n*. 副產品.

byre /'baɪə/ *n*. 牛棚;牛欄.

bystander /'bɑɪstændə(r)/ *n*. 旁觀者.

byte /baɪt/ *n*. 【計】(二進位組的)字節.

byway /'baɪweɪ/ *n*. 偏僻小路 **~s** *n*. 較冷門的學科.

byword /'baɪwɜːd/ *n*. ①俗諺②有代表性的人(或事物);別稱.

C

C ①(羅馬數字)一百②【化】元素 carbon 的符號③ *abbr*. = Centigrade, Celsius.

c. *abbr*. ① = cent(s) ② = century ③ = centimetre.

Ca【化】鈣.

cab /kæb/ *n*. ①出租汽車,計程車,的士②(火車機車的)司機室,(卡車的)駕駛室.

cabal /kə'bæl/ *n*. ①陰謀小集團;秘密組織②陰謀.

cabaret /'kæbəreɪ/ *n*. ①(夜總會中的)歌舞表演②(有歌舞表演的)夜總會.

cabbage /'kæbɪdʒ/ *n*. 甘藍;洋白菜;捲心菜.

cabby, cabbie /'kæbɪ/ *n*. [口]計程車司機.

caber /'keɪbə(r)/ *n*. 蘇格蘭在競賽中用以投遠近比氣力的樹幹.

cabin /'kæbɪn/ *n*. ①小屋,木屋②船艙;機艙 **~boy** 船上的服務員 // *~ class*(客輪的)二等艙 *~ cruiser* 有客艙住宿設備的汽艇.

cabinet /'kæbɪnɪt/ *n*. ①櫥,櫃②內閣 **~maker** 傢具木工.

cable /'keɪbl/ *n*. ①纜;索;鋼絲繩②電纜;海底電綫;(海底)電報(= ~gram) *v*. (給…)打電報 **~-car** *n*. 纜車;索車 // *~ television* 有綫電視.

caboodle /kə'bu:dl/ *n*. [俚]群,夥;堆 // *the whole* ~全部,全體.

caboose /kə'bu:s/ *n*. ①(輪船)艙面廚房②[美](列車長的)公務車.

cabriolet /ˌkæbrɪəʊ'leɪ/ *n*. [法](有活動頂篷的)輕便馬車.

cacao /kə'kɑ:əʊ/ *n*.【植】可可(樹);可可豆.

cache /kæʃ/ *n*. ①(儲藏財寶物資的)暗室,地窖②儲藏物 // *~ memory*【計】貯藏記憶體(高傳輸速度的記憶裝置).

cachet /'kæʃeɪ/ *n*. ①威望;卓越②顯示優良卓越的標志③紀念郵戳.

cack-handed /ˌkæk'hændɪd/ *a*. [口]笨手笨脚的.

cackle /'kækl/ *vi*. ①(母雞)咯咯叫②呵呵大笑;嘰嘰嘎嘎地講話 *n*. ①(母雞的)咯咯叫聲②呵呵笑聲;嘰嘰嘎嘎的講話聲.

cacophony /kə'kɒfən'ɪ/ *n*. 不和諧的刺耳聲音 **cacophonous** *a*.

cactus /'kæktəs/ *n*. (*pl*. **~es, cacti** /'kæktaɪ/)【植】仙人掌.

cad /kæd/ *n*. [舊]下流人;粗俗卑鄙的傢伙 **~dish** *a* 下流的.

cadaver /kə'dɑ:və(r)/ *n*. 尸體 **~ous** *a*. ①蒼白的②形容枯槁的.

caddie, caddy /'kæd'ɪ/ *n*.【高爾夫】(為人背球棒的)球僮 *vi*. 給人當球僮.

caddis fly /'kædɪs f'laɪ/ *n*.【蟲】石蠶蛾.

caddy /'kæd'ɪ/ *n*. ①茶葉盒② = caddie.

cadence /'keɪdns/ *n*. ①聲音的抑揚頓挫②節奏,拍子③【樂】樂章的結尾.

cadenza /kə'denzə/ *n*.【樂】華彩樂段.

cadet /kə'det/ *n*. ①軍官(或警官)學校學員②商船學校學生 // *~ corps* [英]學生軍訓隊.

cadge /kædʒ/ *v*. 乞得(金錢, 食物等), 乞求 **~r** *n*. 乞丐; 二流子.
cadmium /ˈkædmɪəm/ *n*. 【化】鎘.
cadre /ˈkɑːdə(r), ˈkædrɪ/ *n* 幹部; 骨幹.
c(a)ecum/ˈsiːkəm/ *n*. (*pl*. **-ca** /-kə/) 【解】盲腸, 盲囊.
caesarean (**caesarian**) **section** /sɪˈzeərɪən ˈsekʃn/ *n*. 【醫】剖腹產(手術).
caesium /ˈsiːzˈɪəm/ *n*. 【化】銫.
caesura /sɪˈzjʊərə/ *n*. ①(詩行中的)休止②【樂】中間休止.
café /ˈkæfeɪ/ *n*. 咖啡館; 小餐館 **~taria** *n*. 自助餐廳.
caffeine /ˈkæfiːn/ *n*. 【化】咖啡鹼, 咖啡因.
caftan = kaftan.
cage /keɪdʒ/ *n*. ①(鳥獸的)籠, 檻②(礦井內的)罥籠, 升降機 *vt*. 把…關進籠(或檻)內.
cag(e)y /ˈkeɪdʒɪ/ *a*. ①機警的; 謹慎的②不敢表態的; 不坦率的 **caginess** *n*.
cagoule/kəˈguːl/ *n*. 帶有兜帽的輕便防雨茄克.
cahoot(s) /kəˈhuːts/ *n*. [美俚]合夥; 共謀 // *in*~共謀, 勾結.
cairn/keən/*n*.(作紀念性標誌或路標等的)錐形石堆.
caisson /ˈkeɪsn, ˈkesn/ *n*. ①彈藥箱②【建】沉箱.
cajole /kəˈdʒəʊl/ *vt*. 哄騙, 勾引 **~ry** /-erɪ/ *n*.
cake /keɪk/ *n*. ①糕, 餅, 蛋糕②一塊(餅狀物) *v*. (使)塊結; (使)膠凝 // *a piece of* ~[英俚]容易事; 開心事 *have one's* ~ *and eat it* (*too*); *eat one's* ~ *and have it* [口]兼得(截然相反的)兩種利益.
calabash /ˈkæləbæʃ/ *n*. 【植】葫蘆.
calamine /ˈkæləmaɪn/ *n*. 【藥】爐甘石(液).
calamity /kəlˈæmətˈɪ/ *n*. 災害, 大災難 **calamitous**(**ly**) *a*. (& *ad*.)
calcify /ˈkælsɪfaɪ/ *v*. ①【醫】(使)鈣化②(使)硬化 **calcification** *n*.
calcium /ˈkælsɪəm/ *n*. 【化】鈣.
calculate /ˈkælkjʊleɪt/ *v*. ①計算②估計③[美][口]以為, 認為 **~d**, *a*. ①故意的; 有計劃的②可供…之用的 **calculating** *a*. 有心計的; 為自己打算的 **calculation** *n*. ①計算②考慮; 預料 **calculator** *n*. 計算機; 計算者 *v*.(+on 或 upon)指望; 依靠.
calculus /ˈkælkjʊləs/ *n*. (*pl*.**-li** /laɪ/; **-luses**)①【數】微積分②【醫】結石.
calendar /ˈkælɪndə(r)/ *n*. ①日曆; 月份牌②曆法 // *solar*~陽曆 *lunar*~陰曆, 農曆.
calender /ˈkælɪndə(r)/ *n*. ①【機】砑光機; 壓延機②【紡】軋光機.
calendula /ˈkəˈlendjʊlə/ *n*. 【植】金盞花.
calf /kɑːf/ *n*. (*pl*, **calves** /kɑːvz)①小牛, 犢; (鯨、象、海獅等)幼仔②小牛皮③腓; 腿肚子.
calibre, caliber /ˈkælɪbə(r)/ *n*. ①(槍炮等)口徑②才能 **calibrate** *vt*.①校準②測定…的口徑③(在尺、秤等量具上)刻度 **calibration** *n*.
calico /ˈkælɪkəʊ/ *n*. 白棉布; 印花布.
caliph, kalif /ˈkeɪlɪf, ˈkelɪf/ *n*. 哈里發(伊斯蘭國家政教合一領袖的尊號).
call /kɔːl/ *v*. ①喊, 叫②召請; 召集③稱呼; 名叫④拜訪(on)⑤認為, 看作⑥(給…)打電話(=~up)⑦要求 *n*.①叫; 喊聲②召喚③訪問④(電話)通話⑤必要; 需要⑥要求 **~er**

n.①呼喊者②訪問者③打電話來的人**~ing** *n*.①點名;召集②職業 // ~*box* 公用電話亭(=phone booth)~*for* ①需要②去接(人);去取(某物) ~*girl* 應召女郎(用電話召喚之妓女) ~*off* 取消 ~*up*①徵召(入伍)②打電話.

calligraphy /kəˈlɪgrəfɪ/ *n*. 書法 **calligrapher, -phist** *n*, 書法家.

ca(l)liper /ˈkælɪpə(r)/ *n*. (常 *pl*.)①卡鉗,兩脚規②(輔助腿脚無力或傷殘者走路用的)金屬支架.

ca(l)listhenics /ˌkælɪsˈθenɪks/ *pl*. *n*. 柔軟體操;健美體操 **ca(l)listhenic** *a*.

callous /ˈkæləs/ *a* ①(指皮膚)硬結的,起老繭的②(指人)無情的,硬心腸的 ~**ed** *a*. 起繭的 **~ly** *ad*. 無情的 **~ness** *n*.

callow /ˈkæləʊ/ *a*. ①羽毛未豐的②未成熟的;沒經驗的.

callus, callosity /ˈkæləs, kæˈlɒsətɪ/ *n*. 【醫】胼胝;硬瘤.

calm /kɑːm/ *a*. ①(指天氣)平靜無風的;(指海)風平浪靜的②鎮靜的;沉着的 *n*.①平靜;無風②鎮定 *v*.(使)安靜,(使)鎮定**~ly** *ad*.**~ness** *n*.

calomel /ˈkæləmel/ *n*. 【化】甘汞.

calorie /ˈkælərɪ/ *n*. 【物】(熱量單位)卡(路里)**calorific** *a*. 發生熱量的;熱量的 **calorimeter** *n*.熱量計.

calumny /ˈkæləmnɪ/ *n*. 誹謗;中傷;誣衊 **calumniate** *vt*. **calumnious** *a*. **calumniously** *ad*.

Calvinism /ˈkælvˈɪnɪzəm/ *n*. 【宗】加爾文派教義 **Calvinist** *n*. 加爾文派教徒.

calypso /kəˈlɪpsəʊ/ *n*. (西印度群島)卡力騷歌曲(即興小調).

calyx /ˈkeɪlɪks/ *n*. 【植】花萼.

cam /kæm/ *n*. 【機】凸輪 **~shaft** *n*. 【機】凸輪軸.

camaraderie /ˌkæməˈrɑːdərɪ/ *n*. [法] 同志情誼,友愛.

camaron /ˈkæmərən/ *n*. 【動】(淡水)大斑節蝦.

camber/ˈkæmbə(r)/*n*.(道路等的)中凸形;反彎度.

cambric /ˈkeɪmbrɪk/ *n*. 亞麻布.

camcorder /ˈkæmkɔːdə(r)/ *n*. (手提式)攝録放影機.

came /keɪm/ come 的過去式.

camel /ˈkæml/ *n*. 駱駝 **~-hair, ~'s-hair** *n*.駝絨.

camellia /kəˈmiːlɪə/ *n*. 山茶(花).

Camembert/ˈkæməmbeə(r)/*n*.卡門培爾奶酪(一種法國軟乾奶酪).

cameo/ˈkæmɪəʊ/*n*.浮雕寶石(刻有浮雕的小寶石,尤指有一層為背景,一層為浮雕的兩種不同顏色的寶石).

camera /ˈkæmərə/ *n*. 照相機;攝影機 **~man** *n*.攝影師,攝影記者 // *in*~(審訊)秘密地,禁止旁聽.

camiknickers /ˌkæmɪˈnɪkəz/ *pl*.*n*. 連褲女襯衣.

camisole/ˈkæmɪsəʊl/*n*.女內衣;婦女穿的類似睡衣的寬鬆長袍.

camomile /ˈkæməmaɪl/ *n* 【植】甘菊(花).

camouflage /ˈkæməflɑːʒ/ *n*. ①偽裝②隱瞞;掩飾③[喻]幌子.

camp[1]/kæmp/ *n*. ①野營;露營地②陣營 *vi*.露營;宿營~**er** *n*.①露營者②[美]露營車 **~-chair** *n*.摺椅 **~fire** *n*.營火(會) **~-stool** *n*.摺凳 //~*bed* 行軍床.

camp[2]/kæmp/ *a*. [口]①同性戀的②(指男人)女子氣的;忸怩作態的 // ~*it up*[口]忸怩作態地動作.

campaign /kæmˈpeɪn/ *n*. ①【軍】戰役

②【政】競選活動;運動 *vi* ①參加(或從事)某項運動②從軍,出征.

campanology/ˌkæmpəˈnɒlədʒɪ/ *n*. 鳴鐘法;鑄鐘術.

camphor /ˈkæmfə(r)/ *n*. 樟腦 // ~ *ball* 樟腦丸.

campion /ˈkæmpɪən/ *n*.【植】石竹科植物(的花).

campus /ˈkæmpəs/ *n*. (大學)校園.

can[1]/kæn, kən/ *v*. (**could** /kəd/) ①能;會②可能;可以 // ~ *not but* 不得不 ~ *not help* (*doing sth*)不禁,忍不住(要做某事).

can[2]/kæn/ *n*. [美](=[英]tin)罐頭;鐵罐 *vt*. 裝進罐中;裝成罐頭 **~nery** *n*. 罐頭食品廠 // ~*ned* (=[英]tinned) *food* 罐頭食品.

Canadian /kəˈneɪdɪən/ *a*. 加拿大(人)的 *n*. 加拿大人.

canal /kəˈnæl/ *n*. ①運河;灌渠②【解】(人體內的)管道.

canapé /ˈkænəpeɪ/ *n*. (上加魚、肉、乳酪佐酒用的)開胃餅乾(或烤麵包).

canard /kæˈnɑːd/ *n*. 謠言;謊報;誤傳.

canary /kəˈneərɪ/ *n*. 金絲雀.

canasta/kəˈnæstə/ *n*. 卡納斯塔(用兩副紙牌玩的牌戲).

cancan /ˈkænkæn/ *n*. [法](婦女跳的一種高踢腿輕快舞步)康康舞.

cancel /ˈkænsl/ *v.t* ①刪去②取消③注銷;勾銷(支票、郵票等) **~lation** *n*. // ~ *out* 抵消.

cancer /ˈkænsə(r)/ *n*. 癌;癌症 **~ous** *a*.

candela /kænˈdelə/ *n*.【物】燭光.

candelabrum /ˌkændɪˈlɑːbrəm/ *n*. 枝狀燭台,燭架.

candid /ˈkændɪd/ *a*. 坦率的;正直的 **~ly**, *ad*.

candidate /ˈkændɪdət/ *n*. 候選人;應徵人;應試者 **candidacy;candidature** /ˈkændɪdəsɪ, ˈkændɪdətʃə/ *n*. 候選(人)資格(或身份).

candle /ˈkændl/ *n*. 蠟燭 **~-power** *n*.【物】燭光 **~stick** *n*. 燭台 **~wick** *n*. 燭芯 // *not worth the* ~ [英俚]得不償失.

cando(u)r /ˈkændə(r)/ *n*. 正直;坦率.

candy /ˈkændɪ/ *n*. ①冰糖②[美]糖果(=[英]sweets) *v*. ①把…煮成結晶;(使)結晶成糖塊②把(水果等)用糖煮成蜜餞 **~-floss** (=[美]cotton ~) *n*. 棉花糖 **~store** 糖果烟雜店 **~-striped** *a*. (織物)有條子花圖案的.

candytuft /ˈkændɪtʌft/ *n*.【植】白蜀葵.

cane /keɪn/ *n*. ①(竹、藤等)莖②手杖③藤條,笞杖④(= sugar ~)甘蔗 *vt*. 用藤條打 // ~ *chair* 藤椅 ~ *sugar* 蔗糖 *to get/give the* ~受到(給以)笞杖的處罰.

canine /ˈkeɪnaɪn/ *a*. (像)狗的;犬屬的 **~tooth** *n*. (人的)犬齒.

canister /ˈkænɪstə(r)/ *n*. ①(金屬)罐②【軍】霰彈筒 // ~ *of tear gas* 催泪彈.

canker /ˈkæŋkə(r)/ *n*. ①【植】黑腐病②【醫】潰瘍;口瘡③腐敗;毒害;弊端 *v*. (使)患潰瘍;(使)生黑腐病;(使)腐敗 **~ous** *a*.

cannabis /ˈkænəbɪs/ *a*. ①【植】大麻②【毒】大麻烟.

canneloni /ˌkænəˈləunɪ/ *pl.n*. 烤碎肉捲.

cannibal /ˈkænɪbl/ *n*. ①食人者②同類相食的動物 **~ism** *n*. 吃人肉的習性;同類相食 **~ize** *vt*. (用拆下的零件)修理(另一機器).

cannon[1]/'kænən/ *n*. ①大炮②(戰鬥機上的)機關炮～**ade** *n*. [舊]連續炮轟// ～*fodder* 炮灰.
cannon[2]/'kænən/ *n*.【枱球】連撞二球 *v*.①【枱球】連撞二球②碰撞.
cannot /'kænɒt/ = can not.
canny /'kænɪ/ *a*. 精明的;謹慎的.
canoe /kə'nuː/ *n*. 獨木舟;小划子 *vi*. 乘(划)獨木舟.
canon[1]/'kænən/ *n*. ①教規②規範;準則③(作家的)真作;真傳經典.
canon[2]/'kænən/ *n*. 大教堂教士會的牧師.
canoodle /kə'nuːdl/ *vi*. [俚]撫愛,擁抱;接吻.
canopy /'kænəpɪ/ *n*. ①(床、王座等上面的)罩篷;華蓋②天篷 *vt*. 用天篷遮蓋.
cant[1]/kænt/ *n*. ①假話②行話;黑話.
cant[2]/kænt/ *n*. ①斜坡;斜面;斜角②斜撞,斜推 *v*.(使)傾斜.
can't /kɑːnt, [美]kænt/ *abbr*. = cannot.
cantaloup(e) /'kæntəluːp/ *n*.【植】甜瓜.
cantankerous /kæn'tæŋkərəs/ *a*. 脾氣壞的;愛爭吵的.
cantata /kæn'tɑːtə/ *n*.【樂】大合唱;清唱劇.
canteen /kæn'tiːn/ *n*. ①(工廠、兵營內的)食堂;小賣部②食具箱③飯盒④【軍】水壺.
canter /'kæntə(r)/ *n*. (馬的)慢跑 *v*. (使)慢跑.
canticle /'kæntɪkl/ *n*. (宗教)頌歌,讚美詩.
cantilever /'kæntɪliːvə(r)/ *n*. (橋樑的)懸臂,肱樑;支架// ～*bridge* 懸臂橋.
canto /'kæntəʊ/ *n*. (長詩的)篇章.
cantor/'kæntɔː(r)/ *n*.①(猶太教堂中)祈禱文的領誦者②教堂合唱隊的領唱者.
canvas /kænvəs/ *n*. ①帆布②油畫.
canvass /'kænvəs/ *v*. & *n*. ①(進行)遊説活動(拉選票等);兜售(貨物等)②民意調查③仔細檢查,討論或鑽研問題.
canyon /'kænjən/ *n*. 峽谷.
cap /kæp/ *n*. ①(無邊)軟帽②(瓶)蓋;(筆)帽③(經費等的)最高限度 *vt*.①給…戴帽;覆蓋②給…定限額③勝過.
capability /ˌkeɪpə'bɪlətɪ/ *n*. ①能力;才能②性能③(*pl*.)潛在能力④容量.
capable /'keɪpəbl/ *a*. ①有能力的;能幹的②(指事物)能…的;易於…的// ～*of* ①有…能力的②(事物)有…可能的;有…傾向的;易於…的.
capacious /kə'peɪʃəs/ *a*. ①廣闊的,寬敞的②氣量大的.
capacitor /kə'pæsɪtə(r)/ *n*.【電】電容器.
capacity /kə'pæsətɪ/ *n*. ①容積;容量②能量;生產力③能力;智能;才能④職位;身份;資格// *filled to* ～全滿,客滿.
caparisoned /kə'pærɪsend/ *a*. 衣著華麗的.
cape[1]/keɪp/ *n*. 披肩;短斗篷.
cape[2]/keɪp/ *n*. 岬,海角.
caper[1]/'keɪpə(r)/ *vi*. & *n*. 跳躍;雀躍// *cut a* ～, *cut* ～*s* [口]①雀躍;嬉戲②做出愚蠢的行為.
caper[2]/'keɪpə(r)/ *n*. 馬檳榔屬植物.
capercaillie, capercailzie /ˌkæpə'keɪlɪ/ *n*.【鳥】松雞.
capillary /kə'pɪlərɪ/ *n*. & *a*. 毛細管(作用的);毛髮狀的// ～ *attraction*

毛細管作用引用.

capital /ˈkæpɪtl/ *n*. ①首都;首府;省會②大寫字母③資本;資方 *a*.①主要的,首要的②可處極刑的 *int*.好極了! // *make*～*of* 利用.

capitalism /ˈkæpɪtəlɪzəm/ *n*. 資本主義 **capitalist** *n*.資本家 *a*.資本主義的.

capitalize /ˈkəpɪtəlaɪz/ *vt*. ①用大寫字母寫或排印②變成資本 // ～*on* 利用.

capitation /ˌkæpɪˈteɪʃn/ *n*. 人頭稅;按人收取或支付的費用.

Capitol /ˈkæpɪtl/ *n*. (the ～)(美國)國會大廈 // ～*Hill*(美國)國會.

capitulate /kəˈpɪtʃʊleɪt/ *vi* (有條件)投降 **capitulation** *n*.①有條件的投降②(*pl*.)投降的條約.

capon /ˈkeɪpɒn/ *n*. (育肥供食用的)閹雞.

cappuccino/ˌkæpʊˈtʃiːnəʊ/*n*. (意大利生產的)卡普契諾咖啡(加牛奶用蒸汽加熱煮成).

caprice /kəˈpriːs/ *n*. ①反覆無常;任性;多變②怪想 **capricious** *a*. **capriciously** *ad*.

capsicum /ˈkæpsɪkəm/ *n*. (=pepper)辣椒.

capsize /kæpˈsaɪz/ *v*.(船等)傾覆;使(船等)傾覆.

capstan /ˈkæpstən/ *n*. 絞盤,起錨機.

capsule /ˈkæpsjuːl/ *n*. ①【植】蒴果,莢②【藥】膠囊③【生理】莢膜,囊④瓶帽⑤太空艙,密閉艙.

captain /ˈkæptɪn/ *n*. ①船長;艦長;(民航機)機長②(海、空軍)上校③(陸軍)上尉④隊長;首領 *vt*. 當…的隊長;統率 // ～*of industry* 工業界巨頭.

caption /ˈkæpʃn/ *n*.①標題②(圖片)說明;(影視)字幕.

captious /ˈkæpʃəs/ *a*.吹毛求疵的;挑剔的 **～ly** *ad*. **～ness** *n*.

captivate /ˈkæptɪveɪt/ *vt*. 迷惑.

captive /ˈkæptɪv/ *n*. 俘虜;捕獲物 *a*. 被囚禁的;被俘虜的 **captivity** *n*.囚禁;被俘 **captor** *n*. 捕捉者 // *hold sb* ～ 俘虜某人.

capture /ˈkæptʃə(r)/ *vt*.①俘獲;捕獲;捉拿②攻占;奪取③贏得,引起(注意) *n*. 俘虜;捕獲(物);戰利品.

car /kɑː/ *n*. ①汽車②電車;火車(車廂);客車 **～phone** *n*. 汽車電話 // ～*park* 停車場 ～*pool* 合夥輪流用車.

carafe /kəˈræf/ *n*. (餐桌上的)玻璃水瓶;飲料瓶.

caramel /ˈkærəmel/ *n*. ①焦糖②飴糖.

carapace/ˈkærəpeɪs/*n*.龜和甲殼類動物堅硬的外殼.

carat /ˈkærət/ *n*.①克拉(寶石的重量單位)②開(金子的成色單位).

caravan /ˈkærəvæn/ *n*.①旅行隊;商旅隊②大篷車 **～sary, ～serai** /-sərɪ, -səraɪ/ *a*. (東方國家的)商隊旅店,大車店.

caraway/ˈkærəweɪ/*n*.【植】葛縷子(其籽可用作調味品).

carbide /ˈkɑːbaɪd/ *n*.【化】①碳化物②[口]碳化鈣.

carbine /ˈkɑːbaɪn/ *n*. 卡賓槍;馬槍.

carbohydrate /ˈkɑːbəʊˈhaɪdreɪt/ *n*. ①【化】碳水化合物,醣類②(麵包、餅乾、馬鈴薯等)含醣的食物.

carbolic /kɑːbɒlɪk/ *a*. 碳的 // ～*acid n*.石碳酸.

carbon /ˈkɑːbən/ *n*. ①【化】碳②碳精棒③複寫紙(=～paper) // ～*copy* ①複寫的副本②極相似的人或物 ～

dioxide 二氧化碳 ~*ic acid* 碳酸.

carbonate /'kɑ:bəneɪt/ *n*. 碳酸鹽 *vt*. 給…充碳酸氣 **carbonation** *n*.

carboniferous /ˌkɑ:bə'nɪfərəs/ *a*. 產生碳和煤的;含碳的;(C-)【地質】*a*.石碳紀的 *n*.石碳紀(=C-Period).

Carborundum /ˌkɑ:bə'rʌndəm/ *n*. ①金鋼砂(商標名)②【化】碳化硅.

carboy /'kɑ:bɔɪ/ *n*. (有保護性包裝的)玻璃大瓶.

carbuncle /'kɑ:bʌŋkl/ *n*. ①紅寶石②【醫】癰,疔.

carburet(t)or, -t(t)er /ˌkɑ:bə'retə(r)/ *n*.【機】汽化器,化油器.

carcass, -case /'kɑ:kəs/ *n*. (動物)屍體;(牲畜屠宰後的)軀體.

carcinogen /kɑ:'sɪnədʒən/ *n*.【醫】致癌物質 **~ic** *a*.

carcinoma /ˌkɑ:sɪ'nəʊmə/ *n*.【醫】癌,惡性腫瘤.

card[1]/kɑ:d/ *n*. ①卡片;名片;信用卡②紙牌;撲克牌(=playing ~)③(*pl*.)紙牌戲 **~board** *n*.紙板 **~sharp(er)** *n*.打牌作弊的賭徒.

card[2]/kɑ:d/ *n*.【紡】梳棉(或梳毛、梳麻)機.

cardamom, -mon /'kɑ:dəməm, -mən/ *n*. 小豆蔻.

cardiac /'kɑ:dɪæk/ *a*. 心臟(病)的.

cardinal/'kɑ:dɪnəl/*a*. 最重要的;主要的;基本的.

cardiogram /'kɑ:dɪəgræm/ *n*. 心電圖.

cardiograph /'kɑ:dɪəgrɑ:f/ *n*. 心動描記器,心電圖儀器.

cardiology /ˌkɑ:dɪ'ɒlədʒɪ/ *n*. 心臟病學 **cardiologist** *n*,心臟病(學)專家.

cardiovascular /ˌkɑ:dɪəʊ'væskjʊlə(r)/ *a*.【醫】心血管的.

cardigan /'kɑ:dɪgən/ *n*. 羊毛衫,對襟毛衣.

cardinal /'kɑ:dɪnl/ *a*. ①主要的,最重要的②深紅的 *n*.【宗】紅衣主教,樞機主教③基數詞(=~number).

care /keə(r)/ *n*. ①注意;留心;謹慎②照應;照管;看護③擔心,挂慮 *v*. ①關心,在意,憂慮②(+for)喜歡③照顧,照應④(+不定式)願意 **~ful** *a*. 小心的,仔細的 **~fully** *ad*. **~fulness** *n*. **~less** *a*. ①不小心的,不謹慎的②草率的,疏忽大意的③無憂無慮的**~lessly** *ad*. **~lessness** *n*. **~free** *a*. 無憂無慮的 **~laden** *a*.憂心忡忡的 **~worn** *a*.操心的,焦慮的.

careen /kə'ri:n/ *v*. ①使(船)側傾;(船)側傾②(車輛)左右傾斜地行駛.

career /kə'rɪə(r)/ *n*. ①經歷;生涯②專業,職業③急馳;全速飛跑 *vi*.猛衝;飛跑 **~ist** /-rɪst/ *n*.野心家;追逐名利者// ~*woman*, ~*girl* 職業婦女 *in full*~開足馬力地.

caress /kə'res/ *n*. & *vt*. 愛撫;擁抱.

caret /'kærət/ *n*. 加字符號("∧"或"∨");脫字號("∧").

cargo /'kɑ:gəʊ/ *n*. (*pl*.**-goes**)船(或車、飛機上的)貨物.

caribou /'kærɪbu:/ *n*. (北美)馴鹿.

caricature /'kærɪkətjʊə(r)/ *n*. & *vt*. (畫)漫畫;(畫)諷刺畫 **caricaturist** *n*. 漫畫家.

caries /'keəri:z/ *n*.【醫】①齲齒②骨瘍.

carillon /kə'rɪljən/ *n*.【樂】編鐘樂曲.

carmine /'kɑ:maɪn/ *n*. & *a*. 洋紅色(的),深紅色(的).

carnage /'kɑ:nɪdʒ/ *n*. 大屠殺,殘殺.

carnal /'kɑ:nl/ *a*. 肉體的;性欲的//~*knowledge* 性經驗;性關係.

carnation /kɑ:'neɪʃn/ *n*. ①【植】荷蘭石竹,康乃馨②粉紅色.

carnival /'kɑ:nɪvl/ *n*. ①(天主教國家

的)狂歡節;嘉年華會②狂歡;歡宴.

carnivore /'kɑːnɪvɔː/ *n*. 食肉動物 **carnivorous** *a*.

carob/'kærəb/ *n*. ①【植】角豆樹,又名 carob tree;②其莢豆名角豆莢,又名 carob bean 植物可食,亦可用作巧克力的代用品.

carol /'kærəl/ *n*. 頌歌;聖誕頌歌 *v*. ①唱頌歌②歡唱.

carotid /kə'rɒtɪd/ *n*. & *a*.【解】頸動脉(的).

carouse /kə'rauz/ *n*. 喜鬧,痛飲 **carousal** *n*. 喜鬧的酒宴.

carousel /ˌkærə'sel/ *n*. ①旋轉式行李傳送帶②[美](遊藝場中的)旋轉木馬(=[英]merry-go-round).

carp[1]/kɑːp/ *n*. 鯉魚.

carp[2]/kɑːp/ *vi*. 挑剔,吹毛求疵 **~ing** *a*.

carpel /'kɑːpəl/ *n*.【植】心皮,果爿.

carpenter /'kɑːpəntə(r)/ *n*. 木匠 **carpentry** *n*. 木匠活,木工工作.

carpet /'kɑːpɪt/ *n*. 地毯 *vt*. 鋪上地毯 **~bagger** *n*. [貶](企圖在當地謀得一官半職的)外地政客 // *on the ~* [俚]①受訓斥②[英口]在審議中;在考慮中.

carpus /'kɑːpəs/ *n*. (*pl*. **-pi** /-paɪ/)【解】腕(骨).

carriage /'kærɪdʒ/ *n*. ①(四輪)馬車②[英](鐵路)客車車廂(=[美]car)③運費;貨運④(僅用 *sing*.)姿態⑤【機】車架,台架 **~way** *n*. 車行道 // *~forward* [英]運費由收件人支付 *~free/paid* 運費免付(已付).

carrier /'kærɪə(r)/ *n*. ①搬運(工)人;運輸公司②(自行車等)行李架③運載工具;運輸艦;航空母艦(=aircraft ~)④【醫】帶菌者 // *~bag* [英](購物用塑料或厚紙)手提包,拎袋 *~pigeon*、信鴿(=homing pigeon).

carrion /'kærɪən/ *n*. 腐肉 // **~crow** (吃腐肉的歐洲)大烏鴉.

carrot /'kærət/ *n*. ①胡蘿蔔②物質獎勵 **~y**, *a*. (頭髮)橘紅色的;紅髮的 // *(the) stick and (the) ~* 胡蘿蔔加大棒的,又打又拉的.

carry /'kærɪ/ *v*. ①搬運,運送②攜帶;佩帶③傳送;傳播④支持;支撐⑤登載(消息等)⑥推進;使延長⑦贏得;奪得⑧(使)獲得贊同(或通過) **~cot** *n*. (便携式)嬰兒床 // *~away* ①帶走;搬走;冲走②使陶醉;使失去自制 *~forward* 轉入(次頁或下期) *~off* ①奪去(生命)②得(獎)③輕易地完成(任務等) *~on* ①進行;繼續②[口]舉止失措③[口](+*with*)與…發生曖昧關係 *~out* 執行;貫徹;實現 *~through*,堅持到底;完成.

cart /kɑːt/ *n*. (兩輪)運貨馬車,大車;手推車 *vt*. ①用大車裝運②押走 **~er** *n*. 趕大車工人 **~horse** *n*. 拉貨車的馬 // *put the ~ before the horse* 本末倒置.

carte blanche /ˌkɑːt 'blɒnʃ/ *n*. [法]全權委任;自由處理權.

cartel /kɑː'tel/ *n*. 卡特爾;同業聯合(同業為減少競爭而組成的聯盟).

cartilage /'kɑːtɪlɪdʒ/ *n*.【解】軟骨 **cartilaginous** *n*.

cartography /kɑː'tɒgrəfɪ/ *n*. 製圖(學) **cartographer** *n*. 製圖員.

carton /'kɑːtn/ *n*. 紙板盒(箱).

cartoon /kɑː'tuːn/ *n*. ①幽默或諷刺畫;連環漫畫②卡通,動畫片(亦作 **animated~**)③草圖,底圖 **~ist** *n*. 漫畫家;動畫片畫家.

cartridge /'kɑːtrɪdʒ/ *n*. ①彈藥筒;子彈②(電唱機)唱頭③膠卷(軟片)盒;録音帶盒 // *~paper* 彈殼紙,圖畫

紙.

cartwheel /kɑːtwiːl/ *n*. ①側翻筋斗②大型車輛.

carve /kɑːv/ *n*. ①雕刻②(把熟肉等)切成片或塊 **~r** *n*. ①雕刻者②切肉人;切肉刀 **carving** *n*. 雕刻(品) // ~*out* [口]努力謀求(職位、名利等) ~*up* 瓜分, 劃分(~-*up* 分得之一份).

caryatid /ˌkærɪ'ætɪd/ *n*. 【建】女像柱(雕成婦女形狀的建築物支柱).

Casanova/ˌkæzə'neəʊvə/*n*. 意大利花花公子卡薩諾瓦式的人物;喜歡在女人中間廝混、生活放蕩的男人.

cascade /kæ'skeɪd/ *n*. ①小瀑布②(瀑布狀)下垂之物 *v*. (使)瀑布似地大量落下.

case[1]/keɪs/ *n*. ①情况, 情形②事實, 實情③事例, 實例④【醫】病人;病症⑤【律】案件, 判例⑥【語】格 // ~ *history*①【醫】病歷②個人歷史 *in any* ~ 無論如何;總之 *in* ~ ①假若②免得;以防 *in* ~*of* …萬一;如果遇到…的時候 *in no* ~ 决不;無論如何也不.

case[2]/keɪs/ *n*. ①箱子, 盒子②殼子;套子③框子;架子 *vt*. ①把…裝入箱(盒等)②[俚](竊賊行竊前)窺察(作案現場), 勘道, 踩點 **~-harden** *vt*. ①【冶】使(鐵合金)表面硬化, 淬火②使麻木不仁;使冷酷無情.

casement /'keɪsmənt/ *n*. 門式窗(亦作 **~ window**).

cash /kæʃ/ *n*. 現金,現款 *vt*. 兌現(支票等) // ~ *card* 提款卡 ~ *crop* 【農】商品作物 ~ *dispenser* 自動提款機 ~*register* 現金出納機 ~*in on* [口]利用;從中取利 ~ *on delivery* (略作 C.O.D.)貨到付款.

cashew /'kæʃuː/ *n*. (美洲產熱帶植物)檟如樹;腰果(檟如樹果仁).

cashier /kæ'ʃɪə(r)/ *n*. 出納員 *vt*. 撤職;罷免.

cashmere /ˌkæʃmɪə(r)/ *n*. 開士米(一種細毛綫);開士米織物.

casing /'keɪsɪŋ/ *n*. ①包裝(箱、袋、筒等的總稱)②外胎;套管③窗(門)框.

casino /kə'siːnəʊ/ *n*. 娛樂場;(尤指)賭場.

cask /kɑːsk/ *n*. 桶.

casket /'kɑːskɪt/ *n*. ①首飾盒②[美]棺材.

cassava /kə'sɑːvə/ *n*. ①【植】木薯②木薯根澱粉

casserole /kæsərəʊl/ *n*. ①砂鍋②(用砂鍋燒煮的)菜肴 *v*. 用砂鍋燒煮(菜肴).

cassette /kə'set/ *n*. ①膠卷(軟片)盒②盒式録音帶.

cassock /'kæsək/ *n*. (教士穿的)黑袍法衣;長袍.

cassowary /'kæsəweərɪ/ *n*. 【動】(澳洲及新幾內亞產的)食火雞.

cast /kɑːst/ *v*. (過去式及過去分詞 **cast**)①投, 拋, 扔, 擲②脫落③投射(影子, 眼光等)④計算;加⑤分派(演員的角色)⑥鑄(造) *n*. ①投, 擲②模子;鑄件;模製品③蛇蛻④特徵, 特性⑤演員表⑥輕微斜視 **~ing** *n*. ①鑄件②演員的選派 **~ing-vote** *n*. (贊成和反對票數相同時主席所投的)决定性一票 **~-iron** *a*. ①鑄鐵製的②剛直的;不可通融的 // ~ *about*/*around for* 到處尋找 ~ *away*①擯棄②使(船)失事③使乘船遇難者飄流到岸上) ~*down* 使沮喪 ~*off*①解(船)纜②放棄, 拋棄(~-*off* 被拋棄的, 拋棄的衣物).

castanets /ˌkæstə'nets/ *pl*. *n*. 【樂】(跳西班牙舞時使用的)響板.

caste /kɑːst/ *n*. ①(印度的)種姓②(世襲的)社會等級 // *lose* ~失去社會地位.

castellated /ˈkæstəleɪtɪd/ *a*. 造成城堡形的;建有城堡的.

caster, -or /ˈkɑːstə(r)/ *n*. ①(傢具、機器)小脚輪②調味瓶 // ~*sugar* 細白砂糖.

caster sugar = castor sugar.

castigate /ˈkæstɪgeɪt/ *vt*. [書]申斥;嚴厲批評;懲戒 **castigation** *n*.

castle /ˈkɑːsl/ *n*. ①城堡②(國際象棋的)城堡,車 // ~ *in the air*, ~ *in Spain* 白日夢,空中樓閣.

castor oil /ˌkɑːstər ˈɔɪl/ *n*. 蓖麻油.

castrate /kæsˈtreɪt/ *vt*. ①閹割;去勢②使喪失精力③刪除 **castration** *n*.

casual /ˈkæʒʊəl/ *a*. ①偶然的②不注意的;漫不經心的③臨時的;不定期的④非正式的;隨便的**~ly** *ad*.

casualty /ˈkæʒʊəltɪ/ *n*. ①(事故或戰爭中的)傷亡者,損失物②(*pl*.)傷亡(人數) // ~*ward* (傷病員的)急救室.

casuistry /ˈkæzjʊɪstrɪ/ *n*. 詭辯(術)**casuist** *n*. 詭辯家.

CAT /kæt/ *n*. *abbr*. = computerized axial tomography【醫】X射綫軸斷層攝影,CT掃描.

cat[1]/kæt/ *n*. *abbr*. = catalytic converter (汽車排氣凈化用的)催化轉化器.

cat[2]/kæt/ *n*. ①貓;(虎、獅等)貓科動物②[口]心胸狠毒的女人③【海】起錨滑車④九尾鞭(= cat-o'-nine-tails)⑤[英口] = ~burglar (爬牆入屋的)飛賊**~ty, ~tish** *a*. [口]狠毒的 **~call** *n*. (表示不滿的)嘘嘘聲 **~gut** *n*. (弦樂器的)羊腸綫 **~-nap** *v*. & *n*. (打)瞌睡 **~-o'-nine-tails** *n*. 九尾鞭 **Catseye, cat's eye** *n*. (道路中指示行車方向的)反光裝置 **~'s-paw** *n*. 被人利用的人 **~walk** *n*. 狹窄的過道 // ~ *and dog life* 經常爭吵的生活 ~*burglar* (由屋頂潛入的)竊賊 *let the* ~ *out of the bag* [口]泄露秘密,露馬脚 *rain* ~*s and dogs* 下傾盆大雨.

cataclysm /ˈkætəklɪzəm/ *n*. ①(地震,洪水等)大災變②(政治、社會的)大變動.

catacomb /ˈkætəkuːm/ *n*. (常 *pl*.)墓窖,陵墓.

catafalque /ˈkætəfælk/ *n*. 靈柩台(車).

catalepsy /ˈkætəlepsɪ/ *n*.【醫】僵直性昏厥,僵住狀 **cataleptic** *a*.

catalog(ue) /ˈkætəlɒg/ *n*. (圖書,商品等)目録 *v*.(為…)編目録;(把…)編入目録.

catalyst /ˈkætəlɪst/ *n*.【化】觸煤,接觸劑,催化劑 **catalyse** *vt*.【化】催化 **catalysis** *n*. **catalytic** *a*.

catamaran /ˌkætəməˈræn/ *n*. 雙體小船.

catapult /ˈkætəpʌlt/ *n*. ①彈弓②(古代)石弩,投石機③(導彈,飛機的)彈射機 *v*. ①用彈弓射擊②用彈弓(彈射機)發射③突然將…拋出.

cataract /ˈkætərækt/ *n*. ①大瀑布②【醫】白内障.

catarrh /kəˈtɑː(r)/ *n*.【醫】卡他;(鼻喉)粘膜炎.

catastrophe /kəˈtæstrəfɪ/ *n*. 大災禍,大災難 **catastrophic** *a*.

catatonia /ˌkætəˈtəʊnɪə/ *n*.【醫】緊張性精神分裂症 **catatonic** *a*.

catch /kætʃ/ *v*. (過去式及過去分詞 **caught** /kɔːt/)①抓住;捕(獲);接

住;截住②及時趕上(火車等)③無意中發覺,撞見④染上(病);着(火)⑤聽清楚;理解⑥掛住,絆住,鈎住⑦屏住(呼吸) *n*.①抓;接球②捕獲物③(窗)鈎;(門)閂④圈套;料不到的困難**~ing** *a*.(指疾病)傳染的 **~y** *a*.(指曲調)動聽的;易記的 **~phrase**, **~word** *n*.時髦話,流行語;口號;標語 **~-22** *n*.難以擺脫的困境// *~it* [口]挨罵;受罰 *~on*[口]①風行②理解 *~out*[口]看出(破綻);發覺(錯誤) *~up(with)*趕上.

catchment area /'kætʃmənt eərɪə/ *n*.(由地段醫院員責其治療以及向區內定點學校輸送學生的)居民集居區.

catechism /'kætəkɪzəm/ *n*. ①(基督教)教義問答手冊②(教義)問答教學法 **catechist** *n*.問答教學者 **catechize** *vt*.①用問答法教學②盤問.

categorical /ˌkætə'gɒrɪkl/ *a*. 無條件的;絕對的;明確的**~ly** *ad*.

category /'kætəgərɪ/ *n*. 種類;部屬;類目;範圍 **categorize** *vt*. 把…分類 **categorization** *n*.

cater /'keɪtə(r)/ *v*. ①(為…)備辦酒食②投合,迎合**~er** *n*.包辦酒食者.

caterpillar /'kætəpɪlə(r)/ *n*. ①【動】毛蟲②(拖拉機,坦克等的)履帶;(=~tractor)履帶拖拉機(或牽引車).

caterwaul /'kætəwɔːl/ *v*. & *n*.(發出)貓叫春似的叫聲.

catfish /'kætfɪʃ/ *n*.【動】鯰魚.

catharsis /kə'θɑːsɪs/ *n*.【醫】精神發泄;導瀉 **cathartic** *a*. & *n*.導瀉的;瀉藥.

cathedral /kə'θiːdrəl/ *n*. 大教堂.

Catherine wheel /'kæθrɪn wiːl/ *n*. 輪轉焰火.

catheter /'kæθɪtə(r)/ *n*.【醫】導(液)管.

cathode /'kæθəʊd/ *n*.【電】陰極// *~ray* 陰極射綫 *~ray tube* 陰極射綫管.

catholic /'kæθəlɪk/ *a*. ①普遍的;廣泛的②寬宏大量的**~ally** *ad*. **~ity** *n*.

Catholic /'kæθəlɪk/ *n*. & *a*. 天主教徒;天主教的**~ism** *n*.天主教教義.

cation /'kætaɪən/ *n*.【化】陽離子,正離子.

catkin /'kætkɪn/ *n*.【植】柔荑花序(如楊花,柳絮).

cattle /'kætl/ *n*. (總稱)牛;牲口**~-grid** *n*.(路中溝坑上所鋪設的)攔牛木柵 **~-lifter** *n*.偷牛賊 **~-lifting** *n*.偷牛.

catty /'kætɪ/ *n*. 斤(中國和東南亞國家的重量單位).

caucus /'kɔːkəs/ *n*. ①[英]政黨的地方委員會决策會議②[美]政黨高層領導决策會議 *v*.[美]開政黨高層會議.

caught /kɔːt/ catch的過去式及過去分詞.

caul /kɔːl/【解】胎膜,羊膜.

ca(u)ldron /kɔːldrən/ *n*. 大鍋.

cauliflower /'kɒlɪflaʊə(r)/ *n*.【植】花椰菜;菜花.

ca(u)lk /kɔːk/ *vt*. 堵塞(船等)縫隙.

causal /'kɔːzl/ *a*. ①原因的,構成原因的;因果關係的②【語】表示原因的**~ly** *ad*.

causality /kɔː'zælətɪ/ *n*. 因果關係;因果性.

causation /kɔː'zeɪʃn/ *n*. ①起因②=causality **causative** *a*.

cause /kɔːz/ *n*. ①原因,起因②理由;緣故;動機③(奮鬥的)目標;理想;事業④【律】訴訟事由;案件 *vt*.促使,引起;使遭受,使發生 **~less** *a*.無原因的, 無理由的.

cause célèbre /ˌkɔːzseɪˈlebrə/ *n*. (*pl*. **causes célèbre** /ˌkɔːzseɪˈlebrə/) *n*. (轟動一時的)有爭議的訴訟案件.

causerie /ˈkəʊzˈriː/ *n*. [法]漫談;隨筆.

causeway /ˈkɔːzweɪ/ *n*. 堤道;砌道.

caustic /ˈkɔːstɪk/ *n*. 【化】苛性鹼;腐蝕劑 *a*. ①【化】苛性的, 腐蝕的②尖刻的;譏諷的 ~**ally** *ad*. // ~ *soda* 苛性蘇打, 燒鹼.

cauterize /ˈkɔːtəraɪz/ *vt*. ①【醫】(為消炎而)燒灼, 烙(傷口) **cauterization** *n*.

caution /ˈkɔːʃn/ *n*. ①小心;謹慎②警告;提醒 *vt*. 警告, 告誡.

cautious /ˈkɔːʃəs/ *a*. 小心的, 謹慎的 ~**ly** *ad*.

cavalcade /ˌkævlˈkeɪd, kævlˈked/ *n*. (遊行隊列中的)騎兵隊;(車隊的)行列;遊行隊伍.

cavalier /ˌkævəˈlɪə(r)/ *n*. ①騎士;武士②(C-)[英史]查理一世時的保王黨員 *a*. ①傲慢的;滿不在乎的②(對婦女)慇懃的.

cavalry /ˈkævlrɪ/ *n*. ①騎兵(部隊)②【軍】高度機械化的裝甲部隊.

cave /keɪv/ *n*. 穴, 洞;岩洞;洞窟 *v*. (*in*)①(使)坍陷②[口]屈服, 投降 ~**-in** *n*. 塌方;坍陷 ~**man** *n*. (上古時代的)穴居人.

caveat /ˈkævɪæt/ *n*. 警告.

cavern /ˈkævən/ *n*. 大山洞;大岩洞 ~**ous** *a*. 大而深的.

caviar(e) /ˈkævɪɑː(r)/ *n*. 魚子醬.

cavil /ˈkævl/ *v*. & *n*. (對…)挑剔;吹毛求疵;(找…)岔子.

cavity /ˈkævətɪ/ *n*. ①洞;窟窿②【解】腔, 窩③【醫】(尤指齲齒中的)空洞.

cavort /kəˈvɔːt/ *vi*. 跳躍;歡躍;狂舞.

caw /kɔː/ *v*. & *n*. (烏鴉)呱呱叫(聲).

cayenne(pepper) /keɪˈen (ˈpepə)/ *n*. 辣椒(粉).

cayman, caiman /ˈkeɪmən/ *n*. 【動】(中南美洲的)大鱷魚.

CB *abbr*. = Citizens' Band 民用電台波段.

CBE *abbr*. = Commander of the order of the British Empire(第二等的)高級英帝國勛位爵士.

cc *abbr*. = cubic centimetre(s)立方厘米.

Cd【化】元素鎘(cadmium)的符號.

CD *abbr*. = compact disc 雷射(激光)唱片.

CD-ROM /siːdiːˈrɒm *abbr*. = compact disc read-only memory 雷射(激光)唱片唯讀光碟(可儲存大量數據供電腦使用的磁盤).

cease /siːs/ *n*. 停止 *n*. [書]停息 ~**less** *a*. 不停的 ~**lessly** *ad*. ~**-fire** *n*. 【軍】停火 // ~ *and desist*【律】終止, 停止 *without* ~不停地, 不間斷地.

cedar /ˈsiːdə(r)/ *n*. 【植】雪松;雪松木, 杉木.

cede /siːd/ *v*. 割讓;讓與.

cedilla/sɪˈdɪlə/*n*.【語】下加符, 尾形符(某些語言中, 字母 C 下加一撇的符號, 表示發 S 音, 而不發 K 音).

ceilidh/ˈkeɪli/*n*. 非正式的社交歌舞會(尤指在蘇格蘭舉辦的).

ceiling /ˈsiːlɪŋ/ *n*. ①天花板②最高限度③【空】升限.

celandine /ˈseləndaɪn/ *n*. 【植】白屈菜.

celebrant /ˈselɪbrənt/ *n*. 主持宗教儀式的教士.

celebrate /ˈselɪbreɪt/ *v*. ①慶祝;祝賀②贊美;表揚③舉行(宗教)儀式 ~**d** *a*. 著名的.

celebration /ˌselɪ'breɪʃn/ *n*. 慶祝(會).

celebrity /sɪ'lebrətɪ/ *n*. ①著名人士,名流②名聲;名譽.

celerity /sɪ'lerətɪ/ *n*. 迅速;快速.

celery /'selərɪ/ *n*. 芹菜.

celestial /sɪ'lestɪəl, sə'lɛstʃəl/ *a*. 天空的,天的.

celibate /'selɪbət/ *a*. & *n*. 獨身的(者) **celibacy** *n*.獨身生活.

cell /sel/ *n*. ①(監獄或寺院中的)單身牢房;單人小室②蜂房③細胞④(政黨或團體的)基層組織⑤電池.

cellar /'selə(r)/ *n*. 地窖;地下室.

cello /'tʃeləʊ/ *n*. (*pl*. ~**s**)大提琴 **cellist** *n*.大提琴手.

Cellophane /'seləfeɪn/ *n*. 玻璃紙,賽璐玢(商標名).

cellular /'seljʊlə(r)/ *a*. ①(由)細胞(組成)的②多孔的;有窩的 // ~ *rubber* 泡沫橡膠 ~*telephone* 携帶式活動電話,大哥大.

celluloid /'seljʊlɔɪd/ *n*. 【化】賽璐珞.

cellulose /'seljʊləʊs/ *n*. 植物纖維(造紙、塑膠等原料).

Celsius /'selsjəs/ *a*. & *n*. 攝氏(的)(=centigrade).

Celtic /'keltɪk,[美]'seltɪk/ *a*. 凱爾特人的;凱爾特語的, *n*.凱爾特語.

cement /sɪ'ment/ *n*. ①水泥②膠合劑③【醫】(牙科用的)粘固粉 *v*.①(用水泥)粘合;鞏固,加強②鋪上水泥.

cemetery /'semətrɪ/ *n*. 墓地,公墓.

cenotaph /'senətɑːf/ *n*. 紀念碑.

censer /'sensə(r)/ *n*. 香爐.

censor /'sensə(r)/ *n*. (書報,信件,影劇等的)審查員;檢查員 *vt*.審查;刪改 ~**ship** *n*.審查(制度);檢查(制度).

censorious /sen'sɔːrɪəs/ *a*. 愛挑剔的;苛評的~**ly** *ad*.

censure /'senʃə(r)/ *v*. & *n*. 責備,譴責,非難.

census /'sensəs/ *n*. 人口普查.

cent /sent/ *n*. (貨幣)分.

cent. /sent/ *abbr*. ① = century ② = centigrade③ = centimetre.

centaur /'sentɔː(r)/ *n*. ①(希臘和羅馬神話中的)人頭馬怪物,半人半馬怪物②【天】半人馬座.

centenary /sen'tiːnərɪ/ *a*. & *n*. 一百年的;一百周年,百年紀念 **centenarian** /ˌsentɪ'neərɪən/ *n*.百歲(或以上)的老人.

centennial /sen'tenɪəl/ *a*. & *n*. [美] = centenary.

center = centre .

centigrade /'sentɪgreɪd/ *a*. & *n*. 百分度(的);攝氏(的).

centigram (me) /'sentɪgræm/ *n*. 厘克,公毫.

centilitre, -ter /'sentɪliːtə(r)/ *n*. 厘升,公勺.

centime /'sɒntiːm/ *n*. [法]生丁(百分之一法郎).

centimetre, -ter /'sentɪmɪtə(r)/ *n*. 厘米 // *cubic*~立方厘米.

centipede /'sentɪpiːd/ *n*. 蜈蚣.

central /'sentrəl/ *a*. ①中心的,中央的②主要的,最重要的~**ly** *ad*. // ~ *heating*(大廈中)中央供暖(系統).

centralism /'sentrəlɪzəm/ *n*. 中央集權制;集中制 **centralist** *n*.中央集權主義者.

centrality /sen'trælətɪ/ *n*. 中心;向心性.

centralize /'sentrəlaɪz/ *v*. 集中;把…集中起來;使中央集權 **centralization** *n*.集中;中央集權.

centre, center /'sentə(r)/ *n*. ①中央,

中心②中心地區③中心人物,中心事物④(常 C-)(政黨等的)中間派⑤(足球等)中鋒 *v*.集中於;(把球)傳中 **centrist** *n*.中間派政黨的成員.

centrifugal /sen'trɪfjʊgl/ *a*. 離心的.

centrifuge /'sentrɪfjuːdʒ/ *n*. 【機】離心機;離心分離機.

centripetal /sen'trɪpɪtl/ *a*. 向心的.

centurion /sen'tjʊərɪən/ *n*. (古羅馬軍團的)百人隊隊長.

century /'sentʃərɪ/ *n*. ①世紀,百年②【板球】一百分.

cephalopod /'sefələʊpɒd/ *n*. & *a*. 【動】(烏賊等)頭足類動物(的).

ceramic /sɪ'ræmɪk/ *a*. 陶器的;陶器製的~**s** *pl*. *n*.陶器製造術;陶器.

cereal /'sɪərɪəl/ *n*. (常 *pl*.)①穀類,穀類植物②穀類食物(如麥片等).

cerebellum /ˌserɪ'beləm/ *n*. 小腦.

cerebral/'serɪbrəl/*a*. 腦的;大腦的;有智力的;聰明的.

cerebrum /'serɪbrəm/ *n*. 大腦.

ceremony /'serɪmənɪ/ *n*. ①典禮;儀式②禮儀;禮節 **ceremonial** *a*. & *n*. 禮儀(節)的;禮儀;儀式 **ceremonious** *a*.講究禮節的;客套的;儀式隆重的 **ceremoniously** *ad*. **ceremoniousness** *n*. // *master of ceremonies* ①司儀②[美](電視台、電台的)節目主持人 *stand on* / *upon* ~講究禮節;客氣.

cerise /sə'riːz/ *n*. & *a*. 櫻桃色(的),鮮紅色(的).

cerium /'sɪərɪəm/ *n*.【化】鈰.

cert[1]/sɜːt/ *n*. [英俚]必然發生之事.

cert[2]/sɜːt/ *n*. *abbr*. = certificate.

certain /'sɜːtn/ *a*. ①確實的;可靠的②(只作表語)確信…;必定會③(只作定語)某一,某些;一定的④(只作定語)一些,有些~**ly** *ad*.①的確,一定②[口]當然可以,行.

certainty /'sɜːtntɪ/ *n*. 確實;必然的事.

certificate /sə'tɪfɪkət/ *n*. 證(明)書~**d** *a*.(有)合格(證書)的.

certify /'sɜːtɪfaɪ/ *v*. ①證明;保證②【醫】診斷(某人)是瘋子 **certified** *a*. 被證明的;有保證的 // *certified check* [美]保兑支票 *certified milk* [美]消毒牛奶 *certified public accountant* [美](略作 **CPA**)有執照的特許會計師(=[英]chartered accountant).

certitude /'sɜːtɪtjuːd/ *n*. ①確信②必然(性);確實(性).

cerulean /sɪ'ruːljən/ *a*. 天藍色的;蔚藍的.

cervix /'sɜːvɪks/ *n*. (*pl*.**-vices** /-'sɜːvɪsiːz/, **-vixes**)【解】①子宮頸②頸部 **cervical** *a*.

cessation /se'seɪʃn/ *n*. 停止,中止.

cession /'seʃn/ *n*. 割讓;讓與(物).

cesspit, cesspool /'sespɪt, 'sespuːl/ *n*. 污水坑;化糞池.

cetacean/sɪ'teɪʃjən/*n*.【動】鯨目動物(如鯨、海豚等)*a*.鯨目動物的.

cf. *abbr*. = confer)[拉]比較;參看(=[英]compare.

CFC *abbr*. = chlorofluorocarbon(被認為會破壞臭氧層的)氯氟碳化合物.

ch. *abbr*. = ①chapter②church.

cha-cha(**-cha**) /'tʃɑːtʃɑː('tʃɑː)/ *n*. 查查舞(音樂)(一種源自拉丁美洲的現代舞廳舞).

chafe /tʃeɪf/ *v*. ①(將皮膚等)擦痛;擦破②惹惱;(使)焦躁 *n*.擦傷;擦痛.

chafer /'tʃeɪfə(r)/ *n*.【蟲】金龜子.

chaff /'tʃɑːf, [美]'tʃæf/ *n*. ①穀殼;糠②鍘碎的草料;秣③善意的玩笑 *v*. (跟…)開玩笑;打趣.

chaffinch /'tʃæfɪntʃ/ *n*. 【鳥】(歐洲

的)蒼頭燕雀.

chafing dish /'tʃeɪfɪŋ dɪʃ/ *n*. 火鍋,暖鍋.

chagrin /'ʃægrɪn/ *n*. 懊惱;悔恨;灰心 *vt*. 使懊惱;使感到委曲.

chain /tʃeɪn/ *n*. ①鏈子,鏈條②連鎖;一連串 *vt*. ①用鏈拴住②束縛,拘束 **~-gang**(用鎖鏈拴住的)囚犯隊 **~-mail** 鎖子甲 **~-smoker** 一枝枝不斷抽的烟鬼(**~-smoke** 一枝接一枝地抽烟) **~store** 連鎖商店,聯號 // *~ reaction*【化】連鎖反應 *in ~s* ①上着鐐銬②囚禁着.

chair /tʃeə(r)/ *n*. ①椅子②主席(議長,會長)的席位(或職位) *vt*. 當(會議的)主席 **~-lift** *n*. (供滑雪者等上山用的)架空滑車 **~man, ~ person** *n*. 主席 **~woman** *n*. 女主席.

chaise /ʃeɪz/ *n*. 二輪(或四輪)輕便馬車.

chaise longue /ʃeɪz 'lɒŋ/ *n*. [法]躺椅.

chalcedony /kæl'sedənɪ/ *n*. 【礦】玉髓.

chalet /'ʃæleɪ/ *n*. ①瑞士的小木屋②渡假用小木屋.

chalice /'tʃælɪs/ *n*. 聖餐杯;(高脚)酒杯.

chalk /tʃɔːk/ *n*. 白堊;粉筆 *vt*. 用粉筆寫(或畫) **~y** *a*. (像)白堊的 // *~ out* ①畫出;規劃出②概略地說明.

challenge /'tʃælɪndʒ/ *n*. ①挑戰②(哨兵的)口令;盤問③鞭策 *vt*. ①向…挑戰②(哨兵)盤問③鞭策;考驗 **~r** *n*. 挑戰者 **challenging** *a*. ①具有挑戰性的②有吸引力的;有刺激性的.

chamber /'tʃeɪmbe(r)/ *a*. ①[舊]寢室②議院③會;會所④(動植物體內的)腔,室⑤(槍的)彈膛⑥(*pl*.)法官的議事室 **~pot** 夜壺 // *C - of Commerce* 商會 *~ music* 室內樂 *the Upper / Lower C-*[英]上(下)議院.

chamberlain /'tʃeɪmbəlɪn/ *n*. 宮廷內臣;(貴族的)管家

chambermaid /'tʃeɪmbəmeɪd/ *n*. (旅館中)女服務員.

chameleon /kə'miːlɪən/ *n*. ①【動】石龍子,變色龍②反覆無常的人.

chamois /'ʃæmwɑː/ *n*. (*pl*. **chamois** /'ʃæmwɑːz/) ①【動】小羚羊② /'ʃæmiː/小羚羊皮(衣服);麂皮(衣服).

chamomile /'kæməmaɪl/ *n*. = camomile.

champ[1] /tʃæmp/ *v*. ①(馬)大聲咀嚼(食物等)②焦急,不耐煩 // *~ at the bit*[口]不耐煩,焦急.

champ[2] /tʃæmp/ [口] = champion 冠軍.

champagne /ʃæm'peɪn/ *n*. 香檳酒.

champion /'tʃæmpɪən/ *n*. ①冠軍,優勝者②擁護者;鬥士 *a*. [口]第一流的;極好的 *vt*. 擁護,支持 **~ship** /-ʃɪp/ *n*. ①錦標賽②冠軍的地位(或稱號)③支持,擁護.

chance /tʃɑːns/ *n*. ①偶然性;運氣;風險②可能性③機會 *a*. 偶然的 *v*. 偶然發生;碰巧;冒風險 **chancy** *a*. 冒險的 // *by ~* 偶然地 *~ it* [俚]試試看;碰碰運氣看 *~ on / upon* 碰上,碰巧看見.

chancel /'tʃɑːnsl/ *n*. (教堂內供祭司及唱詩班用的)聖壇,高壇.

chancellor /'tʃɑːnsələ(r)/ *n*. ①(某些國家的)大臣,總理,部長;司法官②[英]大學校長 **~ship** *n*. 大臣(總理或大法官)的職位 // *C- of the Excheque* [英]財政大臣(亦作 *the First Lord of the Treasury*) *Lord C- of England*[英]大法官.

chancery /'tʃɑːnsərɪ/ *n*. ①(C-)(英國)大法官法庭②(美國)平衡法院③檔

案館；公文保管處.

chancre /'ʃæŋkə/ *n*. 【醫】硬性下疳(梅毒的早期癥狀).

chancroid /'ʃæŋkrɔɪd/ *n*. 【醫】軟性下疳(=soft chancre).

chandelier /ˌʃændə'lɪə(r)/ *n*. 枝形吊燈.

chandler /'tʃɑːndlə/ *n*. ①[舊]蠟燭商②(=ship's～)船用雜貨(如繩索,帆布等)經銷商.

change /tʃeɪndʒ/ *v*. ①改變,變化②換,更換③交換,兌換④找零錢 *n*.①更換(物)；變化②零錢；找頭～**able** *a*.易變的；可變的～**less** *a*.不變的 // *a ～ for the better/worse* 好轉(變壞).

changeling /'tʃeɪndʒlɪŋ/ *n*. (傳說中被神仙偷換後留下的)又醜又怪的嬰孩,小醜八怪.

channel /'tʃænl/ *n*. ①海峽②水道；河床③溝渠；槽④路綫；途徑⑤電視頻道 *vt*.(為…)開闢途徑；引導；流經.

chant /tʃɑːnt/ *n*. ①聖歌；讚美詩②歌曲③(有節奏叫喊的)口號 *v*.唱；(單調反覆地)唱(或說).

chanter /'tʃɑːntə(r)/ *n*. ①【樂】(風笛的)指管②歌唱者；領唱人.

chaos /'keɪɒs/ *n*. ①渾沌②混亂 **chaotic** *a*. **chaotically** *ad*.

chap[1]/tʃæp/ *n*. [俚]傢伙；小伙子.

chap[2]/tʃæp/ *v*. (使皮膚)皸裂；(使皮膚)變粗糙.

chap. /tʃæp/ *n*. *abbr*. =chapter.

chapel /'tʃæpl/ *n*. ①小教堂；(學校、監獄、私人住宅內的)小禮拜堂②(教堂內的)祈禱處③印刷工會.

chaperon(e) /'ʃæpərəʊn/ *n*. (在公共場所陪伴少年男女的)成年監護人 *v*.護送；伴隨(少年男女).

chapfallen, chopfallen /'tʃæpˌfɔːlən, 'tʃɒpfɔːlən/ *a*. [口]悶悶不樂的,沮喪的.

chaplain /'tʃæplɪn/ *n*. (學校,醫院,軍隊、監獄等中的)牧師～**cy** *n*.①牧師的辦公處②牧師的職位(任期).

chaplet /'tʃæplɪt/ *n*. (頭上戴的)花冠；(誦經時戴的)念珠.

chaps /tʃæps/ *n*. *pl*. [美](騎手穿的)皮護腿套褲.

chapter /'tʃæptə(r)/ *n*. ①(書籍)章②(歷史或人生的)重要章節③(社團等的)支部；分會④【宗】(基督教)教士會.

char[1]/tʃɑː(r)/[英俚] *n*. 打雜女工(=～woman) *v*.打雜；做家庭雜活.

char[2]/tʃɑː(r)/ *v*. (把…)燒成炭,(把…)燒焦,(使…)變焦黑 ～**coal**(木)炭.

char[3]/tʃɑː(r)/ *n*. [俚]茶.

charabanc /'ʃærəbæŋ/ *n*. [法]大型遊覽車；旅遊客車.

character /'kærəktə(r)/ *n*. ①性格,品性②特性,特徵③(小說、戲劇中的)人物,角色；身份,資格④文字；字體⑤骨氣；正直⑥名聲⑦怪人,奇人 // *in* ～合乎個性 *out of* ～與個性不符.

characteristic /ˌkærəktə'rɪstɪk/ *n*. 特性,特徵,特色 *a*.特有的,獨特的～**ally** *ad*.

characterize, -ise /'kærektəraɪz/ *v*. ①表現…特性；刻劃…的性格②塑造,描繪(人物,性格) **characterization** *n*.

charade /ʃə'rɑːd,[美]ʃə'reɪd/ *n*. 荒唐可笑的掩飾.

charcoal/'tʃɑːkəʊl/*n*.木炭.

charge /tʃɑːdʒ/ *n*. ①指控,控告②衝鋒；襲擊③價錢；費用④充電；電荷；(一次裝載之)彈藥量⑤義務；責任；

主管⑥命令;告誡⑦受委託者;委託物 *v*.①控告②衝鋒;襲擊③索價,收費④裁載;充電⑤囑託,委託;把…記在(某人)帳上⑥命令;告誡**~able** *a*.可被控告的;應由某人支付的;可記在某人帳上的**~r** *n*.充電器;裝彈機;戰馬// *in* ~ 主管,負責.

chargé d'affaires /ˌʃɑːʒeɪ dæ'feə(r)/ *n*. [法]代辦// ~ *ad interim* /ˌʃɑːʒeɪ æd ɪntərɪm/ [法]臨時代辦.

chariot /'tʃærɪət/ *n*. 馬車;(古代)戰車**~eer** *n*.馬車駕駛員.

charisma /kə'rɪzmə/ *n*.(偉大人物的)氣質;超凡魅力**~tic** *a*.

charity /'tʃærətɪ/ *n*. ①慈善;施捨;賑濟(物)②慈善團體 **charitable** *a*. **charitably** *ad*.

charlady /'tʃɑːleɪdɪ/ *n*. =charwoman.

charlatan /'ʃɑːlətən/ *n*. ①庸醫,江湖郎中②假内行.

Charleston/'tʃɑːlsten/*n*. 查爾斯頓舞(流行於20世紀20年代的快步舞).

charlock /'tʃɑːlɒk/ *n*.【植】田芥菜.

charlotte /'ʃɑːlət/ *n*. 水果布丁// ~ *russe*(餐時作為最後一道甜點上的)奶油水果布丁.

charm /tʃɑːm/ *n*. ①妖媚;魅力②護身符;符咒 *v*.①迷人;令…神往;使喜愛②行魔法,施魔法控制(或保護) **~r** *n*.①迷人的年輕男女②耍蛇者 **~ing** *a*.令人喜愛的,迷人的;妖媚的**~ingly** *ad*. // *work like a* ~[口]非常有效的;效驗如神的.

charnel(house) /'tʃɑːnl(haʊs)/ *n*. 存放尸骨的場所.

chart /tʃɑːt/ *n*. ①海圖,航綫圖(顯示天氣、物價等變化情況的)圖表;曲綫(標繪)圖 *vt*.製圖 **the ~s** *pl*. *n*. [口]每周最暢銷的流行歌曲唱片榜.

charter /'tʃɑːtə(r)/ *n*. ①特許證,執照②憲章;章程③(機、船等的)包租 *vt*.①特許(設立);給…發特許執照②包租(機、船等).

chartered /'tʃɑːtəd/ *a*. 特許的;有執照的// ~ *accountant*[英]有執照的特許會計師(=[美]*certified public accountant*).

Chartism /'tʃɑːtɪzəm/ *n*. [英]【史】憲章運動 **Chartist** *n*. & *a*.憲章運動者的;憲章派(的).

chartreuse /ʃɑː'trɜːz/ *n*. (黃綠色甜味的)蕁麻酒 *a*.黃綠色的.

charwoman /'tʃɑːwʊmən/ *n*. 打雜的清潔女工.

chary /'tʃeərɪ/ *a*. 謹慎小心的 **charily** *ad*.

chase[1]/tʃeɪs/ *vt*. ①追趕,追逐②驅逐 *n*.追趕;追擊;追求// *in* ~ *of* 追逐.

chase[2]/tʃeɪs/ *v*. 雕鏤(金屬或木材);鏤刻.

chaser /'tʃeɪsə(r)/ *n*. [口](喝完烈酒後再喝的)低度酒.

chasm /'kæzəm/ *n*. ①(地殼等的)陷窖,裂縫②分歧,隔閡.

chassis /'ʃæsɪ/ *n*. (汽車等的)底盤;(飛機等的)機架.

chaste /tʃeɪst/ *a*. ①(指品行)純潔的,貞潔的②(指文體)簡潔的 **chastity** *n*.

chasten /'tʃeɪsn/ *vt*. ①懲戒;磨練②遏制.

chastise /tʃæ'staɪz/ *vt*. 嚴懲;責打**~ment** *n*.

chasuble /'tʃæzjʊbl/ *n*. (天主教神父作彌撒時穿的)無袖十字褡.

chat /tʃæt/ *v*. & *n*. 閑談,聊天**~ty** *a*.好閑聊的.

château /'ʃætəʊ/ *n*. (*pl*. **-teaux** /-təʊz/或-teaus)[法]城堡;鄉間別墅.

chatelaine/'ʃætəleɪn/*n*.莊園或城堡的

女主人.

chattel /'tʃætl/ *n*. (一件)動產 // *goods and ~s* 家私什物.

chatter /'tʃætə(r)/ *vi*. & *n*. ①喋喋(不休),嘮叨;胡扯②(鳥獸等)啁啾(聲),吱吱叫(聲)③(機器或牙齒)嗒嗒作響(聲)**~box** *n*.饒舌者,喋喋不休的人.

chauffeur /'ʃəʊfə(r)/ *n*. (受僱為人開轎車的)司機 *v*.①開(汽車)②當司機.

chauvinism /'ʃəʊvɪnɪzəm/ *n*. ①沙文主義;盲目狂熱的愛國主義②性別歧視主義;民族至上論 **chauvinist** *n*. & *a*.**chauvinistic** *a*.

cheap /tʃi:p/ *a*. ①便宜的,廉價的②不值錢的③低劣的;可鄙的**~ly** *ad*. ~**-Jack**[口]質次的廉價商品經銷者 **~skate**[口]吝嗇鬼,守財奴// *hold sb~* 輕視某人.

cheapen /'tʃi:pən/ *vt*. ①減價②降低…威信;(使)降低(地位).

cheat /'tʃi:t/ *v*. 欺騙;騙取;作弊 *n*.①騙子②欺騙.

check /tʃek/ *vt*. ①核對;檢查②抑制;阻止③[美]寄存;託運④【象棋】將(軍)⑤[美]逐項相符⑥停;突然停止 *n*.①抑制(者);阻止(物)②核對記號(✓);查核,檢查③對號牌,行李牌;帳單④格子花;格子紗⑤[美]支票(=cheque)⑥(國際象棋)將軍,遭到對方將軍的局面**~ed** *a*.有格子花的~**book** *n*.[美]支票簿(=[英]chequebook) **~out** *n*.(超級市場)結帳收款處;(旅店的)結帳退租時間~**point** *n*.檢查哨,關卡**~up** /'tʃekʌp/ *n*.(體格)檢查;核對// *~-in* 簽到,報到;辦理登記手續 *~off* 查訖 *~out* 辦清手續(或付帳)後離開;檢驗;[口]瞧瞧.

checker [美]=chequer.

checkmate /'tʃekmeɪt/ *vt*. ①(象棋)將死②阻止並打敗;徹底擊敗 *n*.(象棋)被將死的局面.

Cheddar/'tʃedə(r)/*n*.切德乾酪(一種黃色硬乾酪).

cheek /tʃi:k/ *n*. ①面頰②厚顏無恥 *vt*.[英口]對人…粗魯無禮**~ily** *ad*.**~iness** *n*.**~bone** *n*.顴骨**~y** *a*.粗魯無禮的// *none of your ~*! 別不要臉!.

cheep /tʃi:p/ *v*. & *n*. (小鳥等)吱吱叫(聲).

cheer /tʃɪə(r)/ *v*. ①(使)高興;(令人)振奮②(向…)歡呼,(向…)喝彩 *n*.①愉快,高興②歡呼,喝彩③(*pl*.)*int*.[英口]①乾杯! ②謝謝③再見(電話用語)**~ful** *a*.高興的;令人愉快的**~fulness** *n*.**~less** *a*.不快活的;陰鬱的**~y** *a*.愉快的,興高采烈的**~ily** *ad*.**~iness** *n*.**~leader** *n*.啦啦隊隊長 // *~(sb) up*(使某人)高興(振作起來).

cheerio /ˌtʃɪərɪ'əʊ/ *int*. [英口]再見.

cheese /tʃi:z/ *n*. 乾酪;乳酪**~burger** *n*.乳酪漢堡包**~cake** *n*.①奶油乳酪餡餅②[俚]半裸女人艷照 **~d-off** *a*.厭倦的;生氣的**~paring** *n*. & *a*.小氣(的),斤斤計較的,吝嗇(的).

cheetah /'tʃi:tə/ *n*.【動】(非洲)獵豹;印度豹.

chef /ʃef/ *n*. [法]①男主廚②廚師

chef-d'oeuvre /ʃeɪ'dɜ:vrə/ *n*. [法]杰作.

chemical /'kemɪkl/ *n*. 化學藥品,化學製品, *a*.化學的**~ly** *ad*.

chemise /ʃə'mi:z/ *n*. 女式無袖襯裙.

chemist /'kemɪst/ *n*. 藥劑師;藥商;化學家**~'s shop** *n*.藥店(=[美]drugstore).

chemistry /ˈkemɪstrɪ/ *n*. 化學.

chemotherapy /ˌkiːməʊˈθerəpɪ/ *n*. 【醫】化學療法;化療.

chenille /ʃəˈniːl/ *n*. (刺綉用的)繩絨綫;繩絨綫織物.

cheque /tʃek/ *n*. 支票(=[美]check) **~-book** *n*. 支票簿(=[美]checkbook) // *~ card* (擔保支票兌現的)銀行保證卡 *~ crossed* 劃綫支票,(轉帳支票).

chequer /ˈtʃekə(r)/ *n*. (=[美]checker)①棋子②(*pl*.)西洋跳棋 *vt*.①把…畫成不同色彩的方格(或花式)②使交替變化.

chequered /ˈtʃekəd/ *a*. ①=([美]checked)有格子花的②盛衰無常的;起伏不定的.

cherish /ˈtʃerɪʃ/ *vt*. ①珍愛;珍惜;撫育②懷抱(希望等).

cheroot /ʃəˈruːt/ *n*. 方頭雪茄.

cherry /ˈtʃərɪ/ *n*. ①櫻桃(樹);櫻木②[俚]=virginity *a*. 鮮紅色的 // *lose one's ~* 失去童貞,失身.

cherub /ˈtʃerəb/ *n*. ①(*pl*.**-bim**/-bɪm/)天使②(*pl*.**~s**)天真可愛的兒童;胖娃娃 **~ic** *a*.

chervil /ˈtʃɜːvɪl/ *n*. 山蘿蔔;(調味用的)乾山蘿蔔葉.

chess /tʃes/ *n*. 國際象棋 **~board** *n*. (國際象棋)棋盤 **~man** *n*. 棋子.

chest /tʃest/ *n*. ①箱,櫃,櫥②胸膛 **~y** *a*. [口]①(婦女)胸部豐滿發達的②有支氣管疾病的 // *~ of drawers* (=[美]bureau)五斗櫥.

chesterfield /ˈtʃestəfiːld/ *n*. (有扶手的)長沙發.

chestnut /ˈtʃesnʌt/ *n*. ①栗子(樹);栗木②[口]陳腐的笑話(或故事) *a*. 栗色的.

cheval glass /ʃəˈvæl glɑːs/ *n*. (可轉動的)穿衣鏡;立式鏡.

chevron /ˈʃevrən/ *n*. 【軍】(表示軍階的)V形袖章.

chew /tʃuː/ *v*. & *n*. ①嚼,咀嚼(物)②細想 **~y** *a*. ①需咀嚼的②要細細思量的 **~ing-gum**(亦作 **gum**) *n*. 口香糖 // *bite off more than one can ~* [口]貪多嚼不爛,不自量力 *~ over* 細細思量.

chianti /kɪˈæntɪ/ *n*. (意大利)基安蒂淡味紅葡萄酒.

chiaroscuro /kɪˌɑːrəˈskʊərəʊ/ *n*. (繪畫中的)明暗對照法.

chic /ʃiːk/ *n*. & *a*. 別緻(的);時髦(的).

chicane /ʃɪˈkeɪn/ *n*. ①詭計,詐騙②汽車賽車道上設置的障礙物.

chicanery /ʃɪˈkeɪnərɪ/ *n*. 詭計;詐騙;詭辯.

chick /tʃɪk/ *n*. 小雞;小鳥 **~-pea** *n*. 【植】鷹嘴豆;雞豆 **~weed** *n*. 【植】繁縷.

chicken /ˈtʃɪkɪn/ *n*. ①雞;小雞;家禽②雞肉③[俚]膽小鬼 *a*. 膽怯的 **~-feed** *n*. [俚]微不足道的錢數 **~-hearted, ~-livered** *a*. 膽怯的;軟弱的 **~-pox** *n*. 【醫】水痘 // *~ out* 害怕,畏縮 *count one's ~s before they are hatched* 打如意算盤.

chicory /ˈtʃɪkərɪ/ *n*. ①【植】菊苣②菊苣根(其粉末可作咖啡代用品).

chide /tʃaɪd/ *v*. (**chid** /tʃɪd/或 **chided**; **chid** 或 **chidden** /tʃɪdn/)申斥,責罵.

chief /tʃiːf/ *n*. ①首領;酋長,族長②首長;主任③頭目,頭子 *a*. ①主要的②(作定語)首席的;主任的 **~ly** *ad*. 主要地;尤其 // *in ~* ①尤其;最主要地②在首席地位,總….

chieftain /'tʃi:ftən/ *n*. 族長;酋長;首領.

chiffon /'ʃɪfɒn/ *n*. [法]雪紡綢,薄綢.

chignon /'ʃi:njɒn/ *n*. (婦女的)髮髻.

chihuahua /tʃɪ'wɑ:wə, [美]tʃɪ'wɑ:wɑ:/ *n*. 吉娃娃(原產墨西哥的一種微型狗).

chilblain /'tʃɪlbleɪn/ *n*. 凍瘡.

child /tʃaɪld/ *n*. (*pl*. **~ren** /'tʃɪldrən/)①孩子,兒童②兒子(或女兒)③胎兒,嬰兒 **~birth** *n*. 分娩 **~hood** *n*. 幼年,童年 **~ish** *a*. ①孩子(氣)的②[貶]幼稚的 **~like** *a*. [常褒]孩子似的;天真無邪的 **~-proof** *a*. (指玩具、工具、器械等)不會危害孩子的,對兒童安全的 // *~ abuse* (對兒童的)虐待 *~'s play* 輕而易舉之事.

chill /tʃɪl/ *n*. ①(常用 *sing*.)寒冷,寒氣②風寒;寒戰③(常用 *sing*.)寒心,掃興 *v*. ①使冷,變冷;冷藏②(使)掃興,(使)寒心 *a*. ①寒冷的②冷淡的;掃興的 **~ing** *a*. 恐怖的 **~y** *a*. 涼颼颼的;冷淡的,不友好的 **~iness** *n*. // *cast/put a ~ into sb* 使某人掃興,使某人泄氣.

chilli /'tʃɪlɪ/ *n*. (乾)辣椒(粉).

chim(a)era /kæɪ'mɪərə/ *n*. ①【希神】(獅頭,羊身,蛇尾的)妖怪②幻想;妄想 **chim(a)erical** *a*. 幻想的;荒誕不經的.

chime /tʃaɪm/ *n*. 一組樂鐘;(常 *pl*.)(一組鐘發出的)鐘聲, *v*. ①(鐘等)諧鳴;鳴鐘報時②協調,一致 // *~in* 插嘴 *~(in)with* 與…協調一致.

chimera/kaɪ'mɪərə/*n*. ①假想的鬼怪(獅頭、羊身、蛇尾)②不可實現的想法.

chimney /'tfɪmnɪ/ *n*. ①烟囱②(煤油燈的)燈罩 **~-breast** *n*. [英]壁爐牆 **~-pot** *n*. 烟囱頂管 **~-sweep(er)** *n*. 掃烟囱工人([俗]亦作 **sweep**).

chimp /tʃɪmp/ *n*. [口] = chimpanzee.

chimpanzee /ˌtʃɪmpən'zi:/ *n*. 黑猩猩.

chin /tʃɪn/ *n*. 頦,下巴.

china /ˌtʃaɪnə/ *n*. 磁器瓷器;(杯、碟等)瓷製品 // *~ clay* 瓷土,高嶺土(= kaolin).

Chinatown /'tʃaɪnətaʊn/ *n*. 華埠,唐人街.

chinchilla /tʃɪn'tʃɪlə/ *n*. ①(南美的)灰鼠,栗鼠②灰鼠毛皮③栗鼠呢,珠皮呢.

chine /tʃəɪn/ *n*. (動物的)脊肉 *vt*. 沿脊骨切肉.

Chinese /tʃaɪ'ni:z/ *a*. (單複同形)中國人(的);中國的;漢語(的) // *~ chequers* 中國跳棋 // *~ lantern* 燈籠.

chink[1]/tʃɪŋk/ *n*. 裂縫,裂口.

chink[2]/tʃɪŋk/ *n*. 叮噹聲 *v*. (使)叮噹作響.

chintz /tʃɪnts/ *n*. 擦光印花棉布.

chip /tʃɪp/ *n*. ①碎片;切片;木屑②凹口,缺口③炸土豆片,炸薯條(= potato ~)④[美]籌碼⑤集成電路塊 *v*. ①切(削)成薄片②碎裂 // *~ in* ①插嘴②捐錢 *carry a ~ on one's shoulder* [口]脾氣暴躁;喜歡吵架 *pass/cash in one's ~s* [俚]死.

chipboard /'tʃɪpbɔ:d/ *n*. 木屑板.

chip card /tʃɪp kɑ:d/ *n*. 微型晶片.(一種數據儲存卡)

chipmunk /'tʃɪpmʌŋk/ *n*. (北美的)金花鼠(一種小松鼠).

chipolata/tʃɪpə'lɑ:tə/*n*. (尤指英國的)小香腸.

chiropodist /kɪ'rɒpədɪst/ *n*. 足科醫生 **chiropody** *n*. 【醫】足科.

chiropractic /ˌkaɪərəʊ'præktɪk/ *n*. 脊柱按摩治療法 **chiropractor** *n*. 脊柱

按摩治療師.

chirp, chirrup /tʃɜːp, 'tʃɪrəp/ *v*. & *n*. ①(蟲鳴)啾啾(唧唧)叫(聲)②嘁嘁喳喳講話(聲)**chirpy** *a*.[口](指人)興高采烈的.

chisel /'tʃɪzl/ *n*. 鑿子 *v*.①鑿(成);鐫(刻);雕②[俚]欺騙,詐騙~**(l)er** *n*.[俚]騙子.

chit[1]/tʃɪt/ *n*. 短信,便條;單據.

chit[2]/tʃɪt/ *n*. 冒失的少女.

chitchat /'tʃɪttʃæt/ *n*. & *vi*. 閑聊,聊天.

chitterlings /'tʃɪtəlɪŋz/ *pl*.*n*. (猪的)小腸.

chivalry /'ʃɪvəlrɪ/ *n*. ①對女子慇懃有禮的舉止②(歐洲中世紀的)騎士制度③俠義精神 **chivalrous** *a*.①勇武的②(對女人)獻慇懃的③有騎士氣概的.

chive /tʃaɪv/ *n*. 細香葱,蝦夷葱.

chiv(v)y 亦作 **chev(v)y** /'tʃɪvɪ/ *v*.①[口]嘮嘮叨叨地催促(…去做)②煩擾;欺凌.

chloride /'klɔːraɪd/ *n*.【化】氯化物 // *sodium* ~【化】氯化鈉(食鹽).

chlorinate /'klɔːrɪneɪt/ *vt*.【化】用氯加以消毒 **chlorination** *n*.

chlorine /'klɔːriːn/ *n*.【化】氯(氣).

chlorofluorocarbon /'klɔːrəʊˌfluərəʊ'kɑːbən/ *n*. 氯氟碳化合物(被認為會破壞真氧層,略作 **CFC**).

chloroform /'klɒrəfɔːm/ *n*.【化】【醫】氯仿,哥羅仿,三氯甲烷.

chlorophyl(l) /'klɒrəfɪl/ *n*. 葉綠素.

choc-ice, choc-bar /tʃɒk'aɪs, 'tʃɒkbɑː(r)/ *n*.[英口]表面塗巧克力的冰淇淋,紫雪糕.

chock /tʃɒk/ *n*.(用以防轉動或滑動的)楔子;墊木~**-a-block** *a*. & *ad*. 塞滿的(地);擠滿的(地)~**-full** *a*.[口](擠)滿的.

chocolate /'tʃɒklət/ *n*. 巧克力(糖),朱古力;巧克力飲料.

choice /tʃɔɪs/ *n*. ①選擇②選擇權;選擇機會③入選者,應選品,精華④(一批)備選的品種 *a*.精選的,上等的.

choir /'kwaɪə(r)/ *n*. ①合唱隊;(教堂的)唱詩班②(教堂內)唱詩班的席位.

choke /tʃəʊk/ *v*. ①(使)窒息;哽住,噎住②抑制(情感)③阻塞,堵塞 *n*.①窒息②【機】阻塞門,阻氣門 // ~ *back* 抑制(怒氣,眼泪等) ~ *down* 哽咽食物.

choker /'tʃəʊkə(r)/ *n*. 短而緊的項鏈;(硬)高領.

choky /'tʃəʊkɪ/ *n*. [英俚]監獄;拘留所.

choler /'kɒlə(r)/ *n*. 怒氣,易怒性;暴躁.

cholera /'kɒlərə/ *n*.【醫】霍亂.

choleric/'kɒlərɪk/*a*. 易怒的,脾氣壞的.

cholesterol /kə'lestərɒl/ *n*.【生化】膽固醇.

chomp /tʃɒmp/ *v*. ①大聲咀嚼②不耐煩,焦急(=champ[1]).

choose /tʃuːz/ *v*. (**chose** /tʃəʊz/;**chosen** /'tʃəʊzn/)①選擇,挑選②(後接不定式)選定,甘願③ // *cannot* ~ *but* 不得不.

choosy /'tʃuːzɪ/ *a*. [口]愛挑剔的,難討好的.

chop /tʃɒp/ *v*. ①砍,劈,斬②切細,剁碎③猛擊 *n*.①砍,劈②猛擊③排骨.

chopper /'tʃɒpə(r)/ *n*. ①大菜刀,斧子②[口]直升飛機③(*pl*.)[俚]牙.

choppy /'tʃɒpɪ/ *a*.①波濤洶涌的②(風

向)多變的;突變的.

chopsticks /'tʃɒpstɪks/ *pl.n.* 筷子.

chop suey /'tʃɒp 'su:i/ *n.* (中國菜)雜碎;什錦雜炒.

choral /'kɔ:rəl/ *a.* 合唱(隊)的.

chorale /kɒ'rɑ:l/ *n.* 贊美詩(曲調).

chord /kɔ:d/ *n.* ①【樂】和弦;和音②琴弦③【數】弦④【解】索,帶 // *vocal* ~*s* 聲帶.

chore /tʃɔ:(r)/ *n.* 家務雜事,日常事務.

choreo /kɒ'rɪə/ *n.*【醫】舞蹈病.

choreography /ˌkɒrɪ'ɒgrəfɪ/ *n.* 舞蹈(尤指芭蕾舞)動作的設計和編排 **choreographer** *n.* 舞蹈動作的編排者.

chorister /'kɒrɪstə(r)/ *n.* 唱詩班歌手.

chortle /'tʃɔ:tl/ *vi.* & *n.* 哈哈大笑(聲).

chorus /'kɔ:rəs/ *n.* ①合唱②合唱隊;合唱曲;(歌曲的)叠句;合唱句③齊聲 *v.*齊聲說;合唱 // *in* ~齊聲;一齊.

chose /tʃəuz/ choose 的過去式.

chosen /tʃəuzn/ choose 的過去分詞.

chow /tʃau/ *n.* [俚]食物 *v.*吃.

chow(chow) /tʃau(tʃau)/ *n.* 中國種的狗.

chowder /'tʃaudə(r)/ *n.* (鮮魚,蛤等調製的)海鮮濃湯.

chow mein /ˌtʃau 'meɪn/ *n.* [漢]炒麵.

Christ /kraɪst/ *n.* (基督教救世主)基督(亦作 **Jesus** ~ 耶穌基督).

Christen /'krɪsn/ *vt.* ①【宗】施以洗禮②命名;給予受洗之名.

Christerdom /'krɪsndəm/ *n.* 基督教世界;基督教徒(總稱).

Christian /'krɪstʃən/ *n.* 基督教徒~ity *n.* 基督教 // ~ *name* 教名 ~ *Science* 基督教科學派(主張以宗教信仰及精神療法治病).

Christmas /'krɪsməs/ *n.* 聖誕節(12月25日)(略作 **X'mas**).

chromatic /krəu'mætɪk/ *a.* ①色彩的;顏色的②【樂】半音階的~**ally** *ad.*

chromatography /ˌkrəumə'tɒgrəfɪ/ *n.*【化】層析,色層分析.

chrome, chromium /krəum, 'krəumɪəm/ *n.*【化】鉻.

chromosome /'krəuməsəum/ *n.*【化】染色體.

chronic /'krɒnɪk/ *a.* ①長期的;慢性的②慣常的,經常的③[口]極壞的,糟糕的~**ally** *ad.*

chronicle /'krɒnɪkl/ *n.* 年代記;編年史 *vt.*把…載入編年史;記述~**r** *n.* 編年史作者.

chronology /krə'nɒlədʒɪ/ *n.* 年代學;年表 **chronological** *a.* 按年代次序排列的.

chronometer /krə'nɒmɪtə(r)/ *n.* 精密時計,天文鐘.

chrysalis /'krɪsəlɪs/ *n.* 蛹;繭.

chrysanthemum /krɪ'sænθəməm/ *n.*【植】菊(花).

chub /tʃʌb/ *n.*【魚】雪條.

chubby /'tʃʌbɪ/ *a.* 豐滿的;圓胖的 **chubbiness** *n.*

chuck[1]/tʃʌk/ *vt.* ①[口]扔;拋②[口]拋棄;放棄③輕撫(下巴) // ~ *it!* [俚]住手! 住口! ~*out* 驅逐.

chuck[2]/tʃʌk/ *n.* 牛頸肉.

chuck[3]/tʃʌk/ *n.*【機】(車床等的)夾盤,卡盤.

chuckle /tʃʌkl/ *vi.* & *n.* 嘻嘻笑(聲).

chuffed /tʃʌft/ *a.* [口]高興的.

chug /tʃʌg/ *vi*. & *n*. (機器)嘎嘎地開動着;嘎嘎的響(聲).

chukker, chukka (r) /'tʃʌkə(r)/ *n*. (馬球戲的)一局.

chum /tʃʌm/ *n*. [口](尤指男孩間的)好朋友 *vi*.同室居住 **~my** *a*.[口]友好的,親密的 // *~ up* (*with*)和…友好.

chump /tʃʌmp/ *n*. ①[口]呆子②厚肉塊.

chunk /tʃʌŋk/ ①厚塊②[口]大量 **~y** *a*.矮胖的;厚實的.

church /tʃɜ:tʃ/ *n*. ①教堂;禮拜堂②禮拜③(C-)教會;全體教徒 **~goer** *n*.常去做禮拜的教徒 **~warden** *n*.教會執事.

churchyard /'tʃɜ:tʃjɑ:d/ *n*. 教堂墓地;毗連教堂的庭院.

churlish /'tʃɜ:lɪʃ/ *a*. 脾氣壞的;粗野的.

churn /tʃɜ:n/ *n*. ①(煉製黃油的)攪奶桶②大奶罐 *v*.①用攪奶桶攪拌(牛奶等);製造(黃油)②(使)劇烈攪動或翻騰 // *~ out* [口]迅速大量地生產(東西).

chute /ʃu:t/ *n*. ①斜槽,瀉槽②急流;瀑布③[口]=parachute.

chutney /'tʃʌtnɪ/ *n*. (用水果,醋,香料等調製的)酸辣醬.

CIA *abbr*. = Central Intelligence Agency(美國)中央情報局.

cicada /sɪ'kɑ:də, sɪ'keɪdə/ *n*.【蟲】蟬.

cicatrice, cicatrix /'sɪkətrɪs, 'sɪkətrɪks/ *n*. ①【醫】傷痕,疤痕②【植】葉痕.

CID *abbr*. = Criminal Investigation Department [英]刑事調查局.

cider, cyder /'saɪ də(r)/ *n*. 蘋果酒;蘋果汁.

CIF *abbr*. = Cost, Insurance and Freight(all included) 到岸價.

cigar /sɪ'gɑ:(r)/ *n*. 雪茄烟.

cigarette /ˌsɪgə'ret/ *n*. 香烟,紙烟.

cinch /sɪntʃ/ *n*. [口]①輕而易舉之事②必然(發生)的事情.

cinder /'sɪndə(r)/ *n*. 煤渣,爐渣;(*pl*.)灰燼.

Cinderella /ˌsɪndə'relə/ *n*. ①灰姑娘②長期遭忽視或冷落而被埋沒的人或事物.

cinecamera /'sɪnɪkæmərə/ *n*. 電影攝影機.

cinema /'sɪnəmɑ:/ *n*. ①電影院②電影,影片③電影業;電影製片術 **~tic** *a*.

cinematography /ˌsɪnəmə'tɒgrəfɪ/ *n*. 電影攝影術 **cinematographer** *n*. 電影攝影師.

cineraria /ˌsɪnə'reərɪə/ *n*.【植】爪葉菊.

cinnamon /'sɪnəmən/ *n*.【植】肉桂(樹).

cipher, cypher /'saɪfə(r)/ *n*. ①密碼;暗號②無足輕重之人或事物③零;數學符號 0.

circa /'sɜ:kə/ *prep*. [拉]大約.

circle /'sɜ:kl/ *n*. ①圓;圓周;圈②圓形物;(劇院的)樓廳③派系,集團,圈子;…界④循環;周期 *v*.①圍,環繞②盤旋;環行;旋轉.

circlet /'sə:klɪt/ *n*.(作為飾物戴在頭上的)花環,金屬環.

circuit /'sə:kɪt/ *n*. ①周遊;巡迴;巡迴審判(地區)②(體育競賽)巡迴賽③【電】電路;迴路 **~ous** *a*.迂迴的;迂遠的 // *~ breaker*【電】斷路器.

circular /'sɜ:kjʊlə(r)/ *a*. ①圓形的,環狀的②循環的;迂迴的;環遊的 *n*.傳單;通告;通報;通函.

circularize /'sɜ:kjʊləraɪz/ *vt*. 傳閱;發通知給…;發傳單.

circulate /'sɜːkjuleɪt/ *v*. (使)運行;(使)周轉;循環;(使)流通;傳播 // *circulating library* 流通圖書館.

circulation /ˌsɜːkjʊ'leɪʃn/ *n*. ①運行;循環(尤指血液)②流通;流轉③發行(貨幣等)發行額;(報刊)銷數 // *put...into* ~ 發行(貨幣等).

circulatory /'sɜːkjʊ'leɪtərɪ/ *a*. (血液)循環的 // ~ *system* (血液的)循環系統.

circumcise /'sɜːkəmsaɪz/ *vt*.【醫】割除…的包皮(或陰蒂) **circumcision** *n*.【醫】包皮環切術;【宗】割禮.

circumference /sə'kʌmfərəns/ *n*. 圓周;周圍長度.

circumflex /'sɜːkəmfleks/ *n*.【語】音調(長音)符號(如~或︿).

circumlocution /ˌsɜːkəmlə'kjuːʃn/ *n*. (言辭的)婉轉曲折;羅嗦(話);遁辭 **circumlocutory** *a*.

circumnavigate /ˌsɜːkəm'nævɪgeɪt/ *vt*. 環航(世界) **circumnavigation** *n*.

circumscribe /'sɜːkəmskraɪb/ *vt*. ①限制②(在…的周圍)劃界綫;立界限於③【數】使外接,使外切 **circumscription** *n*.

circumspect /'sɜːkəmspekt/ *a*. 謹慎小心的;慎重的;考慮周詳的 **~ion** *n*. **~ly** *ad*.

circumstance /'sɜːkəmstəns/ *n*. ①(常 *pl*.)情況;環境②詳情,細節;事實③(*pl*.)經濟情況;境況 // *under/in the* ~*s* 在這種情況下 *under/in no* ~*s* 决不.

circumstantial /ˌsɜːkəm'stænʃl/ *a*. ①(指證據)根據情况推斷的②(指説明等)詳細的③偶然的;不重要的.

circumstantiate /ˌsɜːkəm'stænʃɪeɪt/ *vt*. 證實.

circumvent /ˌsɜːkəm'vent/ *vt*. ①規避(困難等)②對…以計取勝 **~ion** *n*.

circus /'sɜːkəs/ *n*. ①馬戲(團)②圓形劇場;[英]圓形廣場;圓形露天競技場.

cirrhosis /sɪ'rəʊsɪs/ *n*.【醫】肝硬化.

cirrus /'sɪrəs/ *n*. (*pl*. **cirri** /'sɪraɪ/)【氣】卷雲.

CIS *abbr*. *n*. = the Commonwealth of Independent States 獨立國家聯合體.(簡稱獨聯體)

cissy /'sɪsɪ/ *n*. [英貶] = sissy 脂粉氣的男人.

cistern /'sɪstən/ *n*. ①蓄水池②(尤指抽水馬桶的)貯水箱.

citadel /'sɪtədəl/ *n*. ①城堡②堡壘;要塞.

cite /saɪt/ *vt*. ①引用,引證②嘉獎③【律】傳訊 **citation** *n*.

citizen /'sɪtɪzn/ *n*. ①市民;平民②公民;國民 **~ship** *n*. 公民身份;公民權 // ~*'s band* (供私人無綫電通訊用的)民用波段.

citric /ˌsɪtrɪk/ *a*.【化】檸檬(性)的 // ~ *acid* 檸檬酸.

citron /'sɪtrən/ *n*.【植】香櫞(樹).

citrus /'sɪtrəs/ *n*.【植】①柑橘屬②檸檬;柑橘.

city /'sɪtɪ/ *n*. 市,都市,城市 **the city** 倫敦商業金融中心 **the City of Rams** 羊城(即廣州).

civet /'sɪvɪt/ *n*.【動】香貓,麝貓;【化】麝貓香.

civic /'sɪvɪk/ *a*. 城市的;市民的;公民的.

civics /'sɪvɪks/ *pl*.*n*. 公民學.

civil /'sɪvl/ *a*. ①平民的;市民的;公民的;民用的;【律】民事的②國內的;文職的③謙恭的,文明的 // ~*aviation* 民用航空 ~*defence* 民防 ~*disobedience* 非暴力反抗 ~*engineering* 土

木工程(學) ~*law* 民法 ~ *servant* 公務員;文官 ~*service* *n*.行政部門 ~*war* 內戰.

civilian /sɪ'vɪlɪən/ *a*. 民用的;民間的 *n*.平民,老百姓.

civility /sɪ'vɪlətɪ/ *n*. ①謙恭;有禮②文明禮貌的言行.

civilization /ˌsɪvəlaɪ'zeɪʃn/ *n*. ①文明;文化②文明世界;文明社會.

civilize /'sɪvəlaɪz/ *vt*. 使文明;開化;教化.

civvies /'sɪvɪz/ *pl*. *n*. [俚]便服(以別於軍服)

Cl【化】元素氯(chlorine)的符號.

clack /klæk/ *n*. ①畢剝聲②[俚]嘮叨,饒舌 *v*.①(使)發畢剝聲②[俚]嘮嘮叨叨地講,喋喋不休地說.

clad /klæd/ clothe 的過去式和過去分詞 *a*.穿衣的;覆蓋着的.

cladding /'klædɪŋ/ *n*.【物】包層;(建築物外牆上的)保護材料;鍍層.

claim /kleɪm/ *vt*. ①要求(應得權利等);認領;索賠②聲稱;主張③需要;值得 *n*.①(對於權利等的)要求;主張②要求權;要求物③認領;索賠 **~ant** *n*.要求(應得權利)者;認領者;索賠者.

clairvoyance /kleə'vɔɪəns/ *n*. ①超人的洞察力;非凡的視力②機敏 **clairvoyant** *a*. & *n*.具有超凡洞察力的(人).

clam /klæm/ *n*. ①【動】蛤,蚌,蚶;蛤(蚌,蚶)肉②嘴緊的人;沉默寡言者 *v*.// ~*up*.[俚]拒不開口.

clamber /'klæmbə(r)/ *vi*. (費勁地)攀登,爬上.

clammy /'klæmɪ/ *a*. 粘乎乎的;濕冷的 **clamminess** *n*.

clamo(u)r /'klæmə(r)/ *n*. & *v*. ①吵鬧;喧嚷②大聲叫喊(支持或反對) **~ous** *a*. **~ously** *ad*. // ~ *for* 吵鬧地要求.

clamp /klæmp/ *n*. ①鉗,夾子②夾板 *vt*.夾住,夾緊 // ~ *down on* 勒緊;箝制;取締.

clan /klæn/ *n*. ①氏族;部族②宗派 **~nish** *a*.[貶]宗派的,小集團的.

clandestine /klæn'destɪn/ *a*. 秘密的;暗中的;私下的.

clang /klæŋ/ *v*. (使)叮噹地響 *n*.叮噹聲.

clanger /'klæŋə(r)/ *n*. [口]大錯.

clango(u)r /'klæŋə(r)/ *n*. & *vi*. (發)叮噹聲 **~ous** *a*.

clank /klæŋk/ *n*. 噹啷聲 *v*.(使)發噹啷聲.

clap[1] /klæp/ *v*. ①拍手,鼓掌②輕拍③快速(或用力)擺放於;匆匆處理 *n*. ①鼓掌聲②霹靂聲 **~ped-out** *a*. [俚]①破舊的②精疲力竭的.

clap[2] /klæp/ *n*. [俚](the ~)淋病.

clapper /'klæpə(r)/ *n*. ①鐘錘;鈴舌②[俚](饒舌者的)舌頭 **~-board** *n*.【影】(開拍前在鏡頭前敲的)場記板,音影對號牌.

claptrap /'klæptræp/ *n*. 廢話;嘩衆取寵之言詞.

claret[1] /'klærət/ *n*. ①紅葡萄酒②[俚]血.

claret[2] /'klærət/ *n*. & *a*. 紫紅色(的).

clarify /'klærɪfaɪ/ *v*. 澄清;弄清楚 **clarification** *n*.

clarinet /ˌklærə'net/ *n*.【樂】單簧管,黑管 **~(t)ist** *n*.單簧管手.

clarion /'klærɪən/ *n*. (古代的)號角(聲) *a*.響亮清澈的;鼓舞人心的 // ~*call* 鼓舞人心的號召.

clarity /'klærətɪ/ *n*. ①明晰;清楚②清澈;透明.

clash /klæʃ/ *v*. ①(使)碰撞作聲②猛撞;衝突③(色彩)不調和 *n*.①碰撞聲②衝突;抵觸③(色彩的)不調和.

clasp /klɑːsp/ *n*. ①帶扣;鉤子,緊環②緊握;抱住 *v*.扣住,鉤住③緊握;摟抱 // ~*knife* 摺刀.

class /klɑːs/ *n*. ①階級②(學校的)年級;班③(一節)課④等級;種類 *vt*.將…分類;分等;分級 ~**-conscious** *a*.有階級覺悟的 ~**mate** *n*.同班同學.

classic /ˈklæsɪk/ *a*. ①(尤指文學,藝術作品)最優秀的;第一流的②古典的;經典的;古典派的③(因其歷史淵源而)著名的 *n*.①第一流的作家(或藝術家);名著,杰作②(*pl*.)經典著作;古典作品.

classical /ˈklæsɪkl/ *a*. ①(指文學藝術作品)經典性的,古典(派)的;正統派的②(古希臘、羅馬)古典文學(藝術)的;古代文化的③【樂】古典的 ~**ly** *ad*. // ~*music* 古典音樂.

classify /ˈklæsɪfaɪ/ *vt*. 分類,分等 **classifiable** *a*.可分類(等級)的 **classification** *n*. **classified** *a*.①分類的②機密的.

classy /ˈklɑːsɪ/ *a*. [口]時髦的;上等的;漂亮的;高雅的.

clatter /ˈklætə(r)/ *v*. ①(使)發得得(或卡嗒)聲②嘰哩呱啦地談笑 *n*.(僅用 *sing*.)①(機器)卡嗒聲;(馬蹄)得得聲;(金屬碰撞)鏗鏘聲②嘰哩呱啦談笑聲.

clause /klɔːz/ *n*. ①【語】子句②條款;條;項.

claustrophobia /ˌklɔːstrəˈfəʊbɪə/ *n*. 【醫】幽閉恐怖,獨居恐懼症 **claustrophobic** *a*.患幽閉恐怖症的.

clavichord /ˈklævɪkɔːd/ *n*. 【樂】翼琴(鋼琴的前身).

clavicle /ˈklævɪkl/ *n*. 【解】鎖骨 **clavicular** *a*.

claw /klɔː/ *n*. ①(動物的)爪②(蟹、蝦等的)螯③似爪的工具 *v*.(用爪子)抓;搔;撕 ~**-bar** *n*.撬棒 ~**-hammer** *n*.羊角榔頭,拔釘錘 // ~*hold of* 抓住.

clay /kleɪ/ *n*. 粘土.

claymore /ˈkleɪmɔː(r)/ *n*. (16世紀蘇格蘭高地居民用的)雙刃大砍刀.

clean /kliːn/ *a*. ①清潔的;乾淨的②純潔的;清白的③愛乾淨的④沒有用過的;新鮮的⑤勻稱的;齊整的⑥徹底的;完全的 *ad*.①乾淨地;純潔地②徹底地;完全地 *v*.弄清潔;弄乾淨 ~**-cut** *a*.輪廓分明的;整潔好看的;清楚的;明確的 // *come* ~[口]供認,吐露真情.

cleaner /ˈkliːnə(r)/ *n*. ①清潔工人;洗衣工人②清潔器;除垢劑.

cleaning /ˈkliːnɪŋ/ *n*. 掃除;清洗.

cleanly[1] /ˈklenlɪ/ *a*. 愛清潔的;乾淨慣的 **cleanliness** *n*.

cleanly[2] /ˈkliːnlɪ/ *adv*. 清潔地,乾淨地.

cleanse /klenz/ *vt*. ①弄清潔;洗淨②使純潔;清洗(罪惡)~**r** *n*.清潔劑.

clear /klɪə(r)/ *a*. ①晴朗的;清澈的;明晰的②清晰的;響亮的③清楚的;明白的④空曠的;清除了(危險,障礙等)的⑤純利的;淨得的 *ad*.①清楚地②完全地 *v*.①掃除,清除;澄清②放晴③跳過④淨得,賺得⑤交換票據 ~**ly** *ad*.①明朗化;明顯地②無疑地 ~**ness** *n*. ~**-cut** *a*.輪廓分明的;清晰的~**-sighted** *a*.目光銳利的;精明的~**way** *n*.(車輛拋錨時才准停靠的)遇障通道 // ~*off*[口]走掉 ~*out*[口]溜掉;清理.

clearance /ˈklɪərəns/ *n*. ①掃除,清

除;出清②餘地;間隙③出港(許可)證;結關手續.

clearing /'klɪərɪŋ/ *n*. ①(森林中的)空曠地②【商】票據交換;清算 ~**-house** *n*.票據交換所.

cleat /kliːt/ *n*. 楔子;索栓;繫繩鐵角.

cleave[1]/kliːv/ *v*. (**cleaved, clove** 或 **cleft**; **cloven** 或 **cleft**)劈(開)**cleavage** *n*.①劈開(處);分裂②(婦女的)乳溝,胸槽~**r** *n*.屠夫的切肉刀.

cleave[2]/kliːv/ *vi*. (**cleaved** 或 **clave**; **cleaved**) (+to)①粘住②忠於;堅持.

clef /klef/ *n*. 【樂】譜號,音部記號.

cleft[1]/kleft/ cleavt 的過去式和過去分詞 *a*.劈開的;裂開的// ~*lip* 兔唇 ~*palate*【醫】裂腭 *in a ~stick* 進退兩難.

cleft[2]/kleft/ *n*. ①裂縫,裂口②"V"字形凹刻.

clematis /'klemətɪs/ *n*. 【植】鐵綫蓮.

clement /'klemənt/ *a*. ①(指氣候)溫和的②(指人)仁慈的;寬厚的 **clemency** *n*.

clementine /'kleməntaɪn/*n*. 克萊門氏小柑橘.

clench /klentʃ/ *v*. ①握緊(拳頭);咬緊(牙關)②抓緊,抓牢.

clerestory /'klɪəstɔːrɪ/ *n*. 【建】天窗;高側窗.

clergy /'klɜːdʒɪ/ *n*. (總稱)牧師;教士 ~**man** *n*.牧師;教士.

cleric/'klerɪk/*n*.[舊]教士、牧師.

clerical /'klerɪkl/ *a*. ①牧師的;教士的②文書的,書記的;辦公室工作的.

clerk /klɑːk,[美]klɜːrk/ *n*. ①辦事員;職員;管理員②[美]店員.

clever /'klevə(r)/ *a*. 聰明的,機敏的,靈巧的,伶俐的~**ly** *a*.~**ness** *n*.

cliché /'kliːʃeɪ,[美]kliː'ʃeɪ/ *n*. [法][貶]陳詞濫調;老生常談.

click /klɪk/ *n*. 滴答(卡嗒)聲 *v*.①(使)滴答(卡嗒)地響②[口]一見如故;一見傾心③[口]大受歡迎;獲得成功④使恍然大悟.

client /'klaɪənt/ *n*. ①委託人;(律師的)當事人②顧客~**ele** *n*.(總稱)委托人;顧客;當事人.

cliff /klɪf/ *n*. (尤指海邊的)懸崖;峭壁~**hanger** *n*.扣人心弦的驚險影視節目(或緊張的體育比賽).

climacteric /klaɪ'mæktərɪk/ *n*. ①=menopause ②更年期③緊要時期.

climate /'klaɪmɪt/ *n*. ①氣候②風土;地帶③思潮,風氣 **climatic** *a*.

climax /'klaɪmæks/ *n*. ①頂點②(小說戲劇的)高潮③性交高潮 *v*.(使)達到頂點,(使)達到高潮 **climactic** *a*.

climb /klaɪm/ *v*. ①攀登;爬②(飛機等)上升;(植物)攀緣 *n*.攀登;上升 //~*down* 認輸;讓步.

climber /'klaɪmə(r)/ *n*. ①登山者②攀緣植物③野心家,向上爬的人.

clime /klaɪm/ *n*. [書]氣候;地方;風土.

clinch /klɪntʃ/ *v*. ①敲彎;釘住②[口]確認;確定(論據,交易等)③(尤指拳擊手)互相扭住 *n*.①互相扭住②[口]擁抱~**er** *n*.[口]定論,無可置疑的論點// ~*a deal*[口]達成交易.

cling /klɪŋ/ *vi*. (過去式及過去分詞 **clung** /klʌŋ/)(+to)①粘住;纏住;依附;緊握②堅持(意見);墨守(成規)~**ing** *a*.緊身的;依附的~ **film** *n*.塑膠薄膜包裝紙.

clinic /'klɪnɪk/ *n*. ①門診部;診療所②臨診;臨床(講授或實習課).

clinical /'klɪnɪkl/ *a*. ①臨床的;診所

的②(指態度,判斷等)慎重的,科學而客觀的 **~ly** *ad*. // *~ thermometer* 體溫計.

clink[1]/klɪŋk/ *n*. & *v*. 叮噹聲;(使)叮噹地響.

clink[2]/klɪŋk/ *n*. [俚]監獄,牢房.

clinker /'klɪŋkə(r)/ *n*. ①爐渣;煤渣;熔渣②[俚]大失敗;大錯誤.

clinker-built /'klɪŋkəbɪlt/ *a*. (指船)重疊搭造的,鱗狀搭造的.

clip[1]/klɪp/ *n*. ①夾子;迴形針;紙夾②子彈夾 *vt*.夾住.

clip[2]/'klɪp/ *vt*. ①剪(短);修剪②[俚]痛打,猛擊 *n*.①電影剪輯②猛擊.

clipper /'klɪpə(r)/ *n*. ①快速帆船②(*pl*.)剪刀,修剪工具③剪削者.

clipping /'klɪpɪŋ/ *n*. ①剪下物②[美]剪報(=[英]cutting).

clique /kliːk/ *n*. [貶]派系;小集團 **cliqu(e)y, cliquish** *a*.小集團的,有小集團傾向的;排他的.

clitoris /'klɪtərɪs/ *n*. 【解】陰蒂,陰核 **clitoral** *a*.

cloak /kləʊk/ *n*. ①斗篷,大氅②托辭;幌子;偽裝 *vt*.遮蓋,掩蓋 **~room** *n*.①衣帽間②[英婉]廁所 // *under the ~ of* 用…作藉口,趁着….

clobber[1]/'klɒbə(r)/ *vt*. [口]①連續打擊,狠揍②打垮;徹底擊敗.

clobber[2]/'klɒbə(r)/ *n*. [口]行李;衣服;裝備.

cloche /klɒʃ/ *n*. ①(玻璃或透明塑膠的)幼苗保護罩②(狹邊)鐘形女帽.

clock[1]/klɒk/ *n*. ①鐘②[口]時速表;里程表③[英俚](人的)面孔 // *around/round the ~* 整天整夜地,夜以繼日地 *work against the ~* 搶時間做完.

clock[2]/klɒk/ *v*. (為…)計時 // *~in/on*(用自動記時裝置)打卡記録上班時間 *~off/out* 打卡記録下班時間 *~up*(時間、距離、速度等)達到.

clockwise /'klɒkwaɪz/ *a*. & *ad*. 順時針的(地);正轉的(地).

clockwork /'klɒkwɜːk/ *n*. 鐘錶機構;發條裝置 // *like ~* 有規律地;精確地;順利地.

clod /klɒd/ *n*. ①土塊;泥塊②[口]笨蛋 **~dish** *a*.呆笨的 **~hopper** *n*.①[貶]笨人;粗人②(*pl*.)[謔]笨重的大鞋.

clog /klɒg/ *n*. ①木底鞋,木屐 *v*.妨礙,阻礙②塞滿,填滿 // *~dance* 木屐舞.

cloggy /'klɒgɪ/ *a*. (易)粘牢的、粘糊糊的.

cloisonné /klwɑːzɒŋ'neɪ, ˌklwɑːzɒ'neɪ/ *n*. 景泰藍(磁器).

cloister /'klɔɪstə(r)/ *n*. ①迴廊②修道院 **~ed** *a*.隱居的.

clone /kləʊn/ *n*. ①【生】無性系②[口]酷似別人的人 *v*.無性繁殖.

close[1]/kləʊz/ *v*. ①關,閉②不開放;關閉③結束④(使)靠緊;(使)靠攏 /kləʊs/ *n*. (僅用 *sing*.)結束 // *bring sth to a ~* 終止,結束 *~d-circuit television* 閉路電視 *~d shop* 只僱用工會會員的工廠(或商店) *come/draw to a ~* 告終.

close[2]/kləʊs/ *a*. ①近的,接近的;緊密的②嚴密的;準確的;仔細的③封閉的;不公開的;秘密的④親密的⑤悶氣的⑥不相上下的 *ad*.緊密地;接近地 **~ly** *ad*.緊密地;接近地;親密地,仔細地 **~ness** *n*.接近;悶氣;緊密;嚴密;親密 **~-up** *n*.(影視的)特寫鏡頭 // *~ season* 禁獵期(=[美]~d season).

closet /'klɒzɪt/ *n*. ①壁櫥;套間②[美]

儲藏室③盥洗間,廁所 *a*. 關起門來的,私下的 *vt*. 關起門來密談.

closing /'kləuzɪŋ/ *a*. 結束的,末了的;閉會的 // ~ *price*【經】股市收盤價 ~*time* (商店的)打烊時間.

closure /'kləuʒə(r)/ *n*. ①關閉②結束.

clot /klɒt/ *n*. ①(血等)凝塊②傻瓜 *v*.(使)凝結.

cloth /klɒθ/ *n*. (*pl*. ~**s** /klɒθs/)①(棉、毛、絲等的)織物,衣料;布;毛料②(作某種用途的)布.

clothe /kləuð/ *vt*. ①給…穿衣;供給…衣著②覆蓋.

clothes /kləuðz/ *pl*. *n*. ①衣服②(總稱)被褥 ~**horse** *n*. 曬衣架 ~**peg** *n*. [英]曬衣夾(=[美]~pin) ~**tree** *n*. 衣帽架.

clothing /'kləuðɪŋ/ *n*. (總稱)衣服.

cloud /klaud/ *n*. ①雲②(烟霧、灰塵等)雲狀物③大群,大堆④引起不快或疑慮的事物;陰影 *v*.①(使)烏雲密佈②(使)朦朧;(使)變得不清楚③(使)心情黯然 ~**less** *n*. 無雲的 ~**y** *a*. 多雲的,陰天的;(指液體)混濁的;朦朧的,模糊的;(指情緒)陰鬱的,煩惱的 ~**burst** *n*. 大暴雨.

clout /klaut/ *n*. [口]①敲,打②勢力,影響(力) *v*.①[俚]打,敲②[美口]用力擊球.

clove[1] /kləuv/ *n*. ①【植】丁香(樹)②一片;一瓣(大蒜) // ~ *hitch*【海】丁香結,酒瓶結.

clove[2] /kləuv/ cleave 的過去式.

cloven /'kləuvn/ cleave 的過去分詞 *a*. 劈開的,裂開的;分趾的;偶蹄的 // ~*hoof*, ~*foot* 偶蹄.

clover /'kləuvə(r)/ *n*.【植】三葉草,苜蓿 // *live*/*be in* ~生活優裕.

clown /klaun/ *n*. ①小丑,丑角②滑稽可笑的人③笨拙粗魯的人 *vi* 扮小丑 ~**ish** *a*.

cloy /klɔɪ/ *vt*. 使膩味 ~**ing** *a*.

cloze test /'kləuz test/ *n*. 完形填空測驗.

club /klʌb/ *n*. ①棍棒,球棒②俱樂部,夜總會③(撲克牌)梅花 *vt*.①棍打②湊集(款項等);貢獻(意見等) // ~*together* 共攤費用.

clubfoot /ˌklʌb'fut/ *n*. 畸形足.

cluck /klʌk/ *vi*. & *n*. 母雞,咯咯叫(聲).

clue /kluː/ *n*. 綫索;暗示 *vt*. 為…提供綫索 ~**less** *a*. [英俚]愚蠢的;無能的 // ~ *up* 使見多識廣(或消息靈通) *not have a* ~一無所知;不知所措.

clump[1] /klʌmp/ *n*. (樹)叢;(土)塊;(泥)堆 *v*.(使)成叢(成堆或成塊).

clump[2] /klʌmp/ *v*. & *n*. (用)沉重的脚步聲(行走).

clumsy /'klʌmzɪ/ *a*. ①笨拙的;笨重的②(指器具等)製作簡陋的;難用的;拙劣的 **clumsily** *ad*. **clumsiness** *n*.

clung /klʌŋ/ cling 的過去式和過去分詞.

clunk /klʌŋk/ *n*. & *vi*. (發出)沉悶的金屬撞擊聲.

cluster /'klʌstə(r)/ *n*. ①(葡萄,櫻桃等的)串,簇②(樹、星、蜂、人等的)叢、群 *v*.(使)叢生;(使)成群.

clutch[1] /klʌtʃ/ *v*. (去)抓;抓住;捏緊 *n*.①抓牢;把握②(*pl*.)控制;掌握③【機】離合器 // *fall*/*get into sb's* ~*es* 落入某人的掌握之中.

clutch[2] /klʌtʃ/ *n*. ①一次所孵的蛋②一窩小雞.

clutter /'klʌtə(r)/ *vt*. & *n*. (使)雜亂,(使)零亂 // *in a* ~[口]雜亂的,

零亂的.

cm. *abbr*. = centimetre(s).

Co., co. *abbr*. = ①company ②county.

Co【化】元素鈷(cobalt)的符號.

C.O. *abbr*. = Commanding Officer 指揮官;司令員.

co-[前綴]表示"共同,一起、相互"如 **coproduction** *n*.共同生產.

c/o *abbr*. = ①care of (信封上用語)由…轉交②carried over(簿記用詞)轉入.

coach /kəʊtʃ/ *n*. ①四輪大馬車②(鐵路)客車③長途汽車④私人教師;(體育)教練(員) *v*.輔導;訓練(運動員) **~man** *n*.趕大車工人.

coagulant /kəʊ'ægjʊlənt/ *n*.【化】凝結劑.

coagulate /kəʊ'ægjʊleɪt/ *v*. (使)凝結;(使)合成一體 **coagulation** *n*.

coal /kəʊl/ *n*. 煤(塊) *v*.(給…)加煤 **~-face** 煤層截面,採煤工作面 **~-field** *n*.煤田 // ~*gas* 煤氣 ~*tar* 煤焦油.

coalesce /ˌkəʊə'les/ *vi* 結合;聯合,合併 **~nce** *n*.

coalition /ˌkəʊə'lɪʃn/ *n*. 結合;合併;(政黨等的)聯合,聯盟 // ~*government* 聯合政府.

coarse /kɔːs/ *n*. ①粗糙的,粗的②粗鄙的,粗魯的 **~ly** *ad*. **~ness** *n*. // ~*fish*(鮭,鱒以外的淡水魚).

coarsen /'kɔːsn/ *v*. (使)變粗.

coast /kəʊst/ *n*. 海岸,海濱 *v*.①沿海岸航行②(靠慣性)滑行;(由坡上)滑下 **~al** *a*. ~**guard** *n*.(負責海岸救難、緝私和巡邏任務的)海岸警衛隊(員) **~line** *n*.海岸綫.

coaster /'kəʊstə(r)/ *n*. ①沿岸航行的小船②(杯、盤等的)墊子.

coat /kəʊt/ *n*. ①上衣,外套;(女式)上裝②(動物的)皮毛;(植物的)表皮③(漆等)塗層④【解】(外)膜 *vt*.塗上;包上 // ~*of arms* (盾形)紋章.

coating /'kəʊtɪŋ/ *n*. ①薄層;薄皮②上衣料.

coax /'kəʊks/ *v*. ①哄誘;勸誘②耐心地處理;用心地把…弄好 **~ing** *n*. & *a*.哄誘(的) **~ingly** *ad*.

coax(i)al /ˌkəʊ'æks(ɪ)əl/ *a*.【數】同軸的,共軸的 // ~*cable* 同軸電纜.

cob /kɒb/ *n*. ①(玉米的)穗軸;玉米棒子②健壯的矮腿馬③雄天鵝④(麵包等的)圓塊.

cobalt /'kəʊbɔːlt/ *n*. ①【化】鈷②鈷類顏料.

cobber /'kɒbə(r)/ *n*. [澳俚](男人間稱呼語)老朋友,夥伴.

cobble /'kɒbl/ *v*. 草草拼凑;粗製濫造 *n*.(亦作 **~stone**)(鋪路用的)鵝卵石.

cobbler /'kɒblə(r)/ *n*. 皮匠;補鞋匠.

cobblers /'kɒbləz/ *pl*. *n*. [英俚]胡說;蠢話.

cobra /'kəʊbrə/ *n*.【動】眼鏡蛇.

cobweb /'kɒbweb/ *n*. 蜘蛛網.

Coca Cola /ˌkəʊkə 'kəʊlə/ *n*. [美]可口可樂(商標名).

cocaine /kəʊ'keɪn/ *n*.【藥】可卡因,古柯鹼.

coccyx /'kɒksɪks/ (*pl*. **coccyxes** 或 **coccyges** /kɒk'sɪdʒiːz/ *n*.【解】尾骨;尾椎).

cochineal /ˌkɒtʃɪ'niːl/ *n*. ①【蟲】胭脂蟲②胭脂蟲紅,洋紅顏料.

cock /kɒk/ *n*. ①雄禽;(尤指)公雞②(水管的)龍頭③(槍的)扳機 *v*.①(使)翹起,(使)豎起;(使)朝上;歪戴(帽子)②扳上扳機 **~-a-hoop** /'kɒkə'huːp/ *a*. & *ad*.洋洋得意的

(地) // ~-*and-bull story* [口]荒誕無稽之談.

cockade /kɒˈkeɪd/ *n*. 帽章;帽上的花結.

cockatoo /ˌkɒkəˈtuː/ *n*. ①【鳥】白鸚,大冠鸚②[澳俚]小農場主.

cockchafer /ˈkɒktʃeɪfə(r)/ *n*. 【蟲】金龜子.

cocker(spaniel) /ˈkɒkə(r)(ˈspænjɪəl)/ *n*. ①長耳獵犬②喜歡鬥雞比賽的人.

cockerel /ˈkɒkərəl/ *n*. 小公雞.

cock-eyed /ˈkɒk aɪd/ *a*. [口]①歪斜的②荒唐的③斜視的.

cockle /ˈkɒkl/ *n*. ①【動】鳥蛤②小舟.

cockney /ˈkɒknɪ/ *n*. (尤指東區的)倫敦佬;倫敦土話.

cockpit /ˈkɒkpɪt/ *n*. (飛機的)駕駛艙;(賽車的)座艙.

cockroach /ˈkɒkrəʊtʃ/ *n*. 蟑螂

cockscomb /ˈkɒkskəʊm/ *n*. ①[口]花花公子(= coxcomb)②雞冠花③雞冠.

cocksure /ˌkɒkˈʃɔː(r)/ *a*. 過分自信的;傲慢的.

cocktait /ˈkɒkteɪt/ *n*. ①雞尾酒②(餐時上的第一道進食的)開胃小吃③什錦水果.

cocky /ˈkɒkɪ/ *a*. 自負的;過分自信的 **cockily** *ad*. **cockiness** *n*.

cocoa /ˈkəʊkəʊ/ *n*. 可可粉;可可飲料.

coconut /ˈkəʊkənʌt/ *n*. 椰子(果) // ~*palm*, ~*tree* 椰子樹.

cocoon /kəˈkuːn/ *n*. ①繭②保護噴層;護套 *vt*. 用護套把…包裹;把…包在繭内.

cocooning /kəˈkuːnɪŋ/ *n*. 繭式生活(業余時間足不出戶的生活方式).

cod /kɒd/ *n*. 【魚】鱈 // ~ -*liver oil* 魚肝油.

COD *abbr*. = Cash on Delivery 貨到收款;到岸價.

coda /ˈkəʊdə/ *n*. 【樂】結尾,符尾.

coddle /ˈkɒdl/ *vt*. 嬌養;溺愛.

code /kəʊd/ *n*. ①法典;法規②禮教;慣例;規章③密碼;代碼;電碼 *vt*. 把…譯成電碼(或代碼).

codeine /ˈkəʊdiːn/ *n*. 【化】可待因(鴉片製成的止痛藥).

codex /ˈkəʊdeks/ *n*. (*pl*. **codexes** 或 **codices** /ˈkəʊdɪsiːz/)[拉](聖經等古籍的)抄本.

codger /ˈkɒdʒə(r)/ *n*. [口]怪老頭.

codicil /ˈkəʊdɪsɪl/ *n*. 【律】遺囑的附録(尤指所作之删改部份).

codify /ˈkəʊdɪfaɪ/ *vt*. ①編成法典②編纂 **codification** *n*.

codswallop /ˈkɒdzwɒləp/ *n*. [英俚]廢話,胡說八道.

coeducation /ˌkəʊedʒʊˈkeɪʃn/ *n*. 男女同校(教育)**~al** *a*. **~ally** *ad*.

coefficient /ˌkəʊɪˈfɪʃnt/ *n*. 【數】係數 // ~*of expansion* 膨脹係數.

coelacanth /ˈsiːləkænθ/ *n*. 【古生】空棘魚(化石).

coeliac /ˈsiːlɪæk/ *a*. 【解】腹腔的 // ~ *disease* 【醫】腹腔疾病.

coerce /kəʊˈɜːs/ *vt*. 強制,強迫 **coercion** *n*. **coercive** *a*.

coeval /ˌkəʊˈiːvl/ *a*. & *n*. 同時代的(人或事物);同年齡的.

coexist/ˌkəʊɪgˈzɪst/ *vi*. 共存;共同存在(尤指和平地共存).

coexistence /ˌkəʊɪgˈzɪstəns/ *n*. 共存,共處 // *peaceful* ~ 和平共處.

coextend /ˌkəʊɪkˈstend/ *n*. (在時間或空間上)(使)共同擴張 **coextension** *n*. **coextensive** *a*.

C of E *abbr*. 英國國教(= Church of

England).

coffee /'kɒfɪ/ *n*. 咖啡(樹);咖啡豆;咖啡飲料// ~*bar*[英]咖啡館 ~*table* 咖啡茶几 ~*-table book*[常貶或謔](放在咖啡茶几上作擺設用的)名貴書畫冊.

coffer /'kɒfə(r)/ *n*. ①保險箱;貴重品櫃②(*pl*.)資金;財源;金庫;國庫③(=dam)圍堰;潛水箱;沉箱.

cofferdam/'kɒfədæm/ *n*. 圍堰;沉箱.

coffin /'kɒfɪn/ *n*. 棺材.

cog /kɒg/ *n*. ①【機】(齒輪的)嵌齒;鈍齒②(雖微不足道却不可缺少的)小人物.

cogent /'kəʊdʒənt/ *a*. 極具説服力的;無法反駁的 **cogency** *n*. **cogently** *ad*.

cogitate /'kɒdʒɪteɪt/ *v*. 深思熟慮 **cogitation** *n*.

cognac /'kɒnjæk/ *n*. (法國西南部產的)優質白蘭地;干邑酒.

cognate /'kɒgneɪt/ *a*. ①【語】同詞源的,同語系的②同性質的,同類的;相關的 *n*. ①【語】同源詞②同類或相同的人(或物).

cognition /kɒg'nɪʃn/ *n*. 【哲】認知;認識力 **cognitive** *a*.

cognizance /'kɒgnɪzəns/ *n*. ①認識;察覺②【律】審理;審判權 **cognizant** *a*. 認識的;知曉的// *take*~*of* 認識到;注意到.

cognomen /kɒg'nəʊmən/ *n*. (*pl*.~**s** 或 **cognomina** /kɒg'nɒmɪnə/) ①別名,綽號②姓.

cognoscenti /ˌkɒnjə'ʃentɪ/ *pl*.*n*. [意](美術品、時裝、食品等的)鑒賞家,鑒別家.

cohabit /kəʊ'hæbɪt/ *vi*. (男女)同居;姘居~**ation** *n*.

cohere /kəʊ'hɪə(r)/ *vi*. ①附着,粘着;凝聚②(議論等)前後連貫,緊凑,有條理~**nce** *n*. ~**nt** *a*.

cohesion /kəʊ'hiːʒn/ *n*. ①粘着;結合力②【物】内聚性;凝聚力 **cohesive** *a*.

cohort /'kəʊhɔːt/ *n*. ①同夥;同謀;同黨②(古羅馬)步兵大隊(300 至 600 人)③一隊;一群.

coiffeur /kwɑː'fɜː(r)(陰性作 **coiffeuse** /kwɑː'fɜːz/)/ *n*. [法](女式髮型)理髮師.

coiffure /kwɑː'fjʊə(r)/ *n*. [法](婦女的)髮型,髮式.

coil /kɔɪl/ *v*. 捲,盤繞;捲成一圈 *n*. ①(一)捲;(一)盤②【電】綫圈;【機】蛇管,盤管③(婦女避孕用)子宮環.

coin /kɔɪn/ *n*. 硬幣;貨幣 *vt*. ①鑄造(硬幣)②創造、杜撰(新詞)// ~*it* (*in*), ~(*the*)*money*[口]暴發,發大財.

coinage /'kɔɪnɪdʒ/ *n*. ①造幣,鑄幣②貨幣(制度);貨幣鑄造③新造(詞語);新詞.

coincide /ˌkəʊɪn'saɪd/ *vi*. ①(空間上)相合,重合②與…同時發生③(意見等)符合;一致~**nce** *n*. ~**nt(al)** *a*. ~**nt(al)ly** *ad*.

coir /'kɔɪə(r)/ *n*. 椰子殼纖維.

coition, coitus /kəʊ'ɪʃn, 'kəʊɪtəs/ *n*. 性交,交媾 **coital** *a*. // ~*interruptus* [拉][書](為避孕而作出的)性交中止.

coke[1]/kəʊk/ *n*. 焦炭 *v*. (使)成焦炭 **coking** *n*. 煉焦;焦化.

coke[2]/kəʊk/ *n*. [俚]=cocaine.

coke[3], **Coke** /kəʊk/ *n*. [口]=Coca Cola.

col /kɒl/ *n*. 【地】山口,坳(口).

cola /'kəʊlə/ *n*. 可樂類飲料.

colander /'kʌləndə(r), 'kɒləndə(r)/

n. 濾器;濾鍋.

cold /kəuld/ *a*. ①冷, 寒②冷淡的;無情的③(指顏色)使人生冷感的④[俚]失去知覺的⑤(指婦女)性冷漠的 *n*.①寒冷②感冒, 傷風 *ad*.完全地, 徹底地~**ly** *ad*.冷淡地~**ness** *n*. ~**-blooded** *a*. ①(指動物, 蟲魚等)冷血的②冷酷的~**-shoulder** *vt*.冷待// ~*call*(為推銷商品打給潛在顧客的)冷不防電話 ~*cream* 冷霜 ~*feet* [俚]害怕, 膽怯 ~*sore*(傷風時)唇疱疹 ~*war* 冷戰.

coley/'kəuli/ *n*.生存在北大西洋中像鱈魚的一種食用魚.

coleslaw /'kəulslɔː/ *n*. 涼拌捲心菜絲.

colic /'kɒlɪk/ *n*. 絞痛;疝痛;腹痛 ~**ky** *a*.

colitis /kə'laɪtɪs/ *n*.【醫】結腸炎.

collaborate /kə'læbəreɪt/ *vi*. ①協作, 合作;合著②勾結;通敵 **collaboration** *n*. **collaborator** *n*. ①合作(合著)者②通敵份子;內奸.

collage /kɒ'lɑːʒ/ *n*. 抽象派拼貼藝術;抽象派拼貼畫.

collapse /kə'læps/ *v*. ①(使)倒塌;(使)崩潰;(使)潰敗;(使)瓦解②(指價格)(使)暴跌③(指健康, 精神等)(使)衰退;(使)垮下④摺疊 *n*.①倒塌;崩潰;衰弱②(價格等)暴跌③【醫】虛脫;萎陷 **collapsable, -sible** *a*.(椅子等)可摺疊的.

collar /'kɒlə(r)/ *n*. ①衣領②(馬等的)軛, 頸圈;(狗的)脖圈③【機】軸環 *vt*.①扭住…的領口②捕, 抓;[口]硬拉住…說話③[口](未經許可而)拿取~**bone** *n*.【解】鎖骨.

collate /kə'leɪt/ *vt* ①對照;核對;校對②(裝訂)整理 **collation** *n*.①核對②[書]便餐;茶點 **collator** *n*.

collateral /kə'lætərəl/ *a*. ①並行的;附屬的;旁系的②擔保的 *n*.抵押品, 擔保物.

colleague /'kɒliːg/ *n*. 同事, 同僚.

collect[1]/kə'lekt/ *v*. ①收集, 採集, 搜集;募集②領取;接走③集中(思想);(使)鎮定④聚集, 堆集.

collect[2]/kə'lekt/ *a*. & *ad*. [美](指電話)由受話方付款(的)// *call sb* ~ 打電話由對方付款.

collectable, -ible /kə'lektəbl, -tɪbl/ *a*. 可收集的;可徵收的;可代收的 *n*. 有收集價值之物.

collected /kə'lektɪd/ *a*. 鎮定的, 泰然自若的.

collection /kə'lekʃn/ *n*. ①收藏;搜集, 採集;徵收②收藏品;搜集物③募捐(款).

collective /kə'lektɪv/ *a*. 集體的;集合的~**ly** *ad*.**collectivism** *n*.集體主義 // *bargaining*(由工會出面進行的)勞資談判.

collectivize /kə'lektɪvaɪz/ *vt*. 使集體化 **collectivization** *n*.

collector /kə'lektə(r)/ *a*. 收集者, 採集者;收藏家;徵收者.

colleen /'kɒliːn/ *n*. [愛爾蘭]少女(= girl).

college /'kɒlɪdʒ/ *n*. ①學院;高等專科學校;[美]大學②(英國某些中學的名稱)公學③學會;社團 **collegiate** /kə'liːdʒɪət/ *a*.

collide /kə'laɪd/ *vi*.(+with) ①(尤指車船等)碰撞②衝突;抵觸.

collie /'kɒlɪ/ *n*. 長毛牧羊犬.

collier /'kɒlɪə(r)/ *n*. ①(煤礦)礦工②運煤船~**y** *n*.煤礦.

collision /kə'lɪʒn/ *n*. ①碰撞②衝突;抵觸// ~*course* 必然導致相撞或衝突的行動或路綫.

collocate /'kɒləkeɪt/ *vt*. (對詞)進行

搭配;配置.

collocation /ˌkɒləˈkeɪʃn/ *n*. (詞的)排列, 配置;【語】(詞的)習慣上的搭配.

colloid /ˈkɒlɔɪd/ *n*. 【化】膠體;膠質.

colloquial /kəˈləʊkwɪəl/ *a* 口語的, 通俗語的 **~ism** *n*. 通俗語言, 口語(詞) **~ly** *ad*.

colloquy /ˈkɒləkwɪ/ *n*. (正式)談話;會談.

collude /kəˈluːd/ *vi*. 共謀, 勾結;串通 **collusion** *n*. **collusive** *a*. // *in collusion with* 與…勾結.

collywobbles /ˈkɒlɪwɒblz/ *pl*. *n*. [俚] ①害怕;緊張②肚子痛.

cologne /kəˈləʊn/ *n*. 科龍香水;花露水.

colon[1] /ˈkəʊlən/ *n*. 冒號(:).

colon[2] /ˈkəʊlən/ *n*. 【解】結腸.

colonel /ˈkɜːnl/ *n*. (陸軍)上校;[美](空軍)上校.

colonial /kəˈləʊnɪəl/ *a*. & *n*. 殖民(地)的;殖民地居民 **~ism** *n*. 殖民主義 **~ist** *n*. 殖民主義者.

colonist /ˈkɒlənɪst/ *n*. 殖民地居民;殖民者.

colonize, -ise /ˈkɒlənaɪz/ *vt*. 拓殖;殖民 **colonization, -sation** *n*.

colonnade /ˌkɒləˈneɪd/ *n*. 柱廊, 列柱.

colony /ˈkʌlənɪ/ *n*. ①殖民地②一群僑民;(聚居的)一群同業;一批同行③【生】群體;菌落.

colophon /ˈkɒləfən/ *n*. ①出版商的標記②書籍末尾之題號(出版年月、出版者等).

Colorado (potato) beetle /ˌkɒləˈrɑːdəʊ (pəˈteɪtəʊ) ˈbiːtl/ *n*. 【蟲】科羅拉多馬鈴薯甲蟲(一種危害甚烈的害蟲).

coloration /ˌkʌləˈreɪʃn/ *n*. 染色(法);着色(法).

coloratura /ˌkɒlərəˈtʊərə/ *n*. [意]【樂】①花腔, 華彩②花腔女高音(歌手).

colossal /kəˈlɒsl/ *a*. 巨大的;龐大的.

colossus /kəˈlɒsəs/ *n*. (*pl*. ~**es** 或 **colossi** /kəˈlɒsaɪ/) 巨像;巨人, 巨物;大人物.

colostomy /kəˈlɒstəmɪ/ *n*. 【醫】結腸造口術.

colostrum /kəˈlɒstrəm/ *n*. (產婦的)初乳.

colo(u)r /ˈkʌlə(r)/ *n*. ①顏色②顏料;染料③臉色, 氣色;膚色④外觀;色彩⑤(*pl*.)旗幟;軍旗, 船旗, 國旗;(體育競賽的)優勝旗⑥生動;風采 *v*. ①着色, 上色②變色;臉紅③渲染 **~ed** *a*. (指人種)有色的 **~ful** *a*. 豐富多彩的;鮮艷的;生動的 **~fully** *ad*. **~ing** *n*. 看色(法);色素;顏料 **~less** *a*. ①無色的②蒼白的③不精彩的, 無特色的 **~-blind** *a*. 色盲的 **~-blindness** *n*. **~-fast** *a* 不褪色的.

colo(u)rize /ˈkʌləraɪz/ *vt*. 給黑白影片着色 **colo(u)rization** *n*. (黑白電視的)彩色化.

colt /kəʊlt/ *n*. ①小(公)馬;駒②生手, 新手.

columbine /ˈkɒləmbaɪn/ *n*. 【植】耬斗菜.

column /ˈkɒləm/ *n*. ①【建】(圓)柱②柱狀物③【印】欄;(報紙的)專欄;【數】(縱)行④【軍】縱隊;縱列 **~ist** *n*. (報紙上的)專欄作家.

coma /ˈkəʊmə/ *n*. 【醫】昏迷(狀態).

comatose /ˈkəʊmətəʊs/ *a*. 昏迷的;酣睡的, 昏昏欲睡的.

comb /kəʊm/ *n*. ①梳子;【紡】精梳機②雞冠③蜂巢(=honey~) *vt*. ①梳(髮);刷(毛)②搜索.

combat /ˈkɒmbæt/ *n*. 戰鬥;格鬥;搏

鬥 *v*.(與…)戰鬥;反對…;(為…)奮鬥.

combatant /'kɒmbətənt/ *a*. 戰鬥的 *n*.戰士,戰鬥員.

combative /kɒmbətɪv/ *a*. 好鬥的 **~ly** *ad*.

combination /ˌkɒmbɪ'neɪʃn/ *n*. ①合併;結合;聯合(體)②【化】化合【數】組合,配合③(號碼鎖的)號碼組合④(*pl*.)連褲內衣 // *~lock* 暗碼鎖.

combine[1]/kəm'baɪn/ *v*. ①(使)合併;(使)結合;(使)聯合②兼備,兼有③(使)化合.

combine[2]/'kambaɪn, 'kambaɪn/ *n*. ①聯合收割機,康拜因(=~harvester)②集團,團體;聯合企業.

combo /'kɒmbəʊ/ *n*. 小型爵士樂隊.

combustible /kəm'bʌstəbl/ *a*. ①易燃的②易激動的 *n*.易燃物 **combustibility** *n*.

combustion /kəm'bʌstʃən/ *n*. 燃燒.

come /kʌm/ *vi*. (**came** /keɪm/; **come**)①來;來到;到達②發生③出現④(後接不定式)終於…;逐漸…起來⑤成為;證實為⑥來(自);出生(於)⑦[俚](性交時)達到性高潮⑧(用於以 how 開頭的問句中)(怎麼)會的 // *~across* 偶然發見;碰見 *~back* 再度流行;復原;捲土重來;反駁(*~back*) *~by* 獲得;搞到 *~of* 出身於;從…引起 *~off* 脫落;舉行,發生;成功 *~round* 改變(觀點等);蘇醒;復元.

comedown /'kʌmdaʊn/ *n*. (地位等的)降低,敗落;失望.

comedy /'kɒmədɪ/ *n*. 喜劇;喜劇性事件 **comedian**, (**comedienne**) /kə'miːdɪən, (kəˌmiːdɪ'en) / *n*. 喜劇演員;(喜劇女演員).

comely /'kʌmlɪ/ *a*. [舊]標緻的;秀麗的 **comeliness** *n*.

comestibles /kə'mestəblz/ *pl*. *n*. 食物.

comet /'kɒmɪt/ *n*. 【天】彗星.

come-uppance /kʌm'ʌpəns/ *n*. [口]報應.

comfit /'kʌmfɪt/ *n*. 糖衣果仁;蜜餞.

comfort /'kʌmfət/ *n*. ①安慰,慰勞②舒適,愜意③帶來安慰的人(或事物);使生活舒適的東西 *vt*.①安慰;寬慰②使(痛苦等)緩和.

comfortable /'kʌmftəbɪ/ *a*. ①舒適的;(房屋等)設備良好的②愜意的③[口]小康的,富裕的 **comfortably** *ad*. // *comfortably off* 相當富有.

comforter /'kʌmfətə(r)/ *n*. ①安慰者;安慰物②羊毛圍巾.

comfrey /'kʌmfrɪ/ *n*. 紫草科植物;雛菊.

comfy /'kʌmfɪ/ *a*. [口]= comfortable.

comic /'kɒmɪk/ *a*. ①喜劇的②滑稽的,好笑的 *n*.①喜劇演員②(the ~s)(報刊上的)滑稽連環漫畫 **~al** *a*.好笑的,滑稽的,古怪的 **~ally** *ad*. // *~strip* 連環漫畫.

coming /'kʌmɪŋ/ *a*. ①即將來到的,未來的②大有前途的 *n*.到達 // *~s and goings* 來來往往.

comma /'kɒmə/ *n*. 逗號(,).

command /kə'mɑːnd/ *vt*. ①命令;指揮,統帥②克制(感情;自我)③支配;掌握④博得,應得⑤俯瞰 *n*.①命令;指揮(權),統率②掌握;運用力③司令部,指揮部 **~ing** *a*. **~ingly** *ad*.

commandant /ˌkɒmən'dænt/ *n*. ①司令;(尤指戰俘營的)指揮官;②軍事學校校長.

commandeer /ˌkɒmən'dɪə(r)/ *vt*. 徵作軍用.

commander /kəˈmɑːndə(r)/ *n*. ①指揮官, 司令員②(海軍)中校 **~-in-chief** *n*.總司令.

commandment /kəˈmɑːndmənt/ *n*. 【宗】戒律;聖訓.

commando /kəˈmɑːndəu/ *n*. (*pl*. **-do(e)s**)突擊隊(員).

commemorate /kəˈmeməreɪt/ *vt*. 紀念 **commemoration** *n*.紀念(會);紀念物 **commemorative** *a*.

commence /kəˈmens/ *v*. 開始 **~ment** *n*. 開始;[美](大學)畢業典禮.

commend /kəˈmend/ *vt*. ①稱贊,表揚②委托;推薦 **~able** *a*.值得贊揚的 **~ation** *n*.表揚,稱贊;獎狀,獎品. **~atory** *a*.

commensurable /kəˈmenʃərəbl/ *a*. 相應的;相稱的;成比例的 **commensurability** *n*.

commensurate /kəˈmenʃərət/ *a*. ①同量的;相同的②相稱的,相當的 **~ly** *ad*.

comment /ˈkɒment/ *n*. ①評論②註釋,說明③流言蜚語 *vi* 評論;評頭論足.

commentary /ˈkɒməntrɪ/ *n*. ①評註;註釋本②(影視等的)解說詞;(廣播,球賽等的)實況報道.

commentate /ˈkɒmənteɪt/ *v*. (為廣播,電視)作實況評述或報道 **commentator** *n*.實況報道評述員.

commerce /ˈkɒmɜːs/ *n*. 商業.

commercial /kəˈmɜːʃl/ *a*. ①商業(性)的;商務的②由廣告資助的 *n*.(廣播,電視的)廣告節目 **~ize** *vt*.使商業化 **~ization** *n*. // ~ *traveller* 旅行推銷員(=[美] *traveling salesman*).

commingle /kɒˈmɪŋgl/ *v*. 混合,攙和.

commiserate /kəˈmɪzəreɪt/ *v*. 憐憫;同情 **commiseration** *n*.

commissar /ˌkɒmɪˈsɑː(r)/ *n*. ①政治委員②人民委員(前蘇聯政府部長的舊稱);部長.

commissariat /ˌkɒmɪˈseərɪət/ *n*. ①軍需處;軍糧部門②委員(會).

commissary /ˈkɒmɪsərɪ/ *n*. ①[美](軍隊、礦山等的)日用品供銷店;食堂②代表;委員.

commission /kəˈmɪʃn/ *n*. ①委托(的事);代辦(的事);代理權②佣金③委員會④委任(狀)⑤犯(罪) *vt* 委任,任命;委托 **~er** *n*.委員;專員// *out of* ~(尤指艦、船)退役的;不能使用的;不能工作的.

commissionaire /kəˌmɪʃəˈneə(r)/ *n*. [英](劇院,旅館等)穿制服的門衛.

commit /kəˈmɪt/ *vt*. ①犯(罪,錯誤);作(愚蠢行為)②承諾;使(自己)受約束;牽累③判…入獄;送…入精神病院④(~oneself)公開表態 **~tal** *n*.拘留,關押;送入精神病院 **~ted** *a*.忠誠的;有獻身精神的 **~ment** *n*.①委托;托付②許諾;承擔義務③信仰;贊助④拘留,關押.

committee /kəˈmɪtɪ/ *n*. 委員會.

commode /kəˈməud/ *n*. ①五斗櫥②便桶.

commodious /kəˈməudɪəs/ *a*. ①寬敞的②方便的.

commodity /kəˈmɒdətɪ/ *n*. 日用品(*pl*.)商品 **commodification** /kəmɒdɪfɪˈkeɪʃn/ *n*. 商品化.

commodore /ˈkɒmədɔː(r)/ *n*. ①海軍准將;商船隊隊長②遊艇俱樂部主任 // *air* ~ 空軍准將.

common /ˈkɒmən/ *a*. ①共有的,共同的;共用的②普通的;通常的;常見(有)的③庸俗的;粗魯的;粗製的 *n*.①(通常指鄉村)公用草地②

(*pl*.)(總稱)平民百姓③(C-)[英]下議院~**ly** *ad*. ~**er** *n*. 平民(指個人)~**-law** *a*. 按習慣同居的;(子女等)非結婚同居所生的;【律】非正式結婚,同居 ~**-room**(學校中的)公共休息室;教員休息室// *C- Market* 歐洲共同市場(*Enropean Economic Community* 歐洲經濟共同體的俗稱) ~*sense* 常識 *in* ~公有的,共同的.

commonplace /'kɒmənpleɪs/ *a*. & *n*. 平凡的(事),平常的(事);老生常談的(事).

commonwealth /'kɒmənwelθ/ *n*. ①全體國民②國家;共和國③聯邦 **the C-** *n*. 英聯邦.

commotion /kə'məʊʃn/ *n*. 混亂,騷亂.

commune[1]/'kɒmju:n/ *n*. 公社 **communal** *a*. 公社的;公共的,公用的.

commune[2]/kə'mju:n/ *vi*. 談心;密切聯繫.

communicant /kə'mju:nɪkənt/ *n*. 【宗】領聖餐者.

communicate /kə'mju:nɪkeɪt/ *v*. ①傳達;傳播;傳染②通訊;通話③(房間道路等)相通 **communicable** *a*. (指疾病)會傳染的.

communication /kəˌmju:nɪ'keɪʃn/ *n*. ①通訊;傳達;傳播;傳染;聯繫②信息;消息③(*pl*.)通訊工具;交通(工具) **communicative** *a*. 愛說話的,交際的.

communion /kə'mju:n'ɪən/ *n*. ①共有,共享②(思想感情的)交流③宗教團體④(*pl*.)【宗】聖餐禮,領聖體(=Holy Communion).

communiqué /kə'mju:nɪkeɪ/ *n*. [法]公報.

communism /'kɒmjʊnɪzəm/ *n*. 共產主義.

communist /'kɒmjʊnɪst/ *a*. & *n*. 共產主義的(者);共產黨的(黨員)~**ic** *a*. 共產主義(者)的.

community /kə'mju:nətɪ/ *n*. ①社區;(同一地區的)公衆②團體;共同體③共同;共有;一致④【生】群落// ~*centre* 公衆會堂;社區中心 ~*chest* [美]社區福利基金,公益金.

commutator /'kɒmju(:)teɪtə(r)/ *n*. ①換向器;整流器②轉接器.

commute /kə'mju:t/ *v*. ①(使用長期票)經常往返(兩地)②交換,變換,兌換③減(刑)**commutable** *a*. **commutation** *n*. ~**r** *n*. (使用長期票)經常往返兩地者// *commutation ticket* [美]長期車(機)票(=[英]season ticket) ~*r time* 上下班時間.

compact[1]/'kɒmpækt/ *n*. 契約;合同;協定.

compact[2]/kəm'pækt/ *a*. ①緊密的;細密的;袖珍的②(文體)簡潔的 *v*. ①(使)變緊實;(使)變緊密②使(文體)簡潔;簡化 /'kɒmpækt/ *n*. (帶鏡子的)小粉盒 ~**ly** *a*. ~**ness** *n*. //~*car* [美]小型汽車// ~*disc* 激光(雷射)唱片.

companion /kəm'pænɪən/ *n*. ①伴侶,同伴②配對物③手冊,指南~**able** *a*. 友好的;好交友的~**ship** *n*. 交誼;友誼.

companion(way) /kəm'pænɪən(weɪ)/ *n*. 【船】升降口;扶梯.

company /'kʌmpənɪ/ *n*. ①交往;陪伴;同伴;來客②公司,商號(略作**Co.**)③(在一起工作的)班;團;隊④【軍】連.

comparable /'kɒmpərəbl/ *a*. ①可比較的(with)②比得上的(to)**comparability** *n*. **comparably** *ad*.

comparative /kəm'pærətɪv/ *a*. ①比較的;相當的②【語】比較級的 *n*.【語】比較級 **~ly** *ad*.

compare /kəm'peə(r)/ *v*. ①比較;對照②比喻;比作 *n*. 比較(僅用於 *beyond/withont/ past* ~ 無比的,無雙的).

comparison /kəm'pærɪsn/ *n*. 比較;對照// *by* ~ 比較起來 *in* ~*with* 跟…比較.

compartment /kəm'pɑ:tmənt/ *n*. 分隔間;隔水艙;(火車中的)分隔車室.

compass /'kʌmpəs/ *n*. ①指南針,羅盤儀②(*pl*.)圓規,兩脚規③範圍;界限 // *beyond one's* ~ 非力所能及.

compassion /kəm'pæʃn/ *n*. 憐憫;同情.

compassionate /kəm'pæʃənət/ *a*. 有同情心的 **~ly** *ad*. // ~ *leave* 特准休假.

compatible /kəm'pætəbl/ *a*. ①相容的,可共存的;和諧的,一致的②【無】兼容制的 **compatibility** *n*.

compatriot /kəm'pætrɪət/ *n*. ①同胞②同事.

compeer /'kɒmpɪə(r)/ *n*. ①(地位、能力)相當者②同伴,夥伴.

compel /kəm'pel/ *vt*. 強迫,逼迫.

compelling /kəm'pelɪŋ/ *a*. ①強制的②引人入勝的;令人不得不信的.

compendium /kəm'pendɪəm (*pl*. **~s** 或**-dia** /-dɪə/) *n*. ①概要;梗概,綱要②(彙裝成盒出售的)棋類遊戲總彙 **compendious** *a*. 概要的.

compensate /'kɒmpenseɪt/ *v*. ①補償,賠償②報酬,酬勞.

compensation /ˌkɒmpen'seɪʃn/ *n*. 補償(物);賠償(金) **compensatory** *a*.

compère /'kɒmpeə(r)/ *n*. [法](廣播,電視節目演出等)主持人,司儀, *vt*. 主持(演出)節目.

compete /kəm'pi:t/ *vi*. 比賽,競爭 **competition** *n*. **competitive** *a*.

competent /'kɒmpɪtənt/ *a*. 有能力的;勝任的 **~ly** *ad*. **competence, -cy** / *n*. ①能力;才幹②【律】權限.

competitor /kəm'petɪtə(r)/ *n*. 競爭者;對手.

compile /kəm'paɪl/ *vt*. 編輯;彙集 **compilation** *n*. **~r** *n*. 編輯者.

complacent /kəm'pleɪsnt/ *a*. 自滿的;自鳴得意的 **~ly** *ad*. **complacency, complacence** *n*.

complain /kəm'pleɪn/ *v*. ①抱怨;訴苦;發牢騷②投訴;控訴;申訴 **~ant** *n*. 抱怨者;【律】原告(=plaintiff).

complaint /kəm'pleɪnt/ *n*. ①怨言,牢騷②投訴,控訴③小疾病.

complaisant /kəm'pleɪzənt/ *a*. 慇懃的;謙恭的;順從的 **complaisance** *n*.

complement /'kɒmplɪmənt/ *n*. ①補足(物)②全數,全量;定員③【語】補語 *vt*. 補充,補足.

complementary /ˌkɒmplɪ'mentrɪ/ *a*. 補充的;互補的 // ~ *angle*【數】餘角.

complete /kəm'pli:t/ *a*. ①全部的,完全的,徹底的②完成的;結束的 *vt*. 完成;結束;使完善 **~ly** *ad*. **~ness** *n*.

completion /kəm'pli:ʃn/ *n*. 完成;結束;完善.

complex /'kɒmpleks/ *a*. 複雜的;複合的 *n*. ①合成物;綜合企業②【心】情結;[俚]變態心理 **~ity** *n*. 複雜性 // *inferiority* (*superiority*) ~ 自卑(自高自大)情結.

complexion /kəm'plekʃn/ *n*. ①面色;氣色;膚色②形勢;局面.

compliant /kəm'plaɪənt/ *a*. 依從的;屈從的 **compliance** *n*. // *in compliance with* 依從…;按照….

complicate /'kɒmplɪkeɪt/ *vt*. 使複雜化;使陷入.

complicated /'kɒmplɪkeɪtɪd/ *a*. 錯綜複雜的;紛繁的.

complication /ˌkɒmplɪ'keɪʃn/ *n*. ①複雜;混亂②增加新困難的事物;【醫】併發症.

complicity /kəm'plɪsətɪ/ *n*. 同謀;共犯.

compliment /'kɒmplɪmənt/ *n*. ①恭維話,稱贊②(*pl*.)問候;祝賀;致敬.

complimentary /ˌkɒmplɪ'mentrɪ/ *a*. ①致敬的;稱贊的;祝賀的②免費贈送的// ～*ticket* 贈券,招待券.

compline/'kɒmplɪn/ *n*. (羅馬天主教會)一天中最後的一次禱告;晚禱.

comply /kəm'plaɪ/ *vi* 依從;同意;遵照.

component /kəm'pəʊnənt/ *a*. 組成的;構成的 *n*.①成份;組成部分②【自】元件,部件.

comport /kəm'pɔːt/ *v*. 舉止;行動～**ment** *n*.

compose /kəm'pəʊz/ *v*. ①組成,構成②寫作;作(曲)③【印】排字④調解⑤(使)鎮靜～**r** *n*.作曲家.

composed /kəm'pəʊzd/ *a*. 鎮靜的～**ly** *ad*. ～**ness** *n*.

composite /'kɒmpəzɪt/ *a*. 合成的,集成的;綜合的.

composition /ˌkɒmpə'zɪʃn/ *n*. ①寫作;作曲;排字②樂曲;作文;作品③成份;組成④合成物;混合物.

compositor /kəm'pɒzɪtə(r)/ *n*. 排字工人.

compos(mentis) /ˌkɒmpəs('mentɪs)/ *a*. [拉]精神正常的,心理健全的.

compost /'kɒmpɒst/ *a*. 【農】混合肥料;堆肥.

composure /kəm'pəʊʒə(r)/ *n*. 鎮靜,沉着.

compote /'kɒmpəʊt/ *n*. 糖水水果;蜜餞.

compound[1]/'kɒmpaʊnd/ *n*. ①混合物;化合物②複合詞 *a* 複合的;混合的 *v*. /kəm'paʊnd/混合;配合.

compound[2]/'kɒmpaʊnd/ *n*. 圍牆内的住宅區;四合院.

comprador /'kɒmprədɔː(r)/ *n*. 洋行買辦.

comprehend /ˌkɒmprɪ'hend/ *vt*. ①理解②包含;包括.

comprehensible /ˌkɒmprɪ'hensəbl/ *a*. 可理解的;易領會的 **comprehensibility** *n*. **comprehensibly** *ad*.

comprehension /ˌkɒmprɪ'henʃn/ *n*. ①理解(力)②包含,包括.

comprehensive /ˌkɒmprɪ'hensɪv/ *a*. 全面的,廣泛的,綜合的// ～*school* [英](不分階級不問能力高低全面招生的)綜合中學.

compress /kəm'pres/ *vt*. ①壓縮,濃縮②使(文章、語言)變簡練 *n*. /'kɒmpres/【醫】(止血退燒用的)敷布;壓布～**ible** *a*. ～**or** *n*. 可壓縮的,可濃縮的 ～**ion** *n*.壓縮器;壓氣機.

comprise /kəm'praɪz/ *vt*. 包括;包含;由…組成.

compromise /'kɒmprəmaɪz/ *n*. 妥協,和解;折衷;互讓了結 *v*.①與…妥協(或和解)②(使)受牽連;連累;危及.

comptroller /kən'trəʊlə(r)/ *n*. 審計員.

compulsion /kəm'pʌlʃn/ *n*. ①強迫,強制②(難以克制的)衝動

compulsive /kəm'pʌlsɪv/ *a*. ①身不由已的;衝動的②引人入勝的 ～**ly** *ad*.

compulsory /kəmˈpʌlserɪ/ *a*. 強制的;必須做的;義務的 // *~education* 義務教育.

compunction /kəmˈpʌŋkʃn/ *n*. 後悔,悔恨;内疚.

compute /kəmˈpjuːt/ *v*. 計算;估計 **computation** *n*.

computer /kəmˈpjuːtə(r)/ *n*. 電子計算機,電腦 **~ate** *a*. 具有電腦知識的 **~ese** *n*. 電腦語言.

computerize, -se /kəmˈpjuːtəraɪz/ *vt*. ①給…裝電腦②使電腦化;用電腦計算③把(訊息)輸入電腦 **computerization, -sation** *n*.

comrade /ˈkɒmreɪd/ *n*. 同伴;至友;同志 **~ship** *n*. 同志關係;友誼.

con[1]/kɒn/ *vt*. [俚]欺騙;欺詐 *n*. & *a*. 騙術;欺騙(的),欺詐(的).

con[2]/kɒn/ *ad*. 反對地;從反面 *n*. 反對論;反對票 // *the pros and ~s* 贊成和反對的議論;贊成者(票)和反對者(票).

concatenation /kənˌkætɪˈneɪʃn/ *n*. 一連串有聯繫的事物.

concave /ˈkɒŋkeɪv/ *a*. 凹(面)的 **concavity**, *n*. 凹面,凹狀;凹處.

conceal /kənˈsiːl/ *vt*. 隱藏;隱蔽;隱瞞 **~ment** *n*.

concede /kənˈsiːd/ *v*. ①(勉強)承認;讓與;容許②讓步;(比賽或辯論中)認輸.

conceit /kənˈsiːt/ *n*. ①自負,自高自大②[書](文學作品中的)妙語;牽強附會的比喻.

conceited /kənˈsiːtɪd/ *a*. 自負的 **~ly** *ad*.

conceive /kənˈsiːv/ *v*. ①設想;構思,想出(計劃,主意等)②懷孕 **conceivable** *a*. 可以想像的;可以相信的 **conceivably** *a*. & *ad*.

concentrate /ˈkɒnsntreɪt/ *v*. ①(使)集中;集結(軍隊等)②全神貫注(on, upon)③濃縮 *n*. 濃縮物.

concentration /ˌkɒnsnˈtreɪʃn/ *n*. ①集中;專心②濃縮;濃度 // *~camp* 集中營.

concentric /kənˈsentrɪk/ *a*. 同(中)心的.

concept /ˈkɒnsept/ *n*. ①【哲】概念②觀念;思想 **~ual** *a*. **~ualize** *vt*. 使形成概念;構思.

conception /kənˈsepʃn/ *n*. ①構想;構思(理解)力;概念②懷孕.

concern /kənˈsɜːn/ *vt*. ①和…有關,牽涉到②使關切;擔心,挂念 *n*. ①關係;關心的事;對…關係重大之事②企業;公司;康采恩③股份④關心;擔心;挂念 // *as ~s* 關於.

concerned /kənˈsɜːnd/ *a*. ①關心的;挂念的②(用於名詞後)有關的 **~ly** *ad*.

concerning /kənˈsɜːnɪŋ/ *prep*. 關於.

concert /ˈkɒnsət/ *n*. ①音樂會;演奏會②一致;協調 **~ed.** *a*. 協同一致的;商定的 **~edly** *ad*. // *in ~* ①協同一致的②現場演出的.

concertina/ˌkɒnsəˈtiːnə/ *n*. 狀似手風琴的小型樂器;六角風琴 *v*. (使)壓縮成折裥狀.

cencerto /kənˈtʃeətəʊ/ *n*. 【樂】協奏曲.

concession /kənˈseʃn/ *n*. ①讓步;讓與(物)②特許(權)③租界,租借地.

conch /kɒntʃ/ *n*. 【動】海螺;貝殼.

concierge /ˌkɒnsɪˈeəʒ/ *n*. [法]看門人,門房;(公寓等)管理員.

conciliate /kənˈsɪlɪeɪt/ *vt*. ①安撫,勸撫;贏得(支持,友誼等)②調停,懷柔(反對者) **conciliation** *n*. **conciliator** *n*. 安撫者;調停者 **conciliatory** *a*.

concise /kən'saɪs/ *a*. 簡明的, 簡練的, 簡要的 **~ly** *ad*. **~ness** *n*.
conclave /'kɒŋkleɪv/ *n*. ①秘密會議 ②【宗】(選舉教皇的)紅衣(樞機)主教秘密會議.
conclude /kən'kluːd/ *v*. ①結束;終結 ②締結③作結論, 斷定.
conclusion /kən'kluːʒn/ *n*. ①結束;終結②締結③結論 // *in* ~ 最後, 總之.
conclusive /kən'kluːsɪv/ *a*. (指事實, 證據等)令人確信的;確定的;結論性的 **~ly** *ad*.
concoct /kən'kɒkt/ *vt*. ①調製;調合 ②編造;虛構 **~ion** *n*.
concomitant /kən'kɒmɪtənt/ *a*. & *n*. 相伴的(物), 附隨的(物).
concord /'kɒŋkɔːd/ *n*. ①一致, 協調, 諧和②【語】(人稱、性、數、格的)一致.
concordance /kən'kɔːdəns/ *n*. ① 諧和, 一致②(著作、作家的)詞彙索引 **concordant** *a*.
concourse /'kɒŋkɔːs/ *n*. ①(群衆集會的)廣場;大廳②彙合, 集合.
concrete /'kɒŋkriːt/ *a*. 具體的;有形的;實在的 *n*. 混凝土 *vt*. 澆上混凝土 // *reinforced* ~ 鋼筋混凝土.
concubine /'kɒŋkjʊbaɪn/ *n*. 妾, 小老婆;情婦, 姘婦 **concubinage** *n*. 納妾;姘居.
concupiscence /kən'kjuːpɪsns/ *n*. 性欲;肉欲 **concupiscent** *a*.
concur /kən'kɜː(r)/ *vi*. ①同意;一致 ②同時發生 **~rence** *n*. **~rent** *a*. **~rently** *ad*.
concussion /kən'kʌʃn/ *n*. ①震動;衝擊②【醫】腦震蕩.
condemn /kən'dem/ *vt*. ①譴責, 指責 ②判罪;定…罪;使顯得有罪③宣告…不適用;報廢;注定(要受某種折磨) **~ation** *n*. // ~*ed cell* 死囚的單身牢房.
condense /kən'dens/ *v*. ①(使)濃縮, (使)凝縮②精簡, 縮短 **~r**. *n*. 【機】冷凝器;【電】電容器.
condensation /ˌkɒnden'seɪʃn/ *n*. ①【物】冷凝(作用), 凝聚(作用)②(文章等的)壓縮, 摘要③(凝結成之)水珠.
condescend /kɒndɪ'send/ *vi*. ①不擺架子;屈尊②自以為高人一等;以恩賜的態度待人 **condescension** *n*.
condiment /'kɒndɪmənt/ *n*. 調味品;佐料.
condition /kən'dɪʃn/ *n*. ①(必要)條件 ②情形, 狀態, 狀況③(*pl*.)環境, 情況④社會地位, 身份 *vt*. ①以…為(先決)條件;限制②使達到所要求情況;使適應;調節(空氣)③引起條件反射 **~al** *a*. 有條件的, 有限制的 **~er** *n*. 護髮(調理)液 // ~*ed reflex*/*response* 【心】條件反射.
condole /kən'dəʊl/ *vi*. 慰問;吊唁, 哀悼 **~nce** *n*.
condom /'kɒndəm/ *n*. 陰莖套, 避孕套.
condominium /ˌkɒndə'mɪnɪəm/ *n*. [美](住戶有產權的)公寓樓;(此種公寓樓中的)一套房子.
condone /kən'dəʊn/ *vt*. 寬恕, 寬容(過錯等).
condor /'kɒndɔː(r), 'kandr/ *n*. 【鳥】(南美)禿鷹.
conduce /kən'djuːs/ *vt*. 導(致), 有助(於).
conducive /kən'djuːsɪv/ *a*. 有助於…, 有益於… **~ness** *n*.
conduct[1] /'kɒndʌkt/ *n*. ①行為, 操行 ②處理, 管理, 經營, 指導(事物)的方式.
conduct[2] /kən'dʌkt/ *v*. ①引導;帶領

(遊客等);指揮(樂隊,軍隊等)②管理;處理③為人;表現④傳導(電,熱等)**~ion** *n*.傳導.

conductance /kən'dʌktəns/ *n*. ①傳導力②【電】電導;電導係數;傳導性.

conductive /kən'dʌktɪv/ *a*. 傳導性的,有傳導力的 **conductivity** *n*.傳導率;傳導性.

conductor /kən'dʌktə(r)/ *n*. ①(樂隊的)指揮②(電車、公共汽車的)售票員;[美]列車員③導體.

conductress /kən'dʌktrɪs/ *n*. (公共汽車的)女售票員.

conduit /'kɒndɪt/ *n*. ①水道;管道②導管【電】導綫管.

cone /kəʊn/ *n*. ①圓錐,錐體②(杉、松、柏等的)球果.

coney /'kə(ʊ)nɪ/ *n*. =cony 家兔.

confab /'kɒnfæb/ [口] = confabulation.

confabulation /kənˌfæbjʊ'leɪʃn/ *n*. 談心;閒聊.

confection /kən'fekʃn/ *n*. 糖果;蜜餞;甜點**~er** *n*.糖果糕點商**~ery** *n*.(總稱)糖果糕點;糖果糕點店.

confederacy /kən'ʃedərəsɪ/ *n*. 同盟,聯盟// *the* (*Southern*) *C*-[美]【史】(南北戰爭時的)南部邦聯.

confederate /kən'fedərət/ *a*. 同盟的,聯盟的 *n*.①同盟國,聯盟者②同夥,黨羽 *v*.(使)結盟,(使)聯盟 **confederation** *n*.同盟,聯盟.

confer[1]/kən'fɜː(r)/ *v*. ①授予(學位,稱號等)②商議,討論**~ment** *n*.

confer[2]/kən'fɜː(r)/ *vt*. [拉]比較(略作 **cf.**).

conference /'kɒnfərəns/ *n*. ①商議;會議②[書](正式)會議;協商會.

confess /kən'fes/ *v*. ①認錯;自首;坦白;承認②【宗】懺悔,聽取懺悔**~or** *n*.坦白者;懺悔者.

confession /kən'feʃn/ *n*. ①承認;供認②懺悔**~al** *n*.(教堂內的)懺悔室;告解所.

confetti /kən'fetɪ/ *n*. (婚禮時投擲之)五彩碎紙.

confidant /ˌkɒnfɪ'dænt/ *n*. 心腹;知己.

confidante /ˌkɒnfɪ'dænt/ *n*. 知心女友.

confide /kən'faɪd/ *v*. ①傾訴(秘密)②委托,交托 **confiding** *a*.信任(別人)的,輕信的 **confidingly** *ad*.

confidence /'kɒnfɪdəns/ *n*. ①信任②心事,秘密(話)③信心,把握 **~ trick** *n*.騙術,騙局// *in* ~ 秘密地,私下.

confident /'kɒnfɪdənt/ *a*. 自信的;確信的**~ly** *ad*.

confidential /ˌkɒnfɪ'denʃl/ *a*. ①秘密的,機密的②親信的;極信任的;心腹的**~ly** *a*.

configuration /kənˌfɪgə'reɪʃn/ *n*. ①構造;結構②形狀;外形.

confine /kən'faɪn/ *vt*. ①限制②禁閉;使閉居③(常用被動語態)分娩,坐月子 **~ment** *n*.禁閉,軟禁;分娩(期).

confines /'kɒnfaɪnz/ *n*. 界限,邊界.

confirm /kən'fɜːm/ *vt*. ①證實②加強(權力,所有權等);使(意見、信心等)堅定③批准(條約、任命等);確認.

confirmation /ˌkɒnfə'meɪʃn/ ①證實②批准;確認③【宗】堅信禮.

confirmed /kən'fɜːmd/ *a*. ①確定的;證實的②慣常的;根深蒂固的.

confiscate /'kɒnfɪskeɪt/ *vt*. 沒收;充公;徵用 **confiscation** *n*.

conflagration /ˌkɒnflə'greɪʃn/ *n*. 大火(災).

conflate /kən'fleɪt/ *vt*. 合併 **confla-**

tion *n*.

conflict /'kɒnflɪkt/ *n*. ①鬥爭,戰鬥;爭吵②(意見、利害等的)抵觸,衝突 /kən'flɪkt/ *vi*.抵觸,衝突.

confluence /'kɒnflʊəns/ *n*. 合流;匯流處 **confluent** *a*.

conform /kən'fɔːm/ *v*. (使…)一致;依從;(使)遵守 **~ity** *n*. // *in ~ity with/to* 依照;和…相一致;遵奉.

conformist /kən'fɔːmɪst/ *n*. (傳統、習俗,法規等的)遵守者;國教教徒.

confound /kən'faʊnd/ *vt*. ①使驚惶;弄糊塗②搞亂.

confounded /kən'faʊndɪd/ *a*. ①困惑的;驚惶失措的;②[口]討厭的;該死的 **~ly** *ad*.

confront /kən'frʌnt/ *vt*. ①使面臨;面對②對抗(敵人) **~ation** *n*.對抗,對峙.

Confucian /kən'fjuːʃn/ *a*. 孔子的;儒家的 *n*.儒家;儒生 **~ism** *n*.孔子的學說;儒教.

Confucius /kən'fjuːʃəs/*n*.孔子.

confuse /kən'fjuːz/ *vt*. ①搞亂;混同②使糊塗;令(人)昏亂 **~d** *a*. 糊塗的;迷惑的 **~dly** *ad*.

confusing /kən'fjuːzɪŋ/ *a*. 把人弄糊塗的,使人迷惑不解的.

confusion /kən'fjuːʒn/ *n*. ①混亂,混淆②慌亂,狼狽;迷惑不解.

confute /kən'fjuːt/ *vt*. 駁斥;駁倒 **confutation** *n*.

conga /'kɒŋgə/ *n*. ①康茄舞(樂曲)②(康茄舞伴奏用的)手鼓.

congeal /kən'dʒiːl/ *v*. ①(使)凝結,(使)凝固②凝滯;癱瘓.

congenial /kən'dʒiːnɪəl/ *a*. ①性格相似的,氣味相投的②適宜的,合適的 **~ity** *n*. **~ly** *ad*.

congenital /kən'dʒenɪtl/ *a*. 先天的,天賦的,生來的 **~ly** *ad*.

conger /'kɒŋgə(r)/ *n*. 【魚】大海鰻(= ~eel).

congested /kən'dʒestɪd/ *a*. ①擁塞的;充滿的②充血的;(指鼻子)堵塞的 **congestion** *n*.

conglomerate /kən'glɒmərət/ *n*. ①聯合大企業;企業大集團②團集物;混合物 *a*.團集的;由不同種類組成的 /kən'glɒməreɪt/ *v*. (使)成團 **conglomeration** *n*.

congratulate /kən'grætʃʊleɪt/ *vt*. 祝賀,恭喜.

congratulation /kənˌgrætʃʊ'leɪʃn/ *n*. (常 *pl*.)①祝詞,賀辭②(用作 *int*.)恭喜,恭喜! **congratulatory** *a*.

congregate /'kɒŋgrɪgeɪt/ *v*. 聚集,會合.

congregation /ˌkɒŋgrɪ'geɪʃn/ *n*. (聚集的)人群;(教堂中的)會衆 **~al** *a*.

Congregational /ˌkɒŋgrɪ'geɪʃənl/ *a*. 【宗】公理會的 **~ism** *n*.公理會教派 **~ist** *n*. & *a*.公理會教友;公理會教派的.

congress /'kɒŋgres/ *n*. ①(代表)大會,(正式)會議②(C-)[美]國會 **~man** (**~woman**) *n*.[美]國會議員,(女議員).

congressional /kən'greʃənl/ *a*. ①會議的,大會的②(C-)[美]國會的.

congruent /'kɒŋgrʊənt/ *a*. ①適合的,一致的②【數】全等的;叠合的;同餘的 **congruence** *n*. **~ly** *ad*.

conic /'kɒnɪk/ *a*. & *n*. 圓錐(的);【數】二次曲綫 **~al** *a*.圓錐形的.

conifer /'kɒnɪfə(r)/ *n*. 【植】(松、樅等)針葉樹 **~ous** *a*.

conj. *abbr*. = conjunction.

conjecture /kən'dʒektʃə(r)/ *v*. & *n*.

推測，猜想；設想 **conjectural** *a*.

conjugal /'kɒndʒʊgl/ *a*. 婚姻的；夫婦的 **~ly** *ad*.

conjugate /'kɒndʒʊgeɪt/ *v*. 【語】列舉動詞變化；變位；(動詞)變化 **conjugation** *n*. 【語】動詞的變化(變位).

conjunction /kən'dʒʌŋkʃn/ *n*. ①【語】連詞②連接；結合③(事件的)同時發生.

conjunctiva /ˌkɒndʒʌŋk'taɪvə/ *n*. 【解】(眼球的)結合膜.

conjunctivitis /kənˌdʒʌŋktɪ'vaɪtɪs/ *n*. 【醫】結膜炎.

conjuncture /kən'dʒʌŋktʃə(r)/ *n*. ①事態；局面②緊要關頭，時機.

conjure /'kʌndʒə(r)/ *v*. 變戲法；變出 **conjuror** *n*. 變戲法者；魔術師 // ~ *up* 如用魔法般地使出現.

conk[1]/kɒŋk/ *n*. [俚]腦袋；鼻子.

conk[2]/kɒŋk/ *v*. (機器等)發生故障，突然失靈.(亦作 conk out[口].)

conker /'kɒŋkə(r)/ *n*. ①【植】七葉樹(栗)②(*pl*.)(用七葉樹栗玩的)打栗子遊戲.

connect /kə'nekt/ *v*. ①連接，連結；聯繫②聯想.

connection ([英]亦作 **connexion**) /kə'nekʃn/ *n*. ①連接，銜接；聯繫②有貿易關係的人或(商號)，往來客戶；(有影響的)社會關係③聯運的車(船或飛機).

connective /kə'nektɪv/ *a*. 連合的，連接的 *n*. 【語】連接詞.

conning tower /'kɒnɪŋ taʊə(r)/ *n*. (潛水艇的)瞭望塔；(軍艦)司令台.

connive /kə'naɪv/ *vi*. ①縱容，默許(at)②共謀(with) **connivance** /kə'naɪvəns/ *n*.

connoisseur /ˌkɒnə'sɜː(r)/ *n*. 鑒賞家；行家.

connote /kɒ'nəʊt/ *vt*. 暗示，含蓄着，意味着 **connotation** *n*.

connubial /kə'njuːbɪəl/ *a*. 婚姻的.

conquer /'kɒŋkə(r)/ *vt*. ①戰勝(敵人)；征服②克服(困難等) **~or** *n*. 征服者；勝利者.

conquest /'kɒŋkwest/ *n*. ①征服②征服地；戰利品；獲得物；(愛情的)俘虜.

consanguineous /ˌkɒnsæŋ'gwɪnɪəs/ *a*. 血親的，同血統的 **consanguinity** *n*.

conscience /'kɒnʃəns/ *n*. 良心 **~-smitten** *a*. 受良心責備的 **~-stricker** *a*. 內疚的；良心不安的.

conscientious /ˌkɒnʃɪ'enʃəs/ *a*. 憑良心做的；盡責的；認真的 **~ly** *ad*. **~ness** *n*. // ~ *objector* (出於道德或宗教原因而)拒服兵役者.

conscious /'kɒnʃəs/ *a*. ①有意識的；知道的；自覺的②故意的 **~ly** *ad*. **~ness** *n*. 意識；覺悟；知覺.

conscript /kɒn'skrɪpt/ *n*. 應徵入伍的士兵 /kən'skrɪpt/ *vt*. 徵募；徵召…入伍 **~ion** *n*.

consecrate /'kɒnsɪkreɪt/ *vt*. ①奉為神聖②奉獻 **consecration** *n*. 供獻；【宗】聖職授任(儀式).

consecutive /kən'sekjʊtɪv/ *a*. 連續的，依次相繼的 **~ly** *ad*.

consensus /kən'sensəs/ *vi*. & *n*. 同意，應允.

consent/kən'sent/*n*. 同意，准許 *v*. 同意；准許，贊同.

consequence /'kɒnsɪkwəns/ *n*. ①結果，後果；影響②重要(性)；重大.

consequent /'kɒnsɪkwənt/ *a*. 隨之而來的，因…而起的 **~ly** *ad*. 因而.

consequential /ˌkɒnsɪ'kwenʃl/ *a*. ①重要的；自大的②繼起的 **~ly** *ad*.

conservancy /kən'sɜːvənsɪ/ *n*. (天然

資源、生態、環境的)保護.

conservation /ˌkɒnsəˈveɪʃn/ *n*. ①保存;保持;(自然資源的)保護②【物】守恒;不滅 **~ist** *n*. 自然資源保護論者;生態環境保護主義者.

conservative /kənˈsɜːvətɪv/ *a*. ①保守的,守舊的②[口]穩健的;謹慎的③(C-)[英]保守黨(員)的 *n*. ①保守派,保守(主義)者②(C-)[英]保守黨黨員 **conservatism** *n*. 保守主義;守舊性.

conservatoire /kənˈsɜːvətwɑː(r)/ *n*. [法]音樂學院;戲劇學校.

conservatory /kənˈsɜːvətrɪ/ *n*. ①暖房,溫室②=conservatoire.

conserve /kənˈsɜːv/ *vt*. ①保存,保藏;保養②用糖漬(水果) *n*. (常 *pl*.)蜜餞;果醬.

consider /kənˈsɪdə(r)/ *vt*. ①考慮;細想②照顧,體諒③認為,以為④凝視,端詳.

considerable /kənˈsɪdərəbl/ *a*. 相當大(或多)的;大量的,巨額的 **considerably** *ad*.

corsiderate /kənˈsɪdərət/ *a*. 體諒的,照顧人的;設想周到的.

consideration /kənˌsɪdəˈreɪʃn/ *n*. ①體諒,關心②考慮;研究③需考慮的事項// *in* ~*of* 作為對…的報答;由於 *take into*~ 考慮到,顧及.

considering /kənˈsɪdərɪŋ/ *prep*. 鑒於;就…而論.

consign /kənˈsaɪn/ *vt*. ①委托;托付②寄售;托運 **~ee** *n*. 受托者,承銷人;收件人,收貨人 **~ment** *n*. 寄售(物);托運之貨物// *on* ~*ment* 以代銷的方式.

consist /kənˈsɪst/ *vi*. ①(of)由…組成(或構成)②(in)在於.

consistent /kənˈsɪstənt/ *a*. 一致的,始終一貫的 **consistence, -cy** *n*. **~ly** *ad*.

console[1] /kənˈsəʊl/ *vt*. 安慰;慰問 **consolation** *n*. 安慰(物),慰藉(者) **consolatory** *a*.

console[2] /ˈkɒnsəʊl/ *n*. ①(收音機,電視機等的)落地式支架②(電子儀器,風琴等的)儀表板,鍵盤③(固定在牆上的)裝飾性支架.

consolidate /kənˈsɒlɪdeɪt/ *v*. ①鞏固;加強;使堅固②合併,聯合 **consolidation** *n*.

consommé /kənˈsɒmeɪ/ *n*. [法]【烹】清炖肉湯.

consonance /ˈkɒnsənəns/ *n*. ①和諧;一致②【樂】和音【物】共鳴.

consonant /ˈkɒnsənənt/ *n*. 【語】輔音(字母) *a*. 符合的;一致的.

consort /ˈkənˈsɔːt/ *vi* ①結伴;交往②一致;相稱 /ˈkɒnsɔːt/ *n*. (君主的)配偶.

consortium /kənˈsɔːtɪəm/ *n*. (*pl*. **-tia** /-tɪə/)財團.

conspectus /kənˈspektəs/ *n*. 梗概,大綱

conspicuous /kənˈspɪkjʊəs/ *a*. 顯著的,顯眼的;惹人注目的 **~ly** *ad*. // ~*consumption* 炫耀性消費.

conspiracy /kənˈspɪrəsɪ/ *n*. 陰謀.

conspire /kənˈspaɪə(r)/ *vt*. ①共謀,密謀策劃②(指事件)共同促成;凑合起來 **conspirator** *n*. 密謀策劃者;陰謀家 **conspiratorial** *a*.

constable /ˈkʌnstəbl/ *n*. [英]警察 **constabulary** *n*. (一地區,城鎮的)警察部隊.

constancy /ˈkɒnstənsɪ/ *n*. *v*. 堅定不移;恒心;堅貞,忠實.

constant /ˈkɒnstənt/ *a*. ①經常的,繼續不斷的②堅定的,有恒心的,不變

的;忠實的 *n*.【數】【物】常數, 恆量 **~ly** *ad*. 經常地.

constellation /ˌkɒnstəˈleɪʃn/ *n*. 星座;星群.

consternation /ˌkɒnstəˈneɪʃn/ *n*. 驚恐;震驚.

constipation /ˌkɒnstɪˈpeɪʃn/ *n*. 【醫】便秘, 大便不通 **constipated** *a*. 便秘的.

constituency /kənˈstɪtjuənsɪ/ *n*. ①全體選民②選舉區.

constituent /kənˈstɪtjuənt/ *a*. 組成的, 構成的 *n*. ①選民②成份;要素 // ~ *assmbly* 立憲會議.

constitute /ˈkɒnstɪtjuːt/ *vt*. ①組成;構成②任命.

constitution /ˌkɒnstɪˈtjuːʃn/ *n*. ①憲法, 章程②構造;組織③體質, 體格 **~al** *a*. ①憲法(上)的;立憲的②體質的.

constrain /kənˈstreɪn/ *vt*. ①強迫, 強制②抑制;拘束;侷促 **~t** *n*.

constrained /kənˈstreɪnd/ *a*. (聲音, 態度等)勉強的;不自然的, 拘束的, 侷促的.

constrict /kənˈstrɪkt/ *vt*. 壓縮;使收縮 **~ive** *a*.

constriction /kənˈstrɪkʃn/ *n*. ①壓縮, 收縮②壓抑感.

constrictor /kənˈstrɪktə(r)/ *n*. ①【動】大蟒②【解】括約肌(= ~ muscle).

construct /kənˈstrʌkt/ *vt*. ①建築, 建造②【數】作(圖);【語】造(句);作(文) **~or** *n*. 建造者, 營造商.

construction /kənˈstrʌkʃn/ *n*. ①建設, 建築②建築物③解釋④【語】結構;造句;【數】作圖.

constructive /kənˈstrʌktɪv/ *a*. ①建設性的;積極的②結構的;建築的. **~ly** *ad*.

construe /kənˈstruː/ *v*. ①解釋(詞句)②【語】分析(句子).

consul /ˈkɒnsl/ *n*. ①領事②【史】(古羅馬)執政官;[法]【史】執政 **~ar** *a*. 領事的.

consulate /ˈkɒnsjʊlət/ *n*. ①領事職位(或任期)②領事館.

consult /kənˈsʌlt/ *v*. ①商量, 商議②請教③查閱(詞典, 參考書籍等)④考慮;顧及 // *~ing room* 門診室.

consultant /kənˈsʌltənt/ *n*. 顧問;醫科專家, 會診醫生 **consultancy** *n*. (高級醫學)顧問的職務.

consultation /ˌkɒnslˈteɪʃn/ *n*. 商量;會議;會診.

consultative /kənˈsʌltətɪv/ *a*. 協商的;顧問的;諮詢的.

consume /kənˈsjuːm/ *v*. ①消費;消耗;浪費②吃完, 喝光③消滅, 毀滅;消磨;枯萎.

consumer /kənˈsjuːmə(r)/ *n*. 消費者;消耗者 **~ism** *a*. 維護消費者權益主義;用戶至上.

consummate /ˈkɒnsəmeɪt/ *vt*. ①使(男女)圓房完婚②使圓滿;使完美 /kənˈsʌmət/ *a*. ①圓滿的, 完美的②技藝精湛的 **~ly** *ad*.

consummation /ˌkɒnsəˈmeɪʃn/ *n*. 圓滿;成就;極點;完婚.

consumption /kənˈsʌmpʃn/ *n*. ①消費(量);消耗(量)②[舊]肺癆, 肺結核 **consumptive** *a*. 消耗性的;浪費的 *n*. 肺癆患者.

cont. *abbr*. = continued.

contact /ˈkɒntækt/ *n*. ①接觸;聯繫②熟人;關係, 門路③【電】觸頭, 觸點 /ˈkɒntækt, kənˈtækt/ *vt*. 接觸;聯繫 // *~lens* 隱形眼鏡.

contagion /kənˈteɪdʒən/ *n*. ①(接觸)

傳染;傳染病②(不良影響、思想、感情等的)感染,蔓延,傳播 **contagious** *a*.傳染性的;會感染的.

contain /kən'teɪn/ *vt*. ①含有;包括;容納②控制,抑制(感情);【軍】牽制③【數】可被…除盡 **~ment** *n*.抑制;遏制;【軍】牽制.

container /kən'teɪnə(r)/ *n*. 容器;集裝箱.

contaminate /kən'tæmɪneɪt/ *vt*. ①污染,沾污;弄髒②使受到放射性物質污染 **contaminant** *n*.污染物質 **contamination** *n*.

contemplate /'kɒntempleɪt/ *v*. ①凝視;默察;沉思②預期;打算 **contemplation** *n*. **contemplative** *a*.(好)沉思的 **contemplatively** *ad*.

contemporary /kən'temprərɪ/ *a*. ①當代的;現代的②同時代的 *n*.同時代的人(或事物).

contempt /kən'tempt/ *n*. ①恥辱②輕視;藐視.

contemptible /kən'temptəbl/ *a*. 可鄙的.

contemptuous /kən'temptjʊəs/ *a*. 輕蔑的;瞧不起人的 **~ly** *ad*.

contend /kən'tend/ *v*. ①鬥爭;競爭②爭論;爭辯;主張 **~ed** *n*.競爭者;爭論者.

content[1]/'kɒntent/ *n*. ①內容;要旨②容積,容量③(*pl*.)內容;內含物;目錄.

content[2]/kən'tent/ *n*. (作表語)①滿足的;滿意的②願意的 *n*.滿足;自得 *vt*.使滿足 **~ment** *n*.滿意,知足 // *to one's heart's ~* 心滿意足地;盡情地.

contented /kən'tentɪd/ *a*. 滿足的,滿意的 **~ly** *ad*.

contention /kən'tenʃn/ *n*. ①爭奪,競爭②爭論;論戰③論點 **contentious** *a*.好爭論的;引起爭論的 // *bone of ~* 爭端.

contest /kən'test/ *n*. ①爭論,爭辯②競爭;競賽;爭奪 /'kɒntest/ *n*.①論爭;爭鬥②競爭;競賽 **~ant** *n*.①競賽者,選手②競爭者;爭論者.

context /'kɒntekst/ *n*. ①上下文;文章的前後關係②(事情的)來龍去脉 **~ual** *a*.(根據)上下文的.

contiguous /kən'tɪgjʊəs/ *a*. 接觸的;接近的 **contiguity** *n*.

continent[1]/kɒntɪnənt/ *n*. ①大陸;洲②(the C-)歐洲大陸(相對英倫三島而言) **~al** *a*. // *~al breakfast*(歐洲大陸國家通常吃的)簡便早餐(由麵包、咖啡、果醬構成) *~al quilt* (=duvet)羽絨被褥.

continent[2]/'kɒntɪnənt/ *a*. ①自制的;節欲的②【醫】大小便未失禁的 **~ly** *ad*.

contingency /kən'tɪndʒənsɪ/ *n*. ①偶然(性);可能(性)②偶然事件,意外事故.

contingent /kən'tɪndʒənt/ *a*. ①可能(發生)的;偶發的②視情況而定的;因條件而異的 *n*.分遣隊,小分隊.

continual /kən'tɪnjʊəl/ *a*. 連續的;頻繁的 **~ly**, *ad*. 屢屢,再三.

continuance /kən'tɪnjʊəns/ *n*. 連續(時間);持續(期間).

continuation /kənˌtɪnjʊ'eɪʃn/ *n*. ①繼續,連續②續篇;續載;延續物,延伸部分.

continue /kən'tɪnju:/ *v*. ①(使)繼續,(使)連續②(使)延伸③接着說 **~d** *a*.繼續的,連續的.

continuity /ˌkɒntɪ'nju:ətɪ/ *n*. ①連續性,連貫性②(影視廣播節目中的)插白,插曲.

continuo /kən'tɪnjʊəʊ/ *n*. [意]【樂】鍵盤樂器的低音部.

continuous /kən'tɪnjʊəs/ *a*. 連續不斷的, 連綿的 **~ly** *ad*.

continuum /kən'tɪnjʊəm/ *n*. 連續(統一)體.

contort /kən'tɔːt/ *vt*. 扭歪; 歪曲; 曲解 **~ion** *n*. **~ionist** *n*. 柔體動作表演者.

contour /'kɒntʊə(r)/ *n*. 輪廓(綫); 外形; 周綫; (= ~line)等高綫; 恆值綫.

contra-/'kɒntrə/ [前綴]表示"反對, 逆, 抗".

contraband /'kɒntrəbænd/ *a*. & *n*. 走私的(貨); 違禁的(品).

contraception /ˌkɒntrə'sepʃn/ *n*. 避孕(法) **contraceptive** *a*. & *n*. 避孕的; 避孕用具; 避孕藥.

contract /'kɒntrækt/ *n*. ①契約, 合同②(橋牌)定約, 合約; 合約橋牌(= ~ bridge) /kən'trækt/ *v*. ①訂定(契約、合同); 承包②(使)收縮, 弄窄; 緊縮; 縮短③【語】縮寫, 簡略④染患(疾病); 養成(習慣).

contraction /kən'trækʃn/ *n*. ①收縮, 縮小②省略句, 縮寫詞③(病的)傳染;【醫】攣縮.

contractor /kən'træktə(r)/ *n*. 立約人; 承包商.

contractual /kən'træktʃʊəl/ *a*. 契約(性)的.

contradict /ˌkɒntrə'dkt/ *vt*. ①反駁; 否認②同…矛盾; 抵觸 **~ion** *a*. **~ory** *a*.

contradistinction /ˌkɒntrədɪ'stɪŋkʃn/ *n*. 對比; 對照// *in ~ to* 與…對比, 與…截然不同.

contraflow /'kɒntrəfləʊ/ *n*.【交】逆向行駛.

contralto /kən'træltəʊ/ *n*. 女低音(歌手).

contraption /kən'træpʃn/ *n*. [口]新奇的器械.

contrapuntal /ˌkɒntrə'pʌntl/ *a*.【樂】對位(法)的.

contrariwise /'kɒntrərɪwaɪz/ *ad*. 相反地; 反對地.

contrary /'kɒntrərɪ/ *a*. ①相反的, 逆的② /kən'treərɪ/[口]執拗的, 別扭的 *ad*. 相反地 *n*. (*the* ~)相反, 反面// *on the* ~ 反之, 正相反 *to the* ~ 與此相反的(地) **contrarily** *ad*. **contrariness** *n*.

contrast /kən'trɑːst/ *v*. ①對照; 對比②形成對比; 相對立 /'kɒntrɑːst/ *n*. ①對照; 對比②差別; 顯著懸殊; 對照物 **~ive** *a*.

contravene /ˌkɒntrə'viːn/ *vt*. ①違反(習俗); 觸犯(法律等)②推翻, 反駁(意見, 論據等) **contarvention** *n*.

contretemps /'kɒntrətɒm/ (單複數同形) *n*. [法]令人尷尬的意外小事故; 不幸的挫折.

contribute /kən'trɪbjuːt/ *v*. ①捐助, 捐獻②(to)貢獻; 有助於③投稿; 撰稿.

contribution /ˌkɒntrɪ'bjuːʃn/ *n*. ①捐獻, 捐款②貢獻③投稿.

contributor /kən'trɪbjʊtə(r)/ *n*. 捐助者; 貢獻者; 投稿者 **~y** *a*. 貢獻的; 捐助的, 有助於.

contrite /'kɒntraɪt/ *a*. 悔悟的; 悔罪的 **~ly** *ad*. **contrition** /kən'trɪʃn/ *n*.

contrivance /kən'traɪvəns/ *n*. ①發明; 創製; 設計②發明物; 裝置.

contrive /kən'traɪv/ *v*. ①發明; 設計②圖謀; 籌劃; 設法 **~d** *a*. 預謀的; 人為的; 不自然的.

control /kən'trəʊl/ *n*. ①管理; 控制; 支配; 操縱②(感情等的)抑制, 節制

③(常 *pl*.)操縱裝置, 控制器 *vt*. ①管理;控制;支配;操縱②抑制(感情等)**~lable** *a*. 可控(限)制的.

controller /kən'trəʊlə(r)/ *n*. ①管理員;檢驗員;審計員②控制器;調節器.

controversy /'kɒntrəvɜːsɪ/ *n*. 論戰;論爭;爭議 **controversial** /ˌkɒntrə'vɜːʃl/ *a*. (會)引起爭論的;有爭議的.

contumacy /'kɒntjʊməsɪ/ *n*. 頑抗;拒不服從;倔強 **contumacious** *a*..

contumely /'kɒntjuːmlɪ/ *n*. 傲慢無禮;侮辱.

contusion /kən'tjuːʒn/ *n*. 打傷;挫傷;撞傷.

conundrum /kə'nʌndrəm/ *n*. 謎;難題.

conurbation /ˌkɒnɜː'beɪʃn/ *n*. (由大城市及其衛星城鎮組成的)集合城市.

convalesce /ˌkɒnvə'les/ *vi*. 康復;漸愈 **~nce** *n*. 康復(期)**~nt** *a*.

convection /kən'vekʃn/ *n*. (氣體, 液體傳熱時的)對流.

convector(heater) /kən'vektə(r)(hiːtə(r))/ *n*. (對流式)熱空氣循環加熱器.

convene /kən'viːn/ *v*. 召集;集合(開會等)**~r, convenor** *n*. 會議召集人.

convenience /kən'viːnɪəns/ *n*. ①便利, 方便②便利設施;[英][婉]公共廁所.

convenient /kən'viːnɪənt/ *a*. 便利的, 方便的**~ly** *ad*.

convent /'kɒnvənt/ *n*. 女修道院;修女辦的教會學校.

convention /kən'venʃn/ *n*. ①(社團、政黨等的)大會, 會議②協定;公約③習俗;慣例;常規.

conventional /kən'venʃənl/ *a*. ①慣例的;習用的②(指藝術等)傳統的;規範的;(指戰爭, 武器)非核的, 常規的 **~ity** *n*. 慣例性, 傳統性;常套 **~ly** *ad*.

converge /kən'vɜːdʒ/ *v*. (使)會聚, (使)集中;輻合 **~nce** *n*. **~nt** *a*.

conversant /kən'vɜːsnt/ *a*. (with)通曉的;熟悉的;精通的.

conversation /ˌkɒnvə'seɪʃn/ *n*. 會話, 會談 **~al** *a*. 會話的;健談的 **~alist** *n*. 健談者;談話風趣者.

converse[1] /kən'vɜːs/ *vi*. 談話.

converse[2] /'kɒnvɜːs/ *a*. & *n*. 相反(的);顛倒(的)**~ly** *ad*.

conversion /kən'vɜːʃn/ *n*. ①變換;轉化;換位;(意見、信仰等的)改變②【商】兌換;更換(字據等)③【數】換算.

convert /kən'vɜːt/ *vi*. ①使轉變②使…改變信仰 *n*. /'kɒnvɜːt/ 皈依者 **~er, ~or** *n*. (煉鋼)轉爐;變壓器;變頻器.

convertible /kən'vɜːtəbl/ *a*. ①可改變的;可轉換的②(指錢幣)自由兌換的③(汽車)敞篷的 *n*. 敞篷汽車.

convex /'kɒnveks/ *a*. 凸出的**~ity** *n*. 凸(狀).

convey /kən'veɪ/ *vt*. ①搬運;運送(旅客、貨物等)②傳達(思想、消息等)③【律】讓與;轉讓(財產等)**~er, ~or** *n*. 搬運者;傳達者;傳送機;傳送帶(=~er(~or)-belt).

conveyance /kən'veɪəns/ *n*. ①運輸, 運送;傳達②運輸工具③【律】轉讓證書**~r** *n*.【律】辦理此種業務的律師.

conveyancing /kən'veɪənsɪŋ/ *n*. 【律】財產轉讓業務(法).

convict /kən'vɪkt/ *vt*. 證明…有罪;宣告…有罪 /'kɒnvɪkt/ *n*. 罪犯;囚犯.

conviction /kən'vɪkʃn/ *n*. ①定罪;判

刑②說服;堅信,確信.

convince /kən'vɪns/ *vt*. 使確信,使信服.

convincing /kən'vɪnsɪŋ/ *a*. 使人信服的,有說服力的~**ly** *ad*.

convivial /kən'vɪvɪəl/ *a*. 愛好宴飲交際的;歡樂的~**ity** *n*. ~**ly** *ad*.

convocation /ˌkɒnvə'keɪʃn/ *n*. 召集;集合.

convoke /kən'vəʊk/ *vt*. 召開;召集(會議等).

convoluted /'kɒnvəlu:tɪd/ *a*. ①彎曲的,捲曲的;盤繞的②複雜難解的 **convolution** *a*. 彎曲,蜷繞.

convolvulus /kən'vɒlvjʊləs/ *n*. 旋花類植物(如牽牛花).

convoy /'kɒnvɔɪ/ *vt*. 護航,護送 *n*.①護航(隊),護送(隊)②被護送的車(船)隊.

convulse /kən'vʌls/ *vt*. 震撼,震動;使起痙攣.

convulsion /kən'vʌlʃn/ *n*. ①震撼,震動;騷動②【醫】(常 *pl*.)抽筋;痙攣 **convulsive** *a*. **convulsively** *ad*.

cony /'kəʊnɪ/ *n*. [舊]兔;兔的毛皮.

coo /ku:/ *vi*. & *n*. ①(鴿等)咕咕叫(聲)②輕柔地說話(聲).

cook /kʊk/ *v*. ①烹調;煮;燒(食物)②偽造;竄改 *n*.廚師 // ~ *up* [口]揑造.

cooker /'kʊkə(r)/ *n*. 炊具(尤指爐,鍋等)~**y** *n*.烹調術.

cookie, cooky /'kʊkɪ/ *n*. [美]甜餅乾;曲奇餅乾.

cool /ku:l/ *a*. ①涼的,涼爽的②冷靜的,沉着的③冷淡的④[口][貶]厚顏的;放肆的⑤(指數額等)不折不扣的,整整的⑥[俚]絕妙的 *v*.①(使)變冷;冷却②(使)鎮定;(使)冷淡 *n*.(the ~)涼爽的空氣或地方~**ly** *ad*. ~**ness** *n*.①涼快②冷靜,沉着③冷淡~**-headed** *a*.頭腦冷靜的.

coolant /'ku:lənt/ *n*. 冷却劑.

cooler /'ku:lə(r)/ *n*. ①冷却器②[俚]牢房.

coolie /'ku:lɪ/ *n*. [舊][貶]苦力,小工.

coon /ku:n/ *n*. ①[口]浣熊(= raccoon)②[俚][貶]黑人③狡猾的人.

coop /ku:p/ *n*. 雞籠 *vt*.(up)關進(籠內).

co-op /'kəʊ ɒp/ *n*. [口]合作社(= co-operative).

cooper /'ku:pə(r)/ *n*. 箍桶工人.

cooperate /kəʊ'ɒpəreɪt/ *vt*. 互助,合作,協作 **cooperation** *n*. **cooperative** *a*.合作(社)的;抱合作態度的 *n*.合作社.

co-opt /kəʊ'ɒpt/ *vt*. 增選(新成員);吸收,羅致;接收~**ion** *n*.

coordinate /kəʊ'ɔ:dɪnət/ *a*. ①同等的;【語】並列的②座標的 *n*.①同等者(物)②(*pl*.)座標③(*pl*.)(婦女的)套裝 /kəʊ'ɔ:dɪneɪt/ *v*. (使)協調,(使)配合~**ly** *ad*. **coordinator** *n*.協調人;配合者.

coordination /ˌkəʊɔ:dɪ'neɪʃn/ *n*. 協調,協作;同等;配合.

coot /ku:t/ *n*.【鳥】大鷭;水鴨.

cop /kɒp/ *n*. [俚]警察 *v*.[俚]逮住~**-out** [貶]推諉責任,臨陣退縮 // ~ *it* 惹大麻煩;挨罰.

cope[1]/kəʊp/ *vi*. (善於)應付;處理.

cope[2]/kəʊp/ *n*. (教士主持儀式時穿的)斗篷式長袍.

copier /'kɒpɪə(r)/ *n*. 抄寫員;複印機;模仿者.

copilot /ˌkəʊ'paɪlət/ *n*. 副駕駛員.

coping /'kəʊpɪŋ/ *n*. (牆的)頂蓋;牆帽~**-stone** *n*. 蓋頂石.

copious /'kəʊpɪəs/ *a*. 豐富的;(指作家)多產的**~ly** *ad*.

copper[1]/'kɒpə(r)/ *n*. 銅;銅幣,銅錢 **~-bottomed** *a*. 可靠的;安全的 **~plate** *n*. 工整的字體**~smith** *n*. 銅匠.

copper[2]/'kɒpə(r)/ *n*. [俚]警察.

coppice, copse /'kɒpɪs, kɒps/ *n*. 矮樹木,灌木林.

copra /'kɒprə/ *n*. 椰肉乾.

copulate /'kɒpjuleɪt/ *v*. [書](動物)交配;(人)交媾 **copulation** *n*.

copulative /'kɒpjulətɪv/ *a*. 交配的;連結的 *n*.【語】繫詞.

copy /'kɒpɪ/ *n*. ①抄本,副本,摹本;複製品,拷貝②一部,一冊;一份(書,報紙等)③(送交印刷的)原稿 *v*.①抄,謄,複寫②臨摹;摹仿**~book** *n*. 習字帖.

copyright /'kɒpɪraɪt/ *n*. 版權,著作權 *vt*. 取得…的版權.

copywriter /'kɒpɪraɪtə(r)/ *n*. (廣告的)撰稿員.

coquette /kɒ'ket/ *n*. 賣弄風情的女子 **coquetry** /'kɒkɪtrɪ/ *n*. 賣弄風情;撒嬌 **coquettish** *a*.

coracle /'kɒrəkl/ *n*. 柳條艇.

coral /'kɒrəl/ *n*. 珊瑚(蟲) *a*. 珊瑚製的;珊瑚色的 // ~ *island* 珊瑚島.

cor anglais /ˌkɔːr 'ɒŋgleɪ/ *n*. [法]【樂】英國管(=English horn).

corbel /'kɔːbl/ *n*.【建】梁托;翅托.

cord /kɔːd/ *n*. ①繩,索,弦②【生】索(狀組織)③燈芯絨;(*pl*.)燈芯絨褲 *a*. (織物)有棱凸紋的.

cordial[1]/'kɔːdɪəl/ *a*. 誠懇的;熱誠的;親切的**~ly** *ad*. **~ity** *n*.

cordial[2]/'kɔːdɪəl/ *n*. 果汁飲料;甘露酒.

cordite /'kɔːdaɪt/ *n*. 綫狀無烟火藥.

cordon[1]/'kɔːdn/ *n*. 哨兵綫;警戒綫 *vt*. (~sth off)在…周圍設警戒綫.

cordon[2]/'kɔːdn/ *n*.【園藝】單幹形果枝.

cordon bleu /ˌkɔːdɒn 'blɜː/ *a*. [法](指廚師或其烹飪技術)特級的;第一流的.

corduroy /'kɔːdərɔɪ/ *n*. 燈芯絨;(*pl*.)燈芯絨褲子 // ~ *road*[美](沼澤地區的)木排路.

core /kɔː(r)/ *n*. ①果心,果核②核心;精髓 *vt*. 挖去…的果心 // *to the* ~ 徹底,地地道道.

co-respondent /ˌkəʊ rɪ'spɒndənt/ *n*.【律】(離婚訴訟中被控通奸的)共同被告.

corgi /'kɔːgɪ/ *n*. ①短腿小狗,矮脚狗②[俚]微型汽車.

coriander /ˌkɒrɪ'ændə(r)/ *n*.【植】芫荽(子),胡荽(子).

cork /kɔːk/ *n*. 軟木(塞) *vt*. (用塞子)塞住**~screw** *n*. 開塞鑽.

corkage /'kɔːkɪdʒ/ *n*. (向自備酒顧客索取的)開瓶塞費.

corm /kɔːm/ *n*.【植】球莖.

cormorant /'kɔːmərənt/ *n*.【鳥】鸕鷀;水老鴨.

corn[1]/kɔːn/ *n*. ①穀類,五穀;[美]玉米②穀粒③陳腐或傷感的音樂或文學藝術作品**~y** *a*. 陳腐的,傷感的**~-cob** *n*. 玉米棒子芯,玉米穗軸 **~flakes** *n*. 玉米渣 **~flower** *n*.【植】矢車菊.

corn[2]/kɔːn/ *n*. (脚上的)雞眼.

corned /kɔːnd/ *a*. (指肉類)腌製的.

cornelian/kɔː'niːlɪən/*n*.【礦】光玉髓(次等寶石).

corner /'kɔːnə(r)/ *n*. ①角,隅②偏僻處;角落③困境④囤積(居奇)⑤=~-kick *vt*. ①使陷困境②囤積③(車

輛)轉彎 **~-kick** *n*.(足球)角球 **~-stone** *n*.牆角石;基石;基礎 // *around/round the* ~就在拐角處;近在眼前 *cut (off) a* ~抄近路.

cornet /'kɔːnɪt/ *n*. ①【樂】短號②(圓錐形的)蛋捲冰淇淋(=[美]cone).

cornice /'kɔːnɪs/ *a*.【建】飛簷;上楣.

cornucopia /ˌkɔːnjʊ'kəʊpɪə/ *n*. ①(象徵)富饒(的羊)角②富裕;豐饒.

corolla /kə'rɒlə/ *n*.【植】花冠,花瓣.

corollary /kə'rɒlərɪ/ *n*. 推論;必然之結果.

corona /kə'rəʊnə/ *n*. (*pl*. **-nae** /-niː/)【天】日冕;冠狀物.

coronary /'kɒrənrɪ/ *a*. (心臟)冠狀動脈的 *n*. = ~thrombosis // ~ *thrombosis*【醫】冠狀動脈栓塞症(俗稱 *heart attack* 心臟病).

coronation /ˌkɒrə'neɪʃn/ *n*. 加冕禮.

coroner /'kɒrəne(r)/ *n*. 驗屍官;法醫.

coronet /'kɒrənet/ *n*. 寶冠;小冠冕.

corpora/'kɔːpərə/ *n*. corpus 的複數.

corporal[1]/'kɔːpərəl/ *a*. 肉體的 // ~ *punishment* 體罰.

corporal[2]/'kɔːpərəl/ *n*.【軍】下士.

corporate /'kɔːpərət/ *a*. ①團體的;法人的;公司的②共同的,全體的 **~ly** *ad*.

corporation /ˌkɔːpə'reɪʃn/ *n*.【律】①社團;法人②[英]市(鎮)政府③大企業,大公司④[俚]大腹便便.

corporeal /kɔː'pɔːrɪəl/ *a*. 肉體的;物質的;【律】有形的.

corps /kɔː(r)/ *n*. (*pl*. **corps** /kɔːz/) ①軍團②(特殊兵種)隊;兵團③隊;團.

corpse /kɔːps/ *n*. 屍體.

corpulent /'kɔːpjʊlənt/ *a*. (指人)肥胖的 **corpulence** *n*.

corpus /'kɔːpəs/ *n*. (*pl*. **corpora** /'kɔːpərə/) *n*.(作家、著作的)文集、全集.

corpuscle /'kɔːpʌsl/ *n*. ①血球;細胞②【物】微粒,粒子.

corral /kə'rɑːl/ *n*. [美]畜欄 *v*.把…關入畜欄.

correct /kə'rekt/ *a*. ①正確的②恰當的,合適的 *vt*.①改正;修改②訓戒 **~ly** *ad*. **~ness** *n*.

correction /kə'rekʃn/ *n*. 改正;修改 **corrective** *a*.改正的;糾正的;矯正的 *n*.起矯正作用的事物.

correlate /'kɒrəleɪt/ *v*. (使)相互發生關係,(使)關聯 *n*.相關物 **correlation** *n*. **correlative** *a*. 相關的,關聯的 *n*.關聯詞.

correspond /ˌkɒrɪ'spɒnd/ *vi*. ①符合;協調②相應,相當③通信.

correspondence /ˌkɒrɪ'spɒndəns/ *n*. ①相應,相當;符合②通信;(來往)信件.

correspondent /ˌkɒrɪ'spɒndənt/ *n*. ①通信員;通訊記者②【商】(海外)客戶,代理商.

corresponding /ˌkɒrɪ'spɒndɪŋ/ *a*. 相應的,對應的 **~ly** *ad*.

corridor /'kɒrɪdɔː(r)/ *n*. ①走廊,通路②(通過別國的)走廊地帶.

corrigendum /ˌkɒrɪ'dʒendəm/ *n*. (*pl*. **-da**/-də/)應改正的錯誤;(*pl*.)勘誤表.

corroborate /kə'rɒbəreɪt/ *vt*.確定,確證 **corroboration** *n*. **corroborative** *a*.

corrode /kə'rəʊd/ *v*. (使)腐蝕;侵蝕 **corrosion** *n*.

corrosive /kə'rəʊsɪv/ *a*. 腐蝕(性)的;(對社會或個人感情等)有腐蝕作用的;(指語言)尖刻的 *n*.腐蝕劑.

corrugate /'kɒrəgeɪt/ *v*. 弄皺;起皺;

(使)成波狀 **~d** *a*. **corrugation** *n*. ①皺摺, 波紋②車轍; 溝.

corrupt /kə'rʌpt/ *a*. ①腐化的; 貪污的②腐敗的; 污濁的③(語言等)誤用的; 轉訛的 *v*. ①(使)腐敗, (使)腐化②賄賂③訛用(詞等) **~ly** *a*. **~ness** *n*. **~ible** *a*. 易腐化的 **~ibly** *ad*.

corruption /kə'rʌpʃn/ *n*. ①腐化, 腐敗; 貪污②(語言的)誤用, 轉訛.

corsage /kɔː'sɑːʒ/ *n*. 女服胸部的花束; 胸衣.

corsair /'kɔːseə(r)/ *n*. 海盜(船).

corset /'kɔːsɪt/ *n*. (婦女)緊身胸衣.

cortege /kɔː'teɪʒ/ *n*. 送葬行列; 儀仗行列.

cortex /'kɔːteks/ *n*. (*pl*. **cortices** /'kɔːtɪsiːz/)【解】皮質;【植】皮層 **cortical** *a*.

cortisone /'kɔːtɪsəun/ *n*. 【藥】可的松(腎上腺皮質酮素).

corumdum /kə'rʌndəm/ *n*. 金鋼砂.

coruscate /'kɒrəskeɪt/ *vi*. [書]閃爍; 閃亮; (才氣)煥發 **coruscation** *n*.

corvette /kɔː'vet/ *n*. 【軍】小型快速護衛艦.

cos[1]/kɒs/ *n*. 【植】科斯長葉萵苣(亦作 **cos lettuce**).

cos[2]/kɒs/ *n*. 【數】餘弦(cosine)的符號.

cosh /kɒʃ/ *n*. (金屬芯的)橡皮棍子 *vt*. 用棍打人.

cosine /'kəusaɪn/ *n*. 【數】餘弦.

cosmetic /kɒz'metɪk/ *n*. 化妝品 *a*. ①化妝用的, 美容的②[貶]裝點門面的, 擺樣子的 **~ian** *n*. 美容師.

cosmic /'kɒzmɪk/ *a*. 宇宙的 **~ally** *ad*. // *~ ray* 宇宙射綫.

cosmology /kɒz'mɒlədʒɪ/ *n*. 宇宙論 **cosmological** *a*.

cosmonaut /'kɒzmənɔːt/ *n*. [俄羅斯]太空人, 宇航員(=astronaut).

cosmopolitan /ˌkɒzmə'pɒlɪtən/ *a*. ①全世界的, 世界性的; 世界主義的②四海為家的; 見多識廣的 *n*. 四海為家的人; 見多識廣者; 世界主義者 **~ism** *n*. 世界主義.

cosmos /'kɒzmɒs/ *n*. 宇宙.

Cossack /'kɒsæk/ *n*. 哥薩克人.

cosset /'kɒsɪt/ *vt*. 寵愛, 嬌養.

cost /kɒst/ *v*. (過去式及過去分詞 **cost**)①值(多少錢); (使)花費(時間, 金錢, 勞力等)②(使)遭受損失, (使)付出代價 *n*. ①成本; 費用, 價錢②代價; 犧牲 // *at all ~s* 不惜任何代價 *at the ~ of* 以…為代價.

co-star /'kəustɑː(r)/ *v*. (電影或電視)(使)共同主演 *n*. 共同主演的明星.

costermonger /'kɒstəˌmʌŋgə(r)/ *n*. 推車沿街叫賣果菜的小販.

costive /'kɒstɪv/ *a*. ①便秘的②拘謹的③吝嗇的.

costly /'kɒstlɪ/ *a*. 昂貴的; 代價高的; 損失重大的 **costliness** *n*.

costume /'kɒstjuːm/ *n*. (某一時期或場合穿的)服裝; 戲裝; 服裝式樣 // *~ ball* 化裝舞會 *~ jewellery* 人造珠寶.

costumier, costumer /kɒ'stjuːmɪə(r), 'kɒstjuːmə(r)/ *n*. 服裝製造商.

cosy[1], **cozy** /'kəuzɪ/ *a*. ①溫暖而舒適的②親切的, 友好的 **cosily, cozily** *ad*. **cosiness, coziness** *n*.

cosy[2]/'kɒuzɪ/ *n*. 保暖罩.

cot /kɒt/ *n*. 輕便(可摺疊的)小床; 兒童床 **~-death**【醫】(病因不明的)嬰兒猝死(症).

cote /kəut/ *n*. (畜禽的)欄; 圈; 籠.

coterie /'kəutərɪ/ *n*. (排他性的)小集團; 小圈子; 同人俱樂部.

cotoneaster /kəˌtəunɪ'æstə(r)/ *n*.

【植】栒子.

cottage /'kɒtɪdʒ/ *n*. 農舍 // **～cheese** 軟白乾酪 **～industry** 家庭手工業 **～pie** 肉餡土豆餅(=shepherd's pie).

cotter /'kɒtə(r)/ *n*. 【機】銷, 栓; 開尾銷.

cotton /'kɒtn/ *n*. 棉花; 棉綫; 棉布 *vi*. **～y** *a*. 棉花(似)的 // *～candy* [美]棉花糖(=[英]candy floss) *～on*(*to sth*)[口]懂得, 逐漸理解 *～wool* 脫脂棉; 藥棉.

cotyledon /ˌkɒtɪ'liːdn/ *n*. 【植】子葉.

couch /kaʊtʃ/ *n*. 長沙發; 臥榻; 躺椅 *v*. (用語言)表達 // *～potato* [俚]老泡在電視機前的傢伙.

couchette /kuː'ʃet/ *n*. [法](火車上的)臥鋪; 鋪位.

couch-grass /'kaʊtʃ grɑːs/ *n*. (亦作 **couch**)【植】茅根.

cougar /'kuːgə(r)/ *n*. 【動】美洲獅(亦作 **puma** 或 **mountain lion**).

cough /kɒf/ *v*. & *n*. 咳嗽 // *～out* 咳出; (迫於無奈)說出; 交出.

could /kʊd, kəd/ can 的過去式.

couldn't /'kʊdnt/ = could not .

coulomb /'kuːlɒm/ *n*. 【電】庫侖.

coulter /'kəʊltə(r)/ *n*. 犁刀(= couter).

council /'kaʊnsl/ *n*. 政務會; 理事會; 委員會; 參議會; 會議 // *Security Council*(聯合國)安全理事會 *State Council*(中國)國務院 .

council(l)or /'kaʊnsələ(r)/ *n*. (市鎮等)參議員; 理事; 委員; 參事.

counsel /'kaʊnsl/ *n*. ①勸告, 忠告; 意見②意圖③(單複數同形)法律顧問, 律師 *v*. 勸告, 忠告; 商議 **～(l)or** *n*. 顧問; [美]律師, 法律顧問.

count[1] /kaʊnt/ *v*. ①數; 計算②計算在內③認為, 以為④有價值, 重要; 值得考慮 *n*. ①計數; 計算②注意; 重視③【律】(控告的一條)罪狀 **～less** *a*. 無數的, 不可勝數的 **～down** *n*. (火箭發射前的)倒數計時 // *～on/upon* 指望; 依靠.

count[2] /kaʊnt/ *n*. 伯爵(用於歐洲大陸 = [英]earl) **～ess** *n*. 女伯爵, 伯爵夫人.

countdown /'kaʊntdaʊn/ *n*. 在重大事件發生前的逆序計數; 倒計時.

countenance /'kaʊntənəns/ *n*. ①面容; 臉色②支持; 贊助; 贊同 *vt*. 支持, 贊助 // *keep one's～* 泰然自若; 忍住不笑.

counter[1] /'kaʊntə(r)/ *n*. ①櫃台②籌碼③計算者; 計數器 // *under the～* 私下; 走"後門".

counter[2] /'kaʊntə(r)/ *ad*. 相反地 *v*. 反對; 反駁; 反擊; 抵銷.

counter- [前綴]表示"反…; 相反的; 反對的; 對應的; 重複".

counteract /ˌkaʊntə'rækt/ *vt*. 抵銷; 消除; 中和 **～ion** *n*. **～ive** *a*. 抵銷的; 中和的 *n*. 反作用力; 中和劑.

counter-attack /'kaʊntər ətæk/ *n*. & *v*. 反攻, 反擊.

counterbalance /ˌkaʊntə'bæləns/ *vt*. 使平衡; 抵銷 /'kaʊntəbæləns/ *n*. 平衡物; 平衡力.

counterblast /'kɒʊntəblɑːst/ *n*. ①逆風②猛烈的反駁, 強烈的抗議.

countercharge /'kɒʊntətʃɑːdʒ/ *n*. & *vt*. 反訴; 反告; 反控.

counterespionage /'kaʊntər'espɪənɑːʒ/ *n*. 反間諜; 策反.

counterfeit /'kaʊntəfɪt/ *a*. & *n*. 偽造的(品), 假冒的(品) *vt*. 偽造, 假冒.

counterfoil /'kaʊntəfɔɪl/ *n*. (支票等的)存根, 票根.

countermand /ˌkaʊntə'mɑːnd/ *vt*. 取

消(命令);收回(成命);取消.

counterpane/'kaʊntəpeɪn/ *n*. 床罩.

counterpart /'kaʊntəpɑːt/ *n*. ①相對應的人(或物)②副本;複本③配對物;對方.

counterpoint /'kaʊntəpɔɪnt/ *n*. 【樂】對位法,對位音.

counterpoise /'kɑʊntəpɔɪz/ *v*. (使)平衡;抵銷 *n*. 平衡物;平衡力.

counterproductive /ˌkaʊntəprə'dʌktɪv/ *a*. 起反作用的.

countersign /'kaʊntəsaɪn/ *vt*. 連署,副署.

countersink /'kaʊntəsɪŋk/ *vt*. 打埋頭孔.

countertenor /ˌkaʊntə'tenə(r)/ *n*. 【樂】男聲最高音部(歌手).

countrified /'kʌntrɪfaɪd/ *a*. 鄉土氣的;粗俗的.

country /'kʌntrɪ/ *n*. ①國家;國土②鄉土;故鄉③(the ~)國民④(the ~)鄉下,農村⑤(只用 *sing*.)地方,地域**~man**, (**~woman**) *n*. 同胞(女同胞);鄉下人(鄉下女人)**~side** *n*. 鄉間,農村 // *~ and western* (= *~ music*)[美]西部鄉村音樂(略作 **C and W**).

county /'kaʊntɪ/ *n*. ①(英國的)郡(= shire)②(美國、中國的)縣.

coup /kuː/ *n*. [法]①驚人的成功之舉② = ~ d'etat // *~ de grace* /ˌkuːdə'grɑːs/ 致命的一擊 *~ d'etat* /kuːdeɪ'tɑː/(軍事)政變,(舊譯"苦迭打").

coupé, coupe /'kuːpeɪ/ *n*. (雙門)小轎車.

couple /'kʌpl/ *n*. ①一對,一雙②配偶,夫婦 *v*. ①連合;連接(車輛等)②[書]性交;(動物)交配.

couplet /'kʌplɪt/ *n*. 對句;對聯.

coupling /'kʌplɪŋ/ *n*. ①連接②聯結器;(火車的)碰鈎,車鈎.

coupon /'kuːpɒn/ *n*. 息票,優待券;(食物等)配給票證.

courage /'kʌrɪdʒ/ *n*. 勇氣,勇敢;膽量 **~ous** *a*. **~ously** *ad*.

courgette /kɔː'ʒet/ *n*. [法](綠皮)小胡瓜.

courier /'kʊrɪə(r)/ *n*. ①信使;(傳送急件的)信差②(旅行團體的)導遊.

course /kɔːs/ *n*. ①(空間或時間的)前進,進行;過程②方向;路綫③跑道;跑馬場;(高爾夫)球場④一系列(演講,治療等);課程;科目⑤一道菜⑥【建】一層(磚石)等 *v*. ①追獵(特指用獵犬追兔)②(液體)急速流動 // *as a matter of ~* 勢所必然;當然 *of ~* 當然;自然.

courser /'kɔːsə(r)/ *n*. [詩]駿馬.

court /kɔːt/ *n*. ①法庭,法院②朝廷③球場④庭院;天井⑤慇懃;求愛 *v*. ①(向…)求愛;獻慇懃②設法獲得(支持等);博得(喝彩)③招致(失敗、危險等)**~ship** *n*. 求愛,求婚 **~-martial** *n*. 軍事法庭**~yard** *n*. 院子.

courteous /'kɜːtɪəs/ *a*. 有禮貌的;謙恭的**~ly** *ad*. **courtesy** *n*. // *by courtesy of* 蒙…特許;經…同意.

courtesan /ˌkɔːtɪ'zæn/ *n*. [舊]名妓;(達官貴族的)情婦.

courtier /'kɔːtɪə(r)/ *n*. 廷臣,朝臣.

courtly /'kɔːtlɪ/ *a*. 尊嚴而有禮貌的 **courtliness** *n*.

cousin /'kʌzn/ *n*. 堂(表)兄弟;堂(表)姊妹// *first ~* 親堂(表)兄弟(姊妹) *second ~* 遠房堂(表)兄弟(姊妹).

couture /kuː'tʊə(r)/ *n*. [法](高檔)女時裝設計(業)**couturier** *n*. (高檔)女時裝設計師(或設計商).

cove /kəʊv/ *n*. ①小海灣②小谷.

coven/ˈkʌvən/ *n*. 巫婆的聚會.

covenant /ˈkʌvənənt/ *n*. 契約,(尤指定期捐贈的)契約書;盟約 *v*. 締結盟約;立約.

coventry/ˈkɒvəntrɪ/ *n*. 受排斥的狀態. send sb to ~ 把某人排斥在集體之外;拒絕與某人交往.

cover /ˈkʌvə(r)/ *vt*. ①蓋,覆,包,鋪②掩蓋,掩飾③掩護,庇護④包括;涉及⑤走(多少路程)⑥(錢)足敷⑦報導(新聞)⑧(為貨物)保險 *n*. ①蓋子,套子,罩子,(書的)封面②隱伏處,庇護所③掩護;假託,藉口 // ~ *charge* 餐飲行業(的)附加服務費 *under separate* ~ 在另函(或另包)內.

coverage /ˈkʌvərɪdʒ/ *n*. ①範圍;規模;總額②承保險別;保險總額③(新聞)報導(範圍).

covering /ˈkʌvərɪŋ/ *n*. 遮蓋物 // ~ *letter*(附於封面的)說明書.

coverlet /ˈkʌvəlɪt/ *n*. 被單.

covert /ˈkʌvət/ *a*. 隱密的;偷偷摸摸的 *n*. (樹叢等鳥獸)隱伏處 **~ly** *ad*.

covet /ˈkʌvɪt/ *vt*. 垂涎;覬覦;貪圖(別人之物) **~ous** /ˈkʌvɪtəs/ *a*. **~ousness** *n*.

covey /ˈkʌvɪ/ *n*. (鵪鶉,松雞等)一群,一窩.

cow[1]/kaʊ/ *n*. ①母牛,乳牛②(象、犀、鯨等)母獸 **~boy** *n*. ①牧童;牛仔②[英俗][貶]不法商人,奸商;[美]不負責任的人.

cow[2]/kaʊ/ *vt*. 恐嚇,威脅.

coward /ˈkaʊəd/ *n*. 懦夫 **~ly** *a*.

cowardice /ˈkaʊədɪs/ *n*. 怯懦;膽小.

cower /ˈkaʊə(r)/ *vi* 畏縮,抖縮.

cowl /kaʊl/ *n*. ①(僧侶的)頭罩;(帶頭罩的)僧侶道袍②烟囪帽.

cowling /ˈkaʊlɪŋ/ *n*. (飛機發動機的)活動罩.

cowrie, cowry /ˈkaʊrɪ/ *n*. 【動】寶貝(一種腹足動物,生長於暖海中).

cowslip /ˈkaʊslɪp/ *n*. 【植】野櫻草,黃花九輪草.

cox /kɒks/ *n*. = coxswain *v*. 掌舵.

coxcomb /ˈkɒkskəʊm/ *n*. ①[舊]紈絝子弟,花花公子② = cockscomb.

coxswain /ˈkɒksn/ *n*. 舵手;艇長.

coy /kɔɪ/ *a*. 害羞的,忸怩的 **~ly** *ad*. **~ness** *n*.

coyote /kɔɪˈəʊtɪ, kaɪəʊt/ *n*. (北美西部草原的)土狼.

coypu /ˈkɔɪpuː/ *n*. 【動】(南美的)海狸鼠.

cozen /ˈkʌzən/ *vt*. 欺騙;哄騙.

CPU *abbr*. = central processing unit 【計】中央處理機

Cr 【化】元素鉻(chromium)的符號.

crab[1]/kræb/ *n*. 蟹(肉).

crab[2]/kræb/ *v*. [口]抱怨,發牢騷;挑剔,指責 **~-apple** 野生酸蘋果.

crabbed /ˈkræbɪd/ *a*. ①(字迹)難認的②(亦作 **crabby**)乖戾的;易怒的.

crack /kræk/ *n*. ①裂縫②噼啪聲 *v*. ①(使)破裂;(使)爆裂;(使)裂開;砸破(硬東西)②(使)發噼啪聲 *a*. 最好的;高明的;第一流的 **~-brained** *a*. 愚蠢的;神經錯亂的 **~-down** *n*. 鎮壓,制裁 **~-pot** *a*. & *n*. 古怪的(人) // ~ *down on* 對…採取嚴厲措施,對…進行制裁(或鎮壓) ~ *up* [口](體力、精神)垮掉,崩潰.

cracker /ˈkrækə(r)/ *n*. ①[美]餅乾(=[英]biscuit)②爆竹③破碎機.

crackers /ˈkrækəz/ *a*. (作表語)精神失常的,發瘋的;瘋狂的.

cracking /ˈkrækɪŋ/ *a*. [英口]極好的,出色的.

crackle /'krækl/ *n*. & *vi*. (發)噼啪聲,(發)爆裂聲.

crackling /'kræklɪŋ/ *n*. ①(烤猪肉的)脆皮②爆裂聲.

cradle /'kreɪdl/ *n*. ①搖籃②(文化等的)發源地③支(船)架 *vt*.將…放進搖籃;輕輕抱着.

craft[1]/krɑːft/ *n*. ①工藝;手藝②(特殊技藝的)行業;行會③奸狡;詭計 **~sman** *n*.手藝人,工匠 **~smanship** *n*.(工匠的)技藝.

craft[2]/krɑːft/ *n*. (總稱單複同形)船;飛機.

crafty /'krɑːftɪ/ *a*. 狡猾的, 詭詐的 **craftily** *ad*. **craftiness** *n*.

crag /kræg/ *n*. 岩崖,峭壁 **~gy** *a*. 多岩的;峻峭的.

cram /kræm/ *v*. ①塞滿;塞入;填入②填鴨式地教…;(考前)死記硬背 **~mer** *n*.(考前)臨時抱佛脚者.

cramp[1]/kræmp/ *n*. ①抽筋,痙攣②(*pl*.)腹部絞痛;痛性痙攣(亦作 **stomach ~s**) *vt*.使抽筋.

cramp[2]/kræmp/ *n*. 夾(鉗) *vt*.①限制(於狹窄處);阻礙②夾住.

cramped /kræmpt/ *a*. ①狹窄的②(字迹)小而潦草的,難認的.

crampon /'kræmpɒn/ *n*. (常 *pl*.)(登高防滑用的)靴底釘.

cranberry /'krænbərɪ/ *n*. 【植】酸果蔓 // *~bush* (*tree*)【植】三裂葉莢蒾.

crane /kreɪn/ *n*. ①起重機②【鳥】鶴 *v*.伸(脖子) // *~ fly*【蟲】大蚊;(= *daddy longlegs*)長脚蜘蛛.

cranium /'kreɪnɪəm/ *n*. (*pl*. **~s** 或- **nia** /-nɪə/)【解】頭顱;頭蓋骨 **cranial** *a*.

crank /kræŋk/ *n*. ①【機】曲柄②[口]古怪的人 *v*.搖動;起動 **~shaft** *n*.【機】曲軸,機軸.

cranky /'kræŋkɪ/ *a*. ①古怪的②[美]脾氣急的③(指機器)搖晃的;有毛病的.

cranny /'krænɪ/ *n*. 裂縫;縫隙 **crannied** *a*.

crap /kræp/ *n*. [卑]①廢話②糞便;拉屎 *vi*.[卑]拉屎 **~per** *n*. 廁所.

crape /kreɪp/ *n*. ①(喪用)黑紗② = crepe.

crappy /'kræpɪ/ *a*. [俚]極差勁的.

craps /kræps/ *pl*.*n*. (用作 *sing*.)擲雙骰子賭博 // *shoot ~* 玩擲雙骰子賭博.

crash /kræʃ/ *v*. ①(嘩啦地)倒下;(轟隆地)碰撞;(嘩啦地)砸碎②(指飛機、車等),(使)墜毀,(使)撞壞③(企業、經濟)失敗,破產、倒閉 *n*.①轟隆聲;嘩啦聲②(飛機、車輛的)墜毀,撞壞③(企業、政府等的)破產,倒閉,垮台 *a*.應急的;速成的 *ad*.砰地一聲 **~-dive** *n*.(潛艇)緊急下潛 **~-landing** 緊急降落;迫降(**~-land** *v*.) // *~ dive*(潛艇)緊急下潛 *~ barrier*[英](高速公路上的)防撞欄.

crass /kræs/ *a*. [書][貶]①(指愚蠢等)非常的;徹底的 **~helmet**(摩托車駕駛員的)安全帽,頭盔②愚鈍的;無知的 **~ly** *ad*. **~ness** *n*.

crate /kreɪt/ *n*. ①板條箱;柳條筐(籃,簍)②[俚]破舊飛機;老爺車 *vt*.(~ sth up)把…裝入板條箱内.

crater /'kreɪtə(r)/ *n*. ①火山口②彈坑③(月球上的)環形山.

cravat /krə'væt/ *n*. (男用)領巾.

crave /kreɪv/ *v*. ①懇求②渴望 **craving** *n*.渴望.

craven /'kreɪvn/ *a*. 膽怯的 *n*.膽小鬼,懦夫 **~ly** *ad*. **~ness** *n*.

craw/krɔː/*n*.鳥或昆蟲的嗉囊;低等動

物的胃.

crawfish /'krɒ:fiʃ/ *n*. =crayfish .

crawl /krɔ:l/ *vi*. ①爬;(指人)匍匐,慢行②爬滿(爬蟲等)③(指皮膚)發癢;起雞皮疙瘩④[口]巴結;鑽營 *n*.①爬行;慢行②(常作 the ~)自由泳.

crawler /'krɔ:lə(r)/ *n*. ①馬屁精②(*pl*.)(嬰兒的)罩衣.

crayfish /'kreɪfɪʃ/ *n*. 【動】小龍蝦,蝲蛄.

crayon /'kreɪən/ *n*. 有色粉筆;蠟筆 *vt*.用有色粉筆(或蠟筆)畫.

craze /kreɪz/ *n*. (一時的)狂熱;(極流行的)時尚;風氣.

crazed /kreɪzd/ *a*. ①狂熱的;瘋狂的②有裂紋的.

crazy /'kreɪzɪ/ *a*. ①瘋狂的②荒唐的;怪誕的③狂熱的;熱衷的 **crazily** *ad*. **craziness** *n*. // ~*paving* 碎石路// *like* ~ [俚]發狂似地;賣力地;激昂地.

creak /kri:k/ *n*. & *vi*. (發出)吱吱嘎嘎聲~**y** *a*.

cream /kri:m/ *n*. ①奶油;乳脂②奶油製食品③香脂,雪花膏④(the ~)精華;最佳處⑤奶油色 *a*.奶油色的,淺黃色的 *v*.①打成奶油狀②(~off)從…提取精華~**y** *a*.奶油狀的;含奶油的;奶油色的 // ~*cheese* 白軟乾酪~*of tar* 酒石酸氫鉀 ~*puff* 奶油泡夫(一種西點);柔弱的男子.

creamery /'kri:mərɪ/ *n*. 奶油廠;乳品商店.

crease /kri:s/ *n*. ①摺縫,摺痕,皺摺②【板】(投手或打擊手的)界綫 *v*.折;弄皺;變皺;(使)起摺縫.

create /kri:'eɪt/ *v*. ①創造,創作②產生;製造③封授(爵位);任命(職位)④[俚]大喊大叫,大驚小怪.

creation /kri:'eɪʃn/ *n*. ①創造,創作②創造物;作品③新型衣帽④(C-)基督教《聖經》創世紀.

creative /kri:'eɪtɪv/ *a*. 有創造力的;創造性的;創作的 **creavity** *n*.創造力.

creator /kri:'eɪtə(r)/ *n*. ①創造者,創作者②(C-)【宗】造物主,上帝.

creature /'kri:tʃə(r)/ *n*. ①生物(人或動物)②奴才,傀儡.

crèche /kreɪʃ/ *n*. (日間)托兒所;孤兒院.

credence /'kri:dns/ *n*. 信任 // *letter of* ~介紹信;信任狀;(大使的)國書.

credentials /krɪ'denʃlz/ *pl*. *n*. 證書;信任狀;國書

credible /'kredəbl/ *a*. 可信(任)的;可靠的 **credibly** *ad*. **credibility** *n*. // *credibility gap* 信用差距(指政客們言行的不一致).

credit /'kredɪt/ *n*. ①相信,信任②信用;信貸;賒欠;存款③贊揚;聲望;榮譽④【會計】貸方⑤[美]學分 *vt*.①相信,信任②記入貸方③把…歸於// ~*card* 信用卡 ~*squeeze* 信貸緊縮,銀根的抽緊 *letter of* ~信用證(略作 **L/C**).

creditable /'kredɪtəbl/ *a*. ①可贊譽的;可信的;值得給予信貸的②可歸功…的~**ness** *n*.**creditably** *ad*.

creditor /'kredɪtə(r)/ *n*. 債權人;【會計】貸方.

credo /'kri:dəʊ/ *n*. 【宗】教義,信條

credulous /'kredjʊləs/ *a*. 輕信的 **credulity** *n*.

creed /kri:d/ *a*. 【宗】信條,教義;教條.

creek /kri:k/ *n*. ①小溪,小河②小灣.

creel /kri:l/ *n*. 魚簍.

creep /kri:p/ *vi*. (過去式及過去分詞

crept /krept/)①爬;匍匐②躡手躡脚(前進);(時間等)不知不覺地到來③(植物等)蔓延④起雞皮疙瘩,毛骨悚然 *n*.①[俚]馬屁精②(*pl*.)毛骨悚然的感覺 **~y** *a*.[俚]毛骨悚然的 **~y-crawly** *n*.[口]小爬蟲.

creeper /ˈkriːpə(r)/ *n*. ①爬蟲②匍匐植物.

cremate /krɪˈmeɪt/ *vt*. 火葬;焚化 **cremation** *n*.

crematorium /ˌkreməˈtɔːrɪəm/ *n*. 火葬場(=[美]crematory).

crème de menthe /ˌkrem də ˈmɒnθ/ *n*. [法]薄荷酒.

crenellated /ˈkrenəleɪtɪd/*a*. 有城垛的 **crenel(l)ation** *n*. 城垛的建築.

creole/ˈkriːʊl/*n*. 克里奧耳化語言;混合語,由許多混合語發展的語言.

creosote /ˈkrɪəsəʊt/ *n*.【化】木焦油,木餾油,雜酚油(木材等防腐劑) *vt*. 塗上雜酚油.

crepe /kreɪp/ *n*. [法]①=crape②皺綢(紗)③(亦作 **~rubber**)皺膠④油煎薄餅// *paper* 皺紙.

crept /krept/ creep 的過去式及過去分詞.

crepuscular /krɪˈpʌskjʊlə(r)/ *a*. [書]①黃昏的;拂曉的②朦朧的③(動物)在黃昏(或拂曉)時活動的.

crescendo /krɪˈʃendəʊ/ *n*. [意]①【樂】漸強(音)②[口]頂點,高潮 *a*. & *ad*.【樂】漸強的(地).

crescent /ˈkresnt/ *n*. ①月牙;新月②新月形的街道 *a*.新月形的;逐漸增大的.

cress /kres/ *n*.【植】水芹.

crest /krest/ *n*. ①鳥冠;雞冠;冠毛②頭盔③山頂;浪峰④【徽】(楯形上部的)飾章 **~ed** *a*.有冠毛的;有飾章的 **~fallen** *a*.垂頭喪氣的.

cretin /ˈkretɪn/ *n*.【醫】①呆小病(克汀病)患者②[口]白痴,傻瓜 **~ism** *n*.呆小病,克汀病 **~ous** *a*.

cretonne /ˈkretɒn/ *n*. [法](做窗簾,傢具套用的)印花棉花.

crevasse /krɪvæs/ *n*. (冰河的)裂口,冰隙.

crevice /ˈkrevɪs/ *n*. (地面,牆,岩石等的)裂縫;罅隙.

crew[1]/kruː/ *n*. ①(總稱)(船、機上的)全體船員,全體機組人員②(除船長或機長外的)船員或機組人員③(工作隊)④[口]一群人 *v*.當船員;當機組成員// *~cut n*.(髮型)平頭.

crew[2]/kruː/ [舊] crow 的過去式.

crewel /ˈkruːəl/ *n*. (刺綉用)細絨綫.

crib /krɪb/ *n*. ①(有圍欄的)童床②秣槽③抄襲之作品(學生作弊用的)對照譯文;習題答案④=cribbage *v*.[口]抄襲;剽竊;作弊.

cribbage /ˈkrɪbɪdʒ/ *n*.【體】(二至四人玩的)紙牌戲.

crick /krɪk/ *n*.【醫】(頸、背的)肌肉痙攣 *vt*.使(頸背)發生肌肉痙攣.

cricket[1]/ˈkrɪkɪt/ *n*.【蟲】蟋蟀.

cricket[2]/ˈkrɪkɪt/ *n*. 板球(運動) **~er** *n*.板球運動員.

crime /kraɪm/ *n*. ①罪(行)②[口]壞事;蠢事;可耻的事.

criminal /ˈkrɪmɪnl/ *n*. 罪犯,犯罪分子 *a*.①犯罪的,犯法的②[口]可惡的,糟透了 **~ly** *ad*.

criminology /ˌkrɪmɪˈnɒlədʒɪ/ *n*. 犯罪學,刑事學 **criminological** *a*. **criminologist** *n*.犯罪學家.

crimp /krɪmp/ *vt*. 使拳曲;使有摺.

crimson /ˈkrɪmzn/ *n*. & *a*. 深紅色(的).

cringe /krɪndʒ/ *vi*. & *n*. ①畏縮;退縮②阿諛奉承;卑躬屈膝.

crinkle /'krɪŋkl/ *v*. (使)起皺;(使)捲縮 *n*.皺摺;皺紋 **crinkly** *a*.

crinoline /'krɪnəlɪn/ *n*. (舊時支撐女裙的)襯架;裙襯.

cripple /'krɪpl/ *n*. 跛子;殘廢者 *vt*. ①使跛;致殘②損傷;削弱戰鬥力.

crisis /'kraɪsɪs/ *n*. (*pl*. **crises** /'kraɪsiːz/)危機;緊急關頭;(疾病等的)轉折點.

crisp /krɪsp/ *a*. ①(特指食物)脆的②(指空氣,天氣)清新的;寒冷的③(指態度)乾脆的,爽快的 *n*.[英]油炸土豆片(亦作 **potato** ～)=[美、澳]～**chip** ～**ly** *ad*. ～**ness** *n*. ～**y** *a*. [口](指果菜)酥脆的;新鮮的.

crisscross /'krɪskrɒs/ *v*. (使)成十字形;(使)交叉往來 *a*.成十字形的;相互交叉的.

criterion /kraɪ'tɪərɪən/ *n*. (*pl*.**-ria** /-rɪə/)(判斷的)準繩;標準.

critic /'krɪtɪk/ *n*. ①批評家;(尤指文藝)評論家②指摘者;吹毛求疵者.

critical /'krɪtɪkl/ *a*. ①評論的;鑒定的②指摘的,批評的③危急的,生死關頭的④【物】臨界的;處於轉折關頭的 ～**ly** *ad*.

criticism /'krɪtɪsɪzəm/ *n*. ①批評;評論②責備,指摘;批判.

criticize /'krɪtɪsaɪz/ *v*. ①批評;評論②責備,指摘;批判.

critique /krɪ'tiːk/ *n*. 評論(文章);鑒定.

croak /krəʊk/ *n*.(烏鴉,青蛙等的)叫聲 *vi*.①呱呱叫②發牢騷～**y** *a*.

crochet /'krəʊʃeɪ/ *v*. & *n*. 鈎針編織(品).

crock /krɒk/ *n*. ①罈子,瓦罐②碎瓦片③[口]老弱無用的人～**ery** *n*.(總稱)陶器;瓦罐.

crocodile /'krɒkədaɪl/ *n*. ①鱷魚②(兩人一列行進的)學童隊伍 // ～ *tears* 鱷魚淚,假慈悲.

crocus /'krəʊkəs/ *n*. 番紅花.

croft /krɒft/ *n*. (蘇格蘭)小農場 ～**er** *n*.小農場主.

croissant /'krwʌsɒŋ/ *n*. 月牙形的小麵包.

crone /krəʊn/ *n*. 醜陋的乾癟老太婆.

crony /'krəʊnɪ/ *n*. 知己,摯友.

crook /krʊk/ *n*. ①[口]拐子;壞蛋;小偷②曲柄拐杖③(河道等)彎處,彎子 *v*.(使)彎曲.

crooked /'krʊkɪd/ *a*. ①彎曲的②[口]拐騙的,不老實的～**ly** *ad*.

croon /kruːn/ *v*. 低聲唱;輕吟;哼唱 ～**er** *n*.低聲哼唱(歌曲)的歌手.

crop /krɒp/ *n*. ①一年(或一季)的收成;收穫(量)②農作物,莊稼③一大堆;一群④平頭;短髮⑤短馬鞭(亦作 **hunting** ～, **riding**-～) *v*. ①指(牲畜)啃去(草尖)②剪短(頭髮,馬尾等)③播種,種植④收穫 // ～ *out* (礦床等)露出 ～*up*[口]突然發生(出現).

cropper /'krɒpə(r)/ *n*. ①農作物②剪毛機;剪毛者③[俚]跌跟斗;慘敗 // *come a* ～[俚]重重跌倒;遭到慘敗.

croquet /'krəʊkeɪ/ *a*. 槌球戲.

croquette /krəʊ'ket/ *n*. [法]炸丸子,炸肉餅.

crosier, crozier /'krəʊʒɪə(r)/ *n*. 【宗】(主教的)權杖.

cross /krɒs/ *n*. ①十字;交叉②(C-)十字架③十字形物;十字勛章④(動、植物的)雜交,雜種;混合物 *a*.①橫的,交叉的②(風)逆的,相反的③乖戾的,壞脾氣的 *v*.①(使)交叉,(使)相交②橫過,渡過③畫叉叉;勾劃④(指行人、信件)互相在路上錯過⑤反對;阻撓⑥(使)雜交;配種～**ly** 橫,斜;生氣地~**ness** *n*.壞情緒;生氣~-**bred** *a*.雜交的,雜種的~-**breed** *n*.雜種,雜交~-**country** *a*. & *ad*.越野的(地) *n*.越野賽~-**cut** *n*.捷徑,直路~-**examine** *v*.【律】盤問(證人)~-**examination** *n*.~-**eye** *n*.鬥雞眼~-**eyed** *a*.~-**fertilize** 使异體(异花)受精(受粉)~-**fertilization** *n*.~-**fire** *n*.交叉火力~-**purposes** *n*.相互誤解;有矛盾~-**reference** *vt*. & *n*.相互參照~**roads** *pl*. *n*.十字路(口)~**wise** *a*. & *ad*.相反的(地)横向的(地);交叉的(地)~**word(puzzle)** *n*.縱横字謎// *keep one's fingers ~ed* 求神保祐(或希望)一切順利 *~section* 横截面;(有代表性的)人物,典型;抽樣.

crossing /'krɒsɪŋ/ *n*.横越;横斷;交叉(點);十字路口;渡口.

crotch /krɒtʃ/ *n*.(人體的)胯;(褲子的)襠.

crotchet /'krɒtʃɪt/ *n*.【樂】四分音符.

crotchety /'krɒtʃɪtɪ/ *a*.[口]脾氣壞的;(尤指老年人)愛爭吵發牢騷的.

crouch /kraʊtʃ/ *v*. & *n*.蜷縮;蹲伏;低頭,彎腰// *~ing start*【體】蹲下起跑法.

croup /kru:p/ *n*.【醫】(兒童患的)假痙攣性喉頭炎;哮吼.

croupier /'kru:pɪə/ *n*.(賭桌上收付賭注的)莊家.

crouton /kru:'tɒn/ *n*.[法](放在湯内的)油煎(或烤)麵包丁.

crow[1]/krəʊ/ *n*.烏鴉;【天】烏鴉座~**bar** *n*.撬棍~**'s-feet** *pl*. *n*.(眼睛外角的)魚尾(皺)紋~**'s-nest** 桅樓瞭望台// *as the ~ flies* 成直綫地.

crow[2]/krəʊ/ *n*.公雞啼聲;(嬰孩)笑聲 *vi* (-**ed** 或 **crew**/kru:/;-**ed**)喔喔啼;(嬰孩)格格地笑// *~over* 洋洋得意;幸灾樂禍.

crowbar/'krəʊbɑ:(r)/*n*.起貨物;撬棍.

crowd /krɒʊd/ *n*.①人群②(the~)群衆,民衆③一堆(東西)④[口]一夥人,一幫人 *v*.①群集②擁擠③擠滿;塞滿~**ed** *a*.充滿的,擠滿的// *follow/move with/go with the* ~隨大流 *raise oneself/-rise above the* ~出類拔萃,鶴立雞群.

crown /kraʊn/ *n*.①王冠;(the C-)王位②花冠③頂;頭頂;帽頂;齒冠;盡善盡美④[英][舊]五先令銀幣 *vt*.①加冕,加冠於②頂上有,位於…的頂上③表彰;酬勞④使圓滿完成// *C-Colony*[英]直轄殖民地 *~prince(ss)*[英]王太子(妃),(女)王儲.

crozier /krəʊʒə(r)/ *n*. =crosier.

cruces /'kru:si:z/ crux 的複數.

crucial /kru:ʃl/ *a*.①决定性的,緊要關頭的②嚴酷的③[俚]極好的~**ly** *ad*.

crucible /'kru:sɪbl/ *n*.坩堝;[喻]嚴酷的考驗.

crucifix /'kru:sɪfɪks/ *n*.(釘在十字架上的)耶穌受難像~**ion** *n*.①被釘死在十字架上②(C-)耶穌在十字架上受難的畫像.

cruciform /'kru:sɪfɔ:m/ *n*. & *a*.十字形(的).

crucify /'kru:sɪfaɪ/ *vt*.①把…釘在十字架上②虐待;折磨.

crude /kru:d/ *a*.①天然的;未加工的②(人,行為)粗魯的③粗製濫造的;拙劣的~**ly** *ad*. **crudity** *n*.// *~oil* 原油.

cruel /krʊəl/ *a*.①殘忍的,殘酷的②(引起)痛苦的~**ly** *ad*.~**ty** *n*.殘忍,殘酷(行為).

cruet /'kru:ɪt/ *n*.(餐桌上的)佐料瓶,調味品瓶.

cruise /kruːz/ *vi*. & *n*. ① 巡航;航遊;(飛機,汽車)以最省燃料的速度航行②[俚]在公共場所尋找異性伴侶// ~*missile* 巡航導彈.

cruiser /ˈkruːzə(r)/ *n*. 巡洋艦.

crumb /krʌm/ *n*. ①麵包屑;餅乾屑②一些,點滴.

crumble /ˈkrʌmbl/ *v*. ①弄碎;破碎②粉碎;崩潰,瓦解 *n*. 酥皮水果布丁 **crumbly** *a*. 易碎的;脆弱的.

crummy /ˈkrʌmɪ/ *a*. [俚]①劣質的;差勁的②骯髒的,邋遢的.

crumpet /ˈkrʌmpɪt/ *n*. ①小圓烤餅②[俚]性感的女性.

crumple /ˈkrʌmpl/ *v*. 弄皺,壓皺;變皺~**d** *a*. 弄皺了的// ~*up* 壓碎;打垮(敵人);垮台.

crunch /krʌntʃ/ *v*. ①嘎吱嘎吱咬(嚼)碎②(使)發出嘎吱聲 *n*. ①嘎吱聲②[口]緊要關頭;攤牌時刻 ~**y** *a*. 嘎吱作聲的.

crupper /ˈkrʌpə(r)/ *n*. (勒在馬屁股上的)後鞧.

crusade /kruːˈseɪd/ *n*. ①【史】十字軍②(除惡揚善的)鬥爭;改革運動 *vi*. 開戰;討伐;從事改革運動~**r** *n*. 從事改革運動者.

crush /krʌʃ/ *v*. ①(被)壓扁,(被)壓壞,(被)壓碎②弄皺,壓皺,起皺③擠進④壓服 *n*. ①(僅用 *sing*.)(擁擠在一起的)人群②(果)汁③[口]迷戀 ~**ing** *a*. (常作定語)①壓倒的,决定性的②凌辱性的.

crust /krʌst/ *n*. ①麵包皮,餅皮②硬殼;外層 *v*. 用外皮覆蓋;結硬皮~**y** *a*. 有硬殼的;脾氣暴躁的 // *the earth's*~地殼.

crustacean /krʌˈsteɪʃn/ *a*. & *n*. 甲殼類的(動物).

crutch /krʌtʃ/ *n*. ①拐杖②支柱;支撑(物)③胯,褲襠(=crotch).

crux /krʌks/ *n*. (*pl*. **cruxes** 或 **cruces** /ˈkruːsiːz/)①難點,難題②關鍵,癥結.

cry /kraɪ/ *v*. ①叫,喊②哭,啼③呼告;叫賣 *n*. ①叫聲;哭聲;哭訴;呼籲;叫賣聲②口號;標語~**baby** *n*. 愛哭的人(尤指小孩);好訴苦的人// ~*down* 貶損 ~*off* [口]食言,毁約.

crying /ˈkraɪɪŋ/ *a*. ①緊急的,迫切的②(尤指壞事,蠢事)極壞的;顯著的.

cryogenics /ˌkraɪəˈdʒenɪks/ *pl*. *n*. 【物】低溫學 **cryogenic** *a*.

crypt /krɪpt/ *n*. (教堂的)地窖;地穴.

cryptic /ˈkrɪptɪk/ *a*. 秘密的;難解的;隱晦的 ~**ally** *ad*.

cryptogam /ˈkrɪptəgæm/ *n*. 隱花植物.

cryptogram /ˈkrɪptəgræm/ *n*. 密碼;(文件的)暗號~**mic** *a*.

cryptography /krɪpˈtɒgrəfɪ/ *n*. 密碼(破譯)學 **cryptographic** *a*.

crystal /ˈkrɪstl/ *n*. ①水晶②結晶(體)③水晶玻璃(製品)④[美](鐘、錶的)表面玻璃 *a*. 水晶的;透明的.

crystalline /ˈkrɪstəlaɪn/ *a*. 水晶(般)的;透明的

crystallize, -lise /ˈkrɪstəlaɪz/ *v*. ①(使)結晶②(指計劃,思想等)(使)具體化③使沾糖;給(水果等)裹上糖屑 **crystallization** *n*.

CS gas【化】催泪瓦斯.

Cu【化】元素銅(copper)的符號.

cu *abbr*. = cubic.

cub /kʌb/ *n*. ①(熊、狐、獅、虎等的)幼仔,崽子②毛頭小伙子(姑娘);初出茅廬的記者③(C-) = C-Scout *vi*. 生仔// *C-Scout* 幼年童子軍.

cubbyhole /ˈkʌbɪhəʊl/ *n*. 狹窄的地

方;小房間;小壁櫥.

cube /kju:b/ *n*. 立方(體) *v*.①求立方;求…的體積②把…切成小方塊 **cubic(al)** *a*.立方體的;【數】三次的,立方的 **cubism** *n*.立體派藝術 **cubist** *n*.立體派藝術家 *a*.立體派(藝術家)的 // ~*root* 立方根.

cubicle /'kju:bɪkl/ *n*. (宿舍中的)小卧室;(游泳池的)更衣室.

cuckold /'kʌkəuld/ *n*. [諱]烏龜(奸婦的丈夫) *vt*.使…成烏龜,與…通奸 **~ry** *n*.(與有夫之婦的)通奸.

cuckoo /'kʊku:/ *n*. 布穀鳥,杜鵑 *a*. [口]瘋狂的;愚蠢的.

cucumber /'kju:kʌmbə(r)/ *n*.【植】黄瓜.

cud /kʌd/ *n*. 反芻的食物// *chew the* ~細細思考 *sea* ~海参.

cuddle /'kʌdl/ *v*. & *n*. 擁抱,撫抱 **cuddly** *a*. // ~*up* 依偎地睡着.

cudgel /'kʌdʒl/ *n*. 短棍,棒.

cue[1]/kju:/ *n*. & *vt*. 暗示;提示.

cue[2]/kju:/ *n*.【枱球】球杆,彈子棒.

cuff[1]/kʌf/ *n*. ①袖口;衣袖(褲脚的)捲摺②(*pl*.)[口](=handcuffs)手銬 **~-links** *pl*. *n*. 襯衫的袖口(=[美]**~buttons**)// *off the* ~[口]即興地.

cuff[2]/kʌf/ *n*. & *v*. (用巴掌)打.

cuisine /kwɪ'zi:n/ *n*. [法]烹飪(法).

cul-de-sac /'kʌl də sæk/ *n*. [法]死巷,死胡同.

culinary /'kʌlɪnərɪ/ *a*. 廚房的;烹飪(用)的.

cull /kʌl/ *vt*. ①採集(花);揀選②揀出;剔出;淘汰(老弱動物) *n*.挑出而遭淘汰的動物.

culminate /'kʌlmɪneɪt/ *vi*. 達到頂點(或最高潮) **culmination** *n*.

culottes /kju:'lɒts/ *pl*. *n*. (女用)裙褲.

culpable /'kʌlpəbl/ *a*. 該受譴責的;有罪的 **culpably** *ad*. **culpability** *n*.

culprit /'kʌlprɪt/ *n*. 犯人;罪犯.

cult /kʌlt/ *n*. ①【宗】禮拜;祭禮②(對個人,教義的)崇拜,膜拜③時尚,風靡一時的愛好 // *personality* ~ 個人崇拜,個人迷信.

cultivate /'kʌltɪveɪt/ *vt*. ①耕作(土地);培植(莊稼)②培養,教養**~d** *a*.耕作的;栽培的;有教養的 **cultivator** /'kʌltɪveɪtə(r)/ *n*. 耕種者;中耕機.

cultivation /ˌkʌltɪ'veɪʃn/ *n*. ①耕作,耕種②培養,教養.

cultural /'kʌltʃərəl/ *a*. 文化(上)的**~ly** *ad*.

culture /kʌltʃə(r)/ *n*. ①教養;修養②文化③飼養;(人工)培養;栽培**~d** *a*.有教養的;有修養的 // ~*d pearl* 人工養殖的珍珠.

culvert /'kʌlvət/ *n*. 涵洞,暗溝;地下管道.

cum /kʌm/ *prep*. [拉]和;兼;附有,連帶 // *kitchen-*~*-dining room* 廚房兼作餐室.

cumbersome /'kʌmbəsəm/ *a*. 麻煩的;笨重的;(辦事)拖拉的.

cumin, cummin /'kʌmɪn/ *n*.【植】小茴香(子).

cummerbund /'kʌməbʌnd/ *n*. (男用)寬腰帶.

cumulative /'kju:mjʊlətɪv/ *a*. 累積的 **~ly** *ad*.

cumulus /'kju:mjʊləs/ *n*. (*pl*. **-li** /-laɪ/【氣】積雲.

cuneiform /'kju:nɪfɔ:m/ *n*. & *a*. 楔形文字;楔形的.

cunning /'kʌnɪŋ/ *a*. ①狡猾的,詭詐的;機靈的②[美]動人的,可愛的,漂亮的 *n*.狡猾,詭詐**~ly** *ad*.

cup /kʌp/ *n*. ①杯;茶杯;酒杯;獎杯②一杯(量)③杯狀物 *vt*.①弄成杯狀(凹形)②(用手掌)捧着 **~ful** *n*.(一)滿杯 // ~ *final*【體】(尤指足球)决賽 ~ *tie* 優勝杯淘汰賽.

cupboard /ˈkʌbəd/ *n*. 碗櫃;食櫥;壁櫥 // *a skeleton in the* ~(不可外揚之)家醜.

Cupid /ˈkjuːpɪd/ *n*.【羅神】(愛神)丘比特.

cupidity /kjuːˈpɪdətɪ/ *n*. 貪婪;貪財;貪心.

cupola /ˈkjuːpələ/ *n*. 圓屋頂;圓頂篷.

cupreous /ˈkjuːprɪəs/ *a*. 含銅的;(似)銅的.

cur /kɜː(r)/ *n*. ①雜種狗,劣種狗②壞蛋,卑鄙的小人.

curaçao /ˌkjʊərəˈsəʊ/ *n*. (庫拉索島產的)柑香酒.

curare /kjʊˈrɑːrɪ/ *n*.【植】馬錢子,番木鱉.

curate /ˈkjʊərət/ *n*. 副牧師,助理牧師 **curacy** *n*.副牧師的職務(或職位).

curative /ˈkjʊərətɪv/ *a*. 治病的,有療效的 *n*.藥物.

curator /kjʊəˈreɪtə(r)/ *n*. ①(博物館,美術館)館長②監護人;保護人 **~ship** *n*.館長的職位(或職務).

curb /kɜːb/ *n*. ①馬勒,馬銜②控制(物)③[美]路邊;路緣石,鑲邊石(=kerb) *vt*.①勒(馬)②控制,抑制.

curd /kɜːd/ *n*. (常 *pl*.)凝乳 // *bean* ~豆腐.

curdle /ˈkɜːdl/ *v*. (使)凝結.

cure /kjʊə(r)/ *vt*. 治愈,醫治;祛除 *n*.①治療,治愈②療法;治療的藥劑 **curable** *a*.可治愈的 **~less** *a*.無法醫治的 **~-all** /ˈkjʊərɔː/ *n*. 靈丹妙藥,萬靈藥.

curette /kjʊəˈret/ *n*.【醫】刮器,刮匙 *v*.刮除 **curettage** *n*.【醫】刮除術.

curfew /ˈkɜːfjuː/ *n*. 戒嚴,宵禁 // *impose* (*lift*) *a* ~ 實施(解除)宵禁.

curie /ˈkjʊərɪ/ *n*.【物】(放射性強度單位)居里.

curio /ˈkjʊərɪəʊ/ *n*. 古玩,古董;珍品.

curiosity /ˌkjʊərɪˈɒsətɪ/ *n*. ①好奇(心)②奇事;奇物;珍品;古玩 // ~ *killed the cat* [諺]好奇傷身.

curious /ˈkjʊərɪəs/ *a*. ①好奇的;渴望知道的②愛打聽的③古怪的,稀奇的 **~ly** *ad*. **~ness** *n*.

curium /ˈkjʊərɪəm/ *n*.【化】鋦.

curl /kɜːl/ *n*. ①鬈髮;拳毛②拳曲物;螺旋狀物 *v*.①(使)捲曲②(烟)繚繞 **~y** *a*. **~er** *n*.捲髮夾(器).

curlew /ˈkɜːljuː/ *n*.【鳥】麻鷸.

curlicue /ˈkɜːlɪkjuː/ *n*. 拳曲裝飾;花體(字).

curling /ˈkɜːlɪŋ/ *n*.①(蘇格蘭)冰上溜石遊戲②拳曲.

curmudgeon /kɜːˈmʌdʒən/ *n*. 脾氣暴躁的人;卑鄙吝嗇的人.

currant /ˈkʌrənt/ *n*. ①無核葡萄乾②紅醋栗.

currency /ˈkʌrənsɪ/ *n*. ①通用,流通,流傳②通貨,貨幣 // *hard* ~硬通貨.

current /ˈkʌrənt/ *a*. ①通用的,流行的②現時的,當今的 *n*.①水流;氣流②電流③傾向,趨勢 **~ly** *ad*.普通地;通常地;當前 // ~ *account* 活期存款 *direct* (*alternating*) ~ 直(交)流(電).

curriculum /kəˈrɪkjʊləm/ *n*. (*pl*.**-lums** 或**-la**/-lə/)課程(表) // ~ *vitae* 簡歷(=[法]résumé).

curry[1] /ˈkʌrɪ/ *n*. 咖喱食品 *vt*.用咖喱烹調 **curried** *a*.用咖喱烹調的 // ~ *powder* 咖喱粉.

curry² /'kʌrɪ/ *vt*. 梳刷(馬匹等)～**comb** *n*.馬梳 // ～*favo(u)r* 拍馬屁,討好.

curse /kɜːs/ *n*. ①咒詛;咒語②災禍,禍根 *v*.①咒詛,咒罵②降禍;使受罪 // *not care a (tinker's)*～[俚]不在乎.

cursed, curst /'kɜːsɪd/ *a*. ①該詛咒的;可惡的②[口]討厭的.

cursive /'kɜːsɪv/ *n*. & *a*. (字迹)草寫體(的).

cursor /'kɜːsə(r)/ *n*. (計算尺的)遊標;【計】光標.

cursory /'kɜːsərɪ/ *a*. 草率的,粗略的 **cursorily** *ad*.

curt /kɜːt/ *a*. (指言詞)簡慢的;草率無禮的;唐突的～**ly** *ad*.～**ness** *n*.

curtail /kə'teɪl/ *vt*. 縮短;削減～**ment** *n*.

curtain /'kɜːtn/ *n*. ①簾子;窗簾;門簾②幕;幕狀物 *vt*.給…挂上簾子;(用簾子)遮蔽,隔開 // ～*call* (演員終場時)出場謝幕.

curts(e)y /'kɜːtsɪ/ *n*. (婦女行的)屈膝禮 *vi*.行屈膝禮.

curvaceous, curvacious /kɜː'veɪʃəs/ *a*. [俚](指婦女)有曲綫美的;(身材)苗條的.

curvature /'kɜːvətʃə(r)/ *n*. ①彎曲②【數】曲率.

curve /kɜːv/ *n*. 彎曲;曲綫 *v*. 弄彎;彎曲.

curvilinear /ˌkɜːvɪ'lɪnɪə(r)/ *a*. 曲綫的;由曲綫組成的.

cushion /'kʊʃn/ *n*. ①墊子,靠墊②墊層,軟墊,坐褥③緩衝器 *vt*.①減輕(震動);緩和(衝擊)②給…裝墊子.

cushy /'kʊʃɪ/ *a*. [口]輕鬆的,舒適的 **cushily** *ad*.

cusp /kʌsp/ *n*. ①尖頂;牙尖②【天】月角.

cuss /kʌs/ *n*. [口]①詛咒,咒罵②討厭的傢伙.

cussed /'kʌsɪd/ *a*. [口]執拗的;彆扭的～**ly** *a*.～**ness** *n*.

custard /'kʌstəd/ *n*. 蛋奶沙司.

custodian /kʌ'stəʊdɪən/ *n*. (圖書館、博物館等的)管理員,保管人～**ship** *n*.管理員的資格(或責職).

custody /'kʌstədɪ/ *n*. ①保管,保護②監禁,拘留 **custodial** *a*. // *be in* ～被拘留中

custom /'kʌstəm/ *n*. ①習俗,風俗②習慣③(對商店的)光顧,惠顧④(*pl*.)關稅;(the Customs)海關(亦作～**-house** 或～**s house**)～**-built**, ～**-made** *a*.定做的,定製的.

customary /'kʌstəmərɪ/ *a*. 通常的;慣例的 **customarily** *ad*.

customer /'kʌstəmə(r)/ *n*. ①顧客,主顧②[口]傢伙.

cut /kʌt/ *v*. (過去式及過去分詞 **cut**)①切(傷),割(破);剪;刺痛②開鑿;鑿成③刪節,削減④[口]缺席,曠(課)不理睬⑤切斷(水電等供應)⑥【牌】切(牌)⑦(指綫條)相交⑧削球 *n*.①切傷;傷口②切下物;一片,一塊;[口](利潤的)一份③減少,削減④裁剪的式樣⑤不理睬～**-and-dried** *a*.(亦作～**-and-dry**)固定的;呆板的;例行的～**-price** *a*.廉價的 // ～*across* 抄近路～*back* 裁短;削減～*down* 砍倒;削減,刪節～*in* 打斷,插嘴～*off* 切斷,隔絕～*out* 剪裁;刪;停止;放弃～*short* 打斷;縮短～*up* 切碎;殲滅;使苦惱.

cutaneous /kjuː'teɪnjəs/ *a*. 皮膚的;影響皮膚的

cute /kjuːt/ *a*.①[口]聰明的,伶俐的②美麗動人的～**ly** *ad*.～**ness** *n*.

cuticle /ˈkjuːtɪkl/ *n*. 表皮.
cutlass /ˈkʌtləs/ *n*. 短劍;彎刀.
cutlery /ˈkʌtlərɪ/ *n*. ①刀具②餐具 **cutler** *n*. 刀具(餐具)製造商.
cutlet /ˈkʌtlɪt/ *n*. 肉片;炸肉排.
cutter /ˈkʌtə(r)/ *n*. ①切削工;裁剪師②切削器,刀具③大輪船的駁船;緝私快艇.
cutting /ˈkʌtɪŋ/ *n*. ①切割;裁剪②剪報(=[美]clipping)③(電影的)剪輯④插枝 *a*.(語言)尖刻的;(風)刺骨的.
cutthroat /ˈkʌtθrəʊt/ *n*. 凶手;殺人犯 *a*. 凶狠的;殘酷無情的.
cuttlefish /ˈkʌtlfɪʃ/ *n*. 烏賊,墨魚.
cwt *abbr*. = hundredweight .
-cy [後綴]表示"性質,狀態,職位".
cyanide /ˈsaɪənaɪd/ *n*. 【化】氰化物.
cybernetics /ˌsaɪbəˈnetɪks/ *pl*. *n*. 控制論.
cyberphobic /ˈsaɪbəfobɪk/ *n*. 因不懂使用而對電腦產生恐懼的人.
cyberpunk /ˈsaɪbəpʌŋk/ *n*. 描述由電腦控制的未來暴力社會的科幻小說.
cyclamen /ˈsɪkləmən/ *n*. 【植】櫻草屬植物,仙客來.
cycle /ˈsaɪkl/ *n*. ①周期;循環②自行車;摩托車③【無】周(波) *vi*. ①循環②騎自行車(或摩托車) **cyclist** *n*. 騎自行車(摩托車)者.
cyclic(al) /ˈsaɪklɪk(l)/ *a*. 周期的;循環的 **~ally** *ad*.
cyclone /ˈsaɪkləʊn/ *n*. 旋風,颶風 **cyclonic** *a*.
cyclotron /ˈsaɪklətrɒn/ *n*. 迴旋加速器.
cygnet /ˈsɪgnɪt/ *n*. 【鳥】小天鵝.
cylinder /ˈsɪlɪndə(r)/ *n*. ①圓柱體;圓筒②【機】汽缸 **cylindric(al)** *a*.
cymbal /ˈsɪmbl/ *n*. (常 *pl*.)銅鈸,鐃鈸.
cynic /ˈsɪnɪk/ *n*. 憤世嫉俗者;好冷嘲熱諷的人 **~al** *a*. **~ally** *ad*.
cynicism /ˈsɪnɪsɪzəm/ *n*. 譏誚,冷嘲;犬儒主義.
cynosure /ˈsɪnəzjʊə(r), ˈsaɪ-/ *n*. [書]①注意的焦點;贊美的目標②指引方向之物.
cypher = cipher .
cypress /ˈsaɪprəs/ *n*. 【植】絲柏(樹).
cyst /sɪst/ *n*. 【生】胞囊;【醫】囊腫.
cystitis /sɪˈstaɪtɪs/ *n*. 【醫】膀胱炎.
cytology /saɪˈtɒlədʒɪ/ *n*. 細胞學 **cytological** *a*. **cytologist** *n*. 細胞學家.
czar /zɑː(r)/ = tsar 沙皇.
Czech, Czekh /tʃek/ *n*. 捷克人(語) *a*. 捷克的;捷克人(語)的.
Czechoslovak /ˌtʃekəˈsləʊvæk/ *n*. 捷克斯洛伐克人 *a*. 捷克斯洛伐克(人)的.

D

D, d /diː/ ①(D)羅馬數字 500②(D)【化】元素氘(deuterium)的符號③(d)【物】密度.

dab /dæb/ *v*. 輕拍, 輕撫; 輕敷; 輕塗 *n*.①輕拍, 輕撫; 輕敷, 輕塗②少量(尤指少量濕軟的)東西③亦作 **~hand**)[口]老手, 行家.

dabble /'dæbl/ *v*. ①濺水; 玩水②涉獵; 淺嘗 **~r** *n*. 玩水者; 涉獵者.

dace /deɪs/ *n*.【魚】鰷魚; 雅羅魚.

dachshund /'dækshʊnd/ *n*. 長身短腿的小獵犬.

dactyl /'dæktɪl/ *n*. [英詩]揚抑抑格 **~ic** *a*.

dad, daddy /dæd, 'dædɪ/ *n*. [口]爹爹, 爸爸.

daddy-longlegs /'dædɪ'lɒŋlegz/ *n*.【蟲】長脚蜘蛛(= crane fly).

dado /'deɪdəʊ/ *n*. (*pl*. **dado(e)s**)【建】護壁板, 牆裙.

daffodil /'dæfədɪl/ *a*. 水仙; 水仙花.

daft /dɑːft/ *a*. [英口]傻的, 愚蠢的; 瘋狂的 **~ly** *ad*.

dagger /'dægə(r)/ *n*. 短劍, 匕首 // *at ~s drawn* 劍拔弩張, 勢不兩立.

dago /'deɪgəʊ/ *n*. [貶]西班牙(葡萄牙, 意大利)佬.

daguerreotype /də'gerətaɪp/ *n*. (早期的)銀板照相(法).

dahlia /'deɪlɪə/ *n*.【植】大麗花屬; 天竺牡丹.

daily /'deɪlɪ/ *a*. & *ad*. 每日, 天天 *n*. ①日報②[英口](不住宿的)打雜女傭.

dainty /'deɪntɪ/ *a*. ①秀麗的, 嬌美的②好吃的, 可口的③講究的; 挑剔的 *n*. 美味(的食物), **daintily** *ad*. **daintiness** *n*.

daiquiri/'daɪkɪrɪ/ *n*. 代基里酒(由朗姆酒、酸橙汁加糖攙和而成的冷飲).

dairy /'deərɪ/ *n*. ①牛奶場; 製酪坊②乳品店, 牛奶房 **~maid** *n*. 擠奶女工 **~man** *n*. 奶場工人 // *~cattle* 奶牛 *~produce / products* 奶產品.

dais /'deɪɪs/ *n*. 講壇; 高台.

daisy /'deɪzɪ/ *n*.【植】雛菊 // *~wheel* 菊瓣字輪(打印機上的圓盤狀字體輪).

Dalai Lama /ˌdɑːlaɪ'lɑːmə/ *n*. 達賴喇嘛(中國西藏佛教格魯派首席轉世活佛系統的稱號).

dale /deɪl/ *n*. [詩]山谷; (英格蘭北部的)谿谷.

dally /'dælɪ/ *vi*. 延誤; 閑蕩; 嬉戲 **dalliance** *n*.

Dalmatian /dæl'meɪʃn/ *n*. 白毛黑斑大狗(達爾馬提亞狗).

dam[1]/dæm/ *n*. 壩, 水閘 *vt*. 築壩, 攔壩.

dam[2]/dæm/ *n*. 母獸.

damage /'dæmɪdʒ/ *n* ①損害②(用 *pl*.)【律】賠償金 *vt*. 損害, 損傷 // *do ~ to* 損害, 損傷.

damask /'dæməsk/ *n*. 花緞, 錦緞.

dame /deɪm/ *n*. ①[俚]女人②(D-)[英]夫人(女爵士的封號).

damn /dæm/ *vt*. ①(上帝)判罪; 罰入地獄②指摘, 痛駡; 詛咒③毀掉 *a*. & *ad*. (亦作 **~ed**)[俚](用於加強語氣)非常, 極 *int*. [俚]該死的! 可惡的! **~able** *a*. 該死的; 糟透的 **~ation** *n*. 遭天罰; [口]毀滅.

damp /dæmp/ *a*. 潮濕的 *n*.潮濕(亦作~**ness**) ~**ly** *ad*. // ~*course*, ~*proof course*【建】(牆根的)防濕層.

damp(**en**) /'dæmp(ən)/ *v*. ①弄濕②使沮喪;挫折 // ~*down* ①封(火);滅(火)②抑制.

damper /'dæmpə(r)/ *n*. ①(調節)風門,風擋;【樂】制音器②掃興的人(或事物) // *put a* ~*on* 掃…的興;抑制….

damsel /'dæmzl/ *n*. [舊]少女;閨女.

damson /'dæmzn/ *n*. 【植】西洋李子(樹).

dance /dɑːns, dæns/ *v*. ①(使)跳舞;舞蹈②雀躍,跳躍 *n*.①跳舞,舞蹈②舞會;舞曲 ~**r** *n*.舞蹈家,舞蹈演員 **dancing** *n*.跳舞,舞蹈.

D and C *abbr*. = dilatation and curettage【醫】護理及搔刮.

dandelion /'dændɪlaɪən/ *a*. 【植】蒲公英.

dander /'dændə(r)/ *n*. [口]怒火 // *get one's* ~*up*[俚]使發怒.

dandle /'dændl/ *vt*. 將(嬰孩)上下舉動地逗樂.

dandruff /'dændrʌf/ *n*. 頭皮屑;頭垢.

dandy /'dændɪ/ *n*. 紈絝子弟,花花公子 *a*.[口]極好的,第一流的 **dandified** *a*. 打扮得花花公子似的 // *fine and* ~[口]好的,行.

Dane /deɪn/ *n*. 丹麥人.

danger /'deɪndʒə(r)/ *n*. 危險(的人或事物);危害;威脅 ~**ous** *a*. 危險的 ~**ously** *ad*.貼 // *be in* ~*of* 有…的危險 ~*money* 危險工作的津貼 *out of*~出險,脫險.

dangle /'dæŋgl/ *v*. ①搖晃;懸擺 ②以某事物來招引人 // *keep sb dangling* [口]吊(某人)胃口,賣關子.

Danish /'deɪnɪʃ/ *a*. 丹麥的,丹麥人的,丹麥語的 *n*.丹麥語.

dank /dæŋk/ *a*. 陰濕的~**ly** *ad*.

daphne /'dæfnɪ/ *n*. 【植】月桂(樹).

dapper /'dæpə(r)/ *a*. ①(尤指矮小男子)乾淨利落的②服裝整潔的.

dappled /'dæpld/ *a*. 有斑點的;有花紋的.

dapple-grey, **dapple-gray** /'dæpl'greɪ/ *a*.& *n*. 深灰色花斑的(馬).

Darby and Joan /ˌdɑːbɪ ən 'dʒəun/ *n*. 幸福美滿的老兩口 // ~*Club* 老人俱樂部.

dare /deə(r)/ *v*. *aux*. (**dared** /deəd/)(後接不帶"to"的不定式,用於疑問、否定、條件句中)敢;竟敢 *vt*.(用或不用"to")①敢②敢於面對③挑戰~**devil** *a*.& *n*.膽大妄為的(人),冒失的(人) // *I* ~ *say* 我想;大概.

daren't /deənt/ =dare not.

daring /'deərɪŋ/ *n*.& *a*. 勇敢(的),大膽(的);創新(的) ~**ly** *ad*. ~**ness** *n*.

dark /dɑːk/ *a*. ①暗,黑暗的②(指顏色)深濃的③隱蔽的;秘密的④邪惡的;陰鬱的 *n*.①黑暗;暗處②黃昏③無知~**ly** *ad*. ~**ness** *n*. ~**room** *n*.(冲洗底片的)暗房 // ~*horse* 黑馬;(意想不到的勁敵,异軍突起的)競爭者 *in the* ~在黑暗中;暗地裏;不知 *keep sth* ~保守秘密.

darken /'dɑːkən/ *v*. 弄黑;變黑 // ~*sb's door*(不受歡迎或未被邀請地)登門造訪.

darling /'dɑːlɪŋ/ *n*. 心愛的人;寵物 *a*.心愛的,寵愛的.

darn[1] /dɑːn/ *v*. 織補 *n*.織補處.

darn[2] /dɑːn/ *int*.& *a*.& *ad*.& *v*. [婉]=damn.

dart /dɑːt/ *v*. ①急衝, 飛奔②投擲, 投射 *n*.①標槍; 鏢②突進; 飛奔③(衣服上縫製的)捏摺④(*pl*.)投鏢遊戲 **~board** *n*.(投鏢用的)鏢靶.

Darwinism /ˈdɑːwɪnɪsm/ *n*. (達爾文)進化論 **Darwinian**, **Darwinist** *a*. & *n*.進化論的(者).

dash /dæʃ/ *v*. ①猛衝, 突進; 猛擊②破滅; 粉碎③冲擊, 擊拍④澆, 潑, 濺 *n*.①猛衝, 突進②(the ~ 或 a ~)冲擊聲③少量(攙加物)④破折號; 長畫符號(—)⑤(the ~)短跑⑥銳氣; 精力; 幹勁 **~ing** *a*.幹勁十足的; 生氣勃勃的 // *cut a* ~(由於外表)使人產生深刻印象; 有氣派 ~*off* 草草寫(畫)成.

dashboard /ˈdæʃbɔːd/ *n*. (車、船、飛機的)儀表板.

dastardly /ˈdæstədlɪ/ *a*. 卑怯的; 懦弱的.

data /ˈdeɪtə/ *n*. (亦可用作複數)資料; 論據; 數據 // ~*base*/*bank*【計】數據庫 ~*capture*【計】數據捕捉 ~*processing*【計】數據處理.

date[1] /deɪt/ *n*.【植】棗.

date[2] /deɪt/ *n*. ①日期; 年、月、日; 時代②[口](未婚男女間的)約會 *v*.①注日期於; 斷定…的年代②(使)過時 **~d** *a*.過時的 **~-line** *n*.①(注明發稿日期、地點的)電訊電頭②(D-L-)【天】日界綫 // ~*back to* 回溯至; 起源於 ~ *from* 從…開始 *out of* ~過時的; 陳舊的 *up to* ~最新的; 時興的.

dative /ˈdeɪtɪv/ *n*. & *a*.【語】與格(的).

daub /dɔːb/ *v*. ①(胡亂地)塗抹(油漆、顏料、灰泥等)②弄髒; 亂畫 *n*.①粗灰泥②拙劣的畫.

daughter /ˈdɔːtə(r)/ *n*. 女兒 **~ly** *a*. 女兒(似)的 **~-in-law** *n*.兒媳婦.

daunt /dɔːnt/ *vt*. 威壓; 使…沮喪 **~less** *a*. 不屈不撓的; 無畏的 **~lessly** *ad*. **~lessness** *n*.

dauphin /ˈdɔːfɪn/ *n*. (舊時法國的)皇太子.

davenport /ˈdævnpɔːt/ *n*. ①[英]一種小書桌②[美]坐卧兩用長沙發.

davit /ˈdævɪt/ *n*. 吊艇架.

Davy lamp /ˈdeɪvɪ læmp/ *n*. (早期礦工用的)安全礦燈.

dawdle /ˈdɔːdl/ *v*. 閑蕩; 混日子 **~r** *n*.遊手好閑者.

dawn /dɔːn/ *n*. ①黎明②開端 *vi*.破曉③顯露; 出現 // ~ *on*/*upon* 漸被理解(或感知).

day /deɪ/ *n*. ①白晝②(一)日; 一晝夜③工作日④(*pl*.)時代; 時期; 日子; (常大寫)節日, 重要日子 **~-to-~** *a*.日常的 // *by* ~白天裏, 日間 ~*by* ~一天天地 ~ *in* ~*out* 一天又一天; 連續不斷地 *in* ~*s to come* 將來; 此後 *in these* ~*s* 當前 *in those* ~*s* 那時 *one* ~(將來或過去的)某日 *some* ~有朝一日 *the other* ~前幾天 *this* ~*week* 下(上)星期今天.

daybreak /ˈdeɪbreɪk/ *n*. 黎明.

daydream /ˈdeɪdriːm/ *vi*. & *n*. 做白日夢; 空想, 幻想 **~er** *n*.空想家.

daylight /ˈdeɪlaɪt/ *n*. 日光, 白晝 // ~*saving time*[美]夏時制(= summer time).

day return /ˈdeɪ rɪˈtɜːn/ *n*. (亦作 ~ **ticket**)當日來回票(=[美]round-trip ticket).

daze /deɪz/ *vt*. 使暈眩; 使迷惑 *n*.迷惑 **~d** *a*.眩暈的; 茫然的 **~dly** *ad*. // *in a* ~處於迷惑狀態.

dazzle /ˈdæzl/ *v*. ①(使)眼花; (光等)眩耀②給人深刻印象.

DC *abbr*. =direct current 直流電.

DD *abbr*. =Doctor of Divinity 神學博士.

D-day /'di:deɪ/ *n*. (1944 年 6 月 6 日盟軍登陸歐洲開始進行大規模作戰的)反攻日.

DDT【化】滴滴涕(一種化學殺蟲劑).

de- [前綴]表示"否定","相反","減少","降低","下","離","剝奪"如: **decompose** 分解 **demobolize** 復員 **descend** 下來.

deacon /'di:kən/ *n*.【宗】(教會中的)副主祭,助祭;執事 **~ess** *n*. 女執事,女助祭.

deactivate /di:'æktɪveɪt/ *vt*. 使無效;取下(炸彈等)雷管使成死彈;使之無害.

dead /ded/ *a*. ①死的;凋謝的 ②無活動的;停頓的,呆滯的 ③完全的;突然的 ④已廢的;失效的 *ad*. 全然;十足 *n*. ①(the~)(總稱)死者 ②最沒生氣的時期(刻) **~-beat** [口]*a*. 精疲力盡的 *n*. 遊手好閑者;沒有生活出路的人 **~-end** *a*. 行不通的;絕境的 **~line** *n*. 截止日期 **~lock** *n*. 僵局 *v*. (使)陷入僵局 **~wood** *n*. ①沒用的人②沒用的東西,廢物③陳貨 // *be ~(set) against* 堅決反對 *~ heat* 不分勝負的比賽 *~ letter* (無法投遞的)死信;已失效的法規 *~ shot* 神槍手;命中彈 *~ weight* ①重負②淨重;【船】總載重量.

deaden /'dedn/ *vt*. 緩和;消除;減弱(聲音等).

deadly /'dedlɪ/ *a*. ①致命的;勢不兩立的②[口]令人受不了的;使人厭煩透了的 *ad*. 非常,極 // *~ nightshade*【植】顛茄;龍葵.

deaf /def/ *a*. ①聾的②不願聽的;裝聾的 **~ness** *n*. **~mute** *n*. 聾啞人 // *turn a ~ ear to* 充耳不聞;置之不理.

deafen /'defn/ *v*. 震聾,(使)變聾 **~ing** *a*. 震耳欲聾的,極吵鬧的

deal[1] /di:l/ *n*. 數量 // *a good/great ~*①很多;大量②…得多.

deal[2] /di:l/ *v*. (過去式及過去分詞 **dealt** /delt/)①分派,分配,分給②給予(打擊的);發(牌) *n*. ①[口]買賣,交易;協議②(受到的)待遇 **~er** *n*. 商人;發牌人 **~ings** *pl*. *n*. 交易;(個人間或商業上的)往來 // *a fair/square ~* 公平交易 *~in* 經營;做買賣 *~with*①論述;涉及②對付;同…相處③處理;解决.

dealt /delt/ deal 的過去式及過去分詞.

dean /di:n/ *n*. ①【宗】教長,主教②(大學)院長;教務長;系主任 **~ery** *n*. ①教長(主教)的教區②院長;教務長;系主任的辦公室(或住宅).

dear /dɪə(r)/ *a*. ①親愛的(用於稱呼或書信中)②可愛的,令人疼愛的③貴重的,價貴的 *n*. 親愛的人 *n*. 親愛的人(或物) *ad*. 高價地;親愛地 *int*. (表驚异,焦急,沮喪等)哎呀! **~ly** *ad*. ①深情地②價貴地 **~ness** *a*. ①至愛;親愛②高價 **~ie**, **~y** *n*. [口]親愛的人;寶貝 // *cost sb ~* 使人大吃苦頭,讓人付出很高代價.

dearth /dɜ:θ/ *n*. (只用 *sing*.)稀少;缺乏,饑饉.

death /deθ/ *n*. ①死(亡)②消滅,毀滅 **~ly** *a*. & *ad*. 死一般的(地) **~less** *a*. 不死的,不朽的 **~bed** *n*. 死亡時睡的床 *a*. 臨終的 **~blow** *n*. 致命的一擊 // *~ duty* [英]遺產稅(=[美]~tax) *~ knell* 喪鐘 *~ rate* 死亡率 *~-roll* 死亡人數 *~-warrant* 死刑執行令 *~-watch beetle*【蟲】蛀木蟲.

deb /deb/ *n*. [口] = debutante.
debacle /deɪ'bɑːkl/ *n*. [法]瓦解；潰敗；垮台.
debar /dɪ'bɑː(r)/ *vt*. 攔阻；拒絕；排斥 **~ment** *a*.
debase /dɪ'beɪs/ *vt*. 貶低，降低；貶值 **~ment** *n*.
debate /dɪ'beɪt/ *n*. 討論；辯論 *v*. 討論；辯論；思考 **debatable** *a*. 可爭辯的；爭論中的；(指土地歸屬等)有爭議的；未決的 **~r** *n*. 爭論者，辯論者 // *in debate* 爭執未決的.
debauch /dɪ'bɔːtʃ/ *vt*. 使墮落，使道德敗壞；淫逸，放蕩 *n*. 放蕩(行為)，荒淫 **~ery** *n*. 放蕩；淫蕩.
debauched /dɪ'bɔːtʃt/ *a*. 道德敗壞的；淫逸的，放蕩的.
debenture /dɪ'bentʃə(r)/ *n*. (政府或公司發行的)債券.
debilitate /dɪ'bɪlɪteɪt/ *vt*. 使虛弱，使衰弱 **debilitation** *n*.
debility /dɪ'bɪlətɪ/ *n*. 衰弱，虛弱.
debit /'debɪt/ *n*. 【會計】借方 *vt*. 記入借方 // *~ card* (銀行存戶持有的)借方卡.
debonair /ˌdebə'neə(r)/ *a*. ①心情愉快的②彬彬有禮的.
debouch /dɪ'baʊtʃ/ *v*. (河水等)流出；進入(開闊地帶).
debrief /diː'briːf/ *vt*. 聽取(士兵、外交官等)彙報(情況) **~ing** *n*.
debris, débris /'deɪbriː/ *n*. [法]瓦礫；殘骸.
debt /det/ *a*. 欠款；債務 **~or** *n*. 債務人；【會計】借方 // *bad ~* 倒帳；壞帳 *National D-* 國債，公債.
debt-counselling /'det'kaʊnsəlɪŋ/ *n*. 債務諮詢.
debug /ˌdiː'bʌg/ *vt*. [口]①排除(電子裝置等的)故障；移去(電腦程序中的)錯誤；調整；調諧②從…拆除竊聽器.
debunk /ˌdiː'bʌŋk/ *v*. [口]揭露；拆穿.
début /'deɪbjuː/ *n* [法](演員)初次登台演出；首次露面.
débutante /'dejuːtɑːnt/ *n*. [法](上流社會)初次參加社交活動的少女；初次登台的女演員.
Dec. *abbr*. = December.
deca- [前綴]表示"十"，"十倍".
decade /'dekeɪd/ *n*. 十年.
decadence /'dekədəns/ *n*. 頹廢；衰落；墮落.
decadent /'dekədənt/ *a*. 頹廢的；衰落的；墮落的 *n*. (十九世紀末英法的頹廢派作家或藝術家).
decaffeinated /ˌdiː'kæfɪneɪtɪd/ *a*. (指咖啡)不含咖啡因的.
decagon /'dekəgən/ *n*. 【數】十角形，十邊形.
decahedron /ˌdekə'hiːdrən/ *n*. 【數】十面體.
Decalog(ue) /'dekəlɒg/ *n*. 【宗】十誡 (= the Ten Commandments).
decamp /dɪ'kæmp/ *vi*. ①撤營②逃亡，逃走.
decant /dɪ'kænt/ *vt*. ①移注；傾注(酒等)；潷②暫時遷徙(住客)；下(客) **~er** *n*. 潷析器；洋酒瓶.
decapitate /dɪ'kæpɪteɪt/ *vt*. 斬首，殺頭 **decapitation** *n*.
decarbonize /ˌdiː'kɑːbənaɪz/ *vt*. 【化】使脫碳；(為內燃機)除碳 **decarbonization** *n*.
decathlon /dɪ'kæθlɒn/ *n*. 【體】十項運動
decay /dɪ'keɪ/ *vt*. & *n*. 腐朽；腐敗；衰敗；凋謝.
decease /dɪ'siːs/ *n*. 【律】死亡 (=

death).

deceased /dɪ'siːst/ *a*. 剛去世的 **the** ～ *n*.(單複同)【律】(不久前去世的)死者.

deceit /dɪ'siːt/ *n*. ①欺騙, 欺詐②謊言,騙術 **～ful** *a*.欺騙的,欺詐的,不老實的.

deceive /dɪ'siːv/ *vt*. 欺騙,哄騙;蒙蔽 **～r** *n*.騙子,欺騙者.

decelerate /ˌdiː'seləreɪt/ *v*. (使)減速 **deceleration** *n*.

December /dɪ'sembə(r)/ *n*. 十二月.

decennial /dɪ'senjəl/ *a*. 持續十年之久的;每十年一次的 *n*.[美]十周年(紀念) **～ly** *ad*.

decent /'diːsnt/ *a*. ①(言行舉止)正派的,端莊的②(服裝等)相稱的,得體的,合宜的③體面的;像樣的;相當不錯的④[口]寬宏的;和氣的 **～ly** *ad*. **decency** *n*.

decentralize, -se /ˌdiː'sentrəlaɪz/ *vt*. 分散(機構,權力等);疏散(人口,工廠等) **decentralization** *n*.

deception /dɪ'sepʃn/ *n*. ①欺騙;受騙②騙局;詭計.

deceptive /dɪ'septɪv/ *a*. 騙人的,虛偽的;靠不住的 **～ly** *ad*. **～ness** *n*.

deci- [前綴]表示"十分之一" 如 deci-gram(me) *n*.分克(十分之一克).

decibel /'desɪbel/ *n*. 【物】分貝(音量單位).

decide /dɪ'saɪd/ *v*. ①决定,决心②解决;判决③(使)下决心.

decided /dɪ'saɪdɪd/ *a*. ①堅决的;果斷的②明顯的;明確的 **～ly** *ad*.

deciduous /dɪ'sɪdjʊəs/ *a*. 脫葉的,落葉的.

decimal /'desɪml/ *a*. 十進的;小數的 *n*.小數(= ～fraction) **～ly** *ad*. // ～*point* 小數點 ～*system* *n*.十進位制.

decimalize /'desɪməlaɪz/ *vt*. 使成為十進制 **decimalization** *n*.

decimate /'desɪmeɪt/ *vt*. 大批殺死(或毀掉)**decimation** *n*.

decipher /dɪ'saɪfə(r)/ *vt*. 破譯(密碼);辨認(模糊的字);解釋(難懂的意義) **～able** *a*.可破譯的;辨認得出的.

decision /dɪ'sɪʒn/ *n*. ①决定,决心;决議(書)②果斷;堅定.

decisive /dɪ'saɪsɪv/ *a*. ①决定性的;斷然的②(= decided)果斷的;明確的 **～ly** *ad*. **～ness** *n*.

deck[1]/dek/ *n*. ①甲板;艙面②一副(紙牌)③橋面;層面 **～er**(用以構成複合詞)有…層的(東西) **～chair** *n*.帆布摺叠椅 **～-hand** *n*.艙面水手 // *clear the* ～*s* 準備作戰,準備行動.

deck[2]/dek/ *vt*. 裝飾,修飾 // ～ *out* 打扮;裝飾.

deckle edge /'dekl 'edʒ/ *n*. (紙的)毛邊 **～d** *a*.有毛邊的.

declaim /dɪ'kleɪm/ *v*. ①(聲情並茂地)高聲演說;朗誦②大聲抗辯 **declamation** *n*. **declamatory** *a*.

declaration /ˌdeklə'reɪʃn/ *n*. ①宣告,宣佈;聲明;宣言(書)②(在海關對納稅品的)申報(單).

declare /dɪ'kleə(r)/ *v*. ①宣告,宣佈②聲明,表明③(向海關)申報納稅品 **declarable** *a*.要申報納稅的 **declarative, declaratory** *a*.宣告的;說明的;陳述的 // *declarative sentence* 【語】陳述句.

declension /dɪ'klenʃn/ *n*.【語】變格,詞尾變化.

declination /ˌdeklɪ'neɪʃn/ *n*. ①【天】赤緯②【物】磁偏角,偏角③謝絕.

decline /dɪ'klaɪn/ *v*. ①婉拒，謝絕②下降；(太陽)落山；衰落③【語】使變格 *n*. 降低，下落；衰落；衰弱 // *on the* ～ 每況愈下.

declivity /dɪ'klɪvətɪ/ *n*. 傾斜；斜坡.

declutch /ˌdiː'klʌtʃ/ *v*. 脫開離合器；使離合器脫開.

decoct /dɪ'kɒkt/ *vt*. 煎(藥)，熬(湯)，煮 **～ion** *n*. ①煎，熬②煎汁③熬煮出來的東西.

decode /ˌdiː'kəʊd/ *v*. 破譯(密碼)；解釋(電報) **～r** *n*. 譯電員；譯碼機.

decoke /ˌdiː'kəʊk/ *v*. ＝decarbonize.

décolleté /deɪ'kɒlteɪ/ *a*. [法](指女服)袒胸露肩的 **décolletage** /ˌdeɪ'kɒl'tɑːʒ/ *n*. 袒胸露肩的女服；(此類女服的)低領.

decompose /ˌdiːkəm'pəʊz/ *v*. ①【化】分解②(使)腐爛 **decomposition** *n*.

decompression /ˌdiːkəm'preʃn/ *n*. 減壓，降壓 // ～*sickness*【醫】高原不適症，減壓病.

decongestant /ˌdiːkən'dʒestənt/ *n*. 減充血劑.

decontaminate /ˌdiːkən'tæmɪneɪt/ *vt*. ①淨化；去污；使清潔②消除毒氣；去除放射性污染 **decontamination** *n*.

décor /'deɪkɔː(r)/ *n*. [法](房間、屋子、舞台等的)裝飾，佈置，裝修.

decorate /'dekəreɪt/ *vt*. ①裝飾，修飾②油漆(或粉刷)房屋③授勛給… **decorator** *n*. 室內裝飾工人.

decoration /ˌdekə'reɪʃn/ *n*. ①裝飾，裝璜②裝飾品③勛章，飾帶 **decorative** *a*. 裝飾的，裝璜的.

decorous /'dekərəs/ *a*. 有禮貌的；正派的；端莊的 **～ly** *ad*. **～ness** *n*.

decorum /dɪ'kɔːrəm/ *n*. ①禮貌；正派②(*pl*.)禮節，禮儀.

decoy /'diːkɒɪ/ *n*. 囮子；拐子；圈套 *vt*. 引誘，拐騙.

decrease /dɪ'kriːs/ *v*. 減少 *n*. /'diːkriːs/減少(量).

decree /dɪ'kriː/ *n*. ①命令；法令②【律】判决 *v*. 發佈命令；宣判 // ～*absolute*【律】離婚終審判决書 ～*nisi*【律】離婚判决書(六周後如無异議即生效).

decrepit /dɪ'krepɪt/ *a*. 衰老的，老朽的；破舊的 **～ude** *n*.

decriminalize /diː'krɪmɪnəlaɪz/ *vt*. 使(非法行動)合法化 **decriminalization** *n*.

decry /dɪ'kraɪ/ *vt*. 詆毀；責難；大聲反對.

dedicate /'dedɪkeɪt/ *vt*. ①獻(身)；致力②題獻(一部著作給某人) **～d** *a*. 獻身的；致力於.

dedication /ˌdedɪ'keɪʃn/ *n*. ①奉獻②題獻；題解.

deduce /dɪ'djuːs/ *vt*. 演繹；推演；推斷 **deducible** *a*. 可推斷的.

deduct /dɪ'dʌkt/ *vt*. 扣除，減除.

deduction /dɪ'dʌkʃn/ *n*. ①扣除(額)②推論；演繹 **deductive** /dɪ'dʌktɪv/ *a*. 推斷的 **deductively** *ad*.

deed /diːd/ *n*. ①行為；實際行動；功績②【律】證書；契約，契據 // ～*poll*【律】單方執行的契約(尤指更改姓名或財產贈予).

deejay /'diː'dʒeɪ/ *n*. [口]＝DJ *abbr*. ＝disk jockey.

deem /diːm/ *v*. 認為；相信.

deep /diːp/ *a*. ①深的；有深度的②(指顏色)深濃的；(指聲音)低沉的③深奧的，難懂的④(指人)工於心計的；詭計多端的⑤深刻的；重大的⑥(指感情)深厚的，深切的⑦深入的；全神貫注的 *ad*. 深深地 *n*. 深處 **～ly** *ad*. **the** ～ *n*. [詩]海洋 **～-freeze**

n. = freezer *vt*.(低溫快速)冷藏，冷凍 **~-fry** *v*.油炸 **~-rooted** *a*.根深蒂固的 **~-seated** *a*.由來已久的，根深蒂固的.

deepen /'di:pən/ *v*. ①加深；②使深刻；深化.

deer /dɪə(r)/ *n*.(單複同)鹿 **~stalker(hat)** *n*.舊式獵帽.

deface /dɪ'feɪs/ *vt*. ①損傷…的外觀②磨掉(碑文等)**~ment** *n*.

de facto /ˌdeɪ 'fæktəʊ/ *a*. & *ad*. [拉]事實上(的)；實際上(的).

defame /dɪ'feɪm/ *vt*. 敗壞…名譽，誹謗 **defamation** *n*. **defamatory** *a*.

default /dɪ'fɔ:lt/ *vt*. & *n*. ①不履行；違約；拖欠；不參加②【律】缺席；不到案 **~er** *n*.缺席者；違約者；拖欠者 // *by* ~(由於)別人(對方)缺席 *in* ~ *of*…在(某人)缺席時；若缺少(某物)時.

defeat /dɪ'fi:t/ *vt*. ①戰勝，擊敗②使受挫折；使無效；使破滅 *n*.①戰敗；失敗②打敗；擊敗 **~ism** *n*.失敗主義 **~ist** *n*.失敗主義者.

defecate /'defəkeɪt/ *vi*. 通大便，排糞 **defecation** *n*.

defect[1]/dɪ'fekt/ *n*. 不足；欠缺；缺陷；缺點.

defect[2]/dɪ'fekt/ *vt*. 逃跑；叛變，變節 **~or** *n*.逃兵；叛變者.

defection /dɪ'fekʃn/ *n*. ①背叛②叛變，變節.

defective /dɪ'fektɪv/ *a*. 有缺陷的；身心不健全的 **~ly** *ad*. **~ness** *n*.

defence, [美]**defense** /dɪ'fens/ *n*. ①防禦，保衛②防衛物，防禦工事③【律】(被告的)答辯；辯護 **the** ~ *n*.辯護律師；(球賽中的)防守隊員 **~less** *a*.無防備的，不設防的 // *in* ~ *of* 保衛.

defend /dɪ'fend/ *vt*. ①防禦，保衛②【律】辯護；答辯 **~er** *n*.①防禦者，保護者②辯護者.

defendant /dɪ'fendənt/ *n*. (刑事訴訟中的)被告.

defensible /dɪ'fensəbl/ *a*. ①能防禦的②能辯護的 **defensibly** *ad*. **defensibility** *n*.

defensive /dɪ'fensɪv/ *a*. 防禦(性)的，防衛的 *n*.守勢，防守 **~ly** *ad*. // *on the* ~採取守勢；處於防禦地位.

defer[1]/dɪ'fɜ:(r)/ *vt*. 拖延，推遲 **~ment,** **~ral** *n*.

defer[2]/dɪ'fɜ:(r)/ *vi*. 服從；遵從 **~ence** *n*. **~ential** *a*. **~entially** *ad*.

deferred /dɪ'fɜ:d/ *a*. 推遲的；遲延的 // *payment on* ~ *terms* 分期付款.

defiance /dɪ'faɪəns/ *n*. 挑戰；蔑視；違抗 // *in* ~ *of* 無視，不管.

defiant /dɪ'faɪənt/ *a*. 挑戰的；違抗的 **~ly** *ad*.

deficiency /dɪ'fɪʃnsɪ/ *n*. ①不足，缺乏②不足額；虧空；缺陷 // ~ *disease*【醫】維生素缺乏症.

deficient /dɪ'fɪʃnt/ *a*. 缺乏的，不足的 **~ly** *ad*.

deficit /'defɪsɪt/ *n*. 虧損(額)；虧空；赤字.

defile[1]/dɪ'faɪl/ *vt*. 弄髒，污損；褻瀆 **~ment** *n*.

defile[2]/di:'faɪl/ *n*. 隘路；峽谷.

define /dɪ'faɪn/ *vt*. ①解釋；給…下定義②明確說明③限定；規定.

definite /'defɪnət/ *a*. ①明確的；確定的②一定的，肯定的③限定的 **~ly** *ad*. // *the* ~ *article*【語】定冠詞.

definition /ˌdefɪ'nɪʃn/ *n*. ①定義；解說②確定，限定③【物】清晰度.

definitive /dɪ'fɪnətɪv/ *a*. 決定性的；最後的；確定的 **~ly** *ad*.

deflate /dɪˈfleɪt/ *vt*. ①給…放氣②【經】緊縮(通貨)③降低(…重要性);使泄氣.

deflation /dɪˈfleɪʃn/ *n*. ①放氣②通貨緊縮 **~ary** *a*.收縮通貨的.

deflect /dɪˈflekt/ *v*. (使)偏斜;(使)偏轉;(使)轉向 **~ion** *n*.偏斜;轉向;偏差;偏向 **~or** *n*.偏導裝置,轉向裝置.

deflower /ˌdiːˈflaʊə(r)/ *v*. ①採花②奸污(處女).

defoliate /ˌdiːˈfəʊlɪeɪt/ *v*. (使)落葉 **defoliant** *n*. 脫葉劑 **defoliation** *n*.

deforest /ˌdiːˈfɒrɪst/ *vt*. 砍伐森林;去掉樹林 **~ation** *n*.

deform /dɪˈfɔːm/ *v*. (使)變形;致殘;毀容;使變醜 **~ed** *a*.變了形的;破相的,醜的.

deformation /ˌdiːfɔːˈmeɪʃn/ *n*. ①變形;變醜②畸形,殘廢.

deformity /dɪˈfɔːmətɪ/ *n*. ①畸形,殘廢②(身體上的)畸形部份;畸形的人(或物).

defraud /dɪˈfrɔːd/ *vt*. 詐取;欺騙.

defray /dɪˈfreɪ/ *vt*. 支付,付出.

defrock /ˌdiːˈfrɒk/ *vt*. (=unfrock)剝奪…的牧師資格,免去…聖職.

defrost /ˌdiːˈfrɒst/ *v*. ①(使)解凍;溶解;除去…冰霜②[美]=demist.

deft /deft/ *a*. (手脚和動作)靈巧的;熟練的 **~ly** *ad*. **~ness** *n*.

defunct /dɪˈfʌŋkt/ *a*. ①已死的②不再存在的;(公司、企業)倒閉了的.

defuse, -ze /ˌdiːˈfjuːz/ *vt*. ①拆除(爆炸物)信管②使緩和(緊張形勢);減少(危險性).

defy /dɪˈfaɪ/ *vt*. ①向…挑戰②違抗,抗拒;蔑視③使…不能,使…難於.

deg. *abbr*. =degree.

degeneracy /dɪˈdʒenərəsɪ/ *n*. ①退化;墮落②性變態.

degenerate /dɪˈdʒenəreɪt/ *vi*. 變壞;退化;墮落 *a*. & *n*. /dɪˈdʒenərət 變壞的;退化的(動物);墮落的(人);性欲變態的(人).

degeneration /dɪdʒenəˈreɪʃn/ *n*. 退化;墮落;蛻化;變質 **degenerative** *a*. (指疾病或情況)惡化的,變壞的.

degrade /dɪˈgreɪd/ *vt*. ①降低;惡化;使墮落②降級;降職③【化】降解;【生】退化 **degradation** *n*. **degrading** *a*.品質惡劣的;可耻的;卑鄙的.

degree /dɪˈgriː/ *n*. ①度(數)②程度;等級③社會地位④學位⑤【語】(形容詞,副詞的)級 // *by ~s* 漸漸,逐步.

dehumanize /ˌdiːˈhjuːmənaɪz/ *vt*. 使失去人性;使失去個性 **dehumarization** *n*.

dehydrate /ˌdiːˈhaɪdreɪt/ *v*. (使)脫水 **dehydration** *n*.

de-ice /ˌdiː ˈaɪs/ *vt*. 除…冰;防止結冰 **~r** *n*.(機翼上的)除冰裝置.

deify /ˈdiːɪfaɪ/ *vt*. 崇拜…為神;神化 **deification** *n*.

deign /deɪn/ *v*. ①俯就,屈尊②俯准賜予.

deity /ˈdiːɪtɪ/ *n*. ①神②神性③(the D-)【宗】上帝,造物主.

déjà vu /ˌdeɪʒɑː ˈvjuː/ *n*. [法]【心】記憶幻覺;【醫】似曾相識症.

dejected /dɪˈdʒektɪd/ *a*. 沮喪的,情緒低落的 **dejection** *n*.

de jure /ˌdeɪ ˈdʒʊərɪ/ *a*. & *ad*. [拉]根據法律;法理上.

dekko /ˈdekəʊ/ *n*. [英俚] // *have a ~* 瞧一瞧.

delay /dɪˈleɪ/ *n*. & *v*. (使)耽擱,耽誤;推遲,延緩.

delectable /dɪˈlektəbl/ *a*. 令人愉快

的;美味的 **delectably** *ad*.

delectation /ˌdiːlek'teɪʃn/ *n*. 娛樂;享受.

delegate /'delɪgeɪt/ *vt*. ①委派(代表)②授予(權力) /'deləgɪt/ *n*.代表.

delegation /delɪ'geɪʃn/ *n*. ①(代表的)委派②代表團.

delete /dɪ'liːt/ *vt*. 刪去;勾消 **deletion** *n*.刪除(部份).

deleterious /delɪ'tɪərɪəs/ *a*. [書](對身心)有害的,有毒的 **~ly** *ad*.

delf(t), delftware /delf(t), 'delftweə(r)/ *n*. 荷蘭藍白彩釉陶器.

deliberate /dɪ'lɪbəreɪt/ *v*. 仔細考慮;研討 *a*. /dɪ'lɪbərət/①故意的,存心的②(指言行)審慎的,慎重的;從容不迫的 **~ly** *ad*.

deliberation /dɪˌlɪbə'reɪʃn/ *n*. ①深思熟慮;反覆商討②慎重;審慎.

deliberative /dɪ'lɪbərətiv/ *a*. ①仔細考慮過的;慎重的②審議的;協商的 **~ly** *ad*.

delicacy /'delɪkəsɪ/ *n*. ①柔和;精緻;優美②嬌弱,嬌嫩;脆弱③靈敏,敏感④微妙;精密⑤精美的食物.

delicate /'delɪkət/ *a*. ①柔和的;精緻的;優美的②纖弱的;嬌弱的③微妙的;需謹慎處理的④(指儀器)靈敏的;(指器官)敏銳的⑤鮮美的,美味的**~ly** *ad*.

delicatessen /ˌdelɪkə'tesn/ *n*. 進口的精美食品(店);現成熟食(店).

delicious /dɪ'lɪʃəs/ *a*. 美味的,可口的;芬芳的;令人愉快的 **~ly** *ad*.

delight /dɪ'laɪt/ *v*. ①使喜歡,使高興②(in)愛好,喜歡 *n*.①欣喜,高興,愉快②樂事 **~ful** *a*.令人高興的;可愛的 **~fully** *ad*. // *take* ~ *in* 喜愛;以…為樂.

delimit /diː'lɪmɪt/ *vt*. 定界,劃界 **~ation** *n*.

delineate /dɪ'lɪnɪeɪt/ *vt*. 刻劃,描繪,描寫 **delineation** *n*.

delinquency /dɪ'lɪŋkwənsɪ/ *n*. ①過失;失職②犯罪;罪行;【律】青少年犯罪(=juvenile~)③拖欠的債務(或稅款).

delinquent /dɪ'lɪŋkwənt/ *a*. ①有過失的;失職的;犯法的②拖欠債務(或稅款)的 *n*.①犯錯誤者;犯法者(尤指少年犯);失職者②拖欠債務(或稅款)者.

delirium /dɪ'lɪrɪəm/ *n*. ①胡言亂語,精神錯亂②極度興奮,發狂 **delirious** *a*. **deliriously** *ad*. // ~ *tremens* 【醫】發酒瘋;震顫性譫妄(*abbr*. = **D.T.'s**).

deliver /dɪ'lɪvə(r)/ *vt*. ①投遞,遞送(信件,包裹,貨物)②釋放;援救③講述;發表(演說等)④給予(打擊);(向目標)拋、投(球等).

deliverance /dɪ'lɪvərəns/ *n*. 援救;釋放.

delivery /dɪ'lɪvərɪ/ *n*. ①遞交;交貨②(只用單數)演講(或投球)方式(或姿勢)③分娩// *cash on* ~【商】貨到付款(*abbr*. =**C.O.D.**).

dell /del/ *n*. (樹林茂密的)小山谷.

delphinium /del'fɪnɪəm/ *n*. 【植】翠雀花;飛燕草.

delta /'deltə/ *n*. ①希臘字母中的第4個字母(Δ, δ)②(河流的)三角洲;三角形物.

delude /dɪ'luːd/ *vt*. 哄騙;迷惑.

deluge /'deljuːdʒ/ *n*. ①洪水;暴雨②泛濫;(大量的)湧進 *vt*.泛濫;大量湧進.

delusion /dɪ'luːʒn/ *n*. ①欺騙;迷惑②妄想;錯覺.

delusive /dɪ'luːsɪv/ *a*. ①欺騙的;虛妄

的;不可靠的 **~ly** *ad*. **~ness** *n*.

de luxe /də'lʌks, dɪ'lʌks/ *a*. 豪華的;高級的;華麗的.

delve /delv/ *v*. 鑽研.

demagogue /'deməgɒg/ *n*. 蠱惑家;惡意煽動者.

demagogy /'deməgɒgɪ/ *n*. 惡意的煽動,蠱惑人心的言行 **demagogic** *a*.

demand /dɪ'mɑːnd, dɪ'mænd/ *vt*. 要求;需要 *n*. ①要求(的東西)②需要;需求(量);銷路 // *be in great* ~ 需求很大,銷路很好.

demanding /dɪ'mɑːndɪŋ/ *a*. ①很費精力的,很費事 ②苛刻的.

demarcate /'diːmɑːkeɪt/ *vt*. ①劃界,定界綫②區分 **demarcation** *n*. ①分界;邊界②區分,劃分.

demean /dɪ'miːn/ *vt*. 降低(身份,尊嚴);損壞(品德).

demeano(u)r /dɪ'miːnə(r)/ *n*. 行為,舉止.

demented /dɪ'mentɪd/ *a*. 瘋狂的,精神錯亂的 **~ly** *ad*.

dementia /dɪ'menʃə/ *n*. 【醫】痴呆.

demerara sugar /ˌdemə'reərə ʃʊgə(r)/ *n*. 德麥拉拉蔗糖(產於西印度群島的,褐色).

demerger /'diːmədʒə(r)/ *n*. (已合併各公司企業的)解體獨立.

demerit /diː'merɪt/ *n*. 過失;缺點.

demesne /dɪ'meɪn/ *n*. ①(莊園周圍的)土地②【律】(土地的)占有③地區;領域.

demi-[前綴]表示"半".

demigod /'demɪgɒd/ *n*. 半神半人;神一樣的人.

demijohn /'demɪdʒɒn/ *n*. (有柳條筐罩的)細頸大瓶.

demilitarize, demilitarise /ˌdiː'mɪlɪtəraɪz/ *vt*. 解除武裝;非軍事化 **demilitarization** *n*.

demise /dɪ'maɪz/ *n*. [書]①死亡②(原本興旺發達事物的)敗亡;倒閉;崩潰.

demist /ˌdiː'mɪst/ *vt*. 除去(玻璃上的)霧或水汽(=[美]defrost) **~er** *n*. 除霧器.

demo /'deməʊ/ *n*. (*pl*. **~s**) [口]示威(遊行)(=demonstration).

demob /ˌdiː'mɒb/ [口] *vt*. =demobilize *n*. =demobilization.

demobilize /diː'məʊbəlaɪz/ *vt*. 復員,遣散 **demobilization** *n*.

democracy /dɪ'mɒkrəsɪ/ *n*. ①民主(政治);民主政體;民主精神②民主國家.

democrat /'deməkræt/ *n*. ①民主主義者②(D-)[美]民主黨黨員.

democratic /ˌdemə'krætɪk/ *a*. ①民主政治的;民主(主義)的②(D-)[美]民主黨的 **~ally** *ad*.

demography /dɪ'mɒgrəfɪ/ *n*. 人口(統計)學 **demographic** *a*.

demolish /dɪ'mɒlɪʃ/ *vt*. ①摧毀,破壞;拆除(建築物等)②推翻(計劃,論點等)③[俚]吃光 **demolition** *n*.

demon /'diːmən/ *n*. ①惡魔②[口]精力(或技巧)過人的人 **~iac(al)** *a*. ①着魔的②惡魔似的;瘋狂的;凶惡的 **~iacally** *ad*. **~ic** *a*. ①有魔力的,超凡的②惡魔(似)的;凶惡的.

demonstrate /'demənstreɪt/ *v*. ①證明,論證②演示;舉例說明③表示(感情,同情等);示威.

demonstration /ˌdemən'streɪʃn/ *n*. ①證明,論證②表明,表示;演示③示威(運動) **demonstrator** *n*. 演示者,示範者;示威者.

demonstrative /dɪ'mɒnstrətɪv/ *a*. ①論證的②感情外露的③【語】指示的

~**ly** *ad*. ~**ness** *n*. // ~ *pronoun* 【語】指示代詞.

demoralize, -se /dɪ'mɒrəlaɪz/ *vt*. ①敗壞風紀(道德)②挫傷(勇氣、信心、士氣等) **demoralization** *n*.

demote /ˌdiː'məʊt/ *vt*. 降職, 降級 **demotion** *n*.

demotic /dɪ'mɒtɪk/ *a*. [書]民衆的, 通俗的;(D-)通俗文字的.

demur /dɪ'mɜː(r)/ *vi*. ①反對, 表示异議②遲疑 *n*. 反對, 异議 // *without* ~無异議.

demure /dɪ'mjʊə(r)/ *a*. ①拘謹的;嫻靜的;莊重的②假正經的 ~**ly** *ad*. ~**ness** *n*.

demystify /ˌdiː'mɪstɪfaɪ/ *vt*. 使(事物)非神秘化;澄清, 消除(疑惑等) **demystification** *n*.

den /den/ *n*. ①獸穴②(不法之徒的)巢窟③[口](學習或工作用的)小室.

denationalize, -se /ˌdiː'næʃənəlaɪz/ *vt*. 使非國有化, 使成為私營 **denationalization** *n*.

denature /ˌdiː'neɪtʃə(r)/ *vt*. ①使變性②使不能飲用.

deniability /dɪˌnaɪə'bɪlətɪ/ *n*. (政客們)否認參與政治醜聞的本領.

denial /dɪ'naɪəl/ *n*. 否認;拒絕.

denier /'denɪə(r)/ *n*. 纖度(測量絲、人造絲、化纖等纖度的單位).

denigrate /'denɪgreɪt/ *vt*. 誹謗, 抹黑, 詆毀 **denigration** *n*. **denigrator** *n*. 誹謗者.

denim /'denɪm/ *n*. (做牛仔褲用的)斜紋粗棉布.

denizen /'denɪzn/ *n*. 居民;市民;入籍者.

denominate /dɪ'nɒmɪneɪt/ *vt*. 命名, 取名.

denomination /dɪˌnɒmɪ'neɪʃn/ *n*. ①命名;名稱②宗派;教派③(度量衡、貨幣等的)單位 ~**al** *a*.

denominator /dɪ'nɒmɪneɪtə(r)/ *n*. 【數】分母.

denotation /ˌdiːnəʊ'teɪʃn/ *n*. ①指示;表示②符號;名稱③意義.

denote /dɪ'nəʊt/ *vt*. 指示, 表示;意味着

denouement /ˌdeɪ'nuːmɒŋ/ *n*. [法](小說, 劇本等)結尾, 收場;結局.

denounce /dɪ'naʊns/ *vt*. ①痛斥, 譴責②告發③通告廢除(條約, 協定等) **denunciation** *n*.

dense /dens/ *a*. ①(液體, 氣體)濃厚的②稠密的;密集的③愚鈍的 ~**ly** *ad*.

density /'densətɪ/ *n*. ①密度;濃度②濃厚;稠密.

dent /dent/ *n*. 凹部, 凹痕;缺口 *v*. (使)凹進.

dental /'dentl/ *a*. ①牙齒的;牙科的②齒音的 *n*. 齒音.

dentifrice /'dentɪfrɪs/ *n*. 牙粉;牙膏.

dentist /'dentɪst/ *n*. 牙醫, 口腔大夫 ~**ry** *n*. 牙科(學).

denture /'dentʃə(r)/ *n*. 假牙.

denude /dɪ'njuːd/ *vt*. (of)①使赤露;剝蝕②剝奪 **denudation** *n*.

deny /dɪ'naɪ/ *vt*. ①否認, 否定②拒絕(要求);拒絕給予 **deniable** *a*. 可否認(否定或拒絕)的.

deodorant /diː'əʊdərənt/ *n*. 除臭劑;防臭劑.

deodorize, deodorise /diː'əʊdəraɪz/ *vt*. 除臭;防臭 **deodorization** *n*.

dep. *abbr*. = ① department ② depart(ure).

depart /dɪ'pɑːt/ *vi*. ①(人)離開, 起程②(火車)開出③背離, 違背 ~**ed** *a*. 過去的;死亡的 **the** ~**ed** *n*. 死者.

department /dɪ'pɑːtmənt/ *n*. (政府機關,商店,學校等的)部;司;局;科;系 **~al** *a*. // ~ *store* 百貨商店 *the State D-*[美]國務院.

departmentalism /ˌdiːpɑːt'mentəlɪzəm/ *n*. 分散主義;本位主義.

departure /dɪ'pɑːtʃə(r)/ *n*. ①離開;出發;啓程②背離;變更.

depend /dɪ'pend/ *vt*. ①依靠,依賴②信賴,信任③依存於;隨…而定 **~able** *a*. 可信任的,可靠的 **~ability** *n*. **~ably** *ad*. // *That ~s = It all ~s*那要看情況.

dependant /dɪ'pendənt/ *n*. ①受贍養者;眷屬②侍從,僕人.

dependence /dɪ'pendəns/ *n*. ①信賴,信任②依靠,依賴;從屬.

dependency /dɪ'pendənsɪ/ *n*. ①從屬②屬地;附屬國.

dependent /dɪ'pendənt/ *a*. ①依靠的②從屬的 *n*. = dependant // ~ *clause* (= subordinate clause)【語】從屬句.

depict /dɪ'pɪkt/ *vt*. 描繪;描寫 **~ion** *n*.

depilate /'depɪleɪt/ *vt*. 使脫毛;除毛;去毛 **depilation** *n*.

depilatory /dɪ'pɪlətrɪ/ *a*. 有脫毛力的 *n*. 脫毛劑.

deplete /dɪ'pliːt/ *vt*. ①減少;損耗②耗盡;弄空 **depletion** *n*.

deplore /dɪ'plɔː(r)/ *vt*. 哀悼;痛惜 **deplorable** *a*. ①可嘆的;可悲的②糟透了的 **deplorably** *ad*.

deploy /dɪ'plɔɪ/ *vt*. 【軍】部署;展開 **~ment** *n*.

depopulate /ˌdiː'pɒpjʊleɪt/ *v*. (使)人口減少;疏散 **depopulation** *n*.

deport /dɪ'pɔːt/ *vt*. ①驅逐…出境②(oneself)舉止 **~ation** *n*. **~ee** *n*. 被驅逐出境者.

deportment /dɪ'pɔːtmənt/ *n*. 舉止;風度.

depose /dɪ'pəʊz/ *vt*. ①罷免;(特指)廢黜(帝、王)②【律】宣誓作證.

deposit /dɪ'pɒzɪt/ *vt*. ①存儲;存放(金錢、貴重物品等)②使沉澱;沉積③交保證金,付定金 *n*. ①存款;寄存品;定金②沉澱;礦層 **~or** *n*. 存款人,存戶 **~ory** *n*. 貯藏所;倉庫 // ~ *account* (銀行的)存款帳戶.

deposition /ˌdepə'zɪʃn/ *n*. ①罷免;(王位的)廢黜②【律】作證書;證言③淤積;沉澱.

depot /'depəʊ/ *n*. ①倉庫;軍需庫②[英](公共汽車、機車)存車維修庫;[美]公共汽車站;火車站.

deprave /dɪ'preɪv/ *vt*. 使墮落;使敗壞 **~d** *a*. 墮落的,道德敗壞的

depravity /dɪ'prævətɪ/ *n*. 墮落;腐敗;邪惡行為.

deprecate /'deprəkeɪt/ *vt*. 不贊成,反對,抗議 **deprecation** *n*. **deprecatory** *a*.

depreciate /dɪ'priːʃɪeɪt/ *v*. ①(使)貶值;(使)降價②輕視,貶低 **depreciation** *n*. **depreciatory** *a*.

depredation /ˌdeprə'deɪʃn/ *n*. 劫掠;蹂躪;毀壞.

depress /dɪ'pres/ *vt*. ①壓下,壓低②使降低;使貶值③使抑鬱;使沮喪④使蕭條 **~ing** *a*. 令人沮喪的;沉悶的 **~ingly** *ad*.

depressant /dɪ'presənt/ *n*. 【醫】鎮靜劑.

depression /dɪ'preʃn/ *n*. ①抑鬱,情緒低落②窪地,低凹地③蕭條;不景氣④低氣壓 **the D-** *n*. 指20世紀30年代西方世界的經濟大蕭條.

depressive /dɪ'presɪv/ *a*. 令人壓抑的;

令人沮喪的.

deprive /dɪ'praɪv/ *vt*. 剥奪, 使喪失 **deprivation** /deprɪ'veɪʃn/ *n*. **~d** *a*. 被剝奪和喪失基本生活保障的.

dept. *abbr*. = department.

depth /depθ/ *n*. ①深(度)②(色澤的)濃度;(聲音的)低沉;(感情的)深厚, 深沉;(思想的)深奧, 深刻 // *~ charge*, *~ bomb* 深水炸彈 *out of/beyond one's* ~①水深沒頂②深奧得不可解;為某人力所不及.

deputation /ˌdepjʊ'teɪʃn/ *n*. ①委派代表②代表團.

depute /dɪ'pjuːt/ *vt*. 委托;派(人)代理(或代表).

deputize, -se /'depjʊtaɪz/ *vt*. 委任…為代理(或代表);做代理人.

deputy /'depjʊtɪ/ *n*. ①代理(人);代表②(作定語)副的;代理的 // *by*~由…代表;由…代理.

derail /dɪ'reɪl/ *v*.(使)出軌 **~ment** *n*.

derange /dɪ'reɪndʒ/ *vt*. ①搗亂;擾亂②使(精神)錯亂 **~ment** *n*.

derby /'dɑːbɪ, [美]'dɜːbɪ/ *n*. ①(本地區)體育運動比賽②[美]圓頂禮帽(=bowler hat) **the D-** *n*.[英](一年一度的)德比大賽馬.

deregulate /diː'regjʊleɪt/ *vt*. 取消規定;放鬆限制(控制) **deregulation** *n*.

derelict /'derəlɪkt/ *a*. 被拋棄的, 遺棄的, 廢棄的 *n*.①遺棄物②被社會拋棄的人;流浪者.

dereliction /ˌderə'lɪkʃn/ *n*. ①遺棄;拋棄②玩忽職守.

derestrict /ˌdiːrɪ'strɪkt/ *vt*. 取消(對車速的)限制.

deride /dɪ'raɪd/ *vt*. 嘲笑;愚弄.

de rigueur /də rɪ'gɜː(r)/ *a*. [法](時尚或習慣)必需的;(禮節上)合宜的.

derision /dɪ'rɪʒn/ *n*. 嘲笑;笑柄.

derisive /dɪ'raɪsɪv/ *a*. 嘲笑的 **~ly** *ad*.

derisory /dɪ'raɪsərɪ/ *a*. 微不足道的;少得可笑的.

derivation /ˌderɪ'veɪʃn/ *n*. ①出處;由來②【語】詞源, 語源.

derivative /dɪ'rɪvətɪv/ *a*. & *n*. ①派生的;衍生的②派生的事物;【語】派生詞;【經】(期貨, 期貨指數等投機性的)衍生金融產物, 金融衍生工具 **~ly** *ad*.

derive /dɪ'raɪv/ *v*. ①得到, 導出②源自;派生出來.

dermatology /ˌdɜːmə'tɒlədʒɪ/ *n*. 皮膚(病)學 **dermatologist** *n*. 皮膚(病)學家.

derogatory /dɪ'rɒgətrɪ/ *a*. 毀損的;貶低的;貶義的.

derrick /'derɪk/ *n*. 轉臂起重機;油井架;鑽(井高)塔.

derring-do /ˌderɪŋ'duː/ *n*. [古][書]蠻勇;(有勇無謀的)大膽行動.

derringer /'derɪndʒə(r)/ *n*. 大口徑短筒手槍.

derv /dɜːv/ *n*. 柴油.

dervish /'dɜːvɪʃ/ *n*. 伊斯蘭教苦行僧;托鉢僧.

descale /ˌdiː'skeɪl/ *vt*. 除去鍋垢(水銹).

descant /'deskænt/ *n*. 【樂】高音部;歌曲;旋律.

descend /dɪ'send/ *v*. ①下來, 降下②傳下 // *~on/upon* 突然來到;襲擊 *~to(doing)*屈尊(去做);淪落到(去做).

descendant /dɪ'sendənt/ *n*. 後裔;子孫.

descent /dɪ'sent/ *n*. ①降下;下坡②家世, 血統;出身③襲擊.

describe /dɪ'skraɪb/ *vt*. ①描寫, 描述②畫(圖形), 作圖.

description /dɪ'skrɪpʃn/ *n*. ①描寫, 描述②圖說;(物品的)說明書③種類④作圖, 繪製 **descriptive** *a*. **descriptively** *ad*.

descry /dɪ'skraɪ/ *vt*. (遠遠地)看出;辨別.

desecrate /'desɪkreɪt/ *vt*. 褻瀆 **desecration** *n*.

desegregate /ˌdiː'segrɪgeɪt/ *v*. (使)取消種族隔離 **desegregation** *n*.

deselect /ˌdiːsɪ'lekt/ *vt*. (英國議會選舉)不選(現任議員)為下屆候選人 **~ion** *n*.

desensitize, desensitise /ˌdiː'sensɪtaɪz/ *vt*. 使不敏感, 使感覺遲鈍;【攝】使不感光;減少感光度.

desert[1]/'dezət/ *n*. 沙漠, 不毛之地 *a*. 荒蕪的, 無人居住的.

desert[2]/dɪ'zɜːt/ *v*. ①丟棄, 捨棄;拋棄, 遺棄②【軍】擅離(職守), 開小差;逃跑 **~er** *n*. 逃兵, 背離者 **~ion** *n*.

desertification /ˌdezətɪfɪ'keɪʃn/ *n*. 沙漠化.

deserts /dɪ'zɜːts/ *pl*. *n*. 應得之賞罰 // *get one's (just)*~罪有應得, 惡有惡報.

deserve /dɪ'zɜːv/ *v*. 應受;值得 **~dly** *ad*. 理應;當然 **deserving** *a*. 該受的;值得…的 // ~ *well (ill) of* 應得善報(惡報).

deshabille /ˌdeɪzæ'biːeɪ/ *n*. [法] = dishabille.

desicate /'desɪkeɪt/ *v*. 烘乾, 曬乾;變乾燥 **desication** *n*.

design /dɪ'zaɪn/ *n*. ①設計;圖案, 花樣②布局;(畫, 建築物等)結構;(小說等)構思 *v*. ①設計;打圖樣②計劃;企圖;預定 **~edly** *ad*. 故意, 存心.

designate /'dezɪgneɪt/ *vt*. ①指明, 標示②稱呼③指定;選派, 任命 *a*. 任命而未就職的.

designation /ˌdezɪg'neɪʃn/ *n*. ①指明②指定, 選派③名稱.

designer /dɪ'zaɪnə(r)/ *n*. 設計師;製圖者 *a*. 由名設計師專門設計的, 標出名設計師姓名的;時髦的.

designer drug /drʌg/ *n*. 【藥】化學致幻藥.

designing /dɪ'zaɪnɪŋ/ *a*. 有計謀的;狡詐的;心術不正的.

desirable /dɪ'zaɪərəbl/ *a*. (指事物)合乎需要的, 稱心如意的 **desirability** *n*.

desire /dɪ'zaɪə(r)/ *n*. ①意欲;渴望, 願望②要求, 請求③性要求, 性欲④想望的人(或事物) *v*. ①願望, 想望;期求②要求, 請求.

desirous /dɪ'zaɪərəs/ *a*. (of)想望的, 渴望的.

desist /dɪ'zɪst/ *vi*. 停止;斷念.

desk /desk/ *n*. ①書桌, 寫字台, 辦公桌②值勤台③(報紙上的)某一版;(廣播中的)某一節目 **news ~ of the BBC** *n*. 英國廣播公司的新聞節目.

desk-top /'desk tɒp/ *a*. 【計】(使用)小型電腦的 *n*. = ~**computer** ~**computer** *n*. 小型(桌上型)電腦.

desolate /'desələt/ *a*. ①荒蕪的, 荒涼的;沒有人烟的②孤獨的, 凄涼的 *vt*. /'desəleɪt/使荒蕪;使凄涼;使孤寂 **desolation** *n*.

despair /dɪ'speə(r)/ *vi*. 絕望;死心 *n*. 絕望;令人失望的人(或事物) // ~ *of* 放棄…的希望.

despatch /dɪ'spætʃ/ *n*. & *v*. = dispatch.

desperado /ˌdespə'rɑːdəʊ/ *n*. (*pl*. ~es, ~s)暴徒, 亡命之徒.

desperate /'despərət/ *a*. ①令人絕望的;危急的②(因絕望而)拚命的,鋌而走險的;孤注一擲的③極度渴望的④嚴重的;險惡的 **~ly** *ad*. **~ness** *n*.

desperation /ˌdespə'reɪʃn/ *n*. ①絕望②拚命.

despicable /dɪ'spɪkəbl/ *a*. 可鄙的;卑鄙的 **despicably** *ad*.

despise /dɪ'spaɪz/ *vt*. 輕視,藐視.

despite /dɪ'spaɪt/ *prep*. 不管,任憑(=in spite of).

despoil /dɪ'spɔɪl/ *vt*. 奪取;掠奪 **despoliation** *n*.

despondent /dɪ'spɒndənt/ *a*. 沮喪的;失望的;意志消沉的 **~ly** *ad*. **despordency** *n*.

despot /'despɒt/ *n*. 暴君,專制者 **~ic** *a*. **~ically** *ad*. **~ism** *n*.①暴政;專制統治②專制國家.

dessert /dɪ'zɜːt/ *n*. (進餐時最後上的一道)甜食,甜點 **~-spoon** *n*.點心匙.

destabilize /diː'steɪbɪlaɪz/ *vt*. 使不穩定,使動搖 **destabilization** *n*.

destination /ˌdestɪ'neɪʃn/ *n*. 目的地,指定地點.

destined /'destɪnd/ *a*. ①注定的,命定的②預定的;指定的.

destiny /'destɪnɪ/ *n*. ①命運②天命,定數③(D-)命運之神.

destitute /'destɪtjuːt/ *a*. ①貧窮的,無以為生的②(of)缺乏…的.

destitution /ˌdestɪ'tjuːʃn/ *n*. 赤貧,貧困.

destroy /dɪ'strɔɪ/ *vt*. 破壞,毀壞;撲滅;消滅.

destroyer /dɪ'strɔɪə(r)/ *n*. ①破壞者②驅逐艦.

destruction /dɪ'strʌkʃn/ *n*. 破壞;毀滅

destructive *a*. 破壞(性)的;喜歡破壞的.

desuetude /dɪ'sjuːɪtjuːd/ *n*. 廢棄;不用.

desultory /'desəltrɪ/ *a*. 散漫的;雜亂的 **desultorily** *ad*.

detach /dɪ'tætʃ/ *vt*. ①分開,分離;拆開②分遣,派遣 **~able** *a*.可拆開的.

detached /dɪ'tætʃt/ *a*. ①分離的;(指房屋)獨立的②超然的,公正的.

detachment /dɪ'tætʃmənt/ *n*. ①分離;超脫②分遣部隊;別動隊.

detail /'diːteɪl/ *n*. ①細節;詳情②【軍】小分隊,分遣隊 /dɪ'teɪl/ *vt*.①詳述,詳談②特派,派遣 **~ed** *a*.詳盡的,明細的 // *go into ~s* 詳細敘述.

detain /dɪ'teɪn/ *vt*. ①拘留,扣押②留住,耽擱 **~ee** *n*.(因政治原因)被拘留者 **~ment** *n*.

detect /dɪ'tekt/ *vt*. ①查明,發覺②偵查;探測 **~ion** *n*.

detective /dɪ'tektɪv/ *n*. 偵探;刑警.

detector /dɪ'tektə(r)/ *n*. ①偵查器;探測器②【電】檢電器;檢波器.

detente /ˌdeɪ'tɑːnt/ *n*. (國際政治局勢的)緩和;和解.

detention /dɪ'tenʃn/ *n*. ①拘留,扣押②留住③(罰小學生放學後)留校,關夜學.

deter /dɪ'tɜː(r)/ *vt*. 嚇住;擋住.

detergent /dɪ'tɜːdʒənt/ *a*. 清潔的;使乾淨的 *n*.洗滌劑,洗衣粉.

deteriorate /dɪ'tɪərɪəreɪt/ *v*. (使)惡化,(使)變壞.

deterioration /dɪˌtɪərɪə'reɪʃn/ *n*. 變質;惡化.

determinant /dɪ'tɜːmɪnənt/ *n*. 决定因素;【生】定子;因子 *a*.决定性的;限定性的.

determinate /dɪ'tɜːmɪnət/ *a*. 限定的;

確定的.

determine /dɪ'tɜːmɪn/ *v*. ①確定;(使)決定;下決心②斷定;測定 **determination** *n*. ①確定;決定②決心 **~d** *a*. 堅決的,有決心的 **~r** *n*. 限定詞.

deterrent /dɪ'terənt/ *a*. & *n*. 懾制的(物);阻礙的(物);威懾力量 **deterrence** *n*.

detest /dɪ'test/ *vt*. 痛恨,深惡 **~able** *a*. 可惡的,討嫌的 **~ably** *ad*. **~ation** *n*.

dethrone /ˌdɪ'θrəʊn/ *vt*. 廢(帝、王)位,推翻(統治者).

detonate /'detəneɪt/ *v*. (使)爆炸;引爆 **detonation** *n*.

detonator /'detəneɪtə(r)/ *n*. 雷管,起爆管;炸藥.

detour /'diːtʊə(r)/ *n*. [法]迂迴(路);繞行的路 // *make a* ~繞道而行.

detoxify /ˌdiː'tɒksɪfaɪ/ *vt*. 除毒,使解毒 **detoxification** *n*.

detract /dɪ'trækt/ *vt*. 減損,毀損,貶低 **~ion** *n*. **~or** *n*. 毀損者,貶低者.

detriment /'detrɪmənt/ *n*. 損害,傷害 **~al** *a*. 有害的,不利的 **~ally** *ad*.

detritus /dɪ'traɪtəs/ *n*. ①【地】岩屑;碎石②(碎落或磨損下來的)屑粒.

de trop /də 'trəʊ/ *a*. [法]多餘的,不用的;礙事的.

deuce /djuːs/ *n*. ①(骰子,紙牌)兩點②(乒乓球、網球賽等的)平局.

deuterium /djuː'tɪərɪəm/ *n*. 【化】氘,重氫.

Deutschmark /'dɔɪtʃmɑːk/ *n*. (德國貨幣)馬克.

devaluate, devalue /diː'væljueɪt, -ljuː/ *v*. (使)貶值;貶低 **devaluation** *n*. (貨幣)貶值.

devalue/ˌdiː'væljuː/ *v*. ①使貨幣貶值②降低…的價值.

devastate /'devəsteɪt/ *vt*. 毀壞;使荒廢 **~ion** *n*.

develop /dɪ'veləp/ *v*. ①(使)發展;展開;發揚;開發;研製②(逐步)顯現出,產生③顯(影),冲洗(相片) **~er** *n*. 開發者;【攝影】顯影劑.

development /dɪ'veləpmənt/ *n*. ①發展;展開;開發;研製②顯像,顯影 **~al** *a*. [書]發展的,開發的;發育中的.

deviant /'diːvɪənt/ *a*. & *n*. 不正常的(人或物) **deviance, -cy** *n*.

deviate /'diːvɪeɪt/ *vi*. (from)歧離;違背.

deviation /ˌdiːvɪ'eɪʃn/ *n*. 背離;偏向,偏差 **~ism** *a*. 政黨的異端;(政治上的)叛經離道 **~ist** *n*. (政黨的)異端份子.

device /dɪ'vaɪs/ *n*. ①設計;方法;詭計②設備,裝置;器械,儀器;【軍】炸彈③圖案,圖樣.

devil /'devl/ *a*. 魔鬼 **~ish** *a*. 魔鬼(似)的;凶惡的 *ad*. (亦作 **~ishly**)[口]極,非常 **~ment** *n*. 惡行;惡作劇(亦作 **~ry**) **~-may-care** *a*. 隨遇而安的,滿不在乎的 // *between the ~ and the deep sea* 進退維谷 *go to the* ~滾開!.

devious /'diːvɪəs/ *a*. ①不誠實的,不光明正大的②迂迴的;曲折的 **~ly** *ad*. **~ness** *n*.

devise /dɪ'vaɪz/ *vt*. ①設計,發明(機器等)②想出(辦法等);作出(計劃等).

devoid /dɪ'vɔɪd/ *a*. (of)全無的;缺乏的.

devolve /dɪ'vɒlv/ *v*. (被)移交;轉移 **devolution** *n*. (責任、權利等的)轉移,移交;(中央對地方的)權力下放.

devote /dɪ'vəʊt/ *vt*. 奉獻, 獻身於; 致力於.

devoted /dɪ'vəʊtɪd/ *a*. 獻身的; 專心的; 摯愛的; 忠實的.

devotee /ˌdevə'tiː/ *n*. ①(宗教)信徒②熱愛者; 專心從事者.

devotion /dɪ'vəʊʃn/ *n*. ①獻身; 忠誠②熱心, 熱愛③篤信④(*pl*.)祈禱 **~al** *a*. **~ally** *ad*.

devour /dɪ'vaʊə(r)/ *vt*. ①吞吃, 狼吞虎咽②(火災等)毀滅, 破壞③貪看; 傾聽; 貪讀 // *be ~ed by* 心中充滿(好奇, 憂慮等) **~ing** *a*. 貪婪的, 吞滅似的.

devout /dɪ'vaʊt/ *a*. 虔誠的; 熱誠的 **~ly** *ad*.

dew /djuː/ *n*. 露水 **~y** *a*. 帶露水的; 被露水弄濕的 **~y-eyed** *a*. 純真直率的.

dewclaw /'djuːklɔː/ *n*. (狗等動物脚上無機能的)殘留趾; 懸蹄.

dewlap /'djuːlæp/ *n*. (牛等動物頸部的)垂皮; 垂肉.

dexterity /dek'sterətɪ/ *n*. (手的)靈巧; 熟練; 敏捷 **dexterous** *a*. **dexterously** *ad*.

dextrose /'dekstrəʊs/ *n*. 【化】右旋糖, 葡萄糖.

dg. *abbr*. = decigram 分克(1/10 克).

d(h)al /dɑːl/ *n*. 【植】(印度的)木豆.

dhoti /'dəʊtɪ/ *n*. (印度男子的)腰布.

dhow /daʊ/ *n*. (阿拉伯沿海航行的)單桅帆船.

diabetes /ˌdaɪə'biːtiːz/ *n*. 【醫】糖尿病 **diabetic** *a*. & *n*. 糖尿病的(患者).

diabolic /ˌdaɪə'bɒlɪk/ *a*. 魔鬼似的; 凶暴的; 地獄似的 **~al** *a*. [口]糟透了; 真討厭的 **~ally** *ad*.

diabolism /daɪ'æbəlɪzəm/ *n*. ①妖術, 妖法②信魔; 魔鬼崇拜.

diacritic/ˌdaɪə'krɪtɪk/ *n*. (印於字母上方或下方表示發音的)變音符號(如重音符、下加符等).

diadem /'daɪədem/ *n*. 王冠; 王權.

diagnose /'daɪəgnəʊz/ *vt*. 診斷.

diagnosis /ˌdaɪəg'nəʊsɪs/ *n*. (*pl*. **-ses**/siːzl/【醫】診斷.

diagnostic/daɪəg'nɒstik/ *a*. ①診斷的②有…癥狀的 **~ally** *ad*.

diagonal /daɪ'ægənl/ *a*. & *n*. 對角的(綫); 斜的 **~ly** *ad*.

diagram /'daɪəgræm/ *n*. 圖解; 圖表 **~matic** *a*. **~matically** *ad*.

dial /'daɪəl/ *n*. ①(鐘錶的)面; (磅秤等的)刻度盤②(電話的)撥號盤 *v*. 打電話給…, 撥電話號碼.

dialect /'daɪəlekt/ *n*. 方言; 土話 **~al** *a*.

dialectic(s) /ˌdaɪə'lektɪk(s)/ *n*. 辯證法; 倫理 **~al** *a*. // *materialist ~* 唯物辯證法.

dialog(ue) /'daɪəlɒg/ *n*. 對話; (兩國或兩個集團間的)對話; 商談.

dialysis /ˌdaɪ'ælɪsɪs/ *n*. (*pl*. **-ses** /-siːz/)【化】滲析, 透析; 分解.

diamanté /daɪə'mæntɪ/ *a*. 飾以人造鑽石(或圓形小金屬片)的.

diameter /daɪ'æmɪtə(r)/ *n*. 直徑 **diametrical** *a*. 直徑的; 正好相反的 **diametrically** *ad*. 直徑方面; 正好相反地.

diamond /'daɪəmənd/ *n*. ①金鋼石, 金鋼鑽②菱形③(撲克牌)紅方塊 // *~ jubilee* *n*. 六十周年紀念, 鑽禧 *~ wedding (anniversary)* *n*. 結婚六十周年紀念, 鑽石婚.

diaper /'daɪəpə(r)/ *n*. ①菱形花紋織物②[美]尿布(=[英]nappy).

diaphanous /daɪ'æfənəs/ *a*. ①(織物等)精緻的; 半透明的.

diaphragm /'daɪəfræm/ *n*. ①【解】橫膈膜②(照相機鏡頭上的)光圈;(電話機上的)振動膜③(避孕用的)子宮帽.

diarrh(o)ea /ˌdaɪə'rɪə/ *n*. 腹瀉.

diary /'daɪərɪ/ *n*. 日記(簿) **diarist** *n*. 記日記者.

diatribe /'daɪətraɪb/ *n*. 謾罵;酷評.

dibble /'dɪbl/ *n*.【農】尖頭小鍬;點播器.

dice /daɪs/ *n*. (*pl*. **dice**)骰子;擲骰子遊戲(或賭博) *v*. ①擲骰子②切…丁 // ~*away* 擲骰子輸掉(財物);擲骰子消磨(時光) ~*with death*[口]冒險,玩命.

dichotomy /daɪ'kɒtəmɪ/ *n*. 兩分(法).

dick /dɪk/ *n*. [卑][俚]=penis.

dicky¹/dɪkɪ/ *n*. ①[口]襯衫的胸衿,假襯胸②[兒]小鳥(亦作**~-bird**).

dicky²/'dɪkɪ/ *n*. [俚]站不穩的;軟弱的.

Dictaphone /'dɪktəfəʊn/ *n*. (速記員用的)録音機(商標名).

dictate /dɪk'teɪt/ *v*. ①口授;(使)聽寫②指令,命令 /'dɪkteɪt/ *n*. (常 *pl*.)指揮;命令.

dictation /dɪk'teɪʃn/ *n*. ①聽寫②口授;命令.

dictator /dɪk'teɪtə(r)/ *n*. 獨裁者 **~ial** *a*. 獨裁的,專政的;專橫跋扈的 **~ially** *ad*. **~ship** *n*. 獨裁,專政;專政國家.

diction /'dɪkʃn/ *n*. 措詞,用詞;發音(法).

dictionary /'dɪkʃənrɪ/ *n*. 字典,詞典;專業詞典.

dictum /'dɪktəm/ *n*. (*pl*. **dicta** /'dɪktə/, **~s**)①宣言,聲明②名言,格言.

did /dɪd/ do 的過去式.

didactic /dɪ'dæktɪk/ *a*. 教誨的;教訓的;愛說教的 **~ally** *ad*.

diddle /dɪdl/ *v*. [英俚]欺騙.

didn't /'dɪdənt/ *abbr*. = did not.

die¹/daɪ/ *vi*. (過去式和去分詞 **died**)死亡;枯萎,凋謝 // *be dying*[口]恨不得馬上,渴望 ~*away*(風,聲音等)漸弱,漸消失 ~*down*(爐火等)漸熄;(聲音等)消失.

die²/daɪ/ *n*. 鋼型,硬模;冲模;螺絲模;拉絲模 // *The ~is cast*.[諺]木已成舟.

diehard /'daɪhɑːd/ *n*. 頑固份子,死硬份子 *a*. 死硬派的,頑固的.

dieresis =diaeresis【語】分音符.

diesel /'diːzl/ *n*. 柴油(發動)機(=~engine);用柴油機驅動的車輛;[口]柴油(=~oil).

diet /'daɪət/ *n*. ①飲食②特種飲食(品) *v*. 限制飲食;忌食 // *put sb on a* ~讓某人吃某種飲食.

differ /ˌdɪfə(r)/ *vi*. ①不同,相异②不同意,不贊成.

difference /'dɪfrəns/ *n*. ①不同,差異②分歧;爭論③【數】差;差分,差額 // *make a* (*no*)~有(無)差別;關係重大(沒有關係).

different /'dɪfrənt/ *a*. 不同的,差異的;各別的 **~ly** *ad*. // ~*ly abled* (= *otherly abled*, *uniquely abled*)有殘疾的.

differential /ˌdɪfə'renʃl/ *a*. ①有差別的②【數】微分的③差動的 *n*. ①【數】微分(學)②差異;工資差別③【機】差動(器) // ~*calculus*【數】微分(學) ~*gear*【機】差動齒輪.

differentiate /'dɪfə'renʃɪeɪt/ *v*. ①區分,區別②使分化,使變異③【數】求微分 **differentiation** *n*.

difficult /'dɪfɪkəlt/ *a*. ①困難的②(指

人)難以相處的.

difficulty /'dɪfɪkəltɪ/ *n*. ①困難②難事;(種種)困難 // *make difficulties* 留難;表示异議.

diffident /'dɪfɪdənt/ *a*. 缺乏自信的;膽怯的 **diffidence** *n*. **~ly** *ad*.

diffract /dɪ'frækt/ *vt*.【物】使衍射,使折射 **~ion** *n*.【物】衍射,折射.

diffuse /dɪ'fjuːz/ *v*. ①(光)漫射;(熱、氣體、溶液等)擴散②(使)傳播;散佈 *a*.①彌漫的;擴散的②(文章等)冗長的,囉嗦的③漫射的 **~ly** *ad*.

diffusion /dɪ'fjuːʒn/ *n*. 散佈;擴散;漫射;滲濾;彌漫.

dig /dɪg/ *v*. (過去式及過去分詞 **dug** /dʌg/)①掘,挖;採掘②[口]戳進 ③鑽研;探索 *n*.①(用尖物)一戳②(*pl*.)[口]宿舍,住處 **~ger** *n*.挖掘機;挖掘者.

digest /dɪ'dʒest/ *v*. ①消化②領悟;融合③整理(材料等);摘要 *n*. /'daɪdʒest/ 摘要;文摘.

digestible /dɪ'dʒestəbl, daɪ-/ *a*. 容易消化的;可做摘要的 **digestibility** *n*.

digestion /dɪ'dʒestʃən, daɪ-/ *n*. 消化(力);消化功能 **digestive** *n*. 消化(力)的;助消化的.

digit /'dɪdʒɪt/ *n*. ①(從零到九的)一位數字②手指;脚趾.

digital /'dɪdʒɪtl/ *a*. ①手指的,指狀的②數字的;數字顯示的 **~ly** *ad*. // *~computer* 數字電腦.

digitalis /ˌdɪdʒɪ'teɪlɪs/ *n*. ①【植】洋地黄②洋地黄製劑.

dignify /'dɪgnɪʃaɪ/ *vt*. 使高貴;授以榮譽 **dignified** *a*.尊嚴的;高貴的.

dignitary /'dɪgnɪtərɪ/ *n*. 權貴;(尤指教會中的)顯要人物.

dignity /'dɪgnətɪ/ *n*. ①尊貴,高貴②威嚴,尊嚴③高官,高位.

digress /daɪ'gres/ *vi*. 離題;扯開 **~ion** *n*.離題;枝節 **~ive** *a*. **~ively** *ad*.

dike /daɪk/ *n*. =dyke.

dilapidated /dɪ'læpɪdeɪtɪd/ *a*. 坍塌的;失修的;破舊的 **dilapidation** *n*.坍塌,殘破不堪.

dilate /daɪ'leɪt/ *v*. ①(使)膨脹;(使)擴大②詳述 **dilation** *n*.

dilatory /'dɪlətərɪ/ *a*. 緩慢的;拖延的.

dildo /'dɪldəʊ/ *n*. 假陰莖,人造男性生殖器.

dilemma /dɪ'lemə/ *n*. 兩難(的境地) // *to be in a ~*進退兩難.

dilettante /ˌdɪlɪ'tæntɪ/ *n*. (尤指在藝術方面的)半瓶醋的業餘愛好者;票友 **dilettantism** *n*.玩票;業餘的藝術愛好.

diligence /'dɪlɪdʒəns/ *n*. 勤勉;努力.

diligent /'dɪlɪdʒənt/ *a*. 勤勉的;努力的 **~ly** *ad*.

dill /dɪl/ *n*.【植】(調味用的)莳蘿.

dilly-dally /'dɪlɪ dælɪ/ *vi*. [口]吊兒郎當,磨磨蹭蹭;混日子.

dilute /daɪ'ljuːt/ *vt*. 冲淡;稀釋;削弱 *a*.冲淡了的;稀釋了的.

dilution /daɪ'ljuːʃn/ *n*. 冲淡,稀釋;稀釋物.

diluvial, diluvian /daɪ'ljuːvjəl, daɪ'ljuːvjən/ *a*. 大洪水的;【地】洪積層的.

dim /dɪm/ *a*. ①暗淡的;朦朧的②模糊的,看不清的③遲鈍的 *v*.(使)暗淡;(使)模糊 **~ly** *ad*. **~ness** *n*. **~mer** *n*.減光器,調光器 // *take a ~ view of*[口]對…持悲觀懷疑的看法.

dime /daɪm/ *n*. (美、加的)一角硬幣.

dimension /dɪ'menʃn, daɪ-/ *n*. ①量度;尺寸(為長、闊、厚等)②(*pl*.)大

小;容積;面積③【數】維、度.

diminish /dɪ'mɪnɪʃ/ *v*. 減少,縮小 // ~*ed responsibility*【律】罪責減少(指被告處於精神不正常狀態).

diminuendo /dɪ͵mɪnjʊ'endəʊ/ *ad*.【樂】漸弱(的,地).

diminution /͵dɪmɪnju:ʃn/ *n*. 減少(量),縮小(量).

diminutive /dɪ'mɪnjʊtɪv/ *a*. 小型的,非常小的;【語】(詞尾)指小的 *n*.【語】指小詞 **~ness** *n*.

dimple /'dɪmpl/ *n*. ①酒窩,笑窩②波紋,漣漪 *v*.使現酒窩;使起波紋 **~d** *a*.

dimwit /'dɪmwɪt/ *n*. [口]笨蛋,傻瓜 **dim-witted** *a*.

din /dɪn/ *n*. 嘈雜,喧鬧聲 *v*.①喧嚷,喧鬧②反覆地說;嘮嘮叨叨.

dinar /'di:nɑ:(r)/ *n*. (南斯拉夫,中東以及北非某些國家的貨幣單位)第納爾.

dine /daɪn/ *vi*. 吃飯,進餐 **~r** *n*.①進餐者②[美]小飯店 **dining-car** *n*.餐車 **dining-room** *n*.餐室;食堂 // ~ *out* 外出吃飯.

ding-dong /͵dɪŋ'dɒŋ/ *n*. ①(鐘、鈴的)叮噹聲②[口](你一言我一語的)唇槍舌劍;(你一拳我一腳的)對打 *a*. & *ad*.①叮噹作響的(地)②不相上下的;勢均力敵地.

dinghy /'dɪŋgɪ/ *n*. 小帆船;小划子;小汽艇.

dingle /'dɪŋgl/ *n*. 樹木茂盛的小山谷;幽谷.

dingo /'dɪŋgəʊ/ *n*. (澳洲的)野狗

dingy /'dɪŋdʒɪ/ *a*. 暗黑的,骯髒的 **dinginess** *n*.

dinkum /'dɪŋkəm/ *a*. [澳、新西蘭俚]真正的;誠實的.

dinky /'dɪŋkɪ/ *a*. [英俚]小巧的;整潔的;漂亮的.

dinner /'dɪnə(r)/ *n*. ①正餐(午餐或晚餐)②宴會 // ~ *jacket* [英](男式無尾)晚禮服.

dinosaur /'daɪnəsɔ:(r)/ *n*. 恐龍.

dint /dɪnt/ *n*. ①打痕;壓痕;凹陷②力量 // *by* ~ *of* 靠…的力量;由於.

diocese /'daɪəsɪs/ *n*. 主教管區 **diocesan** *a*.

diode /'daɪəʊd/ *n*.【無】二極管.

diopter, dioptre /daɪ'ɒptə(r)/ *n*.【物】屈光度,折光度.

dioxide /daɪ'ɒksaɪd/ *n*.【化】二氧化物.

dip /dɪp/ *v*. ①蘸,浸(一下)②舀出;汲取③降至(某平面)以下;下沉④(使)降下又升起 *n*.①浸,泡;蘸汁②下坡;傾斜 // ~ *into* 瀏覽;舀出,掏出.

diphtheria /dɪf'θɪərɪə/ *n*.【醫】白喉.

diphthong /'dɪfθɒŋ/ *n*.【語】雙元音,複合元音.

diploma /dɪ'pləʊmə/ *n*. 畢業證書,文憑.

diplomacy /dɪ'pləʊməsɪ/ *n*. ①外交;外交手腕②交際手段 // *shuttle* ~ 穿梭外交.

diplomatic /͵dɪplə'mætɪk/ *a*. ①外交上的;外交工作的②有外交手腕的;老練的 **~ally** *ad*. // ~ *channel* 外交途徑 ~ *immunity* 外交豁免權.

diplomat(ist) /dɪ'pləʊmət(ɪst)/ *n*. 外交家,外交官;外交能手.

dipper[1]/dɪpə(r)/ *n*. 長柄杓子,鏟斗.

dipper[2]/dɪpə(r)/ *n*.【鳥】河烏.

dipsomania /͵dɪpsə'meɪnɪə/ *n*. 嗜酒狂;【醫】間發性酒狂 **~c** *n*. & *a*.嗜酒狂患者;有間發性酒狂的.

dipstick /'dɪpstɪk/ *n*. 量杆,量尺.

diptych /'dɪptɪk/ *n*. 對折(宗教)畫.

dire /daɪə(r)/ *a*. ①迫切的;極端的②可怕的;悲慘的.

direct /dɪ'rekt, daɪ-/ *a*. ①徑直的,直淺的②直接的③率直的 *ad*. 一直地,直接地 *v*. ①指示(方向)②書寫(信封、包裹上的)地址③管理;指導;指揮;導演 // ~*current*【電】直流電 ~ *object*【語】直接賓語 ~ *speech*【語】直接引語 ~ *tax* 直接稅.

direction /dɪ'rekʃn, daɪ-/ *n*. ①(運動的)方向;方位;方面②指導;指揮③(常 *pl*.)指示;用法;說明(書)④(常 *pl*.)收件人地址 // *in every* ~四面八方.

directive /dɪ'rektɪv, daɪ-/ *a*. 指令,訓令.

directly /dɪ'rektlɪ/ *ad*. ①直接地②立刻,馬上 *conj*. (有時亦可讀作 /'drektlɪ/)[口]一…就.

directness /dɪ'rektnɪs/ *n*. 直接;坦率.

director /dɪ'rektə(r)/ *n*. ①指導者;(機關)首長;…長;主任;(團體的)理事;(公司的)董事②導演③指揮儀;控制器;引向器 **~ial** *a*. 指導的,指揮的,管理的,指揮者的,管理者的 **~ship** *n*. 指導者(或主任、董事、導演)的職位 **~-general** *n*. 總監,總裁.

directorate /dɪ'rektərət, daɪ-/ *n*. ①理事會;董事會②=directorship.

directory /dɪ'rektərɪ/ *n*. 姓名地址録;工商人名録;電話簿.

dirge /dɜːdʒ/ *n*. 挽歌;悲歌.

dirigible /dɪrɪdʒəbl/ *a*. 可操縱的,可駕駛的 *n*. 飛船.

dirk /dɜːk/ *n*. 短劍,匕首.

dirndl /'dɜːndl/ *n*. 緊身大花裙.

dirt /dɜːt/ *n*. ①污物;灰塵②泥土③骯髒思想,下流話④[口](惡言中傷的)閑話,風涼話 // *fling/throw* ~ *at* 臭罵,謾罵.

dirty /dɜːtɪ/ *a*. ①齷齪的,骯髒的②下流的,黃色的③(氣候)惡劣的;暴風雨的④卑鄙的 *v*. 弄髒;變髒 **dirtiness** *n*.

dis-[前綴]表示"離開","分開","否定","除去".

disable /dɪs'eɪbl/ *vt*. 使無能力;使殘廢 **~d** *a*. 殘疾的 **disability** *n*. ①無能力;勞力喪失②殘疾.

disabl(e)ist /dɪs'eɪblɪst/ *a*. 歧視傷殘人的.

disabuse /ˌdɪsə'bjuːz/ *vt*. 去除錯誤思想;開導;糾正.

disadvantage /ˌdɪsəd'vɑːntɪdʒ/ *n*. ①不利(條件)②損害,損失 **~ous** *a*. 不利的,有害的 **~ously** *ad*.

disadvantaged /ˌdɪsəd'vɑːntɪdʒd/ *a*. 社會地位低下的;生活條件差的.

disaffected /ˌdɪsə'fektɪd/ *a*. (對政府等)不滿的;不忠的 **disaffection** *n*.

disagree /ˌdɪsə'griː/ *vi*. 意見不同;不一致,不符 **~ment** *n*.

disagreeable /ˌdɪsə'griːəbl/ *a*. ①難相處的,脾氣壞的②不稱心的;不愉快的,討厭的 **~ness** *n*. **disagreeably** *ad*.

disallow /ˌdɪsə'laʊ/ *vt*. 拒絕承認;不准;否决.

disappear /ˌdɪsə'pɪə(r)/ *vi*. ①不見,失踪②消失,絕迹 **~ance** *n*.

disappoint /ˌdɪsə'pɔɪnt/ *vt*. 使失望;使(希望)落空;破壞(計劃) **~edly** *ad*. 失望地 **~ing** *a*. 使人掃興的,令人不痛快的 **~ingly** *ad*.

disappointment /ˌdɪsə'pɔɪntmənt/ *n*. ①失望;掃興②令人掃興的事;使人

失望的人.

disapprobation /ˌdɪsˌæprəˈbeɪʃn/ *v*. 不贊成;不許可.

disapprove /ˌdɪsəˈpruːv / *v*. 不答應;不贊成 **disapproval** *n*.

disarm /dɪsˈɑːm/ *v*. ①繳械,解除武裝②(國家)裁減軍備③緩和(批評,攻擊);消除(敵意,疑慮)**~ament** *n*. **~ing** *a*. 使人消除敵意(或疑慮等) **~ingly** *ad*.

disarrange /ˌdɪsəˈreɪndʒ/ *vt*. 使混亂,搞亂**~ment** *n*. 混亂,紊亂.

disarray /ˌdɪsəˈreɪ/ *n*. ①混亂,雜亂②衣冠不整.

disassociate /ˌdɪsəˈsəʊʃɪeɪt/ *v*. = dissociate.

disaster /dɪˈzɑːstə(r)/ *n*. 大災難;災禍;慘事.

disastrous /dɪˈzɑːstrəs/ *a*. 災難的;損失重大的**~ly** *ad*.

disavow /ˌdɪsəˈvaʊ/ *vt*. 否認;抵賴;推卸(責任等)**~al** *n*.

disband /ˌdɪsˈbænd/ *v*. 解散,遣散(軍隊等).

disbelieve /ˌdɪsbɪˈliːv/ *v*. 不信;不信仰 **disbelief** *n*.

disburse /dɪsˈbɜːs/ *v*. 支付,付出 **~ment** *n*.

disc, disk /dɪsk/ ①圓盤形的東西②唱片③【解】盤狀軟骨④【計】磁盤 // ~ *brake* 碟形制動器,圓盤式剎車 ~ *jockey* (廣播或迪斯科舞廳中)流行音樂節目主持人;唱片播放人.

discard /dɪˈskɑːd/ *vt*. 丟棄(無用或不需要之物),拋棄.

discern /dɪsɜːn/ *v*. 辨明;認出 **~ing** *a*. 有眼力的,有洞察力的**~ment** *n*. 辨別力,洞察力.

discharge /dɪsˈtʃɑːdʒ/ *vt*. ①卸(貨)②開(炮);放(槍);射(箭)③放出;流出(液體,煤氣,電流等)④讓(某人)離去;釋放;解僱;遣散(軍隊)⑤清償(債務);履行(義務);⑥【律】撤銷(命令) *n*. ①卸貨②發射,射出③流出,放出④流出物;排泄物;流量⑤釋放;解僱;遣散⑥清償;履行;【律】撤銷令 // ~*d bankrupt* 已解除債務的破產人.

disciple /dɪˈsaɪpl/ *n*. 弟子,門徒.

discipline /ˈdɪsɪplɪn/ *n*. ①訓練②紀律③懲戒④訓練方法 *vt*. ①訓練;鍛煉②懲罰 **disciplinarian** *n*. 嚴格執行紀律者 **disciplinary** *a*. 紀律的;懲戒性的;訓練上的.

disclaim /dɪsˈkleɪm/ *v*. 放棄;不認領;否認**~er** *n*. 放棄;不承認.

disclose /dɪsˈkləʊz/ *vt*. 揭發;泄露(秘密等);使顯露.

disclosure /dɪsˈkləʊʒə(r)/ *n*. ①揭發;泄露②被揭發(或泄露)的事物.

disco /ˈdɪskəʊ/ *n*. [口]迪斯科(舞、舞曲);迪斯科舞會;迪斯科舞廳.

discolo(u)r /dɪsˈkʌlə(r)/ *v*. (使)變色,(使)褪色 **discoloration** *n*.

discomfit /dɪsˈkʌmfɪt/ *vt*. ①挫敗;打亂(計劃)②使大為窘迫;使混亂 **~ure** *n*.

discomfort /dɪsˈkʌmfət/ *n*. ①不適;不安②不快的事;困難.

discommode /ˌdɪskəˈməʊd/ *vt*. 使不便;使為難 **discommodious** *a*.

discompose /ˌdɪskəmˈpəʊz/ *vt*. 使不安;擾亂 **discomposure** *n*.

disconcert /ˌdɪskənˈsɜːt/ *vt*. ①挫敗;擾亂(計劃等)②使狼狽,使倉惶失措 **~ingly** *ad*. **~ment** *n*.

disconnect /ˌdɪskəˈnekt/ *vt*. ①使分離;拆開②切斷(電、煤氣等供應);切斷(電話通訊)**~ed** *a*. (講話,文章等)不連貫的;無條理的**~ion** *n*.

disconsolate /dɪsˈkɒnsələt/ *a*. 鬱鬱不樂的;憂傷的**~ly** *ad*.
discontent /ˌdɪskənˈtent/ *n*. 不滿(亦作**~ment**) *a*. 不滿的(=~ed).
discontented /ˌdɪskəˈntentɪd/ *a*. 不滿的**~ly** *ad*.
discontinue /ˌdɪskənˈtɪnjuː/ *v*. 使停止;(使)中斷 **discontinuance** *n*.
discontinuous /ˌdɪskənˈtɪnjʊəs/ *a*. 間斷的,不連續的**~ly** *ad*. **discontinuity** *n*.
discord /ˈdɪskɔːd/ *n*. ①不一致;爭吵②【樂】不和諧(音) ③嘈雜聲;喧鬧聲**~ance** *n*. **~ant** *a*.
discotheque /ˈdɪskəʊtek/ *n*. disco 的全稱.
discount /ˈdɪskaʊnt/ *n*. ①打折扣②貼現,貼息 *vt*. ①打折扣②給(期票)貼現;貼息③打着折扣去看待;低估 // *at a* ~①打折扣②(貨物)沒銷路③不受歡迎;不受重視.
discountenance /dɪsˈkaʊntɪnəns/ *vt*. 使羞愧;不支持;使泄氣.
discourage /dɪsˈkʌrɪdʒ/ *vt*. ①使氣餒;令人泄氣②阻止,勸阻**~ment** *n*. 挫折;氣餒;阻礙;令人氣餒的事物 **discouraging** *a*. 令人泄氣的;阻止的.
discourse /ˈdɪskɔːs/ *n*. 講演;講話;會話,談話;論文 *vi*. (on)談論;詳談;論述.
discourteous /dɪsˈkɜːtɪəs/ *a*. 不禮貌的,失禮的**~ly** *ad*. **discourtesy** *n*. 無禮,失禮;粗魯行為.
discover /dɪˈskʌvə(r)/ *vt*. 發現; **~er** *n*. 發現者,知曉 **~y** *n*. 發現(的人,物或地方).
discredit /dɪsˈkredɪt/ *n*. ①喪失信譽,喪失信任②不信,懷疑③恥辱 *vt*. ①不信,懷疑②使丟臉;損害名譽 **~able** *a*. 有損名譽的;恥辱的**~ably** *ad*.
discreet /dɪˈskriːt/ *a*. 審慎的,謹慎的 **~ly** *ad*.
discrepancy /dɪˈskrepənsɪ/ *n*. (指言論、記載或數字)不同;不符;脫節;矛盾.
discrete /dɪˈskriːt/ *a*. 分離的;個別的;顯然有別的**~ly** *ad*.
discretion /dɪˈskreʃn/ *n*. ①審慎,謹慎②自行處理,自决.
discriminate /dɪˈskrɪmɪneɪt/ *v*. ①區別;辨別②有差別地對待;歧視 **discriminating** *a*. 有辨別的 **discrimination** *n*. **discriminatory** *a*. 差別對待的,歧視的.
discursive /dɪˈskɜːsɪv/ *a*. 東拉西扯的,離題的;散漫的.
discus /ˈdɪskəs/ *n*. 【體】鐵餅
discuss /dɪˈskʌs/ *vt*. 討論;議論;商討 **~ion** *n*.
disdain /dɪsˈdeɪn/ *vt*. & *n*. 藐視,輕視**~ful** *a*. **~fully** *ad*.
disease /dɪˈziːz/ *n*. 疾病 **~d** *a*. 有病的.
disembark /ˌdɪsɪmˈbɑːk/ *v*. (使)上岸;(離船、下飛機)登陸 **~ation** *a*.
disembodied /ˌdɪsɪmˈbɒdɪd/ *a*. 脫離肉體的;無實體的;脫離現實的.
disembowel /ˌdɪsɪmˈbaʊəl/ *vt*. 取出内臟.
disenchanted /ˌdɪsɪnˈtʃɑːntɪd/ *a*. 醒悟的;不存幻想的;清醒的 **disenchantment** *n*.
disencumber /ˌdɪsɪnˈkʌmbə(r)/ *vt*. 擺脫(煩惱、負擔);消除(成見等).
disenfranchise/ˌdɪsɪnˈfræntʃaɪz/ *vt*. 剝奪…的選舉權和其他公民權.
disengage /ˌdɪsɪnˈgeɪdʒ/ *vt*. 解除(約會等);解脫;使脫離(戰鬥)**~d** *a*. 脫離了的;解約的;閒着的**~ment** *n*.

disentangle /ˌdɪsɪn'tæŋgl/ *v* ①(使)解開②整理;解決(糾紛等)**~ment** *n*.
disequilibrium /ˌdɪsiːkwɪ'lɪbrɪəm/ *n*. 失去平衡,不平衡.
disfavo(u)r /ˌdɪs'feɪvə(r)/ *n*. ①不贊成;不喜歡②冷遇,失寵.
disfigure /dɪs'fɪgə(r)/ *vt*. 損毀(外貌或形象);使醜陋**~ment** *n*.
disfranchise /dɪs'fræntʃaɪz/ *vt*. 剝奪公民權**~ment** *n*.
disgorge /dɪs'gɔːdʒ/ *v*. 嘔吐;吐出(贓物).
disgrace /dɪs'greɪs/ *n*. ①恥辱,不名譽②招致恥辱的人(或事物) *vt*.①使丟臉,使受恥辱②使失寵;貶黜**~ful** *a*.可恥的,不名譽的**~fully** *ad*.
disgruntled /dɪs'grʌntld/ *a*. 不滿的,不高興的;生氣的 **disgruntlement** *n*.
disguise /dɪs'gaɪz/ *vt*. ①假裝,假扮②隱瞞;隱藏(感情等) *n*.偽裝;假象 // *in*~化了裝的,偽裝地.
disgust /dɪs'gʌst/ *n*. 作嘔;厭惡 *vt*.使作嘔;令人厭惡**~ed** *a*.感到厭惡的**~edly** *ad*.厭惡地**~ing** *a*.令人厭惡的.
dish /dɪʃ/ *n*. ①盤子②(一盤)菜③[口]漂亮女子 *v*.[口]毀掉**~ingly** *ad*. // ~*aerial*【無】截拋物面天綫(=[美]~antenna) ~*cloth*, ~*rag* 洗碟布,抹布 ~*out*[口]分發 ~*up*[口]上菜.
dishabille /ˌdɪsæ'biːl/ *n*. ①穿戴不全,衣着隨便,衣冠不整②便服.
disharmony /dɪs'hɑːmənɪ/ *n*. 不調和,不協調 **disharmonious** *a*.
dishearten /dɪs'hɑːtn/ *vt*. 使沮喪,使泄氣.
dishevelled /dɪ'ʃevld/ *a*. (指衣着、外觀)凌亂的;不整齊的;(指頭髮)亂蓬蓬的.
dishonest /dɪs'ɒnɪst/ *a*. 不誠實的**~ly** *ad*.**~y** *n*.
dishono(u)r /dɪs'ɒnə(r)/ *n*. ①不名譽,恥辱②丟臉的人(或事)③【商】(票據等的)拒收;拒付 *vt*.①使丟臉,凌辱②【商】拒付(票據);不兌現**~able** *a*.不名譽的;丟臉的**~ably** *ad*.
dishy /'dɪʃɪ/ *a*. [口](指人)有吸引人的;漂亮的.
disillusion /ˌdɪsɪ'luːʒn/ *vt*. 使…幻滅;使醒悟 *n*.幻滅(亦作**~ment**).
disincentive /ˌdɪsɪn'sentɪv/ *n*. (起抑制作用的)障礙因素;阻礙物.
disinclined /ˌdɪsɪn'klaɪnd/ *a*. 不願意的 **disinclination** *n*.
disinfect /ˌdɪsɪn'fekt/ *vt*. 給…消毒**~ant** *a*.& *n*.消毒的(劑)**~ion** *n*.
disinformation /dɪsˌɪnfə'meɪʃn/ *n*. 假情報;反間情報.
disingenuous /ˌdɪsɪn'dʒenjʊəs/ *a*. 不真誠的;不坦率的**~ly** *ad*.
disinherit /ˌdɪsɪn'herɪt/ *vt*. 剝奪繼承權**~ance** *n*.
disintegrate /dɪs'ɪntɪgreɪt/ *v* (使)瓦解;(使)分裂;分化;(使)崩潰 **disintegration** *n*.
disinter /ˌdɪsɪn'tɜː(r)/ *vt*. ①掘出,發掘出②揭露出;使之顯露**~ment** *n*.
disinterested /dɪs'ɪntrəstɪd/ *a*. 無私的,公正的,無偏見的**~ly** *ad*.**~ness** *n*.
disjointed /dɪs'dʒɔɪntɪd/ *a*. ①脫了臼的②不連貫的;沒有條理的**~ly** *ad*.**~ness** *n*.
disk/dɪsk/*n*.①【計】磁盤②(照相排版機的)圓盤字模板③圓盤;圓板;圓片.
dislike /dɪs'laɪk/ *vt*. & *n*. 不喜歡,厭

惡.

dislocate /'dɪsləkeɪt/ *vt*. ①使脫臼,使脫位②(使交通,機器,事務,計劃等)混亂;弄亂.

dislocation /ˌdɪslə'keɪʃn/ *n*. ①脫臼,脫位②秩序混亂.

dislodge /dɪs'lɒdʒ/ *vt*. ①挪動,調動②驅逐;取出.

disloyal /dɪs'lɔɪəl/ *a*. 不忠的;不義的;不貞的**~ty** *n*.

dismal /'dɪzməl/ *a*. ①灰暗的;陰鬱的;沉悶的②[口]蹩脚的**~ly** *ad*.

dismantle /dɪs'mæntl/ *vt*. 拆卸,拆除.

dismay /dɪs'meɪ/ *n*. & *vt*. (使)驚慌;(使)喪膽;(使)沮喪.

dismember /dɪs'membə(r)/ *vt*. ①割下四肢,肢解②割裂;撕碎③瓜分(國家等)**~ment** *n*.

dismiss /dɪs'mɪs/ *vt*. ①解散;下課②解僱;開除③不再考慮,漠然處之④【律】駁回;不予受理**~al** *n*.

dismount /ˌdɪs'maʊnt/ *v*. ①(使)下馬,(使)下車②拆卸(機器),卸(炮).

disobey /ˌdɪsə'beɪ/ *v*. 不服從,不聽命令 **disobedience** *n*. **disobedient** *a*. **disobediently** *ad*.

disobliging /ˌdɪsə'blaɪdʒɪŋ/ *a*. 不親切的,不通融的**~ly** *ad*.

disorder /dɪs'ɔːdə(r)/ *n*. ①紊亂,雜亂②(政治上的)騷動,動亂③小毛病,失調**~ly** *a*. 混亂的;無秩序的;騷亂的;【律】妨害治安的 // *~ly house* 賭場;妓院.

disorganize /dɪs'ɔːgənaɪz/ *vt*. 使混亂,瓦解 **disorganization** *n*.

disorient(ate) /dɪs'ɔːrɪənt(eɪt)/ *vt*. 使迷失方向;使暈頭轉向 **disorientation** *n*.

disown /dɪs'əʊn/ *vt*. 否認(為自己所有);否認跟…有關係;跟…斷絕關係.

disparage /dɪ'spærɪdʒ/ *vt*. 貶抑,輕視 **~ment** *n*.

disparate /'dɪspərət/ *a*. 全然不同的,截然相反的 **disparity** *n*.

dispassionate /dɪ'spæʃənət/ *a*. 不動感情的;冷靜的;(對爭執等)不偏袒的 **~ly** *ad*.

dispatch /dɪ'spætʃ/ *vt*. ①發送;派遣②趕快結束(事務、用餐)③[舊]處决(犯人) *n*. ①送發;派遣②急件;(新聞)專電;快信③(處理事務上的)急速和準確 // *~ rider* (摩托車)通訊員.

dispel /dɪ'spel/ *vt*. 驅逐,驅散(烏雲);消除(疑懼).

dispensary /dɪ'spensərɪ/ *n*. 藥房,配藥處.

dispense /dɪ'spens/ *v*. ①分配;施與②執行③配(方),配(藥) **dispensable** *a*. 非必需的,可有可無的 **dispensation** *n*. **~r** *n*. 分配者;配藥者;自動售貨機 // *~ with* ①免除;節省②不需要;沒有…也行.

disperse /dɪ'spɜːs/ *v*. ①驅散;解散;分散②傳播,散佈③消散;散去 **dispersal, dispersion** *n*.

dispirit /dɪ'spɪrɪt/ *vt*. 使氣餒,使沮喪 **~ed** *a*. 沒精打采的;垂頭喪氣的 **~edly** *ad*.

displace /dɪs'pleɪs/ *vt*. ①移動,移置②取代,頂替.

displacement /dɪs'pleɪsmənt/ *n*. ①移動;代替;變位②排水量.

display /dɪ'spleɪ/ *vt*. ①陳列,展出②表現;顯示 *n*. ①展覽(品);陳列(物);表現②誇耀;炫耀.

displease /dɪs'pliːz/ *vt*. 使不高興;使生氣 **displeasure** *n*. 不快;生氣.

disport /dɪ'spɔːt/ *v*. 歡娛,玩耍.

disposal /dɪ'spəuzəl/ *n*. ①處理,處置;佈置②支配;使用(權)// *at sb's* ~ 聽憑某人支配(或使用).

dispose /dɪ'spəuz/ *v*. ①使傾向於;使有意於②處置,處理③安排,配備;佈置// ~ *of* 處理,處置;賣掉;除掉;幹掉;解决,辦妥.

disposition /ˌdɪspə'zɪʃn/ *n*. ①安排,佈置②性情③傾向,意向④處理權.

dispossess /ˌdɪspə'zes/ *vt*. 奪取,剥奪 **~ion** *n*. 霸占;剥奪.

disproportion /ˌdɪsprə'pɔːʃn/ *n*. 不相稱,不均衡 **~ate** *a*. **~ately** *ad*.

disprove /dɪs'pruːv/ *vt*. 證明為誤(或偽);反駁.

dispute /dɪ'spjuːt/ *v*. ①爭論,辯論②懷疑③抗拒;阻止④爭奪(土地、勝利等) *n*. 爭論,辯論;爭吵 **disputation** *n*. [書]爭辯,爭論 // *beyond* ~ 無疑地,毋庸爭辯地.

disqualify /dɪs'kwɒlɪfaɪ/ *vt*. 使不適合;取消資格;使不合格 **disqualification** *n*. 無資格,不合格;使不合格的事物(或原因).

disquiet /dɪs'kwaɪət/ *vt*. 使不安,使擔心;使焦慮 *n*. 不安;焦慮;擔心 **~ude** *n*. [書·舊]不安;焦慮;擔心.

disregard /ˌdɪsrɪ'gɑːd/ *vt*. & *n*. 不顧,不理會;漠視.

disrepair /ˌdɪsrɪ'peə(r)/ *n*. 失修;破損.

disreputable /dɪs'repjʊtəbl/ *a*. 聲名狼藉的,名譽不好的;不體面的 **disreputably** *ad*.

disrepute /ˌdɪsrɪ'pjuːt/ *n*. 壞名聲;聲名狼藉.

disrespect /ˌdɪsrɪ'spekt/ *n*. 不敬;無禮 **~ful** *a*.

disrobe /dɪs'rəub/ *v*. 脱掉衣服;剥去外衣;剥奪.

disrupt /dɪs'rʌpt/ *vt*. ①使混亂,破壞;使分裂,瓦解②打斷,使中斷 **~ion** *n*. **~ive** *a*. 分裂(性)的;破壞性的.

dissatisfied /dɪ'sætɪsfaɪd/ *a*. 不滿意的,不愉快的 **dissatisfaction** *n*. 不滿,不平.

dissect /dɪ'sekt/ *vt*. ①解剖②詳細研究;分析 **~ion** *n* ①解剖(體)②詳細研究;分析.

dissemble /dɪ'sembl/ *v*. 掩飾(感情,思想,打算等);隱瞞,不暴露.

disseminate /dɪ'semɪneɪt/ *vt*. 播(種);傳播(學說、思想等) **dissemination** *n*.

dissension /dɪ'senʃn/ *n*. 意見不合;不和,糾紛.

dissent /dɪ'sent/ *n*. & *vi*. ①不同意,(持)异議②[英]不信奉國教 **~er** *n*. 反對者,持異議者;(D-)不信奉國教者 **~ient** *a*. 不同意的.

dissertation /ˌdɪsə'teɪʃn/ *n*. (學位)論文;學術演講;(專題)論述 **~al** *a*.

disservice /dɪs'sɜːvɪs/ *n*. 損害;危害;虐待.

dissident /'dɪsɪdənt/ *n*. 持異議者;持不同政見者 **dissidence** *n*. 異議,不同意.

dissimilar /dɪ'sɪmɪlə(r)/ *a*. 不同的,不相似的 **~ity** *n*.

dissimulate /dɪ'sɪmjʊleɪt/ *v*. ①假裝不知②隱瞞;掩飾(感情、思想等) **dissimulation** *n*.

dissipate /'dɪsɪpeɪt/ *v*. ①驅散(雲、霧);消散;消除(恐懼、疑慮)②消耗;浪費(時間、金錢、精力).

dissipated /'dɪsɪpeɪtɪd/ *a*. 放蕩的;揮霍的,浪費的.

dissipation /ˌdɪsɪ'peɪʃn/ *n*. ①驅散;消

散②浪費③放蕩;花天酒地.

dissociate /dɪ'səʊʃɪeɪt/ *v*. ①(使)分離;(使)游離②【化】離解;【心】分裂 **dissociation** *n*. // ~*onesely from* 割斷與…的關係.

dissolute /'dɪsəluːt/ *a*. 放蕩的;自甘墮落的**~ly** *ad*. **~ness** *n*.

dissolution /ˌdɪsə'luːʃn/ *n*. ①溶解;融化②取消;解除(婚約等);解散(國會,公司等)③結束;結清.

dissolve/dɪ'zɒlv/ *vt*.①使溶解;使融化②解散.

dissonance /'dɪsənəns/ *n*. ①【樂】不諧和音②不和諧;不協調,不一致 **dissonant** *a*. **dissonantly** *ad*.

dissuade /dɪ'sweɪd/ *vt*. 勸阻,勸戒 **dissuasion** *n*.

distaff /'dɪstɑːf/ *n*. (手工紡織用的)繞杆,捲綫杆 // *on the* ~*side* 娘家那一方面;母系的.

distance /'dɪstəns/ *n*. ①距離②遠方;遠景③(時間上的)間隔,一長段時間④冷淡;疏遠 *vt*. 隔開;超過 // ~*oneself from* 與…疏遠 *keep sb at a* ~與某人保持疏遠.

distant /'dɪstənt/ *a*. ①遠的;遠距離的②(指人)非近親的③冷淡的,疏遠的 **~ly** *ad*.

distaste /dɪs'teɪst/ *n*. 厭惡**~ful** *a*.討厭的,乏味的;不愉快的**~fully** *ad*.

distemper[1]/dɪ'stempə(r)/ *n*. 犬熱病,犬瘟熱.

distemper[2]/dɪ'stempə(r)/ *n*. 膠畫顏料;水漿塗料.

distend /dɪ'stend/ *v*. (使)擴張,(使)膨脹 **distension** *n*.

distil /dɪ'stɪl/ *v*. ①蒸餾; 蒸提(威士忌酒, 香精等)②提取…的精華③(使)滴入**~lation** *n*.蒸餾(法); 蒸餾物.

distiller /dɪ'stɪlə(r)/ *n*. 製酒商;釀酒者**~y** *n*. 釀酒廠.

distinct /dɪ'stɪŋkt/ *a*. ①清楚的,明晰的;明顯的②各別的;(性質)不同的 **~ly** *a*.

distinction /dɪ'stɪŋkʃn/ *n*. ①差別,區別②特徵,特性③卓越,優秀④榮譽;勳章// *make/ draw a* ~ *between A and B* 區別A與B,說出AB間有甚麼不同.

distinctive /dɪ'stɪŋktɪv/ *a*. 有區別的;有特色的**~ly** *ad*.

distinguish /dɪ'stɪŋgwɪʃ/ *v*. ①區別,辨別,識別②(使)具有特色(或特徵) // ~*between A and B*, ~*A from B* 區別A與B ~*oneself* 使著名;使杰出;使受人注意.

distinguished /dɪ'stɪŋgwɪʃt/ *a*. 卓越的;著名的,杰出的;高貴的.

distort /dɪ'stɔːt/ *vt*. ①弄扭;弄歪(嘴臉等)②歪曲(真理、事實等);誤報③(收音機,電視機,攝影機等)使失真;使變形.

distortion /dɪ'stɔːʃn/ *n*. ①變形;畸變②歪曲,曲解③失真.

distract /dɪ'strækt/ *vt*. ①使分心;轉移(注意力)②擾亂;使迷惑**~ed** *a*. ①心煩意亂的;迷惑的②恍惚的;狂亂的.

distraction /dɪ'strækʃn/ *n*. ①分心;精神渙散;分心的事物②娛樂,消遣③精神錯亂,發狂 // *drive sb to* ~使人發狂.

distrait /dɪ'streɪ/ *a*. [法]心不在焉的;不注意的.

distraught /dɪ'strɔːt/ *a*. 異常激動的;憂心忡忡的.

distress /dɪ'stres/ *n*. ①痛苦;煩惱②窮困③危難;災害 *vt*.使苦惱,使痛苦;使悲痛**~ed** *a*.苦惱的,痛苦的~

ing *a*. 令人苦惱(或痛苦)的～**ingly** *ad*. // ～*call*/*signal* 求救(遇險)信號(＝SOS) ～*merchandise* 虧本出售的商品.

distribute /dɪ'strɪbjuːt/ *vt*. ①分配,分發②分佈;散播③把…分類;分列.

distribution /ˌdɪstrɪ'bjuːʃn/ *n*. ①分配;配給(品)②分佈(狀態);散佈.

distributor /ˌdɪ'strɪbjʊtə(r)/ *n*. ①分發者,發行商;(尤指)批發商②【電】配電盤;【印】自動拆版機;傳墨輥.

district /'dɪstrɪkt/ *n*. 區域;地區;管區.

distrust /dɪs'trʌst/ *n*. & *vt*. 不信任;懷疑～**ful** *a*. 不信任的;疑心重重的.

disturb /dɪ'stɜːb/ *vt*. 擾亂,使不安;打亂～**ing** *a*. ～**ingly** *ad*.

disturbance /dɪ'stɜːbəns/ *n*. 擾亂;騷動;動亂.

disturbed /dɪ'stɜːbd/ *a*. 【心】心理失常的.

disunite /ˌdɪsjuː'naɪt/ *v*. ①(使)分離,(使)分裂②(使)不統一,(使)不團結,(使)不和.

disunity /dɪs'juːnətɪ/ *n*. 不統一;不團結.

disuse /dɪs'juːs/ *n*. 不用,廢棄～**d** *a*. 已不用的,已廢棄的.

ditch /dɪtʃ/ *n*. 溝渠;陰溝 *vt*.[俚]拋棄,放棄;甩開,避開.

dither /'dɪðə(r)/ *vi*. [英口]猶豫不決,三心二意 *n*.猶豫不決;興奮;慌亂([英俚]亦作～**s**)～**ly** *a*.

ditto /'dɪtəʊ/ *n*. 同上,同前 *ad*.同樣地;如上所述.

ditty /'dɪtɪ/ *n*. 小曲,小調;短詩.

diuretic /ˌdaɪjʊ'retɪk/ *a*. 利尿的 *n*.【藥】利尿劑.

diurnal /daɪ'ɜːnl/ *a*. 每日的;白天的.

diva /'diːvə/ *n*. [意]著名女歌唱家;主要女歌手.

divan /dɪ'væn, 'daɪvæn/ *n*. (無靠背的)長沙發;沙發床.

dive /daɪv/ *vi*. ①(頭朝下)跳水;潛水②潛入;突入;俯衝 *n*.①跳水;潛水②【空】俯衝;(潛艇)下潛～**r** *n*.潛水員// ～*bomber* 俯衝轟炸機 *diving bell* 鐘形潛水箱,潛水鐘 *diving suit* 潛水服.

diverge /daɪ'vɜːdʒ/ *vi*. ①(道路,路綫等)分岔,分開;(意見)分歧②(人,議論等)打岔,逸出(正軌) *vt*.使岔開;使轉向.

divergence /daɪ'vɜːdʒəns/ *n*. (亦作 **divergency**)①分歧,分岔,分出;離題;偏差②【物】發散 **divergent** *a*. 叉開的,分歧的;背道而馳的;【物】發散的 **divergently** *ad*.

divers /'daɪvəz/ *a*. [舊]各種不同的;若干的.

diverse /daɪ'vɜːs/ *a*. 各種各樣的,形形色色的～**ly** *ad*.

diversify /daɪ'vɜːsɪfaɪ/ *vt*. 使變化;使不同;使多樣化 **diversification** *n*.

diversion /daɪ'vɜːʃn/ *n*. ①轉向,轉移②[英](因修路等而導致車輛的)改道,繞行③分心之物;消遣,娛樂～**ary** *a*.轉移注意力的;離題的.

diversity /daɪ'vɜːsətɪ/ *n*. 差異;多樣性.

divert /daɪ'vɜːt/ *vt*. ①使轉向;使轉移注意力②使消遣,使娛樂.

divest /daɪ'vest, dɪ-/ *vt*. ①脫去(衣服)②剝奪 // ～*onesef of* 放棄,拋棄.

divide /dɪ'vaɪd/ *v*. ①分,劃分;分開②分配,分派③分裂;(使)不合④【數】除 *n*.①分裂;分配②分界;分水嶺.

dividend /'dɪvɪdend/ *n*. ①【數】被除

數②股息,紅利.

dividers /dɪ'vaɪdəz/ *pl. n* 兩脚規,分綫規;圓規.

divine /dɪ'vaɪn/ *a*. ①神的,上帝的②神聖的;如神的③神妙的;[口]極好的 *v*.占卜;預言;(憑直覺)推測;看透 ~**ly** *ad*. **divination** /ˌdɪvɪ'neɪʃn/ *n*.占卜;預測;先見 // *divining rod* (=dowsing rod)探礦魔杖,卜杖(古時占卜者用來探測礦脉,水源等的迷信工具).

divinity /dɪ'vɪnətɪ/ *n*. ①神性;神力②神,上帝③神學.

divisible /dɪ'vɪzəbl/ *a*. ①可分的②【數】可除盡的 **divisibility** *n*.

division /dɪ'vɪʒn/ *n*. ①劃分,區分②分配,分派③分裂;不和④【數】除法⑤分界綫;⑥【軍】師 ~**al** *a*. 分開的;分區的,分部的;【數】除法的;【軍】師(部)的 ~**ally** *ad*.

divisive /dɪ'vaɪsɪv/ *a*. 造成不和的;離間的,引起分裂的 ~**ly** *ad*.

divisor /dɪ'vaɪzə(r)/ *n*. 【數】除數;約數.

divorce /dɪ'vɔːs/ *n*. ①離婚②分離;分裂 *vt*.①同…離婚;使離婚②脫離;使分離 **divorcé** /dɪ'vɔːs/ *n*.[法]離了婚的男子 **divorcée** /dɪˌvɔː'siː/ *n*.[法]離了婚的女子.

divot /'dɪvət/ *n*. ①(小塊)草皮②【高爾夫】(球棒擊球削起的)小塊草根土.

divulge /daɪ'vʌldʒ, dɪ-/ *vt*. 泄露(秘密);揭發,暴露 ~**nce** *n*.

divvy /'dɪvɪ/ *v*. [俚]分享;(+up)分配,分攤 *n*.[英俚]紅利,股息.

dixie /'dɪksɪ/ *n*. [英軍俚]大鐵鍋.

Dixie /'dɪksɪ/ *n*. 美國南部各州的別名(=Dixie Land).

DIY *abbr*. = do-it-yourself 自己動手幹.

dizzy /'dɪzɪ/ *a*. ①頭暈眼花的;昏頭昏腦的②(指高度、速度等)令人頭暈目眩的 *vt*.使頭暈眼花;使頭昏,使變糊塗 **dizzily** *ad*. **dizziness** *n*.

DJ / *abbr*. = ① disc jockey ②dinner jacket.

djellaba(h) /dʒə'lɑːbə/ *n*. =jellaba

DJI *abbr*. = Dow-Jones Index(美國紐約證券交易所的)道瓊斯股票指數.

dl *abbr*. = decilitre(s).

dm *abbr*. = decimetre(s).

DM *abbr*. = Deutschmark.

DNA *abbr*.【生化】(=deoxyribonucleic acid)脫氧核糖核酸(細胞中帶有遺傳信息的高分子).

do¹/duː, dʊ/ *v*.(**did**; **done**)(第三人稱現在時 does;現在分詞 doing)①做,幹;行動②完成,做完③對…合用,合適;行;足夠④起居;進展;(植物等)生長⑤使…整潔⑥做(功課);解答;攻讀;翻譯⑦煮(透);燒(熟)⑧扮演,充當…的角色⑨給與;帶來;產生~-**gooder** *n*.(不切實際的)社會改良家 ~-**it-yourself** *n*. & *a*. 自己動手(的);自製(的) // ~*away with* 廢除;撤銷 ~*one's best* 盡力而為 ~*up*①使…整齊(潔);修繕②捆(包)好;扣(繫)上 ~*with*①處置②將就;滿足於;需要(和 can, could 連用) ~*without* 沒…也行;不用.

do²/duː, dʊ/ *v.aux*. ①(置於主語前,構成疑問句) // *Do you agree*? 你同意嗎? ②(同 *not* 連用,構成否定句) *Do not leave me*.別離開我③(加強語氣)*Do come earlier later*! 以後一定要早些來! ④(用於倒裝句)*Never did I see such a thing*! 我從未見過這樣一種東西!.

do³/duː/ *n*. (*pl*. ~**s** ~'**s** /duːz/) ①

[俗]歡慶會,宴會②[俚]騙局③要求做到的事 // ~*s and don'ts* 注意事項;規章制度 *fair* ~*s* 一視同仁,公平對待.

docile /'dəusaɪl, [美] 'dɒsl/ *a*. 馴良的;溫順的~**ly** *ad*. **docility** *n*.

dock[1]/dɒk/ *n*. ①船塢;修船所②碼頭 *v*.①(使)入塢②【空】(使)(太空船,宇宙飛船)在外層空間對接~**er** *a*. 碼頭工人,船塢工人~**yard** *n*.造船廠,修船廠.

dock[2]/dɒk/ *vt*. ①剪短(割掉)尾巴②削減,扣去(薪水,工資等).

dock[3]/dɒk/ *n*. (刑事法庭的)被告席.

dock[4]/dɒk/ *n*. 【植】酸模.

docket /'dɒkɪt/ *n*. ①(貨物包裝上的)標籤;送貨車②【律】備審案件目録 *vt*.給(貨物)貼上標籤;把(案件)記入備審目録.

doctor /'dɒktə(r)/ *n*. ①博士②醫生 *vt*.①[俗]醫治,治療②[俗]修理③竄改(文件、賬目等)④攙雜(酒、食等),加入有毒(有害的)東西⑤[口]閹割(貓狗等家畜)~**al** *a*. 博士的 ~**ally** *ad*.

doctorate /'dɒktərət/ *n*. 博士學位;博士銜.

doctrine /'dɒktrɪn/ *n*. 教義;主義;學說 **doctrinal** *a*., **doctrinally** *ad*. **doctrinaire** /ˌdɒktrɪ'neə(r) *n*. & *a*.教條主義的(人),空談家.

docudrama /'dɒkjuˌdrɑːmə/ *n*. 記實劇.

document /'dɒkjumənt/ *n*. 文件;公文;證件 *vt*.①用文件(或證書等)證明;為…提供文件(證書等)②(以文件方式)詳細記載(彙報)~**ation** *n*. 文件(證書)的提供;提供的文件(證書).

documentary /ˌdɒkju'mentrɪ/ *n*. 紀録影片;實况電視録像;實况録音 *a*.文件的,證書的,公文的.

dodder /'dɒdə(r)/ *vi*. 蹣跚而行~**er** *n*.[俗]步履蹣跚者;[貶]老態龍鍾的人~**ing**, ~**y** *a*.蹣跚的;哆嗦的.

doddle /ˌdɒdl/ *n*. [口]輕而易舉的事.

dodecagon /dəu'dekəgən/ *n*. 十二角形;十二邊形.

dodge /dɒdʒ/ *v*. ①躲閃,躲避,閃開②推托,搪塞 *n*.①躲閃,躲避②推托③詭計,巧計~**r** *n*.躲避者;搪塞者;蒙騙者.

dodgem /'dɒdʒəm/ *n*. (亦作~**car**)(遊樂場中的)碰碰車.

dodgy /'dɒdʒɪ/ *a*.[口] ①艱難的②危險的;冒險的;不安全的③詭計多端的,狡猾的.

dodo /'dəudəu/ *n*.(*pl*. ~(**e**)**s**)【鳥】(不會飛已絕種的)渡渡鳥.

doe /dəu/ *n*. 雌鹿;雌兔;母山羊~**skin** *n*.母鹿皮;母兔(或山羊)皮;軟羊皮革.

doer /'duːə(r)/ *n*. ①實幹家,行動者②做…事的人 **evil** ~(**wrong** ~) *n*. 做壞事(錯事)的人.

does /dʌz, dəz/ do 的第三人稱單數現在式.

doesn't /'dʌznt/ =does not.

doff /dɒf/ *vt*. ①脱(帽)致敬②脱下,脱掉.

dog /dɒg/ *n*. ①狗,犬②雄狗;雄狼(或雄狐等)③[俗]傢伙④【機】搭鈎;止擋;卡箍 *vt*.尾隨,釘梢;(災難等)緊緊纏住~**gy**, ~**gie** *n*.[兒]狗狗;汪汪 ~**-collar** *n*. ①狗頸圈②牧師的硬領~**-eared** *a*.(指書頁)摺角的~**fight** *n*.混戰;空戰~**house** *n*.狗窩 ~**-tired** *a*.[口]累極了的,精疲力盡的// ~*days* 三伏天,大熱天 // *go* *to the* ～*s*［口］墮落；毀滅；沒落 *in the* ～ *house*［口］失寵，受耻辱 *let sleeping* ～*s lie* 不要惹事生非；別惹麻煩.

doge/dəʊdʒ/ *n*.【史】［舊］威尼斯和熱那亞的總督.

dogfish /'dɒgfɪʃ/ *n*. 小鯊魚，角鮫.

dogged /'dɒgɪd/ *a*. 頑固的，固執的 **～ly** *ad*. **～ness** *n*.

doggerel /'dɒgərəl/ *n*. 歪詩，打油詩.

doggo /'dɒgəʊ/ *ad*. 隱蔽地 // *lie* ～ 隱伏不動，一動不動地躲起來.

dogma /'dɒgmə/ *n*. 教義，教條，信條.

dogmatic /dɒg'mætɪk/ *a*. ①教條的②教條主義的；武斷的 **～ally** *ad*. **dogmatism** *n*. 教條主義；武斷.

doily /'dɔɪlɪ/ *n*. (亦作 **doyley, doyly**) (碗、碟等下的)小紙墊，花邊桌墊.

doings /'du:ɪŋz/ *pl*. *n*. ①行為，活動，舉動，所作所為②［英］所需的東西.

dol. *abbr*. = dollar(s).

doldrums /'dɒldrəmz/ *pl*. *n*. ①憂鬱，意氣消沉②無生氣，沉悶.

dole /dəʊl/ *n*. ［英］［俗］失業救濟金 *vt*. (少量地)分發(out) // *on the* ～［英俚］處於領取救濟金的境況.

doleful /'dəʊlfl/ *a*. 悲哀的；憂鬱的 **～ly** *ad*. **～ness** *n*.

doll /dɒl/ *n*. ①(玩具)娃娃；玩偶②好看而沒頭腦的女子③［俚］心上人，寶貝，*v*. ［俚］着意打扮，濃妝艷抹(up).

dollar /'dɒlə(r)/ *n*. ①(美、加等國的貨幣單位)元②值一元的金(銀或紙)幣.

dollop /'dɒləp/ *n*. ［口］①(粘土，奶油等半固體物質的)一塊；一團②(液體等的)少量；一些.

dolly /'dɒlɪ/ *n*. ①［兒］(玩具)娃娃②(架設電影、電視攝影機的)台車，移動式攝影車.

dolmen /'dɒlmen/ *n*.【考古】石桌狀墓標；史前墓遺迹.

dolomite /'dɒləmaɪt/ *n*.【礦】白雲石，白雲岩.

dolorous /'dɒlərəs/ *a*. (令人)悲哀的；(令人)憂傷的 **～ly** *ad*.

dolphin /'dɒlfɪn/ *n*. 海豚 **～arium** *n*. 海豚館(尤指訓練海豚進行公開表演的場所).

dolt /dəʊlt/ *n*. 笨蛋，呆子 **～ish** *a*.

-dom ［後綴］表示"地位"，"狀態"，"領域"如：**free**～*n*. 自由 **king**～*n*. 王國.

domain /dəʊ'meɪn/ *n*. ①(領土)版圖②領域，範圍.

dome /dəʊm/ *n*. 圓屋頂；圓頂狀之物 **～d** *a*. 圓(屋)頂的，圓頂狀的.

domestic /də'mestɪk/ *a*. ①家(庭)的②本國的，國內的③馴化的④熱心家務的，喜愛家庭生活的 *n*. 家僕，傭人 **～ally** *ad*. **～ity** *n*. 家庭樂趣，家庭生活；(*pl*.)家務，家事.

domesticate /də'mestɪkeɪt/ *vt*. ①使喜愛家庭生活，使喜愛家務②馴化(動物)；培育(野生植物) **domestication** *n*.

domestic science /-'saɪns/ *n*. 家政(學).

domicile /'dɒmɪsaɪl, '-səl/ *n*. ①居所，住處②【律】戶籍 **domiciliary** *a*.

dominant /'dɒmɪnənt/ *a*. ①支配的，統治的；佔優勢的②居高臨下的；高聳的③【生】顯性的 **dominance** *n*.

dominate /'dɒmɪneɪt/ *v*. ①統治，支配；控制②(丘陵、高地等)俯視，高出於；高聳③優於，超出 **domination** *n*.

domineering /ˌdɒmɪ'nɪərɪŋ/ *a*. 盛氣凌人的，飛揚跋扈的.

Dominican /dəˈmɪnɪkən/ *a*. & *n*. 【宗】多明我修道會的(教士或修女).

dominion /dəˈmɪnɪən/ *n*. ①主權;統治權② (*pl*.)領土,領地③(英聯邦的)自治領(如加拿大).

domino /ˈdɒmɪnəʊ/ *n*.(*pl*.**~es**) ①多米諾骨牌② (*pl*.)多米諾骨牌戲.

don[1]/dɒn/ *n*. ①(英國牛津、劍橋大學的)教師;(英國)大學教師②(D-)先生(西班牙人用於男子姓名前的尊稱)**~nish** *a*.大學教師似的;學究式的**~ly** *ad*.

don[2]/dɒn/ *vt*. 披上,穿上,戴上.

donate /dəʊˈneɪt/ *v*. 捐贈(錢財物,尤指給慈善機構);獻(血)**donation** *n*.捐贈;捐款;贈品 **donor** *n*. ①贈送人,捐款人②【醫】輸血者,供血者;捐贈器官者.

done /dʌn/ do 的過去分詞 *a*.①已做完的,完成了的②煮熟了的③精疲力竭的// *be ~ for*(人、物)不中用了,完蛋了 *Done*! 好! 行! (= Agreed) *Well* ~! 幹得好!.

Don Juan /ˌdɒnˈdʒuːən/ *n*. 風流蕩子.

donkey /ˈdɒŋkɪ/ *n*. ①驢②笨蛋③固執者,倔脾氣的人 **~-work** *n*.苦活;單調的日常工作// *~ engine*(船上裝卸用的)捲揚機;小型輔助發動機 *~ jacket*(長及膝,縫有防雨墊肩的)男式厚茄克 *~'s years* [俗]很久,多年.

don't /dəʊnt/ =do not.

doodle /ˈduːdl/ *v*. & *n*. 漫不經心地亂寫亂畫(的東西);塗鴉.

doom /duːm/ *n*. 毀滅,厄運;死亡;劫數 *vt*.注定,命定(要遭到毀滅、厄運或死亡).

doomsday /ˈduːmzdeɪ/ *n*.【宗】最後審判日;世界末日// *till* ~直到世界末日;永遠.

door /dɔː(r)/ *n*. ①門②(一)戶,(一)家③入口,通道,門路 **~-keeper** *n*.門衛 **~man** *n*.門房,看門人 **~-to-~** *a*.(指推銷商品)挨門挨戶的 **~step** *vi*.【政】上門拉選票;(記者等)登門採訪.

dope /dəʊp/ *n*. ①[俚]毒品,麻醉品②(尤指給參賽馬匹服用的)興奮劑③[俗]呆子④內幕;可靠的情報 *v*.給人(或馬)服用毒品(或興奮劑);服用麻醉品(或毒品).

dop(e)y /ˈdəʊpɪ/ *a*. 昏昏沉沉的;[俚]笨,傻.

dormant /ˈdɔːmənt/ *a*. 休眠的;潛伏的;暫停活動(使用)的 **dormancy** *n*.

dormer (window) /ˈdɔːmə(r) (ˈwɪndəʊ)/ *n*.【建】老虎窗,屋頂窗.

dormitory /ˈdɔːmɪtrɪ/ *n*.(集體)宿舍.

dormouse /ˈdɔːmaʊs/ *n*. (*pl*. **dormice** /ˈdɔːmaɪs/)【動】睡鼠.

dorsal /ˈdɔːsl/ *a*. (動物)背部的,背脊的**~ly** *ad*.

dory /ˈdɔːrɪ/ *n*.【魚】海魴(亦作 **John Dory**);黃麻鱸.

DOS *abbr*. =disk operating system 磁盤作業系統.

dose /dəʊs/ *n*. ①(尤指藥液的)一劑,一服②[口]苦差使,討厭的東西③[俚]花柳病,淋病 *v*.(給…)服藥 **dosage** *n*.一服(一劑)的量.

dosh /dɒʃ/ *n*. [俚]錢,現鈔.

doss /dɒs/ *n*. [英俚](小客棧的)簡陋床鋪 *vi*(down)[英俚](在簡陋床鋪上)睡覺 **~house** *n*.小客棧.

dossier /ˈdɒsɪeɪ/ *n*. (有關一事、一人的)一宗檔案材料,卷宗.

dot /dɒt/ *n*. ①小圓點②(莫爾斯電碼的)短音符號 *v*.打點(於);點綴;星羅棋佈於// *on the* ~[口]準時,一秒不差.

dotage /'dəʊtɪdʒ/ *n*. 老年昏憒,老年糊塗.

dotard /'deʊtəd/ *n*. 年老昏憒者,老糊塗.

dote /dəʊt/ *vi* (on, upon) 溺愛,過份偏愛 **doting** *a*. 溺愛的,偏愛的 **dotingly** *ad*.

dotty /'dɒtɪ/ *a*. [俚]瘋瘋癲癲的 **dottiness** *n*.

double /'dʌbl/ *a*. ①加倍的,雙倍的②成對的,雙的;雙人用的③(花等)重瓣的④兩重性的,兩面性的 *ad*. 兩倍;成雙地 *n*. ①雙倍(量)②相似的人或物③跑步④(*pl*.)(網球或乒乓球)雙打 *v*. ①加倍,翻一番②摺疊;彎腰③急轉,突然迂迴④兼演(兩個角色) **doubly** *ad*. ~**-barrelled** *a*. (指槍)雙筒的;(指姓氏)複姓的;[口](指言語)有雙重目的的,模棱兩可的 ~**-breasted** *a*. (指上衣)雙排扣的 ~**-check** *vt*. 複查(某事) ~**-cross** *vt*. & *n*. 欺騙;出賣 ~**-dealing** *n*. & *a*. 兩面派手法(的);口是心非(的) ~**-decker** *n*. 雙層公共汽車;[口]雙層夾心三明治 ~**-edged** *a*. (指刀)雙刃的;(指言詞)雙關的,雙重目的的 ~**-quick** *a*. & *ad*. [俗]快步的(地) // *at the* ~ ①【軍】跑步②馬上 ~ *agent* (同時為兩敵對國效力的)雙重間諜 ~ *chin* 雙下巴 ~ *Dutch* [俗]莫名其妙的言語 ~ *standard* 雙重標準 ~ *talk* 模棱兩可的欺人之談 ~ *whammy* [美口](雪上加霜般的)災禍.

double entendre /ˌdu:bl ɒŋ'tɒŋdrə/ *n*. [法](暗含下流、猥褻意義的)雙關語.

doublet /'dʌblɪt/ *n*. [古](十四世紀至十六世紀歐洲的)男緊身上衣;馬甲.

doubloon /dʌ'blu:n/ *n*. (舊時)西班牙金幣.

doubt /daʊt/ *n*. 疑心,懷疑;疑慮 *v*. 懷疑;不相信;拿不準 ~**er** *n*. 懷疑者.

doubtful /'daʊtfl/ *a*. ①懷疑的;可疑的②不確定的;不一定 ~**ly** *ad*. ~**ness** *n*.

doubtless /'daʊtlɪs/ *ad*. ①無疑地,必定②[口]很可能;多半 ~**ly** *ad*. ~**ness** *n*.

douche /du:ʃ/ *n*. ①【醫】冲洗,灌洗;灌洗(療)法②灌洗器 *v*. 冲洗,灌洗(治療).

dough /dəʊ/ *n*. ①(揉好待用的)生麵糰②[俚]錢 ~**nut** *n*. 炸麵餅圈.

doughty /'daʊtɪ/ *a*. [舊或謔]剛強的,勇猛的 **doughtily** *ad*. **doughtiness** *n*.

doughy /'dəʊɪ/ *a*. ①麵糰似的②夾生的;過份柔軟的③蒼白的 **doughiness** *n*.

dour /dʊə(r)/ *a*. (指人的態度)陰鬱的;冷冰冰的;綳着臉的;嚴厲的 ~**ness** *n*.

douse /daʊs/ *v*. ①把…浸入水(或液體)中;用水(或液體)灑(或潑)②[口]熄滅(燈火).

dove /dʌv/ *n*. ①鴿子②【政】鴿派人物,主和派(人士) ~**cot(e)** *n*. 鴿棚,鴿舍.

dovetail /'dʌvteɪl/ *n*. 【建】鳩尾榫,楔形榫;鳩尾接合(法) *v*. (使)吻合;和…吻合.

dowager /'daʊədʒə(r)/ *n*. ①(繼承亡夫遺產或稱號的)寡婦;帝王(或王公貴族)的未亡人②[口]老年貴婦人;富婆.

dowdy /'daʊdɪ/ *a*. ①(指婦女)衣著不整潔的,邋遢的②(指衣服)粗俗過時的 **dowdily** *ad*. **dowdiness** *n*.

dowel /'daʊəl/ *n*. ①【建】榫釘;夾縫釘;暗銷②【建】合縫鋼條.

dower /'daʊə(r)/ *n*. 遺孀產(寡婦享受的亡夫遺產).

down[1]/'daʊn/ *n*. ①絨毛,柔毛;絨羽②軟毛;汗毛**~y** *a*. ①絨毛狀的;長滿絨毛的;汗毛遍身的②用絨羽製成的.

down[2]/daʊn/ *adv*. ①向下;由上向下②(指物價、情緒、健康狀況等方面)處於下降、減退或低落狀態③出(城);下(鄉);(從首都)往內地;(從上游)至下游;(由北)往南;(從內地)到海邊④變小(少、弱);降低⑤(寫)下⑥徹底地,完全地 *prep*. ①向下;沿②在…下方(下游);往下方(下游)③往市區(商業區);在市區(商業區)④(時間上)自…以來 *a*. ①向下的;(列車)下行的,往南行駛的②沿海的③沮喪的,消沉的④[美俗]完成的 *vt*. ①打倒,打落②放下;喝下 **~-and-out** *a*. & *n*. 窮困潦倒,走投無路的(人) **~beat** *a*. [口]陰鬱的,悲觀的;放鬆的;不露聲色的 **~cast** *a*. 沮喪的,垂頭喪氣的;(眼睛)向下看的 **~fall** *n*. 落下;(雨等)大降;沒落,垮台 **~grade** *vt*. 降級,降格 **~-hearted** *a*. 消沉的,悶悶不樂的 **~hill** *a*. 傾斜的,下坡的 *ad*. 向下(坡)地;趨向衰退地 **~pour** *n*. 傾盆大雨 **~right** *a*. 直率的,坦白的;徹頭徹尾的, *ad*. 徹底地,完全地 **~stair(s)** *a*. 樓下的 **~stairs** *ad*. 在樓下;往樓下 **~stream** *a*. & *ad*. (在)下流(的);順流的(地) **~-to-earth** *a*. 切實的;脚踏實地的 **~trodden** *a*. 被蹂躪的;被壓制的 // *have a ~ on* [口]怨恨,厭惡.

downer /'daʊnə(r)/ *n*. [俚]①抑制劑,鎮靜劑(尤指巴比妥酸鹽)②令人傷心的往事;掃興的人(或事).

downs /daʊnz/ *pl*. *n*. 丘陵,丘原.

Down's syndrome /'daʊnz sɪndrəʊm/ *n*. 【醫】唐氏綜合症,先天性愚鈍,伸舌樣白痴(= mongolism)(一種先天性畸形病症,表現為智力不足、扁平額、斜眼).

downtown /ˌdaʊn'taʊn/ *a*. & *ad*. 商業區的,市區的,鬧市區的;在商業(或鬧市)區,向商業(鬧市)區.

downward /'daʊnwəd/ *a*. 下降的,向下的 *ad*. = downwards.

downwards /'daʊnwədz/ *ad*. 向下;以下.

dowry /'daʊərɪ/ *n*. 嫁妝;陪嫁.

dowse /daʊz/ *v*. (用)卜杖探尋水脈(礦脈).

doxology /dɒk'sɒlədʒɪ/ *n*. 【宗】(做禮拜時唱的)贊美歌,榮耀頌.

doyen /'dɔɪən/ *n*. [法](一個團體或機構中的)老前輩;資深長者;地位資格最高最老者 **~ne** *n*. 女性老前輩,女性資深長者.

doze /dəʊz/ *vi*. & *n*. 瞌睡,打盹 **dozy** *a*. (令人)睏倦的;[口]愚蠢的;不開竅的 **dozily** *ad*. **doziness** *n*. // *~ off* 打瞌睡(= nod off, drop off).

dozen /'dʌzn/ *n*. 一打(十二個) **~th** [俚]第十二;十二分之一(的)(= twelfth).

Dr. *abbr*. = doctor.

drab /dræb/ *a*. ①土褐色的②單調的,乏味的,無生氣的 **~ness** *n*.

drachm /dræm/ *n*. ① = dram 的②義③drachma.

drachma /'drækmə/ *n*. (*pl*. **-mas, -mae** /-miː/) 德拉克馬(希臘貨幣單位).

draconian /drə'kəʊnɪən/ *a*. 嚴厲的;殘酷的;苛刻的.

draft /drɑːft/ *n*. ①草稿, 草圖, 草案②匯票③分遣隊(的選拔);[美]徵兵④[美]=draught *vt*.①起草, 草擬;畫(草圖);設計②選派③[美]徵(兵) ~**ee**[美]徵召入伍者~**sman** *n*.起草人; 繪圖員([英]亦作 **draughtsman**).

drag /dræg/ *v*. ①拖, (用力)拉②硬拉(某人)去(做某事或到某地)③(使)緩慢費力地行動;拖沓, 拖宕④(用拖網, 撈錨等)探撈(河底) *n*.①拉, 拖②拖、拉的東西③拖累, 累贅;[口]無聊的事;討厭的人④[俚](男穿的)女裝~**gy** *a*.[俗]沉悶的, 無聊的// ~*race*(特製汽車或摩托車的)短程加速賽.

dragnet /'drægnet/ *n*. ①拖網, 捕撈網②法網.

dragon /'drægən/ *n*. ①龍②凶暴的女人;母夜叉.

dragonfly /'drægənflaɪ/ *n*. 蜻蜓.

dragoon /drə'guːn/ *n*. 龍騎兵;重騎兵 *vt*.脅迫;暴力鎮壓.

drain /dreɪn/ *n*. 排水管, 下水道, 陰溝; (*pl*.)①排水設備排水系統②(財富、資源等的)不斷外流, 枯竭;(精力的)逐漸消耗 *v*.①排水;(使)…乾;(使)滴(漏)乾②(水)細流, 流去③喝乾, 倒空④用完, 花光⑤(資源)逐漸枯竭~**board** *n*.(=~ing board)(洗滌槽邊上斜置的)碗盤滴水板~**pipe** *n*.排水管; (*pl*.)(男用)緊身瘦腿褲(亦作~**pipe trousers**).

drainage /'dreɪnɪdʒ/ *n*. ①排水(法);排水系統②(排出的)污水③排水區域;(河流的)流域.

drake /dreɪk/ *n*. 公鴨.

dram /dræm/ *n*. ①少量的酒(尤指威士忌)②打蘭(常衡=1/16 ounce;藥衡或液量=1/8 ounce).

drama /'drɑːmə/ *n*. ①劇本;戲劇, 戲曲②戲劇性事件;戲劇性場面~**tist** *n*.劇作家;戲曲家.

dramatic /drə'mætɪk/ *a*. ①戲劇的, 演劇的②戲劇性的;惹人注目的;扣人心弦的~**ally** *ad*.

dramatics /drə'mætɪks/ *pl*.*n*. ①戲劇學, 演技研究;演劇活動②[貶]戲劇性的行徑;裝腔作勢的舉動, 做作的行為.

dramatis personae /ˌdræmətɪs pɜː'səunaɪ/ *pl*.*n*. [拉]【劇】劇中人, 登場人物;人物表.

dramatize-se /'dræmətaɪz/ *vt*. ①把…改編成劇本②演戲似地表現, 把…戲劇化;(加油加醋地)渲染 **dramatization** *n*.

drank /dræŋk/ drink 的過去式.

drape /dreɪp/ *vt*. ①(用布等)蓋上, 披蓋;(隨便地)披上(衣服等)②(成褶地)懸挂, 裝飾 *n*.①(布簾, 衣服等的)褶皺, 裥②[美](=curtain)窗簾, 布簾.

draper /'dreɪpə(r)/ *n*. [英](經銷布匹、衣料、織物的)布商;綢布店~**y** *n*.[英](=[美]dry goods)①綢布業;布匹, 衣料, 織物②(衣料, 布簾上的)褶皺, 裥;(*pl*.)帷幕, 帳簾.

drastic /'dræstɪk/ *a*. 激烈的;猛烈的;極端的, 十分嚴厲的~**ally** *ad*.

draught /drɑːft/ *n*. (=[美]亦作 **draft** /dræft/)①通風;氣流;過堂風②拖, 拉, 牽引③(一)網(魚)④(船的)吃水⑤吸出, 汲出;(藥水等的)一服⑥[英]跳棋的棋子;(*pl*.)西洋跳棋(戲)~**board** *n*.[英]跳棋棋盤(=[美] checkerboard) // ~ beer 生啤酒.

draughtsman /'drɑːftsmən/ *n*. 起草

人;製圖員~**ship** *n*.製圖術.

draughty /'drɑːftɪ, 'dræftɪ/ *a*. 通風的 **draughtily** *ad*.**draughtiness** *n*.

draw /drɔː/ *v*.(**drew**/druː/; **drawn** /drɔːn/)①拉, 拖②拔出, 抽出③汲取,提取④吸進;通風,通氣⑤吸引;招致⑥抽(籤),拈(鬮)⑦劃,畫;描寫⑧開立(票據等);草擬;制訂⑨(使)打成平局⑩(船)吃水⑪移動;靠近 *n*.①牽,引②抽(籤);拔出③吸引者,引誘物④(比賽)不分勝負,和局 ~**back** *n*. 弊端;缺陷;障礙~**bridge** *n*.吊橋~**string** *n*.(衣、口袋等的)拉索// ~*back* 收回;退回 ~*in*(白晝)漸短;(天)黑了 ~*out*(白晝)漸長;拉長,拖長 ~*up* 草擬,制訂;(車馬)停下;【軍】整(隊),列陣.

drawer /drɔː(r)/ *n*. 抽屜;(*pl*.)[舊]內褲,襯褲// *chest of ~s* 五斗櫥.

drawing /'drɔːɪŋ/ *n*. 畫圖,製圖;圖畫,圖樣~ **pin** *n*.圖釘.

drawing room /'drɔːɪŋ rʊm/ *n*.[舊]客廳.

drawl /drɔːl/ *v*. & *n*. 慢聲慢氣地說話(的方式).

drawn /drɔːn/ draw 的過去分詞.

dray /dreɪ/ *n*. (四輪)大車;(載重)馬車.

dread /dred/ *v*. & *n*. 非常害怕;恐怖,畏懼.

dreadful /'dredfl/ *a*. ①可怕的;討厭的;糟透了的②厲害的;非常的~**ly** *ad*.[口]特別,非常,極.

dream /driːm/ *n*. ①夢②夢想,幻想,空想 *v*.(過去式和過去分詞~**ed** 或 ~**t** /dremt/)①做夢,夢想,夢見②嚮往,渴望~**er** *n*.做夢的人;夢想者,空想家~**less** *a*.(指睡眠)無夢的,安祥的~**like** *a*.夢一般的,夢幻的~**-land** *n*.夢境;夢鄉;幻想世界 // ~ *reader* 詳夢者,圓夢者 ~ *up* [口]憑空想出;憑空捏造出.

dreamy /'driːmɪ/ *a*. ①愛幻想的②夢幻般的,朦朧的;不切實際的③[俗]棒;頂呱呱的 **dreamily** *ad*.

dreary /'drɪərɪ/ *a*. 沉悶的,枯燥乏味的 **drearily** *ad*.**dreariness** *n*.

dredge[1]/dredʒ/ *n*. = dredger.

dredge[2]/dredʒ/ *v*. 疏浚(河道);清淤;挖掘(泥土等)~**r** *n*.挖泥船;疏浚機 // ~*up*[口]憶起(或提起)遺忘(或不愉快)的往事.

dredge[3]/dredʒ/ *vt*. 撒(麵粉等)在食物上.

dregs /dregz/ *pl*. *n*. ①殘滓②糟粕,渣滓;廢物.

drench /drentʃ/ *vt*. 使濕透,使浸透~**ing** *n*.濕透.

dress /dres/ *n*. ①女服,童裝②服裝(尤指外衣)③(一定場合穿的)衣服;禮服 *v*.①(給…)穿衣;供衣着給②穿禮服,着盛裝③處置妥當;預備(菜肴);調製(飲食)④敷裹(傷口)⑤梳理(頭髮);整刷(毛)⑥裝飾,修飾~**maker** *n*.女裝裁縫 // ~ *a chicken* 把雞開膛洗淨 ~*rehearsal* 彩排 ~*up*(把…)打扮得漂漂亮亮;化裝;(給…)喬裝打扮.

dressage /'dresɑːʒ/ *n*. [法]馴馬表演;馴馬技術,對馬的調教.

dresser[1]/'dresə(r)/ *n*. 碗櫃,食具櫃.

dresser[2]/'dresə(r)/ *n*. (劇團的)服裝員,裝飾師.

dressing /'dresɪŋ/ *n*. ①(拌色拉的)調味汁;佐料②(傷口的)敷~**-down** *n*.[口]訓斥 // ~ *gown* 晨衣 ~ *room* 化妝室 ~*table* 梳妝台.

drew /druː/ draw 的過去式.

drey /dreɪ/ *n*. 松鼠窩.

dribble /'drɪbl/ *v*. ①(使)滴下;(使)

淌口水,流涎②盤球,傳球,運球(前進) *n*.①點滴;細流;少量②運球,帶球**~r** *n*.流口水者;帶球前進者.

driblet /'drɪblɪt/ *n*. 點滴,一滴;少量;小額;零星.

dribs and drabs /drɪbz ən dræbz/ *pl*. *n*. [口]點點滴滴;少量,零零星星.

dried /draɪd/dry 的過去式及過去分詞 *a*.乾燥的,乾縮的 // ~ *milk* (= milk powder)奶粉.

drier /draɪə(r)/ *n*. = dryer *a*. dry 的比較級.

driest /draɪst/ *a*. dry 的最高級.

drift /drɪft/ *v*. ①(使)漂流;漂移②(使)吹積;(使)漂積③漂蕩,漂泊 *n*.①漂流②漂流物;吹積物③傾向,趨勢;要義,大意**~er** *n*.漂泊者,流浪者;漂網漁船**~-net** *n*.漂網**~-wood** *n*.流送材,漂流木.

drill[1]/drɪl/ *n*. 鑽孔機;鑽子;鑽床 *v*.(在…上)鑽孔,打眼.

drill[2]/drɪl/ *v*. & *n*.(軍事)訓練;操練;(反覆)練習.

drill[3]/drɪl/ *vt*. 條播(種子) *n*.條播機.

drill[4]/drɪl/ *n*. 斜紋布.

drily /'draɪlɪ/ =dryly.

drink /drɪŋk/ *v*.(**drank** /dræŋk/; **drunk** /drʌŋk/)①喝,飲②飲酒,縱飲;(為…)乾杯③吸收 *n*.①飲料;酒②一杯(飲料);一飲③喝酒;酗酒**~able** *a*.可飲用的**~er** *n*.酒徒;**~-driving** *a*.酒後駕車的 // ~ *in*①吸收②如饑如渴地傾聽;陶醉於 ~ *up*/*off*/*down*(一口氣)喝乾.

drip /drɪp/ *v*.(使)滴下,滴瀝 *n*.①水滴;點滴②淅瀝聲③【醫】滴注器,輸液器④[口]平庸討厭的人,無聊的傢伙**~-dry** *a*.(指衣服洗後)快乾免熨的**~-feed** *vt*.用滴注法給(病人)輸液.

dripping /'drɪpɪŋ/ *n*.(烤、煎肉時流出的)油滴;油汁.

drive /draɪv/ *v*.(**drove** /drəʊv/; **~n** /'drɪvən/)①驅,趕②駕駛,駕馭;(給…)開車③發動;推動④迫使,強逼⑤抽(球),擊(球)⑥飛跑,猛進,猛衝⑦敲(釘等);掘,開鑿(隧道等) *n*.①開車;乘車兜風②(私宅的)馳車道③抽球,擊球④推進力;魄力⑤[美](政治)運動;競賽⑥【心】衝動,本能要求**~r** *n*.①駕駛員,司機;趕牲口者②【機】起子;主動輪;傳動器**~-in** *a*.(指餐館,電影院,銀行等)顧客留在車上就能享受其服務的**~way** *n*.車道 // ~ *at*(僅用於進行式)意指,用意.

drivel /'drɪvl/ *v*. & *n* (說)蠢話;胡言亂語,胡扯.

driven /'drɪvən/drive 的過去分詞.

driving /'draɪvɪŋ/ *a*. ①推動的;【機】傳動的,主動的②猛衝的;猛烈的③精力充沛的,有幹勁的④駕駛的**~licence** *n*.駕駛執照**~wheel** *n*.【機】主動輪.

drizzle /'drɪzl/ *vi*. & *n*.(下)毛毛雨 **drizzly** *a*.下着毛毛雨的,毛毛細雨似的.

droll /drəʊl/ *a*. 古怪滑稽的,使人發笑的**~ery** *n*.滑稽好笑(的舉動);滑稽話(事).

dromedary /'drɒmədərɪ/ *n*.【動】單峰駱駝.

drone[1]/drəʊn/ *n*. ①雄蜂②懶人③無人駕駛飛機.

drone[2]/drəʊn/ *v*. & *n*. ①(蜂等)嗡嗡地響(的聲音)②低沉單調的說話(聲);哼出;低聲唱歌(聲) // ~ *on* / *away* 單調低沉地說個沒完.

drool /druːl/ *v*. ①(over)過份熱衷

於,瞎起勁②流口水.

droop /dru:p/ *v*. ①低垂;(使)下垂②(草木)枯萎;(人)萎靡不振**~y** *a*.

drop /drɒp/ *n*. ①點滴,滴②下降,降落;下降的距離③微量④滴狀物(如水果糖球,巧克力豆等);(*pl*.)【藥】滴劑 *v*.①(使)滴下;(使)落下;丢下,投下②跌落;失落;讓(人)下車③輸掉④(使)變弱;(使)降低,(使)停止⑤偶然説出;偶然寄出 **~let** *n*. 小滴 **~out** *n*. 中途退學者;擯弃傳統習俗與正常社會隔絶者 // *~ behind* 落伍;掉隊 *~in/by* 順便走訪 *~off* 逐漸減少(縮小);睡着 *~out of* 停止參加,退出.

dropkick /'drɒpkɪk/ *n*. & *v*. (橄欖球)踢落地球.

droppings /'drɒpiŋz/ *pl*. *n*. 鳥糞;動物的糞便.

dropsy /'drɒpsɪ/ *n*. 【醫】水腫(病),浮腫(病)**dropsical** *a*.

dross /drɒs/ *n*. ①【冶】浮渣②廢物;渣滓;雜質.

drought /draʊt/ *n*. 乾旱,旱災.

drove[1] /drəʊv/ drive 的過去式.

drove[2] /drəʊv/ *n*. (被驅趕着或行動着的)畜群;(活動或走動着的)人群**~r** *n*.趕牲口上市場的人.

drown /draʊn/ *v*. ①(使人)溺死;淹死②淹沒;浸濕;(大聲)蓋沒(小聲)③使沉溺於 // *be ~ed out* 被(洪水等)趕出 *~ one's sorrows* 借酒澆愁 *like a ~ed rat*(濕得)像落湯雞.

drowse /draʊz/ *v*. ①(使)昏昏沉沉;使昏昏欲睡;打瞌睡②(使)發呆 *n*. 瞌睡 **drowsy** *a*.想睡的,睏倦的;催眠的,使人懶洋洋的 **drowsily** *ad*. **drowsiness** *n*.

drub /drʌb/ *vt*. [俗]①(用棍棒)痛打②把…打得大敗**~bing** *n*.大敗.

drudge /drʌdʒ/ *vi*. & *n*. 做苦工(的人);做單調乏味工作(的人)**~ry** *n*. 苦役,單調乏味的工作.

drug /drʌg/ *n*. ①藥品,藥材②麻醉藥;毒品③滯銷品 *v*.下麻醉藥於;(使)吸毒**~gist** *n*.[美](=pharmacist)藥商,藥劑師**~store** *n*.[美]藥房(兼售化妝品,食品以及日常用品) // *~abuse* 吸毒上癮,嗜用麻醉品.

drum /drʌm/ *n*. ①鼓;鼓(聲)②鼓狀物(容器);圓桶 *v*.打鼓;(使)咚咚響 **~mer** *n*.鼓手;[美]旅行推銷員,行商**~stick** *n*.鼓槌;[口]雞(或其它家禽)小腿 // *beat the ~*[俗]鼓吹 *~ into*[俗]反覆地,灌輸(思想等) *~ major/majorette*(尤指在美國)軍樂隊指揮(女指揮) *~out* 轟走,開除 *~up*[俗]招攬(顧客等),招募(新兵等);鼓勵,激起.

drunk /drʌŋk/ drink 的過去分詞 *a*. (常作表語)①喝醉的②陶醉的;興奮的 *n*.醉漢,**~ard** *n*.[貶]醉鬼,酒徒 // *~ and disorderly*【律】酒後滋事的.

drunken /'drʌŋkən/ *a*. (常作定語)①(常)醉的②酗酒引起的③喝醉似的;搖搖晃晃的**~ly** *ad*. **~ness** *n*.

dry /draɪ/ *a*. ①乾的,乾燥的;乾涸的②枯燥的,乏味的③[口]渴的④(指酒)不甜的;(指麵包)不塗黃油的⑤簡慢的,冷淡的⑥不加渲染的⑦禁酒的⑧(指幽默)貌似嚴肅認真的,俏皮諷刺的**~ly, drily** *ad*. **~ness** *n*. **~er** *n*.烘乾機;【化】乾燥劑,催乾劑**~-clean** 乾洗(衣服)**~-stone** *a*.【建】(指牆壁)乾砌的 // *~dock* 乾船塢 *~goods*[英]雜糧;[美]=drapery *~ice* 乾冰 *~nurse* 保姆 *~out* 變乾;戒酒 *~rot*(樹木的)乾朽,乾枯;乾腐病 *~run*[口]演習;排演 *~up*①

拭乾(盤、杯等);(使)乾涸②[俚]停止講話,住口 *run* ~(乳牛)不產奶;(河流)乾涸.

dryad /'draɪəd/ *n*. 【希神】林中仙女,樹精.

DSc, D. Sc. *abbr*. = Doctor of Science 理學博士.

DTP *abbr*. = desk - top publishing 桌面排版,小型電腦化出版

DT's *abbr*. = delirium, tremens[俗]震顫性譫妄.

dual /'dju:əl/ *a*. 雙(重)的,二元的;二體的 **~ity** *n*. 兩重性;二元性;【物】二象性 **~ly** *ad*. // ~ *carriageway* (=[美]divided highway)(來往車輛分隔行駛的)雙行道.

dub[1]/dʌb/ *vt*. ①給(人、地方)起名字(或綽號);授與稱號②用劍拍肩(授與爵位).

dub[2]/dʌb/ *vt*. (為影片、電視、廣播節目)配音;譯製.

dubbin /'dʌbɪn/ *n*. [英](亦作 **dubbing**)(皮革用的)防火軟化油脂.

dubious /'dju:bɪəs/ *a*. ①懷疑的;可疑的②含糊的③未定的;無把握的 **~ly** *ad*. **dubiety** *n*.

ducal /'dju:kl/ *a*. 公爵(似)的.

ducat /'dʌkət/ *n*. (中世紀通用於歐洲各國的)達卡金(或銀)幣.

duchess /'dʌtʃɪs/ *n*. 女公爵;公爵夫人.

duchy /'dʌtʃɪ/ *n*. 公國;公爵領地.

duck[1]/dʌk/ *n*. ①鴨(肉)②雌鴨③(板球)鴨蛋,零分(=~egg)④[英俚]親愛的;心肝,寶貝 **~ling** *n*. 小鴨.

duck[2]/dʌk/ *v*. ①急忙蹲下;閃避②(使)突然潛入水中③躲避,回避,逃避(困難,責任等).

duck[3]/dʌk/ *n*. ①帆布;粗布②(*pl*.)帆布褲子.

duct /dʌkt/ *n*. ①管,管道,輸送管;槽,溝②(動、植物的)導管.

ductile /'dʌktaɪl/ *a*. ①(金屬等)易拉長的;可延展的②易變形的,可塑的③(指人及其行為)易教的,馴良的 **ductility** *n*.

dud /dʌd/ [俚]*n*. 不中用的傢伙,廢物 *a*. 不中用的,沒有價值的;假的.

dude /dju:d/ *n*. [美俚]①男人,傢伙②紈絝子弟,花花公子③城裏人.

dudgeon /'dʌdʒən/ *n*. 憤怒,憤恨 // *in high* ~非常憤怒.

due /dju:/ *a*. ①應支付的;(票據等)到期的②適當的;正當的;應得的③(按時間)應到達的;預期的,約定的 *ad*. (指東南西北等方位)正向地 *n*. ①(僅用 *sing*.)應得物(或權益)②(*pl*.)應繳納的費用(稅款、會費、租金等) // ~ *to* 應歸於;由於 *give sb his* ~公平地對待某人,承認某人的長處.

duel /'dju:əl/ *n*. & *vi*. 决鬥 **~(l)ist** *n*. 决鬥者.

duenna/dju:'enə/ *n*. (尤指在西班牙或葡萄牙)在家中或社交場合照看少女的年長婦女.

duet /dju:'et/ *n*. 【樂】二重奏;二部合唱.

duff /dʌf/ *a*. [英俚]蹩脚的,低劣的;不中用的 *vt*. (*up*)[英俚]痛打(某人).

duffle, duffel /'dʌfl 'dʌfl/ *n*. ①粗呢絨,起絨毛料②~ **coat** 粗呢衣(通常以套環用作鈕扣並帶有一兜帽) // ~*bag* 粗帆布旅行袋.

duffer /'dʌfə(r)/ *n*. [俗]頭腦遲鈍者;不中用的人.

dug[1]/dʌg /dig 的過去式及過去分詞.

dug[2]/dʌg/ *n*. (哺乳動物的)乳房;乳

頭.

dugong /'du:gɒŋ/ *n*.【動】儒艮;人魚(海生哺乳動物)

dugout /'dʌgaʊt/ *n*. ①獨木舟②【軍】地下掩蔽部;防空壕③(運動場上的)運動員休息室.

duke /dju:k/ *n*. 公爵;(公國的)君主 **~dom** *n*. 公國;公爵領地;公爵爵位.

dulcet /'dʌlsɪt/ *a*. 悅耳的,優美動聽的.

dulcimer /'dʌlsɪmə(r)/ *a*. 揚琴;洋琴.

dull /dʌl/ *a*. ①鈍的②暗淡的,無光彩的;隱隱約約的③遲鈍的,愚笨的④單調的,枯燥乏味的⑤(貨物)滯銷的;(生意)蕭條的⑥沒精打采的⑦(天氣等)陰沉的⑧(聲音)低沉的 *v*. ①(使)變鈍;減輕(痛苦等)②(使)變遲鈍③使陰暗 **~ness** *n*. **~y** *ad*. **~ard** *n*. 蠢人 **~-witted** *a*. 遲鈍的.

duly /'dju:lɪ/ *ad*. ①正好;及時地②適當地,正當地;充分地.

dumb /dʌm/ *a*. ①啞的②沉默寡言的③[俗]愚笨的 **~ly** *ad*. **~ness** *n*. **~bell** *n*. 啞鈴;[美口]笨蛋 // *~ show* 啞劇,默片;手勢 *~ waiter* 迴轉式食品架;(餐館內的)送菜升降機.

dum(b)found /dʌm'faʊnd/ *vt*. 使驚訝得目瞪口呆.

dumbstruck, -stricken /'dʌmstrʌk, -ˌstrɪ-kən/ *a*. 被嚇得發愣的.

dumdum /'dʌmdʌm/ *n*. 達姆彈(殺傷力很大的軟頭子彈).

dummy /'dʌmɪ/ *n*. ①(成衣店或櫥窗中陳列衣服的)人體模型②虛設物;模仿物;傀儡;名義代表③(橋牌)攤牌於桌上的明家④[英]橡皮奶頭(=[美]pacifier)⑤[俚]笨蛋 *a*. ①擺樣子的,虛設的,假的②挂名的,傀儡的 // *~run* 演習,排演.

dump /dʌmp/ *vt*. ①傾倒(垃圾等);傾卸;拋棄(廢物等)②【商】傾銷 *n*. ①垃圾場,垃圾堆②[俚]髒亂的場所③【軍】軍需品堆棧 // *(down) in the ~s* 心情沮喪的,鬱鬱寡歡的.

dumper /'dʌmpə(r)/ *n*. (亦作 **~truck**)([美]作 **dump truck**)垃圾傾倒車;自動傾卸車.

dumpling /'dʌmplɪŋ/ *n*. ①湯糰;(有肉餡的)糰子,餃子②水果布丁.

dumpy /'dʌmpɪ/ *a*. 矮胖的 **dumpiness** *n*.

dun[1] /dʌn/ *a*. 暗褐色的.

dun[2] /dʌn/ *v*. (向…)催討(債款).

dunce /dʌns/ *n*. 笨伯;笨學生 // *~('s) cap* 舊時學校中給差等生戴的高帽.

dunderhead /'dʌndəhed/ *n*. 笨蛋,蠢貨.

dune /dju:n/ *n*. 沙丘.

dung /dʌŋ/ *n*. (牲畜的)糞便;糞肥.

dungarees /ˌdʌŋgə'ri:z/ *pl*. *n*. 粗藍布工作服;粗藍布背帶褲.

dungeon /'dʌndʒən/ *n*. 地牢.

dunghill /'dʌŋhɪl/ *n*. ①糞堆②骯髒的事物;卑賤的狀態(或地位).

dunk /dʌŋk/ *vt*. ①(吃前)把(餅乾等)在飲料(湯等)內浸一下②浸泡.

dunlin /'dʌnlɪn/ *n*.【鳥】濱鷸.

duo /'dju:əʊ/ *n*. ①二重唱(奏)演唱者(演奏者);(演員的)一對②[口]一對搭擋.

duodecimal /ˌdju:əʊ'desɪml/ *a*.【數】十二的;十二分之幾的;十二進位制的.

duodenum /ˌdju:ə'di:nəm/ *n*. (*pl*. **-na** /-nə/; **-nums**)【解】十二指腸 **duodenal** *a*.

dupe /djuːp/ *vt*. 哄騙,欺瞞 *n*.(容易)上當受騙者.

duple /'djuːpl/ *a*.【樂】二拍子的.

duplex /'djuːpleks/ *n*. [美](複式)套樓公寓,躍層公寓(=～apartment) *a*.兩重的;雙的;複式的.

duplicate /'djuːplɪkeɪt/ *vt*. ①複製;複寫②使重複,使加倍;使成雙 /'djuːplɪkɪt/ *a*.①完全相同的;副的②雙聯的;加倍的;雙重的 *n*.①複本;副本;複製品②完全相似的東西 **duplication** *n*. **duplicator** *n*. 複印機,影印機// *in*～一式兩份.

duplicity /djuː'plɪsətɪ/ *a*. 欺騙;不誠實;口是心非.

durable /'djʊərəbl/ *a*. 耐久的,耐用的 **durability** *n*. 耐久性,耐用性 **durably** *ad*. **～s**(=～goods) *pl*.*n*. 耐用品,耐用貨物.

duration /djʊ'reɪʃn/ *n*. ①持久;持續(時間),(持續)期間②耐久.

duress /djʊ'res/ *n*. 強迫,脅迫.

during /'djʊərɪŋ/ *prep*. 在…期間,當…的時候.

dusk /dʌsk/ *n*. 薄暮,黃昏 **～y** *a*.暗淡的;暗黑色的;陰暗的;模糊的;朦朧的 **duskiness** *n*.

dust /dʌst/ *n*. ①灰塵,塵埃②[書]遺骸,尸體, *v*.①撣除灰塵,揩掉②撒粉狀物於 **～er** *n*.抹布,撣子;黑板擦 **～y** *a*.滿是灰塵的;粉末狀的 **～bin** *n*.[英]垃圾箱(=[美]garbage can) **～bowl** *n*.多塵暴的乾旱區 **～-cart** *n*.[英]垃圾車(=[美]garbage truck) **～-jacket** *n*.(書籍的)護封 **～man** *n*.[英]清潔工,清道夫(=[美]garbage collector) **～pan** *n*.畚箕,畚斗 **～-sheet, ～-cover** *n*.防塵罩 **～-up** *n*.[俚]吵架,打架;爭論.

Dutch /dʌtʃ/ *a*. 荷蘭(人)的;荷蘭語的// ～*auction* 喊價逐漸下降的拍賣(方式) ～*courage*[口]酒後之勇,虛勇 ～*uncle*[口]扳着面孔訓斥人者 *go* ～[口](聚餐時)各自付款.

duty /'djuːtɪ/ *n*. ①責任;義務;職責,職務②稅 **dutiable** *a*.(貨物)應繳稅的 **dutiful** *a*.忠於職守的,守本份的;恭敬的;孝順的 **dutifully** *ad*. **dutifulness** *n*. **～-bound** *a*.義不容辭的,責無旁貸的 **～-free** *a*. & *ad*.免稅的(地) **～-paid** *a*.已繳稅的// *on*/*off*～上(不上)班;值(不值)班.

duvel /'duːveɪ/ *n*. [法]羽絨被褥.

dwarf /dwɔːf/ *n*. ①矮子,侏儒②(童話中的)小矮人 *a*.(動、植物等)矮小品種的 *v*.(使)變矮小,阻礙…的正常發育;使相形見絀.

dwell /dwel/ *vi*. (過去式及過去分詞 **dwelt** /dwelt/)[書]居住 **～er** *n*. 居民,居住者// ～*on*/ *upon* 細想,詳述,長談.

dwelling /'dwelɪŋ/ *n*. 住處,寓所 **～-house** *n*.住宅.

dwindle /'dwɪndl/ *vi*. 縮小,變小;減少.

dye /daɪ/ *v*. 染;(給…)着色;上色 *n*. 染料;染色 **～r** *n*.染工,染色師傅 **～d-in-the-wool** *a*.[常貶](指人的思想、觀念、態度、立場等)定型了的,改不了的;徹頭徹尾的;十足的.

dying /'daɪɪŋ/ die 的現在分詞 a. ①垂死的,快死的;臨終的②快熄滅的;行將完結的③[口]渴望的.

dyke /daɪk/ *n*. (亦作 **dike**)①堤(防),壩②溝,渠,排水溝③[俚]女同性戀者(=lesbian).

dynamic /daɪ'næmɪk/ *a*. ①動力的;動力學的;動態的②有力的;精力充沛的;有生氣的 **～ally** *ad*.

dynamics /daɪ'næmɪks/ *pl*.*n*. ①力學;動力學②動力③【樂】力度強弱法.

dynamism /'daɪnəmɪzəm/ *n*. ①(指人的)精力,魄力,活力,幹勁②【哲】物力論;力本學.

dynamite /'daɪnəmaɪt/ *n*. ①(烈性的)甘油炸藥②[口]具有爆炸性的事物;有潛在危險的人 *vt*.(用烈性炸藥)炸毀,爆破.

dynamo /'daɪnəməʊ/ *n*.(*pl*.**~s**)發電機.

dynasty /'dɪnəstɪ, 'daɪnəstɪ/ *n*. 王朝,朝代 **dynastic** *a*. **dynastically** *ad*.

dysentery /'dɪsəntrɪ/ *n*. 痢疾,赤痢 **dysenteric** *a*.

dysfunction /dɪs'fʌŋkʃn/ *n*.【醫】機能障礙,機能失調.

dyslexia /dɪs'leksɪə/ *n*.【醫】誦讀困難;閱讀障礙;字盲([俗]亦作 **word blindness**).

dysmenorrh(o)ea /ˌdɪsmenə'rɪə/ *n*.【醫】痛經**~l** *a*.

dyspepsia /dɪs'pepsɪə/ *n*. 消化不良 **dyspeptic** *a*. & *n*.患消化不良的(人).

dystrophy /'dɪstrəfɪ/ *n*. 失養症;營養不良.

dz. *abbr*. =dozen(s).

E

E., e *abbr*. =①east(ern)②[俚]=ecstasy(烈性迷幻藥).

each /iːtʃ/ *a*. & *ad*. & *pron*. 各,各自(地),每一(個).

eager /ˈiːgə(r)/ *a*. 渴望的;熱切的 **~ly** *ad*. **~ness** *n*.

eagle /ˈiːgl/ *n*. ①鷹②【高爾夫】比標準少兩杆入洞得分 **~t** *n*. 小鷹 **~-eyed** *a*. 眼力敏銳的,目光炯炯的.

ear[1] /ɪə(r)/ *n*. ①耳朵②聽覺;聽力;傾聽;注意 **~ache** *n*. 耳朵痛 **~-drum** *n*.【解】耳鼓 **~mark** *vt*. 把…留作…之用;指定(錢等)的用途 *n*. 標記,特徵 **~phone** *n*. 耳機 **~-piercing** *a*. (聲音等)刺耳的 **~-plug** *n*. 耳塞 **~-ring** *n*. 耳環 **~shot** *a*. 聽力所及的範圍 // *be all* ~*s*[口]專心傾聽 *by*~(指演奏時)憑記憶而不用看譜.

ear[2] /iːə/ *n*. (糧食作物的)穗.

earful /ˈɪəfʊl/ *n*. ①[口]臭罵;斥責②聽厭了的事物.

earl /ɜːl/ *n*. [英]伯爵 **~dom** *n*. 伯爵爵位(或領地).

early /ˈɜːlɪ/ *a*. ①早,早熟的②早日的;及早的③早期的;古代的 *ad*. 提早地;在初期 **earliness** *n*.

earn /ɜːn/ *vt*. ①賺,掙得②博得;贏得;使得到 **~ings** *pl*. *n*. 收入,工資,報酬,利潤.

earnest[1] /ˈɜːnɪst/ *a*. 認真的;誠摯的;鄭重的 **~ly** *ad*. **~ness** *n*. // *in*~認真地;鄭重地.

earnest[2] /ˈɜːnɪst/ *n*. 定錢,保證金,(亦作~money).

earth /ɜːθ/ *n*. ①地球②土地,陸地;地面③泥土,土壤④(狐狸等動物的)洞穴⑤【雷】地綫 *vt*. 使(電器)接地 **~quake** *n*. 地震 **~work** *n*. 泥土構築的工事 **~worm** *n*. 蚯蚓 // *on* ~究竟,到底;全然.

earthen /ˈɜːθn/ *a*. 泥土做的;陶製的 **~ware** *n*. 陶器.

earthly /ˈɜːθlɪ/ *a*. ①塵世的,世俗的②[口](用於否定句或疑問句)可能的;可想像的 // *not have an* ~ [英口]一點沒希望.

earthy /ˈɜːθɪ/ *a*. ①泥土(似)的②粗陋的;粗俗的.

earwig /ˈɪəwɪg/ *n*.【蟲】蠖螋,蚰蜒.

ease /iːz/ *n*. ①安逸,舒服;悠閒,自在,無牽掛②容易;不費力,省事 *v*. ①減輕(痛苦,憂慮等);使舒服;使安心②(使)困難減少;(使)減弱;(使)變鬆③小心翼翼地搬動(移動) // *at* ~自由自在;【軍】稍息 ~*off*(痛苦等)減輕 ~*up* 緩和;減輕;放鬆 *ill at* ~侷促不安的;心神不寧的.

easel /ˈiːzl/ *n*. 畫架.

east /iːst/ *a*. & *ad*. 東(方)的;東部的;東邊的;來自東方的;在東方;向東方 *n*. 東(方) **~ly** *a*. & *ad*. 東(方)的;東部的;向東的;(風)東邊吹來的;向東方;從東方 **~bound** *a*. 向東行的,東去的 **~ward** *a*. & *ad*. **~wards** *ad*. 向東(的) **the** ~/**East** *n*. 亞洲 // *the Middle East* 中東(指埃及、以色列、約旦等國家和地區) *the Far East* 遠東(指印度、巴基斯坦、中、日等國家或地區).

Easter /ˈiːstə(r)/ *n*,【宗】復活節 // ~ **egg**(復活節的應節食品,用巧克力、糖等製造)復活節彩蛋.

eastern /ˈiːstən/ *a*. 東(方)的;東部的;從東方來的 **~er** *n*.(常作 **Eastern-er**)[美]東部各州(來的)人.

easy /ˈiːzɪ/ *a*. ①容易的, 省事的②舒服的, 安樂的;寬裕的③從容的, 悠閒的;懶散的 **easily** *ad*. **easiness** *n*. // *easier said than done* 說來容易做來難 *~chair* 安樂椅 *~come, ~go* 來得容易去得快 *take it/things~* 從容不迫, 無需着急.

easygoing /ˈiːzɪˌgəʊɪŋ/ *a*. 逍遙自在的, 從容不迫的, 悠閒的 **~ness** *n*.

eat /iːt/ *v*. (**ate** /et, eɪt/; **eaten** /ˈiːtn/) ①吃(東西), 吃飯②蛀;腐蝕, 侵蝕 **~able** *a*. 可吃的 **~ables** *pl*. *n*. 食物 // *~ away* 侵蝕, 腐蝕 *~ one's words* 收回前言, 承認說錯了話 *~ out* 出去吃飯;吃光;侵蝕 *~ up* 吃完;消耗.

eau de Cologne /ˌəʊ də kəˈləʊn/ *n*. [法](=cologne)科龍香水.

eaves /iːvz/ *pl*. *n*. (屋)檐.

eavesdrop /ˈiːvzdrɒp/ *v*. 偷聽 **~per** *n*. 偷聽者 **~ping** *n*. 偷聽.

ebb /eb/ *vi*. & *n*. 落潮, 退潮 // *at a low ~* 衰敗, 不振.

ebony /ˈebənɪ/ *n*. 烏木, 黑檀木 *a*. 烏黑的, 漆黑的.

ebullient /ɪˈbʌlɪənt/ *a*. 熱情奔放的;興高采烈的 **ebullience** *n*.

EC *abbr*. = European Community. 歐洲共同體.

eccentric /ɪkˈsentrɪk/ *a*. ①(指人)古怪的, 怪异的;反常的②(指幾個圓)不同圓心的 *n*. 行為古怪的人 **~ally** *ad*. **~ity** *n*.

ecclesiastic /ɪˌkliːzɪˈæstɪk/ *a*. (亦作 **ecclesiastical**)基督教會的;牧師的 *n*. 教士;牧師.

ECG *abbr*. = ①electrocardiogram 心電圖②= electrocardiograph 心電圖儀.

echelon /ˈeʃəlɒn/ *n*. ①【軍】梯隊, 梯陣, 梯列②(組織, 機構中的)等級;階層.

echo /ˈekəʊ/ *n*. ①回聲, 反響②附和, 重複;摹仿(者);應聲蟲 *v*. ①發出回聲;(使)起反響;(使)起共鳴②重複, 摹仿;附和 // *~ sounder* 回聲測深儀(= sonar 聲納) *~ sounding* 聲納導航.

éclair /ɪˈkleə(r)/ *n*. [法](巧克力脆皮奶油餡)長條形小糕點(亦作 **chocolate~**).

éclat /ˈeɪklɑː/ *n*. [法]①輝煌成就②光彩;聲譽, 盛名③贊揚;喝彩.

eclectic /ɪˈklektɪk/ *a*. 折衷(主義)的 *n*. 折衷主義者 **~ally** *ad*. **~ism** *n*. 折衷主義.

eclipse /ɪˈklɪps/ *n*. ①(日、月)蝕②(名聲等的)喪失;黯然無光;失勢 *vt*. 使…黯然失色;超越, 蓋過.

ecliptic /ɪˈklɪptɪk/ *n*. 【天】黃道.

eclogue /ˈeklɒg/ *n*. 田園詩;牧歌.

eco-[前綴]表示"生態(學)的".

eco-friendly /ˈiːkəʊfrendlɪ/ *n*. 對生態環境無害的.

ecology /iːˈkɒlədʒɪ/ *n*. 生態學 **ecological** *a*. 生態(學)的;主張保護生態的 **ecologist** *n*. 生態學家.

economic /ˌiːkəˈnɒmɪk/ *a*. 經濟上的;經濟學的.

economical /ˌiːkəˈnɒmɪkl/ *a*. 節儉的, 節約的;經濟的;精打細算的 **~ly** *ad*.

economics /ˌiːkəˈnɒmɪks/ *pl*. *n*. ①(用作 *sing*.)經濟學②(用作 *pl*.)(國家的)經濟(狀況).

economize /ɪˈkɒnəmaɪz/ *v*. 節約, 節省 **economization** *n*.

economy /ɪˈkɒnəmɪ/ *n*. ①經濟(體系)

②節約(措施)**economist** *n*.經濟學家.

ecosystem /'i:kəusɪstəm/ *n*. 生態系統.

ecru /'eɪkru:/ *a*. 淡褐色的;亞麻色的.

ecstasy /'ekstəsɪ/ *n*. ①狂喜,心醉神怡②【藥】[俚]"靈魂出竅"迷幻藥(亦稱)**Adam**"亞當"迷幻藥)**ecstatic** *a*. **ecstatically** *ad*.

ECT *abbr*. = electroconvulsive therapy 電痙攣療法.

ectoplasm /'ektəplæzəm/ *n*. 據說用(招魂術能招回的)亡靈.

ECU *abbr*. = European Currency Unit 歐洲貨幣單位.

ecumenical /ˌi:kju:'menɪkl/ *a*. 全球基督教會的;促進基督教會大團結的.

eczema /'eksɪmə/ *n*. 【醫】濕疹.

Edam /'i:dæm/ *n*. (荷蘭)伊頓乾酪.

eddy /'edɪ/ *n*. (風、水、塵、烟等的)漩渦;渦流 *v*.(使)起漩渦,(使)旋轉.

edelweiss /'eɪdlvaɪs/ *n*. 【植】火絨草(產於阿爾卑斯山).

Eden /'i:dn/ *n*. ①【聖】伊甸園②人間樂園.

edge /edʒ/ *n*. ①刀刃,刀口;鋒;銳利②邊緣,邊界,界綫③(語氣等的)尖銳;(欲望等的)強烈 *v*. ①開刃,使(刀劍等等)鋒利②鑲邊,滾邊③(使)側着身挪動,斜着身子慢慢擠進 **~ways** *ad*.(亦作 **~wise**)刀刃(邊緣)朝外(或朝前);從旁邊;沿邊 **edging** *n*.邊緣;邊飾 // ~ *out* 排擠(某人);把(某人)逼走 *have an* / *the* ~ *on*[俗]勝過 *on* ~[俗]直立着(放);緊張不安,着急;不耐煩.

edgy /'edʒɪ/ *a*. 緊張不安的,急躁的.

edible /'edɪbl/ *a*. 可以吃的,(適合於)食用的 **edibility** *n*.

edict /'i:dɪkt/ *n*. 法令,敕令;詔書;佈告.

edifice /'edɪfɪs/ *n*. [書]大廈.

edify /'edɪfaɪ/ *vt*. 教誨,開導,啓發 **edification** *n*. **edifier** *n*.教導者,啓發者.

edit /'edɪt/ *vt*. ①編輯,編排②剪輯(影片,録音,廣播或電視節目等) // ~*out*(在編輯,剪輯過程中)刪除.

edition /ɪ'dɪʃn/ *n*. ①版(本);版次②一版的印數 // ~ *de luxe* /də'lʊks/精裝版,豪華版 *hard-back* ~ 精裝本 *paper-back* ~平裝本.

editor /'edɪtə(r)/ *n*. ①編輯,編者②社論撰寫人(=[美]editorial writer) **~ship** *n*.編輯的職務 // ~ *in chief* 總編輯,主編.

editorial /ˌedɪ'tɔ:rɪəl/ *a*. 編輯(上)的;編者的 *n*.社論.

educate /'edʒukeɪt/ *vt*. ①教育;培育;訓練②使受學校教育 **~d** *a*.受過教育的 **self- ~d** *a*.自學成材的.

education /ˌedʒʊ'keɪʃn/ *n*.①教育,培育,訓練②教育學,教授法 **~al** *a*. **~ally** *ad*. **~alist** *n*.教育學家,教育法專家 **educative** *a*.有教育意義的;起教育作用的.

Edwardian/ed'wɔ:djən/*a*.英王愛德華七世時代(1901 – 1910)的;(尤指當時的自負、風度、氣派、文學藝術等).

EEC *abbr*. = European Economic Community 歐洲經濟共同體.

EEG *abbr*. = electroencephalogram 腦電圖, electroencephalograph 腦電圖描記儀.

eel /i:l/ *n*. 【魚】鰻;鱔魚.

eerie /ɪərɪ/ *a*. 怪異可怕的 **eerily** *ad*.

efface /ɪ'feɪs/ *vt*. 擦掉,抹去;除掉 **~ment** *n*. // ~*oneself* 不拋頭露面;埋沒自己;不出風頭.

effect /ɪ'fekt/ *n*. ①影響;效果;結果;

效力;功效②感觸,印象;外觀③要旨,意義④(*pl*.)財物,動產;(影視、廣播節目中的)音像效果 *vt*.①產生,招致②完成,實現// *give* ~ *to* 實現,完成 *in* ~ 正實行中,有效;實際上 *into* ~生效 *of no* ~無效;不中用 *take* ~ 奏效 *to the* ~*that*... 大意是…,內容是… *to this* (*that*, *the same*) ~按這種(那種,同樣)意思.

effective /ɪ'fektɪv/ *a*. ①有效的;生效的②有力的,給人深刻印象的③實質上的④【軍】有戰鬥力的 **~ly** *ad*. **~ness** *n*.

effectual /ɪ'fektʃʊəl/ *a*. [書]奏效的;靈驗的;有效的 **~ly** *ad*. **~ness** *n*.

effeminate /ɪ'femɪnət/ *a*. (指男子)女子氣的,柔弱的;嬌氣的 **effeminancy** *n*.

effervescent /ˌefə'vesnt/ *a*. ①冒氣泡的,起泡沫的②生氣勃勃的;興高采烈的;熱情洋溢的 **effervescence** *n*.

effete /ɪ'fiːt/ *a*. 精力枯竭的,衰弱的;無能的.

efficacious /ˌefɪ'keɪʃəs/ *a*. 有效驗的;(藥物等)靈驗的 **efficacy** *n*.

efficiency /ɪ'fɪʃnsɪ/ *n*. ①效率②功效;效能;性能.

efficient /ɪ'fɪʃnt/ *a*. 效率高的;有效的;有能力的,能勝任的 **~ly** *ad*.

effigy /'efɪdʒɪ/ *n*. 肖像,雕像,模擬像 // *burn sb in* ~焚燒某人的模擬像(以泄憤恨).

efflorescence /ˌeflɔː'resns/ *n*. ①開花(期)②(事業等)全盛(期)③【化】風化;粉化;鹽霜 **efflorescent** *a*.

effluence /'eflʊəns/ *n*. 流出(物).

effluent /'eflʊənt/ *n*. ①(從河、湖等流出的)水流,支流②(陰溝、工廠排出的)污水,廢水.

effluvium /ɪ'fluːvjəm/ *n*. (*pl*. **~s**, **effluvia** /ɪ'fluːvjə/) (腐爛物或廢氣等發出的)惡臭,臭氣 **effluvial** *a*.

effort /'efət/ *n*. ①努力,盡力;嘗試②成就,努力的成果 **~less** *a*. 不(用)費力的;容易的;不作努力的 **~lessly** *ad*.

effrontery /ɪ'frʌntərɪ/ *n*. 厚顏無恥,臉皮厚.

effusion /ɪ'fjuːʒn/ *n*. ①(尤指液體的)流出;瀉出;噴出②[常貶](思想感情等的)過份流露或抒發 **effusive** *a*. 吐露心情的;感情奔放的 **effusively** *ad*. **effusiveness** *n*.

EFTA *abbr*. = European Free Trade Association 歐洲自由貿易聯盟.

EFTPOS 亦作 **Eftpos** /'eftpɒs/ *abbr*. = electronic funds transfer at point of sale 銷售點資金電子過戶.

e.g. *abbr*. = exempli gratia [拉]例如(=[英]for example).

egalitarian /ɪˌgælɪ'teərɪən/ *a*. & *n*. 平等主義的(者),平均主義的(者) **~ism** *n*. 平均主義,平等主義.

egg[1] /eg/ *n*. ①(禽類及某些動物的)蛋,卵②(亦作 **~cell**)卵細胞③(作為食物的家禽)蛋,(尤指)雞蛋 **~-cup** *n*. (吃半熟雞蛋用的)蛋杯 **~head** *a*. [口][貶]書呆子,知識份子 **~-plant** *n*. [美]茄子(=[英]aubergine) **~shell** *n*. 蛋殼 // *a bad* ~[口]壞傢伙,壞蛋 ~*timer* 煮蛋計時器.

egg[2] /eg/ *vt*. 慫恿,煽動(on).

eglantine /'egləntaɪn/ *n*. 【植】多花薔薇,野玫瑰.

ego /'egəʊ/ *n*. 自我;自負,自私,自尊 **~centric** *a*. [貶]自我中心的;自私的 **~centricity** *n*.

egoism, **egotism** /'egəʊɪzəm,

egəʊtɪzəm/ *n*. ①自我主義, 利己主義②自我中心; 自吹自擂; 自高自大 **egoist, egotist** *n*. 自我主義者; 利己主義者; 自高自大者 **egoistic, egotistic** *a*.

egregious /ɪ'gri:dʒɪəs/ *a*. [貶](常指缺點, 過失等壞事)異乎尋常的; 驚人的; 極端惡劣的 **~ly** *ad*. **~ness** *n*.

egress /'i:gres/ *n*. ①外出, 出去②出口; 出路③外出權.

egret /'i:grɪt/ *n*.【鳥】白鷺.

Egyptian /ɪ'dʒɪpʃən/ *a*. & *n*. 埃及(人)的; 埃及人; 古埃及語.

Egyptology /ˌi:dʒɪp'tɒlədʒɪ/ *n*. 埃及學(指對埃及古代文化的研究).

eider /'aɪdə/ *n*.【鳥】絨鴨 **~down** *n*. 鴨絨; 鴨絨被褥.

eight /eɪt/ *num*. & *n*. ①八, 八個②八槳划艇, 八人划艇隊 **~h** /eɪtθ/ *num*. & *n*. ①第八(個)②八分之一(的)③(每月的)第八日.

eighteen /ˌeɪ'ti:n/ *num*. & *n*. 十八, 十八個 **~th** *num*. & *n*. ①第十八(個); 十八分之一(的)②(每月的)第十八日.

eighty /'eɪtɪ/ *num*. & *n*. 八十, 八十個 **eightieth** /'eɪtɪəθ/ *num*. & *n*. 第八十(個); 八十分之一(的).

eisteddfod /ˌaɪ'steðvɒd/ *n*. (常大寫)(威爾士的)文藝、詩歌、音樂演唱比賽大會.

either /'aɪðə(r), 'i:ðə/ *pron*. & *a*. (兩者中)任一個(的); (兩者中)每一方的 *ad*. (否定時用)也(不); 而且還 *conj*. (用於 ~...or...)或…或…, 不是…就是… **~-or** *a*. & *n*. [俗]兩者擇一(的).

ejaculate /ɪ'dʒækjʊleɪt/ *v*. ①射出(精液等)②突然叫喊 **ejaculation** *n*. (精液的)射出; 突然的喊叫.

eject /ɪ'dʒekt/ *v*. ①投出; 噴出, 射出②逐出; 排斥 **~ion** *n*. **~or** *n*. 噴射器, 彈射器 // *~or seat*【空】彈射座椅.

eke /i:k/ *vt*. (與 out 連用) ①(節省地消費)使(供應)維持長久②節衣縮食地生活; 勉強糊口.

elaborate /ɪ'læbərət/ *a*. ①精緻的; 精心的, 認真的; 詳盡的②複雜的 /ɪ'læbəreɪt/ *v*. ①精心製作②詳盡闡述 **~ly** *ad*. **elaboration** *n*.

élan /eɪ'lɑ:n, e'lan/ *n*. [法]幹勁, 活力; 熱情奔放.

eland /'i:lənd/ *n*.【動】(南非)大羚羊.

elapse /ɪ'læps/ *vi*. & *n*. (時間)過去, (光陰)消逝.

elastic /ɪ'læstɪk, ɪ'lɑ:stɪk/ *a*. ①有彈性的②有伸縮性的; 靈活的, *n*. 橡皮筋, 鬆緊帶 **~ity** *n*.

elate /ɪ'leɪt/ *vt*. 使得意, 使興高采烈 **~d** *a*. 得意洋洋的, 興高采烈的 **elation** *n*.

elbow /'elbəʊ/ *n*. ①肘; (上衣之)肘部②彎頭, 彎管 *v*. (用肘)推; 擠進 **~-grease** *n*. [俗]重活, 累人的工作 **~room** *n*. [口]活動餘地, 自由行動的空間.

elder[1] /'eldə(r)/ *a*. 年長的; 資格老的 *n*. ①長輩, 老一輩; 年長者②(教會的)長老 **~ly** *a*. 上了年紀的, 快要年老的 **eldest** *a*. 最年長的.

elder[2] /'eldə(r)/ *n*.【植】接骨木.

El Dorado /ˌel də'rɑ:dəʊ/ *n*. (傳說中的)黃金國; 理想的福地.

elect /ɪ'lekt/ *v*. ①選舉; 推選②(作出)選擇; 决定 *a*. (置於名詞後)當選而未就任的; 選中的, 選定的 **~ion** *n*. 選舉(權); 當選 **~ioneer** *vi*. 競選, 拉選票.

elective /ɪ'lektɪv/ *a*. ①選舉的, 由選

舉產生的;有選舉權的②[美](大學課程)選修的 *n*.[美]選修課.

elector /ɪ'lektə(r)/ *n*. (合格的)選舉人 **~al** *a*. 選舉(人)的 **~ate** *n*. (全體)選民;選舉區;選舉團.

electric /ɪ'lektrɪk/ *a*. ①電的;導電的;發電的;電動的②令人驚心動魄的 **~s** (*pl*. *n*.)電氣設備 // *~ chair* [美](死刑用的)電椅 *~shock* 電擊,觸電.

electrical /ɪ'lektrɪkl/ *a*. 電的;與電有關的 **~ly** *ad*.

electrician /ɪˌlek'trɪʃn/ *n*. 電工;電氣技師.

electricity /ɪˌlek'trɪsətɪ/ *n*. ①電,電力;電流,電荷②電學③強烈的緊張情緒;熱情.

electrify /ɪ'lektrɪfaɪ/ *vt*. ①使充電,使通電,使觸電;使電氣化②使震驚,使激動 **electrification** *n*.

electro-[前綴]表示"電"、"電的"、"用電的".

electrocardiogram /ɪˌlektrəʊ'kɑːdɪəʊgræm/ *n*. 【醫】心電圖.

electrocardiograph /ɪˌlektrəʊ'kɑːdɪəʊgrɑːf/ *n*. 【醫】心電圖儀.

electroconvulsive therapy /ɪˌlektrəʊkən'vʌlsɪv 'θerəpɪ/ *n*. 【醫】電痙攣療法(略作 **ECT**).

electrocute /ɪ'lektrəkjuːt/ *vt*. 用電刑處死;使觸電而死(或受傷) **electrocution** *n*.

electrode /ɪ'lektrəʊd/ *n*. 電極.

electrodynamics /ɪˌlektrəʊdaɪ'næmɪks/ *pl*. *n*. 電動力學.

electroencephalogram /ɪˌlektrəʊen'sefələgræm/ *n*. 【醫】腦電圖.

electroencephalograph /ɪˌlektrəʊen'sefələˌgrɑːf/-græːf/ *n*. 【醫】腦電圖儀.

electrolysis /ɪˌlek'trɒləsɪs/ *n*. ①電解(作用)②用電針除掉毛髮(痣)等.

electrolyte /ɪ'lektrəlaɪt/ *n*. 電解質,電離質;電解(溶)液 **electrolytic** *a*.

electromagnet /ɪˌlektrəʊ'mægnɪt/ *n*. 【物】電磁體;電磁鐵 **~ic** *a*. 電磁的 **electromagnetism** *n*. 電磁(學)

electromagnetics/ɪˌlektrəʊmæg'netɪks/ *pl*. *n*. (用作 *sing*.)電磁學.

electron /ɪ'lektrɒn/ *n*. 電子 **~ic** *a*. // *~microscope* 電子顯微鏡 *~ic mail* 電子郵寄(郵件) *~ic publishing* 電子出版.

electronics /ɪˌlek'trɒnɪks/ *pl*. *n*. (用作 *sing*.) 電子學.

electroplate /ɪ'lektrəpleɪt/ *vt*. 電鍍 **electroplating** *n*.

elegant /'elɪgənt/ *a*, 優雅的,雅緻的,優美的,高尚的,精緻的 **~ly** *ad*. **elegance** *n*.

elegy /'elədʒɪ/ *n*. 哀歌,挽歌 **elegiac** *a*. 悲哀的,哀怨的.

element /'elɪmənt/ *n*. ①成份,要素②【化】元素③(火、土、水、氣)四行(或四元素)之一④(電器中的)發熱元件⑤少量,微量⑥(*pl*.)(風、雨、寒冷等)惡劣天氣情況⑦(*pl*.)原理,基礎 **~al** *a*. 基本的;(自然力似)強大的,難以控制的,可怕的 // *in one's ~* 適得其所 *out of one's ~* 格格不入.

elementary /ˌelɪ'mentrɪ/ *a*. ①初步的;基礎的,基本的②簡單的;淺顯易懂的 **elementarily** *ad*. **elementariness** *n*.

elephant /'elɪfənt/ *n*. 象 **~ine** *a*. 笨拙的,笨重的;累贅的;如象的.

elephantiasis /ˌelɪfən'taɪəsɪs/ *n*. 【醫】象皮病.

elevate /'elɪveɪt/ *vt*. ①舉起, 抬高(聲音、炮口等)②提升, 提拔③鼓舞, 振起;使(思想等)高尚;使(意氣)奮發向上 **~d** *a*.崇高的, 高尚的;振奮的, 歡欣的.

elevation /ˌelɪ'veɪʃn/ *n*. ①[書]提升, 擢升②崇高, 高尚③高舉, 高升④高處, 高地;高度;海拔⑤(槍炮的)仰角;【建】正視圖.

elevator /'elɪveɪtə(r)/ *n*. [美]電梯(=[英]lift).

eleven /ɪ'levn/ *num*.& *n*. ①十一, 十一個②【體】十一個人組的球隊 **~th** *num*.& *n*.①第十一(個);十一分之一(的)②(每月的)第十一日 **~-plus** *n*.(英國在實行綜合中學教育前, 為 11 歲學童舉行的)初中入學預試(以作為升入何種中學之依據) **~ses** *n*.(上午十一時前後吃的)午前茶點 // *~th hour* 最後時刻, 危急時候.

elf /elf/ *n*.(*pl*.**elves** /elvz/)(神話傳說中)淘氣的小精靈;頑皮的小孩 **~in** *a*.小精靈似的;小巧精緻的.

elicit /ɪ'lɪsɪt/ *vt*. 引出, 探出(消息, 事實等);獲悉 **~ation** *n*.

elide /ɪ'laɪd/ *vt*.【語】省略(元音、音節等)**elision** *n*.

eligible /'elɪdʒəbl/ *a*. ①有被推選資格的, 合格的②可選作配偶(尤指丈夫)的 **eligibility** *n*.**eligibly** *ad*.

eliminate /ɪ'lɪmɪneɪt/ *vt*. 排除, 消除, 淘汰;[口]消滅;幹掉 **elimination** *n*.

elite /eɪ'li:t/ *n*. ①社會精英, 杰出人物, (權傾朝野、富可敵國的)人士②精鋭部隊 **elitism** *n*.精英統治論, 精英意識, 高人一等的優越感 **elitist** *a*.& *n*.精英統治論的(者);有高人一等優越感的.

elixir /ɪ'lɪksə(r)/ *n*. ①【藥】配劑;甘香糖漿液②煉金藥;仙丹.

Elizabethan /ɪˌlɪzə'bi:θn/ *a*.& *n*.(英國女王)伊莉莎白一世時代的(人)(公元 1558 至 1603 年).

elk /elk/ *n*.【動】麋鹿 **~hound** *n*.挪威獵麋犬.

ellipse /ɪ'lɪps/ *n*. 橢圓(形).

ellipsis /ɪ'lɪpsɪs/ *n*.(*pl*. **~ses** /si:z/)【語】省略.

elliptic(al) /ɪ'lɪptɪkl/ *a*. ①橢圓(形)的②省略的③(指語言、文字)模棱兩可的, 模糊難懂的.

elm /elm/ *n*.【植】榆(木).

elocution /ˌelə'kju:ʃn/ *n*. 演說術, 雄辯術, 朗誦法.

elongate /'i:lɒŋgeɪt/ *v*. 拉長, (使)伸長 **elongation** *n*.

elope /ɪ'ləʊp/ *vi*. 私奔 **~ment** *n*.

eloquence /'eləkwəns/ *n*. 雄辯;口才;修辭 **eloquent** *a*.雄辯的;有說服力的;強烈地顯示出的 **eloquently** *ad*.

else /els/ *ad*.& *a*. 另外(的), 其它(的);別的 // *or ~* 否則, 要不然;[口](用於語末表示威脅或警告)…要不然的話, 哼!(或否則, 給你點厲害瞧瞧!).

elsewhere /ˌels'weə(r)/ *ad*. 在(向)別處.

elucidate /ɪ'lu:sɪdeɪt/ *v*. 闡明, 說明 **elucidation** *n*.

elude /ɪ'lu:d/ *vt*. ①難倒, 使困惑不解②逃避, 規避. **elusive**/ *n*. 難懂的;無從捉摸的;易忘記的(亦作 **elusory**)**elusively** *ad*.**elusiveness** *n*.

elver /'elvə(r)/ *n*.【魚】幼鰻.

elves /elvz/ elf 的複數.

em /em/ *n*.【印】(空鉛)全身.

emaciated /ɪˈmeɪʃɪeɪtɪd/ *a*. 消瘦的;憔悴的 **emaciation** *n*.

e-mail /iːmeɪl/*n*. *abbr*. = electronic mail 電子郵件.(用電腦發出及接收的文件)

emanate /ˈemənəɪt/ *vi* ①發出,射出②發源,起源,來自 **emanation** *n*.

emancipate /ɪˈmænsɪpeɪt/ *vt*. 解放;解除(政治、社會、法律上所受的)束縛 **~d** *a*. 解放了的;不為習俗所拘束的;不落俗套的 **emancipation** *n*.

emasculate /ɪˈmæskjʊleɪt/ *vt*.【醫】閹割,去勢;使柔弱 **emasculation** *n*.

embalm /ɪmˈbɑːm/ *vt*. ①用香料(或防腐劑等)保存(屍體)②使不朽;使不被遺忘 **~ment** *n*.

embankment /ɪmˈbæŋkmənt/ *n*. 堤防,堤岸;(鐵路的)路基.

embargo /ɪmˈbɑːgəʊ/ *n*.(*pl*. **~es**) 封港令;禁運 *vt*. 封(港);禁運,停止(通商).

embark /ɪmˈbɑːk/ *v*. ①(使)上船,(使)上飛機②(使)從事,開始;(使)着手(與 on 和 upon 連用) **~ation** *n*.

embarrass /ɪmˈbærəs/ *vt*. 使窘困,使難堪,使尷尬 **~ment** *n*.

embarrassing /ɪmˈbærəsɪŋ/ *a*. 令人難堪的 **~ly** *ad*.

embassy /ˈembəsɪ/ *n*. ①大使館②大使及全體使館工作人員.

embattled /ɪmˈbætld/ *a*. ①嚴陣以待的;被圍困的②困難重重的.

embed /ɪmˈbed/ *vt*. ①埋置;牢牢嵌入於②銘記;牢記.

embellish /ɪmˈbelɪʃ/ *vt*. 裝飾,佈置,給…潤色,為…添加(細節) **~ment** *n*.

ember /ˈembə(r)/ *n*. (常 *pl*.)餘燼,餘火.

embezzle /emˈbezl/ *vt*. 貪污;侵吞,盜用(公款,財物) **~ment** *n*. **~r** *n*. 貪污(侵吞)者.

embitler /ɪmˈbɪtə(r)/ *vt*. 激怒,使怨恨 **~ed** *a*. 憤憤不平的 **~ment** *n*.

emblazon /ɪmˈbleɪzən/ *vt*. ①用鮮艷顏色裝飾②宣佈,公佈;廣為宣傳.

emblem /ˈembləm/ *n*. 象徵,標志;紋章,徽章 **~atic** *a*.

embody /ɪmˈbɒdɪ/ *vt*. ①體現,表現;使具體化②包含;包括 **embodiment** *n*. 化身;體現.

embolden /ɪmˈbəʊldən/ *vt*. 給…壯膽;鼓勵.

embolism /ˈembəlɪzəm/ *n*.【醫】(由於血塊或氣泡而形成的)血管栓塞 **~ic** *a*.

emboss /ɪmˈbɒs/ *vt*. ①刻,壓,浮雕,花紋於(金屬、紙)上②使凸起;(用模子)壓花,壓紋 **~ed** *a*. 凹凸的;拷花的,壓花的.

embrace /ɪmˈbreɪs/ *v*. ①擁抱,摟抱②包圍,環繞;包括,包含③採用,接受;信奉 *n*. 懷抱,擁抱;領會;包圍.

embrasure /ɪmˈbreɪʒə(r)/ *n*. ①【建】(門窗等漏斗形)斜面牆②【軍】炮眼,槍眼,射擊孔.

embrocation /ˌembrəˈkeɪʃn/ *n*.【醫】(消除痛、腫用的)塗擦劑.

embroider /ɪmˈbrɔɪdə(r)/ *v*. ①刺綉(於);綉花(於)②潤色、渲染;修飾 **~y** *n*. 刺綉法,刺綉品;潤色,修飾.

embroil /ɪmˈbrɔɪl/ *vt*. 使牽連,使拖累,使捲入(糾紛爭吵) **~ment** *n*.

embryo /ˈembrɪəʊ/ *n*. ①胚胎②萌芽時期(的事物) **~nic** *a*. 胚胎的;萌芽期的;初期的 // *in* ~初期的;計劃中的,醞釀中的.

embryology /ˌembrɪˈɒlədʒɪ/ *n*. 胚胎學 **embryologist** *n*. 胚胎學家.

emend /ɪ'mend/ *vt*. 校勘,校訂 **~ation** *n*.

emerald /'emərəld/ *n*. ①【礦】祖母綠②綠寶石,翡翠 *a*. 翠綠色的.

emerge /ɪ'mɜːdʒ/ *vi*. ①出現,顯露②擺脫③發生,暴露 **~nce** *n*. **~nt** *a*. 剛出現的,新興的.

emergency /ɪ'mɜːdʒənsɪ/ *n*. 緊急情況;突發事件;非常時期 // *~door/exit* 太平門 *~treatment* 急診.

emeritus /ɪ'merɪtəs/ *a*. 退休而保留頭銜的;名譽的 // *~professor* 名譽教授.

emery /'emərɪ/ *n*. 金鋼砂 // **~-board** 砂板 **~wheel** 砂輪.

emetic /ɪ'metɪk/ *n*. 【藥】催吐劑 *a*. 催吐的 **~ally** *ad*.

emigrate /'emɪgreɪt/ *v*. (使)遷移定居(外國) **emigrant** *n*. 移居外國的人 **emigration** *n*. **emigratory** *a*.

émigré /'emɪgreɪ/ *n*. [法](為政治原因而到外國)流亡者.

eminence /'emɪnəns/ *n*. ①高超;卓越;杰出;著名;顯赫②(E-)【宗】閣下(對紅衣主教的尊稱).

eminent /'emɪnənt/ *a*. 著名的;顯赫的;杰出的,卓越的 **~ly** *ad*.

emir /e'mɪə(r)/ *n*. 埃米爾(穆斯林酋長,王公或長官的稱號) **~ate** *n*. 埃米爾的統治;酋長國.

emissary /'emɪsərɪ/ *n*. ①使者,密使②特務;間諜.

emit /ɪ'mɪt/ *vt*. 散發,放射,發出(光、熱、聲、氣味等) **emission** *n*. ①(光、熱、聲等)散發,發出,放射②放射物,發射物,流出物;(尤指)【醫】泄精,夢遺.

emollient /ɪ'mɒlɪənt/ *a*. & *n*. 使(皮膚等)柔軟的;【藥】潤膚劑,柔和劑.

emolument /ɪ'mɒljʊmənt/ *n*. 薪水;酬金;津貼.

emotion /ɪ'məʊʃn/ *n*. ①激情,情感,感情②激動 **~less** *a*. 沒有感情的;冷淡的 **~lessly** *ad*.

emotional /ɪ'məʊʃənl/ *a*. ①感情(上)的②(易)激動的,易動感情的③激動人的 **~ly** *ad*.

emotive /ɪ'məʊtɪv/ *a*. (指言詞等)易引起(人們)情緒上反應的,(動人)感情的 **~ly** *a*. **emotivity** *n*. 感觸性.

empathy /'empəθɪ/ *n*. 移情作用;心心相印(的狀態);【心】神入 **empathize** *vi*. 經歷移情作用;感到(與人)心心相印.

emperor /'empərə(r)/ *n*. 皇帝.

emphasis /'emfəsɪs/ *n*. (*pl*. **-ses** /-siːz/) ①強調,重點,着重;重要性②顯著,鮮明③【語】強調語勢,強語氣;【語】強音 **emphasize** *vt*.

emphatic /ɪm'fætɪk/ *a*. ①強調的,着重的;加強語氣的②有力的;斷然的;顯著的 **~ally** *ad*.

emphysema /ˌemfɪ'siːmə/ *n*. 【醫】(肺)氣腫 **~tous** *a*.

empire /'empaɪə(r)/ *n*. 帝國;帝國版圖;(集團或個人控制的)大企業,大公司.

empirical /em'pɪrɪkl/ *a*. 經驗主義的,以經驗為根據的;實證的 **~ly** *ad*. **empiricism** *n*. 經驗主義;【哲】經驗論 **empiricist** *n*. 經驗主義者;經驗論者.

emplacement /ɪm'pleɪsmənt/ *n*. ①【軍】炮位,炮台②安放,放置.

employ /ɪm'plɔɪ/ *vt*. ①僱用,任用②使用③使忙於,使從事於 *n*. 僱用;使用;職業 **~ee** *n*. 僱工,僱員,職員 **~er** *n*. 僱主,老闆.

employment /ɪm'plɔɪmənt/ *n*. ①僱用;使用②職業,工作 // *~agency*

職業介紹所 ~*exchange*[英](勞工部下屬的)勞工就業介紹處(=labour exchange).

emporium /em'pɔːrɪəm/ *n*.(*pl*.**~s** 或 **-ria** /-rɪə/)[謔、書]商業中心;大商場;大百貨商店.

empower /ɪm'paʊə(r)/ *vt*. 授權,准許;使能.

empress /'emprɪs/ *n*. 女皇;皇后 // **~dowager**皇太后.

empties /'emptɪs/ *pl*.*n*. 空桶;空瓶;空箱;空車.

empty /'emptɪ/ *a*. ①空的;(房屋等)沒有人占用的②空虛的,空洞的③無聊的,愚蠢的④空閑的;無效的,徒勞的⑤空寂的,無人烟的⑥[口]餓着肚子的,空腹的;(母畜)未懷孕的 *v*.①弄空;用空;變空②(使)流入 **emptiness** *n*. **~-handed** *a*.空手的;一無所獲的**~-headed** *a*.[口]愚蠢的,沒有頭腦的.

EMS *abbr*. = European Monetary System 歐洲貨幣體系.

emu /'iːmjuː/ *n*.【鳥】鴯鶓(產於澳洲不會飛翔的長腿大鳥).

EMU *abbr*. *n*. = Euro Monetary Union 歐洲貨幣單位.

emulate /'emjʊleɪt/ *vt*. ①同…競爭(競賽)②努力趕上(超過)③竭力仿效 **emulation** *n*.

emulsify /ɪ'mʌlsɪfaɪ/ *vt*.【化】使乳化 **emulsification** *n*.【化】乳化作用 **emulsifier** *n*.乳化劑;乳化器.

emulsion /ɪ'mʌlʃn/ *n*. ①乳狀液;【藥】乳劑②【攝】感光乳劑(= sensitive ~)③[口]= ~paint *vt*.塗上乳狀漆 **emulsive** *a*. // ~*paint* 乳狀漆.

en /en/ *n*.【印】對開,半方(em 的一半).

enable /ɪ'neɪbl/ *vt*. ①使能夠,使得,使成為可能②賦予能力;授予權力.

enact /ɪ'nækt/ *vt*. ①制定(法律);頒佈;規定②扮演;演出**~ment** *n*.①(法律的)制定、頒佈②法令,法規③(戲劇的)上演.

enamel /ɪ'næml/ *n*. ①搪瓷,珐琅、瓷釉②(牙齒表面的)珐琅質 *vt*.塗上搪瓷(珐琅、瓷釉)**~ware** *n*.搪瓷器皿.

enamo(u)red /ɪ'næməd/ *a*.(+of 或 with)迷戀的,傾心於(…的),醉心於(…的).

enbloc /ɒn'blɒk/ *n*. [法]總;全體;一起.

encamp /ɪn'kæmp/ *v*. (使)扎營,(使)宿營**~ment** *n*.

encapsulate /ɪn'kæpsjuleɪt, -sə-/ *vt*. ①把…包於膠囊中②(指資料,信息等)壓縮,節略 **encapsulation** *n*.

encase /ɪn'keɪs/ *vt*. ①裝於箱內,放入套(或盒,殼)內②包裝,圍 **~d** *a*. **~ment** *n*.

encephalitis /ˌenkefə'laɪtɪs/ *n*.【醫】腦炎.

encephalogram /en'sefələgræm/ *n*.【醫】(electro~之略)腦電圖.

enchant /ɪn'tʃɑːnt/ *vt*. ①使迷醉,使銷魂②施魔法於**~er**,(**~ress**) *n*.(女)妖人,(女)巫士,(女)法師 **~ment** *n*.

enchanting /ɪn'tʃɑːntɪŋ/ *a*. 迷人的,令人心曠神怡的**~ly** *ad*.

enchilada /ˌentʃɪ'lɑːdə/ *n*. (墨西哥)辣醬玉米麵肉餡餅.

encircle /ɪn'sɜːkl/ *vt*. 環繞,包圍;繞…行一周**~ment** *n*.

enclave /'enkleɪv/ *n*. (包圍在別國領土上的)飛地.

enclose /ɪn'kləʊz/ *vt*. ①圍住;圈起②附寄,(隨函)封入 **enclosure** *n*.①包

圍,圍繞;封入②附件;包入物,封入物③圈占地;圍牆,圍欄.

encomium /en'kəʊmɪəm/ *n*. (*pl*. **~s**, **~mia** /-mɪə/) [書]讚揚;頌詞.

encompass /ɪn'kʌmpəs/ *vt*. ①圍繞,包圍②包含,包括③完成,達到(常指造成不良後果者)**~ment** *n*.

encore /'ɒŋ'ɔː(r)/ *int*. 再來一個! *n*. 要求再演;重演(的節目);再唱(的歌).

encounter /ɪn'kaʊntə(r)/ *v*. & *n*. ①(偶然)遭遇;遇到(危險,困難)②邂逅;碰見③遭遇戰;衝突 **~group** *n*. 病友談心治療小組(一種精神療法).

encourage /ɪn'kʌrɪdʒ/ *vt*. 鼓勵;贊助;促進;慫恿 **~ment** *n*. **encouraging** /ɪn'kʌrɪdʒɪŋ/ *a*. **encouragingly** *ad*.

encroach /ɪn'krəʊtʃ/ *vi*. (+on 或 upon) 侵占,侵犯;侵蝕,蠶食 **~ment** *n*.

encrust /ɪn'krʌst/ *vt*. 把…包上外殼;(用寶石、金、銀等)鑲飾(表面).

encumber /ɪn'kʌmb(r)/ *vt*. ①妨害,阻礙,拖累②阻塞;堆滿.

encumbrance /ɪn'kʌmbrəns/ *n*. 妨害者;阻礙物;累贅 // *without* ~*s* 沒有家室之累.

encyclic(al) /ɪn'sɪklɪkl, -'saɪ-/ *n*. (教皇對教會的)通諭.

encyclop(a)edia /ɪnˌsaɪkləʊ'piːdjə/ *n*. 百科全書 **encyclop(a)edic** *a*. 百科全書的;包羅萬象的;廣博的,淵博的.

end /end/ *n*. ①末端;盡頭;終點;極限②結尾,結局,結束③目的,目標④[婉]死亡;毀滅;下場⑤【體】(球賽時)一方所占的場地⑥(常 *pl*.)殘片,殘餘部份 *v*. 結束;(使)完結;終止;消滅;了結 **~ing** *n*. 結局,結尾,收場;死亡 **~less** *a*. 無窮的,無限的;不斷的 **~ways**, ~**wise** *ad*. 豎着;末端朝上(前)地 // ~ *product* 最後產物,最終結果;(工廠的)成品 *make* ~*s meet* 量入為出,使收支相抵 *no* ~[口]無限;非常 *no* ~ *of*[口]無數的;很多 *on* ~豎着;筆直地;連續不停地.

endanger /ɪn'deɪndʒə(r)/ *vt*. 危及,危害,使遭到危險.

endear /ɪn'dɪə(r)/ *vt*. 使受喜愛 **~ing** *a*. 可愛的,惹人喜愛的 **~ment** *n*. 親愛的言詞(或行為);愛撫.

endeavo(u)r /ɪn'devə(r)/ *n*. 努力;盡力 *vi*. 竭力,力圖.

endemic /en'demɪk/ *a*. ①(尤指疾病)地方性的;(動、植物等)某地特產的②(風土、人情等)某地(某民族)特有的.

endive /'endɪv/ *n*. 【植】菊萵苣;[美] = chicory.

endocrine /'endəʊkraɪn/ *a*. 【醫】內分泌的 // ~ *gland* (= ductless gland) 內分泌腺.

endogenous /en'dɒdʒənəs/ *a*. 【生】內長的,內生的,內源的 // ~ *metabolism* 內源代謝.

endorse /ɪn'dɔːs/ *vt*. ①贊同;認可;擔保②【商】在(支票等)背面簽名,背書,背署③[英](在駕駛執照上)注明交通違章記録 **~ment** *n*.

endow /ɪn'daʊ/ *vt*. ①捐贈基金給(學校、醫院等)②(+with)授予,賦與.

endowment /ɪn'daʊmənt/ *n*. ①捐贈,捐款;基金;養老金②天賦,天資 // ~ *policy* 養老保險單.

endurance /ɪn'djʊərəns/ *n*. ①忍耐(力)②耐久(性),持久(力);持久性 // *beyond* / *past* ~忍無可忍 ~ *test* 耐力試驗.

endure /ɪn'djʊə(r)/ *v*. ①忍耐,忍受;容忍②持久,持續 **endurability** *n*.

endurable *a*. **endurably** *ad*.

enduring /ɪn'djʊərɪŋ/ *a*. 持久的, 永久的 **~ly** *ad*. **~ness** *n*.

enema /'enɪmə, ɪ'niːmə/ *n*. 【醫】灌腸(藥); 灌腸器.

enemy /'enəmɪ/ *n*. ①敵人, 仇敵; 敵國; 敵軍②危害物; 大害.

energy /'enədʒɪ/ *n*. ①幹勁; 精力; 能力②(由油、氣、電等產生的)能③【物】能量 **energetic** *a*. 精力充沛的; 生氣勃勃的 **energetically** *ad*. **energize** *v*. ①給予能量; 加強; 使精力充沛②(使)通電.

enervate /'enəveɪt/ *vt*. 使衰弱, 削弱 **~d** *a*. 無力的, 衰弱的 **enervation** *n*.

enfant terrible /ˌɒnfɒn te'riːbl/ *n*. (*pl*. **enfants terribles** 單複發音相同)[法]①(思想、言行離經叛道)鋒芒畢露和肆無忌憚的人②(說話發問令大人窘困的)早熟兒童.

enfeeble /ɪn'fiːbl/ *vt*. 削弱, 使衰弱 **~d** *a*. **~ment** *n*.

enfold /ɪn'fəʊld/ *vt*. ①包, 包裹②擁抱.

enforce /ɪn'fɔːs/ *vt*. ①實施, 執行(法律等)②強迫, 強制③加強, 充實(論點, 信仰等) **~able** *a*. 可實施的; 可強行的 **~ment** *n*.

enfranchise /ɪn'fræntʃaɪz/ *vt*. 給予選舉權(或公民權) **~ment** *n*.

engage /ɪn'geɪdʒ/ *v*. ①(使)從事於, 使忙於; (使)參加②僱用, 聘用; 預定, 訂房, 訂座③(使)交戰④(使)允諾, (使)保證⑤吸引(注意力等); 占去(時間等)⑥【機】(使)嚙合, 銜接.

engaged /ɪn'geɪdʒd/ *a*. ①(指人)忙碌的, 有事的②[英](電話)占綫的(=[美]busy)③~**(to sb)**已(與人)訂婚的④(指廁所)有人在用的; (指座位、餐桌)已預訂的.

engagement /ɪn'geɪdʒmənt/ *n*. ①訂婚②約會③契約, 約束; 預約④交戰⑤僱用, // *~ring* 訂婚戒指 *enter into/make an ~(with)*同人訂約.

engaging /ɪn'geɪdʒɪŋ/ *a*. 吸引人的, 美麗可愛的 **~ly** *ad*.

engender /ɪn'dʒendə(r)/ *v*. (使)發生, (使)產生; 惹起; 釀成.

engine /'endʒɪn/ *n*. ①引擎, 蒸汽機, 發動機②機車, 火車頭.

engineer /ˌendʒɪ'nɪə(r)/ *n*. 工程師; (輪船上的)輪機手; [美]火車司機(=[英]engine driver) *vt*. ①設計, 監督, 建造(工程等)②策劃, 策動, 圖謀 **~ing** *n*. 工程(技術); 工程學.

English /'ɪŋglɪʃ/ *n*. 英語; **the ~** *n*. 英格蘭人, (有時亦能泛指包括蘇格蘭、威爾士及北愛爾蘭的)英國人 *a*. 英格蘭(人)的, 英國(人)的; 英語的 **~man**, **(~woman)** *n*. 英格蘭(女)人, 英國(女)人 // *~ breakfast* (以麥片粥、熏鹹肉、雞蛋、烤麵包、柑橘醬、茶或咖啡構成的)英式早餐 *the (~) Channel* 英吉利海峽.

engorge /ɪn'gɔːdʒ/ *v*. 【病】(使)充血 **~ment** *n*.

engraft /ɪn'grɑːft/ *vt*. ①嫁接(樹木等)②(=implant)灌輸(思想, 信仰等).

engrave /ɪn'greɪv/ *vt*. ①雕, 刻②銘記、牢記(心上) **~r** *n*. 雕刻工, 鐫版工 **engraving** *n*. 雕刻(術); 雕版印刷品; 版畫.

engross /ɪn'grəʊs/ *vt*. (常用被動語態)使全神貫注於, 使專注於 **~ing** *a*. 引人入勝的; 使全神貫注的; 非常有趣的 **~ment** *n*.

engulf /ɪn'gʌlf/ *vt*. 吞沒, 吞噬; 席捲.

enhance /ɪn'hɑːns/ *vt*. 提高, 增加(價

值、吸引力、價格、質量等);增強;美化**~ment** *n*.

enigma /ɪ'nɪgmə/ *n*. ①不可思議的人(或事物)②謎;費解的話(或文章) **~tic(al)** *a*. **~tically** *ad*.

enjoin /ɪn'dʒɔɪn/ *vt*. ①[書]命令;吩咐;告誡;責成②[美]或【律】禁止.

enjoy /ɪn'dʒɔɪ/ *vt*. ①享受…的樂趣,欣賞,喜愛②享受,享有(於己有益或有利之事物,如權利、聲譽、健康等) **~able** *a*. 令人愉快的 // *~ oneself* 玩得痛快,過得快活.

enjoyment /ɪn'dʒɔɪmənt/ *n*. ①享受;享有②享樂,欣賞;樂趣,樂事.

enlarge /ɪn'lɑːdʒ/ *v*. ①擴大,擴展②(+on 或 upon)詳述**~ment** *n*.

enlighten /ɪn'laɪtn/ *vt*. ①啓發,開導;教導②[口]使明白,使領悟**~ed** *a*. 開明的,開通的,進步的,有見識的.

enlightenment /ɪn'laɪtnmənt/ *n*. 開導,啓發,啓蒙 **the E-** *n*.(十八世紀歐洲的)啓蒙運動.

enlist /ɪn'lɪst/ *v*. ①(使)入伍,(使)參軍;徵募②(謀取)支持,(爭取)贊助 **~ment** *n*. 徵募;應徵入伍;服役期.

enliven /ɪn'laɪvn/ *vt*. 使有生氣,使活躍;使快活.

en masse /ɒn 'mæs/ *ad*. [法]一齊地,集體地.

enmesh /ɪn'meʃ, en-/ *vt*. (常用被動語態)把…絆在網上;使絆住;使陷入 **~ed** *a*.

enmity /'enmətɪ/ *n*. 敵意;仇恨;不和 // *be at ~ with (sb)* 與(某人)不和.

ennoble /ɪ'nəʊb/ *vt*. 使高貴;抬高;使成貴族;使受尊敬~**ment** *n*.

ennui /ɒnwiː/ *n*. [法]厭倦;倦怠;無聊.

enormity /ɪ'nɔːmətɪ/ *n*. ①(常 *pl*.)暴行,大罪行②極惡,凶殘③[口]巨大,龐大.

enormous /ɪ'nɔːməs/ *a*. 極大的,巨大的**~ly** *ad*.

enough /ɪ'nʌf/ *a*. & *n*. 足夠(的),充足(的) *ad*. ①足夠地,充分地②十分;尚,相當地 // *~ is ~*[諺]適可而止 *have had ~ of*...(對…)感到厭煩;受夠了.

en passant /ˌɒn 'pæsɒn/ *ad*. [法]順便提一下;在進行中.

enquire, enquiry = inquire, inquiry.

enrage /ɪn'reɪdʒ/ *vt*. 激怒,使勃然大怒 **~d** *a*. **~dly** *ad*.

enrapture /ɪn'ræptʃə(r)/ *vt*. 使狂喜 **~d** *a*. 欣喜如狂的**~dly** *ad*.

enrich /ɪn'rɪtʃ/ *vt*. ①使(更)富裕;使(更)豐富②充實;改進,增進;濃縮 **~ed** *a*. **~ment** *n*.

enrol(l) /ɪn'rəʊl/ *vt*. ①登記,編入②使入學,使入伍,使入會**~ment** *n*. 登記(人數),註冊(人數);入伍;入會.

enrollee /ɪnˌrəʊ'liː/ *n*. 録用的人;入會者;入伍者;入學者.

en route /ˌɒn 'ruːt/ *ad*. [法]在途中.

ensconce /ɪn'skɒns/ *vt*. ①使安坐;安置②隱藏.

ensemble /ɒn'sɒmbl/ *n*. [法]①全體,整體;總(體)效果②【樂】合唱,大合奏③合唱隊,演奏隊;文工團,歌舞團④(尤指女式)整套(服裝).

enshrine /ɪn'ʃraɪn/ *vt*. ①把…置於神龕内;祀奉;把…奉為神聖②珍藏.

enshroud /ɪn'ʃraʊd/ *vt*. [書]掩蓋,遮蔽,隱蔽.

ensign /'ensən/ *n*. ①艦旗;旗幟②[美]海軍少尉.

ensilage /'ensɪlɪdʒ/ *n*. 飼料的青貯;青貯飼料.

enslave /ɪn'sleɪv/ *vt*. 使做奴隸,奴役

~**ment** *n*.
ensnare /ɪn'sneə(r)/ *vt*. 誘…入圈套;誘捕;陷害.
ensue /ɪn'sjuː/ *vi* 跟着發生,接踵而至;結果產生,結果是 **ensuing** *a*..
en suite /ɒn 'swiːt/ *a*.& *ad*. (指房間等)成套的(地),配套的(地)自成一套的(地).
ensure /ɪn'ʃɔː(r)/ *vt*. ①保證,擔保;保險②保護,使安全.
E.N.T. *abbr*. = ear, nose and throat【醫】耳、鼻、喉.
entail /ɪn'teɪl/ *vt*. ①需要,必需;使蒙受,帶來,引起②【律】(尤指土地)限定繼承權 *n*.【律】土地的限定繼承.
entangle /ɪn'tæŋgl/ *vt*. ①使糾纏,纏住;使混亂②使捲入,使陷入;連累 ~**ment** *n*.
entanglements /ɪn'tæŋglmənts/ *pl*.*n*.【軍】帶刺鐵絲網(=barbed wire~).
entente /ɒn'tɒnt/ *n*. [法]①(國家間的)友好關係,和解②友好國家 // *the E-* (*countries*)(第一次世界大戰時)協約國 *the* (*Triple*) *E-*(1907年的)英、法、俄三國協約.
enter /'entə(r)/ *v*. ①入,進;【劇】上場,登場②參加,加入;(使)入會;(使)入學③登記;編入④開始⑤[書]提出(抗議,抗辯等)// ~*for*(替…)報名(或登記)參加(比賽,考試等) ~*into* 開始從事,着手 ~*on*/*upon* [書]開始,動手;【律】得到,開始享有.
enteric /en'terɪk/ *a*. 腸的 **enteritis** /entə'raɪtɪs/ *n*.【醫】腸炎 // ~ *fever*【醫】腸熱病,(=typhoid)傷寒.
enterprise /'entəpraɪz/ *n*. ①企(事)業單位,公司②(艱巨或帶有風險的)事業;計劃③事業心,進取心;膽識 // ~*zone* 企業振興區(政府以優惠條件鼓勵企業積極參與開發的城市落後區).
enterprising /'entəpraɪzɪŋ/ *a*. 有事業心的,有創業進取精神的;有魄力的 ~**ly** *ad*.
entertain /ˌentə'teɪn/ *v*. ①使快樂,使娛樂②招待,款待③懷抱(希望等);持有(信心,想法等);願意考慮(建議等)~**er** *n*.演藝人員,文娛節目職業演員.
entertaining /ˌentə'teɪnɪŋ/ *a*. 有趣的;令人愉快的 ~**ly** *ad*.
entertainment /ˌentə'teɪnmənt/ *n*. ①(受)招待,(受)款待;(公共)娛樂②文娛(節目);遊藝(會);招待會.
enthral(l) /ɪn'θrɔːl/ *vt*. 迷住,吸引住 **enthralling** *a*. ~**ment** *n*.
enthrone /ɪn'θrəʊn/ *vt*. ①使…登基,立…為王(女王)②【宗】使就任主教 ~**d** *a*. ~**ment** *n*.
enthuse /ɪn'θjuːz/ *v*. (使)表示熱心,(使)變得熱心.
enthusiasm /ɪn'θjuːzɪæzəm/ *n*. 熱情,熱心,熱誠 **enthusiast** *n*.熱心家,熱情者,熱衷者 **enthusiastic** *a*. **enthusiastically** *ad*.
entice /ɪn'taɪs/ *vt*. 引誘;慫恿 ~**ment** *n*. **enticing** *a*.誘人的,迷人的 **enticingly** *ad*.
entire /ɪn'taɪə(r)/ *a*. ①完全的,整個的,全部的,完整的②純粹的 ~**ly** *ad*. ~**ness** *n*.
entirety /ɪn'taɪərəti/ *n*. 完全;全部,全體,整體 // *in its* ~ 整體;全盤;全面 *possession by* ~【律】共同占有;(不可分的)所有權.
entitle /ɪn'taɪtl/ *vt*. ①使有資格(做某事);給與權利(資格)②給…定名,把…稱作 ~**ment** *n*.
entity /'entətɪ/ *n*. 實體;統一體.

entomology /ˌentəˈmɒlədʒɪ/ *n*. 昆蟲學 **entomological** *a*. **entomologist** *n*. 昆蟲學家.

entourage /ˌɒntʊˈrɑːʒ/ *n*. [法](全體)隨行人員;隨從.

entrails /ˈentreɪlz/ *pl*. *n*. ①內臟;腸②(物體的)內部.

entrance[1] /ˈentrəns/ *n*. ①進入;入場(權),加入;入學;入會②入口,大門(口).

entrance[2] /ɪnˈtrɑːns/ *vt*. 使狂喜;使出神,使神魂顛倒 **entrancing** *a*. **entrancingly** *ad*.

entrant /ˈentrənt/ *n*. ①進入者②新加入者;新就業者③參加競賽的人(或動物).

entrap /ɪnˈtræp/ *vt*. ①誘捕;使陷入羅網(圈套或困難)②用計誘使;使中計~**ment** *n*.

entreat /ɪnˈtriːt/ *v*. 懇求,請求~**ingly** *ad*.

entreaty /ɪnˈtriːtɪ/ *n*. 懇求;請求;哀求.

entrecôte /ˈɒŋtrəˈkəʊt/ *n*. [法](肋骨間的)牛排(肉).

entrée /ˈɒntreɪ/ *n*. [書]①[英](兩道正菜間上的)小菜;[美]正菜②進入權,入場權.

entrench, intrench /ɪnˈtrentʃ/ *v*. ①用壕溝防禦②牢固樹立;固守;(使)盤據~**ment** *n*. 壕溝,防禦工事;挖壕溝(設防).

entrepreneur /ˌɒntrəprəˈnɜː(r)/ *n*. [法](敢冒風險有膽識的)企業家;創業人;主辦人~**ial** *a*.

entresol /ˌɒntrəˌsɒl/ *n*. [法]【建】夾層;閣樓;假樓.

entropy /ˈentrəpɪ/ *n*. ①【物】熵②【無】平均信息量③[書]無組織狀態,混亂④一致性;統一性.

entrust, intrust /ɪnˈtrʌst/ *vt*. 委托;信托,付托.

entry /ˈentrɪ/ *n*. ①進入(權);入場(權);入會(權)②入口;門口;通道③登記;記載;項目,條目;詞條;帳目④參賽的人(物);參賽人(物)的名單 ~**-phone** *n*.(尤指公寓大樓入口處與住戶聯繫的)來客通報電話 // ~ *visa* 入境簽證.

entwine /ɪnˈtwaɪn/ *vt*. 纏住,盤繞;糾纏.

E number /iːnʌmbə(r)/ *n*.(容器上標明食品所含特定化學品的以E字當頭的)E數.

enumerate /ɪˈnjuːməreɪt/ *vt*. ①數;點②列舉;枚舉 **enumeration** *n*. **enumerative** *a*.

enunciate /ɪˈnʌnsɪeɪt, -ʃɪ-/ *vi* (清晰)發音 *vt*. 宣佈,發表;闡明 **enunciation** *n*.

envelop /ɪnˈveləp/ *vt*. 包裹;封;蔽;圍繞;包圍~**ment** *n*.

envelope /ˈenvələʊp, ˈɒn-/ *n*. ①信封;封皮,封套②【天】包層;【生】包膜,包被.

envenom /ɪnˈvenəm, en-/ *vt*. ①置毒於,在…下毒②使惡化;使狠毒;毒害.

enviable /ˈenvɪəbl/ *a*. 值得羨慕的;引起妒忌的 ~**ness** *n*. **enviably** *ad*.

envied /ˈenvɪd/ *a*. 被妒忌的;受人羨慕的.

envious /ˈenvɪəs/ *a*. 妒忌的;羨慕的 ~**ly** *ad*.

environment /ɪnˈvaɪərənmənt/ *n*. ①環境,周圍狀況②(the ~)自然環境.

environmental /ɪnˌvaɪərənˈmentl/ *a*. 有關環境(保護)的;環境產生的~**ism** *n*. 環境保護主義~**ist** *n*. 環境保

護(主義)者.

environs /ɪn'vaɪərənz/ *pl.n.* 郊區,近郊.

envisage /ɪn'vɪzɪdʒ/ *vt.* 設想;想像;展望;正視.

envoy /'envɔɪ/ *n.* 使節;(全權)公使(外交級別僅次於大使者).

envy /'envɪ/ *n.* & *vt.* 妒忌;羨慕.

enzyme /'enzaɪm/ *n.*【生化】酶 // *digestive*～消化酶.

Eolith, eo- /'iːəʊlɪθ/ *n.*【考古】原始石器 **Eolithic, eo-** *a.* 原始石器時代的 // *Eolithic*(或 *eo-*) *age* 原始石器時代.

EP. *abbr.* = extended-play(record)密紋(唱片).

epaulet(te) /'epəlet/ *n.* (海陸軍軍官制服上的)肩章.

épée /eɪ'peɪ/ *n.* (擊劍用)尖劍;尖劍術.

ephemeral /ɪ'femərəl/ *a.* 短命的;短暫的～**ly** *ad.*

epic /'epɪk/ *n.* 史詩,敘事詩;(描繪英勇事迹的)史詩般文藝作品(或影片) *a.* 史詩般的;英雄的,壯麗的,宏大的.

epicentre, -ter /'epɪsentə(r)/ *n.*【地】震中,震源.

epicure /'epɪkjʊə(r)/ *n.* 講究飲食者,美食家.

epicurean /ˌepɪkjʊ'riːən/ *a.* 享樂主義的;講究飲食的 *n.* 享樂主義者;美食家(=epicure).

epicureanism, epicurism /ˌepɪkjʊ'riːənɪzəm, 'epɪkjʊrɪzəm/ *n.* 享樂主義;美食主義.

epidemic /ˌepɪ'demɪk/ *n.* ①流行病,傳染病,時疫②(風尚,疾病的)流行,蔓延 *a.* 傳染的,流行性的.

epidermis /ˌepɪ'dɜːmɪs/ *n.*【解】表皮,外皮;【生】表皮層;(貝類的)殼.

epidural /ˌepɪ'djʊərəl/ *n.* & *a.*【醫】(分娩時使用的)脊柱神經注射麻醉劑(的).

epiglottis /ˌepɪ'glɒtɪs/ *n.*【解】會厭(軟骨).

epigram /'epɪgræm/ *n.* 警句;諷刺短詩～**matic** *a.* ～**matically** *ad.*

epigraph /'epɪgrɑːf/ *n.* ①(卷首或章節前的)引語②(墓碑·硬幣等的)題字;碑文;銘文.

epilepsy /'epɪlepsɪ/ *n.*【醫】癲癇症,羊癇風 **epileptic** *a.* & *n.* 患癲癇症的(病人).

epilog(ue) /'epɪlɒg/ *n.* (戲劇的)收場白,閉幕詞;(文藝作品的)跋;後記;尾聲.

Epiphany /ɪ'pɪfənɪ/ *n.*【宗】(每年一月六日紀念耶穌顯靈的)主顯節(=Twelfth-day).

episcopal /ɪ'pɪskəpl/ *a.* 主教(管轄)的;(E-)主教派的 // *the E- Church* (英國)聖公會 *the Protestant E-Chusch* .(美國)聖公會.

episcopalian /ɪˌpɪskə'peɪlɪən/ *n.* 主教派教友;聖公會教徒 *a.* 主教派的;聖公會的.

episode /'epɪsəʊd/ *n.* ①(一系列事件中的)一個事件②(小說中的)一般情節;(個人經歷中的)一段插曲③(電視或廣播連續劇中的)一集 **episodic** *a.* 插曲的;偶發的;(小說,戲劇)由一連串獨立情節組成的,插曲式的.

epistemology /eˌpɪstiː'mɒlədʒɪ/ *n.*【哲】認識論 **epistemological** *a.* **epistemologist** *n.* 認識論者.

epistle /ɪ'pɪsl/ *n.* 書信;正式信函;書信體詩文 **the E-** *n.*【宗】使徒書 **epistolary** *a.* 書信的,書信體的.

epitaph /'epɪtɑːf/ *n.* 墓志銘;(紀念亡

者的)悼詞.

epithet /'epɪθet/ *n*. ①表示性質、屬性的形容詞;描述性的詞語②稱號,綽號.

epitome /ɪ'pɪtəmɪ/ *n*. 縮影;典型;集中的體現 **epitomize** *vt*. 使成為…之縮影;集中體現;是…的典型.

epoch /'iːpɒk/ *n*. ①(新)紀元,(新)時代②劃時代的大事件③【地】世,紀,期 **~-making** *a*. 劃時代的,破天荒的,開創新紀元的.

eponymous /ɪ'pɒnɪməs/ *a*. (指其中人物姓名)被用做(小說、戲劇等)作品命稱的;(與作品)同名的 **~ly** *ad*. // *~hero* 與作品同名的男主角.

EPOS /'iːpɒs/ *abbr*. = electronic point of sale 電子銷售點.

equable /'ekwəbl, 'iː-/ *a*. (指溫度、個性)穩定的;平靜的;(指氣候、脾氣)溫和的,隨和的 **equability** *n*. 平穩;平靜;溫和 **equably** *ad*.

equal /'iːkwəl/ *a*. ①相等的,均等的,同等的②平等的,同樣的③(作表語後接介詞"to")勝任的;經得起的;適合的 *n*. 地位相等的人;同輩;對等的事物 *vt*. 抵得上;比得上;等於 **~ly** *ad*. **~itarian** *n*. & *a*. = egolitarian // *~opportunity* (在就業和提升上不分膚色、性別的)機會均等(= equality of opportunity) *~to the occasion* 能應急;能應付局勢 *on an ~footing* 以平等地位對待;在同一立場上 *on ~terms* (*with*)(與…)平等相處 *without* (*an*)~無敵,無比.

equality /ɪ'kwɒlətɪ/ *n*. 同等;平等;均等.

equalize /'iːkwəlaɪz/ *v*. ①(使)相等;(使)平等;(使)平衡②[英](與對方)打成平手,拉平比分 **equalization** *n*.

equanimity /ˌekwə'nɪmətɪ/ *n*. 平靜,沉着,鎮定.

equate /ɪ'kweɪt/ *v*. (使)相等,(使)等同;同等看待.

equation /ɪ'kweɪʒn/ *n*. ①【數】方程式②相等;平衡;平均.

equator /ɪ'kweɪtə(r)/ *n*. (常 E-)赤道 **~ial** *a*. **~ially** *ad*.

equerry /ɪ'kwerɪ/ *n*. (英國)王室侍從.

equestrian /ɪ'kwestrɪən/ *a*. 馬的,騎馬的;騎術的;騎士(團)的 *n*. 騎手,(尤指)精於騎術者.

equidistant /ˌiːkwɪ'dɪstənt/ *a*. 等距離的.

equilateral /ˌiːkwɪ'lætərəl/ *a*. 【數】等邊的,等面的.

equilibrium /ˌiːkwɪ'lɪbrɪəm/ (*pl*. **-ria** /-rɪə/**~s**) ①平衡,均衡②(心情的)平靜;(判斷的)不偏不倚.

equine /'ekwaɪn/ *a*. 【動】馬的;似馬的;馬科的.

equinox /'iːkwɪnɒks/ *n*. 【天】晝夜平分時;春(秋)分 **equinoctial** *a*. // *the vernal / spring ~* 春分 *the autumnal ~* 秋分.

equip /ɪ'kwɪp/ *vt*. ①裝備,配備②使作好(才智等方面的)準備,使充實(能力) **~ped** *a*. 裝備着的,安置着的.

equipage /'ekwɪpɪdʒ/ *n*. (舊時有錢人家的)馬車、車伕及僕從.

equipment /ɪ'kwɪpmənt/ *n*. ①設備,器材,裝置②裝備,配備.

equipoise /'ekwɪpɔɪz/ *n*. ①相稱,平衡;(尤指心情上的)平靜②平衡物,使(心情)保持平靜的事物.

equity /'ekwətɪ/ *n*. ①公平,公正②【律】衡平法(指可用以補充糾正普通法不足或不當的公平原則)③[英](*pl*.)(無固定紅利的)股票;證券

equitable *a*.公平的,公正的;【律】衡平法上(有效)的 **equitably** *ad*.

equivalence /ɪ'kwɪvələns/ *n*. ①相等,均等,相當;等值,等量②【化】等價;當量.

equivalent /ɪ'kwɪvələnt/ *a*. ①相當的,相同的,同等的②等值的,等量的③【化】等價的,當量的 *n*. ①相等物;等價(物);等值(物);等量的②【化】克當量,當量.

equivocal /ɪ'kwɪvəkəl/ *a*. ①語義雙關的;意義含糊的;模棱兩可的②(指行為,情况等)曖昧的,可疑的;不明確的~**ity** *n*. ~**ly** *ad*.

equivocate /ɪ'kwɪvəkeɪt/ *vi* 支吾,含糊其詞,躲閃;推諉 **equivocation**.

era /'ɪərə/ *n*. ①紀元;年代,時代②【地】代.

eradicate /ɪ'rædɪkeɪt/ *vt*. 根除,撲滅,消滅 **eradication** *n*.

eradicator /ɪ'rædɪkeɪtə(r)/ *n*. 根除者;除草器;(尤指)去墨水液,褪色靈.

erase /ɪ'reɪz/ *vt*. ①擦掉,抹去;刪去,除去②抹掉(録音磁帶上的)録音;[喻]忘掉// *erasing head* = ~r head 録音(像)機上的消磁器.

eraser /ɪ'reɪzə(r)/ *n*. 橡皮擦([英]亦作 **rubber**);黑板擦// ~ *head*【無】(録音機的)抹音磁頭;(録像機的)抹像磁頭.

erasure /ɪ'reɪʒə(r)/ *n*. ①擦掉,抹去;刪去;除去②刪去部份(字句);塗擦痕迹.

ere /eə(r)/ *prep*. & *conj*. [詩]在…以前// ~*long* 不久.

erect /ɪ'rekt/ *a*. ①直立的;豎起的②【醫】(陰莖等)勃起的 *v*.①使直立,樹立②建立,設立;創立,安裝③【醫】(使)勃起 ~**ile** *a*.【醫】(陰莖等)能勃起的.

erection /ɪ'rekʃn/ *n*. ①直立,豎立②建立,建設,設立③建築物④【醫】勃起.

erg /ɜːg/ *n*.【物】爾格(功的單位).

ergo /ɜːgəʊ/ *ad*. [拉]因此;所以.

ergonomics /ˌɜːgə'nɒmɪks/ *pl*. *n*. (用作單數)人類工程學;生物工藝學([美]亦作 **biotechnology**) **ergonomic** *a*.

ergot /'ɜːgət/ *n*. ①【農】(植物的)麥角病②麥角菌;麥角;麥角鹼.

ermine /'ɜːmɪn/ *n*. ①【動】貂;雪鼬②貂皮.

erode /ɪ'rəʊd/ *v*. (受)腐蝕;(受)侵蝕 **erosion** /ɪ'rəʊʒn/ *n*. **erosive** *a*.

erogenous /ɪ'rɒdʒənəs/ *a*. (身體上)性敏感區的.

erotic /ɪ'rɒtɪk/ *a*. 性愛的;色情的;性欲的.

erotica /ɪ'rɒtɪkə/ *n*. [貶]色情書畫,黃色書刊.

eroticism /ɪ'rɒtɪsɪzəm, ɪ-/ *n*. 性欲;色情;好色;【醫】性欲亢進.

err /ɜː(r)/ *vi* [書]犯錯誤;做壞事// *to* ~ *is human*[諺]人孰無過.

errand /'erənd/ *n*. 差使;差事// *an* ~ *of merey* 雪中送炭 *run*(*go*)(*on*) ~*s for sb* 為某人跑腿.

errant /'erənt/ *a*. ①(指行為)錯誤的,入歧途的②周遊的;漂泊的.

erratic /ɪ'rætɪk/ *a*. ①飄忽不定的;無規律的②(行為,心意、動作等)古怪的;反常的;反覆無常的~**ally** *ad*.

erratum /e'rɑːtəm/ *n*. (*pl*. **errata** /e'rɑːtə/) [拉](書寫或印刷中的)錯誤;(*pl*.)勘誤表.

erroneous /ɪ'rəʊnɪəs, e-/ . *adj* 錯誤的,不正確的~**ly** *ad*.

error /'erə(r)/ *n*. ①錯誤,謬誤②謬

見,誤想;誤信;過失.

ersatz /ˈeəzæts,[德]ɛrˈzats/ *a*.[德]代用的;人造的;倣造的.

erstwhile/ˈɜːsthwaɪl/*a*.從前的;過去的.

erudite /ˈeruːdaɪt/ *a*. 博學的,有學問的 **~ly** *ad*. **erudition**/ˌeruːˈdɪʃn/ *n*.

erupt /ɪˈrʌpt/ *v*. ①(火山等)噴發,爆發②(牙齒)冒出;(皮膚)發疹子③噴出.

eruption /ɪˈrʌpʃn/ *n*. ①火山的噴發;[喻](戰爭,傳染病等的)突然發生,爆發②出疹子.

erysipelas /ˌerɪˈsɪpɪləs/ *n*.【醫】丹毒.

erythrocyte /ɪˈrɪθrəusaɪt/ *n*.【醫】紅(血)細胞,紅血球.

escalate /ˈeskəleɪt/ *v*. (使)逐步上升(增加,擴大);(戰爭)逐步升級 **escalation** *n*.

escalator /ˈeskəleɪtə(r)/ *n*.【建】自動樓梯([英]亦作 **moving staircase**).

escalope /eˈskælɒp/ *n*. (猪、牛肉的)去骨肉排(常裹以雞蛋、麵包屑,加以油炸).

escapade /eskəˈpeɪd/ *n*. 越軌行為;惡作劇.

escape /ɪˈskeɪp/ *v*. ①逃走,逃脫;避免,避開②漏出,逸出③被…忘掉(或疏忽)④被無意說出;從…發出 *n*. ①逃跑,逃脫②漏出,逸出③逃路;出口;逃跑手段(或工具)④消遣,解悶 **~e** *n*. 逃跑者;(尤指)越獄逃犯 **~-hatch**(船、飛機等危急時的)安全出口;出路;辦法 // *~clause*(契約、合同等的)例外條款 *~ velocity*【物】(物體克服地心引力的)逃逸速度;第二宇宙速度 *narrow*~千鈞一髮,九死一生.

escapement /ɪˈskeɪpmənt/ *n*. 擒縱機;(鐘錶內的)司行輪,擺輪.

escapism /ɪˈskeɪpɪzəm, əs-/ *n*.[貶]逃避現實;空想,幻想.

escapology /ˌeskəˈpɒlədʒɪ/ *n*. (魔術表演的)脫逃術,脫身術 **escapologist** *n*.表演脫身術的藝人.

escarpment /ɪˈskɑːpmənt/ *n*. 急斜面;懸崖;削壁.

eschew /ɪsˈtʃuː/ *vt*.[書]避開,戒絕.

escort /ˈeskɔːt/ *n*. (由人、車、艦船、飛機組成的)護衛隊、護航隊、儀仗隊;(陪伴异性出入社交場所的)護送者(尤指男性) /ɪˈskɔːt /*vt*.護衛,護送,護航.

escutcheon /ɪˈskʌtʃən/ *n*. 飾有紋章的盾// *a blot on one's* ~名譽上的污點.

Eskimo /ˈeskɪməu/ *n*. (居住於加拿大北部、格陵蘭、阿拉斯加和西伯利亞的土著)愛斯基摩人(語).

ESN *abbr*. = educational subnormal (由於智力缺陷而)教育上低能的.

esoteric /ˌesəuˈterɪk/ *a*. ①秘傳的;限於小圈子的;機密的②深奧的;難解的.

ESP *abbr*. = extrasensory perception 超感官知覺,超感覺力.

esp. *abbr*. = especially.

espadrille /ˈespədrɪl/ *n*. (麻繩底)帆布便鞋.

espalier /ɪsˈpælɪeɪ/ *n*. 花木(攀)架;樹棚,樹架;棚式果樹,棚式樹木.

esparto /eˈspɑːtəu/ *n*.【植】(編繩、織蓆用的)茅草.

especial /ɪˈspeʃl/ *a*.[書](=special)特別的,特殊的.

especially /ɪˈspeʃəlɪ/ *ad*. 特別,尤其,格外([口]亦作 **specially**).

Esperanto /ˌespəˈræntəu/ *n*. 世界語.

espionage /ˈespɪənɑːʒ/ *n*.[法]間諜活動;諜報.

esplanade /ˌespləˈneɪd/ *n*. (供散步,乘車兜風或騎馬的)平地,廣場;(尤指海濱供遊人散步的)大道.

espouse /ɪˈspaʊz/ *vt*. 信仰;擁護;支持;採納 **espousal** *n*.

espresso /eˈspresəʊ/ *n*. [意](用蒸氣加壓通過咖啡粉煮出的)蒸餾咖啡.

esprit /eˈspriː/ *n*. [法]精神;勃勃生氣;才智 // ~*de corps*[法]團結精神,集體精神.

espy /ɪˈspaɪ/ *vt*. [書](偶然)看見,窺見.

Esq. *abbr*. [英] = esquire.

Esquire /ɪˈskwaɪə(r)/ *n*. [英]先生(略作 **Esq.**,書信或正式文件中用於姓名後之尊稱)

essay[1]/ˈesei, ˈesi/ *n*. (文藝上的)小品文,隨筆,漫筆 **~-ist** *n*. 小品文(隨筆)作者

essay[2]/ˈeseɪ, ˈesɪ/ *n*. 企圖,嘗試/eˈseɪ/ *v*.,/ *vt*. 試做,試圖.

essence /ˈesns/ *n*. ①本質,精髓,精華,要素②(從物質中濃縮提煉而成的)精;粹;汁(如香精,香料,肉汁等) // *in*~本質上 *of the* ~最重要的,必不可少的.

essential /ɪˈsenʃl/ *a*. ①本質的,實質的②根本的;必需的 *n*. (常 *pl*.)本質;要點,要素;必需品.

establish /ɪˈstæblɪʃ/ *vt*. ①建立,成立,創立,設立②制定,規定③安頓,安置;使開業;使定居④確定,證實;使承認,使認定(信仰、習俗、事實等)⑤使(教會)成為國教.

established /ɪˈstæblɪʃt/ *a*.(作定語)①被設立的;確定的;被認定了的;既定的②(指教會或宗教)已定為國教的.

establishment /ɪˈstæblɪʃmənt/ *n*. ①建立,設立;確定;創立;開設②商店;企業;大機構;大戶人家;大住宅 **the E-** *n*. 權力機構(體制);當局;(某種社團、組織或行業的)當權派.

estate /ɪˈsteɪt/ *n*. ①房地產,莊園;遺產;財產②[主英](為特定目的開發的)大片地區(如住宅區,工業區,商業區等)③[舊]政治等級,社會階層 // ~*agent* (=[美] *real*~*agent* 或 *realtor*)房地產經紀人,地產掮客~*car*[英](=[舊]shooting brake, =[美]station wagon)客貨兩用汽車.

esteem /ɪˈstiːm/ *vt*. ①尊重,尊敬②認為 *n*. 尊重,尊敬 // *hold sb in*~尊重,尊敬(某人).

ester /ˈestə(r)/ *n*. 【化】酯 // ~*value* 酯化值.

estimate /ˈestɪmeɪt/ *v*. ①估計,估算;估價;估量②評價,判斷 /ˈestɪmət/ *n*. ①估計;預測②(常 *pl*.)估價單,預算額③評價,判斷 **estimable** *a*. 值得尊重的.

estimation /ˌestɪˈmeɪʃn/ *n*. 估計,評價;意見,判斷.

estrange /ɪˈstreɪndʒ/ *vt*. 使疏遠;離間;使(夫妻)分居 **~d** *a*. (夫妻)分居的;衆叛親離的 **~ment** *n*.

estuary /ˈestʃʊərɪ/ *n*. 河口;港灣;三角灣.

ETA *abbr*. = estimated time of arrival 估計到達時間.

et al. /ˌet ˈæl/ *abbr*. = et alii[拉]以及其他等等; = [英]and others.

etc. *abbr*. = [拉] et cetera.

et cetera /ɪt ˈsetərə, et-/[拉]等等,以及其他(常略作 **etc.**).

etceteras /ɪtˈsetərəz, et-/ *pl*. *n*. 其他種種東西,等等東西.

etch /etʃ/ *v*. ①(在金屬,玻璃等上)蝕刻,浸蝕②銘刻,銘記;刻劃,描述 **~ing** *n*. 蝕刻(法);蝕鏤術;蝕刻畫,蝕刻版印刷品.

ETD *abbr*. = estimated time of departure 估計離開時間.

eternal /ɪ'tɜːnl/ *a*. ①永遠的, 永恆的; 不變的, 不朽的②[口]不停的, 沒完沒了的 **~ly** *ad*. **the E-** *n*.【宗】上帝 // *the E- City* 不朽城(羅馬的別稱) *the ~ triangle* 三角戀愛.

eternity /ɪ'tɜːnətɪ/ *n*. ①永恆, 無窮②不朽, 永生; 來世 // **~ring**(四周鑲飾寶石)象徵贈者愛心永恆的戒指.

ether /'iːθə(r)/ *n*. ①【化】醚②(亦作 **aether**)【物】以太, 能媒; [詩]太空, 蒼天.

ethereal, (a)etherial /ɪ'θɪərɪəl/ *a*. ①輕飄的, 虛無飄渺的; 超凡脫俗的; 雅緻的②[詩]太空的, 蒼天的.

ethic /'eθɪk/ *n*. ①倫理, 道德②(*pl*.)倫理學; 道德規範, 行為準則 **~al** *a*. 倫理的, 道德的; 合乎道德規範的 **~ally** *ad*.

ethnic(al) /'eθnɪk(əl)/ *a*. (有同一文化、語言和宗教信仰之)民族的, 種族的, 部族的; 少數民族的 **ethnically** *ad*.

ethnology /eθ'nɒlədʒɪ/ *n*. 人種學 **ethnological** *a*. **ethnologist** *n*. 人種學家.

ethos /'iːθɒs/ *n*. 民族精神; 時代思潮; 文化氣質; 道德觀念.

ethyl /'eθɪl/ *n*.【化】乙基; 乙烷基 // *~alcohol*【化】乙醇, 普通酒精.

ethylene /'eθɪliːn/ *n*.【化】乙烯; 乙撐, 次乙基.

etiolate /'iːtɪəuleɪt/ *v*. ①(使)變蒼白; 使衰弱②【植】使(葉子受不到日光而)變白 **etiolation** *n*.

etiology, [英亦作] **aetiology** /ˌiːtɪ'ɒlədʒɪ/ *n*.【醫】病源學; 病因論.

etiquette /'etɪket/ *n*. 禮節, 禮儀; 格式, 成規.

et seq /ˌet 'sek/ *abbr*. *pl*. **et seqq** = et sequens/sequentia[拉]以及下面一頁(或一項).

étude /eɪ'tjuːd/ *n*. [法]【樂】(為某種樂器創作的)獨奏練習曲.

etymology /ˌetɪ'mɒlədʒɪ/ *n*. 詞源(學), 語源(學) **etymological** *a*. **etymologist** *n*. 詞源(語源)學家.

EU *abbr*. *n*. = European Union 歐洲聯盟.

eucalypt(us) /ˌjuːkə'lɪptəs/ *n*. (*pl*. **~es, -ti** /-taɪ/)桉樹 // *~oil* 桉樹油.

Eucharist /'juːkərɪst/ *n*.【宗】聖餐; 聖餐中食用的麵包和葡萄酒 **~ic** *a*.

eugenics /juː'dʒeniks/ *pl*. *n*. (用作單數)優生學 **eugenic** *a*. **eugenically** *ad*.

eulogize, -se /'juːlədʒaɪz/ *vt*. [書]頌揚, 贊頌 **eulogist** *n*. 歌功頌德者, 頌詞作者 **eulogistic** *a*. **eulogistically** *ad*.

eulogy /'juːlədʒɪ/ *n*. 頌詞; 頌文

eunuch /'juːnək/ *n*. 太監, 宦官; 閹人.

euphemism /'juːfəmɪzəm/ *n*.【語】委婉說法; 委婉語 **euphemistic** *a*. **euphemistically** *ad*.

euphonium /juː'fəunɪəm/ *n*.【樂】次中音號.

euphony /'juːfənɪ/ *n*. (聲音, 尤指語音的)悅耳, 和諧; 悅耳的語音, 和諧的聲音 **euphonious** *a*. **euphoniously** *ad*.

euphoria /juː'fɔːrɪə/ *n*.【心】幸福感; 异常的欣快 **euphoric** *a*.

Eurasian /juə'reɪʒn/ *a*. & *n*. 歐亞(大陸)的; 歐亞混血的(人).

eureka /juə'riːkə/ *int*. [希]我找到了! 有了! (不經意而有所發現時的歡呼語).

Euro /'juərəu/ *n*. 歐羅(歐洲統一貨幣

單位).

Eurodollar /ˈjʊərəʊdɒlə(r)/ *n*. 歐洲美元(存於歐洲銀行作為國際貨幣的美元).

European /ˌjʊərəˈpɪən/ *a*. & *n*. 歐洲的(人) // *~ Economic Community* 歐洲經濟共同體(略作 EEC).

Eustachian tube /juːˌsteɪʃn ˈtjuːb/ *n*. 【解】歐氏管;耳咽管.

euthanasia /ˌjuːθəˈneɪzɪə/ *n*. (為結束絕症患者痛苦而施行的)無痛苦致死術;安樂死.

evacuate /ɪˈvækjʊeɪt/ *v*. ①撤退, 撤離, 疏散②抽空, 除清;排泄③搬空, 騰出(房屋等) **evacuation** *n*.

evacuee /ɪˌvækjʊˈiː/ *n*. 撤退者;被疏散者.

evade /ɪˈveɪd/ *v*. 逃避;躲避;回避, 規避;逃漏(債、稅等).

evaluate /ɪˈvæljʊeɪt/ *vt*. 評價;估價;【數】求值 **evaluation** *n*.

evanescent /ˌiːvəˈnesnt/ *a*. [書]迅速消失的;短暫的, 瞬息的 **evanescence** *n*.

evangelical /ˌiːvænˈdʒelɪkl/ *a*. 【宗】①福音(傳道)的②(常 E-)福音派新教會的 *n*. 福音派新教會的信徒 **~ism** *n*. 福音派教義的信仰, 福音主義.

evangelist /ɪˈvændʒəlɪst/ *n*. ①福音傳教士②(E-)【宗】四福音書的四位作者之一 **~ism** *n*. 福音傳道, 傳播福音.

evangelize, -se /ɪˈvændʒəlaɪz/ *v*. (對…)宣講福音;傳教 **evangelization** *n*.

evaporate /ɪˈvæpəreɪt/ *v*. ①(使)蒸發;揮發②(使)消失;滅亡;死亡 **~d** *a*. 濃縮的;脫水的;蒸發乾燥的 **evaporation** *n*. // *~d milk* 淡煉乳.

evasion /ɪˈveɪʒn/ *n*. ①逃避;規避;回避;(債、稅等的)逃漏②遁詞, 藉口;推諉.

evasive /ɪˈveɪsɪv/ *a*. ①逃避的;規避的;逃漏(債、稅)的②託辭的;推諉的;躲躲閃閃的③不可捉摸的 **~ly** *a*. **~ness** *n*.

eve /iːv/ *n*. ①(節日的)前夜;前日②(重大事件的)前夕;前一刻 // *New Year's Eve* 除夕.

even[1] /ˈiːvn/ *a*. ①平坦的;平滑的②一樣的, 一致的;均匀的;高低相同的(與介詞 with 連用)③不曲折的;無凹陷的;連貫的④單調的;平凡的⑤平靜的;平穩的⑥公平的;對等的⑦【數】偶數的, 雙數的 *v*. (使)變平坦;(使)變相等 **~ly** *ad*. **~ness** *n*. **~-handed** *a*. 不偏不倚的, 公正的 **~-tempered** *a*. 性情平和的 // *be/get ~ with (sb)* 和(某人)扯平;向(某人)報復 *break ~* [口]不賠不賺, 不輸不贏.

even[2] /ˈiːvn/ *ad*. ①(用於加強語氣)甚至, 即使…也, 連…都②(用於比較級前)更加, 愈加 // *~ as* 正在…的時候;正如 *~ if / though* 即使…也 *~ now / so / then* (用作連詞)即使如此, 雖然這樣;然而.

evening /ˈiːvnɪŋ/ *n*. ①傍晚;黃昏;晚上②末期;晚年;衰退期③(應酬、交際、聯歡性的)晚會 // *~ class* (為成人業餘學習開設的)夜校;業余學習班 *~ dress* 夜禮服.

evensong /ˈiːvnˌsɒŋ/ *n*. (英國國教的)晚禱(亦作 **evening prayer**).

event /ɪˈvent/ *n*. ①事件;事情;大事②【體】比賽項目③【律】訴訟(判决)的結果 // *at all ~s, in any ~* 無論如何, 不管怎樣 *in no ~* 决不.

eventful /ɪˈventfl, -fəl/ *a*. 多重大事故的 **~ly** *ad*.

eventing /ɪ'ventɪŋ/ *n*. [主英](尤指為期三天,包括越野,障礙和花式騎術的)騎馬比賽.

eventual /ɪ'ventʃʊəl/ *a*. 最後的;結局的**~ly** *ad*.最後,終於.

eventuality /ɪˌventʃʊ'ælətɪ/ *n*. 不測事件;可能出現的結果.

ever /'evə(r)/ *ad*. ①永遠;老是;不斷②(表示、疑問、否定和比較)曾經,這以前③(表示條件)假如,要是④(用於特殊疑問句中 how, what, when, why, where 和 who 後以加強語氣)究竟,到底 **~victorious** *a*.常勝的,戰無不勝的 // ~ *since* 從…以來 ~ *so*[口]大大,非常 *for* ~ (*and* ~)永遠.

evergreen /'evəgriːn/ *a*. 常綠的;長青的;[喻]永葆青春的 *n*.常綠植物(或樹木).

everlasting /ˌevə'lɑːstɪŋ/ *a*. ①永久的,耐久的,不朽的②無休止的;冗長的;使人厭倦的**~ly** *ad*. **the E-** *n*.【宗】上帝,神.

evermore /ˌevə'mɔː(r)/ *ad*. [書]永遠;始終;將來,今後// *for* ~永遠.

every /'evrɪ/ *a*. ①每一的,每個的;一切的,全部的②充分的,一切可能的 **~body, ~one** *pron*.每人,人人// ~ *bit as*(後接形容詞或副詞)跟…一樣 ~(*sing*.) *bit of*[美] ~ *last bit of* 全部 ~ *now and then*, ~ *now and again*, ~ *so often* 時時,偶爾,間或 ~ *other* 每隔;所有其他 *in* ~ *way* 從各方面看.

everyday /'evrɪdeɪ/ *a*. 每日的;日常的,普通的.

everything /'evrɪθɪŋ/ *pron*. ①事事,萬事;萬物②(有關的)一切;最重要的東西// *and* ~[俗]等等 *like*~猛烈地;拚命地.

everywhere /'evrɪweə(r)/ *ad*. 處處;無論甚麼地方.

evict /ɪ'vɪkt/ *vt*. (依法)驅逐;趕出(房客,佃戶)**~ion** *n*.

evidence /'evɪdəns/ *n*. ①根據,證據②形迹,迹象③【律】證據;證詞 *vt*.證明;顯示// *in* ~明顯的.

evident /'evɪdənt/ *a*. 明白的,明顯的 **~ly** *ad*.

evidential /ˌevɪ'denʃl/ *a*. 證據的,證明的;作為(或憑)證據的**~ly** *ad*.

evil /'iːvl/ *a*. ①邪惡的;有害的②不幸的;不祥的③討厭的;不愉快的 *n*.①邪惡;不幸,災難②罪惡;惡行;壞事**~ly** *ad*. **~doer** *n*.[書]壞人,歹徒**~doing** *n*.壞事,惡行**~-minded** *a*.狠毒的,惡毒的**~-tempered** *a*.脾氣暴躁的.

evince /ɪ'vɪns/ *vt*. 表明;顯示.

eviscerate /ɪ'vɪsəreɪt/ *vt*. 取出…的內臟 **evisceration** *n*.

evoke /ɪ'vəʊk/ *vt*. ①引起,喚起(回憶,感情等)②[書]產生,引起,招致(反響、反應等)**evocation** *n*. **evocative** /ɪ'vɒkətɪv/ *a*.

evolution /ˌiːvə'luːʃn, ˌevə-/ *n*. ①演變,進展,漸進,發展②【生】演化;進化(論)③【生】種族發生,系統發育;個體發生(或發育)**~ary** *a*.

evolve /ɪ'vɒlv/ *v*. (使)發展;(使)進化;使逐漸形成.

ewe /juː/ *n*. 母羊.

ewer /'juːə(r)/ *n*. (盛洗臉水用的)大口水罐.

ex /eks/ *n*. [口]離了婚的配偶;前夫;前妻.

ex-[前綴]表示①"出(自)","向外","在外"等②(附在名詞前)"前…",前任的"如 exodus(大批)出走 ex-wife 前妻.

exacerbate /ɪg'zæsəbeɪt/ *vt*. ①加深(痛苦等);②使(病等)加重(或惡化)③觸惹,激怒 **exacerbation** /ɪgˌzæsə'beɪʃn/ *n*.

exact /ɪg'zækt/ *a*. ①正確的,準確的,精確的②嚴格的,嚴正的,嚴密的 *vt*.①苛求,強求②急需,需要~**ing** *a*.苛求的;吃力的;嚴格的.

exaction /ɪg'zækʃn/ *n*. 強求;勒索;苛捐雜稅;費心血.

exactitude, exactness /ɪg'zæktɪtjuːd, ɪg'zæktnɪs/ *n*. ①正確,精確②精密,嚴正,嚴格.

exactly /ɪg'zæktlɪ/ *ad*. ①確切地,精確地;恰好②(作為回答或認可)確實如此,一點不錯 // *not* ~並非全是;未必是.

exaggerate /ɪg'zædʒəreɪt/ *v*. ①誇張,誇大,(把…)言過其實②使過大;使增大.

exaggerated /ɪg'zædʒəreɪtɪd/ *a*. ①誇大的,言過其實的②過火的;逾常的 ~**ly** *ad*.

exaggeration /ɪgˌzædʒə'reɪʃn/ *n*.浮誇,誇張;(藝術等的)誇張手法

exalt /ɪg'zɔːlt, eg-/ *v*. ①贊揚,歌頌②擢升,提拔.

exaltation /ˌegzɔːl'teɪʃn/ *n*. ①(因擢升,成功而感到的)得意揚揚,興奮②升高,提拔,擢升.

exalted /ɪg'zɔːltɪd/ *a*. ①高貴的;崇高的②興奮的;得意揚揚的.

exam /ɪg'zæm/ *n*. [口] = examination.

examination /ɪgˌzæmɪ'neɪʃn/ *n*. ①考試②檢查;檢討;審查;調查③審問④檢察;診察 // ~ *paper* (=[書]paper)試卷 *under* ~在調查(檢查,審查等)中,有待解決的.

examine /ɪg'zæmɪn/ *v*. ①調查;檢查;審查;檢驗②考試;審問~**e** *n*.受審查者;參加考試的人~**r** *n*.檢查員;審查人;主考人;檢察官 // *need* (*one's*) *head* ~*d*[口]腦袋有毛病;發瘋;發傻.

example /ɪg'zɑːmpl/ *n*. ①例子,實例②範例,樣本;模範,榜樣③先例;儆戒 // *for* ~例如 *give/set a good* ~ *to* 以身作則 *make an* ~ *of sb* 儆一儆百.

exasperate /ɪg'zæspəreɪt/ *vt*. 激怒,使惱怒 **exasperation** *n*.

exasperating /ɪg'zæspəreɪtɪŋ/ *a*. 使人惱怒的,激怒人的~**ly** *ad*..

excavate /'ekskəveɪt/ *v*. ①挖掘,開鑿②發掘(古物等)挖出.

excavation /ˌekskə'veɪʃn/ *n*. ①挖掘;發掘②洞穴;坑道③發掘物,出土文物.

excavator /'ekskəveɪtə(r)/ *n*. 發掘者;挖土機([美]常作 **steam shovel**).

exceed /ɪk'siːd/ *v*. 超過,超越;領先,勝過.

exceedingly /ɪk'siːdɪŋlɪ/ *ad*. 極為;非常.

excel /ɪk'sel/ *v*. ①優於,超過②擅長,突出.

excellence /'eksələns/ *n*. ①優越,優秀,杰出②[書](常 *pl*.)長處,優點.

Excellency /'eksələnsɪ/ *n*. 閣下(對大使,總督,主教等的尊稱).

excellent /'eksələnt/ *a*. 優秀的,杰出的,精良的,極好的~**ly** *ad*..

except[1]/ɪk'sept/ *prep*.(亦作 **excepting**)除…之外(~ **for** *prep*.除…之外,只有~ **that** *conj*.除了,只是).

except[2]/ɪk'sept/ *vt*. 把…除外;免除.

exception /ɪk'sepʃn/ *n*. ①例外,除外

②【律】抗告;異議;反對// *make an ~ of* 把…作為例外 *take ~ to/against* 對…提出異議 *with the ~ of* 除…外.

exceptionable /ɪk'sepʃənəbl/ *a*. 可反對的, 會引起反對的.

exceptional /ɪk'sepʃənl/ *a*. 特殊的, 例外的;異常的, 突出的**~ly** *ad*.

excerpt /'eksɜːpt/ *n*. 摘録, 摘要; 節録.

excess /ɪk'ses/ *n*. ①過量;過剩②超越, 超過③過度, (飲食等的)無節制④(*pl*.)[貶]過份的行為; 暴行 /'ekses/ *a*. 過量的;超過限額的// *in ~ of* 超過 *to ~* 過份, 過度.

excessive /ɪk'sesɪv/ *a*. 過多的; 過度的;極度的;額外的;份外的**~ly** *ad*. **~ness** *n*.

exchange /ɪks'tʃeɪndʒ/ *v*. ①交換, 調換②互換;交流;交易③兑换 *n*. ①交換, 互換;交流, 交易②(外幣)兑換;匯兑;貼水③交換機構;電話交換台, 電話局(= telephone~)④(E-)交易所**~able** *a*. 可交換的;可兑換的 // *~ rate* 匯兑率(= rate of ~) *~ words/blows* 口角(打架) *~ A for B* 交換.

exchequer /ɪks'tʃekə(r)/ *n*. 國庫;資金;財源;(個人的)財力 **the E-** *n*. [英]財政部.

excise[1]/'eksaɪz/ *n*. (國内產品銷售或使用時徵收的)貨物税, 消費税.

excise[2]/ɪk'saɪz/ *vt*. 割去, 切除; 删去 **excision** *n*. 切除, 割去;删去;切除的東西, 删去的部分.

excitable /ɪk'saɪtəbl/ *a*. 易激動的;敏感的 **excitability** *n*.

excite /ɪk'saɪt/ *v*. ①刺激;(使)興奮;(使)激動②激發, 激勵;喚起;引起;激起(性欲).

excited /ɪk'saɪtɪd/ *a*. 興奮的, 激動的 **~ly** *ad*.

excitement /ɪk'saɪtmənt/ *n*. 刺激, 興奮, 激動;刺激的事物.

exciting /ɪk'saɪtɪŋ/ *a*. 令人興奮的, 使人激動的**~ly** *a*.

exclaim /ɪks'kleɪm/ *v*. (因痛苦, 憤怒向)呼喊;驚叫;大聲説// *~ against* 指責 *~ at* 表示驚異.

exclamation /ˌekskləˈmeɪʃn/ *n*. 驚叫;呼喊;感嘆;【語】感嘆詞 **exclamatory** *a*. // *~ mark*【語】感嘆號(!).

exclude /ɪk'skluːd/ *vt*. ①拒絕接納(或考慮);排除, 排斥②把…除外;不包括.

excluding /ɪk'skluːdɪŋ/ *prep*. 除外;不包括.

exclusion /ɪk'skluːʒn/ *n*. ①排斥;拒絕;除去②被排除在外的事物// *to the ~ of* 把…除外;排斥.

exclusive /ɪk'skluːsɪv/ *a*. ①(社團, 俱樂部等)排外的, 不公開的;勢利的;非大衆化的②(指人)孤傲的③獨占的, 專有的, 唯一的④(指商店、商品等)高級的;價格高的;獨家經銷的 *n*. ①獨家新聞(亦作**~story**)②獨家銷售的商品**~ly** *ad*. **~ness, exclusivity** *n*. // *~ of* 不算, 不包括.

excommunicate /ˌekskəˈmjuːnɪkeɪt/ *vt*.【宗】把…革出教門;剥奪(教友享受的種種)權利 **excommunication** *n*.

excoriate /ek'skɔːrɪeɪt/ *vt*. ①嚴厲指責②剥皮;磨掉;擦傷(皮膚等)**excoriation** *n*.

excrement /'ekskrɪmənt/ *n*. [書]糞便, 排泄物.

excrescence /ɪk'skresns/ *n*. [書]瘤, 贅疣, 贅生物 **excrescent** *a*.

excreta /ɪk'skriːtə/ *pl*. *n*.【生理】(汗、

尿、屎等)排泄物.

excrete /ek'skriːt/ *vt*.【生理】排泄;分泌 **excretion** *n*.排泄(物);分泌(物) **excretory** *a*.

excruciating /ɪk'skruːʃɪeɪtɪŋ/ *a*. ①非常痛苦的;難以忍受的;②劇烈的;極度的**~ly** *ad*.

exculpate /'ekskʌlpeɪt/ *vt*. 開脫,辯白;申明…無罪 **exculpation** *n*. **exculpatory** *a*.

excursion /ɪk'skɜːʃn/ *n*. 遠足;短途旅行,(集體)旅遊**~ist** *n*.(短途)旅遊者.

excuse /ɪk'skjuːz/ *vt*. ①原諒,寬恕②免除,寬免③為…辯解,表白;成為…的理由 /ɪks'kjuːs/ *n*.①原諒,饒恕②辯解;解釋;理由;藉口,託辭③(*pl*.)道歉,歉意 **excusable** *a*.可原諒的,可饒恕的,可申辯的,不無理由的// ~ *me* 對不起(離開,打斷別人說話,不同意或舉止失禮時的道歉話)~ *oneself*①請求原諒②請求讓自己離席 *May I be* ~*d*? [英婉](尤指小學生用語)我可以上廁所嗎?.

ex-directory /ˌeksdɪ'rektərɪ/ *a*. [英口]([美]作 **unlisted**)(應用戶要求號碼)未列入電話簿中的// *go* ~要求從電話簿中取消電話號碼.

execrable /'eksɪkrəbl/ *a*. 惡劣的,極壞的 **execrably** *ad*.

execrate /'eksɪkreɪt/ *v*. [書]憎惡;咒罵.

execute /'eksɪkjuːt/ *vt*. ①處死,處决②實行,執行;履行;貫徹③作成,製成(藝術品等);演奏(樂曲)④經過簽名等手續使法律文件生效.

execution /ˌeksɪ'kjuːʃn/ *n*. ①實行,執行;履行;貫徹②執行死刑③演奏;技巧;手法④(簽署後)法律文件的生效 **~er** *n*.死刑執行者,劊子手.

executive /ɪg'zekjʊtɪv/ *a*. ①執行的,實行的,有執行權力的;行政(上)的②行政官的;總經理的 *n*.行政部門;行政官;總經理.

executor /ɪg'zekjʊtə(r)/,(陰性用 executrix /ɪg'zekjʊtrɪks/) *n*. 指定的遺囑執行人;實行者.

exegesis /ˌeksɪ'dʒiːsɪs/ *n*. (*pl*.**-ses** /-sɪz/)(尤指對聖經的)註釋,註解.

exemplar /ɪg'zemplə(r)/ *n*. 模範;典型;樣本;標本.

exemplary /ɪg'zemplərɪ/ *a*. ①值得模仿的;典型的,示範的②懲戒性的 **exemplarily** *ad*.

exemplify /ɪg'zemplɪfaɪ/ *vt*. 舉例說明;作為…的範例 **exemplification** *n*.

exempt /ɪg'zempt/ *a*. 被免除的,被豁免的 *vt*.免除,豁免 **~ion** *n*.

exequies /'eksɪkwɪz/ *pl*. *n*. 葬禮;殯儀;出殯行列.

exercise /'eksəsaɪz/ *n*. ①演習,操練;訓練;(常 *pl*.)運動,體操②習題,練習,課程③(腦力、體力等的)運用,使用;實行;執行④ (*pl*.)[美]典禮,儀式 *vt*.①實行,行使(職權等);運用;施加(影響等)②練習,訓練,操練③使煩惱,使操心,使擔憂 *vi*.練習;運動.

exert /ɪg'zɜːt/ *vt*. ①用(力),行使(職權等)②發揮(威力),施加(壓力),產生(影響) **~ion** *n*.努力,盡力;行使,運用 // ~ *oneself* 努力,盡力而為.

exeunt /'eksɪənt/ *vt*. [拉]【劇】(某些角色)退場.

ex gratia /ˌeks 'greɪʃə/ *a*. & *ad*. [拉]作為優惠的(地);【商】通融的(地).

exhale /eks'heɪl/ *v*. 呼氣;發散(氣

體);放出(蒸氣)**exhalation** *n*.

exhaust /ɪɡˈzɔːst/ *vt*. ①使筋疲力盡,使疲憊不堪②用盡,耗盡③徹底研究;詳盡地論述 *n*.(排出的)廢氣;排氣管(=~pipe) **~ed** *a*.筋疲力盡的.

exhaustible /ɪɡˈzɔːstəbl/ *a*. 可耗盡的;會枯竭的 **exhaustibility** *n*.

exhaustion /ɪɡˈzɔːstʃən/ *n*. ①筋疲力盡,疲憊②用光,枯竭.

exhaustive /ɪɡˈzɔːstɪv/ *a*. (指論述等)詳盡無遺的, **~ly** *ad*.

exhibit /ɪɡˈzɪbɪt/ *vt*. ①表明,顯示,顯出②陳列,展覽,展出③【律】提出(證據等) *n*.①陳列品,展覽品②【律】證件,證物 **~or** .參展者,展出廠商.

exhibition /ˌeksɪˈbɪʃn/ *n*. ①展覽會;展覽品②陳列,展覽;表明,顯示③[英]獎學金 **~er** *n*.[英]得到獎學金的學生 // *make an* ~ *of oneself* 當眾出醜 *on* ~展覽,陳列.

exhibitionism /ˌeksɪˈbɪʃənɪzəm/ *n*. ①[常貶]表現癖,風頭主義②【醫】性器官裸露癖 **exhibitionist** *n*.愛出風頭的人;性器官裸露癖患者.

exhilarate /ɪɡˈzɪləreɪt/ *vt*. 使高興,使興奮 **exhilaration** *n*.

exhilarating /ɪɡˈzɪəlreitɪŋ/ *a*. 使人高興(或興奮)的 **~ly** *ad*.

exhort /ɪɡˈzɔːt/ *v*. 力勸;告誡;勉勵;提倡 **exhortation** *n*.

exhume /eksˈhjuːm/ *vt*. [書]掘出(屍體等) **exhumation** *n*.

exigency, exigence /ˈeksɪdʒənsɪ, ˈeksɪdʒəns/ *n*. ①緊急(關頭)②(常 *pl*.)迫切的需要;苛求 **exigent** *a*.

exiguous /eɡˈzɪɡjʊəs/ *a*. 細小的,微薄的;不足的 **~ly** *ad*. **~ness** *n*.

exile /ˈeksaɪl, ˈeɡ-/ *n*. ①流放,放逐;流亡②流亡者;流放犯,充軍者 *vt*.放逐,流放,充軍.

exist /ɪɡˈzɪst/ *vi*. ①存在,實有②生存;(尤指艱辛地)生活下去 // ~ *on* 靠…生活(生存).

existence /ɪɡˈzɪstəns/ *n*. ①存在;實在;繼續存在②生存;生活(方式) **existent** *a*.

existential /ˌeɡzɪˈstenʃəl/ *a*. ①關於存在的;依據存在經驗的②【哲】存在主義的 **~ism** *n*.【哲】存在主義 **~ist** *n*.【哲】存在主義者.

existing /ɪɡˈzɪstɪŋ/ *a*. 存在的,現存的;現行的;目前的.

exit /ˈeksɪt ˈeɡzɪt/ *n*. ①出口,太平門②外出;離去;【劇】(演員的)退場 *vi*.退出,離去;【劇】劇場 // ~ *visa* 離境簽證.

Exocet /ˈeksəset/ *n*. ①(法國製)"飛魚"導彈②引起震驚的事.

exocrine /ˈeksəkraɪn/ *a*. 【醫】外分泌的;外分泌腺的.

exodus /ˈeksədəs/ *n*. ①(成群的)出走,離去;(移民的大批)出國②(E-)(基督教《聖經·舊約》中的)《出埃及記》**the E-** *n*.古以色列人出埃及.

ex officio /ˌeks əˈfɪʃɪəʊ/ *ad*. [拉]依據職權地 *a*.職權上的.

exonerate /ɪɡˈzɒnəreɪt/ *vt*. ①使免受責;開釋;證明…無罪②免除(義務,責任等) **exoneration** *n*.

exorbitant /ɪɡˈzɔːbɪtənt/ *a*. (要求、索價,花費)過度的,過高的,過份的 **exorbitance** *n*. **~ly** *ad*.

exorcise, -ze /ˈeksɔːsaɪz/ *vt*. 驅除(妖魔等);從…驅魔 **exorcism** *n*.驅邪,祓魔 **exorcist** *n*.祓魔人,法師.

exotic /ɪɡˈzɒtɪk/ *a*. ①異國情調的;[口]奇異的;吸引人的②外來的,外國產的 *n*.外來植物;舶來品 **~ally** *ad*.

exotica /ɪg'zɒtɪkə/ *pl*. *n*. (總稱)舶來品;異國情調的物品;奇珍異品;奇風異俗.

expand /ɪk'spænd/ *v*. ①擴大;擴張;(使)膨脹;擴充②(使)伸展,張開,延伸③變得和藹可親並善談 **~ed** *a*. // ~ *on/upon* 詳述,引伸.

expanse /ɪk'spæns/ *n*. 遼闊,廣袤(的區域);太空;浩瀚.

expansion /ɪk'spænʃn/ *n*. ①擴張(物);膨脹(物)②擴大,擴充③(講題等的)詳述,闡述 **~ism** *n*. 擴張主義(政策)(尤指在領土或經濟上的擴張) **~ist** *n*. 擴張主義者,擴張政策的鼓吹者.

expansive /ɪk'spænsɪv/ *a*. ①友善和健談的②遼闊的,浩瀚的 **~ly** *ad*. **~ness** *n*.

expatiate /eks'peɪʃɪeɪt/ *vi*. (+ *on* or *upon*)細說,詳述 **expatiation** *n*.

expatriate /ˌeks'pætrɪət/ *a*. & *n*. 被逐出國外的(人),移居國外的(人) /ˌeks'pætrɪeɪt/ *v*. 驅逐出國;移居國外 **expatriation** *n*.

expect /ɪk'spekt/ *vt*. ①期待,預期,預料②指望,期望,要求③[口](料)想,以為 // *be ~ing* (*a baby*)[口][婉]懷孕 (*only*) *to be ~ed* 意料之中的;通常的.

expectancy /ɪk'spektənsɪ/ *n*. (亦作 **expectance**)預期,期待,期望的事物 // *life* ~(估計的)平均壽命.

expectant /ɪk'spektənt/ *a*. ①期望的,預期的,期待的②懷孕的 **~ly** *ad*. // ~ *mother* 孕婦.

expectation /ˌekspek'teɪʃn/ *n*. ①期待,期望(的東西)②(*pl*.)前程,(發迹,繼承遺產的)希望 // *against* (或 *contrary to*) ~出乎意料 *beyond* ~料想不到地 *life of* ~ = *life expectancy*.

expectorant /ɪk'spektərənt/ *n*.【醫】祛痰劑.

expectorate /ɪk'spektəreɪt/ *v*. [婉]吐(痰,唾液等) **expectoration** *n*.

expediency (亦作 **expedience**) /ɪk'spiːdɪənsɪ, (-əns)/ *n*. ①便利,方便;合算;上策②[貶]權術,權宜之計.

expedient /ɪk'spiːdɪənt/ *a*. ①方便的;便利的;有利的;得當的②權宜的;臨時的 *n*. 應急辦法,權宜手段 **~ly** *ad*.

expedite /'ekspɪdaɪt/ *vt*. 加速(進程、計劃、工作等),促進;迅速做好.

expedition /ˌekspɪ'dɪʃn/ *n*. ①遠征(隊);探險(隊);征伐②[書]迅速 **~ary** *a*. // *~ary force* 遠征軍.

expeditious /ˌekspɪ'dɪʃəs/ *a*. 迅速的,敏捷的;效率高的 **~ly** *ad*.

expel /ɪk'spel/ *vt*. ①驅逐,趕出;開除②排出(氣體等);射出(子彈等).

expend /ɪks'pend/ *vt*. 使用,花費(金錢、勞力、時間等);用光 **~able** *a*. [書]可消費的;可消耗的;可犧牲的.

expenditure /ɪk'spendɪtʃə(r)/ *n*. [書]①(時間、金錢等的)支出,花費②消費(額);支出(額);經費;費用.

expense /ɪk'spens/ *n*. ①(時間、精力、金錢等的)消耗;花費;花銷②(常 *pl*.)費用;(額外)開支 // *at great* (*little*, *no*) ~費用很大(很小,全免) *at sb's* ~由某人付錢(或員擔);嘲弄某人 *at the* ~ *of* 以…為代價;犧牲 *spare no* ~不惜花費.

expensive /ɪk'spensɪv/ *a*. 費錢的;昂貴的,高價的;奢華的 **~ly** *ad*.

experience /ɪk'spɪərɪəns/ *n*. ①經驗,體驗②見識,經歷,閱歷 *vt*. 經驗,體驗;感受,經歷 **~d** *a*. 有經驗的,經

驗豐富的;老練的,熟練的.

experiment /ɪk'sperɪmənt/ *n*. 實驗;試驗;(對新事物的)嘗試 *vi*.做實驗進行試驗;嘗試(+ on, with, in) **~ation** *n*.(做實驗進行試驗的)活動或過程.

experimental /ɪkˌsperɪ'mentl/ *a*. 實驗(上)的;試驗性的;經驗上的 **~ism** *n*.實驗(或經驗)主義 **~ist** *n*.實驗(或經驗)主義者 **~ly** *ad*.

expert /'ekspɜːt/ *n*. 專家,老手,內行 *a*.熟練的,老練的 **~ly** *ad*. **~ness** *n*. // ~ *system* 專家系統(解决特定領域中問題的電腦系統).

expertise /ˌekspɜː'tiːz/ *n*. ①專業知識;專門技能②[主英]專家鑒定(或評價報告).

expiate /'ekspɪeɪt/ *v*. 抵償,補償;贖(罪) **expiation** *n*.

expire /ɪk'spaɪə(r)/ *vi*. ①滿期,屆滿②呼氣③[書]去世,死亡 **expiration** *n*.

expiry /ɪk'spaɪərɪ/ *n*. (合同,協議的)滿期;終止.

explain /ɪk'spleɪn/ *v*. 說明,闡明;解釋;說明…的理由;(替…)辯解 // ~ *away* 巧辯過去,把…解釋過去 ~ *oneself* 說明自己的意思(動機、立場等);為自己的行為作解釋.

explanation /ˌeksplə'neɪʃn/ *n*. ①說明,闡明,解釋;注釋②辯解,剖白.

explanatory /ɪk'splænətərɪ/ *a*. 解釋的,說明的,辯明的 **explanatorily** *ad*. // ~ *title*.【影】字幕.

expletive /ɪk'spliːtɪv/ *n*. 咒駡語.

explicable /ɪks'plɪkəbl/ *a*. 可解釋的,可說明的,可辯明的.

explicate /'eksplɪkeɪt/ *vt*. [書](詳盡地)解釋,說明,闡述 **explication** *n*.

explicit /ɪk'splɪsɪt/ *a*. ①明白的,明確的;詳述的②直爽的;不隱諱的③顯然可見的;不加隱瞞的 **~ly** *ad*.

explode /ɪk'spləʊd/ *v*. ①(使)爆炸;(使)爆發;爆破;(感情,強烈情緒等的)突發②破除,打破;推翻;駁倒(理論等)③(人口等)激增 // ~*d diagram*, ~*d view*(機器,模型等的)部件分解圖.

exploit[1]/'eksplɔɪt/ *n*. 功績,功勞;英勇的行為.

exploit[2]/'ɪk'splɔɪt/ *vt*. ①利用;利用…以謀利;剝削②開發,開拓 **~ation** *n*. **~er** *n*.剝削者;開發者.

explore /ɪk'splɔː(r)/ *v*. ①勘探,探測;考察;(在…)探險;調查②【醫】探查(傷處等);探索,研究 **exploration** *n*. **exploratory** *a*.

explorer /ɪk'splɔːrə(r)/ *n*. ①探測員,探險者②勘探器,探測器;【醫】探針.

explosion /ɪk'spləʊʒn/ *n*. ①爆炸(聲);炸裂②擴張;激增;(感情,強烈情緒等的)爆發.

explosive /ɪk'spləʊsɪv/ *a*. ①爆炸(性)的,爆發(性)的;易引起爭論的②暴躁的 *n*.易爆炸物,炸藥 **~ly** *ad*. // *high* ~*s pl*.*n*.烈性炸藥.

expo /'ekspəʊ/ *n*. [口](exposition 之略)博覽會,展覽會.

exponent /ɪk'spəʊnənt/ *n*. ①(學說、理論、信念等的)闡述者;倡導者;擁護者②(音樂)演奏家;(某些活動,表演等的)能手,行家③【數】指數,冪.

exponential /ˌekspəʊ'nenʃl/ *a*. ①指數的,冪的②急速的 **~ly** *ad*.

export /'ekspɔːt/ *n*. 出口(貨),輸出(物) /ɪk'spɔːt /*v*.輸出,出口 **~ation** *n*.(貨物的)出口,輸出 **~er** *n*.出口商;輸出國.

expose /ɪk'spəʊz/ *vt*. ①使暴露,使曝露(於日光、風雨等之中);使面臨,招致②揭露, 揭發③【攝】使曝光 // ~ *oneself* 裸露性器官.

exposé /ek'spəuzeɪ/ *n*. [法](秘事、醜聞、罪惡等的)暴露, 曝光.

exposition /ˌekspə'zɪʃn/ *n*. ①闡述, 説是, 解釋②博覽會, 展覽會

ex post facto/eks 'pəust 'fæktəu/ *a*. & *ad*. [拉](尤指法律)事後的(地), 有追溯效力的(地).

expostulate /ɪk'spɒstʃuleɪt/ *vi*. 勸導, 忠告(+ with)**expostulation** *n*.

exposure /ɪk'spəuʒə(r)/ *n*. ①暴露;曝露;揭露②【攝】膠卷(軟片)底片;曝光(時間)③(在報紙、電視等傳媒上)公開露面, 宣揚 // ~ *meter* (= light meter)曝光表.

expound /ɪk'spaund/ *v*. 詳述(理論、觀點等).

express /ɪk'spres/ *vt*. ①表示, 表現, 表達②【數】用符號表示③榨出, 壓出④用快郵寄送 *a*. ①明白表示的, 明確的②特殊的③一模一樣的④快速的;快遞的;[主美](指運輸公司及其車輛)速運包裹的 *n*. ①快車(亦作 **~train**)②[英](郵局或鐵路等的)快遞(快運)服務 *ad*. 乘快車;用快遞方式 **~ly** *ad*. 明顯地, 明確地;特地 **~way** (亦作 **throughway**) *n*. [美](英作 **motorway**)高速公路 // ~ *delivery*[英]快件(= [美] special delivery).

expression /ɪk'spreʃn/ *n*. ①表現, 表示, 表達②詞句;語句;措辭, 說法③表情, 臉色, 態度;腔調, 聲調;(演奏或講話時表現出的)真摯感情④【數】式, 符號 **~less** *a*. 缺乏表情的, 呆板的 // *beyond* / *past* ~ 形容不出, 無法表達 *find* ~ *in* 在…表現(或發泄)出來.

expressionism /ɪk'spreʃənɪzəm/ *n*. (繪畫、音樂、小說、戲劇、影視作品等的)表現主義 **expressionist** *a*. & *n*. 表現主義的(藝術家, 作家等).

expressive /ɪk'spresɪv/ *a*. 表現…的, 表示…的;富於表情的;意味深長的(作表語或後置定語時與介詞" *of*"連用) **~ly** *ad*. **~ness** *n*.

expresso = espresso.

expropriate /eks'prəuprɪeɪt/ *vt*. 沒收, 充公, 徵用(財產、土地等);剥奪…的所有權 **expropriation** *n*.

expulsion /ɪk'spʌlʃn/ *n*. 驅逐; 開除 **expulsive** *a*.

expunge /ɪks'pʌndʒ/ *vt*. 塗掉; 刪去; 抹掉;除去;勾銷.

expurgate /'ekspəgeɪt/ *vt*. 刪去(書籍中不妥或淫猥處)**expurgation** *n*.

exquisite /'ekskwɪzɪt/ *a*. ①精緻的, 精巧的;優美的, 優雅的②(指感覺)敏銳的;細膩的;微妙的③(痛苦、快樂等)劇烈的;極大的 **~ly** *ad*. **~ness** *n*.

ex-service /ˌeks'sɜːvɪs/ *a*. 退役的, 退伍的 **~man, ~woman** *n*. 退伍軍人, 復員軍人(美作 **veteran**).

ext. *abbr*. = extension(電話)分機;分機號碼.

extant /ek'stænt/ *a*. 現存的, 尚存的;(指書、畫等藝術品)未失傳的.

extemporaneous /ekˌstempə'reɪnɪəs/ *a*. = extempore **~ly** *ad*. **~ness** *n*.

extempore /ek'stempərɪ/ *a*. & *ad*. 臨時作成的(地), 即席的(地), 當場的(地).

extemporize /ɪk'stempəraɪz/ *v*. 臨時(當場)做成;即席發(言);即興演奏;即興創作 **extemporization** *n*.

extend /ɪk'stend/ *vt*. ①伸出(手等);伸展②延(期), 延長(道路)③擴充, 擴展④致(祝辭);給予, 提供(同情,

幫助等)⑤拉長, 拉開(繩索等)⑥使(競賽者)竭盡全力;全力以赴 *vi*. 伸展;擴充;延長;延伸;延續;(影響、趨勢等)波及, 牽涉 **~ed** *a*. 伸出的, 伸展的;延長的, 持續的;擴大的, 擴張的;(意思)引伸的 // *~ed family* (包括、叔、嬸、堂兄妹等近親的)大家庭 *~ed play* 慢速(密紋)唱片.

extension /ɪk'stenʃn/ *n*. ①伸長, 伸展, 延伸, 擴大②延長;延期③[美](房屋的)增建部份;(鐵路等的)延長綫路④(電話的)分機(號碼);增設部份;附加物⑤【醫】牽伸(術) // *~ ladder*(消防等用的)伸縮梯.

extensive /ɪk'stensɪv/ *a*. ①廣闊的, 廣大的, 廣博的②大量的, 大規模的;範圍廣泛的 **~ly** *ad*. **~ness** *n*.

extensor /ɪk'stensə(r)/ *n*. 【解】伸(張)肌.

extent /ɪk'stent/ *n*. ①廣度, 寬度, 長度;一大片(土地)②範圍;程度;限度 // *to a certain ~* (*some*, *such an*, *what*)到一定(某種, 這樣的, 何種)程度.

extenuate /ɪk'stenjʊeɪt/ *vt*. 掩飾(壞事);(用藉口來)減輕(過錯、罪行) **extenuating** *a*. 使減輕的;情有可原的 **extenuatingly** *ad*. **extenuation** *n*.

exterior /ɪk'stɪərɪə(r)/ *n*. & *a*. 外面(的), 外部(的);外表(上的);表面(的).

exterminate /ɪk'stɜːmɪneɪt/ *vt*. 消滅, 滅絕, 根除 **extermination** *n*. **exterminator** *n*. 消滅者, 根絕者(尤指消滅害蟲者);根絕物(尤指殺蟲劑等).

external /ɪk'stɜːnl/ *a*. ①外部的, 外面的②外界的;客觀的, 物質的③表面的;淺薄的 **~ly** *ad*. // *~ evidence* 外證 *~ examination* 由校外人士主持的考試.

externalize, ~ise /ɪk'stɜːnəlaɪz/ *vt*. 使形象化;使具體化;賦與…以形體 **externalization** *n*.

extinct /ɪk'stɪŋkt/ *a*. ①絕種的, 滅絕的②(指火、希望等)熄滅了的 **~ion** *n*. // *~ volcano* 死火山.

extinguish /'ɪk'stɪŋgwɪʃ/ *vt*. 熄滅(燈、火等);消滅, 滅絕 **~er** *n*. (亦作 **fire ~er**)滅火器.

extirpate /'ekstəpeɪt/ *vt*. [書]消滅, 根除;杜絕 **extirpation** *n*.

extol /ɪk'stəʊl/ *vt*. 讚美, 頌揚;吹捧.

extort /ɪk'stɔːt/ *vt*. 敲詐, 勒索;強奪;[喻]曲解 **~ion** *n*. **~ioner**, **~ionist** *n*. 強求者;敲詐勒索者.

extortionate /ɪk'stɔːʃənət/ *a*. [貶](指需求、價格等)過份的;昂貴的 **~ly** *ad*.

extra /'ekstrə/ *a*. ①額外的, 附加的, 補充的;特別的②另外收費的 *ad*. 特別地, 格外地;額外地;另外地 *n*. ①外加物;附加物, 額外人手(津貼);(報紙的)號外;外加費用②【影】(群衆場面上的)臨時演員③【板球】額外得分.

extra-[前綴]表示"外", "額外", "格外", "臨時", "超出".

extract /ɪk'strækt/ *vt*. ①(用力)拔出, 抽出②摘出(要點);引用③推斷出④分離出, 提取, 蒸餾出, 榨出 /'eks-/ *n*. ①摘錄, 摘記②抽出物;提出物;蒸餾品;精華, 汁;【化】提取物;萃取物;【藥】浸膏 **~able**, **~ible** *a*.

extraction /ɪk'strækʃn/ *n*. ①抽出, 拔出②【化】提取(法);回收物, 提取物;精煉③精選, 摘要④血統, 家世, 出身.

extractor /ɪk'stræktə(r)/ *n*. ①提取者;精選者②【醫】拔出器;提出器 // *~ fan* 排風扇.

extracurricular /ˌekstrəkəˈrɪkjələ/ *a*. 正課以外的;(娛樂等)業餘的;(活動等)本分以外的.

extradite /ˈekstrədaɪt/ *vt*. 引渡(逃犯回國受審);送還(逃犯)**extradition** /ˌekstrəˈdɪʃn /*n*.

extramarital /ˌekstrəˈmærɪtl/ *a*. 婚姻外的;私通的.

extramural /ˌekstrəˈmjʊərəl/ *a*. (指大學課程)為校外人員開設的;(指工作)業餘的;[美](指運動比賽)校際的.

extraneous /ɪkˈstreɪnɪəs/ *a*. ①無關的;局外的;枝節的②外部的,外來的 **~ly** *ad*. **~ness** *n*.

extraordinary /ɪkˈstrɔːdnrɪ/ *a*. ①非常的,異常的,非凡的,卓絕的②意外的,離奇的,可驚的;特別的③/ˌeks-trəˈɔːdɪnərɪ/特命的,特派的;臨時的 **extraordinarily** *ad*.

extrapolate /ɪkˈstræpəleɪt/ *v*. ①推斷;推測②【數】外推 **extrapolation** *n*.

extrasensory /ˌekstrəˈsensərɪ/ *a*. 【心】超感覺的// ~ *perception*【心】超感官知覺,超感覺力(略作 **ESP**).

extraterrestrial /ˈekstrətəˈrestrɪəl/ *a*. 地球外的;來自外星的 // ~ *life* (*beings*)地球外的生命(外星人).

extraterritorial /ˈekstrəˌterɪˈtɔːrɪəl/ *a*. (亦作 **exterritorial** /eksˌterɪˈtɔːrɪəl/)治外法權的.

extravagance, -cy /ɪkˈstrævəgəns, -sɪ/ *n*. ①奢侈,鋪張;浪費,揮霍②過份(的事情);放縱(的言行).

extravagant /ɪkˈstrævəgənt/ *a*. ①過度的,過份的②放肆的③奢侈的,浪費的**~ly** *ad*.

extravaganza /ɪksˌtrævəˈgænzə/ *n*. ①(電影、體育比賽等)鋪張華麗的盛大表演②狂文;狂詩;狂曲;狂劇;狂妄的言行.

extreme /ɪkˈstriːm/ *a*. ①極端的;過激的②極限的,非常的③盡頭的,末端的 *n*.極端;末端 // *go* (*be driven*) *to* ~*s* 走極端(被迫採取極端手段) *in the* ~極端;非常.

extremely /ɪkˈstriːmlɪ/ *ad*. 極端地;非常地.

extremism /ɪkˈstriːmɪzəm/ *n*. 極端主義 **extremist** *n*.極端主義者,過激份子.

extremity /ɪkˈstremətɪ/ *n*. ①末端,盡頭;極端,極度②(常 *pl*.)困迫,絕境③(常 *pl*.)殘暴,激烈的極端手段(或行為)④(*pl*.)四肢 // *lower* (*upper*) *extremities* 腿(手臂).

extricate /ˈekstrɪkeɪt/ *vt*. 解救,使解脫 **extrication** *n*.

extrinsic /ekˈstrɪnsɪk/ *a*. ①外在的,非本質的②外來的,外部的,外表的;體外的**~ally** *ad*.

extrovert /ˈekstrəvɜːt/ *a*. & *n*. 【心】性格外向的(人);[口](好交際、生性活潑喜動的)樂天派 **extroversion** *n*.【心】外向性.

extrude /ɪkˈstruːd/ *vt*. 擠出;(將塑膠或金屬用模具)擠壓成形 **extrusion** *n*.

exuberance /ɪgˈzjuːbərəns/ *n*. ①繁茂,豐富②充沛,充溢.

exuberant /ɪgˈzjuːbərənt/ *a*. ①繁茂的;茂盛的,豐富的②(感情等)充溢的;(活力)充沛的,(精神)旺盛的③(詞藻)過於華麗的,極度的 **~ly** *ad*.

exude /ɪgˈzjuːd/ *v*. (使)滲出;(使)流出;(使)發散;洋溢 **exudation** /ˌeksjuːˈdeɪʃn,[美]ˌeksuː-/ *n*. 滲出(液);流出(物).

exult /ɪgˈzʌlt/ *vi*. 狂喜;歡躍;興高采烈 **~ation** *n*.

exultant /ɪgˈzʌltənt/ *a*. 歡欣鼓舞的;興高采烈的**~ly** *ad*.

eye[1]/aɪ/ *n*. (*pl*. **~s**) ①眼睛, 目②視力, 視覺;觀察力;鑒別力③見解, 觀點;判斷④注意, 注視⑤眼狀物(如針眼等);孔;洞;環;圈⑥【氣】風眼;【植】(馬鈴薯等的)芽眼⑦[美俚]私人偵探, 眼綫**~less** *a*. 無眼的;瞎的**~ball** *n*. 眼球(*~ball to ~ball* 面對面)**~-bath** *n*. 洗眼杯**~brow** *n*. 眉毛(*raise one's ~brows*)揚起眉毛(懷疑、吃驚的表情)**~-catching** *a*. 引人注目的**~glass** *n*. 眼鏡片(*pl*.)眼鏡**~lash** *n*. (亦作 **lash**)睫毛**~let, ~lethole** *n*. 孔眼;小孔;窺視孔;槍眼, 炮眼**~-level** *a*. (常作定語)齊眼高的**~lid** *n*. 眼瞼, 眼皮**~liner** *n*. 描眼膏, 眼綫筆**~-opener** *n*. (令人大開眼界的)新奇事物**~-piece** *n*. (顯微鏡或望遠鏡的)目鏡**~-shode** *n*. 眼罩**~-shadow** *n*. 眼影(膏)**~sight** *n*. 視力, 視野**~sore** *n*. 刺眼(難看)之物**~strain** *n*. 眼疲勞**~tooth** *n*. 上顎犬牙**~wash** *n*. 洗眼藥水;[俚]吹牛;表面文章;拍馬**~witness** *n*. 目擊者, 見證人// *(an) ~ for (an) ~*以眼還眼 *be all ~s* 非常留意;注視 *catch sb's ~s* 引起某人注意 *give sb a black ~ = black sb's ~*把某人打得兩眼烏青 *have an ~ for* 能判斷, 對…有鑒別力 *have/with an ~ to/on* 着眼於;照看 *keep an ~ on/upon* [口]照看;密切注意 *look sb in the ~* 無畏懼(無愧)地正視某人 *make (sheep's) ~s at sb* 向某人送秋波 *mind your ~* [英口]注意, 當心 *see ~ to ~ with sb* 跟某人意見一致 *see with half an ~* 一看就知道, 一目瞭然 *with one's ~ open* 明明知道 *with open ~s* 明知故犯.

eye[2]/aɪ/ *vt*. 看, 注視// *~ sb up (and down)*色迷迷地看着某人;對某人上下打量.

-eyed /aɪd/ *a*. (構成複合形容詞)長着…眼的// *a blue ~ foreigner* 藍眼睛的外國人.

eyeful /ˈaɪfʊl/ *n*. ①滿眼②被完全看到的事物;[俚]值得一看的人(物)// *get/have an ~*[口]好好看一下, 看個夠.

eyot /eɪt, ˈeɪət/ *n*. [英](河、湖中的)小島(亦作 **ait**).

eyrie /aɪərɪ/(亦作 **eyry** /ˈaɪrɪ/, **aery, aerie** /ˈeərɪ, ˈɪərɪ) *n*. (築於懸崖上的)鷹巢;[喻]高山上的住所.

F

F *abbr*. ①華氏溫度計(度數)②【電】(電容單位)法拉③化學元素氟.

F【樂】F 音;F 調.

FA *abbr*. = Football Association 足球協會.

fable /'feɪbl/ *n*. ①寓言;童話②傳說③無稽之談 **~d** *a*. 在寓言中有名的;傳說的.

fabric /'fæbrɪk/ *n*. ①織物;織品②構架(建築物的牆、地板和屋頂)③結構.

fabricate /'fæbrɪkeɪt/ *vt*. ①製作;用預製構件組成②捏造;編造;偽造 **fabrication** /ˌ-'keɪʃn/ *n*. 捏造;謊言;誣告;捏造或偽造的東西.

fabulous /'fæbjʊləs/ *a*. ①難以置信的;令人驚奇的②傳說上的;寓言中的③巨大的 **fabulously** *ad*. 令人難以置信地.

façade /fə'sɑːd/ *n*. (建築物的)正面;外表;外觀;(偽裝的)門面.

face /feɪs/ *n*. ①臉;面貌②表情;表面③正面;主面④錶面;錶盤⑤工作面;採掘面;切削面 *vt*. ①面向;面對②對抗;毅然應付③正視;面臨 **~less** *a*. 姓名不詳的;身份不明的 **~-card** *n*. (紙牌中的)人頭牌(指 K、Q、J 三種) **~-lift** *n*. (除去面部皺紋的)整容術;整容 **~-saving** *a*. & *n*. 保全面子(的) // ~ *value* 票面價值;表面價值.

facet /'fæsɪt/ *n*. ①(鑽石或珠寶的)小平面;刻面②(情況或問題的)一個方面.

facetious /fə'siːʃəs/ *a*. 滑稽的;詼諧的;愛亂開玩笑的 **~ly** *ad*. 滑稽地;愛開玩笑地 **~ness** *n*. 滑稽

facia, fascia /'feɪʃə/ *n*. ①[英](汽車的)儀表板②字號的牌匾,店鋪的招牌.

facial /'feɪʃl/ *a*. 臉的;面部的 *n*. 美容;面部按摩.

facile /'fæsaɪl/ *a*. ①易得到的;容易的②膚淺的③機敏的;熟練的;流暢的.

facilitate /fə'sɪlɪteɪt/ *vt*. ①使容易;使便利②推進;促進 **facilitation** /fəˌsɪlɪ'teɪʃn/ *n*. ①容易化;簡化②促進;推進.

facility /fə'sɪlətɪ/ *n*. ①靈巧;熟練②容易③(*pl*.)設備;工具;機關④便利.

facing /'feɪsɪŋ/ *n*. ①(衣服等的)貼邊;鑲邊;貼邊的材料②(保護或裝飾建築物的)面層,覆蓋層;飾面.

facsimile /fæk'sɪməlɪ/ *n*. ①(寫作、印刷、圖畫等的)精確複製;摹真本②傳真 // ~ *edition* 複製版 ~ *transmission* 傳真發送.

fact /fækt/ *n*. ①事實;實情;真相②論據;證據 **~ual** /'fæktʃʊəl/ *a*. 真實的;事實的 // *a ~ of life* 生活的現實;無可爭辯的事實 *as a matter of ~* 事實上;其實.

faction /'fækʃn/ *n*. ①派別;小組織②(團體內部的)紛爭③紀實小說 **factious** /'fækʃəs/ *a*. 鬧派別的;由派別引起的.

factitious /fæk'tɪʃəs/ *a*. 人為的;不自然的;虛假的;做作的.

factoid /'fæktɔɪd/ *n*. (雖無證據,只因在出版物上出現而被信以為真的)仿真陳述 **~al** *a*.

factor /ˈfæktə(r)/ *n*. ①要素;【數】因子;因素②代理人;代理機構③地產管理人;管家 ~**ial** /fækˈtɔːrɪəl/ *n*.【數】階乘;階乘積 *a*.【數】因子的;階乘的~**ize** /ˈfæktəraɪz/ *vt*.將…分解成因子 // ~ Ⅷ【醫】(亦作~eight)凝血因子Ⅷ,抗血友病因子.

factory /ˈfæktərɪ/ *n*. 工廠;製造廠.

factotum /fækˈtəʊtəm/ *n*. 家務總管;雜役.

faculty /ˈfækltɪ/ *n*. ①能力;才能②(大學的)系;學院;全體教員.

fad /fæd/ *n*. 時尚;愛好;狂熱 ~**dy** *a*.愛新奇的;一時流行的.

fade /feɪd/ *vi*. ①凋謝;枯萎②褪色;衰弱下去;消失~**away** *n*.消失 ~-**in** *n*.(電視、電影中畫面)淡入;漸顯 ~-**out** *n*.(電視、電影中畫面)淡出;漸隱;漸弱.

faeces/ˈfiːsiːz/*n*.糞便.

fag /fæg/ *n*. ①苦差使;累人的工作②[俚]香烟 *vi*.做苦工;替高年級學生跑腿 *vt*.使疲勞;使做苦工 ~-**end** *n*.香烟頭;殘渣;廢下脚料;零頭.

fag(g)ot /ˈfægət/ *n*. ①柴捆②(烤或煎的)肉丸子.

Fahrenheit /ˈfærənhaɪt/ *n*.& *a*. 華氏寒暑表(的).

faience /ˌfaɪˈɑːns/ *n*. 彩釉陶器;彩釉瓷器.

fail /feɪl/ *vi*. ①失敗;不及格;缺少;衰退②(後接不定式)不能;忘記③失靈;停止 *vt*.使失望;捨棄~-**safe** *a*.機器發生故障時即自動停下來的;自動防止故障危害的.

failing /ˈfeɪlɪŋ/ *n*. 缺點;弱點;失敗 *prep*.如果沒有…;若無…時.

failure /ˈfeɪljə(r)/ *n*. ①失敗;不及格②缺乏;疏忽;未做到③失敗的人;失敗的事.

fain /feɪn/ *ad*. [廢]欣然;樂意.

faint /feɪnt/ *a*. ①微弱的;不清楚的;模糊的②虛弱的;昏厥的;暈倒的 *vi*.①昏厥;暈倒②變得沒力氣;變得微弱;變得不鮮明~**ly** *ad*.模糊地;微弱地 ~-**heart** *n*. 懦夫;~-**hearted** *a*.懦弱的.

fair /feə(r)/ *a*. ①公正的;正直的②相當好的;尚可的③美好的;晴朗的④白皙的;金黃色的⑤淡色的;乾淨的;清楚的⑥美麗的;女性的 *ad*.①公平地;公正地②順利地③正面地;直接地 *n*.集市;博覽會;交易會 ~-**haired** *a*.金髮的~-**minded** *a*.沒有偏心地~-**spoken**(談吐等)有禮貌的;溫和的;懇切的~-**trade** *n*.公平貿易;[俗]走私~-**traders** *n*.走私者 ~**way** *n*.航道.

fairly /ˈfeəlɪ/ *ad*. ①公正;誠實②完全;相當;還好.

fairy /ˈfeərɪ/ *n*. ①妖精;仙女②[美俚]漂亮姑娘;搞同性戀的男子 ~**land** *n*.仙境;奇境 ~-**tale** *n*.童話;神話 // ~ *godmother*(危難時提供及時幫助的)慷慨朋友;恩人 ~ *lights* 彩色小燈 ~ *story* 童話;神話.

faitaccompli/ˌfetəkʊmˈpliː/[法]不可改變的既成事實.

faith /feɪθ/ *n*. ①信任②(宗教)信仰;信心③誠意;忠誠.

faithful /ˈfeɪθfl/ *a*. ①忠誠的;守信的;信仰堅定的②真實的;可靠的~**ly** *ad*.忠實;誠心誠意;切實遵守地.

faithless /feɪθlɪs/ *a*. 背信棄義的;不忠實的;不可靠的.

fake /feɪk/ *v*. 偽造;捏造;偽裝 *n*.①假貨;贋品②詭計;騙局③冒充者;騙子~**r** *n*.偽造者;騙子;偽裝者.

fakir /ˈfeɪkɪə(r)/ *n*. 托鉢者;苦行僧.

falcon /'fɔːlkən/ *n*. 【動】隼;獵鷹 ~**er** /'fɔːlkənə(r)/ *n*. 養獵鷹者;獵鷹訓練員;放獵鷹者.

fall /fɔːl/ *vi*. (**fell** /fel/; **fallen** /'fɔːlən/)①落下;摔(倒)②倒塌;下垂③失勢;垮台;陷落④陣亡;戰死⑤變成;成為 *n*.①落下;跌落②(*pl*.)瀑布③[美]秋④落差;降低⑤陷落 ~**-out** *n*.放射性塵埃 ~**-trap** *n*.陷阱 // ~ *away*①背離;離開②消失③減弱;消瘦 ~ *behind* 落在後面 ~ *for*①[俚]受…的騙;上…的當;對…信以為真②愛上 ~ *out*①脫落②吵架;失和③解散④發生⑤掉隊.

fallacious /fə'leɪʃəs/ *a*. ①錯誤的;謬誤的②騙人的;靠不住的.

fallacy /'fæləsɪ/ *n*. 錯誤;謬論.

fallen /'fɔːlən/ fall 的過去分詞 *a*.①落下的;倒下的;伐倒的②被摧毀的;陷落的③墮落的.

fallible /'fæləbl/ *a*. 容易弄錯的;難免有錯誤的 **fallibility** /ˌ-'bɪlətɪ /*n*. 容易弄錯;可誤性.

falling /'fɔːlɪŋ/ *a*. 落下的;下降的;變衰弱的.

Fallopian tube【解】法婁皮歐氏管;輸卵管.

fallow /'fæləʊ/ *a*. ①(指田地)休耕中的,休閒的②潛伏的;不活躍的③淡棕色的 *n*.休閒;休耕地.

false /'fɔːls/ *a*. ①假的;虛偽的;錯誤的②不忠實的;無信義的③偽造的;騙人的 ~**ly** *ad*.錯誤地;虛偽地;不真實地 ~**hood** *n*.虛偽;謊言;說謊.

falsetto/fɔːl'setəʊ/ *n*.【音】(尤指男高音的)假聲.

falsification /ˌfɔːlsɪfɪ'keɪʃn/ *n*. 弄虛作假;篡改;偽造;歪曲;贋造.

falsify /'fɔːlsɪfaɪ/ *vt*. ①篡改(文件);偽造;歪曲②證明…虛假;欺騙③誤用;搞錯 *vi*.說謊.

faltboat /'fæltbəʊt/ *n*. 摺叠式小艇;橡皮帆布艇.

falter /'fɔːltə(r)/ *vi*. ①支吾;結巴②站不穩;搖晃;動搖③猶豫;畏縮 *n*.動搖;猶豫;畏縮;支吾.

fame /feɪm/ *n*. 名聲;聲譽 *vt*.使有名望;盛傳;稱道 ~**d** *a*.有名的;著名的.

familiar /fə'mɪlɪə(r)/ *a*. ①親密的②熟悉的③普通的;隨便的;友好的 *n*.知交;伴侶;常客 ~**ly** *ad*.親密地;熟練地;普通地;友好地.

familiarity /fəˌmɪlɪ'ærətɪ/ *n*. ①熟悉;精通②親密;隨便.

familiarize /fə'mɪlɪəraɪz/ *vt*. 使熟悉;使通曉;使親密.

family /'fæməlɪ/ *n*. ①家庭;家②家屬;親屬;子女③氏族;族④【動】【植】系;科 // ~ *circle* 家庭圈子 ~ *farm* 個體農場 ~ *man* 有妻子、子女的人;愛好家庭生活的人 ~ *name* 姓 ~ *planning* 計劃生育 ~ *tree* 系譜;家譜.

famine /'fæmɪn/ *n*. 饑荒;嚴重地缺乏.

famish /'fæmɪʃ/ *v*. 挨餓;饑餓 ~**ed** *n*. 食物嚴重短缺.

famous /'feɪməs/ *a*. 著名的;極好的 ~**ly** *ad*.極好;非常令人滿意.

fan /fæn/ *n*. ①扇子;風扇;扇狀物②(對球、電影、戲等)入迷的人 *v*.①搧;煽動;成扇狀展開;激起②吹拂;驅走③飄動;散開.

fanatic /fə'nætɪk/ *a*. 狂熱的;盲信的 *n*.狂熱者;盲信者;入迷者 ~**al** *a*.= fanatic ~**ally** *ad*.狂熱地;盲目熱中地.

fanciful /'fænsɪfl/ *a*. ①愛空想的;富於幻想的②設計或裝飾奇异的;花哨

的.

fancy /'fænsɪ/ *n*. ①想象力;幻想力②設想;空想;幻想③愛好 *a*. 空想的;奇特的;異樣的 *vt*. ①想象;設想②喜愛③相信;認為～**-ball** *n*. 化裝舞會～**-house**[美俗]妓院～**-work** *n*. 刺綉品;鈎編織品.

fandango /fæn'dæŋgəʊ/ *n*. ①(*pl*. ～**es**)一種西班牙舞(曲)②胡言亂語;愚蠢的行動.

fanfare /'fænfeə(r)/ *n*. ①嘹亮的喇叭聲②鼓吹;誇耀.

fang /fæŋ/ *n*. 尖牙;犬牙;毒牙.

fantastic /fæn'tæstɪk/ *a*. ①空想的②奇异的③極妙的;出色的.

fantasy /'fæntəsɪ/ *n*. ①幻想;【樂】幻想曲②幻想力的產物③離奇的圖案.

far /fɑː(r)/ (**farther** /'fɑːðə(r)/或**further** /fɜːðə(r)/;**farthest** /'fɑːðɪst/或 **furthest** /'fɜːðɪst/) *ad*. ①遠;遙遠地;久遠地②大大…,…得多 *a*. ①遥遠的;久遠的②遠方的;較遠的 *n*. 遠處(方)～**-away** *a*. 遥遠的;久遠的～**-famed** *a*. 著名的～**-fetched** *a*. ①牽強附會的;不自然的②來自遠方的～**-flung** *a*. 廣泛的;漫長的～**-gone** *a*. 病得厲害的～**-reaching** *a*. 效果大的;深遠的;廣泛的～**-seeing** *a*. 看得遠的;目光遠的～**-sighted** *a*. 遠視的;有遠見的.

farad /'færəd/ *n*. 【電】法拉(電容單位).

farce /fɑːs/ *n*. ①笑劇;滑稽戲②滑稽;可笑的事物 **farcical** *a*. 滑稽的;荒唐的;可笑的.

fare /feə(r)/ *n*. ①車費;船費②乘客③飲食 *vi*. 過日子;遭遇;進展.

farewell /ˌfeə'wel/ *int*. 再見;別了 *n*. 告別;告別辭;送別會.

farina /fə'raɪnə/ *n*. 穀粉;澱粉;花粉～**ceous** *a*. 穀粉製的;含澱粉的;粉狀的.

farm /fɑːm/ *n*. ①農場;農莊;農田②飼養場;畜牧場 *v*. ①種田;務農;經營農田②從事牧業;耕種;飼養③出租(土地);承包(工作、稅收)～**hand** *n*. 農場工人～**-house** *n*. 農場住宅.

farmer /'fɑːmə(r)/ *n*. ①農民;農場主②畜牧者;牧場主③承包者.

farming /'fɑːmɪŋ/ *n*. 農業;耕作;畜牧 *a*. 農業的;農場的.

farrier /'færɪə(r)/ *n*. ①釘馬蹄鐵的鐵匠②馬醫;獸醫.

farrow /'færəʊ/ *n*. ①一胎小猪②產小猪 *vi*. 下小猪.

fart /fɑːt/ *n*. 屁 *vi*. 放屁.

farther /'fɑːðə(r)/ far 的比較級 *a*. 更遠的～**most** *a*. 最遠的.

farthest /'fɑːðɪst/ far 的最高級 *a*. 最遠的;最久的.

farthing /'fɑːðɪŋ/ *n*. ①[英]四分之一舊便士②極少量;一點兒.

fascinate /'fæsɪneɪt/ *vt*. 迷住;使神魂顛倒;使嚇呆 *vi*. 迷人;極度吸引人 **fascinating** *a*. 迷人的;消魂奪魄的 **fascination** *n*. 魅力;迷戀.

fascism /'fæʃɪzəm/ *n*. 法西斯主義.

fascist /'fæʃɪst/ *n*. 法西斯主義者 *a*. 法西斯的.

fashion /'fæʃn/ *n*. ①樣子;方式②時興;流行款式③時髦人物 *vt*. 形成;做成…形狀～**able** *a*. 時髦的;流行的 *n*. 時髦人物～**ably** *ad*. 合時.

fast /fɑːst/ *a*. ①快的;迅速的②緊的;牢的③忠實的;可靠的; *ad*. 緊牢;快速 *vi*. 禁食;節制飲食;齋戒 *n*. 禁食;齋戒;節制飲食;節食期 // ～ *food* 快餐 ～ *track* 快速提升之道.

fasten /'fɑːsn/ *vt*. 扎牢;扣住;閂住;釘牢;抓住～**er** 扣件;鈕扣;撳扣;扣

閂 ～**ing** *n*. 扣緊;扎牢;扣拴之物(如鎖、閂、扣、釘等).

fastidious /fə'stɪdɪəs/ *a*. ①愛挑剔的;過分講究的②容易讓人討厭的③謹小慎微的.

fastness/fɑːstnɪs/*n*.①要塞;堡壘②安全區.

fast-track /'fɑːsttræk/ *a*. 快速提升的.

fat /fæt/ *a*. ①肥的;肥胖的②油脂的③大的;厚的④肥沃的;富的 *n*.脂肪;肥胖 *vt*.養肥～**head** *n*.[口]傻瓜～**headed** *a*.[口]笨的.

fatal /'feɪtl/ *a*. ①命運的;命中注定的②致命的;不幸的～**ly** *ad*.致命地;悲慘地;命中注定地.

fatalism/'feɪtəlɪzəm/*n*.【哲】宿命論.

fatality /fə'tæləti/ *n*. ①(災禍事故中的)死亡者;死亡事故②致命性③命運;宿命.

fate /feɪt/ *n*. ①命運;天數②毀滅;災難③死亡④結局 *vt*.(常用被動語態)命定;注定// *as sure as* ～的的確確;千真萬確 *meet one's* ～死;送命 *tempt* ～蔑視命運;冒險.

fated /'feɪtɪd/ *a*. 命運决定的;注定要毀滅的.

fateful /'feɪtfl/ *a*. ①命中注定的;與命運有關的②重大的;致命的.

father /'fɑːðə(r)/ *n*. ①父親;岳父;公公②祖先;長輩;創始人③神父～**hood** *n*.父親的身份～**-in-law** *n*.岳父;公公～**land** *n*.祖國// *Like* ～, *like son*.[諺]有其父必有其子.

fathom /fæðəm/ *n*.(*pl*.～(**s**) 噚(=6呎或 1.829 米,主要用於測量水深));理解力 *vt*.測…的深度;理解;弄清…的動機～**less** *a*.深不可測的.

fatigue /fə'tiːg/ *n*. 疲勞;勞累 *vt*.使疲勞 *vi*.疲勞～**less** *a*.不知疲勞的 ～**-dress** *n*.【軍】工裝;勞動服～**duty** *n*.【軍】雜役;勞動.

fatling /'fætlɪŋ/ *n*. 養肥備宰的幼畜.

fatten /'fætn/ *vt*. ①養肥;使肥沃②裝滿;充實.

fatty /'fætɪ/ *a*. 脂肪多的;油脂的;油膩的 *n*.胖子.

fatuous /'fætʃʊəs/ *a*. 愚昧的;昏庸的;愚蠢的～**ly** *ad*.愚昧地;昏庸地;蠢笨地～**ness** *n*.愚昧;昏庸;愚蠢的話或行為.

faucet /'fɔːsɪt/ *n*. ①水龍頭②旋塞;插口.

faugh /fɔː/ *int*. 哼;呸.

fault /fɔːlt/ *n*. ①缺點;毛病②錯誤③責任;過失④故障;誤差;【地】斷層 *vi*.①產生斷層②犯錯誤;出差錯～**less** *a*.無過失的～**finder** *n*.吹毛求疵者～**finding** *n*.找岔子;挑剔 *a*.吹毛求疵的.

faulty /'fɔːltɪ/ *a*. 有錯誤的;缺點多的;不完善的.

faun /fɔːn/ *n*. (古羅馬傳說中半人半羊的)農牧之神.

fauna /'fɔːnə/ *n*. (*pl*.**faunae** /'fɔːniːl/ 或 **faunas**)動物群;動物區系;動物標志.

faux pas /ˌfəʊ 'pɑː/ [法](*pl*.**faux pas** /ˌfəʊ 'pɑːz/)有失檢點的話(或行動);失禮;失言.

favo(u)r /'feɪvə(r)/ *n*. ①恩惠;善意的行為②好事;好感③喜愛;得寵④支持;偏愛⑤紀念品;禮物 *vt*.①喜愛;寵愛②支持③賜與;有利於;偏袒～**able** *a*.贊成的;有利的;討人喜歡的～**ably** *ad*.贊成地;好意地;順利地.

favo(u)red /'feɪvəd/ *a*. ①受到優待的;受到寵愛的②有天賦的③優惠的;受優惠的.

favo(u)rite /'feɪvərɪt/ *n*. ①特別喜愛的人(或物);受寵的人②親信③最有希望獲勝者 *a*. 特別喜愛的.

favo(u)ritism /'feɪvərɪtɪzm/ *n*. ①偏愛;偏袒②得寵.

fawn /fɔːn/ *vi*. (狗等)搖尾乞憐;奉承討好 *n*. ①幼鹿②小山羊;小動物③鹿毛色;淺黃褐色 *a*. 淺黃褐色的.

fax /fæks/ *n*. ①傳真通訊②傳真機 *vt*. 傳真傳輸.

FBI *abbr*. = Federal Bureau of Investigation(美國)聯邦調查局; Federation of British Industries 英國工業聯合會.

FC *abbr*. = Football Club 足球俱樂部.

Fe 化學元素鐵(iron)的符號.

fealty /'fiːəltɪ/ *n*. 忠誠;效忠(宣誓).

fear /fɪə(r)/ *n*. & *v*. 害怕;畏懼;憂慮;恐怕 **~ful** /'fɪəfl/ *a*. 可怕的;嚇人的;害怕的;擔心的;[口]非常的;極壞的 **~fully** /*ad*. 可怕地;嚇人地;害怕地 **~less** *a*. 不怕的;大膽的 **~lessness** *n*. **~some** /'fɪəsəm/ *a*. 可怕的;嚇人的.

feasible /'fiːzəbl/ *a*. ①可行的;可能的②合理的③可用的;適宜的 **feasibility** *n*. 可行性;可能性 **feasibly** *ad*. 可行地;可能地.

feast /fiːst/ *n*. ①盛宴;筵席②節日③享受;享樂 *vt*. 盛宴款待;使得到享受 *vi*. 參加宴會;享受.

feat /fiːt/ *n*. ①功績;成就②武藝;技藝.

feather /'feðə(r)/ *n*. ①羽毛;羽飾②禽類 *vt*. 用羽毛裝飾 **~-bed** *n*. 鴨絨被;安適的處境 **~brain**, **~head**, **~pate** *n*. 愚蠢的人;輕浮的人 **~weight** *n*. 無足輕重的人(或物).

feathering /'feðərɪŋ/ *n*. (總稱)羽毛;羽狀物.

feathery /'feðərɪ/ *a*. 羽毛般的;輕的.

feature /'fiːtʃə(r)/ *n*. ①面貌的一部分(眼、口、鼻等);(*pl*.)面貌;相貌②特徵;特寫;特輯③電影正片 *vt*. 成為…的特徵;特寫 **~less** *a*. 無特色的;平凡的.

Feb. *abbr*. = February.

febrifuge /'febrɪfjuːdʒ/ *n*. 退熱藥;解熱劑.

febrile /'fiːbraɪl/ *a*. 發熱的;發燒引起的.

February /'februərɪ/ *n*. 二月(縮寫成Feb.).

feckless /'feklɪs/ *a*. ①無力氣的;無精神的②無用的③無責任心的.

fecund /'fiːkənd/ *a*. 肥沃的;多產的 **~ate** /'fiːkən'deɪt/ *vt*. 使多產;使肥沃.

fecundation /ˌfiːkən'deɪʃn/ *n*. 受胎;受精.

fecundity /fɪ'kʌndətɪ/ *n*. ①多產;富饒;肥沃②生殖力;發芽力.

fed /fed/ feed 的過去式及過去分詞 *n*. [美俚]聯邦調查局調查員;聯邦政府工作人員.

federal /'fedərəl/ *a*. 聯盟的;聯合的;聯邦制的 **~ism** *n*. 聯邦制;聯邦主義 **~ist** *n* 聯邦制擁護者.

federate /'fedəreɪt/ *vi*. 結成同盟(或聯邦).

federation /ˌfedə'reɪʃn/ *n*. 同盟;聯盟;聯邦政府.

fedora /fɪ'dɔːrə/ *n*. 一種淺頂軟呢帽.

fee /fiː/ *n*. ①費(會費;學費;入場費等)②酬金③賞金;小費 *vt*. ①付費,給②僱用;聘用.

feeble /'fiːbl/ *a*. 虛弱的;軟弱的.

feed /fiːd/ *v*. (過去式及過去分詞 **fed**)①喂(養);飼(養)②為…提供食物③吃;食 *n*. 喂食;加料;一餐 **~er**

/'fiːdə(r)/ *n*. ①飼養者②奶瓶;進料器;加油器③支流,支綫~**ing** /'fiːdɪŋ/ *n*. 飼養;進料 *a*. 給食的;進料的~**back** *n*.【無】【生物】反饋,(信息等的)返回,回授;反應.

feel /fiːl/ *v*. (過去式及過去分詞 **felt**) ①摸;觸;感到;覺得②以為;認為③同情 *n*. 觸;摸;感覺;感受.

feeler /'fiːlə(r)/ *n*. ①觸角;觸鬚②試探者;試探器;探針③【無】靈敏元件.

feeling /'fiːlɪŋ/ *n*. ①感覺;感情;情緒②同情③不滿;反感 *a*. 同情的;富於感情的.

feet /fiːt/ foot 的複數.

feign /feɪn/ *vt*. 假裝;裝作;捏造.

feint /feɪnt/ *n*. ①假裝;偽裝②佯攻;虛擊 *vi*. 佯攻;虛擊.

feldspar /'feldspaː(r)/ *n*. 【礦】長石(亦作 felspar).

felicitate /fə'lɪsɪteɪt/ *vt*. 祝賀;慶幸 **felicitation** /fəˌlɪsɪ'teɪʃn/ *n*. 祝賀;祝詞.

felicitous /fə'lɪsɪtəs/ *a*. ①恰當的;巧妙的②善於措詞的③愉快的;可愛的.

felicity /fə'lɪsətɪ/ *n*. ①幸福;幸運②(言辭)巧妙;恰當.

feline /'fiːlaɪn/ *a*. ①貓的;像貓一樣的②狡猾的;偷偷摸摸的 *n*. 貓科動物.

fell /fel/ fall 的過去式 *vt*. ①擊倒;打倒②砍倒;砍伐 *n*. ①獸皮;生皮②[英]…山;…崗;…沼澤地.

felloe, felly /'feləʊ, 'felɪ/ *n*. 輪圈;輪緣.

fellow /'feləʊ/ *n*. ①夥伴;同事;同輩②同夥③對手④傢伙 *a*. 同伴的;同事的;同類的~**-countryman** *n*. 同胞~**-soldier** *n*. 戰友~**-feeling** *n*. 同情~**-traveller** *n*. 旅伴;同路人.

fellowship /'feləʊʃɪp/ *n*. ①夥伴關係;交情②共同參與③團體;聯誼會④會員資格⑤獎學金.

felon /'felən/ *n*. ①重罪犯②【醫】瘭疽;甲溝炎~**y** *n*.【律】重罪.

felspar/'felspaː(r)/*n*.【礦】長石.

felt /felt/ feel 的過去式及過去分詞 *n*. 氈;氈製品,氈狀材料.

fem. *abbr*. = ①female②feminine.

female /'fiːmeɪl/ *a*. ①女(性)的;雌(性)的②溫柔的;柔和的 *n*. ①女子②雌性動物;雌性植物.

feminine /'femənɪn/ *a*. ①女性的②嬌柔的;【語】陰性的.

femininity /ˌfemə'nɪnətɪ/ *n*. ①女性②溫柔③嬌氣.

feminism /'femɪnɪzəm/ *n*. 女權主義;男女平等主義 **feminist** *n*. 女權主義者.

femme fatale [法]妖冶迷人的女子(為男子的禍患).

femur /'fiːmə(r)/ *n*. (*pl*. **femora** /'femərə/或 **femurs**)股骨;(昆蟲的)腿節;股節.

fen[1]/fen/ *n*. 沼地;沼澤.

fen[2]/fən/ *n*. (單、複數同形)分(中國輔幣名 100 分=1 元).

fence /fens/ *n*. ①柵欄;籬笆②劍術 *vt*. ①把…用柵(籬)圍起來;(築柵)防護;保衛②(用柵欄)隔開 *vi*. 擊劍;搪塞 ~**-hanger** *n*. 猶豫不定者 ~**month,** ~**season,** ~**time** *n*. 禁獵期;禁漁期.

fencing /'fensɪŋ/ *n*. ①柵欄;圍牆②劍術;擊劍.

fend /fend/ *vt*. ①抵擋;擊退②[古]保護;防禦③[英]供養 *vi*. ①努力②供養;照料③加以抵禦.

fender /'fendə(r)/ *n*. ①防禦物;爐圍②護舷材③擋泥板;防衝料.

fennel /'fenl/ *n*. 【植】茴香;類似茴香的植物.

fenny /'fenɪ/ *a*. 沼澤(多)的;生長在沼澤地帶的.

fenugreek/'fenjʊgriːk/ *n*. 胡蘆巴(地中海沿岸種植,其帶有刺激性的種子可供藥用).

feoff /fef/ *n*. 采邑;封地.

feral /'fɪərəl/ *a*. ①野的;未馴服的②凶殘的.

ferment /'fɜːment/ *n*. ①酶;酵素②發酵③激動;騷動 *v*. ①(使)發酵②(使)激動;(使)騷動~**able** *a*. 可發酵的~**ation** /*n*. 發酵;激動~**ative** *a*. 發酵(性)的.

fern /fɜːn/ *n*. 【植】蕨類植物;羊齒植物.

ferocious /fə'rəʊʃəs/ *a*. 凶猛的;殘忍的;可怕的 ~**ly** *ad*. **ferocity** /fə'rɒsətɪ/ *n*. 凶猛;殘忍.

ferret /'ferɪt/ *n*. ①【動】雪貂②搜索者;偵查者 *v*. 用雪貂狩獵;搜索;偵察.

ferric /'ferɪk/ *a*. 鐵的;含鐵的.

ferris wheel (遊樂場所的)摩天輪,費里斯轉輪(在垂直轉動的巨輪上挂有座位的遊樂設施).

ferro-concrete /ˌferəʊ'kɒŋkriːt/ *n*. 鋼(鐵)筋混凝土.

ferrous /'ferəs/ *a*. 鐵的;含鐵的.

ferrule/'feruːl/ *n*. 加固手杖、傘等頂端的金屬包頭.

ferry /'ferɪ/ *n*. ①擺渡②渡口;渡船(場) *vt*. 渡運;空運~**-boat** *n*. 渡船~**-bridge** *n*. (火車擺渡用)大渡船;浮橋~**-man** *n*. 擺渡者~**-steamer** *n*. 渡輪.

fertile /'fɜːtaɪl/ *a*. 肥沃的;富饒的;豐產的;豐富的 **fertility** /fə'tɪlətɪ/ *n*. 肥沃;富饒;豐產;多產.

fertilize, fertilise /'fɜːtəlaɪz/ *vt*. 使肥沃;施肥於;使豐富;使多產.

fertilizer /'fɜːtəlaɪzə(r)/ *n*. 肥料;【植】傳播花粉的媒介.

ferula /'ferʊlə/ *n*. 【植】大茴香.

fervency /'fɜːvənsɪ/ *n*. ①熾熱②熱情;熱烈.

fervent /'fɜːvənt/ *a*. 熾熱的;熱情的;熱烈的.

fervo(u)r /'fɜːvə(r)/ *n*. ①熾熱②熱情;熱烈.

fescue /'feskjuː/ *n*. ①指示棒;教鞭②【植】羊茅;酥油草.

festal /'festl/ *a*. 節日的;喜慶的;歡樂的.

fester /'festə(r)/ *n*. 膿瘡 *v*. (使)潰爛;(使)惡化.

festival /'festəvl/ *n*. 節日;喜慶日 *a*. 歡樂的;歡宴的 **festive** *a*.

festivity /fes'tɪvətɪ/ *n*. ①節日;喜慶日②歡樂;(*pl*.)慶祝(活動).

festoon /fe'stuːn/ *n*. 花彩;(建築物、傢具等上的)垂花雕飾(裝飾物).

feta/'fetə/ *n*. 希臘的帶有鹹味的白乾酪.

fetch /fetʃ/ *vt*. ①(去)拿來;(來)拿去②請來;接去③推導出;演繹出 *vi*. ①取物;(獵狗)銜回獵物②(船)前進;航行;轉航 *n*. ①拿;取②計謀;詭計.

fetching /'fetʃɪŋ/ *a*. [口]動人的;吸引人的;迷人的.

fete /feɪt/ *n*. ①節日;喜慶日②慶祝典禮;盛宴③遊樂會;義賣集會 *vt*. 祝賀;款待;紀念.

fetid /'fetɪd/ *a*. 有惡臭的.

fetish /'fetɪʃ/ *n*. ①原始人認為附有神力而加以崇拜的物品;物神;偶像②迷戀(物);迷信(物)~**ism** *n*. 拜物教;物神崇拜~**ist** *n*. 拜物教徒;盲目

崇拜者.

fetlock/'fetlɒk/*n*.球節(馬、驢等蹄上生距毛的突起部分).

fetter /'fetə(r)/ *n*. 脚鐐;束縛;羈絆 *vt*.為…上脚鐐;束縛;羈絆.

fettle /'fetl/ *n*. (身體)狀況,情緒;精神 *vt*.①修理;整理;擦亮②毆打.

fetus /'fi:təs/ *n*. 胎;胎兒.

feud /fju:d/ *n*. ①長期不和;世仇②封地;領地 *vi*.長期爭鬥;世代結仇.

feudal /'fju:dl/ *a*. ①封建的;封建制度的②封地的;采邑的 **~ism** *n*. 封建主義**~ist** *n*.封建主義者.

fever /'fi:və(r)/ *n*. 發熱;發燒;熱度;熱病**~ed** *a*.發燒的;高度興奮的 **~ish** /'fi:vərɪʃ/ *a*.有燒熱的.

few /fju:/ *a*. 少數的;不多的 *n*.少數;幾乎沒有.

fey /feɪ/ *a*. 有奇异魔力的;有死亡(或灾難)預兆的;怪誕的.

fez /fez/ *n*. 圓筒形無邊氈帽;土耳其帽.

ff *abbr*. = fortissimo.

fiancé //fɪ'ɒnseɪ/ ,[美]/fi:ən'seɪ/ *n*. [法]未婚夫.

fiancée /fɪ'ɒnseɪ/ ,[美]/fi:ən'seɪ/ *n*. [法]未婚妻.

fiasco /fɪ'æskəʊ/ *n*. 大失敗;可耻的下場.

fiat /'faɪæt/ *n*. ①命令;法令②批准;許可;認可.

fib /fɪb/ *n*. 小謊 *vt*. (用拳)擊;打 *vi*.撒謊.

fiber, fibre /'faɪbə(r)/ *n*. ①纖維;絲②鬚根;細枝③質地;結構**~glass** *n*.玻璃絲**~optics** 纖維光學;光導纖維.

fibroid /'faɪbrɔɪd/ *a*. 纖維狀的;纖維性的.

fibrous /'faɪbrəs/ *a*. 纖維的.

fibula /'fɪbjʊlə/ *n*. (*pl*. **fibulae** /'fɪbjʊli:/或 **fibulas**)【解】腓骨.

fiche/fi:ʃ/ *n*. ① = microfiche②縮微索引卡片.

fickle /'fɪkl/ *a*. 浮躁的;易變的**~ness** *n*.

fiction /'fɪkʃn/ *n*. ①小說;虛構②捏造;虛構之事**~al** *a*.小說的**~alize** *vt*.把…編成小說.

fictitious /fɪk'tɪʃəs/ *a*. 虛構的;想像的;假設的;假裝的.

fid /fɪd/ *n*. 支撐材;楔形鐵栓.

fiddle /'fɪdl/ *n*. [俗]提琴;提琴類樂器 *vt*.①用提琴奏②浪費時光 *vi*.拉提琴**~back** *n*.小提琴狀的東西**~sticks** *int*.胡說,廢話.

fiddler /'fɪdlə(r)/ *n*. ①提琴手;小提琴家②胡亂撥弄者③遊蕩者.

fidelity /fɪ'delətɪ/ *n*. ①忠實②逼真;精確③保真度.

fidget /'fɪdʒɪt/ *v*. ①(使)坐立不安②玩弄③(使)煩躁 *n*.坐立不安;煩躁不安的人.

fiduciary /fɪ'dju:ʃjərɪ/ *a*. 信用的;(受)信托的 *n*.受信托人.

fie /faɪ/ *int*. 呸.

fief /fi:f/ *n*. =feoff 封地;采邑.

field /fi:ld/ *n*. ①田野;曠野②場地③戰場④運動場 // ~ *army* 野戰軍 ~ *artillery* 野戰炮;野戰炮兵連 ~ *court* 軍法會議 ~ *glasses* 雙筒望遠鏡 ~ *gun*, ~ *piece* 野戰炮 ~ *marshal* 陸軍元帥 ~ *officer*(陸軍)校官 ~ *mouse* 田鼠 ~ *sports*①野外運動(尤指打獵、打靶等)②田賽運動 ~ *work* 野外工作(測量、考察、調查等).

fiend /fi:nd/ *n*. ①惡魔②[口](嗜好成癖者)…迷,…狂③極討厭的人;淘氣鬼.

fiendish /'fiːndɪʃ/ *a*. 惡魔似的;殘忍的;極壞的.

fierce /fɪəs/ *a*. 凶惡的;猛烈的;可怕的. **~ly** *ad*.

fiery /'faɪərɪ/ *a*. ①火的;燃燒的;火熱的②激烈的;暴躁的③易燃的.

fiesta/fɪ'estə/ *n*. ①(西班牙語國家的)以遊行和舞蹈來慶祝的宗教儀式②節日;假日.

fife /faɪf/ *n*. 橫笛;笛子 *vi* 吹笛子 *vt*.用笛子吹奏**~r** *n*.吹笛人.

fifteen /ˌfɪf'tiːn/ *num*. & *n*. 十五;十五個**~th** /ˌfɪf'tiːnθ /*num*. & *n*.①第十五(個)②十五分之一③(每月的)第十五日.

fifth /fɪfθ/ *num*. & *n*. ①第五(個)②五分之一③(每月的)第五日.

fifty /'fɪftɪ/ *num*. & *n*. 五十;五十個 ~-~*a*. & *ad*.各半(的);對半(的) **fiftieth** /'fɪftɪəθ /*num*. & *n*.①第五十(個)②五十分之一.

fig /fɪg/ *n*. ①無花果(樹)②少許;一點兒③無價值的東西④服裝;盛裝 *vt*.①給…穿上盛裝;打扮②刷新;修整.

fight /faɪt/ *v*. (過去式及過去分詞 **fought** /fɔːt/)*v*. ①打仗;戰鬥;打架②奮鬥;爭取 *n*. 戰爭;爭鬥;打架 **~er** *n*.戰士,鬥士,【空】戰鬥機.

fighting /'faɪtɪŋ/ *a*. 戰爭的;好戰的 *n*.戰鬥;搏鬥.

figment /'fɪgmənt/ *n*. 虛構的事;無稽之談.

figuration /ˌfɪgjʊ'reɪʃən/ *n*. ①成形;定形②外形;輪廓③圖案裝飾法.

figurative /'fɪgərətɪv/ *a*. 比喻的;象徵的;用圖形表現的.

figure /'fɪgə(r)/ *n*. ①外形;輪廓;體形②圖形;形象③人物④數字 *vt*.①描繪;塑造②用圖案裝飾③用數字表示④計算⑤相信 *vi*.①出現②計算③考慮;估計**~d** *a*.有形狀的;有圖案的**~-head** *n*.①船頭雕飾②挂名首腦;傀儡// ~ *of speech*【語】修辭法;比喻 ~ *skating* 花樣滑冰.

figwort /'fɪgwɜːt/ *n*.【植】玄參.

filament /'fɪləmənt/ *n*. ①燈絲②【紡織】長絲;花絲③細絲;細綫.

filature /'fɪlətʃə(r)/ *n*. ①紡絲②紡絲車③紡絲廠.

filbert /'fɪlbət/ *n*.【植】榛子;榛.

filch /fɪltʃ/ *vt*. 偷 **~er** *n*.小偷.

file /faɪl/ *n*. ①紙(文件)夾;檔案②縱列③銼(刀)④狡猾的人 *vt*.①把…歸檔②提出③命令…排成縱隊行進④銼;把…銼平.

filial /'fɪlɪəl/ *a*. ①子女的②孝順的③【生】後代的.

filiation /ˌfɪlɪ'eɪʃən/ *n*. ①父子關係②分支;起源.

filibuster /'fɪlɪbʌstə(r)/ *n*. ①阻撓議事的議員;阻撓議事的手段(或行動)②煽動(支持)叛亂的人.

filigree /'fɪlɪgriː/ *n*. 金銀絲細工飾品;精緻華麗而不堅固的物品.

Filipino /ˌfɪlɪ'piːnəʊ/ *n*. 菲律賓人 *a*. 菲律賓(人)的.

fill /fɪl/ *vt*. ①裝滿;盛滿;注滿②占滿③堵塞;填補 *vi*.充滿 *n*.①飽;滿足;充分②裝填物**~er** *n*.裝填物;裝填者;補白**~ing** *n*.裝填;填料// ~*ing station* [美]汽車加油站 *eat one's* ~吃個飽 *drink one's* ~喝個夠 ~ *away* 轉帆向風,乘風前進.

fillet /'fɪlɪt/ *n*. ①束髮帶;帶子②(無骨的)肉片;魚片.

fillip /'fɪlɪp/ *n*. ①彈指;輕擊②刺激(因素);刺激品.

filly /'fɪlɪ/ *n*. 小雌馬;[俗]頑皮姑娘.

film /fɪlm/ *n*. ①薄膜;軟片;膠卷②

影片;電影③薄霧 *vt*.①在…上覆以薄膜②把…攝成電影;拍攝 **~dom** *n*.電影界 **~-fan** *n*.電影迷 // ~ *star* 電影明星 ~ *studio* 電影製片廠.

filter /'fɪltə(r)/ *n*. 濾器;濾光器;濾色鏡 *v*.①過濾;透過②滲入;走漏 **~-bed** *n*.濾水池 **~-paper** *n*.濾紙.

filth /fɪlθ/ *n*. 污穢;醜行;淫猥 **~y** *a*.

filtrate /'fɪltreɪt/ *v*. 過濾 *n*.濾出液.

fin /fɪn/ *n*. 鰭;魚翅.

final /'faɪnl/ *a*. 最後的;最終的;决定性的 *n*.期終考試;决賽 **~ist** *n*.决賽選手 **~ly** *ad*.最後;終於.

finale /fɪ'nɑːlɪ/ *n*. 結局;終曲;最後一場.

finality /faɪ'nælətɪ/ *n*. ①結尾;定局②决定性;最後的事物;最後的言行.

finance /'faɪnæns, fɪ'næns/ *n*. ①財政;金融②財政學③財源;資金 *vt*.供資金給…;為…籌措資金 **financial** /faɪ'nænʃl/ *a*. 財政的;金融的 **financier** /faɪ'nænsɪə(r)/ *n*. 財政家;金融家.

finch /fɪntʃ/ *n*. 【動】雀科的鳴鳥(如燕雀、金翅雀等);小雀.

find /faɪnd/ (過去式及過去分詞 **found** /faʊnd/) *vt*.①發現;找着②感到③查明 *vi*.裁决,判决.

finder /'faɪndə(r)/ *n*. 發現者;探測器 **finding** *n*.發現;判决.

fine /faɪn/ *a*. ①美好的;優秀的②精製的③纖細的④晴朗的 *v*.①(使)精美②澄清③變好④罰款 *n*.①好天氣②罰款 *ad*.很好;細緻地;精巧地 // *the ~ arts* 美術.

finesse /fɪ'nes/ *n*. 手腕;技巧;手段.

finger /'fɪŋgə(r)/ *n*. 手指;指狀物;一指之闊 *v*.用指觸碰;撥弄;用指彈奏 **~board** *n*.(小提琴等的)指板;鍵盤 **~print** *n*.指紋印,手印 // ~ *language* 手勢語.

finicky /'fɪnɪkɪ/ ; **finical** /'fɪnɪkl/; **finicking** /'fɪnɪkɪŋ/ *a*.過份講究的.

finis /'faɪnɪs/ *n*. [拉](書、電影等的)結尾;完;(生命等的)終止.

finish /'fɪnɪʃ/ *vt*. ①結束;完成②吃完;用完③給…拋光;使完美④[俗]消滅;殺死⑤畢業 *vi*.結束;終止 *n*.①結局;最後階段②完美③拋光(劑) **~ed** /'fɪnɪʃt /*a*.①完成的;完美的②完蛋了的 **~er** *n*.完成者;精製者 **~ing** *a*.最後的 *n*.結尾;完成.

finite /'faɪnaɪt/ *a*. ①有限的;【數】有盡的②【語】限定的.

Finn /fɪn/ *n*. 芬蘭人 **Finnish** *a*.芬蘭的;芬蘭人的;芬蘭語的.

finny /'fɪnɪ/ *a*. 有鰭的;鰭狀的.

fiord/fjɔːd/*n*.(尤指挪威海岸邊的)峽灣.

fir, firtree /fɜː(r), fɜːtriː/ *n*. 【植】樅;冷彬;樅木;冷彬木.

fire /faɪə(r)/ *n*. ①火;爐火②火灾③炮火④熱情;激情 *vt*.①燒;點燃②燒製③熔④給…加燃料⑤放(槍、炮);射出(子彈)⑥[俗]解僱 *vi*.①着火②司爐③激動;突然發怒④開火;射擊 **~-alarm** *n*.火警;警鐘 **~arm** *n*.手槍;火器 **~ball** *n*.火球;流星 **~ brand** *n*.煽動動亂的人 **~-brigade** *n*.消防隊 **~-cracker** *n*.爆竹 **~-damp** *n*.沼氣 **~-engine** *n*.救火車 **~-escape** *n*.太平梯 **~-fight** *n*.炮戰 **~-fly** *n*.螢火蟲 **~-guard** *n*.火爐欄;防火地帶;(森林)防火員 **~-hose** *n*.救火皮帶 **~house** *n*.消防站 **~-insurance** *n*.火灾保險 **~-irons** (*pl*.)*n*.火爐用具(如火鉗、通條、火鏟) **~man** *n*.消防員 **~place** *n*.壁爐 **~power** *n*.火力 **~proof** *a*.防火的;

耐火的~**wood** *n*. 木柴;柴火 ~**work** *n*.(常用 *pl*.)烟火;焰火.

firing /'faɪərɪŋ/ *n*. 開槍射擊;燒窰;烘烤.

firm /fɜːm/ *a*. ①結實的;牢固的②堅决的③嚴格的 *n*. 商號;商行.

firmament /'fɜːməmənt/ *n*. 天空;蒼天.

first /fɜːst/ *num*. & *n*. 第一(的);最早的;最好(的);最初 *ad*. 第一;最初;首先;寧願 ~**ly** *ad*. 首先;第一 ~**-aid** *a*. 急救的 ~**-class** *a*. 第一等的;最好的 ~**fruits** *n*. (穀物、瓜果等)一個季節中最早的收穫;最初的結果 ~**hand** *a*. 第一手的;原始的;直接的 ~**-rate** *a*. 最上等的// ~ *lady* 第一夫人;總統夫人.

firstling /'fɜːstlɪŋ/ *n*. 第一個;最初的產品(或成果);頭生仔.

firth/fɜːθ/*n*. (尤指蘇格蘭的)河口灣,港灣.

fiscal /'fɪskl/ *a*. 國庫收入的;財政的.

fish /fɪʃ/ *n*. (*pl*. **fish, fishes**)①魚;魚肉②水生動物③[貶]傢伙;人物 *v*.①捕(魚);釣(魚)②採集;撈取;搜尋 ~**ing** *n*. 釣魚;捕魚 ~**y** /'fɪʃɪ/①多魚的②像魚的③可疑的 ~**-ball** *n*. 炸魚丸;魚餅 ~**-fork** *n*. 魚肉叉 ~**-farm** *n*. 養魚場 ~**-farming** *n*. 養魚 ~**-hook** *n*. 釣魚鈎 ~**monger** *n*. 魚販子 ~**-pond** *n*. 養魚塘 ~**works** *n*. 魚類製品廠;水產製品廠.

fisherman /'fɪʃəmən/ *n*. (*pl*. ~**-men**)漁民,漁夫.

fishery /'fɪʃərɪ/ *n*. ①漁業;水產業②養漁場③捕魚權;養(捕)魚術.

fissile /'fɪsaɪl/ *a*. 易分裂的;可裂變的 **fissility** /fɪ'sɪlətɪ/ *n*. 可裂變性.

fission /'fɪʃn/ *n*. 分裂;(生物)分裂生殖;(原子)裂變 *v*. (使)裂變.

fissure/'fɪʃə(r)/*n*.①(土地或岩石的)深長裂縫②(思想、觀點的)分歧.

fist /fɪst/ *n*. ①拳(頭)②抓住;掌握③手④筆迹 ~**y** *a*. 拳擊的;拳術的.

fisticuffs /'fɪstɪkʌfs/ (*pl*.) *n*. 拳鬥;互毆.

fit /fɪt/ *v*. ①(使)適合;(使)配合②(使)合身③(使)適應④(使)合格⑤[美]準備(投考) *a*. ①適當的;正當的②健康的③勝任的;有準備的 *n*. ①適當;合身②配合③(病的)發作;痙攣 ~**ly** *ad*. 適當地 ~**ness** *n*. **fitted** *a*. (指傢具)按擺放空間大小設計的;(指房間)配好傢具的 **fitter** *n*. 適合者;裝配工;鉗工 **fitting** *n*. 裝配;裝修;(*pl*.)裝置;設備;器材;傢具 *a*. 適合的;恰當的.

fitful /'fɪtfl/ *a*. 間歇的;一陣陣的;不規則的.

five /faɪv/ *num*. & *n*. 五;五個 **fiver** *n*. 五鎊鈔票;[美俚]五元鈔票.

fivefold /'faɪvfəʊld/ *a*. 五倍的;有五部分的 *ad*. 五倍地;五重地.

fix /fɪks/ *v*. ①(使)固定;安裝②(使)集中③盯住;凝視④牢記⑤確定 *n*. ①困境②方位,定位③維修 ~**ation** /fɪk'seɪʃn/ *n*. 固定;安裝 ~**ed** /fɪkst/ *a*. 固定的 ~**er** *n*. 定影劑 ~**ing** /'fɪksɪŋ/ *n*. 固定;安裝;(*pl*.)設備;裝飾;配料.

fixture /'fɪkstʃə(r)/ *n*. ①固定;固定裝置②附着物③設備.

fiz(z) /fɪz/ *n*. ①嘶嘶聲②活躍③充氣飲料 *vi*. ①發嘶嘶聲②冒氣泡③表示高興.

fizzle /'fɪzl/ *vi*. ①嘶嘶地響②終於失敗;結果不妙 *n*. ①嘶嘶聲②失敗;夭折.

fjord/fjɔːd/*n*. =fiord.

flab/flæb/*n*. 人體鬆弛的肌肉.

flabbergast /'flæbəgɑːst/ *vt*. [口]使大吃一驚;使目瞪口呆.

flabby /'flæbɪ/ *a*. ①(肌肉等)不結實的;鬆弛的②軟弱的;無力的③優柔寡斷的.

flaccid /'flæksɪd/ *a*. ①(肌肉等)不結實的②鬆弛的;軟弱的.

flag /flæg/ *n*. ①旗②【植】菖蒲③石板 *v*.懸旗於;打旗號表示~**boat** *n*.(作水上比賽目標用的)旗艇~**-captain** *n*.旗艦艦長~**-list** *n*.海軍將官名冊~**man** *n*.信號旗手~**-officer** *n*.海軍將官~**pole** *n*.旗杆~**ship** *n*.旗艦~**staff** *n*.旗杆~**stone** *n*.石板.

flagellate /'flædʒəleɪt/ *vt*. 鞭打;鞭笞.

flageolet /ˌflædʒə'let/ *n*. 六孔豎笛.

flagon /'flægən/ *n*. 酒壺;大肚酒瓶.

flagrant /'fleɪgrənt/ *a*. 罪惡昭彰的;臭名遠揚的;公然的~**ly** *ad*. **flagrancy** *n*.罪惡昭彰;臭名遠揚;明目張膽.

flail /fleɪl/ *n*. ①連枷②掃雷裝置 *v*. 用連枷打(穀等);鞭打;抽打.

flair /fleə(r)/ *n*. ①鑒別力;眼光②本事;天賦.

flak /flæk/ *n*. (單複數同形)高射炮;高射炮火.

flake /fleɪk/ *n*. ①薄片②火星;火花③曬魚架 *vt*.使成薄片;像雪花般覆蓋 *vi*.剝落;雪片似地降落.

flam /flæm/ *n*. 詭計;欺騙;謊話 *v*. 欺詐;哄騙.

flambé/flɒŋ'beɪ/*n*. [法]在食物上澆上白蘭地等酒類,點燃後再供食用.

flamboyant /flæm'bɔɪənt/ *a*. ①火焰式的;火紅色的;②燦爛的③浮誇的 **flamboyance, flamboyancy** *n*.①火紅;艷麗②浮誇.

flame /fleɪm/ *n*. ①火焰;燃燒②光輝③熱情④[俗]愛人;情人 **flaming** *a*. 燃燒的;火紅的;熱情的;誇張的.

flamenco /flə'meŋkəʊ/ *n*. 一種吉普賽舞(或歌).

flamingo /flə'mɪŋgəʊ/ *n*. (*pl*. **flamingo(e)s**)【動】火烈鳥.

flammable/flæməbl/*a*. 易燃的;可燃的 *n*.易燃品.

flan/flæn/*n*.[主英]甜的或其他美味可口的鬆軟果醬餅.

flange /flændʒ/ *n*. 【機】凸緣;輪緣.

flank /flæŋk/ *n*. ①肋;肋腹②側面;【軍】側翼 *vt*.位於…的側面;掩護(攻擊)…的側翼 *vi*.側攻.

flannel /'flænl/ *n*. 法蘭絨;(*pl*.)法蘭絨衣服 *a*.法蘭絨的.

flap /flæp/ *v*. ①拍打;飄動②振(翅);拍翅③飛行④扔;擲 *n*.拍打;振翅;激動~**per** *n*.拍擊者;蒼蠅拍~**door** *n*.吊門;活板門~**-eared** *a*.耳朵下垂的.

flapjack/'flæpdʒæk/*n*.[英]燕麥餅;[美]煎餅.

flare /fleə(r)/ *v*. ①閃閃發光②突然發怒③(使衣裙等)張開 *n*.閃爍的火光;照明彈 **flaring** *a*.閃爍的;張開的~**-up** *n*.突發;大吵大鬧.

flash /flæʃ/ *n*. ①閃光;突然燃燒;閃現;掠過②轉瞬間③電訊 *v*.①發閃光②掠過;閃現③迅速發出~**er** *n*.閃光物;閃光信號~**ing** *n*.閃光;炫耀;~**back** *n*.(小說等的)倒敍~**bulb** *n*.閃光燈~**-lamp** *n*.閃光燈~**-light** *n*.閃光信號;手電筒.

flask /flɑːsk/ *n*. 瓶;長頸瓶.

flasket /'flɑːskɪt/ *n*. 小的細頸瓶.

flat /flæt/ *a*. ①平的;扁平的;平展的②單調的;乾脆的③蕭條的;不景氣的 *n*.①平面(部分);平地;扁平物

②一層公寓套房 *ad*.①平直地②仰臥地③直截了當地.

flatten /'flætn/ *vt*. ①把…弄平②擊倒③使失去光澤 *vi*.變平;倒伏.

flatter /'flætə(r)/ *vt*. ①諂媚;奉承②使高興;使滿意~**y** *n*.奉承;諂媚;巴結.

flatulent/'flætjʊlənt/*a*.①使胃腸氣脹的;②(言語、行為、文體等)浮誇的;做作的;空虛的.

flaunt /flɔːnt/ *n*. ①(旗等)飄揚②誇耀 *v*.①飄揚;揮動②誇耀.

flautist/'flɔːtɪst/*n*.吹長笛者(尤指職業長笛手).

flavo(u)r /'fleɪvə(r)/ *n*. ①味;風味②風韵③[古]氣味;香味 *vt*.給…調味;給…增添風趣~**ing** *n*.調味品;香料~**less** *a*.無味的;無風趣的.

flaw /flɔː/ *n*. ①裂縫②缺點;瑕疵;缺陷.

flax /flæks/ *n*. 亞麻;亞麻纖維;亞麻布 **flaxen** /'flæksn/ *a*. 亞麻的;亞麻色的;淡黃色的.

flay /fleɪ/ *vt*. ①剝…的皮②掠奪…的東西③嚴厲批評.

flea /fliː/ *n*. 跳蚤.

fleck /flek/ *n*. 雀斑;小斑點;小顆粒.

fled /fled/ flee 的過去式及過去分詞.

fledged /fledʒd/ *a*. 生有羽毛的;羽毛已長成的.

flee /fliː/ (過去式及過去分詞 **fled** /fled/) *vi*.逃跑;消滅;消散 *vt*.逃離;逃避.

fleece /fliːs/ *n*. 羊毛;羊毛狀物(如白雲、白雪、頭髮等) *vt*.剪下…的毛;詐取.

fleet /fliːt/ *n*. ①艦隊;船隊②機群③小河;小海灣 *vi*.飛逝;掠過 *a*.迅速的;輕快的;敏捷的.

flesh /fleʃ/ *n*. ①肉(肌肉組織)②(食用的)獸肉;果肉(指水果,蔬菜)③肉體④脂肪 ~**less** *a*. 瘦弱的 ~**pots** (*pl*.) *n*. 奢侈的生活 ~**-wound** *n*. (指僅涉及皮肉的)輕傷 // *in the* ~ 活着的;親自 *one's (own)* ~ *and blood* 親骨肉;親屬.

flew /fluː/ fly 的過去式.

flex /fleks/ *v*. 彎曲(關節);折曲(地層) *n*.彎曲;折曲;【電】皮綫.

flexible /'fleksəbl/ *a*. ①柔弱的②柔順的③易彎的④靈活的 **flexibility** *n*.撓性;柔性;靈活性 **flexibly** *ad*.

flexion /'flekʃən/ *n*. 彎曲;彎曲部分.

flexitime /'fleksɪtaɪm/ *n*. 彈性工作制,靈活工作制.

flibbertigibbet /ˌflɪbətɪ'dʒɪbɪt/ *n*. ①饒舌的人②輕浮而不負責任的人.

flick /flɪk/ *n*. ①輕打(聲);輕彈聲②污點;斑點 *v*.輕打;輕彈.

flicker /'flɪkə(r)/ *v*. (使)閃爍;(使)搖曳;(使)忽隱忽現 *n*.①撲動;閃爍②搖曳;忽隱忽現③(*pl*.)動畫片;[美俗]電影.

flier /'flaɪə(r)/ *n*. =flyer.

flight /flaɪt/ *n*. ①飛;飛行②飛行的一隊;飛翔的一群③飛行的距離④定期班機;航班⑤樓梯⑥逃跑;潰退 ~**less** *a*.(鳥)不能飛的.

flighty /'flaɪtɪ/ *a*. ①輕浮的②不負責任的③忽發奇想的④反覆無常的 **flightily** *ad*.**flightiness** *n*.

flimflam /'flɪmflæm/ *n*. ①胡言亂語②欺騙;欺詐行為 *a*.胡言亂語的;欺騙的 *vt*.欺騙;欺詐~**er** *n*.騙子.

flimsy /'flɪmzɪ/ *a*. ①輕薄的②脆弱的③沒價值的④浮誇的 *n*.薄紙;薄紙稿件,電報.

flinch /flɪntʃ/ *vi*. 退縮;畏縮 *n*.退縮;畏縮.

fling /flɪŋ/ (過去式及過去分詞 **flung**

/flʌŋ/) *vt*. ①扔;抛;擲;丢②使突然陷入;迫使(突然)投入;使跳入 *vi*.猛衝;直衝;急行 *n*.①扔;抛;擲②諷刺;謾罵;取笑.

flint /flɪnt/ *n*. 燧石;打火石;堅硬物 **~y** *a*.燧石的;堅硬的**~-glass** *n*.鉛玻璃**~lock** *n*.燧發槍**~stone** *n*.燧石;打火石**~ware** *n*.[美]石器.

flip /flɪp/ *v*. ①輕打;輕彈②轉動;使翻動 *n*.輕打;輕彈;(跳水或體操的)空翻.

flippancy /'flɪpənsɪ/ *n*. 無禮;輕率;無禮、輕率的行動 **flippant** *a*. **flippantly** *ad*.

flipper /'flɪpə(r)/ *n*. 【動】闊鰭;鰭狀肢.

flirt /flɜːt/ *v*. ①倏地扔掉;用指彈掉②擺動;揮動③調情;賣俏 *n*.①急扔;急彈②擺動③調情者;賣俏者 **~ation** *n*.調情**~atious** *a*.輕佻的;愛調情的.

flit /flɪt/ *vi*. ①掠過;迅速飛過②遷移;離開③飛來飛去 *n*.掠過;飛來飛去;遷移.

flitch /flɪtʃ/ *n*. 腌熏猪肋肉;魚塊.

flitter /'flɪtə(r)/ *vi*. 飛來飛去;匆忙來往 *n*.一掠而過的人(物).

flivver /'flɪvə(r)/ *n*. 廉價小汽車;小飛機;海軍小艇.

flix /flɪks/ *n*. 毛皮;海狸絨;絨毛.

float /fləʊt/ *v*. ①(使)漂浮;(使)流動②容納;承受;載③(使票據等)在流通中;(使謠言等)在傳播中 *n*.①漂浮(物);浮標;浮萍②救生圈③(遊行用)彩車④(泥工用)鏝刀**~ing** *a*.浮動的;流動性的**~plane** *n*.水上飛機 // ~ *bridge* 浮橋 ~ *grass* 水草.

floatage /'fləʊtɪdʒ/ *n*. 浮動;浮力;漂浮的船.

floatation, flotation /'fləʊ'teɪʃən/ *n*. ①漂浮②(船的)下水③籌資開辦,創立④(債券、股票等的)發行;發售.

flocculent /'flɒkjʊlənt/ *a*. 羊毛狀的;絮結的.

flock /flɒk/ *n*. ①群;羊群②一群人③一家的子女④大量⑤毛束;棉束 *vi*.聚集;成群行動.

floe /fləʊ/ *n*. 浮冰塊;大塊浮冰.

flog /flɒg/ *vt*. ①鞭打;抽打②嚴厲批評③驅使;迫使**~ging** *n*.鞭打.

flood /flʌd/ *n*. ①洪水;張潮;大水②海洋;湖泊③一大片;一大批 *v*.①(使)泛濫;淹沒②涌到;涌進;張潮 **~ing** *n*.泛濫;灌溉;血崩;**~gate** *n*.水閘;防洪閘門**~light** *n*.泛光燈;強力照明燈.

floor /flɔː(r)/ *n*. ①地板;底部②樓層③議員席;經紀人席④發言(權)席 *v*.鋪地板;把…打倒在地;擊敗**~ing** *n*.室内地面;鋪室内地面的材料**~less** *n*.無地板的.

floozy/'fluːzɪ/*n*.蕩婦,娼妓;聲名狼藉的女子.

flop /flɒp/ *vi*. ①撲拍;跳動②脚步沉重地走③猛然躺下(坐下;跑下)④(作品、戲劇)失敗 *vt*.噗地一聲放下;啪啪地翻動 *n*.①拍擊②重墜(聲)③(書、戲劇等的)大失敗**~py** /'flɒpɪ /*a*.鬆軟的.

flora /'flɔːrə/ *n*. (*pl*. **floras, florae** /'flɔːriː/)植物群;植物區系;植物志.

floral /'flɔːrəl/ *a*. 植物群的;花的;花神的.

florescence /flɔː'resəns/ *n*. 開花;花期;興盛時期.

floret /'flɔːrɪt/ *n*. 小花;絹絲.

floriculture /'flɔːrɪˌkʌltʃə(r)/ *n*. 花卉栽培;種花(法) **floriculturist** /ˌflɔːrɪ'kʌltʃərɪst/ *n*. 花匠.

florid /'flɒrɪd/ *a*. ①華麗的;絢麗的②

紅潤的;血色好的.

Florida /'flɒrɪdə/ *n*. 佛羅里達(美國州名)**Floridan, Floridian** *a*. 佛羅里達州的;佛羅里達人的 *n*. 佛羅里達人.

florilegium /ˌflɔːrɪ'liːdʒɪəm/ *n*. (*pl*. **florilegia** /ˌflɔːrɪ'liːdʒɪə/) *n*. ①選集;詩選;作品集錦②花譜;群芳譜.

florin/'flɒrɪn/*n*. ①弗羅林, 金幣或銀幣名, 最初在佛羅倫薩鑄造, 後為歐洲若干國家仿造②英國舊貨幣制中的硬幣, 等於二先令或十分之一鎊, 現值十便士.

florist /'flɒrɪst/ *n*. 花商;種花者;花卉研究者.

floss /flɒs/ *n*. 綉花絲綫;緒絲;繭花;絮狀纖維.

flotation /fləʊ'teɪʃn/ = floatation.

flotilla /flə'tɪlə/ *n*. 小艦隊;船隊.

flotsam /'flɒtsəm/ *n*. (遇難船隻的)飄浮的殘骸(或其貨物);流離失所者;流浪者// ~ *and jetsam* 殘剩的東西;零碎的東西;流離失所者.

flounce /flaʊns/ *n*. ①裙褶;(衣裙上的)荷葉邊②跳動;暴跳;掙扎 *vt*. 鑲荷葉邊在…上 *vi*. 跳動;暴跳;掙扎 **flouncing** *n*. 荷葉邊料子;荷葉邊.

flounder /'flaʊndə(r)/ *vi*. ①掙扎;肢體亂動②錯亂地做事③毅然離開 *n*. ①跳動;驟動②踉蹌前進;掙扎.

flour /'flaʊə(r)/ *n*. 麵粉;粉; *vt*. 撒粉於…;把…做成粉.

flourish /'flʌrɪʃ/ *n*. ①茂盛;繁榮;興旺②華麗的詞藻③揮舞 *vt*. 揮舞;盛飾;炫耀 *vi*. 茂盛;繁榮;興旺 **~ing** *a*. 茂盛的;欣欣向榮的.

flout /flaʊt/ *v*. ①蔑(藐)視;輕視②嘲笑;愚弄;侮辱 *n*. 表示輕蔑的言行;嘲笑;侮辱.

flow /fləʊ/ *vi*. ①流動;流出;涌出②流暢;流利③來源 *vt*. 溢過;淹沒;使流動 *n*. ①流動物②流量;流速③漲潮.

flower /'flaʊə(r)/ *n*. ①花;花卉;精華②開花③盛時;少壯 *vi*. 開花;發育;成熟 **~ed** *a*. 開花的;有花的;用花裝飾的 **~y** *a*. 花多的;詞藻華麗的 **~bed** *n*. 花壇 **~pot** *n*. 花盆// ~ *show* 花展.

flown /fləʊn/ fly 的過去分詞.

fl. oz. *abbr*. = fluid ounce(s)液盎司, 液量盎司(液體容量單位:美制 = 1/16 品脫, 英制 = 1/20 品脫).

flu /fluː/ *n*. 流行性感冒(= influenza).

fluctuate /'flʌktʃʊeɪt/ *v*. (使)波動;(使)起伏;漲落 **fluctuation** /ˌ-'eɪʃn/ *n*. 波動;動搖.

flue /fluː/ *n*. ①烟道;暖氣管②(管樂器的)唇管;風管(口)③漁網.

fluency /'fluːənsɪ/ *n*. 流利;流暢 **fluent** *a*.

fluff /flʌf/ *n*. ①絨毛;蓬鬆物②無價值的東西 *v*. ①起毛②變鬆③把…搞糟 **~y** *a*. 絨毛的;蓬鬆的.

fluid /fluːɪd/ *a*. 流動的, 流體的;不固定的;流暢的 *n*. 流體;液體 **~ic** /fluː'ɪdɪk/ *a*. 流體性的 **~ity** /fluː'ɪdətɪ/ *n*. 流動性;流度.

fluke /fluːk/ *n*. ①錨爪②僥幸(的擊中、成功)③意外挫折④比目魚⑤肝蛭;吸血蟲 *v*. ①僥幸獲得(成功);僥幸做成②意外受挫 **fluk(e)y** *a*. 憑運氣的;變化無常的.

flume /fluːm/ *n*. ①流水槽;渡槽②有溪流的峽谷.

flummery /'flʌmərɪ/ *n*. ①小麥粥②果子凍;蛋奶甜點心③空洞的恭維話;廢話.

flummox /'flʌməks/ *vt*. 使惶惑;使慌

亂;打亂 *n*.失敗.

flung /flʌŋ/ fling 的過去式及過去分詞.

flunk(e)y /ˈflʌŋkɪ/ *n*. ①(穿號衣的)僕從;奴才②奉承者;勢利小人.

fluorescence /flɔːˈresns/ *n*. 螢光 **fluorescent** *a*.發螢光的.

fluoride /ˈflɔːraɪd/ *n*.【化】氟化物.

fluorine /ˈflɔːriːn/ *n*.【化】氟.

flurry /ˈflʌrɪ/ *n*. ①陣風;疾風②小雪;小雨③慌張;倉惶④(股票市場)波動 *v*.(使)激動;(使)慌張.

flush /flʌʃ/ *vi*. ①涌流②(臉)發紅;突然發紅,發亮③驚飛④綻出新芽⑤被冲洗 *vt*.①冲洗②使注滿;淹沒③使(臉等)發紅;使興奮;使激動④使飛起 *n*.①湧流;②冲洗③萌發④興奮;得意;紅光⑤一下起飛的鳥群;*a*.①注滿的;泛濫的②大量的;豐富的③揮霍的④齊平的⑤生氣勃勃的;血色紅潤的 *ad*.齊平地;直接地.

fluster /ˈflʌstə(r)/ *n*. & *vt*. ①(使)醉醺醺②(使)慌張③(使)激動.

flute /fluːt/ *n*. ①長笛;笛形物②【機】槽;溝槽 *v*.吹長笛;用長笛奏樂;弄出槽形飾紋 **flutist** *n*.吹長笛者.

flutter /ˈflʌtə(r)/ *v*. ①振(翼);拍(翅)②(旗幟等)飄動③(使)焦急(不安) *n*.①振翼②飄動③不安;焦急④(心臟病態)陣跳.

fluvial /ˈfluːvɪəl/ *a*. ①河的;河流的②生長在河中的③河流作用的.

flux /flʌks/ *n*. ①流出;流量②流動③漲潮④變遷⑤溶解;助溶劑 *v*.(使)熔融;大量地流出 **~ion** *n*.流動;不斷地變化;【數】流數.

fly /flaɪ/ (**flew** /fluː/; **flown** /fləʊn/) *vi*.①飛行;駕駛飛機②飄揚;飛舞;飛跑;飛散③逃跑;消失④很快用完 *vt*.①飛;駕駛;空運;飛越②執行(飛行任務)③使飄揚 *n*.①飛行②騰空球;高飛球③蒼蠅 *a*.[俚]機敏的;狡黠的 **~able** /ˈflaɪəbl/ *a*.宜於飛行的 **~er** *n*.飛鳥;飛行物;航空器;飛行員;快車 **~ing** *a*.飛的;飛行(員)的;飄揚的;飛舞的 **~away** *a*.(人)輕浮的;輕率的;(衣服)過於寬大的 **~leaf** *n*.(書籍前後的)空白頁;扉頁 **~-sheet** *n*.傳單 **~weight** *n*.最輕量級拳擊選手(112 磅以下).

FM *abbr*. = ① frequency modulation 調頻 ② Field Marshal 陸軍元帥 ③ foreign mission 外國使團.

foal /fəʊl/ *n*. 小馬;駒子.

foam /fəʊm/ *n*. ①汽泡;泡沫②泡沫材料;泡沫塑料 *vi*.①起泡;發泡②冒汗水;吐白沫 *vt*.使起泡沫;使成泡沫狀 **~y** *a*.起泡沫的.

fob /fɒb/ *n*. ①(褲子上的)錶袋②錶鏈;錶帶 *vt*.欺騙;把…當真的推銷.

focal /ˈfəʊkl/ *a*. 焦點的;焦點上的.

focalize /ˈfəʊkəlaɪz/ *vt*. ①(使)聚焦;調節焦距②(使)限制於小區域 **focalization** /ˌfəʊkəlaɪˈzeɪʃn/ *n*.

focus /ˈfəʊkəs/ *n*. (*pl*. **focuses** 或 **foci** /ˈfəʊsaɪ/)①焦點;焦距;聚光點②活動、興趣的中心③病竈 *v*.①(使)聚焦②(使)注意;集中③調…的焦距.

fodder /ˈfɒdə(r)/ *n*. 乾飼料(乾草);秣.

foe /fəʊ/ *n*. 仇敵;反對者.

foetus/ˈfiːtəs/*n*. = fetus.

fog /fɒg/ *n*. ①霧;烟(塵)霧②迷惑;困惑③模糊④過冬草;再生草;苔蘚 *v*.以(被)霧籠罩;使困惑;(使)變得模糊 **~less** *a*.無霧的 **~gy** *a*.①霧深的②朦朧的;模糊的.

fogy, fogey /ˈfəʊgɪ/ *n*. 守舊者;老保守;老頑固.

foible /ˈfɔɪbl/ *n*. ①弱點;缺點②怪癖.

foil /fɔɪl/ *n*. ①箔;錫箔②陪襯(物);陪襯角色③鈍頭劍 *vt*. ①襯托②阻止,阻撓;挫敗;使成泡影.

foist /fɔɪst/ *vt*. ①把…強加於;把…塞給②騙售(假貨)③私自添加;塞進.

fold /fəʊld/ *v*. ①摺疊;合攏②擁抱③包起來④結束活動;停止;關掉(企業等)⑤把…關進羊欄 *n*. ①摺疊;摺痕②羊欄③山坳;山窩 **~er** *n*. 文件夾,紙夾.

folding /ˈfəʊldɪŋ/ *a*. 可摺疊的 // ~ *bed* 摺疊床 ~ *bridge* 開合橋 ~ *chair* 摺疊椅 ~ *door* 雙扇門,折門 ~ *screen* 摺疊式屏風.

foliage /ˈfəʊlɪɪdʒ/ *n*. 樹葉(總稱);簇葉;【建】葉飾.

folio /ˈfəʊlɪəʊ/ *n*. ①(紙的)對開,(書的)折本,對開本②頁碼.

folk /fəʊk/ *n*. (*pl*. **folk(s)**)①人們②家屬,親屬③民間音樂 **~-dance** 土風舞(曲) **~lore** *n*. 民俗(學),民間傳説 **~-music** *n*. 民間音樂 **~-song** *n*. 民歌 **~-tale** 民間故事.

follicle/ˈfɒlɪkl/ *n*. 【解】小囊;濾泡;毛囊.

follow /ˈfɒləʊ/ *vt*. ①跟隨②沿…前進;按照…行事③從事④領會 *vi*. 跟隨;接着;結果造成 **~er** *n*. 追隨者;信徒 **~ing** *a*. 後面的;以下的 *n*. 一批追隨者.

folly /ˈfɒlɪ/ *n*. 愚蠢;荒唐;愚蠢荒唐的行為.

foment /fəʊˈment/ *vt*. ①引起或增加(麻煩、不安)②熱敷③激起;煽動 **~ation** /ˌ-ˈteɪʃn/ *n*. **~er** *n*. 激起者;煽動者.

fond /fɒnd/ *a*. ①喜愛的;溺愛的②多情的③盲目的④珍惜的 **~ly** *ad*. ①親愛地②天真地,盲目輕信地 **~ness** *n*.

fondant/ˈfɒndənt/ *n*. 軟糖料;半軟糖.

fondle /ˈfɒndl/ *vt*. 愛撫;溺愛.

fondue/ˈfɒndjuː/ *n*. ①(蘸烤麵包片用的)融化的乾酪(混合酒和調料)②(蘸肉、海鮮等用的)熱油,沙司.

font /fɒnt/ *n*. 【宗】洗禮盆;聖水器.

food /fuːd/ *n*. 食品;糧食 **~less** *a*. 缺乏食品的 **~stuff** *n*. 食料;糧食 // ~ *additive* 食品添加劑.

fool /fuːl/ *n*. ①呆子,傻瓜②小丑;弄臣 *v*. ①愚弄;欺騙②幹蠢事③成為傻瓜.

foolhardy/ˈfuːlhɑːdɪ/ *a*. 有勇無謀的;膽大妄為的.

foolish /ˈfuːlɪʃ/ *a*. ①愚蠢的②可笑的;荒謬的.

foolscap/ˈfuːlzkæp/ *n*. 【印】大裁(一種書寫印刷紙規格).

foot /fʊt/ *n*. (*pl*. **feet** /fiːt/)①脚,足②底部;末尾③英尺④(總稱)步兵 *v*. ①走在…上②付帳 **~ing** *n*. 立足點;地位;立場 **~gear** *n*. [俗]鞋襪 **~hold** *n*. 立足點;穩固地位 **~man** *n*. 男僕 **~mark** = **~print** *n*. 脚印;足迹 **~music** *n*. 踢踺舞 **~note** *n*. 脚注;附注 **~sore** *a*. 脚痛的 **~step** *n*. 脚步聲;足迹 **~wear** 鞋類 // ~ *the bill* (*for sth*)(為…)付帳 ~ *it* [俗]步行 *on* ~ 步行,徒步.

football /ˈfʊtbɔːl/ *n*. 足球;足球運動(比賽);(美式)橄欖球;橄欖球運動(比賽) **~er** *n*. 足球(或橄欖球)隊員.

footle /ˈfuːtl/ *vi*. ①白費時間②説傻話;幹傻事 **footling** *a*. 無能的;無價值的.

footsie/ˈfʊtsɪ/ *n*. ①[兒語]脚②[口](尤指背地里)以脚碰脚,勾搭調情.

fop /fɒp/ *n*. ①過分注意衣着和外表

的人②紈絝子弟，花花公子～**pery** *n*.紈絝習氣～**pish** *a*.浮華的.

for /fə(r)/ *prep*. ①因為；為了②當作；作為③去往；去向④為；對於⑤代⑥由於；雖然；儘管 *conj*.因為；由於.

for-/fɔː(r)/*pref*.表示"分"，離，禁止，排斥，克制等之意.

forage /ˈfɒrɪdʒ/ *n*. ①草料；飼料②搜尋 *vt*.①向…徵集糧秣②搜尋③給(馬)吃草料 *vi*.搜集糧秣；搜尋.

foray /ˈfɒreɪ/ *vi*. 掠奪；侵襲 *n*.突襲；侵襲.

forbade /fəˈbeɪd/ forbid 的過去式.

forbear /fɔːˈbeə(r)/ *v*. (**forbore** /fɔːˈbɔː(r)/；**forborne** /fɔːˈbɔːn/)克制；自制；容忍；忍耐 ～*n*.(常用 *pl*.)祖先～**ance** /fɔːˈbeərəns /*n*.忍耐；寬容；自制.

forbid /fəˈbɪd/ *vt*. (**forbade** /fəˈbæd/；**forbidden** /fəˈbɪdn/)禁止；不許；阻止；妨礙～**ding** *a*.①嚴峻的②可怕的③形勢險惡的.

forbore /fɔːˈbɔː(r)/ forbear 的過去式.

forborne /fɔːˈbɔːn/ forbear 的過去分詞.

force /fɔːs/ *n*. ①力；力量；力氣②精力；魄力③勢力；威力④(*pl*.)軍隊；兵力；武力⑤壓力 *vt*.①強迫；強行②(用強力)奪取；攻擊③推動～**ed** /fɔːst /*a*.強迫的；被迫的；用力的；勉強的～**ful** *a*.強有力的；有說服力的 **forcible** *a*.強行的；有說服力的.

forcemeat /ˈfɔːsmiːt/ *n*. 五香碎肉(或碎魚).

forceps /ˈfɔːseps/ (單複數同形)*n*. 鑷子；鉗子.

ford /fɔːd/ *v*. 涉；徒涉 *n*.淺水；淺灘；津渡～**able** *a*.可涉水而過的～**less** *n*.不能涉過的.

fore /fɔː(r)；fɒə/ *ad*. 在前面；在船頭 *a*.前面的；先前的 *n*.前部；船頭 // *at the* ～居首；在前面；*to the* ～①在近處；在場②尚活着③在手頭的；備好的④在顯著的地位.

forearm /ˈfɔːrɑːm/ *n*. 前臂 /ˌfɔːrˈɑːm / *vt*.①警備②預先武裝；使預作準備.

forebode /fɔːˈbəʊd/ *vt*. 預示；預感 *v*.預言；有預感 **foreboding** *n*.預知；先兆.

forecast /ˈfɔːkɑːst/ (過去式及過去分詞**-cast** 或**-casted**)*n*. 先見；預測；預報 *v*.預測；預報；預言.

forecastle /ˈfəʊksl/ *n*. 前甲板；船首樓.

foreclose /fɔːˈkləʊz/ *v*. ①取消(抵押人的)抵押品贖回權②排除；阻止.

forecourt/ˈfɔːkɔːt/*n*.建築物前面的大片空地；前庭；前院.

forefather /ˈfɔːfɑːðə(r)/ *n*. 祖先；祖宗；前人.

forefinger /ˈfɔːfɪŋgə(r)/ *n*. 食指(= index finger).

forefoot /ˈfɔːfʊt/ *n*. (*pl*.**forefeet**)(四足動物的)前脚.

forefront /ˈfɔːfrʌnt/ *n*. ①最前綫；最前方②最重要的地方.

foregather /fɔːˈgæðə(r)/ =forgather.

forego/fɔːˈgəʊ/*vt*.弃絕；拋弃；放弃.

foregoing /ˈfɔːgəʊɪŋ/ *a*. 前面的；前述的.

foregone /ˈfɔːgɒn/ *a*. ①以前的；過去的②預先决定的；預知的③無可避免的.

foreground /ˈfɔːgraʊnd/ *n*. ①前景②最重要的(或顯著)的位置.

forehand /ˈfɔːhænd/ *n*. (網球等中的)正手擊球 *a*.正手的；正擊的.

forehead /ˈfɒrɪd/ *n*. 額；前額；前部.

foreign /'fɒrən/ *a*. ①外國的;外來的②對外的③無關的;不相干的 ~**er** *n*. ①外國人;外人②外來的東西;進口貨(或動物) ~**ism** *n*. 外國風俗習慣;外語中的語言現象 ~**ize** *v*. (使)外國化 ~**-born** *a*. 出生在國外的 // ~ *exchange* 外匯;外幣 *Foreign Secretary* 外交大臣 *Foreign Minister* 外交部長.

foreknowledge /ˌfɔː'nɒlɪdʒ/ *n*. 預知;先見.

foreland /'fɔːlənd/ *n*. ①海角;岬②前沿地;海岸地.

foreleg /'fɔːleg/ *n*. (四足動物的)前腿.

forelock /'fɔːlɒk/ *n*. 額髮;前髮.

foreman /'fɔːmən/ *n*. ①工頭;領班②陪審長.

foremast /'fɔːmɑːst/ *n*. (船)前桅 ~**man** *n*. 普通水手.

foremost /'fɔːməʊst/ *a*. ①最重要的;主要的②最好的;最前面的;第一流的 *ad*. 在最前;最重要地.

forename /'fɔːneɪm/ *n*. 名(在姓之前) ~**d** *a*. 上述的.

forenoon /'fɔːnuːn/ *n*. 上午;午前.

forensic /fə'rensɪk/ *a*. ①法庭的②辯論的.

foreordain /ˌfɔːrɔː'deɪn/ *vt*. 預先注定;預先任命.

foreplay/'fɔːpleɪ/ *n*. 性交前雙方的相互挑逗.

forerun /fɔː'rʌn/ *vt*. (**foreran** /fɔː'ræn/; **forerun**)①走在…前;為…的先驅②預報;預示 ~**ner** *n*. 先驅(者).

foresee /fɔː'siː/ *vt*. (**foresaw** /fɔː'sɔː/; **foreseen** /fɔː'siːn/)預見;預知 ~**able** *a*. 可預見的 ~**ingly** *ad*. 有預見地 ~**r** *n*. 預見者.

foreshadow /fɔː'ʃædəʊ/ *vt*. 預示;預兆.

foreshore /'fɔːʃɔː(r)/ *n*. 前灘(高潮綫和低潮綫之間的地帶).

foreshorten /fɔː'ʃɔːtn/ *vt*. (繪畫中)按透視法縮短.

foresight /'fɔːsaɪt/ *n*. 先見;預見(能力);深謀遠慮 ~**ed** *a*. 深謀遠慮的;有先見之明的.

foreskin /'fɔːskɪn/ *n*. 【解】包皮.

forest /'fɒrɪst/ *n*. 森林(地帶) ~**er** *n*. 林務管理員;森林居民 ~**ry** *n*. 森林學;造林術;林業.

forestall /fɔː'stɔːl/ *vt*. ①搶在…之前行動②排斥;阻礙;防止③壟斷.

foretaste /'fɔːteɪst/ *n*. ①先嘗;預嘗到的滋味②預示;迹象 *v*. 先嘗.

foretell /fɔː'tel/ *vt*. (過去式及過去分詞 **foretold** /fɔː'təʊld/)預言;預示.

forethought /'fɔːθɔːt/ *n*. 事先的考慮;預謀;深謀遠慮 ~**ful** *a*. 深謀遠慮的.

forever /fə'revə(r)/ *ad*. 永遠;常常 // ~ *and a day* 極長久地;永遠 ~ *and ever* 永遠;永久.

forewarn /fɔː'wɔːn/ *vt*. 預先警告;預先告誡.

foreword /'fɔːwɜːd/ *n*. 前言;序言.

forfeit /'fɔːfɪt/ *vt*. 喪失;放弃 *n*. ①喪失;喪失的東西②沒收物;罰金 ~**able** *a*. 可沒收的 ~**er** *n*. 喪失者 ~**ure** *n*. 沒收;喪失.

forgather /fɔː'gæðə(r)/ *vi*. ①聚會;相遇②交往.

forgave /fə'geɪv/ forgive 的過去式.

forge /fɔːdʒ/ *v*. ①錘煉;鍛造;打(鐵等)②偽造;締造 *n*. 鍛工車間;鐵匠店;鍛爐;冶煉廠 ~**r** *n*. 偽造者;偽造物 ~**ry** *n*. 偽造(品);偽造罪.

forget /fə'get/ *v*. (**forgot** /fə'gɒt/; **for-**

gotten /fəˈgɒtn/)①忘記;遺忘②忽視;忽略~**ter** *n*. 健忘者~**ful** *a*. 健忘的;不注意的.

forget-me-not /fəˈgetmɪnɒt/ *n*.【植】勿忘草.

forgive /fəˈgɪv/ *vt*. (**forgave** /fəˈgeɪv/; **forgiven** /fəˈgɪvn/)①原諒;寬恕②寬免;豁免 **forgivable** *a*. 可寬恕的;可原諒的 **forgiveness** *n*. 饒恕;寬恕 **forgiving** *a*. 寬大的;仁慈的.

forgo, forego /fɔːˈgəʊ/ *vt*. (**forwent** /fɔːˈwent/; **forgone** /fɔːˈgɒn/)摒絕;放棄.

forgot /fɔːˈgɒt/ forget 的過去式.

forgotten /fɔːˈgɒtn/ forget 的過去分詞.

fork /fɔːk/ *n*. ①叉;耙②餐叉③分岔;岔路 *vt*. 用叉子叉起(或挖、搬運) *vi*. ①(路等)分岔②在岔口拐彎.

forlorn /fəˈlɔːn/ *a*. ①孤零零的;被遺弃的②無人照管的;絕望的.

form /fɔːm/ *n*. ①形狀;體型②形式;方式③結構④表格 *vt*. ①形成;製作②排成;編成;組織 *vi*. 形成;產生;排隊~**less** *a*. 無形狀的.

formal /ˈfɔːml/ *a*. 正式的;合乎禮儀的;正規的;整齊的.

formaldehyde/fɔːˈmældɪhaɪd/【化】甲醛.

formalin /ˈfɔːməlɪn/ *n*.【化】甲醛液,福爾馬林(用於消毒和除臭).

formalism /ˈfɔːməlɪzəm/ *n*. 形式主義.

formality /fɔːˈmælətɪ/ *n*. ①形式②手續③禮節;俗套.

format/ˈfɔːmæt/*n*. ①(出版物的)版式;開本;裝訂方式②(某事物的)計劃;總體安排;設計等.

formation /fɔːˈmeɪʃn/ *n*. 形式;構造;編制.

formative /ˈfɔːmətɪve/ *a*. 形成的;對性格形成有影響的.

former /ˈfɔːmə(r)/ *a*. ①以前的;早先的②前者的~**ly** *ad*. 以前,從前// *the former* 前者.

Formica/ˈfɔːmaɪkə/*n*. 福米加塑料貼面(商標名).

formic acid /ˌfɔːmɪk ˈæsɪd/*n*.【化】甲酸;蟻酸.

formidable /ˈfɔːmɪdəbl/ *a*. ①可怕的②難對付的③令人驚嘆的.

formula /ˈfɔːmjʊlə/ *n*. (*pl*. ~**s** 或 ~**ae** /fɔːmjʊliː/)①公式;分子式②配方③方案④方法;準則⑤(社交等的)慣用語.

formulate /ˈfɔːmjʊleɪt/ *vt*. ①明確地表達;用公式表示②按配方製造 **formulation** /ˌ-ˈleɪʃn /*n*. 用公式表示;明確的表達 **formulism** *n*. 公式主義.

fornicate/ˈfɔːnɪkeɪt/*v*.(指無婚姻關系的人之間的)性交;(與…)通奸.

forsake /fəˈseɪk/ *vt*. (**forsook**;**forsaken**)放弃;拋弃.

forsooth /fəˈsuːθ/ *ad*. 真的;當然;的確(古語,用作反語或諷刺語中的插入語).

forswear /fɔːˈsweə(r)/ (**forswore** /fɔːˈswɔː(r)/; **forsworn** /fɔːˈswɔːn/) *vt*. 發誓拋棄;斷然放棄 *vi*. 發偽誓;作偽證.

forsythia/fɔːˈsaɪθjə/*n*.【植】連翹.

fort /fɔːt/ *n*. 堡壘;要塞.

forte /ˈfɔːteɪ/ *n*. 長處;特長 *a*. [意]【音】響的;強的 *ad*. 用強音;響亮地.

forth /fɔːθ/ *ad*. 向前方;向外;離家在外~**coming** *a*. 即將到來的;現有的.

forthright /ˈfɔːθraɪt/ *a*. 坦率的;明確的;直截了當的.

forthwith /ˌfɔːθ'wɪθ/ *ad*. 立刻;馬上.

fortieth /'fɔːtɪɪθ/ *num*. & *n*. 第四十(個);四十分之一.

fortify /'fɔːtɪfaɪ/ *v*. ①設防②加強工事;增強 **fortification** /ˌfɔːtɪfɪ'keɪʃn/ *n*. 築城;(常用 *pl*.)防禦工事.

fortissimo/fɔː'tɪsɪməʊ/*a*. 極強的;極響的.

fortitude /'fɔːtɪtjuːd/ *n*. 堅韌不拔;剛毅.

fortnight /'fɔːtnaɪt/ *n*. 兩星期**~ly** *a*. & *ad*. 每兩周的(地) *n*. 雙周刊.

fortress /'fɔːtrɪs/ *n*. 要塞;堡壘.

fortuitous/fɔː'tjuːɪtəs/*a*. ①偶然發生的②幸運的;吉祥的.

fortuity /fɔː'tjuːɪtɪ/ *n*. 偶然事件;偶然性 **fortuitous** /fɔː'tjuːɪtəs/ *a*. 偶然的;意外的.

fortunate /'fɔːtʃənət/ *a*. 幸運的;僥幸的;帶來好運的**~ly** *ad*.

fortune /'fɔːtʃuːn/ *n*. 命運;運氣;(大量)財產;大事**~-teller** *n*. 算命的人 **~-telling** *n*. 算命.

forty /'fɔːtɪ/ *num*. & *n*. 四十;四十個.

forum /'fɔːrəm/ *n*. (*pl*. **forums**; **fora** /'fɔːrə/)講壇;討論會場;法庭.

forward /'fɔːwəd/ *ad*. 向前;前進;到將來 *a*. ①向前的;前進的;位於前面的②早(熟)的③未來計劃的 *vt*. ①促進;促使…生長②發送;傳遞**~ly** *ad*. 在前面;向前地;熱心地;魯莽地 **~ness** *n*. ①急切;熱心②唐突;魯莽 **~s** *ad*. = forward.

fossil /'fɒsl/ *n*. ①化石;地下採掘出的石塊②守舊者;落伍者 *a*. 化石的;陳舊的**~ate** *vt*. = fossilize 使成化石;使陳舊 *vi*. 變成化石 **~ization** /ˌfɒsɪlaɪ'zeɪʃn /*n*. 化石作用.

foster /'fɒstə(r)/ *vt*. ①培養②鼓勵;促進③養育;收養**~er** *n*. ①養育者②鼓勵者**~-child** *n*. 養子;養女**~-daughter** *n*. 養女**~-father** *n*. 養父 **~-home** *n*. 收養孩子的家庭 **~-mother** *n*. 養母.

fosterling /'fɒstəlɪŋ/ *n*. 養子;養女.

fought /fɔːt/ fight 的過去式及過去分詞.

foul /faʊl/ *a*. ①污穢的;難聞的;腐爛發臭的②罪惡的;惡劣的 *n*. ①犯規;罰球②纏繞;碰撞③厄運 *v*. ①弄髒;玷污②纏住;碰撞③(對…)犯規④腐爛 *ad*. 違反規則地;不正當地 **~ing** *n*. 污垢**~ly** *ad*. 下流地;卑鄙地**~ness** *n*.

found /faʊnd/ find 的過去式及過去分詞 *vt*. ①為…打基礎②建立;創辦③鑄造**~ation** /faʊn'deɪʃn /*n*. ①建設②地基;基礎③根據④基金.

founder /'faʊndə(r)/ *n*. ①奠基者;創立者②鑄造者;翻砂工 *v*. ①(使)摔倒;(使)坍倒②(使)變跛③(使)失敗④(使)下沉.

foundling /'faʊndlɪŋ/ *n*. 棄兒.

foundry /'faʊndrɪ/ *n*. ①鑄造;翻砂②翻砂(車間)廠③玻璃廠.

fount /faʊnt/ *n*. ①[詩]泉;源頭②(燈的)儲油器③墨水缸④鉛字盤.

fountain /'faʊntɪn/ *n*. ①泉水;噴泉②液體儲藏器**~-head** *n*. 水源;根源 **~pen** *n*. 自來水筆.

four /fɔː(r)/ *num*. & *n*. 四;四個 **~fold** *a*. *ad*. 四倍的(地)**~-footed** *a*. 四足的**~square** *a*. 四角的**~-way** *a*. 四面皆通的// *on all ~s* 匍匐,(四肢着地)趴着.

foursome /'fɔːsəm/ *n*. 四人一組(進行比賽或一起行動).

fourteen /ˌfɔː'tiːn/ *num*. & *n*. 十四;十四個**~th** /ˌfɔː'tiːnθ /*num*. & *n*.

①第十四(個)②十四分之一③(每月的)第十四日.

fourth /fɔːθ/ *num*. & *n*. ①第四(個)②四分之一③(每月的)第四日 **~ly** *ad*. 第四(列舉條目等時用).

fowl /faʊl/ *n*. 禽;家禽;禽肉 **~er** *n*. 捕野禽者 **~ing** *n*. 獵取野禽 // *~ run*[英]養雞場 *~ing piece* 鳥槍.

fox /fɒks/ *n*. ①狐;狐皮②狡猾的人 **~y** *a*. ①似狐的;狡猾的②狐色的;赤褐色的 **~trot** *n*. 狐步舞(曲).

foyer /'fɔɪeɪ/ *n*. [法](劇場、旅館等的)門廳;休息室.

fracas /'frækɑː/ *n*. (*pl*. ~ /'frækɑːz/ 或 **~es**)喧鬧的打架;大聲爭吵.

fraction /'frækʃn/ *n*. ①片斷;碎片;一點兒②【數】分數 **~al**; **~ary** *a*.

fractious /'frækʃəs/ *a*. 脾氣不好的.

fracture /'fræktʃə(r)/ *n*. ①破裂;斷裂②裂縫;裂面③【礦】斷口;斷面 *v*. (使)破裂;(使)斷裂;(使)折斷.

fragile /'frædʒaɪl/ *a*. ①脆的;易碎的②脆弱的;虛弱的 **fragility** /frə'dʒɪlətɪ/ *n*. 脆弱;虛弱.

fragment /'frægmənt/ *n*. ①碎片②(文藝作品)未完成部分 **~ary** *a*. 斷片的;零碎的.

fragrance /'freɪgrəns/ *n*. 芬芳;香氣 **fragrant** *a*. **fragrantly** *ad*.

frail /freɪl/ *a*. ①脆弱的;易損的②意志薄弱的 *n*. [美俚]少女;少婦 **~ly** *ad*. **~ness, frailty** *n*.

frame /freɪm/ *n*. 構架;結構;框架;骨胳;身軀 *vt*. ①構造;塑造②制訂;擬出;設計③陷害,誣告④給…裝框;襯托 **~-up** *n*. [美俚]誣害;陰謀 **~work** *n*. ①構造;框架;機構;組織②(個人判斷、決定的)原則.

franc /fræŋk/ *n*. 法郎(法國、比利時、瑞士等國的貨幣單位).

France /frɑːns/ *n*. 法蘭西;法國.

franchise /'fræntʃaɪz/ *n*. 公民權(尤指選舉權);特權;特許.

Franco /'fræŋkəʊ/ (構詞成分)表示"法國" Franco-German 法德的.

frank /fræŋk/ *a*. ①直率的;真誠的②公開明白的;症狀明顯的 **~ly** *ad*. 坦白地;直率地;真誠地 **~ness** *n*.

frankfurter/'fræŋkfɜːtə(r)/ *n*. 法蘭克福香腸;熏豬牛肉香腸.

frankincense /'fræŋkɪnˌsens/ *n*. 乳香(乳香植物滲出的樹脂在燃燒時散發的香味).

frantic /'fræntɪk/ *a*. 激動得發狂似的;狂暴的;瘋狂的 **~ally** *ad*.

fraternal /frə'tɜːnl/ *a*. ①兄弟(般)的;友好的②兄弟會的;互助會的 **~ly** *ad*. **farternity** /frə'tɜːnətɪ / *n*. ①兄弟關係;友愛②[美]大學生聯誼會;互助會③團體.

fraternize, fraternise /'frætənaɪz/ *vi*. 親如兄弟;友善.

fratricide /'frætrɪsaɪd/ *n*. ①殺兄弟(或姐妹)的行為;②殺兄弟(姐妹)的人.

Frau /fraʊ/ *n*. (*pl*. Frauen /'fraʊən/)[德]夫人(相當於英國的 Mrs.).

fraud /frɔːd/ *n*. ①欺騙;欺詐行為;詭計②騙子③假貨 **~ulence** /'frɔːdjʊləns/ *n*. 欺詐 **~ulent** /'frɔːdjʊlənt/ *a*. **~ulently** *ad*.

fraught /frɔːt/ *a*. ①(只作表語)充滿…的;裝着…的②(令人)憂慮的.

fray /freɪ/ *vt*. ①磨擦;磨損②使…(關係)緊張 *vi* 被磨損;被擦碎;變緊張 *n*. 吵架;打架;爭論.

frazzle /'fræzl/ *n*. ①疲憊②破爛.

freak /friːk/ *n*. ①怪誕的行為;怪念頭;異想天開②畸形的人(動物、植物)③…迷 *vi*. 胡鬧;行為怪異 **~ish**

a. 異想天開的;捉摸不定的;古怪的;不正常的.

freckle /'frekl/ *n*. 雀斑;斑點.

free /fri:/ *a*. ①自由的;空閑的②無償的;免費(或稅)的 *vt*. 使自由;解放;免除;釋放 *ad*. 免費地 ~**ly** *ad*. ~**booter** *n*. 海盜;強盜 ~**-for-all** *a*. 對大衆開放的 *n*. 任何人可以參加的競賽(或賽跑);可以自由發表意見的爭論;大爭吵 ~**-hand** *n*. & *a*. -徒手畫(的) ~**-handed** *a*. 慷慨的;(用錢)大方的 ~**hearted** *a*. 坦白的;慷慨的 ~**lance** *n*. 自由撰稿人(藝術家、作家等) ~**-living** *n*. ①【生】獨立生存的②沉溺於吃喝玩樂的 ~**-market** *n*. 自由市場 ~**minded** *a*. 無精神負擔的 ~**way** *n*. [美] = motorway 高速公路 ~**will** *a*. 自願的 // ~ *speech* 言論自由 ~ *trade* 自由貿易 ~ *will* 自願;自由意志.

-free/fri:/表示無…的;免除…的.

freedom /'fri:dəm/ *n*. ①自由;自主②坦率③免除;解脫.

freesia/fri:zjə/ *n*.【植】小蒼蘭.

freeze /fri:z/ *v*. (**froze** /frəuz/; **frozen** /'frəuzn/)①(使)凍結;(使)結冰②(使)變得極冷;(使)凍僵;(使)凍傷(死);(使)凍住(牢) *n*. ①凍結;結冰;凝固②嚴寒期 ~**r** *n*. 冷却器;冷藏庫 **freezing** *a*.

freight /freɪt/ *n*. ①貨物運輸;貨運②運費 *vt*. 裝貨於;運輸(貨物).

French /frentʃ/ *n*. ①法國人②法語 *a*. 法國(人)的;法語的 ~**man** *n*. 法國人 // ~ *window* 落地長窗.

frenetic /frə'netɪk/ *a*. 極度激動的;狂亂的.

frenzied /'frenzɪd/ *a*. 瘋狂的;狂暴的 ~**ly** *ad*. **frenzy** /'frenzɪ /*n*. 狂亂;瘋狂似的激動.

frequency /'fri:kwənsɪ/ *n*. ①屢次;頻繁②【物】頻率;周波率.

frequent /'fri:kwənt/ *a*. 頻繁的;常有的 *vt*. /fri:'kwent/常到;常去 ~**er** /fri:'kwentə(r)/ *n*. 常客 ~**ly** *ad*.

fresco /'freskəʊ/ *n*. (*pl*. **fresco(e)s**) 壁畫.

fresh /freʃ/ *a*. ①新的;新到的;新鮮的②淡的;清新的③純淨的 *ad*. 剛才 ~**er** *n*. [英俚]大學一年級生 ~**ly** *ad*. ~**ness** *n*. ~**man** *n*. [美]大學或中學一年級生 ~**water** *a*. 淡水的;生於淡水的.

freshen /'freʃn/ *v*. ①(使)顯得新鮮;(使)顯得鮮艷②(指風)變大(或涼爽)③添(飲料).

fret[1]/fret/ *v*. ①(使)煩惱;(使)發愁②侵蝕;(使)磨損 *n*. ①煩惱②侵蝕 ~**ful** *a*. 煩惱的;發愁的.

fret[2]/fret/ *vt*. (尤用於被動語態)飾以格子細工;飾以回紋 ~**saw** *n*. 細工鋸;鋼絲鋸 ~**work** *n*. 格子細工;浮凸細工.

Freudian /'frɔɪdɪən/ *a*. 弗洛伊德學說的;精神分析的;弗洛伊德的.

Fri. *abbr*. = Friday.

friable /'fraɪəbl/ *a*. 易碎的;脆的.

friar /'fraɪə(r)/ *n*. 托鉢僧 ~**y** *n*. 修道院;僧院.

fricassee /'frɪkəsi:/ *n*. 澆汁肉丁;油燜原汁肉塊.

fricative /'frɪkətɪv/ *a*. 摩擦的;由摩擦產生的 *n*. 摩擦音.

friction /'frɪkʃn/ *n*. ①摩擦(力)②衝突;不和.

Friday /'fraɪdɪ/ *n*. 星期五(可縮寫為 Fri.).

fried /fraɪd/ *a*. ①油煎的②[美俚]喝醉了酒的.

friend /frend/ *n*. ①朋友②幫助者;支

持者③助手;盟友~**less** *a*.沒有朋友的~**ly** *a*.友好的,友善的~**ship** /'frendʃɪp/*n*.友誼.

frieze /friːz/ *n*.【建】(牆上的)雕飾帶;裝飾物.

frig /frɪdʒ/ *n*. [俗]冰箱 = refrigerator.

frigate /'frɪgət/ *n*. 小型快速海軍護衛艦艇.

fright /fraɪt/ *n*. ①驚嚇;恐怖②奇形怪狀的人或物~**en** *vt*.恐嚇,使害怕~**ful** *a*.可怕的.

frigid /'frɪdʒɪd/ *a*. ①寒冷的②冷淡的;索然無味的③性冷淡的~**ity** /frɪ'dʒɪdətɪ/*n*.寒冷;冷淡~**ly** *ad*.

frill /frɪl/ *n*. (服裝的)褶邊;飾邊;虛飾(物).

fringe /frɪndʒ/ *n*. 額前垂髮;劉海 *vt*.鑲邊.

frippery /'frɪpərɪ/ *n*. (衣服上)不必要的俗艷裝飾品;廉價無用的裝飾品.

frisk /frɪsk/ *vt*. ①輕快地搖動;雀躍②搜身檢查 *vi*.歡躍;跳跳蹦蹦~**y** *a*.歡躍的.

frisson /'friːsɒn/ *n*. [法]震顫,戰慄.

fritter /'frɪtə(r)/ *vt*. ①消耗;消費②弄碎;切細 *n*.①碎片;小片②(果餡或肉餡)油煎餅.

frivolity /frɪ'vɒlətɪ/ *n*. ①輕薄;輕浮②無聊舉動;輕薄話 **frivolous**/'frɪvələs/ *a*. **frivolously** *ad*.

frizz /frɪz/ *v*. (使)拳曲;(使)捲緊 *n*.拳曲(物);捲緊;鬈曲的頭髮~**y** *a*.

frizzle[1]/'frɪzl/ *vt*. 使(頭髮)等拳曲 *n*.鬈曲;鬈髮.

frizzle[2]/'frɪzl/ *vt*. (烹煎食品時)煎得吱吱響;炸得捲縮.

fro /frəʊ/ *ad*. 往;向後(只用於成語:to and~來來回回).

frock /frɒk/ *n*. (女人或女孩的)服裝;工裝;(男子的)禮服大衣;僧袍~**coat** *n*.長禮服.

frog /frɒg/ *n*. 蛙~**man** *n*.潛水工作者;蛙人.

frolic /'frɒlɪk/ (**frolicked**; **frolicking**) *vi*.& *n*.嬉戲;歡樂;鬧着玩~**some** *a*.嬉戲的;頑皮的.

from /frəm/ *prep*. 來自;從…起;據;由於;出於.

frond/frɒnd/*n*.①(蕨類的)葉②(藻類的)藻體;(苔蘚的)植物體.

front /frʌnt/ *n*. ①前面;前部②前綫;陣綫③前額 *a*.& *ad*.向前;朝前;(在)前面(的) *vt*.①面對;位於…的前面②對付;反對③[俗]充當…的首領(或代表);主持(節目).

frontage /'frʌntɪdʒ/ *n*. ①(建築物的)正面;前方②屋前空地.

frontal /'frʌntl/ *a*. ①前面的;正面的②前額的.

frontier /'frʌntɪə(r)/ *n*. ①國境;邊境;邊疆②邊遠地區③(科學、文化等領域的)尖端;新領域.

frontispiece /'frʌntɪspiːs/ *n*. (書籍的)卷首插畫.

frost /frɒst/ *n*. ①冰凍;嚴寒②霜③冷淡④失敗;掃興 *v*.霜害;下霜~**ing** *n*.①結霜;凍壞②(糖果糕點上的)糖霜混合物③(玻璃、金屬等的)無光澤霜狀表面~**y** *a*.①下霜的②冷淡的③嚴寒的~**-bite** *n*.凍瘡~**-bitten** *a*.凍傷的.

froth /frɒθ/ *n*. ①泡沫②空淡 *v*.(使)起泡沫 ~**y** *a*.起泡沫的;閑扯的.

frown /fraʊn/ *vi*. 皺眉;表示不滿 *n*.皺眉.

frowsty /'fraʊstɪ/ *a*. (室內)悶熱的;霉臭的.

frowsy/'fraʊzɪ/*a*.①骯髒的;不清潔的②霉臭的;難聞的.

frowzy /'frauzı/ *a*. 骯髒的;霉臭的;難聞的.
froze /frəuz/ freeze 的過去式.
frozen /'frəuzn/ freeze 的過去分詞 *a*. 凍結的.
fructify /'frʌktıfaı/ *v*. (使)結果;(使)多產.
fructose /'frʌktəus/ *n*.【化】果糖.
frugal /'fru:gl/ *a*. 節約的;儉樸的 **~ly** *ad*. **~ity** /fru'gælətı/ *n*. 節儉.
fruit /fru:t/ *n*. ①水果②(常用 *pl*.)(蔬菜、穀、麻等的)產物③(植物的)果實④成果;結果;產物 *vi*. 結果實 **~-fly** *n*. 果蠅 // ~ *machine*(一種賭具)吃角子機.
fruiterer /'fru:tərə(r)/ *n*. [主英]水果商.
fruitful /'fru:tfl/ *a*. ①果實結得多的;多產的②富有成效的③肥沃的;豐饒的.
fruition /fru:'ıʃn/ *n*. ①結果實;取得成果②實現;完成.
fruitless /'fru:tlıs/ *a*. ①不結果實的②無效的;無益的 **~ly** *ad*. **~ness** *n*.
fruity /'fru:tı/ *a*. ①果味的;(酒)有葡萄味的②[俗]粗俗的.
frump /frʌmp/ *n*. ①衣著邋遢的女人②守舊者;老頑固 **~ish**; **~y** *a*. ①守舊的②(女人)穿邋遢衣服的.
frustrate /frʌ'streıt/ *vt*. 挫敗;阻撓;使無效;使沮喪 **~d** *a*. 受挫的;失望的 **frustrating** *a*. 令人沮喪的, 令人煩惱的.
frustration /frʌ'streıʃn/ *n*. ①挫折;阻撓②沮喪;失望.
fry /fraı/ *v*. ①油煎;油炒;油炸②[美俚]處…以電刑 *n*. ①油煎食品②魚秧, 魚苗③成群的小魚 **~er** *n*. ①可供油炸的雛雞②大煎鍋 **~ing-pan** *n*. 油炸鍋.
ft. *abbr*. = foot, feet.
fuchsia /'fju:ʃə/ *n*. ①【植】倒挂金鐘②紫紅色.
fuck /fʌk/ *v*. [禁忌語]①(與…)性交;肏②滾你媽的, 見鬼.
fuddle /'fʌdl/ *vt*. 使喝醉;使迷糊.
fuddy-duddy /'fʌdıdʌdı/ *n*. [俗]老派守舊的人 *a*. 保守的;過時的.
fudge /fʌdʒ/ *v*. ①捏造;篡改②粗製濫造③推諉;敷衍 *n*. ①謊話;欺騙;胡說②一種牛奶軟糖.
fuel /fju:əl/ *n*. ①燃料②刺激感情的事物 *vt*. 供給燃料;給…加油(或其他燃料);支持 *vi*. 得到的燃料;加油(煤)**fuel(l)ing** *n*. 加燃料;加油.
fug /fʌg/ *n*. ①室內的悶熱氣味②感情的溫暖.
fugitive /'fju:dʒətıv/ *n*. ①逃亡者;亡命者;流浪者②難以捉摸的東西 *a*. ①逃亡的;流浪的②短暫的.
fugue /fju:g/ *n*. [法]【樂】逃亡曲, 遁走曲, 賦格曲.
fulcrum /'fulkrəm/ *n*. (*pl*. **fulcrums** 或 **fulcra** /'fulkrə/)支點;支軸.
fulfil(l) /ful'fıl/ *vt*. ①履行;完成;達到②使完備;結束 **~ment** *n*. 履行;實現;完成;結束.
full /ful/ *a*. ①充滿的;充足的②完全的;徹底的③最大(量)的 *n*. ①充分;完全;全部②極盛時;頂點 *ad*. 十分;極其;完全地;充分地;直接地 **~back** *n*. (足球)後衛 **~-blooded** *a*. 血氣旺盛的;精力充沛的 **~-blown** *a*. (花)盛開的;(帆)張滿的 **~-grown** *a*. 長足的;成熟的 **~-length** *a*. 全長的;全身的 **~-page** *a*. 全頁的 **~-time** *a*. 全部工作時間的;專職的 **~-timer** *n*. 全日班小學生.
fully /'fulı/ *ad*. 完全;十分;至少.
fulminate /'fʌlmıneıt/ *vi*. 激烈反對;

怒斥 **fulmination** *n*.

fulsome /'fʊlsəm/ *a*. ①可厭惡的②過分的;虛偽的**~ly** *ad*. **~ness** *n*.

fumble /'fʌmbl/ *v*. ①摸索;亂摸②笨拙地做③(球戲中的)漏接;失球 *n*. ①摸索;亂摸②笨拙地處理③漏接;失球.

fume /fju:m/ *n*. ①烟;氣;汽②激動;發怒 *vt*. 冒(烟或汽);熏黑(木材) *vi*. 冒烟;出汽;發怒 **fumy** *a*. 冒烟的.

fumigate /'fju:mɪgeɪt/ *v*. 熏蒸;消毒 **fumigation** *n*. 熏蒸(法);烟熏(法).

fun /fʌn/ *n*. 嬉戲;玩笑;有趣的人(或事物) // *make ~ of* 開…的玩笑;嘲笑.

function /'fʌŋkʃn/ *n*. ①功能;作用②職務;職責③函數 *vi*. 盡職責;起作用;(機器等)運行**~al** *a*. **~ally** *ad*. **~alism** *n*. 機能主義**~ary** *n*. (機關等的)工作人員;官員.

fund /fʌnd/ *n*. ①資金;基金②(*pl*.)存款;現款.

fundamental /ˌfʌndə'mentl/ *a*. 基礎的;基本的;主要的 *n*. (常用 *pl*.)基本原則(或原理);根本法則;綱要 **~ly** *ad*.

funeral /'fju:nərəl/ *n*. ①喪葬;葬禮②出殯的行列.

funereal /fju:'nɪərɪəl/ *a*. ①陰森的;凄愴的②喪葬似的.

fungicide /'fʌndʒɪsaɪd/ *n*. 殺菌劑.

fungous /'fʌŋgəs/ *a*. 菌的;菌狀的.

fungus /'fʌŋgəs/ *n*. (*pl*. **fungi** /'fʌŋgaɪ/; **funguses**)真菌;木耳.

funicular /fju:'nɪkjʊlə(r)/ *n*. (上下對開的)纜車鐵道.

funk /fʌŋk/ *n*. [俗]①恐怖;驚惶②懦夫③刺鼻的臭味;霉味 *vi*. ①害怕②發出刺鼻臭味 *vt*. ①害怕②逃避.

funnel /'fʌnl/ *n*. 漏斗(形物);烟囱.

funny /'fʌnɪ/ *a*. ①有趣的;滑稽的②奇怪的③有點不舒服的 **funnily** *ad*. **funniness** *n*.

fur /fɜ:(r)/ *n*. ①軟毛;毛皮②(*pl*.)皮衣;裘 *v*. ①用毛皮覆蓋;用毛皮襯(或鑲裏)②(使)起苔(或水垢).

furbelow /'fɜ:bɪləʊ/ *n*. 裙褶;邊飾;俗麗裝飾.

furbish /'fɜ:bɪʃ/ *vt*. ①磨光;擦亮;刷新②恢復.

furious /'fjʊərɪəs/ *a*. ①暴怒的;狂暴的②猛烈的;強烈的**~ly** *ad*. **~ness** *n*.

furl /fɜ:l/ *v*. 捲起;捲緊;收攏.

furlong /'fɜ:lɒŋ/ *n*. 弗隆;浪(英國長度單位, =1/8 英里或 201.167 米).

furlough /'fɜ:ləʊ/ *n*. ①休假②准假的證件.

furnace /'fɜ:nɪs/ *n*. ①爐子;熔爐②極熱的地方③嚴峻的考驗;磨練.

furnish /'fɜ:nɪʃ/ *vt*. ①供應;裝備②用傢具佈置.

furniture /'fɜ:nɪtʃə(r)/ *n*. ①傢具②裝置;設備.

furore /fjʊ'rɔ:rɪ/ *n*. 轟動;狂熱;公衆的騷動.

furrier /'fʌrɪə(r)/ *n*. 皮貨商;毛皮加工者.

furrow /'fʌrəʊ/ *n*. ①溝;壟溝;犁溝②皮膚上的皺紋 *vt*. 犁.

furry /'fɜ:rɪ/ *a*. 毛皮的;像毛皮的;襯(或鑲)有毛皮的.

further /'fɜ:ðə(r)/ (far 的比較級) *a*. 更遠的;更多的;進一步的 *ad*. 更遠地;進一步地;而且 *vt*. 促進;推動 **~ance** *n*. 促進;推動**~more** *ad*. 而且 **furthest** /'fɜ:ðɪst/(far 的最高級) *a*. & *ad*. 最遠的(地).

furtive /'fɜ:tɪv/ *a*. ①偷偷摸摸的;鬼

鬼祟祟的②狡猾的；秘密的**~ly** *ad*. **~ness** *n*.

fury /'fjʊərɪ/ *n*. ①憤怒②猛烈；劇烈.

furze /fɜːz/ *n*. 【植】金雀花；荊豆.

fuse /fjuːz/ *v*. 熔；融合；使熔解 *n*. ①保險絲②導火綫；定時引信 **fusible** /'fjuːzəbl /*a*. 易(可)熔的.

fuselage /'fjuːzəlɑːʒ/ *n*. (飛機)機身；殼體.

fusilier/ˌfjuːzɪ'lɪə(r)/*n*. ①(舊時的)燧發槍手②[英]燧發槍團士兵.

fusillade /ˌfjuːzə'leɪd/ *n*. ①(槍、炮的)連發；齊射②[喻](問題等的)一連串.

fusion /'fjuːʒn/ *n*. ①熔化(狀態)；熔解(狀態)；熔合；聯合②核聚變, 核合成.

fuss /fʌs/ *n*. ①大驚小怪②小題大作；自尋煩惱③憤怒的場面④抱怨 *v*. ①小題大作②煩擾, 干擾③過分關心 **~y** *a*. ①大驚小怪的②挑剔的③(服裝等)裝飾過多的**~pot** *n*. 小題大作的人.

fustian /'fʌstɪən/ *n*. ①粗斜紋布；【紡】緯起絨織物②誇張話；浮誇的文章.

fusty /'fʌstɪ/ *a*. ①發霉的②陳腐的；守舊的；過時的 **fustily** *ad*. **fustiness** *n*.

futile /'fjuːtaɪl/ *a*. ①無用的；無效的②沒出息的 **futility** /fjuː'tɪlətɪ /*n*. 無用.

futon/'fuːtɒn/*n*. 日本床墊.

future /'fjuːtʃə(r)/ *n*. ①將來；前途；將來時②期貨交易 *a*. 未來的**~less** *a*. 無前途的；無希望的.

futurity /fjuː'tjʊərətɪ/ *n*. ①將來；來世②(*pl*.)未來事件；遠景.

fuze =fuse.

fuzz /fʌz/ *n*. ①絨毛；茸毛②模糊③[俚]警察④毛茸茸的短髮**~y** *a*. ①有絨毛的；絨毛狀的②模糊的；失真的**~ily** *ad*. **~iness** *n*.

G

gab /gæb/ *n*. ①[口]空談;廢話;嘮叨②[俗]嘴巴 *vi*. 空談,閑聊.

gabardine /ˈgæbədiːn;gæbəˈdiːn/ *n*. = gaberdine.

gabble /ˈgæbl/ *v*. 含混不清地說(話);急促地說;說廢(蠢)話 *n*. 急促不清的話;廢話.

gaberdine /ˈgæbədiːn; ˌgæbəˈdiːn/ *n*. ①工作服;寬大的長衣②【紡】華達呢.

gable /ˈgeɪbl/ *n*. ①山牆;三角牆②三角形建築部分 **~d** *a*. 有山牆的.

gad /gæd/ *vi*. ①遊蕩;闖蕩②追求刺激③蔓延 *n*. 遊蕩;閑蕩 **~-about** /ˈgædəˌbaʊt /*n*. 遊手好閑者 *a*. 遊蕩的;遊手好閑的.

gadfly /ˈgædflaɪ/ *n*. ①虻;牛虻②惹人討厭的人.

gadget /ˈgædʒɪt/ *n*. ①【機】零配件②小玩意兒;新發明.

Gael/geɪl/*n*. 蓋爾人(蘇格蘭、愛爾蘭等地的凱爾特人).

gaff /gæf/ *n*. ①魚叉;魚鈎;挂鈎②低級娛樂場;雜耍場③欺騙 *vt*. ①用魚叉叉(魚);用手鈎拉(魚)②欺騙;詐騙.

gaffe /gæf/ *n*. 失禮;失言;出醜.

gaffer /ˈgæfə(r)/ *n*. ①用魚叉叉魚者②老頭兒③工頭;僱主.

gag /gæg/ *n*. ①塞口物;口銜;【醫】張口器②言論自由的壓制 *vt*. ①塞住…的口;使窒息②壓制(某人)言論自由 *vi*. 窒息;作嘔.

gage /geɪdʒ/ *n*. ①抵押品;擔保品②挑戰 *vt*. ①以…為擔保②[美] = gauge.

gaggle/ˈgægl/*n*. 鵝(群);[口]一群喧囂多話的人.

gaiety /ˈgeɪətɪ/ *n*. ①愉快②(*pl*.)狂歡;喜慶;娛樂.

gaily /ˈgeɪlɪ/ *ad*. 快活(=gayly).

gain /ˈgeɪn/ *vt*. ①獲得;贏得;掙得②達到③增加;推進 *vi*. ①得益;增加②(鐘、錶)走快 *n*. ①獲得;增加;取得的進展②(*pl*.)收益;利潤 **~able** *a*. 可獲得的;能贏得的 **~ful** *a*. 有利益的;有收益的 **~fully** *ad*. **~ings** *pl*. *n*. 收益;收入.

gainsay /ˌgeɪnˈseɪ/ *vt*. (過去式及過去分詞 **gainsaid** /ˌgeɪnˈsed/)①否認;否定②反駁;反對.

gait /geɪt/ *n*. ①步態;步法②速度;步速.

gaiter /ˈgeɪtə(r)/ *n*. 綁腿.

gala /ˈgɑːlə/ *n*. 節日;慶祝;盛會.

galanty show /gəˈlæntɪ ˈʃəʊ/ *n*. 影子戲(以剪紙的圖像映演).

galaxy /ˈgæləksɪ/ *n*. 星系;銀河系;銀河.

gale /geɪl/ *n*. 大風;暴風;(突發的)一陣.

gall /gɔːl/ *n*. ①膽(汁);膽囊;苦味②怨恨;痛苦③厚顏無恥④腫痛;擦傷⑤煩惱 *v*. ①(被)擦傷;(被)磨損②(被)激怒;(被)煩惱.

gallant /ˈgælənt/ *a*. ①華麗的②雄偉的③勇敢的;豪俠的④風流倜儻的 *n*. ①豪俠②時髦人物③好色者 **~ry** *n*. ①勇敢;豪俠;勇敢的言行②慇懃③風流事.

galleon /ˈgælɪən/ *n*. 西班牙大帆船.

gallery /ˈgælərɪ/ *n*. ①走(遊)廊;長廊

②跳台;陽台③畫廊;美術陳列室;美術館④(美術館等展出或收藏的全部)美術品⑤狹長的房間;攝影室.

galley /'gælɪ/ *n*. ①大木船②長方形活字盤③(飛機、船上的)廚房.

Gallic /'gælɪk/ *a*. ①高盧的;高盧人的②[謔]法國的.

gallium /'gælɪəm/ *n*.【化】鎵.

gallivant /ˌgælɪ'vænt/ *v*. 閒逛;與异性遊蕩;尋歡作樂.

gallon /'gælən/ *n*. ①加侖②一加侖的容量.

gallop /'gæləp/ *n*. ①(馬等的)飛跑;騎馬奔馳②敏捷的動作;迅速 *vi* ①飛跑;疾馳②匆匆地讀;急速進行;迅速發展.

gallows /'gæləʊz/ *pl*. *n*. ①絞台②絞刑③該受絞刑的人.

Gallup poll /'gæləp pəʊl/[美]蓋洛普民意測驗.

galore /gə'lɔː(r)/ *ad*. 許多;豐富;豐盛.

galosh /gə'lɒʃ/ *n*. (常用 *pl*.)橡皮套鞋.

galumph /gə'lʌmf/ *vi*. 喧鬧地走(跑).

galvanic /gæl'vænɪk/ *a*. 電流的;突然而勉強的;觸電似的 **galvanize** /'gælvənaɪz/ *vt*. 通電流於;電鍍.

gambit /'gæmbɪt/ *n*. ①開局讓棋法②策略③開場白.

gamble /'gæmbl/ *n*. & *vi*. ①賭博;打賭②投機;冒險 *vt*. 賭掉;以…打賭;冒…的險 **~r** *n*. 賭徒.

gambol /'gæmbəl/ *n*. 跳躍;嬉戲 *vi*. 蹦跳;戲嬉.

game /geɪm/ *n*. ①遊戲;比賽②一局(盤、場)③比分④得勝⑤獵物 *v*. 打賭 *a*. ①勇猛的②殘廢的;跛的 **gaming** *n*. 賭博 // *gaming house* 賭場.

gamete /'gæmiːt/ *n*.【生】配子;接合體.

gamine/gɑː'miːn/ *n*. 頑皮的、有男孩子氣的姑娘.

gamma /'gæmə/ *n*. 希臘語的第三個字母(**Γ, γ**) // *~ray* γ 射綫.

gammon /'gæmən/ *n*. ①腌猪後腿;臘腿②(下棋)全勝③欺騙 *vt*. ①腌;熏(肉等)②胡說;欺騙.

gammy/'gæmɪ/ *a*. = game(因病等原因)四肢或關節僵直,不能自由行動的;瘸的;跛的.

gamut /'gæmət/ *n*. ①音階;全音域②全範圍;全部.

gander /'gændə(r)/ *n*. ①雄鵝②糊塗蟲;傻瓜③[俚]一瞥.

gang /gæŋ/ *n*. ①一群;一夥②(工具)一套③匪幫 *vi* 成群結隊 *vt*. 使分成班組 **~er** *n*. 工長;領班;監工.

gangling /'gæŋglɪŋ/ *a*. (指人)瘦長而難看的.

ganglion /'gæŋglɪən/ *n*. (*pl*. **ganglia** /'gæŋglɪə/或**~s**)【解】神經節;[喻]力量(活動、興趣)的中心.

gangplank/'gæŋplæŋk/ *n*.【船】步橋;上下船用的跳板.

gangrene /'gæŋgriːn/ *n*. ①【醫】壞疽②[喻]道德敗壞.

gangster /'gæŋstə(r)/ *n*. 歹徒;暴徒 **~ism** *n*. 強盜行為.

gangway /'gæŋweɪ/ *n*. 通路;出口;舷門(或梯).

gannet /'gænɪt/ *n*.【動】塘鵝.

gantry /'gæntrɪ/ *n*. ①桶架②(起重機的)構台;龍門起重架.

gaol /dʒeɪl/ (=[美]jail) *n*. 監獄;監禁 *vt*. 監禁;把…關入牢獄 **~er** *n*. 監獄看守.

gap /gæp/ *n*. ①裂縫;缺口②山峽;隘口③分歧;差距.

gape /geɪp/ *vi*. ①張口;打呵欠②目瞪口呆地凝視③張開;裂開 *n*. ①張口;呵欠②目瞪口呆③豁口.

garage /'gærɑːʒ/ *n*. 汽車房;修車場~**man** *n*.汽車庫工人;汽車修理廠工人// ~*sale* 現場舊貨出售.

garb /gɑːb/ *n*. 服裝;裝束;外表;外衣 *vt*.穿;裝扮.

garbage /'gɑːbɪdʒ/ *n*. ①廢料;垃圾②食物下脚③下流(或無聊)的讀物(話).

garble /'gɑːbl/ *n*. & *vt*. 斷章取義;竄改;混淆;歪曲.

garden /'gɑːdn/ *n*. 花園;菜園;果園;庭園;動(植)物園;(常用 *pl*.)公園 *vi*.在花園裏勞作~**er** *n*.園林工人~**ing** *n*.園藝(學).

gardenia /gɑː'diːnɪə/ *n*.【植】①梔子②梔子花.

gargantuan /gɑː'gæntjʊən/ *a*. 龐大的;巨大的.

gargle /'gɑːgl/ *v*. ①漱口(喉);含漱②[美俚]酗酒;喝酒 *n*.含漱劑;漱口.

gargoyle/'gɑːgɔɪl/*n*.【建】滴水嘴(尤指建在教堂中刻在怪異人形或獸形臉上的).

garish /'geərɪʃ/ *a*. ①花哨的;鮮艷奪目的;打扮得俗不可耐的②閃耀的.

garland /'gɑːlənd/ *n*. 花環;花冠,勝利和榮譽的象徵 *vt*.用花環裝飾.

garlic /'gɑːlɪk/ *n*. 大蒜.

garment /'gɑːmənt/ *n*. ①外衣;外套②(*pl*.)服裝③外表.

garner /'gɑːnə(r)/ *n*.穀倉;儲備物;積蓄物 *vt*.①把…儲入穀倉;儲藏②收集;積累.

garnet /'gɑːnɪt/ *n*. ①【礦】石榴石②深紅色.

garnish /'gɑːnɪʃ/ *vt*. ①裝飾;修飾②(烹飪)加配菜於 *n*.裝飾品;修飾;~**ment** *n*.

garret /'gærət/ *n*. 屋頂層;頂樓;擱樓.

garrison /'gærɪsn/ *n*. 駐軍;衛戍部隊;警衛部隊 *vt*.守衛;駐防(某地).

garrotte /gə'rɒt/ *n*. ①西班牙絞刑②絞刑刑具.

garrulity /gə'ruːlətɪ/ *n*. 饒舌;喋喋不休. **garrulous** /'gærələs/ *a*. **garrulously** *ad*. **garrulousness** *n*.

garrulous/'gærjʊləs/*a*.①饒舌的;喋喋不休的②講話冗長而囉嗦的.

garter /'gɑːtə(r)/ *n*. ①襪帶②[英]嘉德勛位(英國的最高勛位);嘉德勛章.

gas /gæs/ *n*. ①氣;煤(毒)氣;(美俗)汽油②廢話;吹牛 *vt*.用毒氣殺傷;使吸入毒氣 *vi*.空談;吹牛~**less** *a*.無氣體的;不用氣體的~**helmet** = ~**mask** *n*.防毒面具~**-station** *n*.[美]加油站~**works** *n*.煤氣廠.

gaseous /'gæsɪəs/ *a*. 氣體的.

gash /gæʃ/ *n*. (深長的)切口(傷口);(地面等的)裂縫.

gasify /'gæsɪfaɪ/ *v*. (使)成為氣體;(使)氣化.

gasket /'gæskɪt/ *n*. ①束帆索②墊圈③填料.

gasoline, gasolene /'gæsəliːn/ *n*. [美]汽油.

gasometer /gæ'sɒmɪtə(r)/ *n*. ①煤氣計量計②煤氣儲放罐.

gasp /gɑːsp/ *vi* ①氣喘;透不過氣②熱望;渴望 *vt*. 喘着氣說 *n*.氣喘;透不過氣;~**ing** *a*.氣喘的;痙攣的;陣發性的.

gassy /'gæsɪ/ *a*. ①充滿氣體的;氣狀的②吹牛的.

gastric /'gæstrɪk/ *a*. 胃的//~**ulcer** 胃潰瘍.

gastritis /gæ'straɪtɪs/ *n*. 胃炎.

gastroenteritis /'gæstrəʊˌentə'raɪtɪs/ *n*. 胃腸炎.

gastronomic(al) /ˌgæstrə'nɒmɪk(əl)/ *a*.美食學的;烹調法的 **gastronomy** /gæ'strɒnəmɪ/ *n*.美食學;烹調法.

gate /geɪt/ *n*. ①門;出入口②狹長通道;峽谷③閥門④觀衆數⑤門票收入 **~house** *n*.門房 **~keeper** *n*.看門人 **~-money** 入場費;門票費 **~way** *n*. 門口;入口;途徑.

gâteau/'gætəʊ/*n*.奶油大蛋糕(常裱有水果、堅果、巧克力等).

gather /'gæðə(r)/ *v*. 集合;(使)聚集;搜集;積聚 **~ing** *n*.集會;聚集.

GATT *abbr*. *n*. = General Agreement on Tariffs and Trade 關稅及貿易總協定.

gauche /gəʊʃ/ *a*. [法]不善交際的.

gaucho/'gaʊtʃəʊ/*n*. ①(美國的)牧童;牛仔②(美加的)騎馬牧童③加烏喬牧人(多為居住於南美大草原上西班牙人與印第安人的混血血統).

gaud /gɔːd/ *n*. 華麗而俗氣的裝飾品 **~y** *a*.華麗而俗氣的;炫耀的.

gauge /geɪdʒ/ *n*. ①標準尺寸;規格②量規;量器 *vt*.估計;測度 **~able** *a*. 可測(計)量的.

gaunt /gɔːnt/ *a*. ①瘦削的;憔悴的②貧瘠的;荒涼的.

gauntlet[1]/'gɔːntlɪt/ *n*. 用於成語 // *run the* ~受夾道鞭打;受嚴厲批評.

gauntlet[2]/'gɔːntlɪt/ *n*. 長手套 // *throw down the* ~ 挑戰.

gauze /gɔːz/ *n*. ①薄紗;羅;網紗②薄霧.

gave /geɪv /give 的過去式.

gavel/'gævəl/*n*.(拍賣商或會議主席用的)小木槌.

gavotte/gə'vɒt/*n*.加伏特舞(舊時法國農民的舞蹈);加伏特舞曲.

gawk/gɔːk/ *vi*. & *n*.無禮地或呆呆地盯着看 *a*.笨手笨脚的.

gawky /'gɔːkɪ/ *a*. 笨拙的;粗笨的; *n*. 笨人.

gawp/gɔːp/ *v*. 呆呆地看着 *n*.[方]呆子.

gay /geɪ/ *a*. ①快活的②華美的③放蕩的;同性戀的. **~ly** *ad*. **~ness** *n*. 同性戀.

gaze /geɪz/ *n*. & *vi*. 凝視;注視.

gazebo /gə'ziːbəʊ/ *n*. (*pl*. **gazebo(e)s**) 眺台;陽台;涼亭.

gazelle /gə'zel/ *n*. (*pl*. **gazelle(s)**) 小羚羊.

gazette /gə'zet/ *n*. 報紙;公報.

gazetteer /ˌgæzə'tɪə(r)/ *n*. 地名詞典;地名索引.

gazump/gə'zʌmp/*v*.抬價欺詐(尤指房價議定後再抬價敲詐)*n*.敲詐;欺詐.

G.B., GB *abbr*. = Great Britain 大不列顛.

GBH *abbr*. = grievous bodily harm.

GCE *abbr*. = General Certificate of Education.

GCSE *abbr*. = General Certificate of Secondary Education.

gear /gɪə(r)/ *n*. ①齒輪;傳動裝置②工具;設備 *vt*.①將齒輪裝上;用齒輪連接②使適應 *vi*.①嚙合②開始工作③適應.

gecko /'gekəʊ/ *n*. (*pl*. **gecko(e)s**) 壁虎.

gee /dʒiː/ *n*. ①[口][兒語]馬②[美俚]傢伙;人 *int*.駕馭牛,馬的吆喝聲;哎呀(表示驚嘆、興奮).

geese /giːs/ *n*. goose 的複數.

geezer /'giːzə(r)/ *n*. 古怪老頭兒;老傢

伙.

geisha /'geɪʃə/ *n*.(*pl*.**geisha(s)**)[日]藝妓.

gel /dʒel/ *n*.【化】凝膠(體);凍膠 *vi*.形成膠體;膠化.

gelatin(e) /'dʒelətiːn/ *n*. 明膠;動物膠 **gelatinous** /dʒe'lætɪnəs /*a*.

geld /geld/ *vt*. ①閹割;剝奪②減弱…的力量.

gelid /'dʒelɪd/ *a*. 極冷的;冷冰冰的.

gelignite/'dʒelɪgnaɪt/*n*.葛里炸藥;硝酸爆膠(一種由硝酸和甘油等製成的炸藥).

gem /dʒem/ *n*. ①寶石;珍寶②被人喜歡(或尊敬)的人 *vt*.用寶石裝飾.

gemma /'dʒemə/ *n*.(*pl*.**gemmae** /'dʒemiː/)【生】芽;胞芽;芽孢.

gen /dʒen/ *n*. [英俗]情報.

gendarme /'ʒɒndɑːm/ *n*. [法]憲兵;[美]警察.

gender /'dʒendə(r)/ *n*.【語】性.

gene /dʒiːn/ *n*.【生】基因// ~*therapy* 基因治療.

genealogy /ˌdʒiːnɪ'ælədʒɪ/ *n*. ①家譜;家系②系譜圖;系譜學③血統;系統 **genealogical** /ˌdʒiːnɪə'lɒdʒɪkl/*a*. **genealogist**/ˌdʒiːnɪ'ælədʒɪst/ *n*. 家系學者.

genera /'dʒenərə/genus 的複數.

general /'dʒenrəl/ *a*. ①一般的;普通的②全體的③大概的 *n*.將軍;上將官~**ity** /ˌ-rælətɪ/ *n*.普通性;概論;大部分 ~**ly** *ad*.大概;普通;廣泛 **generalization** /ˌ-zeɪʃn/ *n*.一般化;概括;綜合 **generalize** /'dʒenərəlaɪz/ *vt*.使一般化;概括出.

generalissimo /ˌdʒenrə'lɪsɪməʊ/ *n*. 大元帥;總司令;最高統帥.

generate /'dʒenəreɪt/ *vt*. ①產生;引起;導致;形成②生育;生殖 **generation** *n*.①產生②生殖;生育③一代(人);世代 **generative** *a*.生殖的;生育的;有生產力的 **generator** *n*.①生產者;生殖者②創始者③發電機;發生器.

Generation-X /ˌdʒenə'reɪʃn eks/*n*. *X* 一代,被遺忘的一代.(指 1961 年至 1971 年出生的人,這一代人比生育高峰期的人機緣較少)

generic /dʒɪ'nerɪk/ *a*. ①一般的;普通的②【生】屬的;類的;③(商品名)不註冊的④【語】全稱的;總稱的~**ally** *ad*.

generosity /ˌdʒenə'rɒsətɪ/ *n*. 寬大;慷慨.

generous /'dʒenərəs/ *a*. ①慷慨的;大方的②有雅量的③豐富的④濃烈的.

genesis /'dʒenəsɪs/ *n*. 起源;發生;創始.

genetic /dʒɪ'netɪk/ *a*. 遺傳因子的;遺傳學的~**s** *n*.遺傳學 // ~ *engineering* 遺傳工程.

genial /'dʒiːnɪəl/ *a*. ①親切的;友好的②溫和的;宜人的;溫暖的 ~**ity** /ˌdʒiːnɪ'ælətɪ/ *n*. ~**ly** *ad*.

genie /'dʒiːnɪ/ *n*.(*pl*.**genies, genii** /'dʒiːnɪaɪ/)妖怪.

genital /'dʒenɪtl/ *a*. 生殖的;生殖器的 *n*.(*pl*.)生殖器.

genitive /'dʒenətɪv/ *a*.【語】生格的,所有格的.

genius /'dʒiːnɪəs/ *n*.(*pl*.**geniuses**)①天才;天賦;創造能力②天才人物;才子③特徵④精神⑤思潮;風氣.

genocide /'dʒenəsaɪd/ *n*. 種族滅絕;滅絕種族的屠殺.

genre /ʒɑːnrə/ *n*. [法]①(文藝作品的)類型;流派;風格②(總稱)風俗畫(=~painting).

gent /dʒent/ *n*. ①[俗、謔]紳士;假紳

士;人;傢伙② (*pl*.)男公共廁所.

genteel /dʒen'tiːl/ *a*. ①上流社會的②有教養的;彬彬有禮的③時髦的 **~ly** *ad*.

gentian /'dʒenʃn/ *n*. 【植】龍膽 // ~ *violet* 龍膽紫.

gentile /'dʒentaɪl/ *n*. & *a*. (常用G-)非猶太人(的);異教徒(的).

gentility /dʒen'tɪlətɪ/ *n*. 出身高貴;文雅;有教養.

gentle /'dʒentl/ *a*. ①出身高貴的②文雅的;有禮貌的③慷慨的;善良的 **~ness** *n*. 溫順;優雅 **gently** *ad*. **~folk(s)** *pl*.*n*.出身高貴的人.

gentleman /'dʒentlmən/ *n*. (*pl*. **gentlemen**) ①有身份的人②紳士;君子;有教養的人③ (*pl*.)各位先生;閣下.

gentlewoman /'dʒentlwʊmən/ *n*. (*pl*.) **gentlewomen** /'dʒentlwɪmɪn/ 貴婦人;女士.

gentry /'dʒentrɪ/ *n*. ①紳士們②(地位、出身次於貴族的)中上階級③[蔑]人們;傢伙.

genuflect /'dʒenjuːflekt/ *vi*. 屈膝;屈服;屈從 **genuflection, genuflexion** /ˌdʒenjuː'flekʃn/ *n*. **genuflector** /'dʒenjuːflektə/ *n*. 屈膝者;屈服者.

genuine /'dʒenjʊɪn/ *a*. ①真正的;真誠的②純血統的;純種的 **~ly** *ad*. **~ness** *n*.

genus /'dʒiːnəs/ *n*. (*pl*. **genera** /'dʒenərə/) 類;種類.

geocentric /ˌdʒiːəʊ'sentrɪk/ *a*. 以地球為中心的;地心的.

geode /'dʒiːəʊd/ *n*. 【地】晶洞;晶球;空心石核.

geodesy /dʒiː'ɒdɪsɪ/ *n*. 大地測量學.

geography /dʒɪ'ɒgrəfɪ/ *n*. 地理學;地理 **geographer** 地理學家 **geographic(al)** /dʒɪə'græfɪk(əl)/ *a*. 地理(學)的 **geographically** *ad*.

geology /dʒɪ'ɒlədʒɪ/ *n*. 地質學;地質 **geologist** 地質學家.

geometry /dʒɪ'ɒmətrɪ/ *n*. 幾何學 **geometer** *n*.幾何學家 **geometric(al)** /dʒɪə'metrɪk(əl)/ *a*.幾何學上的.

geophysics /ˌdʒɪəʊ'fɪzɪks/ *n*. 地球物理學 **geophysical** *a*. **geophysically** *ad*. **geophysicist**/ˌdʒɪəʊ'fɪzəsɪst/ *n*. 地球物理學家.

geopolitics/ˌdʒiːəʊ'pɒlɪtɪks/(*pl*)*n*.[用作單]地緣政治學;地理政治學.

Geordie/'dʒɔːdɪ/*n*.①[英]泰恩賽德人(方言)②[澳新口]蘇格蘭人.

georgette /dʒɔː'dʒet/ *n*. (= ~crepe) 喬其紗.

Georgian /'dʒɔːdʒən/ *a*. ①(英國)喬治王朝的②佐治亞州的;佐治亞州人的③格魯吉亞的;格魯吉亞人(語)的 *n*.佐治亞州人;格魯吉亞人(語).

geostationary/ˌdʒiːəʊ'steɪʃənərɪ/*a*.(人造地球衛星)與地球旋轉同步的;對地靜止的.

geothermal /ˌdʒiːəʊ'θɜːməl/; **geothermic** /ˌdʒiːəʊ'θɜːmɪk/ *a*. 地溫的;地熱的.

geranium /dʒɪ'reɪnɪəm/ *n*. 【植】天竺葵.

gerbil/'dɜːbɪl/*n*.【動】生活在亞、非沙漠地區洞穴內的沙鼠.

geriatrics /ˌdʒerɪ'ætrɪks/ *n*. 老年病學.

germ /dʒɜːm/ *n*. ①微生物;細菌;病菌②【生】幼芽;胚芽;萌芽;起源 **~-carrier** *n*.帶菌者 **~-cell** *n*.生殖細胞 **~-warfare** *n*.細菌戰爭.

German /'dʒɜːmən/ *a*. 德國的;德國人的;德國語的 *n*.德國人;德語 **~ism** *n*.德意志精神;德意志氣質(或風

格)~**y** *n*. 德意志,德國.

german /'dʒɜːmən/ *a*. 同父母的;同外祖父母的;同祖父母的(常用連字符接在名詞後).

germane /dʒə'meɪn/ *a*. ①關係密切的;有關的②貼切的;恰當的.

germanium /dʒɜ'ːmeɪnɪəm/ *n*. 【化】鍺.

germen /'dʒɜːmən/ *n*.【植】幼芽;蕾.

germicide /'dʒɜːmɪsaɪd/ *n*. 殺菌劑 *a*. 殺菌的. **germicidal**/ˌdʒɜːmɪ'saɪdl/ *a*. 殺菌劑的;有殺菌力的.

germinal /'dʒɜːmɪnl/ *a*. ①幼芽的;胚種的②原始的;初發的 ~**ly** *ad*.

germinate /'dʒɜːmɪneɪt/ *vt*. ①使發芽;使發生②形成;產生 *v*. 發芽;開始生長 **germination** /ˌɪ-'neɪʃn /*n*. **germinative** *a*. 發芽的;有發芽力的.

gerrymander /'dʒerɪmændə(r)/ *vt*. ①非法改劃(選區)②弄虛作假 *n*. 非法改劃的選區.

gerund /'dʒerənd/ *n*.【語】動名詞~**ial** /dʒɪ'rʌndɪəl/ *a*. 動名詞的.

Gestapo /ge'stɑːpəʊ/ *n*. [德]蓋世太保(二次世界大戰時德國的秘密警察).

gestation /dʒe'steɪʃn/ *n*. ①妊娠(期);懷孕(期)②(想法、計劃等的)醞釀.

gesticulate /dʒe'stɪkjʊleɪt/ *v*. 做手勢;用手勢表達;用姿勢示意;用姿勢表達 **gesticulation** /dʒeˌstɪkjʊ'leɪːʃn / *n*. 做姿勢.

gesture /'dʒestʃə(r)/ *n*. 姿勢;手勢;姿態.

get /get /(**got** /gɒt/; **got,** [美或古語] **gotten** /'gɒtn/) *vt*. ①獲得;掙得②(購)買③預訂④收到;受到⑤拿來;搞到⑥理解;⑦抓住⑧擊中⑨感染上⑩漸漸變為⑪到達⑫難倒(住) *vi*①到達②變得③獲得財富;賺錢 // ~*about* 走動;旅行;傳開 ~*above oneself* 變得自高自大 ~*ahead* 進步;勝過 ~*along*, ~*on* 生活;相處融洽 ~*away* 逃離 ~*behind* 落后 ~*done with* (*sth*)結束(某事) ~*down on* 對…產生惡感 ~*over* 爬過;克服 ~*round*(或 *around*)規避(法律等);說服;爭取 ~*somewhere* 有所進展 ~*through* 到達 ~*together* 聚集.

gewgaw /'gjuːgɔː/ *n*. & *a*. 華而不實的(東西);小玩意兒.

geyser /'gaɪzə(r)/ *n*. ①間歇(噴)泉②[英] /'giːzə/水的(蒸汽)加熱器;熱水鍋爐.

ghastly /'gɑːstlɪ/ *a*. ①可怕的;恐怖的;鬼一樣的②蒼白的③極壞的;糟透的 **ghastliness** *n*.

gha(u)t /gɔːt/ *n*. [印度用語]①山路②岸邊石階.

ghee /giː/ *n*.[印度]酥油.

gherkin /'gɜːkɪn/ *n*. 西印度黃瓜;小黃瓜.

ghetto /'getəʊ/ *n*. (*pl*. **ghetto(e)s**) ①猶太人區②貧民區.

ghost /gəʊst/ *n*. ①鬼;幻影;靈魂②代筆人 *vt*. ①像鬼似地出沒於(某處)②受僱而代(某人)作文(作畫) *vi*. 像鬼似地遊蕩~**ly** *a*. 鬼的;可怕的 ~**writer** *n*. 捉刀人.

ghoul /guːl/ *n*. 食(盜)屍鬼;盜屍人 ~**ish** *a*. 食屍鬼一樣的;殘忍的.

GHQ *abbr*. = General Headquarters 總司令部.

GI /dʒiː'aɪ/ *n*. [俗]美國兵.

giant /'dʒaɪənt/ *n*. ①(童話中的)巨人②巨物;巨大的動(植)物 *a*. 巨大的.

gibber /'dʒɪbə(r)/ *vi*. 嘰哩咕嚕地說話;發無意義的聲音 *n*. = gibberish /'dʒɪbərɪʃ/ *n*. 急促而不清楚的話;莫明其妙的話.

gibbet /'dʒɪbɪt/ *n*. ①絞刑架;示衆架

②絞刑.

gibbon /ˈgɪbən/ *n*. 長臂猿.

gibe /dʒaɪb/ *vi* & *n*. 嘲笑;嘲弄 **~r** *n*.嘲笑者;嘲弄者 **gibingly** *ad*.嘲弄地.

giblets /ˈdʒɪblɪts/ *pl*. *n*. 雞雜;鴨雜;禽類的內臟、雜碎.

giddy /ˈgɪdɪ/ *a*. ①頭暈的;眼花繚亂的②輕率的;輕浮的 **giddily** *ad*. **giddiness** *n*.

gift /gɪft/ *n*. ①禮物②天賦;才能 *vt*.賦與 **~ed** *a*.有天才的 // *a Greek ~* 圖財害命的禮物 *by free ~* 作為免費贈品 *have the ~ of gab* 有流利的口才;能說會道.

gig /gɪg/ *n*. ①輕便雙輪馬車②爵士樂等的預定演出.

gigantic /dʒaɪˈgæntɪk/ *a*. ①巨大的②巨人般的 **~ally** *ad*.

giggle /ˈgɪgl/ *v*. 咯咯地笑(着說) *n*.咯咯地笑;傻笑.

gigolo /ˈʒɪgələʊ/ *n*. 舞男;靠妓女生活的男人;面首.

gild[1] /gɪld/ *vt*. ①把…鍍金;給…塗上金色②使有光彩;裝飾 **~ed** *a*.闊氣的;上層社會的 **~er** *n*.鍍金工人.

gild[2] =guild.

gill /gɪl/ *n*. (魚)鰓;(水生動物的)呼吸器.

gillie/ˈgɪlɪ/*n*. ①[蘇格蘭]獵人(或漁人)的隨從②侍從、男僕.

gillyflower /ˈdʒɪlɪˌflaʊə(r)/ *n*. 紫羅蘭花;桂竹青;麝香石竹.

gilt /gɪlt/ *a*. 鍍金的;金色的 *n*. 鍍金材料;金色塗層;炫目的外表.

gimcrack /ˈdʒɪmkræk/ *a*. 華而不實的 *n*.華而不實的東西;小玩意兒.

gimlet /ˈgɪmlɪt/ *n*. 手鑽;螺絲錐 *a*.有鑽孔能力的;有鑽勁的;銳利的 **~-eyed** *a*.目光銳利的.

gimmick/ˈgɪmɪk/*n*. ①(為吸引別人注意而搞的)小玩意兒②花招;詭計.

gin /dʒɪn/ *n*. ①陷阱;②軋棉機;③杜松子酒;荷蘭酒 *vt*.軋;用陷阱捕捉 **~-palace** *n*.豪華的小酒店.

ginger /ˈdʒɪndʒə(r)/ *n*. ①薑②精力;活力③薑黃色 *vt*.使有薑味;使有活力 **~ly** *ad*. & *a*.小心謹慎地(的) **gingerliness** *n*.

gingham /ˈgɪŋəm/ *n*. 方格花布;條紋布 *a*.方格花布做的.

gingivitis/ˌdʒɪndʒɪˈvaɪtɪs/*n*.【醫】齦炎.

gingko, [美] **ginkgo** /ˈgɪŋkəʊ; ˈgɪŋkgəʊ/ *n*.【植】銀杏;白果樹.

ginseng /ˈdʒɪnseŋ/ *n*. 人參.

gipsy=gypsy /ˈdʒɪpsɪ/ *n*. ①吉普賽人②[謔]頑皮姑娘.

giraffe /dʒɪˈrɑːf/ *n*. *pl*. **giraffe(s)** 長頸鹿.

gird /gɜːd /(過去式及過去分詞 **girded** 或 **girt** /gɜːt/) *vt*. ①束(緊);縛;纏上②佩帶;給…佩帶③嘲笑 *vi*. ①準備②嘲弄;嘲笑 *n*.嘲弄;嘲笑.

girder /ˈgɜːdə(r)/ *n*. ①大梁;桁②嘲罵者.

girdle /ˈgɜːdl/ *n*. ①帶;腰帶②環形物 *vt*.用帶束;環繞.

girl /gɜːl/ *n*. ①女孩;姑娘②女兒③女僕;保姆④女店員 **~hood** *n*.少女時期 // *~Friday*[美俚]能幹的女助手 *~friend* 女性朋友;女性伴侶;情婦.

giro /ˈdʒaɪrəʊ/ *n*. =autogyro(銀行或郵局的)自動轉賬(過戶)系統.

girt /gɜːt /gird 的過去式及過去分詞.

girth /gɜːθ/ *n*. ①(馬等的)肚帶②周圍(長);大小;尺寸.

gist /dʒɪst/ *n*. 要點;要旨.

give /gɪv/(**gave** /geɪv/; **given** /ˈgɪvn/) *vt*. ①給②贈給;授予;捐贈③供給

④付出⑤出售⑥致力;獻身⑦托付⑧產生;引起⑨舉行;演出⑩讓出 *vi*①贈送;捐助②讓步③陷下;塌下④轉暖;融化 *n*.①彈性;可彎性②給與 **~r** *n*.給予者// ~*away* 送掉;放弃;出賣;泄露 ~*in* 屈服;讓步 ~*off* 發出(光、氣等) ~*out* 分發;發出(熱等) ~*up* 放弃.

given /'gɪvn/give 的過去分詞 *a*.①給予的;贈送的②特定的;一定的③假設的;【數】已知的④喜愛的;習慣的 *prep*.鑒於;如果;考慮到// ~*name* [美](不包括姓的)名字;教名.

gizzard /'gɪzəd/ *n*.①(鳥等的)砂囊;膨②[口]胃;內臟.

glacé/'glæseɪ/*a*.①冰凍的②裹糖衣的③蜜餞的④(絲綢等)亮面的,有光的.

glacial /'gleɪsɪəl/ *a*.①冰的;冰河的②冰河時期的.

glacier/'glæsɪə(r)/ *n*.冰河.

glad /glæd/ *a*.高興的;快樂的;令人高興的;使人愉快的 **~ly** *ad*. **~ness** *n*.

gladden /'glædn/ *v*.使高興;使快樂.

glade /gleɪd/ *n*.林間空地;沼澤地.

gladiator/'glædɪeɪtə(r)/*n*.(古羅馬的)鬥劍士(訓練後置於圓形劇場鬥劍,以供消遣).

gladiolus/ˌglædɪ'əʊləs/*n*.唐菖蒲屬植物(種植於庭院中,葉長而尖,為劍狀).

gladsome /'glædsəm/ *a*.高興的;可喜的.

glair /gleə(r)/ *n*.蛋白;蛋白狀粘液.

glamo(u)r /'glæmə(r)/ *n*.魔力;魅力 *vt*.迷惑;迷住 **~ous** /'glæmərəs /*a*.富有魅力的.

glance /'glɑːns/ *vi* & *n*.晃眼一看;瞥見;一閃.

gland /glænd/ *n*.【解】腺;【機】密封壓蓋;密封套.

glanders /'glændəz/ *pl*. *n*.(用作單數)鼻疽病;馬鼻疽.

glare /gleə(r)/ *vi*.①眩目地照射;閃耀;炫耀②瞪眼 *vt*.瞪着眼表示 *n*.①眩目的光;強烈的陽光②炫耀的陳設③顯眼④憤怒的目光 **glaring** *a*.顯眼的;耀眼的.

glasnost/glɑːsnɒst/*n*.本世紀八十年代,前蘇聯提出的公開和解釋政策.

glass /glɑːs/ *n*.①玻璃②玻璃杯(或製品)③(*pl*.)眼鏡④鏡子;望遠鏡⑤寒暑表 *vt*.①給…裝上玻璃②反映.

glassy /'glɑːsɪ/ *a*.①玻璃質的②(眼睛等)沒有神彩的③明淨的 **glassily** *ad*. **glassiness** *n*. **~-eyed** *a*.眼睛無神的;目光呆滯的.

glaucoma /glɔː'kəʊmə/ *n*.青光眼;白內障 **~tous** /glɔː'kəʊmətəs /*a*.

glaze /gleɪz/ *vt*.①配玻璃於②上釉於;上光於;打光③擦亮 *vi*.①變光滑;變得明亮②(眼睛)變呆滯;變模糊 *n*.釉料;光滑面;上釉;打光 **glazier** *n*.鑲玻璃工人;上釉工人.

gleam /gliːm/ *n*.一綫光明;微光;曙光 *v*.(使)發微光;(使)閃爍.

glean /gliːn/ *vt*.①拾(落穗)②搜集③發現;探明 *vi*.拾落穗;搜集新聞.

glebe/gliːb/*n*.教區牧師在任職期間所享用的土地.

glee /gliː/ *n*.①高興②三部重唱歌曲 **~ful** *a*.極高興的;令人興奮的.

glen /glen/ *n*.峽谷;幽谷.

glengarry /glen'gærɪ/ *n*.(蘇格蘭高地人戴的)便帽.

glib /glɪb/ *a*.①口齒伶俐的;善辯的②油腔滑調的;圓滑的.

glide /glaɪd/ *v*. & *n*.①滑翔;(使)滑動;(使)滑行②悄悄地走;消逝 **glid-**

er *n*.滑翔機;滑行者.

glimmer /'glɪmə(r)/ *n*. ①微光②模糊的感覺③微量④【礦】雲母 *vi*.發微光;朦朧出現.

glimpse /glɪmps/ *n*. 一瞥;一看;隱約的閃現 *v*.①瞥見;看一看②隱約出現.

glint /glɪnt/ *vi*. 閃閃發光 *n*.微光;閃光;目光.

glissade /glɪ'seɪd/ *n*. ①(登山時)在覆蓋着冰雪的斜坡上滑降②(芭蕾舞)橫滑步 *vi*.滑降;跳橫滑步舞.

glisten /'glɪsn/ *vi*. 閃光;反光 *n*.光輝;閃光;反光.

glister /'glɪstə(r)/ *n*. & *vi*. = glisten.

glitch /glɪtʃ/ *n*. [美俚](機器等的)小故障 *vi*.突然故障.

glitter /'glɪtə(r)/ *vi*. 閃閃發光;閃爍;華麗奪目; *n*.閃光;光輝**~ing** *a*.

glitterati /ˌglɪtə'rɑ:tɪ/ (*pl*.)*n*. (總稱)社交界知名人士.

gloaming /'gləʊmɪŋ/ *n*. 黃昏;薄暮.

gloat /gləʊt/ *vi*. 心滿意足地(或幸災樂禍地)看(想、沉思、考慮) *n*.揚揚得意;幸災樂禍.

global /'gləʊbl/ *a*. ①球形的②全球的;世界的③總括的;綜合的④普遍的**~ism** *n*.全球性**~ly** *ad*.

globe /gləʊb/ *n*. ①球;地球;世界②天體;行星;太陽③地球儀④球狀玻璃器皿⑤【解】眼球.

globule /'glɒbju:l/ *n*. 小球;藥丸;液滴.

glockenspiel /'glɒkənspi:l/*n*. 鐘琴(用小槌敲擊,使發出聲音).

gloom /glu:m/ *n*. ①黑暗;幽暗②憂鬱;意志消沉 *vi*.①變黑暗;變朦朧②變憂鬱 *vt*.①(使)黑暗;使朦朧②使憂鬱**~y** *a*.

glorify /'glɔ:rɪfaɪ/ *vt*. ①頌揚;給…以榮耀;贊美②使輝煌;使光彩奪目 **glorification** /ˌglɒrɪfɪ'keɪʃn/ *n*. 頌揚;贊美;慶祝;美化.

glory /'glɔ:rɪ/ *n*. ①光榮;榮譽;榮耀的事;可贊頌的事②壯麗;壯觀③繁榮 *vi*.自豪;得意 **glorious** /'glɔ:rɪəs /*a*. **gloriously** *ad*.

gloss /glɒs/ *n*. ①光澤;光彩②虛飾;假象③註釋;④詞彙表; *vt*.①使具有光澤②掩飾③註釋④曲解 *vi*.發光;作註釋**~y** *a*.

glossary /'glɒsərɪ/ *n*. 詞彙表;術語;彙編.

glottal /'glɒtl/ *a*.【解】聲門的.

glottis /'glɒtɪs/ *n*.【解】聲門.

glove /glʌv/ *n*. 手套;拳擊手套;**~-fight** *n*.拳擊.

glow /gləʊ/ *vi*. ①發(白熱)光;灼熱;發熱;發紅②漾溢(指感情);燃燒(指怒火等)③鮮艷奪目;呈現…色彩 *n*.①白熱光②激情;熱情③色彩鮮艷**~-worm** *n*.螢火蟲.

glower /'glaʊə(r)/ *vi*. 怒視;凝視.

glucose /'glu:kəʊs/ *n*.【化】葡萄糖;右旋糖.

glue /glu:/ *n*. 膠;各種膠粘物 *vt*.粘合;粘貼;粘牢 **~y** *a*. 膠(質)的 **~-sniffing** *n*.吸膠氣(吸毒).

glum /glʌm/ *a*. ①憂鬱的;愁悶的②死氣沉沉的,令人沮喪的.

glut /glʌt/ *n*. ①充溢②吃飽③充斥;供過於求 *vt*.①使吃得過飽②使充滿;充斥(市場)③阻塞;堵塞 *vi*.吃得過多;貪婪地吃;暴食.

gluten/'glu:tən/*n*.①麵筋②穀蛋白粘膠質.

glutinous /'glu:tənəs/ *a*. ①膠(質)的;粘的②[美]感傷的;纏綿的**~rice** 糯米.

glutton /'glʌtn/ *n*. ①貪食者②酷愛…的人;對…入迷的人 **~ous** *a*. 貪吃的 **~y** *n*. 暴飲;暴食.

glycerin(e) /'glɪsəriːn/ *n*. 【化】甘油.

glycosuria /ˌglaɪkəʊ'sjʊərɪə/ *n*. 糖尿病.

gm. *abbr*. = gram.

G-man /'dʒiːmæn/ *n*. (*pl*. **G-men** /'dʒiːmen/)[美口](美國)聯邦調查局調查員(government man 之縮寫).

GMT *abbr*. = Greenwich mean time.

gnarl /nɑːl/ *n*. 木節;木瘤 *vt*. 把…扭曲;把…拗彎;使有節;使變形 **~ed** *a*. ①多節的;多瘤的②扭曲的③(性情)怪僻的.

gnash /næʃ/ *v*. 咬(牙);磨(牙);(上下齒)互相叩擊 *n*. 咬牙;磨牙.

gnat /næt/ *v*. ①小昆蟲;蚊子②小煩惱.

gnaw /nɔː/ *v*. (**gnawed**; **gnawed**, **gnawn** /nɔːn/) ①咬斷;啃;嚙;咬掉;咬成②磨損;消耗;腐蝕③折磨;煩惱.

gneiss /naɪs/ *n*. 【地】片麻岩 **~ic**; **~y** *a*.

gnome /nəʊm/ *n*. ①(傳說中生活在地下守護財寶的)守護神;土地神②(花園中用作裝飾的)守護神塑像③國際大金融家.

gnomic/'nəʊmɪk/ *a*. 格言的;精闢的.

GNP *abbr*. = gross national product 國民生產總值.

gnu /nuː/ *n*. (*pl*. **gnu(s)**) 【動】牛羚;角馬(產於非洲).

go /gəʊ/ (**went** /went/; **gone** /gɒn/) *vi*. ①去;走②駛③達到④運轉;進行;起作用⑤訴諸⑥求助(於)⑦查閱⑧消失;衰退⑨變為;成為 *vt*. ①以…打賭②承擔…的責任;忍受③享受④生產 *n*. ①去②進行③精力④[口]事情⑤一下子;一口氣⑥成功 **~er** *n*. (常用來構成複合詞)常去…的人// *as far as it ~es* 就現狀來說 *~about* 從事;幹;走動 *~after* 追求,追逐 *~against* 反對;違反 *~ahead* 前進 *~aloft* 去世 *~along* 進行 *~by* 走過 *~down* 下去;落下 *~downhill* (*uphill*)走下(上)坡路 *~easy* 輕鬆一點幹 *~far* 大有前途;成功 *~flop* 失敗 *~for* ①為…去②對…適用③被認為④主張;擁護;歡喜 *~forth* 向前去;被發表(佈) *~forward* 前進;發生 *~home* ①回家②擊中 *~ill*(事態)惡化 *~ill with* 對…不利 *~round* 四處走動;(消息等)流傳 *~through* ①經歷;通過②仔細檢查;全面考慮③做完 *~wrong* ①走錯路;行為變壞②出毛病;失敗 *~under* ①沉沒②死③失敗.

goal /gəʊl/ *n*. ①終點②球門③目標④(球賽)得分.

goat /gəʊt/ *n*. ①山羊②色鬼③替罪羊.

gob/gɒb/ *n*. ①(粘性物質的)一塊②[俚]嘴.

gobbet/'gɒbɪt/ *n*. (生肉或食物的)一塊.

gobble /'gɒbl/ *vt*. 狼吞虎咽;急急抓住 *vi*. ①貪食;吞併②發出火雞般的咯咯聲 *n*. 火雞的咯咯聲 **~r** *n*. 公火雞.

gobbledygook/'gɒbldɪˌgʊk/ *n*. 冗長浮誇又難以理解的語言、文字.

go-between /'gəʊbɪtwiːn/ *n*. 掮客;中間人.

goblet /'gɒblɪt/ *n*. 酒杯;高脚杯.

goblin /'gɒblɪn/ *n*. 妖怪.

god /gɒd/ *n*. ①(G-)上帝②神

~**-child** *n*.教子(或女)~**-daughter** *n*.教女~**-father** *n*.教父~**-fearing** *a*.畏神的;虔敬的~**less** *a*.無神的;不敬神的~**-mother** *n*.教母~**send** *n*.天賜.

goddess /ˈgɒdɪs/ *n*. ①女神②絕世美人.

godown /ˈgəudaun/ *n*. 倉庫;貨棧.

godparent /ˈgɒdˌpeərənt/ *n*. 教父(母).

goggle/ˈgɒgl/ *v*.(由於驚奇、恐怖等)瞪大眼睛看.

going/ˈgəuɪŋ/ *n*.①離去;離開②路面條件及情況③進展情況.

goitre /ˈgɒɪtə(r)/ *n*.【醫】甲狀腺腫.

go-kart/ˈgəuˌkɑːt/ *n*.小型競賽汽車.

gold /gəuld/ *n*. ①黃金;金幣②錢財;財寶③金色 *a*.金(製)的;含金的;金本位的;金色的~**-bank** *n*.[美]國立銀行~**brick** *vt*.[美俚]欺詐~**-bullion** *n*.金塊~**-leaf** *n*.金箔~**smith** *n*.金飾匠// ~*standard* 金本位.

golden /ˈgəuldən/ *a*. 金色的;貴重的.

golf /gɒlf/ *n*. 高爾夫球 *vi*.打高爾夫球~**er** *n*.打高爾夫球的人~**-club** *n*.高爾夫球棍;高爾夫俱樂部~**-links** *n*.高爾夫球場.

golliwog/ˈgɒlɪwɒg/ *n*.頭髮又硬又濃的黑臉玩偶.

golosh /gəˈlɒʃ/ = galosh *n*.(高統橡皮)套鞋,橡膠鞋.

gonad/ˈgəunæd/ *n*.生殖腺;性腺(如睾丸、卵巢).

gondola /ˈgɒndələ/ *n*. ①狹長平底船;大型平底船②(鐵路上)敞篷貨車.

gone /gɒn/ go 的過去分詞 *a*.①已去的;過去的②遺失了的;無可挽回的.

gong /gɒŋ/ *n*. 鑼;銅鑼.

good /gud/(**better**; **best**) *a*. ①好的②愉快的③健全的④新鮮的⑤有益的⑥適合的⑦可靠的;真的⑧充分的 *n*.①好(事);利益;用處②(*pl*.)貨物;商品③財產~**-for-nothing**; ~**for-naught** *a*.沒有用處的;無價值的 *n*.無用的人;飯桶~**-humo(u)-red** *a*.愉快的;脾氣好的~**-looking** *a*.美貌的~**-natured** *a*.脾氣好的;和藹的.

good-by(e) /ˌgudˈbaɪ/ *int*. 再見! *n*. 再會;再見.

goodness /ˈgudnɪs/ *n*. ①美德;善良②養份;精華③(用於感嘆句)天啊;老天爺 // *My* ~! 天啊! *Thank* ~! 謝天謝地!

goody /ˈgudɪ/ *n*. ①糖果②吸引人的東西③偽善者④(電影、書中的)正面人物 *a*. & *ad*.偽善的(地).

gooey/ˈguːɪ/ *a*.①濕粘的物質②多愁善感的.

goof /guːf/ *n*. ①可笑的蠢人;呆子②大錯;疏忽 *vi*.出大錯 *vt*.把(事情)弄糟~**er** *n*.呆子~**y** *a*.發瘋的;愚蠢的.

googly/ˈguːglɪ/ *n*.【板】(以內曲綫球投法投出的)外曲綫球.

goon /guːn/ *n*. ①傻瓜;怪誕的人②暴徒;打手.

goose /guːs/ *n*.(*pl*. **geese** /giːs/) ①鵝;鵝肉②傻瓜③(*pl*.gooses 熨斗)~**-flesh** *n*.雞皮疙瘩~**gog** *n*.[俗]【植】醋栗~**step** *n*.【軍】正步.

gooseberry /ˈguzbərɪ/ *n*.【植】醋栗;鵝莓.

gopher/ˈgəufə(r)/ *n*.【動】產於北美洲的囊地鼠,沙龜.

Gordian knot /ˈgɔːdɪən ˈnɒt/ ①難解的結;難辦的事②關鍵;焦點.

gore /gɔː(r)/ *n*. ①(流出的)血;血塊②三角形布;三角地帶 *vt*.①使成三角形②(牛、羊等以角)牴破;牴傷.

gorge /gɔːdʒ/ *vt*. 塞飽;貪吃 *vi*.狼吞虎咽 *n*.①咽喉②胃③暴食;飽食④山峽;峽谷.

gorgeous /ˈgɔːdʒəs/ *a*. 豪華的;漂亮的;極好的**~ly** *ad*.**~ness** *n*.

Gorgon /ˈgɔːgən/ *n*.【希神】蛇髮女怪(見到其貌的人會立即變為石頭);[g-]醜陋可怕的女人.

gorilla /gəˈrɪlə/ *n*. ①大猩猩;貌似大猩猩的人②暴徒;打手.

gormandize; gormandise /ˈgɔːməndaɪz/ *n*. 講究飲食;大吃大喝 *v*.大吃;狼吞虎咽**~r** *n*.講究飲食的人;狼吞虎咽的人.

gormless /ˈgɔːmlɪs/ *a*. 愚蠢的;笨拙的.

gorse /gɔːs/ *n*. 【植】金雀花;荆豆 **gorsy** *a*.

gory /ˈgɔːrɪ/ *a*. ①沾滿鮮血的;血淋淋的;血迹斑斑的;流血的②殘忍的③駭人聽聞的.

gosh /gɒʃ/ *int*. 天哪;啊呀;糟了.

goshawk /ˈgɒshɔːk/ *n*. 蒼鷹;類似鷹的鳥.

gosling /ˈgɒzlɪŋ/ *n*. ①小鵝②奶娃娃③沒經驗的人.

gospel /ˈgɒspl/ *n*. 福音;信條.

gossamer /ˈgɒsəmə(r)/ *n*. ①蛛絲;遊絲②薄紗 *a*.輕而薄的東西;薄弱的.

gossip /ˈgɒsɪp/ *n*. & *vi*. 閑聊;流言蜚語.

got /gɒt/ get 的過去式及過去分詞.

Goth /gɒθ/ *n*. ①哥特人(族)(古代日耳曼族的一支)②野蠻人**~ic** *a*.

gotten /ˈgɒtn /get 的過去分詞.

gouache/gʊˈɑːʃ/*n*.水粉畫;水粉畫法.

Gouda/ˈgaʊdə/*n*.高德乾酪(一種原產於荷蘭、味淡的扁圓形乾酪).

gouge /gaʊdʒ/ *n*. ①半圓鑿;鑿槽;鑿孔②欺騙;騙子 *vt*.鑿(孔);挖出.

goulash /ˈguːlæʃ/ *n*. 菜炖牛肉.

gourd /gʊəd/ *n*. 葫蘆**~ful** *n*.一葫蘆的量.

gourmand /ˈgʊəmənd/ *n*. 貪吃的人;美食家**~ism** *n*. 美食主義.

gourmet/ˈgʊəmeɪ/ *n*. 食物品嘗家;講究吃的人.

gout /gaʊt/ *n*.【醫】痛風**~y** *a*.痛風病的.

govern /ˈgʌvn/ *v*. ①統治;管理②决定;影響③控制**~or** *n*.統治者;地方長官.

governess /ˈgʌvənɪs/ *n*. ①家庭女教師②保育員③女統治者;女管理者.

government /ˈgʌvənment/ *n*. ①政府;政體②政治;政治學③行政管理;管理機構**~al** /ˌ-ˈmentl/ *a*.

gown /gaʊn/ *n*. ①長袍;長外衣②睡衣③女裙服;女禮服④大學全體師生 *v*.(使)穿長外衣.

goy /gɔɪ/ *n*. 非猶太人;異教徒.

gp *abbr*.= general practitioner.

grab /græb/ *vt*. ①攫取;強奪;霸占②抓住;抓牢 *vi*.攫取;抓取;強奪 *n*.掠奪;攫取;抓住**~ber** *n*.攫取者;貪財者**~-all** *n*.貪心人;[口]雜物袋.

grace /greɪs/ *n*. ①優美;雅緻②(*pl*.)風度;魅力③恩惠;寬厚 *vt*.使優美;使增光**~ful** *a*.**~fully** *ad*.

graceless /ˈgreɪslɪs/ *a*. 粗俗的;不優美的;不雅緻的;不知情理的**~ly** *ad*.**~ness** *n*.

gracious /ˈgreɪʃəs/ *a*. 有禮貌的;通情達理的;寬厚的;優美的**~ly** *ad*.**~ness** *n*.

gradation /grəˈdeɪʃn/ *n*. 定次序;分級;(*pl*.)等級;階段;漸變**~al** *a*.

grade /greɪd/ *n*. ①等級;級別;階段;程度;年級②某一年級全體學生③坡度;斜坡 *vt*.①給…分等級;給…分

類②給…評分③把(地、路面)築平;減少…的坡度 ~**ly** *a*.[英方]極好的;十足的;好看的;恰當的.

gradient /'greɪdɪənt/ *n*. ①坡度;斜度②坡道;斜坡.

gradual /'grædʒʊəl; 'grædjʊəl/ *a*. 逐漸的;逐步的;逐漸上升(下降)的;漸進的~**ly** *ad*.

graduate /'grædʒʊət; 'grædʒʊɪt/ *n*. ①大學畢業生,[美]畢業生②【化】量筒;量杯 *vt*.①准予…畢業;授予…學位②給…標上刻度 *vi*①大學畢業;得學位;[美]畢業②取得資格③漸漸變為 *a*.①畢了業的②研究生的③分等級的~**d** *a*.①畢業了的②刻度的③分度的;分等級的.

graduation /ˌgrædʒʊ'eɪʃn/ *n*. ①授學位;獲學位②畢業(典禮)③刻度.

graffiti /grə'fi:tɪ/ *pl*. *n*. 在公共場所亂寫亂畫的東西.

graft /grɑ:ft/ *v*. ①嫁接(植物)②貪污,受賄 *n*.①嫁接(植物)②貪污;不義之財 ~**er** *n*.嫁接者;貪污者 ~**ing** *n*.嫁接法;移植物.

grail/greɪl/*n*.(耶穌在最後的晚餐時所用的)聖杯;聖盤.

grain /greɪn/ *n*. ①穀物;糧食②粒子;細粒③微量 *vt*.使粒化 *vi* 形成粒狀.

gram /græm/ *n*. =gramme.

grammar /'græmə(r)/ *n*. 語法;文法;語法規則;語法現象 **grammarian** /grə'meərɪən/ *n*. 語法學家 **grammatical** /grə'mætɪkl/ *a*.語法的;附合語法規則的.

gramme /græm/ *n*. (重量單位)克.

gramophone /'græməfəʊn/ *n*. 留聲機.

grampus/'græmpəs/*n*.①(海洋裏的哺乳動物)逆戟鯨;灰海豚;虎鯨②呼吸聲粗重的人.

gran/'græn/*n*.祖母;外祖母.

granary /'grænərɪ/ *n*. ①穀倉;糧倉;產糧區②[英](指麵包)全麥的.

grand /grænd/ *a*. ①重大的;主要的②宏偉的;豪華的③自負的;傲慢的④極好的⑤全部的⑥崇高的⑦(親屬關係中)(外)祖…;(外)孫… *n*.①大鋼琴(= ~ piano)②(單複數同形)[英俚]一千英鎊;[美俚]一千美元;一千 ~**ly** *ad*. ~**ness** *n*. ~**aunt** *n*.叔(伯)祖母;姑婆;舅婆;姨婆 ~**baby** *n*.小孫(女)兒~**child** *n*.孫;外孫 ~ **daughter** *n*.(外)孫女 ~**father** *n*.(外)祖父~**ma**; ~**ma(m)-ma** *n*.(外)祖母~**pa**; ~ **pa pa** *n*.爺爺;外公 ~-**parent** *n*.祖父或祖母;外祖父或外祖母 ~**son** *n*.(外)孫 ~**stand** *n*.特座(運動場正面看台等);大看台.

grandee /græn'di:/ *n*. 大公(西班牙及葡萄牙的最高貴族);顯貴;要人.

grandeur /'grændʒə(r)/ *n*. ①宏偉;壯觀;富麗堂皇②偉大;崇高;莊嚴.

grandiloquence /græn'dɪləkwəns/ *n*. 誇張;大話 **grandiloquent** *a*.

grandiose /'grændɪəʊs/ *a*. 崇高的;誇張的.

Grand Prix /ˌgrɑ:n 'pri:/ 世界汽車錦標賽;大獎,頭獎.

grange /greɪndʒ/ *n*. 農莊;農場~**r** *n*.田莊裏的人;農民.

granite /'grænɪt/ *n*. ①花崗岩(石)②堅如磐石;堅忍不拔.

granivorous /grə'nɪvərəs/ *a*. 食穀的.

granny, grannie /'grænɪ/ *n*. 奶奶;外婆;老奶奶.

grant /grɑ:nt/ *vt*. ①同意;許可;授予②轉讓③假定 *n*.①同意;准許②轉讓;授予,授予物;轉讓物③轉讓證書

~**able** *a*. 可同意的;可授予的;可轉讓的~**-aided** *a*. 受補助的~**-in-aid** *n*.①(中央給地方的)撥款②補助金;助學金// *take sth for granted* 視某事為理所當然;認為某事確實.

grantee /grɑːn'tiː/ *n*. 受讓人;被授與者.

grantor /grɑːn'tɔː(r) 授與者;轉讓者.

granular /'grænjʊlə(r)/ *a*. 顆粒狀的;粒面的;有細粒的~**ity** /ˌgrænjʊ'lærətɪ/ *n*. 顆粒狀~**ly** *ad*.

granulate /'grænjʊleɪt/ *vt*. ①使成顆粒;使成粒狀;使(皮革等)表面成粒狀②使表面粗糙 *vi*. 形成顆粒;表面變粗糙.

granule /'grænjuːl/ *n*. 顆粒;細粒;粒狀斑點 **granulous** /'grænjʊləs/ *a*.

grape /greɪp/ *n*. ①葡萄②深紫色③(the ~)葡萄酒~**fruit** *n*. 葡萄柚(熱帶產物)~**stone** *n*. 葡萄核~**vine** *n*. ①葡萄藤②謠言;傳聞;小道新聞.

grapery /'greɪpərɪ/ *n*. 葡萄園;栽培葡萄的溫室.

graph /grɑːf; græf/ *n*. ①【數】曲綫圖;標繪圖;圖表(形、解)②(統計上的)曲綫③【語】詞的拼法④【印】膠版 *vt*. 用圖表表示;把…繪入圖表;用膠版印刷 **graphic(al)** /'græfɪk(l)/ *a*. ①圖的;圖示(解)的②書寫的;書法的;繪畫的③印刷的 **graphically** *ad*. **graphics** *pl*. *n*. 製圖法;圖解計算法.

graphite /'græfaɪt/ *n*. 【化】石墨;黑鉛.

graphology/græ'fɒlədʒɪ/ *n*. 筆體學;筆迹學(指用以判斷書寫者性格的一種方法).

grapple /'græpl/ *vt*. ①抓住;握緊②與…扭打(或格鬥)③縛緊 *vi*. ①用鐵錨將船隻固定;抓住②扭打;格鬥 *n*. 抓住;扭打;格鬥.

grasp /grɑːsp/ *vt*. ①抓住;抱住②掌握;領會 *vi*. 抓 *n*. ①抓;緊握;控制②掌握;了解③柄;(船的)錨鈎~**ing** *a*. 貪婪的.

grass /grɑːs/ *n*. ①草;禾本科植物②草地;牧場 *vi*. ①以草覆蓋②出賣,告密~**-hopper** *n*. 蚱蜢~**-land** *n*. 牧場.

grate /greɪt/ *n*. ①爐格;爐柵②火爐;壁爐③格柵④選礦篩 *vt*. ①裝爐格於;裝格柵於②摩擦;磨碎;軋③使焦急;激怒 *vi*. ①磨擦;擦響②使人煩惱;刺激~**d** *a*. 有格柵的;有爐格的.

grateful /'greɪtfl/ *a*. ①感激的②愉快的;使人舒適的.

gratify /'grætɪfaɪ/ *vt*. 使滿足;使高興.

grating /'greɪtiŋ/ *n*. (門、窗等的)格柵 *a*. 刺耳的;討厭的.

gratis/'greɪtɪs/ *ad*. & *a*. 免費地(的);無償地(的).

gratitude /'grætɪtjuːd/ *n*. 感激;感謝;感恩.

gratuitous /grə'tjuːɪtəs/ *a*. ①免費的②無故的;沒有理由的~**ly** *ad*. ~**ness** *n*.

gratuity /grə'tjuːətɪ/ *n*. ①賞錢②退職金;養老金【軍】退伍金.

grave[1]/greɪv/ *n*. ①墳墓;墓碑②死;陰間③地窖~**stone** *n*. 墓碑~**yard** *n*. 墓地.

grave[2]/greɪv/ *a*. ①嚴重的;重大的②嚴肅的;莊重的~**ly** *ad*. ~**ness** *n*.

grave[3]/grɑːv/ *n*. 【語】(=~accent)抑音符號.

gravel /'grævl/ *n*. ①砂礫②腎砂;尿砂 *vt*. ①以礫石鋪(路)②使(船)擱淺在沙灘上③使困惑.

graven /'greɪvn/ *a*. ①雕刻的②銘記在心裏的.

graving-dock /'greɪvɪŋ dɒk/ *n*. 乾船塢.

gravitate /'grævɪteɪt/ *vi*. ①受重力作用;受引力作用②受吸引;傾向③沉下;下降 *vt*. 使受重力作用而移動;吸引 **gravitation** /ˌgrævɪ'teɪʃn/ *n*. 引力;傾向;【物】萬有引力;地心吸力.

gravity /'grævətɪ/ *n*. ①嚴肅;認真②嚴重性;危險性③【物】重力;引力;地球引力.

gravy /'greɪvɪ/ *n*. ①肉汁②[美俚]輕鬆的工作;易得利潤;非法所得.

gray /greɪ/ *a*. & *n*. =grey.

graze /greɪz/ *vi*. ①喂草;放牧;吃草②擦傷③吃零食 *vt*. ①吃(田野裏的)草;用牧草喂;放牧②擦過;掠過③擦傷;抓破 *n*. ①吃草;放牧②擦傷;抓破.

grazier /'greɪzjə(r)/ *n*. 畜牧業者;牧場主 **~y** /'greɪzjərɪ/ *n*. 畜牧業.

grease /gri:s/ *n*. ①油脂;潤滑油②黃油 *vt*. ①塗油脂於;用油脂潤滑②[美俚]賄賂.

great /greɪt/ *a*. 巨大的;非常的;偉大的;重大的 **~ly** *ad*. **~ness** *n*. 巨大;偉大.

grebe/gri:b/*n*.【鳥】鷿鷈.

Grecian/'gri:ʃən/*a*. = Greek 希臘的;希臘人的;希臘式的;具有古希臘文化或藝術的.

greed /gri:d/ *n*. 貪心; 貪婪 **~y** *a*. **greedily** *ad*. **greediness** *n*.

Greek /gri:k/ *a*. 希臘(人)的;希臘語的 *n*. 希臘人;希臘語.

green /gri:n/ *a*. ①綠色的;未成熟的;生的②新鮮的③青春的;精力旺盛的 *n*. ①綠色;青色;綠色顏料②(*pl*.)青枝;綠葉;蔬菜③青春;生氣 **~er** *n*. 生手 **~ly** *ad*. **~ness** *n*. **~back** *n*. 美鈔 **~book**(英、意等政府的)綠皮書 **~-eyed** *a*. 綠眼睛的;嫉妒的; **~grocer** *n*. 蔬菜水果商 **~grocery** *n*. [主英]蔬菜水果商店;(總稱)蔬菜水果類商品 **~-hand** 生手, **~house** *n*. 玻璃暖房;溫室 **~room** *n*. 演員休息室 // ~ *light* 綠(色交通信號)燈;放行;准許 ~ *power* [美]金錢的力量.

greenery /'gri:nərɪ/ *n*. ①綠葉;草木②暖房.

greening /'gri:nɪŋ/ *n*. 綠皮蘋果.

greenish /'gri:nɪʃ/ *a*. 略呈綠色的.

Greenpeace /'gri:npi:s/ *n*. 綠色和平組織.

greet /gri:t/ *vt*. 迎接;歡迎;向…致意 **~ing** *n*. 問候;敬禮;歡迎辭.

gregarious /grɪ'geərɪəs/ *a*. 群居的;愛群居的.

gremlin/'gremlɪn/*n*. 小妖精;小精靈(據認為性好搗亂,可使機器等失靈).

grenade /grə'neɪd/ *n*. 手榴彈;槍榴彈 **grenadier** /grenə'dɪə(r)/ *n*.【軍】擲彈兵.

grenadine/ˌgrenə'di:n/*n*. 石榴汁糖漿(用作鷄尾酒調味或上色).

grew /gru:/ grow 的過去式.

grey, gray /greɪ/ *a*. ①灰色的;灰白的,灰暗的②灰白頭髮的;老的 *n*. 灰色;灰白;暗淡 *v*. (使)變成灰色 **~ly** *ad*. **~ness** *n*. **~hound** *n*.【動】靈猩(一種善跑的狗).

grid /grɪd/ *n*. ①格子;柵②(蓄電池的)鉛板③【無】柵極④地圖的坐標方格.

griddle /'grɪdl/ *n*. 烤盤;燒網;淺的烤鍋.

gridiron /'grɪdaɪən/ *n*. ①(烤食物用的)烤架;鐵箆子②[美]橄欖球場.

grief /gri:f/ *n*. ①悲痛;悲傷②災難;傷心事.

grievance /'griːvns/ *n*. 牢騷;訴苦;冤情;苦情.

grieve /griːv/ *vt*. 使悲痛;使傷心 *vi* 悲痛;傷心;哀悼 **grievous** /'griːvəs/ *a*.①令人悲傷的②嚴重的.

griffin /'grɪfɪn/ *n*.【希神】(頭如鷹;身如獅的)怪獸.

griffon /'grɪfən/ *n*. =griffin.

grill /grɪl/ *n*. ①鐵絲格子;烤架②炙烤的肉類食物 *vt*.燒;烤;炙.

grill(e)/grɪl/*n*.(用金屬條或金屬絲做的)保護格柵;保護屏;保護罩.

grim /grɪm/ (**grimmer**; **grimmest**) *a*. ①嚴厲的;殘酷無情的②堅強的;不屈的③可憎的④不祥的;邪惡的 **~ly** *ad*. **~ness** *n*.

grimace /grɪ'meɪs/ *n*. 愁眉苦臉;苦相;鬼臉 *vi*.作怪相;扮鬼臉.

grimalkin /grɪ'mælkɪn/ *n*. ①貓(尤指老雌貓)②刻毒的老太婆.

grime /graɪm/ *n*. 塵垢;灰塵 **grimy** /'graɪmɪ/ *a*.污穢的.

grin /grɪn/ *n*. 咧嘴;露齒的笑 *vi*.露齒而笑;咧嘴.

grind /graɪnd/ *v*.(過去式及過去分詞 **ground** /graʊnd/) ①磨(碎);碾(碎)②磨快;磨光;磨薄③擠壓④[俗]刻苦用功;苦學;苦幹 *n*.①磨;碾②磨擦聲③苦差使④專心的學習 **~er** *n*. 磨工;碾磨機 **~ery** *n*.磨東西的地方 **~ing** *a*.

grindstone /'graɪndstəʊn/ *n*. 磨石.

grip /grɪp/ *vt*. ①握緊;抓牢②吸引③夾牢;掌握④與…握手 *vi*.握(咬、夾)牢;握手 *n*.①緊握;緊咬;緊夾②握力;夾具 **~per** *n*.握者;夾子 **~ping** *a*. 抓的;夾的;扣人心弦的.

gripe /graɪp/ *v*. ①握緊;抓住②使苦惱;折磨;惹煩;激怒③(使)腸痛④訴苦;抱怨 *n*.①緊握;抓牢;控制②牢騷③腸(或胃)絞痛.

grisly /'grɪzlɪ/ *a*. 可怕的;嚇人的;恐怖的.

grist /grɪst/ *n*. ①製粉用的穀物;穀粉②[美口]大量;許多③定額;產量.

gristle /'grɪsl/ *n*. (牛肉等的)軟骨.

grit /grɪt/ *n*. ①粗砂;砂礫(粒)②磨料③堅忍;剛毅 *vt*.在…鋪砂礫;用磨料磨;磨擦; *vi*. 磨擦作聲 **~ty** *a*. 有砂的;砂礫般的;勇敢的.

grizzle /'grɪzl/ *vi*. (小孩)啼哭;抱怨.

grizzled /'grɪzld/ *a*. 灰色的;灰白的;灰白頭髮的.

grizzly/'grɪzlɪ/*n*.(產於北美的)大灰熊.

groan /grəʊn/ *vi*. ①哼;呻吟②渴望③受壓迫④抱怨 *n*.①呻吟(聲);哼聲②吱嘎聲③抱怨 **~ingly** *ad*.

groat/'grəʊt/*n*.(舊時英國發行過的)四便士硬幣.

groats /grəʊts/ *pl*. *n*. 麥片;去殼穀粒.

grocer /'grəʊsə(r)/ *n*. 食品商;雜貨商 **~y** *n*.(通常用 *pl*.)雜貨;雜貨店.

grog /grɒg/ *n*. ①攙水烈酒②【冶】耐火材料;陶渣 **~gery** *n*.小酒館;酒店 **~gy** *a*.喝醉酒的;脚步搖晃的,頭暈眼花的.

grogram /'grɒgrəm/ *n*. ①絲織的粗鬆織物②絲馬海衣服.

groin /grɒɪn/ *n*. ①【解】腹、股溝②【建】交叉拱;穹棱③=groyne.

grommet /'grɒmɪt/ *n*. ①【海】索環;索眼②金屬孔眼③墊圈.

groom /gruːm/ *n*. ①新郎②馬伕③王室侍從官 *vt*.①飼養;豢養②使整潔;修飾 **~s-man** /'gruːmzmən/ *n*. 男儐相.

groove /gruːv/ *n*. ①槽;溝;轍②紋③常規;習慣.

grope /grəʊp/ *v*. 摸索;探索 *n*. 摸索 **gropingly** *ad*. 摸索着.

grosgrain /ˈgrəʊgreɪn/ *n*.【紡】羅緞.

gross /grəʊs/ *a*. ①總的;毛的②惡劣的;嚴重的③顯著的④粗的⑤油膩的;不潔的 *n*. ①總額;大體②籮(12打).

grotesque /grəʊˈtesk/ *a*. 奇形怪狀的;荒唐的;風格奇异的 *n*. 奇形怪狀的人(物、圖形等);奇异風格 **~ly** *ad*. **~ness** *n*.

grotto /ˈgrɒtəʊ/ *n*. 洞穴;岩穴.

grouch /graʊtʃ/ *n*. ①牢騷;怨言②常發牢騷的人;脾氣壞的人 *vi*. 發牢騷;發脾氣.

ground /graʊnd/ *n*. ①地面;土地②場所;庭園③範圍;領域④基礎⑤海底 *a*. 地面的;生活於地面的 *vt*. ①把…放在地上②把…建在牢固的基礎上③使落地④【海】使擱淺;使停飛 *vi*. ①具有基礎;依靠②落地;着陸③(船)擱淺 **~age** *n*. 船舶進港費;停泊費 **~ing** *n*. 基礎訓練;打底 **~less** *a*. 無根據的;無理由的.

group /gruːp/ *n*. ①組;群②集體;群體③【化】基團;組;屬;族④[英、美]空軍大隊 *vi*. 聚集;類集 // ~ *captain*[英]空軍上校.

grouse /graʊs/ *n*. ①(單複數同形)松雞②牢騷 *vi*. 訴委屈.

grout /graʊt/ *n*. ①【建】薄漿;薄膠泥②粗食;粗麥片粥 *vt*. 給…塗薄漿;給…塗薄膠泥.

grove /grəʊv/ *n*. 樹叢;小樹林;果樹林;果園 **~less** *a*. 無樹林的.

grovel /ˈgrɒvl/ *vi*. ①趴;匍匐(前進);爬行②奴顏婢膝;卑躬屈節 **~(l)er** *n*. 趴着的人;卑躬屈節者.

grow /grəʊ/ *v*. (**grew** /gruː/; **grown** /grəʊn/) ①生長;增大;變成②種植;飼養③發生;產生.

growl /graʊl/ *n*. & *vi*. 嗥叫(聲);轟鳴聲;咆哮(聲) *vt*. 咆哮着說.

grown /grəʊn/ grow 的過去分詞 *a*. 長成的;成熟的 **~-up** *n*. 成年人.

growth /grəʊθ/ *n*. ①生長;增大②栽培③產物.

groyne /grɔɪn/ *n*.【建】防波堤;折流壩.

grub /grʌb/ *v*. ①掘出;掘除;掘根②辛苦工作③搜尋 *n*. ①【動】蠐螬②做苦工的人③[俚]食物 **~time** *n*. 吃飯時間.

grubby /ˈgrʌbɪ/ *a*. 生蛆的;污穢的.

grudge /grʌdʒ/ *vt*. ①嫉妒②吝嗇;不願(給) *n*. 妒忌;怨恨;惡意 **grudging** *a*. 不願的;吝嗇的 **grudgingly** *ad*.

gruel /gruːəl/ *n*. 稀粥;薄粥;麥片粥 *vt*. 累倒;累垮;懲罰 **~(l)ing** *a*. ①嚴厲的②使人精疲力盡的.

gruesome /ˈgruːsəm/ *a*. 可怕的;令人厭惡的.

gruff /grʌf/ *a*. ①粗暴的;脾氣壞的②粗啞的.

grumble /ˈgrʌmbl/ *vi*. ①抱怨;發牢騷②挑剔③咕噥④發轟隆聲 *vt*. ①埋怨;使抱怨②使發轟隆聲 *n*. ①抱怨;牢騷②咕噥③轟隆聲 **~r** *n*. 愛發牢騷的人.

grumpy /ˈgrʌmpɪ/; **grumpish** /ˈgrʌmpɪʃ/ *a*. 脾氣壞的;愛挑剔的;粗暴的.

grunge/grʌndʒ/*n*. 用模糊不清的吉他聲伴奏的搖滾樂的流行式樣;故意不修邊幅,穿着不協調時裝的人.

grunt /grʌnt/ *n*. (豬等)呼嚕聲;咕嚕聲 *v*. (表示煩惱、反對、疲勞、輕蔑等)發哼聲;咕噥着說 **~er** *n*. 作呼嚕聲的動物(如豬等);哼(咕噥)的人.

Gruyère/'gruːjeə(r)/ *n*. 格魯耶爾乾酪(一種多孔的黃色的瑞士硬乾酪).

gryphone /'grɪfən/ = griffin.

G-string (當三角褲用的)G 帶, 遮羞布.

guano /'gwɑːnəʊ/ *n*. 鳥糞;魚肥.

guarantee /ˌgærən'tiː/ *n*. ①保證;保證人(或書)②擔保物;抵押品 *vt*. 擔保;保證 **guarantor** /ˌgærən'tɔː(r)/ *n*.【律】保證人.

guaranty /'gærəntɪ/ *n*. ①【律】保證;保證書②擔保物;抵押品.

guard /gɑːd/ *n*. ①守衛;警戒②看守;衛兵;哨兵;看守員③護衛隊 *vt*. 保衛;看守;監視 *vi*. 防止;警惕;防範 **~ed** *a*. 被保衛着的;被看守着的;謹慎小心的 **~less** *a*. 無警戒的;無保護的.

guardian /'gɑːdɪən/ *n*. ①保衛者, 維護者②【律】監護人 **~ship** *n*. 監護的職責.

guardsman /'gɑːdzmən/ *n*. *pl*. **~-men** 衛兵.

guava /'gwɑːvə/ *n*. 【植】番石榴.

gudgeon /'gʌdʒən/ *n*. ①【動】鮈魚②易欺的人;易受騙的人③【機】耳軸;舵樞.

Guernsey/'gɜːnzɪ/ *n*. ①格恩西乳牛②格恩西衫(針織緊身羊毛衫, 水手常穿).

gue(r)rilla /gə'rɪlə/ *n*. ①遊擊隊員②遊擊戰 **~ism** *n*. 遊擊主義.

guess /ges/ *v*. ①猜測;推測;猜中②想 *n*. 猜測.

guest /gest/ *n*. ①客人;旅客②特邀演員;客座指揮③寄居昆蟲 *vt*. 款待 *vi*. 當特邀演員.

guff/gʌf/ *n*. [俚]胡說;鬼話;蠢話.

guffaw /gə'fɔː/ *n*. & *vi*. 哄笑;狂笑 *vt*. 大笑着說.

guide /gaɪd/ *n*. ①嚮導;導遊②指南;指導③入門書④手冊⑤【機】導引物 *vt*. ①為…領路;帶領②引導;指導③管理;操縱 **guidance** /'gaɪdns/ *n*. 指引;引導;領導.

guild /gɪld/ *n*. 協會;行會.

guilder /'gɪldə / = gulden /'guldən/ *n*. (荷蘭貨幣)盾.

guildhall /'gɪld'hɔːl/ *n*. ①同業公會會所;會館②市政廳.

guile /gaɪl/ *n*. 狡詐;狡猾;詭計 **~less** *a*. 不狡猾的;坦率的.

guileful /'gaɪlfl/ *a*. 狡詐的;詭計多端的 **~ly** *ad*. **~ness** *n*.

guillemot/'gɪlɪmɒt/ *n*.【鳥】(能潛水的)海鳥;海鳩.

guillotine /'gɪlətiːn/ *n*. ①斷頭台②剪斷機;(切紙的)鍘刀 *vt*. 處斬刑;剪斷.

guilt /gɪlt/ *n*. ①有罪②內疚;愧疚 **~less** *a*. 無罪的 **~y** *a*. ①犯罪的;有罪的②內疚的 **guiltily** *ad*. **guiltiness** *n*.

guinea /'gɪnɪ/ *n*. 畿尼(舊英國金幣, 合 21 先令) **~-pig** *n*. 豚鼠, 天竺鼠;供作實驗用的人.

Guinea /'gɪnɪ/ *n*. [非洲]幾內亞.

guise /gaɪz/ *n*. ①外觀②姿態;裝束③偽裝;藉口 *v*. 偽裝.

guitar /gɪ'tɑː(r)/ *n*. 六弦琴;吉他 *vi*. 彈吉他 **~ist** /gɪ'tɑːrɪst/ *n*. 彈吉他者.

gulch/gʌltʃ/ *n*. 峽谷.

gulf /gʌlf/ *n*. ①海灣②深淵;深坑;鴻溝③漩渦;吞沒一切的東西 *vt*. 吞沒;使深深捲入 **~y** *a*. 多深坑的;多漩渦的.

gull /gʌl/ *n*. ①海鷗②易受騙的人;笨人 *vt*. 欺騙;使上當 **~ible** /'gʌləbl/

a.易受騙的;輕信的.

gullet /'gʌlɪt/ *n*. ①食道;咽喉②水道;峽谷③水落管.

gully /'gʌlɪ/ *n*. 溝渠;峽谷.

gulp /gʌlp/ *vt*. ①吞下;狼吞虎咽地吃②忍住;抑制 *vi*.吞咽;喘不過氣來 *n*.吞咽;一大口~**ingly** *ad*.

gum /gʌm/ *n*. ①樹膠(製品);橡膠②口香糖(=chewing gum);軟糖(=~drop)③齒齦;牙床 *vt*.粘合;粘牢;用牙床咀嚼 *vi*.分泌樹膠;結膠;發粘~**my** *a*.①粘性的;分泌樹膠的②沒有牙齒的.

gumption /'gʌmpʃn/ *n*. ①才能;創造力;精力②事業心;進取心③機智;精明.

gun /gʌn/ *n*. ①槍;炮;[美]手槍②(信號槍、禮炮的)鳴放 *vi*.用槍射擊;用槍打獵 *vt*.向…開槍~**ner** *n*.炮手~**nery** *n*.炮術~**boat** *n*.炮艦;炮艇~**-carriage** *n*.炮架~**man** *n*.帶槍的歹徒~**powder** *n*.火藥.

gunge/gʌndʒ/*n*.粘乎乎的令人噁心的東西;粘性物質.

gunny /'gʌnɪ/ *n*. 粗麻布;粗麻織物.

gunwale/'gʌnəl/*n*.舷緣;甲板邊緣.

guppy/'gʌpɪ/*n*.【魚】虹鱂(一種養在水族館內的)色彩美麗的小熱帶魚.

gurgle /'gɜːgl/ *vi*. (流水)作汩汩聲;汩汩流出 *n*.汩汩聲;咯咯聲.

guru/'gʊruː/*n*.①古魯(印度教、錫克教的宗教教師,領袖或顧問)②精神領袖;指導者.

gush /gʌʃ/ *v*. ①(使)噴出;(使)涌出②滔滔不絕地說(話);裝腔作勢(地說);動情(地說) *n*.①噴出(之物);涌出②滔滔不絕的話③過分的熱情.

gusset /'gʌsɪt/ *n*. (用於加固、填補或放大衣服的)襯料;【機】角撑板.

gust /gʌst/ *n*. 陣風;陣雨;爆發~**y** *a*.

gusto /'gʌstəʊ/ *n*. ①愛好;嗜好;趣味②興致勃勃;熱情;熱忱.

gut /gʌt/ *n*. ①(常用 *pl*.)内臟;腸;[美俗]香腸;羊腸綫②内容;實質③勇氣;毅力④海峽;海岬 *vt*.①取出(魚等)的内臟②損毀(房屋等)的内部裝置;抽去(書籍等)的主要内容.

gutter /'gʌtə(r)/ *n*. ①小溝;路旁溝渠;水槽②貧民區 *vi* 蠟燭燭火搖曳燭汁流淌~**-bird** *n*.麻雀;~**-child**;~**snipe** *n*.流浪兒.

guttural /'gʌtərəl/ *a*. 喉間發出的.

guy /gaɪ/ *n*. ①古怪的人;怪醜的人②傢伙;人;青年③[俚]逃亡;出奔④【海】牽索;穩索;拉索 *vt*.取笑;嘲笑 *vi*[俚]逃亡,逃走.

guzzle /'gʌzl/ *v*. 濫吃;狂飲;大吃大喝地亂花~**r** *n*.酒鬼;大吃大喝者.

gym /dʒɪm/ *n*. [口]體育館;體操(課).

gymkhana /dʒɪm'kɑːnə/ *n*. 運動會.

gymnasium /dʒɪm'neɪzɪəm/ *n*. (*pl*. **gymnasia** /dʒɪm'neɪzɪə/或 **gymnasiums**) 體育館;健身房 **gymnast** /'dʒɪmnæst/ *n*. 體育家 **gymnastic** /-'næstɪk/ *a*. 體育的;體操的 **gymnastics** *n*.體育;體操.

gymnotus /dʒɪm'nəʊtəs/ *n*. 【動】電鰻.

gyn(a)ecology /ˌgaɪnə'kɒlədʒɪ/ *n*. 【醫】婦科學 **gyn(a)ecologist** *n*.婦科醫生.

gypsum /'dʒɪpsəm/ *n*. 石膏;石膏肥料 *vt*.施石膏肥料於…;用石膏處理.

gypsy =gipsy.

gyrate /ˌdʒaɪ'reɪt/ *vi*. 旋轉;迴旋;螺旋形地運轉 **gyration** *n*. **gyratory** /'dʒaɪrətərɪ/ *a*.

gyroscope /'dʒaɪrəskəʊp/ *n*. 旋轉儀;陀螺儀 **gyroscopic** /ˌdʒaɪrə'skɒpɪk/ *a*.

gyve /dʒaɪv/ *n*.(常用 *pl*.)手銬;脚鐐 *v*.使上手銬(脚鐐).

H

ha /hɑː/ *int*. 哈(表示驚奇, 愉快, 懷疑, 勝利等).

habeas corpus /ˌheɪbɪəsˈkɔːpəs/ [拉]【律】人身保護令;人身保護法;人身保護權.

haberdasher /ˈhæbədæʃə(r)/ *n*. 男子服飾用品商;縫紉用品商**~y** *n*. 男子服飾商店;縫紉用品雜貨店.

habiliment /həˈbɪlɪmənt/ *n*. ①(*pl*.)裝飾;裝備②制服;禮服;衣服.

habit /ˈhæbɪt/ *n*. ①習慣;習性②氣質;氣性③體型;體格④舉止;行為.

habitable /ˈhæbɪtəbl/ *a*. 適於居住的;可居住的 **habitability** /ˌhæbɪtəˈbɪlətɪ/ *n*. 可居住性;適於居住 **habitably** *ad*.

habitant /ˈhæbɪtənt/ *n*. 居住者;居民.

habitat /ˈhæbɪtæt/ *n*. ①(植物的)產地;(動物的)栖息地②住處;聚集處.

habitual /həˈbɪtʃʊəl/ *a*. 習慣的;已成規則的;習以為常的**~ly** *ed*. **~ness** *n*.

habituate /həˈbɪtʃʊeɪt/ *vt*. ①使習慣於②常去(某地) **habituation** /həˌbɪtʃʊˈeɪʃən/ *n*. 成為習慣;適應.

habitué /həˈbɪtʃʊeɪ/ *n*. [法]常去某地的人,常客.

hacienda /ˌhæsɪˈendə/ *n*. ①[西](西班牙及中南美洲的)種植園;莊園②農場;牧場③工廠;礦山.

hack[1]/hæk/ *vt*. ①劈;砍②開闢;掃清③耙(或平、翻)地④大砍大刪 *vi*. ①(亂)劈;(亂)砍②乾咳 *n*. ①劈(或砍)的工具②砍痕;傷痕③乾咳④[美方]窘迫;困窘⑤出租的馬;騎(或役)用的馬;出租馬車(或汽車)⑥曬架.

hack[2]/hæk/ *v*.【計】竊用儲存系統的內容;竊用數據.

hacker /ˈhækə/ *n*. 熱衷於計算機的人.

hackle[1]/ˈhækl/ *n*.【紡】(櫛梳機的)針排 *vt*. ①梳理②亂砍;亂劈;砍光(掉) **hackly** *a*. 粗糙的;参差不齊的.

hackle[2]/ˈhækl/ *n*. ①(雄雞、雄孔雀等雄禽的)細長頸羽②(狗等發怒時會豎起的)頸背部毛.

hackney /ˈhæknɪ/ *n*. 普通乘馬;出租馬車(或汽車) *a*. ①出租的②陳腐的;平凡的 *vt*. 出租;役使**~ed** *a*. 陳腐的;平常的 **~-carriage**; **~-coach** *n*. 出租馬車.

hacksaw/ˈhæksɔː/ *n*.【機】弓鋸;鋼鋸.

had /hæd/ have 的過去式及過去分詞.

haddock/ˈhædək/ *n*.【魚】黑綫鱈;黑斑鱈.

Hades/ˈheɪdiːz/ *n*.【希神】冥府;陰間.

hadj/hædʒ/ *n*. ①(伊斯蘭教徒去麥加的)朝覲②(近東地區基督教徒去耶路撒冷聖墓的)朝聖.

hadn't /ˈhædnt/ = had not.

haemoglobin/ˌhiːməʊˈgləʊbɪn/ *n*. 【生化】血紅蛋白.

haemophilia/ˌhiːməʊˈfɪlɪə/ *n*.【醫】血友病.

h(a)emorrhage /ˈhemərɪdʒ/ *n*. & *vi*. 【醫】出血.

h(a)emorrhoid /ˈhemərɒɪd/ *n*. (常用 *pl*.)【醫】痔瘡.

haft /hɑːft/ *n*. (斧、刀等的)柄;把

vt.給…裝柄

hag /hæg/ *n*. 母夜叉;女巫;醜老太婆.

haggard /ˈhægəd/ *a*. ①憔悴的②發狂似的,不馴服的~**ly** *ad*. ~**ness** *n*.

haggis /ˈhægɪs/ *n*. 加麥片的羊雜燴;一種羊(或牛)肉雜碎布丁(蘇格蘭常見的食物).

haggle /ˈhægl/ *vi*. & *n*. (在價格、條件等方面)爭論不休;討價還價 *vt*.亂砍;亂劈.

hail /heɪl/ *n*. ①冰雹;(雹子般的)一陣②歡呼;招呼 *vt*.向(為)…歡呼;招呼 *vi*.①招呼;歡呼②下雹~**stone** *n*.雹子~**storm** *n*.雹暴.

hair /heər/ *n*. ①頭髮;毛髮;毛狀物②一髮之差;一點兒~**ed** *a*.有毛髮的 ~**less** *a*. 無毛的;禿頭的 ~**breadth** *n*.一髮之差~**do** *n*.[口]女子頭髮式樣~**dresser** *n*.理髮師~**y** *a*.毛的;多毛的.

hajj, haj = hadj .

hake /heɪk/ *n*. 【動】狗鱈.

halal/hɑːˈlɑːl/*vt*.(按伊斯蘭教教法)宰牲 *n*.(伊斯蘭教的)合法食物.

halberd /ˈhælbɜːd/ *n*. 戟(=halbert).

halcyon /ˈhælsɪən/ *n*.【動】太平鳥;翠鳥;魚狗 *a*.①翠鳥的;翠鳥產卵期的②平靜的③快樂的④富饒的.

hale /heɪl/ *a*. (老人)健壯的;矍鑠的.

half /hɑːf/ *n*. ①半;一半②半場;半價票③半學年(期)④(足球)中衛 *a*.一半的;部分的 *ad*.一半地;相當地 ~**-back** *n*.(足球)中衛 ~**-blooded** *a*.混血的;半血親的~**-bred** *a*.雜種的~**-breed** *n*. & *a*. 雜種(的)~**brother** *n*.异父(母)兄弟~**done** *a*.半熟的~**hearted** *a*.半心半意的~**sister** *n*.异父(母)姊妹~**-timer** *n*.作半工者;半日工作者~**way** *a*. & *ad*.中途(的).

halibut /ˈhælɪbət/ *n*. 大比目魚.

halitosis/ˌhælɪˈtəʊsɪs/*n*.【醫】口臭.

hall /hɔːl/ *n*. ①門廳②禮堂③餐廳④音樂廳.

hallelujah/ˌhælɪˈluːjə/ *int*. 哈里路亞(表示贊美或感謝等).

hallmark /ˈhɔːlˈmɑːk/ *n*. (證明金銀純度的)檢驗印記;品質證明;標志;特點 *vt*.在…上蓋檢驗印記.

hallo(a) /həˈləʊ/ *int*. 喂 *n*."喂"的一聲 *v*.(向…)"喂"地叫一聲.

halloo /həˈluː/ *int*. 喂! 嗨! (嗾狗聲) *v*.嗾(狗);呼喊(人);喊叫.

hallow /ˈhæləʊ/ *vt*. 視為神聖;尊敬 *n*.聖徒.

hallowe'en /ˌhæləʊˈiːn/ *n*. 萬聖節前夕(10月31日).

hallucinate /həˈluːsɪneɪt/ *v*. (使)生幻覺 **hallucination** /həˌluːsɪˈneɪʃn/ *n*. 幻覺;幻覺象 **hallucinatory** /həˈluːsɪnətrɪ/ *a*. 幻覺的;引起幻覺的.

hallway /ˈhɔːlweɪ/ *n*. [美]門廳;迴廊.

halo /ˈheɪləʊ/ (*pl*.~**-lo(e)s**) *n*. ①暈(輪)②光環;光輝;光榮.

halogen/ˈhælədʒɪn/*n*.【化】鹵素.

halt /hɔːlt/ *n*. ①止步;停止②[英]無站房的小火車站 *v*.(使)暫停.

halter /ˈhɔːltə(r)/ *n*. ①繮繩,馬繮;馬籠頭②絞索;絞刑③(女用)三角背心 *vt*.①給…套上籠頭②絞死(某人)③束縛.

halve /hɑːv/ *vt*. 等分;減半.

halves/hɑːvz/*n*. half 的複數.

halyard/ˈhæljəd/ *n*.帆索;升旗索

ham /hæm/ *n*. ①火腿②(獸的)大腿③[俚]拙劣的表演者 *a*.過火的;做作的;[俚]蹩脚的.

hamburger /'hæmbɜːgə(r)/ *n*. 漢堡牛排;漢堡包;牛肉餅.

hamlet /'hæmlɪt/ *n*. 村莊(尤指沒有教堂的小村子).

hammer /'hæmə(r)/ *n*. 錘子;榔頭;小木錘;音錘 *v*.①錘擊;敲打;攻擊②苦心想出.

hammock /'hæmək/ *n*. ①吊床②小丘;冰丘.

hamper /'hæmpər/ *vt*. 牽制;妨礙;阻礙 *n*.①阻礙物②(裝食品的)有蓋大籃.

hamster /'hæmstə(r)/ *n*.【動】倉鼠;金色倉鼠.

hamstring /'hæmstrɪŋ/ *n*. 腿筋.

hand /hænd/ *n*. ①手;獸的前脚②(鐘錶的)指針③人手;僱員④字迹;手迹⑤簽字⑥支配;掌管⑦方面 *vt*. 交出;傳遞;給 **~ed** *a*.有手的;用手的 **~ful** *n*.一把;少量 **~ily** *ad*.便利地;靈巧地 **~less** *a*.無手的;手笨拙的 **~book** *n*.手冊 **~cuff** *n*.手銬 **~shake** *n*.握手 **~-to-~** *a*.肉搏的 **~writing** *n*.筆迹.

handicap/'hændɪkæp/*n*. 讓步賽跑;障礙;不利條件 *vt*. 妨礙;使不利

handicraft /'hɑndɪkrɑːft/ *n*. 手藝;手工業;手工藝品 **~sman** *n*.手工業者;手工藝人.

handiwork /'hændɪwɜːk/ *n*. 手工;手工制品.

handkerchief /'hæŋkətʃɪf/ *n*. ①手帕②圍巾,頭巾.

handle /'hændl/ *n*. ①柄;把手;把柄②頭銜 *vt*. ①觸;摸②運用;操縱;駕駛③處理;管理 *vi*.用手搬運;易於操縱 **~r** *n*.處理者;管理者 **handling** *n*.處理;管理.

handsome /'hænsəm/ *a*. ①漂亮的;英俊的(指男子)②端莊秀麗的;健美的(指女子)③慷慨的;大方的④相當的;可觀的 **~ly** *ad*. **~ness** *n*.

handy /'hændɪ/ *a*. ①手邊的;近便的;方便的②手靈巧的.

hang /hæŋ (過去式及過去分詞 **hung** /hʌŋ/ 或 **hanged**) *vt*.①懸;挂;垂;吊②固定(或粘、貼)在牆上③(過去式和過去分詞用 hanged)絞死;吊死 *vi* ①懸挂;吊着;垂下;披下②被絞死;被吊死③懸而不决 *n*.①懸挂方法②[口]做法;用法③[口]大意 **~ing** *n*.①(*pl*.) 懸挂物②絞死.

hangar /'hæŋə(r)/ *n*. 飛機棚;飛機庫 *vt*.把(飛機)放入機庫中.

hanger /'hæŋə(r)/ *n*. ①挂東西的人②糊牆的人③挂物的東西;挂鈎④吊架;衣架.

hanger-on /ˌhæŋər'ɒn/ *n*.(*pl*. **hangers-on**) 食客;隨從;奉承者.

hank /hæŋk/ *n*. 一捲;一束;綫束(棉綫 840 碼、毛綫 560 碼).

hanker /'hæŋkə(r)/ *vi*. 渴望;追求 **~ing** *n*.

hanky;hankie/'hæŋkɪ/ *n*. [口]手帕.

hanky-panky /ˌhæŋkɪ'pæŋkɪ/ *n*. ①[俚]陰謀詭計;欺騙;花招②輕佻的行為③幻術;戲法.

hansom /'hænsəm/ *n*. 雙輪小馬車.

haphazard /hæp'hæzəd/ *a*. 無計劃的;任意的;偶然的 *n*.偶然性;任意性 *ad*.雜亂無章地;任意地 **~ly** *ad*. **~ness** *n*.

hapless /'hæplɪs/ *a*. 不幸的;倒霉的 **~ly** *ad*. **~ness** *n*.

happen /'hæpən/ *vi*. (偶然)發生;碰巧;偶然發現 **~ing** *n*.(常用 *pl*.)事件;偶然發生的事.

happy /'hæpɪ/ *a*. 幸福的;幸運的;快樂的;巧妙的. **happily**/'hæpɪlɪ/ *ad*. **happiness** *n*.

hapsichord/ˈhɑːpsɪkɔːd/ *n*. 羽管鍵琴.

hara-kiri /ˌhærəˈkɪrɪ/ *n*. [日本]切腹自殺.

harangue /həˈræŋ/ *n*. & *v*. 激動的演說;(向…)激動地演講.

harass /ˈhærəs/ *vt*. ①煩擾;折磨②反覆攻擊;侵擾.

harbinger /ˈhɑːbɪndʒə(r)/ *n*. 先驅;先兆.

harbo(u)r /ˈhɑːbə(r)/ *n*. ①港(口)②避難所 *vt*.①庇護;窩藏②懷(惡意)③停泊 *vi*.入港停泊;躲藏;聚集.

hard /hɑːd/ *a*. ①堅硬的;結實的②辛苦的;費力的③猛烈的;難忍的 *ad*. ①硬②努力地;艱苦地;困難地③牢固地 **~ly** *ad*.①幾乎不②嚴厲地③費力地 **~ness** *n*.堅硬;硬度 **~ship** *n*.受苦;吃苦;苦難 **~y** *a*.強壯的;耐勞的;大膽地;果斷地 **~back** *n*.精裝書 *a*.(書)精裝的 **~board** *n*.硬質纖維板 **~-boiled** *a*.(蛋)煮老了的;(人)無情的 **~-hearted** *a*.硬心腸的 **~-line** *a*.強硬的 **~-nosed** *a*.[俗]固執的 **~ sauce** *n*.黃油甜醬 **~-shoulder** *n*.(高速公路路側供緊急停車用的)路肩 **~ware** *n*.金屬器具;(計算機)硬件;重型機械;重武器 **~-wearing** *n*.耐磨損的 **~-working** *a*.努力的, 用功的 // *~ cash* 現金 *~ currency* 硬通貨 *~ rock* 重搖滾(樂) *~ sell* 硬行推銷 *~ water* 硬水.

harden /ˈhɑːdn/ *v*. ①(使)變硬;(使)堅強②(使)變得冷酷;麻木 **~ability** /ˌhɑːdənəˈbɪlətɪ/ *n*.可硬化性;可硬化度 **~er** *n*.硬化劑 **~ing** *n*.硬化;淬火;硬化劑.

hardihood /ˈhɑːdɪhʊd/ *n*. ①大膽;剛毅②魯莽③強壯.

hare /heər/ *n*. (野)兔子 *vi*.飛跑 **~brained** *n*.愚蠢的 **~lip** *n*.豁嘴.

harem /ˈhɑːriːm/ *n*. (伊斯蘭國家中的)閨閣;後宮;妻妾;女眷們.

haricot /ˈhærɪkəʊ/ *n*.【植】扁豆.

hark /hɑːk/ *vi*. (主要用於祈使句)聽.

harken /ˈhɑːkən/ *vi*. 側耳傾聽(= hearken).

harlequin/ˈhɑːlɪkwɪn/ *n*. ①(童話、喜劇、啞劇中剃光頭,穿雜色衣,持木劍的)滑稽角色②丑角;滑稽角色.

harlot /ˈhɑːlət/ *n*. 妓女 **~ry** *n*.賣淫.

harm /hɑːm/ *n*. & *vt*. 損害;傷害 **~ful** *a*.有害的.

harmless /ˈhɑːmlɪs/ *a*. 無害的;無惡意的 **~ly** *ad*. **~ness** *n*.

harmonic /hɑːˈmɒnɪk/ *a*. ①【樂】泛音的;和聲的②【物】諧波的;諧(和)的 **~ally** *ad*. **~s** *n*.和聲學.

harmonica /hɑːˈmɒnɪkə/ *n*. 口琴.

harmonious /hɑːˈməʊnɪəs/ *a*. ①和諧的;和睦的;協調的②悅耳的;曲調優美的 **~ly** *ad*. **~ness** *n*.

harmonium /hɑːˈməʊnɪəm/ *n*. 簧風琴.

harmonize /ˈhɑːmənaɪz/ *v*. ①(使)協調;(使)一致②以和聲唱;使曲調和諧 **harmonization** /ˌhɑːmənaɪˈzeɪʃn/ *n*.調和;一致.

harmony /ˈhɑːmənɪ/ *n*. ①調和;協調;融洽②一致③和聲(學).

harness /ˈhɑːnɪs/ *n*. ①馬具;挽具②降落傘背帶 *vi*.①給…上挽具②使…發電③治理;利用.

harp /hɑːp/ *n*. 豎琴 **~er**, **~ist** *n*.豎琴師.

harpoon /hɑːˈpuːn/ *n*. 魚叉;標槍 *vt*.用魚叉叉.

harpy /ˈhɑːpɪ/ *n*. 冷酷貪心的女人.

harridan /ˈhærɪdən/ *n*. 凶惡的老婦;醜婆.

harrier /'hærɪər/ *n*. ①獵兔狗②越野賽跑者③槍劫者④蹂躪者.

harrow /'hærəʊ/ *n*. 耙 *vt*. 耙(地);弄傷;使痛苦;折磨~**ing** *a*. 折磨人的;慘痛的.

harry /'hærɪ/ *vt*. ①掠奪;蹂躪②折磨;騷擾③驅走.

harsh /hɑːʃ/ *a*. ①粗糙的②刺耳(或眼)的③苛刻的;殘酷的;嚴厲的~**ly** *ad*. ~**ness** *n*.

hart /hɑːt/ *n*. 公鹿.

hartshorn /'hɑːtshɔːn/ *n*. 鹿茸;鹿角.

harumscarum /ˌheərəm'skeərəm/ *a*. & *ad*. 輕率的(地);冒失的(地) *n*. 冒失鬼;輕舉妄動.

harvest /'hɑːvɪst/ *n*. ①收穫(期);收割(期)②收成;產量③結果;後果;成果 *vt*. 收割;收穫;獲得 *vi*. 收割~**er** *n*. 收割莊稼的人,收穫者;收割機 // ~*fly* 秋蟬 ~*moon* 中秋的圓月.

has /hæz;həz;əz/ have 的第三人稱單數,現在時.

hash /hæʃ/ *vt*. ①切細②把…搞糟;把…弄亂③反覆推敲;仔細考慮 *n*. ①肉丁烤菜;雜燴②複述;重申 ~**-house** *n*. [美俚]經濟餐館 // *make a* ~ *of* 把…弄糟 *settle sb's* ~ 收拾某人,征服某人.

hashish/'hæʃiːʃ/*n*. 哈希什(從印度大麻中提煉出來的一種可供吸食的毒品).

hasn't /'hæznt/ = has not.

hasp /hɑːsp/ *n*. 搭扣;鐵扣.

hassle /'hæsl/ *n*. 激戰;激烈的爭論;困難,掙扎 *v*. (與…)爭論;打擾;辯論.

hassock/'hæsək/*n*. (尤指教堂中厚實的)跪墊.

haste /heɪst/ *n*. 急速;緊迫;倉促;草率 *vi*. 趕緊;匆忙.

hasten /'heɪsn/ *vt*. 催促;促進;加速 *vi*. 趕緊;趕快.

hasty /'heɪstɪ/ *a*. ①急速的;倉促的②草率的③性急的;急躁的 **hastily** *ad*. **hastiness** *n*.

hat /hæt/ *n*. (有邊的)帽子.

hatch /hætʃ/ *vt*. ①孵(出)②內心懷着③圖謀;策劃 *vi*. 孵化;出殼 *n*. ①孵化;一孵;一窩②結果③(飛機、門、天花板等上面的)小門、短門、開口;艙口;閘門④魚欄~**back** *n*. (門在尾部、上下開闢)尾門汽車.

hatchet /'hætʃɪt/ *n*. 小斧;戰斧.

hate /heɪt/ *n*. & *vt*. ①(憎)恨;嫌惡②不願;不喜歡 *vi*. 仇恨 *n*. 怨恨;嫉恨.

hateful /'heɪtfl/ *a*. 可恨的;討厭的~**ly** *ad*. ~**ness** *n*.

hatred /'heɪtrɪd/ *n*. 憎恨;憎惡;敵意.

hatter /'hætə(r)/ *n*. 製帽人;帽商.

haughty /'hɔːtɪ/ *a*. 傲慢的;輕蔑的 **haughtily** *ad*. **haughtiness** *n*.

haul /hɔːl/ *vt*. ①拖;拉;牽;拽②運輸③使…改變航向 *vi*. ①拖;拉②改變航向;改變主意 *n*. ①拖;拉②捕獲物③一網捕的魚;拖運量~**er** *n*. = haulier *n*. ①拖曳者②運輸工;承運人③公路承運公司.

haulage /'hɔːlɪdʒ/ *n*. ①拖(運);拖力②運費.

haulier /'hɔːlɪə(r)/ = hauler.

haulm /hɔːm/ *n*. [英]麥秸;稻草.

haunch /hɔːntʃ/ *n*. 腰腿部;臀部.

haunt /hɔːnt/ *vt*. ①常去;常到(某地)②纏住(某人)③(鬼魂等)常出沒於;縈繞 *vi* 經常出沒;逗留;作祟 *n*. 常到的地方;(動物)生息地 ~**ed** *a*. ①常出現鬼的;鬧鬼的②困惑的~**ing** *a*. 縈繞於心頭的;難以忘懷的.

hautboy /'həʊbɔɪ; 'əʊbɔɪ/ *n*. 【樂】雙簧

管.

haute couture /ˌəʊt kuːˈtjʊə(r)/ [法]時新服裝公司;(女式)時新服裝式樣.

hauteur /əʊˈtɜː(r); ˈəʊtɜː/ *n*. [法]傲慢;擺架子.

have /hæv; həv; əv/ *vt*. ①有;持有②拿到③吃;喝④進行;從事⑤享有;經歷⑥允許;使;讓⑦生(子)⑧要⑨明白;懂 *vi*.已經;曾經 *n*.①[英俚]欺詐②(*pl*.)富人;富國.

haven /ˈheɪvn/ *n*. ①港口②避難所.

havenot /ˈhævnɒt/ *n*. [口]窮人;窮國.

haven't /ˈhævnt/ =have not.

haver /ˈheɪvə/ *vi* ①猶豫;躊躇②胡說.

haversack /ˈhævəsæk/ *n*. 帆布背包;乾糧袋.

havoc /ˈhævək/ *n*. ①大破壞;浩劫②大混亂;大雜亂.

haw /hɔː/ *n*. 山楂果.

Hawaii /həˈwaiiː/ *n*. 夏威夷(美國州名).

Hawaiian /həˈwaɪjən/ *a*. 夏威夷(人、語)的 *n*.夏威夷人(語).

hawk /hɔːk/ *n*. ①鷹;;隼;鷹派人物②掠奪者③騙④帶柄方形灰漿板 *vt*.①捕捉②叫賣;兜售③散播 *vi*.①帶鷹出獵,猛撲;翱翔②清嗓;咳嗽 **~er** *n*.沿街兜售的小販 **~-eyed** *a*.目光銳利的.

hawser/ˈhɔːzə(r)/*n*.【船】(繫船或拖船用的)纜索;鋼絲繩.

hawthorn /ˈhɔːθɔːn/ *n*. 山楂樹(叢).

hay /heɪ/ *n*. 乾草;秣 **~cock** *n*.草堆 **~fork** *n*.草叉 **~-loft** *n*.乾草棚 **~-rick**; **~-stack** *n*.大乾草堆.

hazard /ˈhæzəd/ *n*. 危險;危害物 *vt*.①冒險;嘗試②使冒危險;冒…的危險③使擔風險.

hazardous /ˈhæzədəs/ *a*. 碰運氣的;危險的;冒險的.

haze /heɪz/ *n*. ①霧②頭腦糊塗;迷惑.

hazel /ˈheɪzl/ *n*. ①【植】榛;榛子(或木)②淡褐色 *a*.①榛樹的;榛木的②~淡褐色的 *a*.**~-nut** *n*.榛子.

hazy /ˈheizɪ/ *a*. 烟霧迷漫的;朦朧的;模糊的;不明的 **hazily** *ad*. **haziness** *n*.

H-bomb /ˈeɪtʃbɒm/ *n*. 氫彈.

he /hiː(常音);iː, hɪ, ɪ(弱音)/ *pro*. 他 **~blooded** *a*.[美俗]強壯的 **~-man** *n*.[美]健美男子.

head /hed/ *n*. ①頭(像);頭狀物體②首腦;首長③頭腦;才智;腦袋④生命;人;個人⑤(牛羊等的)頭數⑥上端;頂端⑦(桌位的)首席;船頭;(河流的)源頭⑧標題;項目 *a*.①頭部的;在前頭的;在頂部的②首要的;領頭的 *vi*. 向特定方向前進 *vt*.①行進在(或位於)…的前頭(頂部);為…之頭;屬…之首②先於;超越;勝過③主管;率領;領導 **~ed.** *a*.有頭的;列有標題的 **~ing** *n*.標題 **~less** *a*.無頭的;無人領導的;沒頭腦的 **~most** *a*.最前面的;領頭的 **~ship** *n*.領導者的地位(身份) **~y** *a*.頑固的;魯莽的 **~ache** *n*.頭痛;令人頭痛的事 **~dress** *n*.頭飾 **~gear** *n*.帽子;頭飾 **~light** *n*.(汽車等的)前燈 **~line** *n*.(報紙上的)大號標題 **~phones** *n*.耳機 **~quarters** *n*.司令部;總部.

headhunt /ˈhedhʌnt/ *vt*. 物色人材 **~er** *n*.人材物色公司.

heal /hiːl/ *vt*. ①治愈;使恢復健康②使和解;調停 *vi*.愈合;痊愈 **~er** *n*.醫治者 **~ing** *n*.治愈;恢復健康.

health /helθ/ *n*. ①健康(狀況);衛生

②祝健康的乾杯~**ful** *a*.有益健康的~**fully** *ad*.~**-giving** *a*.有益健康的// ~ *center* 醫療保健中心~ *food* 天然健康食品.

healthy /'helθɪ/ *a*. ①健康的;衛生的②旺盛的 **healthily** *ad*. **healthiness** *n*.

heap /hiːp/ *n*. (一)堆(積);許多;大量 *vt*.①堆積;積累②裝滿;使充溢③大量地給 *vi*.積成堆.

hear /hɪə(r)/ (過去式及過去分詞 **heard** /hɜːd/) *vt*. ①聽(見);聽說②聽取;審理 *vi*.聽(見);聽到~**able** /'hɪərəbl/ *a*.聽得見的~**er** *n*.聽的人~**ing** *n*.①聽覺②審問~**ing-aid** *n*.助聽器.

heard /hɜːd /hear 的過去式及過去分詞.

hearken /'hɑːkən/ *vi*. 傾聽.

hearsay /'hɪəseɪ/ *n*. & *a*. 風聞(的);傳聞(的).

hearse /hɜːs/ *n*. 柩車;靈車.

heart /hɑːt/ *n*. ①心臟;胸②內心;心腸③感情;愛情~**y** *a*.忠心的;親切的;精神飽滿的~**ache**; ~**break** *n*.傷心;悲痛~**burn** *n*.①胃氣痛②嫉妒~**burning** *n*.嫉妒;不滿~**felt** *a*.真心實意的~**-to-**~坦白的;親切的~**-whole** *a*.真誠的;勇敢的;全心全意的;不在戀愛的.

hearten /'hɑːtn/ *vt*. 振作;鼓勵; *vi*.振作起來.

hearth /hɑːθ/ *n*. ①壁爐地面;爐邊;爐床②[喻]家.

heartily /'hɑːtɪlɪ/ *ad*. ①誠心誠意地;懇切地②精神飽滿地③非常;完全.

heartless /'hɑːtlɪs/ *a*. 無情的;殘忍的~**ly** *ad*.

heat /hiːt/ *n*. ①熱;熱烈;激烈②初賽③體溫;發燒 *vt*.把…加熱;使激動;刺激 *vi*.發熱;激動;發怒~**ing** *a*.供熱的;刺激的 *n*.暖氣設備.

heated /'hiːtɪd/ *a*. 熱烈的;發怒的.

heater /'hiːtə/ *n*. 爐;發熱器.

heath /hiːθ/ *n*. 石南屬灌木;石南叢生的荒地~**er** *n*.石南屬植物.

heathen /'hiːðn/ *a*. & *n*. 异教徒(的);野蠻人(的)~**ish** *a*.异教徒的;野蠻的.

heather/'heðə(r)/*n*.【植】(常見於歐洲荒野的常綠小喬木)歐石南;杜鵑花科植物.

heave /hiːv/(過去式及過去分詞 **heaved** 或 **hove** /həʊv/) *vt*. ①舉起;抛出;發出②使起伏;使鼓起③拖;拉;堆;放 *vi*.①拉;堆;拖②脹起;鼓起③喘息④嘔吐 *n*.①舉起②起伏③嘔吐.

heaven /'hevn/ *n*. ①(常用 *pl*.)天,天空②(常用 H-)上帝③(常用 H-)天國 ~**ly** *a*. & *ad*.

heavily /'hevɪlɪ/ *ad*. ①重;沉重②大量地③嚴重地;劇烈地.

heaviness /'hevɪnɪs/ *n*. ①重;沉重;累贅②悲哀;憂愁.

heavy /'hevɪ/ *a*. ①重的②繁重的;沉重的③有力的;④大量的⑤猛烈的⑥令人憂鬱的 *ad*.沉重地;大量地 *n*.①重物②莊重角色~**-browed** *a*.眉頭緊皺的~**-buying** *a*.大量購入的~**-duty** *a*.耐用的;耐磨的~**-handed** *a*.拙劣的;暴虐的~**-headed** *a*.遲鈍的~**-hearted** *a*.抑鬱的;悲傷的~**-laden** *a*.負重的;沉重的.

Hebrew /'hiːbruː/ *n*. 希伯來人(語) *a*.希伯來人(語)的.

heckle /'hekl/ *vt*. ①責問;詰問②【紡】棉梳.

hectare /'hekteə(r)/ *n*. 公頃(等於一萬平方公尺).

hectic /'hektɪk/ *a*. ①忙亂的, 亂哄哄的②(因患病)發熱的③興奮的;激動的 *n*. ①肺病熱;消耗熱②紅暈;發燒;潮熱病人.

hector /'hektə(r)/ *n*. 威嚇者;虛張聲勢的人 *vt*. 威脅;欺凌 *vi*. 虛張聲勢;持強凌弱.

he'd /hi:d =he had; he would.

hedge /hedʒ/ *n*. ①樹籬;障礙②套頭交易③兩面下注;模棱兩可的話 *vt*. 用樹籬圍住;妨礙;包圍 *vi*. 築樹籬;躲避~**school** *n*. 露天學校.

hedgehog/'hedʒhɒg/ *n*. 【動】刺猬.

hedonism /'hi:dənɪzəm/ *n*. 享樂主義;歡樂主義.

heed /hi:d/ *n*. & *v*. 注意;留意~**ful** *a*. 注意的;留心的~**less** *a*. 不注意的;掉以輕心的.

heel /hi:l/ *n*. ①脚後跟;踵;蹄的後部②(*pl*.)後脚③船的後部 *vt*. ①裝鞋後跟②緊跟;追趕③使傾斜 *vi*①在後緊隨②快跑③用脚後跟跳舞④(船)傾側~**ed** *a*. 有鞋後跟的~**er** *n*. 鞝鞋後跟的人;政客的追隨者~**less** *a*. 沒有後跟的.

hefty /'heftɪ/ *a*. ①笨重的②有力的;健壯的③异常大的 *n*. 魁梧的大漢.

hegemony /hɪ'gemənɪ/ *n*. 霸權;領導權;盟主權.

Hegira/'hedʒɪrə/ *n*. ①公元 622 年穆罕默德從麥加到麥地那的逃亡②從公元 622 年開始的回教紀元.

heifer /'hefə(r)/ *n*. 小母牛.

heigh-ho /'heɪ'həʊ/ *int*. 嗨嗬(疲勞、驚愕、高興等的呼聲).

height /haɪt/ *n*. ①高度;頂點②海拔③(*pl*.)高處;高地.

heighten /'haɪtn/ *vt*. ①加高;提高②增加;增大;加深;使顯著 *vi*. 變大;變深;變顯著.

heinous /'heɪnəs/ *a*. 極可怕的;極凶惡的~**ly** *ad*. ~**ness** *n*.

heir /eə(r)/ *n*. 後嗣;繼承人 ~**ess** /'eərɪs/ *n*. 女繼承人;嗣女~**less** 無後嗣的, 無繼承人的~**ship** *n*. 繼承權.

heirloom /'eəlu:m/ *n*. ①祖傳物;傳家寶②相傳的動產.

held /held/ hold 的過去式及過去分詞.

helicopter /'helɪkɒptə(r)/ *n*. 直升飛機.

heliochrome /'hi:lɪəʊkrəʊm/ *n*. 天然色照片;彩照.

heliosis /ˌhi:lɪ'əʊsɪs/ *n*. 日射病;中暑.

heliotherapy /ˌhi:lɪəʊ'θerəpɪ/ *n*. 日光療法.

heliotrope/'hi:lɪətrəʊp/ *n*. ①天芥菜屬植物②向陽開花的植物.

heliport /'helɪpɔ:t/ *n*. 直升飛機機場.

helium /'hi:lɪəm/ *n*. 【化】氦.

helix/'hi:lɪks/ *n*. 螺旋形;螺綫.

hell /hel/ *n*. ①地獄②極大的痛苦;苦境③大混亂④訓斥;大罵.

he'll /hi:l =he will.

Hellas /'heləs/ *n*. 希臘(古名).

Hellene /'heli:n/ *n*. (古)希臘人 **Hellenic** /he'li:nɪk *a*. (古)希臘(人、語)的.

hellish /'helɪʃ/ *a*. ①地獄(似)的②凶惡的;惡魔似的~**ly** *ad*. ~**ness** *n*.

hello /hə'ləʊ/ *int*. 喂.

helm /helm/ *n*. ①舵柄;舵輪②掌管;領導 *v*. 給…掌舵;指揮 // *at the* ~ 領導, 掌管.

helmet /'helmɪt/ *n*. 安全帽;鋼盔 *vt*. 給…帶上(配上)頭盔~**ed** *a*. 戴頭盔的;頭盔狀的.

helmsman /'helmzmən/ *n*. 舵手.

helot /'helət/ *n*. 奴隸;農奴.

help /help/ *vt*. ①幫助;援助;促進②

治療③使進食；款待④避免；抑制 *vi*.有幫助；有用；招待 *n*.①幫助；幫手；助手②治療 **~ful** *a*.有幫助的；有益的**~less** *n*.無助的；沒用的，無效的.

helpmate, helpmeet /ˈhelpmeɪt; ˈhelpmiːt/ *n*. ①良伴；配偶②助手，夥伴.

helter-skelter /ˈheltə ˈskeltə(r)/ *ad*. 手忙脚亂地；慌張地 *n*.(遊樂園裏的)高塔旋轉滑梯.

helve /helv/ *n*. (工具的)柄；斧柄.

hem /hem/ *n*. ①(衣服等的)折邊；邊；緣②哼聲；清嗓聲；咳嗽聲 *vt*.①給…縫邊；給…鑲邊②包圍，禁閉 *vi*.①做折邊②發哼聲；哼一聲 *int*. 哼!.

hemisphere /ˈhemɪsfɪə(r)/ *n*. 半球；半球地圖(模型).

hemlock /ˈhemlɒk/ *n*.【植】毒人參.

hemp /hemp/ *n*. ①【植】大麻；大麻纖維②大麻毒品③纖維植物④[謔]絞索**~en** *a*.

hemstitch /ˈhemstɪtʃ/ *n*. 花邊；結穗緣飾.

hen /hen/ *n*. 母雞；雌禽 **~-hearted** *a*.膽小的 **~-house** *n*.家禽的籠舍 **~-party** *n*.[俗]婦女聚會**~pecked** *a*.受老婆虐待的；怕老婆的.

hence /hens/ *ad*. 從此；今後；因此.

henceforth /ˌhensˈfɔːθ/, **henceforward** /ˌhensˈfɔːwəd/ *ad*. 今後；自此之後.

henchman /ˈhentʃmən/ *n*. ①親信；心腹；侍從②傀儡③黨羽；黨徒.

henna /ˈhenə/ *n*. 指甲染料；棕紅色 *a*.棕紅色的.

heptagon/ˈheptəgən/*n*.【數】七邊形，七角形.

her /hɜː(r)；hə；ɜː；ə/ *pro*. 她；她的.

herald /ˈherəld/ *n*. ①(舊時)傳令官②先驅；前兆③預言者；通報者④使者 *vt*.①宣佈；通報②預示…的來臨.

heraldic /heˈrældɪk/ *a*. ①傳令的②紋章官的；紋章(學)的**~ally** *ad*. **heraldry** /ˈherəldrɪ/ *n*.紋章學.

herb /hɜːb/ *n*. 草本植物**~-medicine** *n*.草藥；中藥**~-tea**；**~-water** *n*.湯藥.

herbage /ˈhɜːbɪdʒ/ *n*. ①(總稱)草本植物②牧畜權.

Hercules /ˈhɜːkjʊliːz/ *n*. ①【希神、羅神】海格力斯(主神宙斯之子，力大無窮，曾完成十二項英雄事迹)；大力神②[h-]大力士；巨人 **herculean**；**Herculean** /ˌhɜːkjʊˈliːən/ *a*.海格力斯的；大力神的；(在力量方面)其大無比的；費力的；艱巨的.

herd /hɜːd/ *n*. 獸群；牧群 *vt*.使集中在一起；把…趕在一起**~er** *n*.①牧人②[美俚]監獄看守

herdsman /ˈhɜːdzmən/ *n*. 牧人；牧主(=herdman).

here /hɪə(r)/ *ad*. ①(在)這裏；向這裏；到這裏②在這點上；這時 **~about(s)** *ad*. 在這附近 **~after** *ad*.今後；此後**~by** *ad*.在這附近；特此**~in** *ad*.在這當中**~tofore** /ˌhɪətuˈfɔː/ *ad*. 至此；此前 **~upon** *ad*.於是**~with** *ad*.同此，並此.

hereditary /hɪˈredɪtrɪ/ *a*. 遺傳的；世襲的 **hereditarily** *ad*. **heredity** /hɪˈredətɪ/ *n*.遺傳.

heresy /ˈherəsɪ/ *n*. ①異教；信奉異教②異端邪說.

heritable /ˈherɪtəbl/ *a*. 可繼承的；有權繼承的；可(被)遺傳的 **heritability** /ˌherɪtəˈbɪlətɪ/ *n*.遺傳率；遺傳力 **heritably** *ad*.

heritage/ˈherɪtɪdʒ/*n*.遺產；遺留物.

hermaphrodite /hɜːˈmæfrədaɪt/ *n*. 兩性人;雌雄同體(或同株).

hermetic(al) /hɜːˈmetɪk(l)/ *a*. 密封的;不透氣的 **hermetically** *ad*.

hermit /ˈhɜːmɪt/ *n*. 隱士 **~age** /ˈhɜːmɪtɪdʒ/ *n*. 修道院;隱居處 **~crab** *n*. 寄居蟹.

hernia/ˈhɜːnɪə/*n*.【醫】疝;突出.

hero /ˈhɪərəʊ/ *n*. 英雄;勇士;(戲劇、小說中的)男主角;中心人物 **~ism** /ˈherəʊɪzəm/ *n*. 英雄主義;英雄行為;英雄品質.

heroic(al) /hɪˈrəʊɪk(l)/ *a*. ①英雄的;英勇的②歌頌英雄的;史詩的 **heroically** *ad*. **heroics** *pl*. *n*. 極其戲劇性的言行.

heroin /ˈherəʊɪn/ *n*. 海洛因;嗎啡精.

heroine /ˈherəʊɪn/ *n*. 女英雄;女主人公.

heron /ˈherən/ *n*.【鳥】蒼鷺.

herpes /ˈhɜːpiːz/ *n*.【醫】疱疹.

Herr/heə(r)/*n*. [德]先生;閣下.

herring /ˈherɪŋ/ *n*. 青魚;鯡魚.

hers /hɜːz/ *pro*. 她的.

herself /hɜːˈself/ *pro*. 她自己.

hertz /hɜːts/ *n*. (單、複數同形)【電】赫茲.

he's /hiːz/ =he is ; he has .

hesitate /ˈhezɪteɪt/ *vi*. ①躊躇;猶豫②含糊;支吾 **hesitant** /ˈhezɪtənt/ *a*. **hesitatingly** *ad*. **hesitation** *n*. 躊躇;猶豫;含糊.

Hesperus /ˈhespərəs/ *n*.【天】金星.

hessian /ˈhesɪən/ *n*. 麻袋布.

heterodox /ˈhetərədɒks/ *a*. 異教的;異端的;離經叛道的 **~y** *n*. 非正統;異端.

heterogeneous /ˌhetərəˈdʒiːnɪəs/ *a*. ①異種的;異族的②由不同成份組成的;不純的.

heteromorphy /ˈhetərəʊˌmɔːfɪ/ *n*. 變形;異型;異態現象.

heterosexual /ˌhetərəˈsekʃʊəl/ *a*. ①異性的;不同姓別的②異性愛的 *n*. 異性戀者 **~ly** *ad*.

heterosis /ˌhetəˈrəʊsɪs/ *n*.【生】雜種優勢(=hybrid vigour).

heuristic /hjʊəˈrɪstɪk/ *a*. 啓發(式)的 *n*. 啓發式的研究(或應用) **~s** *n*. 啓發法.

hew /hjuː/(**hewed**; **hewn** /hjuːn/; **hewed**) *vt*. ①砍;劈;砍倒;砍成②劈出;開闢 *vi*. 砍;劈 **~er** *n*. 砍伐者,採煤工人.

hewn /hjuːn/ hew 的過去分詞 *a*. 被砍(劈)的.

hexagon /ˈheksəgən/ *n*. 六角形,六邊形 **~al** /heksˈægənl/ *a*.

hey /heɪ/ *int* 嗜;嘿!.

heyday /ˈheɪdeɪ/ *n*. (只用單數)①全盛時期②壯年.

Hg【化】*abbr*. =mercury.

hi /haɪ/ *int*. ①[主美]=hallo 嗨! ②[英]=hey 喂! 嘿!.

hiatus /haɪˈeɪtəs/ *n*. ①(稿件等的)脫字;漏句②中斷;間歇.

hibernate /ˈhaɪbəneɪt/ *vi*. ①(指動物)冬眠②過冬;避寒 **hibernation** *n*.

Hibernia /haɪˈbɜːnɪə/ *n*. [詩]愛爾蘭 **~n** *a*.

hibiscus /hɪˈbɪskəs/ *n*. 木槿屬植物.

hiccup, hiccough /ˈhɪkʌp/ *vi*. 打嗝兒 *n*. ①打嗝兒②暫時困難;暫時阻礙;(股票)暫時跌落.

hick /hɪk/ *n*. [美口]鄉下佬 *a*. 鄉下佬似的;落後的.

hickory /ˈhɪkərɪ/ *n*. 北美胡桃;山核桃;山核桃木.

hid /hɪd/ hide 的過去式.

hidden /ˈhɪdn/ hide 的過去分詞 *a*. 隱

藏的;秘密的.

hide[1] /haɪd/(**hid** /hɪd/; **hidden** /ˈhɪdn/) *vt*. ①把…藏起來;隱藏;隱瞞②遮掩;遮蔽③剥…的皮 *vi*.躲藏;隱藏 **hiding** *n*.①隱匿處,躲藏處②痛打;鞭打 **hide-and-seek** *n*.捉迷藏 **hide-out**(美語亦作 **hideaway**) *n*.隱藏的地方 **hiding-place** *n*.躲藏的地方.

hide[2] /haɪd/ *n*. ①獸皮;皮革②[俚]皮膚.

hidebound /ˈhaɪdbaʊnd/ *a*. ①氣量狹窄的②十分保守的;古板的;墨守成規的.

hideous /ˈhɪdɪəs/ *a*. ①駭人聽聞的;可怕的②醜陋的**~ly** *ad*.

hie /haɪ/ (hied; 現在分詞 hieing 或 hying)[古] *vt*.(常接 oneself)使趕緊;催促 *vi*.急行;趕緊.

hierarchy /ˈhaɪərɑːkɪ/ *n*. ①等級制度②(僧侶)統治集團③等級體系;分級體系.

hieroglyph /ˈhaɪərəglɪf/ *n*. 象形文字 **~ic** /ˌ-ˈglɪfɪk/ *a*.

hi-fi /ˈhaɪfaɪ/ *a*. 高保真的 *n*.高保真設備.

higgle /ˈhɪgl/ *vi*. 討價還價;講條件;爭執.

higgledy-piggledy /ˈhɪgldɪˈ pɪgldɪ/ *a*. & *ad*. 雜亂無章的(地);亂七八糟的(地).

high /haɪ/ *a*. ①高的;高原的②高度的;高效的③強烈的;很大的④高級的;高尚的⑤高音調的⑥高價的;奢侈的 *ad*.①高②高價地③奢侈地 *n*.①高地;高處②天上;天空③高水準**~ly** *ad*.**~ness** *n*.高度;高尚;殿下**~ball** *n*.[美]加冰以及蘇打等的烈酒**~brow** *n*.所謂有文化修養的人**~light** *n*.最精彩的部分;(照片等)光亮部分**~way** *n*.公路;捷徑.

hijack /ˈhaɪdʒæk/ *vt*. 劫持(飛機等);從車輛上偷(貨) *n*.劫持事件.

hike /haɪk/ *vi*. 步行,徒步遠足 *vt*.提高…的價錢 *n*.遠足;(物價等)提高.

hilarious /hɪˈleərɪəs/ *a*. ①愉快的②熱鬧的**~ly** *ad*.**~ness** *n*.

hilarity /hɪˈlærətɪ/ *n*. 歡鬧;歡喜.

hill /hɪl/ *n*. 小山;小土堆;斜坡**~y** *a*.多小山的;多丘陵的;多坡的.

hillock /ˈhɪlək/ *n*. 小丘.

hillside /ˈhɪlsaɪd/ *n*. 山腹;山坡.

hilt /hɪlt/ *n*. (刀)柄//(*up*) *to the ~* 完全地;徹底地.

him /him/ *pro*. 他.

himself /hɪmˈself/ *pro*. 他自己;他本人.

hind /haɪnd (比較級 hinder, 最高級 hindmost 或 hindermost) *a*.後面的;後部的 *n*.(三歲以上的)紅色雌鹿;[英]農場熟練僱工;農場管家.

hinder /ˈhɪndə(r)/ *vt*. 阻礙;阻止 *vi*.起阻礙作用;成為障礙.

hindrance /ˈhɪndrəns/ *n*. 障礙;妨礙的人(或物).

Hinduism /ˈhɪnduːɪzəm/ *n*. 印度教 **Hindi** /ˈhɪndiː/ *n*. & *a*.印地語;印地語的 **Hindu** /ˌhɪnˈduː/ *n*.印度教徒.

hinge /hɪndʒ/ *n*. ①鉸鏈;樞紐②要點;關鍵;轉折點 *vt*.給…裝上鉸鏈;用鉸鏈接合 *vi*.靠鉸鏈轉動;隨…而定**~ed** *a*.有鉸鏈的**~less** *a*.無鉸鏈的.

hinny /ˈhɪnɪ/ *n*. ①小騾子②[英]寶貝兒＝honey.

hint /hɪnt/ *n*. ①暗示;提示②點滴;微量 *v*.暗示.

hinterland /ˈhɪntəlænd/ *n*. ①腹地;內

地②窮鄉僻壤;未開拓的領域.

hip /hɪp/ *n*. ①臀部;髖關節②【建】屋脊③【植】薔薇果 *a*.①時髦的,最新的②[美俚]熟悉內情的;市面靈通的③聰明的;機靈的 **~ped** *a*.①[美口]沮喪的②(構成複合形容詞)具有…的臀部的:large-~ped 臀部大的.

hippie, hippy /ˈhɪpɪ/ *n*. 嬉皮士.

hippo /ˈhɪpəʊ/ *n*. [口]河馬.

hippodrome /ˈhɪpədrəʊm/ *n*. (在名稱中使用)劇院、舞廳等.

hippopotamus /ˌhɪpəˈpɒtəməs/ *n*. (*pl*. **hippopotami** 或 **hippopotamuses**) 河馬.

hippy /ˈhɪpɪ/ *n*. = hippie.

hire /ˈhaɪə(r)/ *n*. ①租用;僱用;受僱②租金;工錢 *vt*.租用;暫時租借;僱用;租出 **~-purchase** *n*.分期付款.

hireling /ˈhaɪəlɪŋ/ *n*. 傭工 *a*.被僱用的;為金錢而工作的.

hirsute /ˈhɜːsjuːt/ *a*. 多毛的;毛質的 **~ness** *n*.

his /hɪz/ *pro*. 他的.

Hispanic /hɪˈspænɪk/ *a*. 西班牙的;西班牙和葡萄牙的;拉丁美洲的.

hiss /his/ *vi*. 嘶嘶作響;用噓聲表示反對 *n*.嘶嘶聲.

histology /hɪˈstɒlədʒɪ/ *n*. 【生】組織學;組織結構.

history /ˈhɪstrɪ/ *n*. ①歷史(學);過去事的記載②沿革③史實;歷史事件 **historian** /hɪsˈtɔːrɪən/ *n*.歷史學家 **historic** /hɪsˈtɒrɪc/ *a*.歷史上有名的 **historical** *a*.歷史(上)的.

histrionic /ˌhɪstrɪˈɒnɪk/ *a*. 演員的;舞台的;演戲似的.

hit /hɪt/ (過去式及過去分詞 **hit**) *vt*. ①打擊;擊中;命中②(使)碰撞;襲擊③使遭受④傷…的感情⑤達到;到達⑥碰上;發現;找到⑦投合(迎合) *vi*.①打擊;擊中②碰撞;偶然遇上③找到 *n*.①擊中;碰撞②諷刺;抨擊.

hitch /hɪtʃ/ *vt*. ①鈎住;拴住;套住②急拉;急推;猛地移動③免費搭汽車 *vi*.①被鈎住;被拴住,被套住②急推;猛地移動③跛行;蹣跚④免費搭汽車 *n*.①鈎;拴;繫;套②急拉;急推;急動③跛行④故障;臨時困難.**~-hike** *vi*.免費搭汽車 **~-hiker** *n*.

hi-tech /ˈhaɪtek/ *a*. 高科技的.

hither /ˈhɪðə(r)/ *ad*. 這裏;向(到)這裏 *a*.這邊的;附近的 // *~ and thither* 到處;向各處;忽彼忽此.

hithermost /ˈhɪðəməʊst/ *a*. 最靠近的.

hitherto /ˌhɪðəˈtuː/ *ad*. 迄今;到目前為止.

Hitler /ˈhɪtlə(r)/ *n*. 希特勒(納粹黨魁).

Hitlerian /hɪtˈlɪərɪən/ *a*. 希特勒式的;希特勒統治的.

Hitlerite /ˈhɪtləraɪt/ *n*. & *a*. 希特勒主義者(的) **Hitlerism** *n*.希特勒主義.

HIV *abbr*. = Human Immuno-deficiency Virus 愛滋病病毒.

hive /haɪv/ *n*. ①蜂箱;蜂群②熙攘的人群;喧鬧而繁忙的場所 *vi*.(蜂)進入蜂箱;聚居 *vt*.①使(蜂)入箱②轉移(工作)到另外的部門 // *~ off* 轉移;獨立;分離.

hives /haɪvz/ *n*. (用作單或複數)蕁麻疹.

HM *abbr*. = Her(or His)Majesty.

HMS *abbr*. = Her(or His)Majesty's service or ship.

ho /həʊ/ *int*. 嗬.

hoar /hɔː(r)/ *a*. 灰白的;頭髮灰白的.

hoard /hɔːd/ *n*. 窖藏(的錢財);秘藏的東西 *vt*.儲藏;積聚;把…珍藏在心中 *vi*.儲藏;囤積 **~er** *n*.儲藏者;囤積者.

hoarding /'hɔːdɪŋ/ *n*. ①[英]大型廣告牌,招貼板②(修建房屋用的)臨時板圍;圍籬.

hoarfrost /'hɔːfrɒst/ *n*. 霜;白霜.

hoarse /hɔːs/ *a*. 聲音(嗓門)嘶啞的 **~ly** *ad*. **~ness** *n*.

hoary /'hɔːrɪ/ *a*. ①灰白的,頭髮灰白的②古老的;古代的.

hoax /həʊks/ *n*. & *vt*. 欺騙;戲弄.

hob /hɒb/ *n*. 爐子頂部的擱板(或擱架,放壺、鍋等).

hobble /'bɒbl/ *vi*. 跛行;蹒跚 *vt*.把(馬的)脚拴住(以防其跑掉) *n*.跛行;蹒跚 **hobblingly** *ad*.蹒跚地.

hobby /'hɒbɪ/ *n*. ①癖好;業余愛好;消遣②木馬;小馬 **~house** *n*.木馬;喜歡的話題.

hobgoblin /'hɒb'gɒblɪn/ *n*. ①妖怪;怪物②淘氣的小鬼.

hobnail /'hɒbneɪl/ *n*. ①(釘在靴底上的)平頭釘②鄉下人 *vt*.釘平頭釘於.

hobnob /'hɒbnɒb/ *vi*. ①過從甚密;親近②共飲;親切交談 *n*.親密關係.

hobo /'həʊbəʊ/ *n*. 流動(失業)工人;流浪漢 *vi* 過流浪生活.

Hobson's choice /ˌhɒbsnz 'tʃɔɪs/ 無選擇餘地;唯一的選擇.

hock /hɒk/ *n*. ①【動】跗關節②典當;抵押③監牢 *vt*.①割斷蹄筋使殘廢②典當;抵押 **~er** *n*.典當者 **~shop** *n*.[美俚]當鋪.

Hock /hɒk/ *n*. [主英](德國產)白葡萄酒;霍克酒.

hockey /'hɒkɪ/ *n*. 曲棍球;冰球.

hocus /'həʊkəs/ *vt*. 戲弄;愚弄;麻醉.

hocus-pocus /'həʊkəs 'pəʊkəs/ *n*. 耍花招,欺騙.

hod /hɒd/ *n*. ①灰漿桶②磚斗,煤斗.

hodgepodge /'hɒdʒpɒdʒ/ = hotchpotch *n*.①雜燴;什錦菜②混合物.

hoe /həʊ/ *n*. 鋤頭 *vt*. 鋤(土、草);為…鋤草

hog/hɒg/*n*.①猪②[俗]貪心漢 **hoggish** /'hɒgɪʃ *a*.貪婪自私的 **hog-wash** *n*.胡說,廢話.

hogmanay /'hɒgməneɪ/ *n*. (通常作Hogmanay)[蘇格蘭]①大年夜,除夕②除夕歡慶③過節的禮物.

hogshead /'hɒgzhed/ *n*. ①液量單位(=52.5英制加侖或63美制加侖)②大啤酒桶.

hoick /hɔɪk/ *vt*. [俗]猛然舉起.

hoi polloi /ˌhɔɪ pə'lɔɪ/ *pl*. ①[希]老百姓;民衆②[美俚]社會名流.

hoist /hɔɪst/ *vt*. (用繩或工具)升起;吊起;絞起 *n*.①拉起;舉起;升起②起重機;吊車;升降機.

hoity-toity /ˌhɔɪtɪ 'tɔɪtɪ/ *a*. ①[俗]傲慢的②輕率的;輕浮的.

hokum /'həʊkəm/ *n*. [俗][主美]①粗製濫造的劇本②胡說.

hold /həʊld(過去式及過去分詞 **held** /held/)/ *vt*. ①拿着;握住;抓住;夾住②托住;支持③掌握;擔任④占據;守住⑤容納⑥制止⑦舉行⑧擁有⑨認為 *vi*.①保持穩固;保持位置不變;持續②躊躇;猶豫(back) *n*.①抓,抓住;緊握②影響③權力;控制④踏脚之處 **~er** *n*.所有人;持有者;支持物;容器 **~ing** *n*.租的土地;所有物 **~all** *n*.大旅行袋.

holdfast /'həʊldfɑːst/ *n*. 緊緊扣住的東西(如鈎子、釘子、夾子、吸盤).

holdup /'həʊldʌp/ *n*. ①停頓;阻礙②攔劫;搶劫③交通阻塞.

hole /həʊl/ *n*. ①洞;穴;孔;窩巢②[俚]困境.

holiday /ˈhɒlədeɪ/ *n*. 節日;假日;假期 *vi*.出外度假~**-maker** *n*.度假者// ~*camp*(或 *centre*)度假營地.

holler /ˈhɒlə(r)/ *v*. & *n*. [口]喊叫,呼喊.

hollow /ˈhɒləʊ/ *a*. ①(中)空的;凹(陷)的②空虛的;虛假的③空腹的;餓的④空洞的 *n*.窪地;小山谷;穴;坑 *vt*.挖空~**ly** *ad*.~**ness** *n*.

holly /ˈhɒlɪ/ *n*. 冬青屬植物,冬青枝.

hollyhock /ˈhɒlɪhɒk/ *n*.【植】蜀葵.

Hollywood /ˈhɒlɪwʊd/ *n*. 好萊塢(美國電影業中心地);美國電影工業;美國電影界 *a*.好萊塢(式)的.

holocaust /ˈhɒləkɔːst/ *n*. 大屠殺;浩劫;大破壞.

hologram /ˈhɒləgræm/ *n*. 綜合衍射圖;全息照相.

holograph /ˈhɒləgrɑːf/ *a*. 親筆寫的 *n*.親筆文件;手書.

holster /ˈhəʊlstə(r)/ *n*. 手槍皮套.

holy /ˈhəʊlɪ/ *a*. ①神聖的;上帝的②獻身於宗教的;聖潔的.

homage /ˈhɒmɪdʒ/ *n*. ①尊敬;敬意②效忠// *pay* (*or do*)~ *to* 向…表示敬意.

Homburg /ˈhɒmbɜːg/ *n*. 窄邊凹頂男氈帽.

home /həʊm/ *n*. ①家;家庭;住宅②家鄉;祖國③療養院;養育院;收容所 *a*.①家庭的;家鄉的②本國(地)的;國內的; *ad*.在家(鄉);回(到)家;在(回)本國~**less** *a*.無家的~**ly** *a*.家常的;簡樸的;不拘束的~**-born** *a*.本國生的~**-bound** *a*.回國的~**-felt** *a*.痛切地感到的~**land** *n*.故鄉;祖國~**like** *a*.像家一樣舒適的;親切的~**made** *a*.家裏做的;國產的~**-sick** 思家的~**-spun** *a*.①家紡的②樸素的,簡單的~**work** *n*.課外作業.

homeopathy/ˌhəʊmɪˈɒpəθɪ/*n*.[主美]=homoeopathy【醫】順勢療法.

home page /ˈhəʊm peɪdʒ/*n*.(互連網的)網頁.

homicide /ˈhɒmɪsaɪd/ *n*. 殺人;殺人犯.

homily /ˈhɒmɪlɪ/ *n*. 說教;訓戒.

homing /ˈhəʊmɪŋ/ *a*. ①回家的;歸來的②歸航的;導航的 *n*.歸來;歸航;導航// *a* ~ *pigeon* 通信鴿.

homogeneous /ˌhɒməˈdʒiːnɪəs/ *a*. ①同類的;同族的;相似的②均勻的;均質的.

homograph/ˈhɒməʊgrɑːf/*n*.同形異義詞.

homologous /hɒˈmɒləgəs/ *a*. 相應的;類似的;【化】同系的.

homonym /ˈhɒmənɪm/ *n*. 同音(形)異義詞;同名的人(或物)~**ous** /hɒˈmɒnɪməs/ *a*.

homophobia/ˌhɒməˈfəʊbjə/*n*. 對同性戀的憎惡(或恐懼).

homophone /ˈhɒməfəʊn/ *n*. 同音字母;同音異義詞.

Homosapiens/ˌhəʊməʊˈsæpɪenz/*n*. 智人(現代人的學名).

homosexual /ˌhɒməˈsekʃʊəl/ *a*. 同性戀的 *n*.同性戀者.

hone /həʊn/ *n*. 磨刀石;磨孔器.

honest /ˈɒnɪst/ *a*. ①誠實的;坦白的;直率的②可敬的;有聲譽的③真正的;用正當手段獲得的~**ly** *ad*.~**y** *n*.誠實;公正;正直.

honey /ˈhʌnɪ/ *n*. ①蜂蜜;蜜;甜蜜②親愛的;寶貝兒(常用作稱呼)~**ed** *a*.甜言蜜語的~**-bee** *n*.蜜蜂~**comb** *n*.蜂巢~**moon** *n*.蜜月

~**suckle** *n*.【植】忍冬.

honk /hɒŋk/ *n*. ①雁的叫聲②汽車喇叭聲 *vi*.(雁)叫;汽車喇叭叫.

honky-tonk /ˈhɒŋkɪtɒŋk/ *n*. [美俚]下等低級酒吧間;下等夜總會;(小城鎮的)蹩脚戲院.

honorary /ˈɒnərərɪ/ *a*. ①名譽上的(指僅作為一種榮譽所授予的);無報酬的②光榮的;榮譽的.

hono(u)r /ˈɒnə(r)/ *n*. ①榮譽;光榮②尊敬;敬意③名譽;面子④自尊心⑤榮幸;光榮的人(或事)⑥徽章;勛章~**able** *a*. ~**ably** *ad*.

hooch /huːtʃ/ *n*. [美俚]烈酒.

hood /hʊd/ *n*. ①兜帽;頭巾;帽蓋②車篷 *vt*.用頭巾包;給…戴頭罩~**ed** *a*.戴兜帽的.

hoodlum /ˈhuːdləm/ *n*. 惡少;歹徒;小流氓.

hoodoo/ˈhuːduː/*n*.①[口]帶來厄運的人;帶來不祥之物②[口]厄運;晦氣.

hoodwink /ˈhʊdwɪŋk/ *vt*. 蒙住…的眼睛;欺騙;蒙蔽.

hoof /huːf/ *n*. 蹄;足;[俚]人足 *v*.走 // ~ *it* [俚]步行.

hoo-ha/ˈhuːhɑː/*n*.(尤指為小事而)大吵大鬧;小題大作;激動.

hook /hʊk/ *n*. ①鉤;鉤狀物②鐮刀;彎刀 *v*.用鉤鉤住;使成鉤形~**er** *n*.[美俚]妓女~**-nose** *n*.鷹鉤鼻.

hookah /ˈhʊkə/ *n*. 水烟袋.

hooligan /ˈhuːlɪgən/ *n*. 小流氓;惡棍~**ism** *n*.流氓行為.

hoop /huːp/ *n*. 箍;鐵環~**la** *n*.投環套物遊戲.

hooping-cough /ˈhuːpɪŋkɒf/ *n*. 百日咳.

hoopla /ˈhuːplɑː/*n*.(常在集市場地上設攤的)投環套物遊戲.

hoopoe /ˈhuːpuː/ *n*. 【動】(歐洲產的)戴勝科鳥.

hooray/hʊˈreɪ/ = hurrah(表示興奮,滿意、贊同鼓勵等的呼喊聲)好;好哇.

hoot /huːt/ *vi*. ①貓頭鷹叫②汽笛叫③表示蔑視不滿的叫聲 *vt*.用呵斥聲表示;轟趕 *n*.①貓頭鷹叫聲②汽笛響聲;汽車喇叭聲③表示蔑視不滿的聲音~**er** *n*.汽笛.

Hoover/ˈhuːvə(r)/*n*.胡佛牌真空吸塵器[h-]真空吸塵器.

hooves hoof 的複數.

hop /hɒp/ *vi*. ①獨脚跳;跛行②作短期旅行 *vt*.跳過;飛過;跳上(火車等) *n*.單足跳;彈跳.

hope /həʊp/ *n*. ①希望;信心②被寄托希望的人(或物) *v*.希望;盼望;期待~**ful** *a*.(懷)有希望的 *n*.有希望成功的人;有希望被選上的人~**fully** *ad*. ~**fulness** *n*. ~**less** *a*.無希望的 ~**lessly** *ad*.無希望地.

hopper /ˈhɒpə(r)/ *n*. ①跳躍者②跳蟲③漏斗;送料斗.

hopscotch /ˈhɒpskɒtʃ/*n*."跳房子"遊戲(一種兒童遊戲);"跳間"遊戲.

horde /hɔːd/ *n*. 遊牧部落,遊牧民族.

horizon /həˈraɪzn/ *n*. ①地平;地平綫(圈)②水平③眼界④【地】層位~**tal** /ˌhɒrɪˈzɒntl *a*.

hormone /ˈhɔːməʊn/ *n*. 【生化】荷爾蒙;激素 **hormonal** /hɔːˈməʊnl/ *a*.

horn /hɔːn/ *n*. ①(動物的)角;茸角;觸角(或鬚)②角質;角製品③角狀物;號角;喇叭④海角;半島,岬 *vt*.用角抵觸 *vi*.干涉,闖入(in)~**ed** *a*.有角的;角狀的~**less** *a*.無角的.

hornet /ˈhɔːnɪt/ *n*. 大黃蜂;大胡蜂.

horny /ˈhɔːnɪ/ *a*. ①角(狀)的②似角一樣堅硬的(或半透明的)③好色的;下流的 **hornily** *ad*. **horniness** *n*.

horology /hɒˈrɒlədʒɪ/ *n*. 鐘錶製造術.

horoscope /'hɒrəskəʊp/ *n*. 星象;根據星象算命;(算命用)天宮圖.

horrendous /hɒ'rendəs/ *a*. 可怕的;恐怖的~**ly** *ad*.

horrible /'hɒrəbl/ *a*. 可怕的;極討厭的;糟透的~**ness** *n*.**horribly** *ad*.

horrid /'hɒrɪd/ *a*. 令人驚恐的;可怕的;討厭的;極糟的 ~**ly** *ad*. ~**ness** *n*.

horrify /'hɒrɪfaɪ/ *vt*. 使恐怖;使震驚;使產生反感 **horrification** /ˌhɒrɪfɪ'keɪʃn/ *n*. ~**ing** *a*.

horror /'hɒrə(r)/ *n*. ①恐怖;戰慄②極端厭惡;令人厭惡的事物 ~**-stricken**; ~**struck** *a*. 嚇得發抖的.

hors d'oeuvre/ɔːr'dɜːvrə/*n*.[法](餐前或餐間的)開胃小吃.

horse /hɔːs/ *n*. 馬;騎兵;跳馬;鞍馬;(棋中的)馬~**man** *n*. 騎兵;騎手;養馬人~**-power** *n*.【機】馬力~**woman** *n*. 女騎手;女養馬人.

horticulture /'hɔːtɪkʌltʃə(r)/ *n*. 園藝(學) **horticultural** /ˌ-'kʌltʃərəl/ *a*. **horticulturist** *n*. 園藝家.

hosanna /həʊ'zænə/ *n*. 和散那(贊美上帝之語);贊美的聲音.

hose /həʊz/ *n*. ①軟管;水龍(蛇)管②長統襪;短統襪③男子緊身褲 *vt*. 用水龍管澆(或洗、噴).

hosier /'həʊzɪə(r),[美]'həʊʒə/ *n*. 襪商;內衣類經售商.

hospice /'hɒspɪs/ *n*. ①招待所;救貧院②絕症病院.

hospitable /hɒ'spɪtəbl/ *a*. ①善於招待的;好客的②宜人的;易接受的~**ness** *n*. **hospitably** *ad*.

hospital /'hɒspɪtl/ *n*. 醫院;慈善機構;(鋼筆等小東西的)修理商店.

hospitality /ˌhɒspɪ'tæləti/ *n*. ①款待;好客②宜人;適宜.

host /həʊst/ *n*. ①主人②旅店老闆③節目主持人④【生】宿主⑤一大群 *vt*. 作主人招待~**ess** *n*. 女主人;女老闆;女服務員.

hostage /'hɒstɪdʒ/ *n*. 人質;抵押品.

hostel /'hɒstl/ *n*. 招待所;寄宿舍;(校外)學生宿舍~**er** *n*. 投宿招待所的旅客~**ry** *n*. 小旅店,小旅館.

hostile /'hɒstaɪl/ *a*. 敵方的;敵意的.

hostility /hɒ'stɪləti/ *n*. 敵意;敵視;敵對(行動).

hot /hɒt/ *a*. ①熱的;燙的②熱情的;熱中的③激動的;憤怒的④猛烈的;強烈的;辛辣的 *vi* [俗](~**up**)變得更興奮(或更挑剔);增強~**ly** *ad*. 興奮地;憤怒地;緊張地 ~**ness** *n*. ~**bed** *n*. 溫床~**-blooded** *a*. 熱情的;易怒的~**-dog** *n*. 小紅腸;紅腸麵包 ~**head** *n*. 急性子人~**plate** *n*. 扁平烤盤 ~**-spring** *n*. 溫泉 ~**-working** *n*.【冶】熱加工 // ~ *button* 對决策起關鍵作用的因素.

hotchpotch /'hɒtʃpɒtʃ/ *n*. 雜燴;亂七八糟的混雜物.

hotel /həʊ'tel/ *n*. 旅店;酒店.

hound /haʊnd/ *n*. ①獵狗②卑鄙的人③着迷之人 *vt*. 追逐;追逼.

hour /'aʊə(r)/ *n*. ①小時;時間②目前;現在~**ly** *a*. 每小時(一次)的;以鐘點計算的;時時刻刻的 *ad*. 每小時一次;時時刻刻.

houri /'hʊərɪ/ *n*. ①天堂女神②妖艷的美人.

house /haʊs/ *n*. ①房屋;家庭②家務③機構;所;社;商號④議院;會議廳⑤戲院 *vt*. /haʊz/給…房子住(用);收藏 *v*. 住;留宿;躲藏 ~**ful** *n*. 滿屋 ~**less** *a*. 無家的,無房的~**breaker** *n*. 侵入他人住宅者~**break-**

ing *n*. 侵入家宅罪～**keeper** *n*.(尤指女)管家～**keeping** *n*. 家政;家務開銷～**maid** *n*. 女傭人～**wife** *n*. 家庭主婦～**work** *n*. 家務勞動.

household /'haushəuld/ *n*. 家屬;家務;家庭;戶 *a*. 家內的;家庭的;家常的～**er** *n*. 戶主.

house music/'haus ˌmjuːzɪk/ *n*. ①室內音樂(其建立在鄉土音樂基礎上的一種迪斯科音樂)②流行音樂的一種類型.

housing /'hauzɪŋ/ *n*. ①住房供給;住房建築;房屋;住房②遮蔽(蓋)物③【機】套;殼.

hove /həuv/ heave 的過去式及過去分詞.

hovel /'hɒvl/ *n*. ①雜品屋;茅屋②骯髒的小屋.

hover /'hɒvə(r)/ *vi*. & *n*. ①翱翔②徘徊;猶豫.

how /hau/ *ad*. 怎樣;多少;怎麼;為甚麼.

howdah/'haudə/ *n*. 象轎,駝轎(架於象和駱駝背上帶有篷蓋的座椅).

howeve(r) /hau'evər/ *ad*. ①無論如何;不管怎樣②然而;不過 *conj*. 不管用甚麼方法;但是;然而.

howitzer /'hauɪtsə(r)/ *n*. 榴彈炮.

howl /haul/ *vi* & *n*. ①淒厲地長嚎②狂吠;吼叫;咆哮③高叫;大笑～**er** *n*. ①大聲叫喊者;嚎叫的動物②可笑的錯誤;愚蠢的大錯.

hoy /hɔɪ/ *int*. 嗬,喂!.

hoyden /'hɔɪdn/ *n*. 頑皮姑娘;帶男孩氣的女孩;野丫頭～**ish** *a*.

HP *abbr*. = hire purchase; horsepower.

HQ *abbr*. = headquarters.

HRH *abbr*. = His(or Her)Royal Highness(間接提及時用).

HRT *abbr*. = hormone replacement therapy.

hub /hʌb/ *n*. ①(輪)轂②(興趣、活動等的)中心③(電器面板上的)電綫插孔.

hubbub /'hʌbʌb/ *n*. 吵鬧聲;騷動;喧嘩.

hubby /'hʌbɪ/ *n*. [口]丈夫;老公.

Hubris /'hjuːbris/ *n*. 傲慢;自大;自負.

huckle /'hʌkl/ *n*. ①臀部;髖部②腰部～**backed** *a*. 駝背的～**berry** *n*.【植】美洲越橘.

huckster /'hʌkstə(r)/ *n*. ①小販;販子;唯利是圖者②廣告員③受僱傭者 *vt*. 叫賣;零賣;對…大事討價還價 *vi*. ①叫賣②做小商販③討價還價.

huddle /'hʌdl/ *vi*. ①擠作一團;聚集②蜷縮;縮成一團 *vt*. ①亂堆;亂擠②把…捲成一團③草率地做 *n*. 一團;一堆;一群;混亂.

hue /hjuː/ *n*. ①顏色;色彩②形式;樣子③呼喊;吶喊～**d** *a*. 有…顏色的(用以構成複合詞).

hue and cry 大聲呼喊捉賊聲;喊捉聲.

huff /hʌf/ *n*. 氣惱;發怒 *vt*. ①觸怒;冒犯②蔑視;恫嚇③使膨脹 *vi*. ①噴氣②深呼吸③進行恫嚇④發怒.

huffish /'hʌfɪʃ/, **huffy** /'hʌfɪ/ *a*. 發怒的;易怒的;傲慢的 **huffily** *ad*.

hug /hʌg/ *vt*. ①擁抱;緊抱;懷抱②持有;堅持③緊靠;緊挨 *n*. 緊緊擁抱;抱住.

huge /hjuːdʒ/ *a*. 巨大的;龐大的～**ly** *ad*. ～**ness** *n*.

hula /'huːlə/ *n*. = hula-hula 呼啦圈舞(曲);草裙舞(曲).

hula-hoop 呼拉圈(用作鍛煉身體的器具及兒童玩具商標名).

hulk /hʌlk/ *n*. ①廢船船體;監獄船;囚船②倉庫船;龐大笨重的船③巨大

笨重的人(或物)**~ing** *a*.龐大的;笨重的.

hull /hʌl/ *n*. ①(果實等的)外殼;豆莢②船體;船殼③機身 *vt*.去…的殼;去皮.

hullabaloo/ˌhʌləbəˈluː/*n*. 吵鬧聲;喧囂;騷亂.

hullo /həˈləʊ; hʌˈləʊ/ *int*. 喂;唷!(=hello, hallo).

hum /hʌm/ *vi*. ①發嗡嗡(哼哼)聲;哼曲子②忙碌;活躍③發臭 *n*.①連續低沉的聲音;嘈雜聲②惡臭 *int*.哼(表示不滿、懷疑、驚奇、高興等).

human /ˈhjuːmən/ *a*. ①人(類)的;顯示人的特點的②有人性的;通人情的 *n*.人**~ly** *ad*.從人的角度;在人力所及範圍;充滿人性地.

humane /hjuːˈmeɪn/ *a*. ①有人情的;高尚的②人道的;仁慈的.

humanism /ˈhjuːmənɪzəm/ *n*. ①人道主義;人本(文)主義;人文學研究②人性;人道 **humanist** *n*.人道主義者;人本(文)主義者;人文學者 **humanistic** /ˌhjuːməˈnɪstɪk/ *a*.

humanitarian /hjuːˌmænɪˈteərɪən/ *n*. 博愛主義者;慈善家;人道主義者;*a*.博愛的;慈善的;人道主義的.

humanity /hjuːˈmænətɪ/ *n*. ①人性②人類③博愛;仁慈④(*pl*.)人文學科.

humanize /ˈhjuːmənaɪz/ *vt*. 使成為人;使具有人的風格;使變得仁慈博愛 *vi*.變得仁慈博愛;具有博愛思想 **humanization** /ˌhjuːmənaɪˈzeɪʃn/ *n*. 人性化;博愛化.

humankind /ˌhjuːmənˈkaɪnd/ *n*. (=mankind)人類.

humble /ˈhʌmbl/ *a*. ①地位(身份)低下的;卑賤的②謙遜(虛)的;恭順的 *vt*.①降低(地位、身份等)②使…的威信(權力)喪失殆盡③使謙遜(虛);使卑下**~ness** *n*.**humbly** *ad*.

humbug /ˈhʌmbʌg/ *n*. ①欺騙②騙子;吹牛者③空話;騙人的鬼話④詭計;騙局⑤[英]硬薄荷糖 *vt*.欺騙;哄騙 *vi*.行騙.

humdinger /hʌmˈdɪŋə(r)/ *n*. [俚]極出色的人(或事物).

humdrum /ˈhʌmdrʌm/ *a*. 單調的;平凡的;無聊的.

humeral /ˈhjuːmərəl/ *a*. 【解】①肱骨的②肩的;近肩的 **humerus** *n*.(*pl*. **humeri**) *n*.【解】肱骨.

humid /ˈhjuːmɪd/ *a*. 潮濕的;濕潤的 **~ly** *ad*. **~ness** *n*.

humidity /hjuːˈmɪdətɪ/ *n*. 濕氣;濕度.

humiliate /hjuːˈmɪlɪeɪt/ *vt*. 使蒙恥;羞辱;使丟臉 **humiliating** *a*. **humiliation** /hjuːˌmɪlɪˈeɪʃn/ *n*.

humility /hjuːˈmɪlətɪ/ *n*. 謙卑;謙讓;(*pl*.)謙卑的行為.

humming /ˈhʌmɪŋ/ *a*. ①發嗡嗡聲的;哼唱的②活躍的;精力旺盛的**~bird** *n*.蜂鳥科的鳥;蜂鳥.

hummock /ˈhʌmək/ *n*. ①小圓丘;波狀地②冰丘③沼澤中的高地

humorous /ˈhjuːmərəs/ *a*. 幽默的;詼諧的;可笑的**~ly** *ad*.

humo(u)r /ˈhjuːmə(r)/ *n*. ①幽默(感);滑稽②脾氣;心情③氣質 *vt*①遷就;迎合;縱容②使自己適應於…**~less** *a*.缺乏幽默感的;一本正經的.

humorist /ˈhjuːmərɪst/ *n*. 幽默的人;幽默作家.

hump /hʌmp/ *n*. ①駝峰;駝背②瘤③圓丘;小丘;山脉④危機;困難階段.

humph /hʌmpf/ *int*. 哼(表示疑惑、不滿之聲).

humus /ˈhjuːməs/ *n*. 腐殖質,腐殖土

壞.

Hun /hʌn/ *n*. ①匈奴人②(h-)任意毀壞東西(尤指文物)的人;野蠻人③(h-)[貶]德國兵.

hunch /hʌntʃ/ *n*. ①肉峰;隆肉;瘤;塊②[美俗]預感 *vt*.①使弓起;使隆起②預感到③推進;向前移動 *vi*.彎成弓狀;隆起;推進 ~**back** /'hʌntʃbæk/ *n*.駝背 ~**backed** *a*.

hundred /'hʌndrəd/ *num*. & *n*. 一百;一百個 ~**fold** *ad*. & *n*.百倍 ~**th** *num*. & *n*.第一百(個);百分之一.

hung /hʌŋ/ hang 的過去式及過去分詞.

Hungarian /hʌŋ'geərɪən/ *n*. & *a*. 匈牙利的;匈牙利人(的);匈牙利語(的).

hunger /'hʌŋgə(r)/ *n*. ①饑餓;饑荒②渴望 *vi*.挨餓;渴望~**-cure** *n*.絕食療法~**-strike** *n*. & *vi*.(舉行)絕食抗議.

hungry /'hʌŋgrɪ/ *a*. ①饑餓的②渴望的 **hungrily** *ad*.

hunk /hʌŋk/ *n*. ①大塊;大片;厚塊②[俚]彪形大漢;有性魅力的健美男子.

hunt /hʌnt/ *vt*. ①追獵;獵取;在…狩獵②追趕;搜索; *vi*.打獵;獵食;搜索 *n*.①打獵②獵隊;獵區③搜索;搜尋~**er** *n*.獵人;獵狗~**ing** *n*.打獵;追求;尋覓.

huntsman /'hʌntsmən/ *n*. ①管獵狗的人②獵人.

hurdle /'hɜːdl/ *n*. ①疏籬;【體】欄②跳欄;(~**s**)跨欄賽跑;障礙賽跑③障礙;難關④臨時圍欄 *vt*.①跨越;跳越②克服;渡過 *vi*.跨過欄架;越過障礙.

hurdy-gurdy/'hɜːdɪˌgɜːdɪ/ *n*.【音】手搖風琴;搖弦琴.

hurl /hɜːl/ *vt*. ①猛擲;猛投②激烈地說;呼喊;號叫 *vi*.猛投;猛擲;猛冲;猛撞 *n*.猛投;猛擲.

hurling/'hɜːliŋ/ *n*.愛爾蘭式曲棍球.

hurly-burly /'hɜːlɪbɜːlɪ/ *n*. 騷擾;喧鬧.

hurrah /hʊ'rɑː/, **hurray** /hʊ'reɪ/ *int*. & *n*. 烏拉,萬歲.

hurricane /'hʌrɪkən/ *n*. 颶風;大旋風.

hurry /'hʌrɪ/ *n*. ①匆忙;倉促;急切②混亂;騷動 *vt*.①使趕緊;催促②急派;急運 *vi*.趕緊;匆忙 **hurried** *a*.匆忙的;慌忙的;急速的 **hurriedly** *ad*.

hurt /hɜːt/ (過去式及過去分詞 **hurt**) *vt*. ①刺痛;使受傷痛②危害;損害③傷…的感情;使…痛心 *vi*.刺痛;疼痛;危害;損害 *n*.傷痛;傷害.

hurtful /'hɜːtfl/ *a*. 有害的;造成傷痛的~**ly** *ad*.~**ness** *n*.

hurtle /'hɜːtl/ *vi*. ①猛烈地碰撞;發出碰撞聲②猛衝;急飛 *vt*.猛投;猛擲;*n*.碰撞.

husband /'hʌsbənd/ *n*. ①丈夫②管家;節儉的管理人 *vt*.節儉地使用.

husbandry /'hʌsbəndrɪ/ *n*. ①耕作②資財的科學管理③家政;節儉.

hush /hʌʃ/ *int*. 噓;別作聲 *n*.靜寂;沉默;秘而不宣 *vt*.使不作聲;使靜下來;壓下不聲張;遮掩 *vi*.靜下來;沉默下來 ~**-money** *n*.封嘴錢(賄賂).

husk /hʌsk/ *n*. ①外殼;外皮;無用的外表部分②牛瘟.

husky /'hʌskɪ/ *a*. ①殼的;多殼的②結實的;強健的③大個子的;龐大的;強大的④喉嚨發乾的 **huskily** *ad*. **huskiness** *n*.

hussar /huˈzɑːr/ *n*. [歐洲]輕騎兵.
hussy /ˈhʌsɪ/ *n*. 輕佻的女子;蕩婦;魯莽的少女.
hustings /ˈhʌstɪŋz/ *n*. ①(用作單或複數)(議員)競選運動②發表競選演說的地方③選舉程序④地方法院.
hustle /ˈhʌsl/ *vt*. ①硬擠②亂推;亂敲③硬迫;逼使④強賣;強奪 *vi*. ①硬擠過去②[美俚]賣淫 *n*. ①擠;推②熙熙攘攘 **~r** *n*. 強賣者;強奪者;[美俚]妓女.
hut /hʌt/ *n*. 茅舍;棚屋.
hutch /hʌtʃ/ *n*. 箱式籠;兔籠.
hyacinth /ˈhaɪəsɪnθ/ *n*. 【植】風信子.
hyaena/haɪˈiːnə/ *n*. = hyena.
hybrid /ˈhaɪbrɪd/ *n*. ①雜種動植物;混血兒②混合(物);混合詞 *a*. 混合的;雜種的 **~ism** *n*. 雜交;混血;雜種性;混合性.
hybridize /ˈhaɪbrɪdaɪz/ *v*. (使)雜交;(使)雜混 **hybridizable** *a*. 能產生雜種的;能雜混的 **hybridization** /ˌ-ˈzeɪʃn/ *n*.
hydra /ˈhaɪdrə/ *n*. ①【希神】怪蛇;九頭蛇②難以擺脫的事,難以一舉根絕的禍害 **~-headed** *a*. 多頭的;多中心的;多分支的.
hydrangea /haɪˈdreɪndʒə/ *n*. 【植】紫陽花;八仙花屬.
hydrant /ˈhaɪdrənt/ *n*. ①消防龍頭;配水龍頭②給水栓;取水管.
hydrate /ˈhaɪdreɪt/ *n*. 【化】水合物;氫氧化物 *v*. 與水化合;使吸水;使水合 **hydration** *n*.
hydraulic /ˌhaɪˈdrɔːlɪk/ *a*. ①水力的;液力的;水力學的②水壓的;液壓的 **~ally** *ad*. **~-s** *n*. 水力學.
hydro /ˈhaɪdrəʊ/ [前綴]"水";"氫化的";"氫的" **~-aeroplane** *n*. 水上飛機 **~carbon** *n*. 碳化氫 **~electric** *a*. 水電的.
hydrochloric acid 【化】鹽酸.
hydrodynamic /ˌhaɪdrəʊdaɪˈnæmɪk/ *a*. 水力的;水壓的;流體動力學的 **~s** *n*. 流體動力學.
hydrofoil/ˈhaɪdrəʊfɔɪl/ *n*. 【船】水翼;水翼船;水翼艇.
hydrogen /ˈhaɪdrədʒən/ *n*. 【化】氫 **~-bomb** *n*. 氫彈(常略寫成 H-bomb).
hydrometer /haɪˈdrɒmɪtə(r)/ *n*. (液體)比重計;流速表.
hydropathy /haɪˈdrɒpəθɪ/ *n*. 水療法.
hydrophobia /ˌhaɪdrəˈfəʊbɪə/ *n*. 恐水病;畏水;狂犬病.
hydroplane/ˈhaɪdrəʊpleɪn/ *n*. 【船】水上滑行艇;水上飛機.
hydroponics /ˌhaɪdrəˈpɒnɪks/ *n*. (用作單數)(植物的)溶液培養(學);水栽法.
hydrous/ˈhaɪdrəs/ *a*. 含水的;水狀的.
hydroxide /haɪˈdrɒksaɪd/ *n*. 氫氧化物.
hyena/haɪˈiːnə/ *n*. ①【動】鬣狗②【動】袋狼.
hyetometer /ˌhaɪɪˈtɒmɪtə(r)/ *n*. 雨量表;雨量計.
hygiene /ˈhaɪdʒiːn/ *n*. 衛生學;衛生術;保健法.
hygienic(al) /haɪˈdʒiːnɪk(l)/ *a*. 衛生學的;衛生的.
hygrometer /haɪˈgrɒmɪtə(r)/ *n*. 濕度表.
Hymen /ˈhaɪmən/ *n*. ①[希臘]婚姻之神②[h-]【解】處女膜.
hymn /hɪm/ *n*. 贊美詩;聖歌;贊歌 *v*. 為…唱贊美詩 **~al** /ˈhɪmnəl/ *n*. 贊美詩集 *a*. 贊美詩的 **~ist** *n*. 贊美詩作者.
hype/haɪp/ *vt*. 大肆集中地、誇大地大

肆宣傳，促銷；為…做廣告；使增加 *n*. 言過其實的廣告宣傳；(為招徠顧客的)花招；騙局.

hyper- [前綴]表示"超出"；"過於"；"極度"；(化工用語為)"過"。如 **hyperacid** /ˌhaɪpəˈræsɪd/ *n*. 酸過多的；胃酸過多的.

hyperbola /haɪˈpɜːbələ/ *n*. 【數】雙曲綫.

hyperbole /haɪˈpɜːbəlɪ/ *n*. 【語】誇張法 **hyperbolical** /ˌhaɪpəˈbɒlɪkl/ *a*. 誇大的.

hypercritical /ˌhaɪpəˈkrɪtɪkl/ *a*. 吹毛求疵的；過於苛評的 **~ly** *ad*.

hypermarket /ˈhaɪpəmɑːkɪt/ *n*. [英]大型特級市場.

hypersensitive /ˌhaɪpəˈsensətɪv/ *a*. 過敏的 **~ness** *n*.

hypersonic /ˌhaɪpəˈsɒnɪk/ *a*. 【物】特超音速的(指超過音速五倍以上).

hypertension /ˌhaɪpəˈtenʃn/ *n*. ①血壓過高；高血壓②過度緊張.

hyphen /ˈhaɪfn/ *n*. 連字符 **~ate** /ˈhaɪfəneɪt/ *vt*. 用連字符號連接.

hypnosis /hɪpˈnəʊsɪs/ *n*. (*pl*. **hypnoses** /hɪpˈnəʊsiːz/)催眠(狀態)；催眠術(研究) **hypnotic** /hɪpˈnɒtɪk/ *a*. 催眠的； *n*. 安眠藥 **hypnotism** /ˈhɪpnətɪzm/ *n*. 催眠術；催眠狀態 **hypnotist** *n*. 施催眠術的人 **hypnotize** /ˈhɪpnətaɪz/ *vt*. 施催眠術.

hypo- /ˈhaɪpəʊ/ *pref*. 表示在…下；次於；少；從屬於.

hypochondria /ˌhaɪpəʊˈkɒndrɪə/ hypochondrium 的複數.

hypocrisy /hɪˈpɒkrəsɪ/ *n*. 僞善；虛僞.

hypocrite /ˈhɪpəkrɪt/ *n*. 僞君子；虛僞的人 **hypocritical** /ˌ-ˈkrɪtɪkl/ *a*.

hypodermic /ˌhaɪpəˈdɜːmɪk/ *a*. 皮下的；皮下組織的；皮下注射用的 *n*. 皮下注射；皮下注射器.

hypotension /ˌhaɪpəʊˈtenʃn/ *n*. 血壓過低；低血壓.

hypotenuse /haɪˈpɒtənjuːz/ *n*. 【數】弦；斜邊.

hypothecate /ˌhaɪˈpɒθɪkeɪt/ *vt*. 抵押(財產).

hypothermia /ˌhaɪpəʊˈθɜːmɪə/ *n*. 體溫過低.

hypothesis /haɪˈpɒθəsɪs/ *n*. (*pl*. **hypotheses** /-siːz) *n*. 假設；假定 **hypothesize** *v*.

hyson /ˈhaɪsən/ *n*. 熙春茶(一種中國綠茶).

hysterectomy /ˌhɪstəˈrektəmɪ/ *n*. 【醫】子宮切除(術).

hysteria /hɪˈstɪərɪə/ *n*. 【醫】癔病；[俗]歇斯底里 **hysterical** /hɪˈsterɪkl/ *a*. **hysterically** *ad*. **hysterics** /hɪˈsterɪks/ *pl*. *n*. ①歇斯底里症發作②狂笑不止.

Hz *abbr*. = hertz.

I

I /aɪ/ *pron*. (*pl*.**We**)(用作動詞的主語)我.

I., i. /aɪ/ *abbr*. ①= island(s), isle(s) ②(I)代表羅馬數字1.

-ial [後綴](與名詞組成形容詞)表示"具有…性質的","屬於…的"如dictorial獨裁的.

iambus /aɪ'æmbəs/ *n*. (*pl*.**-buses, iambi** /aɪ'æmbaɪ/)[韻](英詩中的)短長格,抑揚格 **iambic** *a*. **iambics** *n*. 短長(或抑揚)格的詩.

IBA *abbr*. = Independent Broadcasting Authority [英]獨立廣播管理局.

Iberian /aɪ'bɪərɪən/ *a*. (西班牙、葡萄牙兩國所在的)伊比利亞半島的.

ibex /'aɪbeks/ *n*. (*pl*. ~**es, ibices** /'ɪbɪsiːz/)【動】(有長而大彎角的)野山羊.

ibid *abbr*. [拉] = ibidem.

ibidem /'ɪbaɪdem/ *ad*. (略作 **ib, ibid** /ɪbɪd/)[拉]出處同上,出處同前.

ibis /'aɪbɪs/ *n*. (*pl*. ~**les**)【鳥】朱鷺.

IBM *abbr*. = International Business Machines (Corporation)[美]國際商用機器公司(西方一家大電腦企業).

ICBM *abbr*. = Intercontinental ballistic missile 洲際彈道導彈.

ice /aɪs/ *n*. ①冰,冰塊②(果汁)冰糕(= water ~);雪糕;冰淇淋(= ~ cream)③冰狀物,糖衣④[俚]【毒】"冰"(晶狀毒品)⑤(態度的)冷淡 *v*. ①冰凍;(使)結冰;用冰覆蓋②(在糕、餅上)加灑糖霜 ~**d** *a*. (指食品等)冰凍的;(指糕餅)帶有糖霜,酥皮的 ~**berg** *n*. 冰山 ~**bound** *a*. 冰封的 ~**box** *n*. [美]電冰箱 ~**-breaker** *n*. 破冰船 ~**-free** *a*. 不凍的 ~**lolly** *n*. [英]冰棍,棒冰(美作 **popsicle**) ~**-skate** *n*. 冰鞋 *vi*. 溜冰 ~**-skating** *n*. ~**-skater** *n*. 溜冰者 // *break the* ~ (指雙方首次會晤一方)打破沉默,使氣氛輕鬆活躍起來 *cut no/little* ~ 不起作用,難以令人信服 ~ *age*【地】冰河時代 ~ *cream* 冰淇淋 ~ *hockey* 冰球.

Icelandic /aɪs'lændɪk/ *a*. 冰島的;冰島人(或語)的.

ichthyology /ˌɪkθɪ'ɒlədʒɪ/ *n*. 魚類學 **ichthyologist** *n*. 魚類學家.

ICI *abbr*. = Imperial Chemical Industries[英]帝國化學工業公司(舊稱"卜内門化工公司").

icicle /'aɪsɪkl/ *n*. 冰柱.

icing /'aɪsɪŋ/ *n*. (美作 **frosting**)(糕餅等上之)糖霜;酥皮 // ~ *sugar*(製糖霜用的)綿白糖.

icon[1] /'aɪkɒn/ *n*. (電腦)圖符,圖示影像.(指電腦屏幕上的影像,以圖示方式表示電腦程序的功能選擇)

icon[2], **ikon** /'aɪkɒn/ *n*. (東正教崇拜的)聖像,偶像.

iconoclasm /aɪ'kɒnəklæzəm/ *n*. ①偶像破壞,聖像破壞②對傳統觀念的攻擊.

iconoclast /aɪ'kɒnəˌklæst/ *n*. 反對崇拜聖像(偶像)的人;攻擊傳統觀念的人;破除迷信的人 ~**ic** *a*.

icy /'aɪsɪ/ *a*. ①冰封着的;冰似的;冰冷的②(指態度)冷冰冰的 **icily** *ad*. **iciness** *n*.

id /ɪd/ *n*.【心】本能衝動.

ID /aɪ'diː/ *abbr*. = identification, identity // ~ *card* 身份證.

idea /aɪ'dɪə/ *n*. ①主意;念頭;思想;計劃;打算;意見;概念②想像;模糊想法 // *have no* ~不明白;無能為力.

ideal /aɪ'dɪəl/ *a*. ①理想的;完美的;稱心如意的②想像的,空想的,不切實際的 *n*. 理想;完美的典範 **~ly** *ad*.

idealism /aɪ'dɪəlɪzəm/ *n*. ①理想主義②【哲】唯心主義,唯心論;觀念論.

idealist /aɪ'dɪəlɪst/ *n*. ①唯心主義者,唯心論者②理想主義者;空想家 **~ic** *a*. **~ically** *ad*.

idealize, -ise /aɪ'dɪəlaɪz/ *v*. 使理想化;(使)合乎理想 **idealization, -isation** *n*.

idem /'aɪdem/ *n*. & *pron*. & *a*. [拉]同著者(的);同上(的);同前(的)(略作 **id.**).

identical /aɪ'dentɪkl/ *a*. 同一的;同樣的;完全相同的 **~ly** *ad*. // ~ *twins* 【生】(性別相同,面貌酷似的)同卵雙生.

identification /aɪˌdentɪfɪ'keɪʃn/ *n*. ①認出,識別;鑒定;驗明②身份證件 // ~ *card* / *paper* 身份證 ~ *disk* / *tag* (士兵等的)身份證章 ~ *parade* (證人辨認罪犯時,混雜有嫌疑犯在其中的)案犯識別行列.

identify /aɪ'dentɪfaɪ/ *vt*. ①使等同於;認為一致②辨認;認出;識別 **identifiable** *a*. 可看作相同的;可證明為同一的;可辨認的 **identifiably** *ad*.

identikit /aɪ'dentɪkɪt/ *n*. (辨認通緝犯用的)一組可拼湊成該犯面貌的圖片.

identity /aɪ'dentətɪ/ *n*. ①同一(性);一致②身份;本體;個性 // ~ *card* (= ID card, ~certificate)身份證.

ideogram, ideograph /'ɪdɪəgræm, 'ɪdɪəgrɑːf/ *n*. 表意(會意)文字;表意符號 **ideographic** *a*. // *Chinese* ~漢字.

ideology /ˌaɪdɪ'ɒlədʒɪ/ *n*. 思想(體系);思想意識;觀念形態,意識形態;思想方式 **ideological** *a*. **ideologically** *ad*. **ideologist** *n*. 思想家;理論家.

ides /aɪdz/ *n*. 古羅馬曆中三、五、七、十諸月的第十五日;其他月份的第十三日.

id est /ˌɪd 'est /[拉]那就是,即(= that is to say 略作 **i.e.**).

idiocy /'ɪdɪəsɪ/ *n*. 白痴;極端愚蠢(的言行).

idiom /'ɪdɪəm/ *n*. ①習語,成語②語言的習慣用法;(某一)語言的特性③方言,土話④(某一作家的)獨特的表現方式;(藝術,音樂等的)風格 **~atic** *a*. **~atically** *ad*.

idiosyncrasy /ˌɪdɪə'sɪŋkrəsɪ/ *n*. (人的)特質,個性,癖好 **idiosyncratic** *a*.

idiot /'ɪdɪət/ *n*. 白痴,傻子 **~ic** *a*. **~ically** *ad*.

idle /'aɪdl/ *a*. ①空閒的,閒着的;【機】空轉的②懶惰的,吊兒郎當的③沒用的,無益的,無效的;無根據的 *v*. 虛度,空費;【機】(使)空轉;閒逛;無所事事 **~ness** *n*. **~r** *n*. 懶人,遊手好閒者;【機】惰輪,空轉輪 **idly** *ad*. // ~ *funds* / *money* 【經】游資 ~ *wheel* 【機】惰輪,空轉輪.

idol /aɪdl/ *n*. ①神像,偶像②被崇拜(或愛慕)的人(物).

idolater, (**idolatress**) /aɪ'dɒlətə(r), (aɪ'dɒlətrɪs)/ *n*. 偶像的(女)崇拜者;(女)盲目崇拜者.

idolatry /aɪ'dɒlətrɪ/ *n*. 偶像崇拜,盲目崇拜 **idolatrous** *a*. **idolatrously** *ad*.

idolize, -ise /'aɪdəlaɪz/ *v*. 把…當偶像崇拜;盲目崇拜;過度愛慕 **idolization, -isation** *n*.

idyll /'ɪdɪl, 'aɪdɪl/ *n*. ①田園詩,田園散文②田園生活;田園風景;純樸快樂的生活~**ic** *a*. ~**ically** *ad*.

i.e. *abbr*. =id est[拉]那就是;即=[英]that is to say.

if /ɪf/ *conj*. ①(表示條件)如果,倘若②(表示假設)要是,假使③(表示讓步)雖然,即使④[口]是否,是不是(=whether,但不能用於句首)⑤當…的時候總是…⑥(表示與事實相反的願望,感嘆等)要是…多好 *n*. [口](表示懷疑及不肯定)條件,假設 // ~ *any* 即使有也(很少) ~ *anything* 說起來的話,或許甚至 ~ *necessary* 如有必要 ~ *not* 要是不,否則 ~ *only* 只要;要是…就好 ~ *possible* 如果可能 ~ *so* 如果這樣 ~ *s and buts*(表示對某事有保留或持有異議)假如啦;但是啦等等理由.

iffy /'ɪfɪ/ *a*. [口]可懷疑的;不確定的;偶然性的.

igloo /'ɪglu:/ *n*. (*pl*. ~**s**)(愛斯基摩人用冰雪砌成的)圓頂小屋.

igneous /'ɪgnɪəs/ *a*. 【地】(指岩石)火成的.

ignite /ɪg'naɪt/ *v*. (使)着火;(使)燃燒;點火.

ignition /ɪg'nɪʃn/ *n*. ①點火,着火,燃燒②【機】發火裝置.

ignoble /ɪg'nəʊbl/ *a*. 可恥的;卑鄙的;不體面的 **ignobly** *ad*.

ignominy /'ɪgnəmɪnɪ/ *n*. ①(公開遭到的)恥辱;污辱;不名譽②醜行;可恥的行為 **ignominous** *a*. **ignominously** *ad*.

ignoramus /ˌɪgnə'reɪməs/ *n*. (*pl* ~**es**/-sɪz/)無知識的人;愚人.

ignorance /'ɪgnərəns/ *n*. ①無知;愚昧②不知道.

ignorant /'ɪgnərənt/ *a*. ①無知的;愚昧的②由無知引起的③不知道的;(出於無知而導致)粗魯無禮的~**ly** *ad*.

ignore /ɪg'nɔ:(r)/ *vt*. ①忽視,不理,不顧;抹煞(建議等)②【律】駁回.

iguana /ɪ'gwɑ:nə/ *n*. 【蟲】(美洲熱帶地區的一種大蜥蜴)鬣蜥.

iguanodon /ɪ'gwɑ:nədɒn/ *n*. 【古生】禽龍(古代的一種非食肉恐龍).

ileum /'ɪlɪəm/ *n*. 【解】迴腸 **ileac** /'ɪlɪæk/ *a*.

ilium /'ɪlɪəm/ *n*. (*pl*. **ilia** /'ɪlɪə/)【解】腸骨,髂骨 **iliac** /'ɪlɪæk/*a*.

ilk /ɪlk/ *n*. 同類,同種;家族 // *of that* (*the same, his, her*)~ 那(同一,他那)類(種,族)的.

ill /ɪl/ *a*. ①(用作表語)有病的,健康不佳的([美]一般用 **sick**)②(用作定語)壞的;不祥的;邪惡的;不幸的,惡劣的;有害的 *ad*. ①壞,惡劣;不利地,不友好地②不完全,不充分,幾乎不 *n*. [書]①壞;惡;罪惡②(常 *pl*.)不幸;災難;病痛~**-advised** *a*. 沒腦筋的;魯莽的~**-advisedly** *ad*. ~**-assorted** *a*. 不相配的;雜湊的~**-bred** *a*. 無教養的;粗魯的;(指動物)劣種的~**-conditioned** *a*. 情況糟的;心地壞的;病態的~**-disposed** *a*. [書](後常接介詞 towards)不友好的;不贊成…的;懷敵意的~**-fated** *a*. 注定要倒霉的,命運不佳的~**-favo(u)red** *a*. [書]其貌不揚的,醜陋的;使人不快的 ~**-gotten** *a*. 非法得到的 ~**-judged** *a*. 不合時宜的;不明智的,决斷失當的~**-mannered** *a*. 沒有禮貌的,粗魯的~**-natured** *a*. 不懷好意的;性情急躁的~**-omened**, ~-

starred *a*.[書]不幸的,命運不佳的 **~-treat**, **~-use** *vt*. 虐待 **~-treatment**, **~-usage** *n*. 虐待,濫用,糟蹋 // *~at ease* 不安,不自在 *~off* 困苦 *~will* 憎惡,敵意.

illegal /ɪ'li:gl/ *a*. 不合法的,非法的 **~ity** *n*. 違法(行為) **~ly** *ad*.

illegible /ɪ'ledʒəbl/ *a*. (亦作 **unreadable**)難以辨認的;字迹模糊的 **illegibility** *n*.

illegitimate /ˌɪlɪ'dʒɪtɪmət/ *a*. ①非法的,違法的②私生的③(指論斷等)不合邏輯的 **illegitimacy** *n*.

illiberal /ɪ'lɪbərəl/ *a*. ①思想偏狹的;氣量小的;不開明的②吝嗇的;沒有雅量的③缺乏教養的 **illiberality** *n*. **~ly** *ad*.

illicit /ɪ'lɪsɪt/ *a*. 違法的,違禁的;不正當的 **~ly** *ad*.

illiterate /ɪ'lɪtərət/ *a*. 不識字的,未受教育的,文盲的 *n*. 失學者,文盲 **illiteracy** *n*. **~ly** *ad*.

illness /'ɪlnɪs/ *n*. 病;不健康.

illogical /ɪ'lɒdʒɪkl/ *a*. 不合邏輯的;缺乏邏輯的;不合常理的;無條理的 **~ity** *n*. **~ly** *ad*.

illuminate /ɪ'lu:mɪneɪt/ *v*. ①照亮,照明;使光輝燦爛②用明亮的燈光裝飾(街道、建築物等)③(舊時)以金、銀等鮮艷色彩裝飾(書、稿等)④[書]說明,闡明;啓發,教導 **illuminating** *a*. 啓示的,啓發的 // *illuminating flare / projectile*【軍】照明彈.

illumination /ɪˌlu:mɪ'neɪʃn/ *n*. ①照明,光照;照(明)度②(常 *pl*.)明亮的燈飾③(*pl*.)(手寫本的)彩飾.

illusion /ɪ'lu:ʒn/ *n*. 幻影;幻覺;妄想,幻想;錯覺 // *be under an / the ~ (that)* 產生錯覺,錯誤地認為(相信) *have no ~s about* 對…不存幻想.

illusionist /ɪ'lu:ʒənɪst/ *n*. 魔術師.

illusive /ɪ'lu:sɪv/**illusory** /ɪ'lu:sərɪ/ *a*. ①虛幻的;迷惑人的②幻覺的;幻影的 **illusively**, **illusorily** *ad*.

illustrate /'ɪləstreɪt/ *v*. ①(用例子、圖解)說明,舉例(證明)②(為書、報等)加插圖(或圖解) **illustrator** *n*. 插圖畫家.

illustration /ˌɪlə'streɪʃn/ *n*. 說明;例證;實例;圖解,插圖 // *in ~ of* 作為…的例證.

illustrative /'ɪləstrəɪtɪv/ *a*. 說明性的;解釋性的;作為…例證的 **~ly** *ad*.

illustrious /ɪ'lʌstrɪəs/ *a*. 卓越的;杰出的;著名的;顯赫的;輝煌的 **~ly** *ad*. **~ness** *n*.

image /'ɪmɪdʒ/ *n*. ①像,肖像,畫像;偶像②影像,圖像③相像的人(或物);翻版④形象;印象;形象化的描繪⑤【語】形象化的比喻,隱喻,直喻,明喻 *vt*. 作…的像;使…成像;象徵;形象地描繪.

imagery /'ɪmɪdʒərɪ/ *n*. ①【修】(尤指文學作品中使用的)比喻;形象化的描述②(總稱)像,肖像,畫像,雕像.

imaginable /ɪ'mædʒɪnəbl/ *a*. 可想像的,想像的到的 **imaginably** *ad*.

imaginary /ɪ'mædʒɪnərɪ/ *a*. 想像中的;假想的;虛構的 **imaginarily** *ad*.

imagination /ɪˌmædʒɪ'neɪʃn/ *n*. ①想像(力);創造力②空想;妄想③想像出來的事物.

imaginative /ɪ'mædʒɪnətɪv/ *a*. 富於想像力的;想像的;虛構的 **~ly** *ad*.

imagine /ɪ'mædʒɪn/ *v*. 想像,設想;猜想,推測.

imago /ɪ'meɪgəʊ/ *n*. (*pl*. **~es**, **imagines** /ɪ'meɪdʒɪni:z/)【蟲】成蟲.

imam /ɪ'mɑ:m/ *n*. ①【宗】阿訇;祭司;②(常 I-)伊瑪姆(伊斯蘭教國家元首

的稱號或指伊斯蘭教教長).

imbalance /ɪm'bæləns/ *n*. 不平衡;失調.

imbecile /'ɪmbəsiːl/ *a*. & *n*. 低能的(人);愚笨的(人)**~ly** *ad*. **imbecility** *n*. 愚蠢(的言行).

imbecilic /ˌɪmbɪ'sɪlɪk/ *a*. =imbecile.

imbibe /ɪm'baɪb/ *v*. ①喝, 飲②吸收(養份等), 吸進(空氣等).

imbroglio /ɪm'brəʊlɪəʊ/ *n*. (*pl*. ~**s**) [意]①(政局的)紛亂;(戲劇中的)錯綜複雜的情節②(思想上的)混亂,(感情上的)糾葛.

imbue /ɪm'bjuː/ *vt*. 使感染;灌輸(強烈的感情、思想等);鼓舞.

IMF *abbr*. = International Monetary Fund (聯合國)國際貨幣基金組織.

imitate /'ɪmɪteɪt/ *vt*. ①模仿, 仿效, 摹擬, 學樣②仿製, 偽造;冒充 **imitator** *n*. 模仿者;仿造者.

imitation /ˌɪmɪ'teɪʃn/ *n*. ①仿製品;偽造物, 贋品②模仿, 仿效;仿造.

imitative /'ɪmɪtətɪv/ *a*. ①(愛)模仿的;仿效的②仿製的, 偽造的 ~**ly** *ad*.

immaculate /ɪ'mækjʊlət/ *a*. 潔淨的, 純潔的;無瑕疵的, 無缺點的 ~**ly** *ad*. // *I-Conception*【宗】(關於聖母瑪利亞的)聖靈懷胎(說);純潔無原罪(說).

immanent /'ɪmənənt/ *a*. ①(指性質)天生的, 固有的;內在的②【宗】(指上帝)無所不在的, 存在於宇宙萬物之中的 **immanence, -cy** *n*.

immaterial /ˌɪmə'tɪərɪəl/ *a*. ①非物質的;無形的②無足輕重的;不相干的 ~**ity** *n*.

immature /ˌɪmə'tjʊə(r)/ *a*. ①發育未全的;未成熟的②(指行為或對感情的控制上)不夠成熟的;不夠明智的 **immaturity** *n*.

immeasurable /ɪ'meʒərəbl/ *a*. 無法計量的;無邊無際的 **immeasurabity** *n*. **immeasurably** *ad*.

immediate /ɪ'miːdɪət/ *a*. ①直接的;最接近的②即時的;立即的 **immediacy, ~ness** *n*.

immediately /ɪ'miːdɪətlɪ/ *ad*. ①馬上, 立即②直接地;緊密地 *conj*. [主英]一…(就).

immemorial /ˌɪmə'mɔːrɪəl/ *a*. (因年代久遠而)無法追憶的、太古的;極為古老的**~ly**.

immense /ɪ'mens/ *a*. 巨大的, 廣大的 **~ly** *ad*. 無限地, 大大地;非常, 極 **immensity** *n*.

immerse /ɪ'mɜːs/ *vt*. ①浸入(液體中)②使沉浸於;使陷入 // *be* ~*d* (或 ~*oneself*) *in* (*sth*)使埋頭於, 使一心一意地, 沉湎於.

immersion /ɪ'mɜːʃn/ *n*. ①沉浸, 浸沒②【宗】浸禮③專心 // ~ *heater* 浸入式電熱水器(=immerser).

immigrant /'ɪmɪgrənt/ *n*. (來自外國的)移民 *a*. (從國外)移來的;移民的.

immigrate /'ɪmɪgreɪt/ *v*. (使)移居入境;移(民);(從國外)移居入境.

immigration /ˌɪmɪ'greɪʃn/ *n*. ①移居;入境的移民②(設在入境處的)移民管理檢查站(亦作~**control**).

imminent /'ɪmɪnənt/ *a*. (尤指令人不快之事)迫近的;危急的, 迫切的 **imminence** *n*. **~ly** *ad*.

immobile /ɪ'məʊbaɪ/ *a*. ①不動的, 不能移動的;固定的②不變的, 靜止的 **immobility** *n*.

immobilize, -ise /ɪ'məʊbəlaɪz/ *vt*. ①使不動, 使固定;使不能正常運作②

使(病人、斷肢)保持靜止(以利康復) **immobilization, immobilisation** *n*.

immoderate /ɪˈmɒdərət/ *a*. 不適中的;無節制的;過度的,過份的;不合理的 **~ly** *ad*.

immodest /ɪˈmɒdɪst/ *a*. [貶]①不謙虛的,自負的;(常指女人)不莊重的,不正派的②冒失的,魯莽的 **~ly** *ad*. **~y** *n*.

immolate /ˈɪməleɪt/ *vt*. ①宰殺…作祭品,殺戮,毀滅②犧牲 **immolation** *n*.

immoral /ɪˈmɒrəl/ *a*. ①不道德的,道德敗壞的;邪惡的②淫蕩的;荒淫的;猥褻的 **~ity** *n*. 不道德(的行為);傷風敗俗的行為.

immortal /ɪˈmɔːtl/ *a*. & *n*. ①不朽的(人),流芳百世的(人)②永存的,不死的③(常 I-)(古代希臘、羅馬神話中的)諸神 **~ity** *n*. // *the I ~ Bard* 不朽的詩人(指莎士比亞).

immortalize, -ise /ɪˈmɔːtəlaɪz/ *vt*. 使不朽,使不滅;使(聲名)永存 **immortalization, -isation** *n*.

immov(e)able /ɪˈmuːvəbl/ *a*. ①不能移動的;固定的;穩定的②(目的、意圖、决心等)不可動搖的;不屈的;堅定的;冷靜的;不激動的③【律】(財產)不動的 **immov(e)ability** *n*. **immov(e)ably** *ad*.

immune /ɪˈmjuːn/ *a*. (常作表語)①(+to 或 against)【醫】免疫性的;有免疫力的;可避免的②(+to)不受影響的,無響應的③(+from)免除(稅、攻擊等) **immunity** *n*. (稅等的)免除;豁免;免疫力,免疫性.

immunize /ˈɪmjunaɪz/ *vt*. 使免除,使免疫 **immunization** *n*.

immunocompetence /ˌɪmjunəʊˈkɒmpɪtəns/ *n*. 【醫】免疫活性.

immunodeficiency /ˌɪmjunəʊdɪˈfɪʃənsɪ/ *n*. 【醫】免疫缺損.

immunology /ˌɪmjuˈnɒlədʒɪ/ *n*. 【醫】免疫學 **immunological** *a*. **immunologist** *n*. 免疫學家.

immunosuppression /ˌɪmjunəʊsəˈpreʃən/ *n*. 【醫】(亦稱 **immunodepression** /ˌɪmjunəʊdɪˈpreʃən/) 免疫力的抑制.

immure /ɪˈmjʊə(r)/ *vt*. [書]監禁,禁閉.

immutable /ɪˈmjuːtəbl/ *a*. [書]不可改變的,永遠不變的 **immutability** *n*. **immutably** *ad*.

imp /ɪmp/ *n*. ①小妖精,小鬼②頑童,小淘氣.

impact /ˌɪmpækt/ *n*. 碰撞;衝擊(力);影響;效力;【軍】彈着;【空】(火箭的)着陸 /ɪmˈpækt/ *vt*. ①裝填,填入;壓緊;塞滿②(+on)[主美]對…產生影響(效力) **~ed** *a*. (指牙齒)阻生的,嵌塞的 **~ion** *n*. // *an ~ed tooth* 阻生的牙 *on ~* 衝擊(碰撞)時.

impair /ɪmˈpeə(r)/ *vt*. 削弱,減少;損害,損傷 **~ment** *n*.

impala /ɪmˈpɑːlə, -ˈpælə/ *n*. 【動】(南非的)黑斑羚.

impale /ɪmˈpeɪl/ *vt*. 刺穿;釘住;刺殺 **~ment** *n*.

impalpable /ɪmˈpælpəbl/ *a*. [書]①感觸不到的,摸不着的②難以理解的,難以捉摸的.

impart /ɪmˈpɑːt/ *vt*. [書]給予,賦予,傳授;告知.

impartial /ɪmˈpɑːʃl/ *a*. 公平的,不偏袒的;無偏見的 **~ity** *n*. **~ly** *ad*.

impassable /ɪmˈpɑːsəbl/ *a*. 不能通行的;不可逾越的;不可流通的 **impassability** *n*. **impassably** *ad*.

impasse /'æmpɑːs, [美]ɪm'pæs/ *n*. 絕境;僵局;死路.

impassible /ɪm'pæsəbl/ *a*. 麻木的;無感覺的;無動於衷的 **impassibility** *n*. **impassibly** *ad*.

impassioned /ɪm'pæʃnd/ *a*. (常指講話、演說等)充滿熱情的;熱烈的;激動的.

impassive /ɪm'pæsɪv/ *a*. 無動於衷的,冷淡的;無感情的;冷靜的 **impassivity** *n*.

impatient /ɪm'peɪʃnt/ *a*. ①不耐煩的,急躁的②急切的,渴望的(後接不定式) **impatience** *n*. **~ly** *ad*.

impeach /ɪmpiːtʃ/ *vt*. 控告;檢舉,彈劾;指責 **~ment** *n*.

impeccable /ɪm'pekəbl/ *a*. 沒有缺點的,無瑕疵的;極好的 **impeccably** *ad*.

impecunious /ˌɪmpɪ'kjuːnɪəs/ *a*. 沒有錢的;赤貧的 **~ly** *ad*. **~ness** *n*.

impedance /ɪm'piːdəns/ *n*.【物】阻抗.

impede /ɪm'piːd/ *vt*. 妨礙,阻礙;阻止.

impediment /ɪm'pedɪmənt/ *n*. ①妨礙(的人),障礙(物)②生理缺陷,(尤指)口吃.

impedimenta /ɪmˌpedɪ'mentə/ *pl*. *n*. [書]①行李;【軍】輜重②妨礙行進的負重,包袱;[謔]累贅.

impel /ɪm'pel/ *vt*. ①推動;推進;激勵②驅使,迫使.

impending /ɪm'pendiŋ/ *a*. (主要作定語)即將來到的;迫在眉睫的,緊急的.

impenetrable /ɪm'penɪtrəbl/ *a*. ①穿不透的,進不去的②看不透的,費解的 **impenetrability** *n*. **impenetrably** *ad*.

impenitent /ɪm'penɪtənt/ *a*. [書]不悔悟的,執迷不悟的.

imperative /ɪm'perətɪv/ *a*. ①絕對必要的;迫切的,緊急的②命令的,強制的;專橫的③【語】祈使的 *n*.【語】祈使語氣(的動詞) **~ly** *ad*.

imperceptible /ˌɪmpə'septəbl/ *a*. (由於細微或進程的緩慢而)覺察不到的,感覺不到的 **imperceptibly** *ad*.

imperfect /ɪm'pɜːfɪkt/ *a*. ①不完美的,有缺點的②不完整的;未完成的③【語】未完成體的;未完成時式的 *n*.【語】未完成體;未完成時式 **~ion** *n*. **~ly** *ad*.

imperial /ɪm'pɪərɪəl/ *a*. ①帝國的,皇帝的②帝王一般的;威嚴的③(在採用十進制前)英制(度量衡法定標準)的 **~ly** *ad*.

imperialism /ɪm'pɪərɪəlɪzəm/ *n*. [常貶]帝國主義.

imperialist /ɪm'pɪərɪəlist/ *n*. & *a*. [常貶]帝國主義者(的) **~ic** *a*. 帝國主義的;贊成帝國主義的.

imperil /ɪm'perəl/ *vt*. 危害;使陷於危險.

imperious /ɪm'pɪərɪəs/ *a*. [書]①專橫的,傲慢的②迫切的,緊要的 **~ly** *ad*. **~ness** *n*.

imperishable /ɪm'perɪʃəbl/ *a*. 不朽的,不滅的 **imperishability** *n*. **imperishably** *ad*.

impermanent /ɪm'pɜːmənənt/ *a*. 非永久的;暫時的;無常的 **impermanence** *n*.

impermeable /ɪm'pɜːmɪəbl/ *a*. 不可滲透的,不能透過的 **impermeability** *n*.

impermissible /ˌɪmpə'mɪsəbl/ *a*. 不允許的,不許可的 **impermissibility** *n*.

impersonal /ɪm'pɜːsənl/ *a*. ①不受個人情感影響的;沒有人情味的;冷漠

的②非個人的, 和個人無關的; 客觀的③【語】非人稱的~**ity** *n*. ~**ly** *ad*.

impersonate /ɪm'pɜːsəneɪt/ *vt*. 扮演; 模仿; 假冒 **impersonation** *n*. **impersonator** *n*. 模仿者; 扮演者.

impertinent /ɪm'pɜːtɪnənt/ *a*. 無禮的, 傲慢的, 魯莽的 **impertinence** *n*. ~**ly** *ad*.

imperturbable /ˌɪmpə'tɜːbəbl/ *a*. 沉着的; 冷靜的 **imperturbability** *n*. **imperturbably** *ad*.

impervious /ɪm'pɜːvɪəs/ *a*. ①不可滲透的, 透不過的②不受影響的, 不受干擾的; 不為(批評, 誘惑等)所動的.

impetigo /ˌɪmpɪ'taɪgəʊ/ *n*. 【醫】膿疱病; 小膿疱疹.

impetuous /ɪm'petʃʊəs/ *a*. 衝動的; 魯莽的, 急躁的; 輕舉妄動的 **impetuosity** *n*. ~**ly** *ad*.

impetus /'ɪmpɪtəs/ *n*. ①動力, 動量②推動, 促進.

impiety /ɪm'paɪətɪ/ *n*. ①不虔誠; 不敬神②不敬(的言行); 不孝(的言行).

impinge /ɪm'pɪndʒ/ *vi*. (+on/upon) ①侵害; 侵犯②產生影響(效力等).

impious /'ɪmpɪəs/ *a*. ①不虔誠的; 不敬神的②不敬的; 不孝的 ~**ly** *ad*.

impish /'ɪmpɪʃ/ *a*. (像)頑童的; 頑皮的~**ly** *ad*. ~**ness** *n*.

implacable /ɪm'plækəbl/ *a*. 難以平息的; 難以改變的; 難以滿足的; 不能緩和的 **implacability** *n*. **implacably** *ad*.

implant /ɪm'plɑːnt/ *vt*. ①灌輸, 注入, 牢固樹立②植, 栽進; 【醫】移植 /'ɪmplɑːnt/ *n*. 【醫】移植物, 移植片 ~**ation** *n*.

implement /'ɪmplɪmənt/ *n*. 工具; 器具 /'ɪmplɪment/ *vt*. 貫徹; 完成; 履行; 實施 ~**ation** *n*.

implicate /'ɪmplɪkeɪt/ *vt*. 使牽連, 使捲入(到罪行等中).

implication /ˌɪmplɪ'keɪʃn/ *n*. ①含蓄, 含意, 言外之意②牽連, 捲入.

implicit /ɪm'plɪsɪt/ *a*. ①含蓄的; 暗示的②絕對的; 無保留的; 無疑的~**ly** *ad*.

implode /ɪm'pləʊd/ *v*. (使)內向爆炸, (使)壓破 **implosion** *n*.

implore /ɪm'plɔː(r)/ *vt*. 懇求, 乞求, 哀求 **imploration** *n*. **imploring** *a*. **imploringly** *ad*.

imply /ɪm'plaɪ/ *vt*. ①含蓄; 含有…的意思; 必然包含有②暗示, 暗指 **implied** *a*. 含蓄的, 暗指的; 不言而喻的.

impolite /ˌɪmpə'laɪt/ *a*. 不禮貌的; 失禮的; 粗魯的 ~**ly** *ad*. ~**ness** *n*.

impolitic /ɪm'pɒlətɪk/ *a*. 失策的; 不明智的; 不得當的~**ly** *ad*.

imponderable /ˌɪm'pɒndərəbl/ *a*. (重要性、影響等)無法衡量的 *n*. (常 *pl*.)(重要性、影響或作用)無法衡量的事物 **imponderability** *n*. **imponderably** *ad*.

import[1] /ɪm'pɔːt/ *vt*. 進口, 輸入 /'ɪmpɔːt /*n*. ①進口, 輸入②(常 *pl*.)輸入品, 進口貨物 ~**ation** *n*. 輸入(品), 進口(貨) ~**er** *n*. 進口商, 進口公司.

import[2] /ɪm'pɔːt/ *vi*. 意味着, 表明, 說明 /'ɪmpɔːt /*n*. 意義, 含意; 重要(性).

importance /ɪm'pɔːtns/ *n*. ①重要(性); 重大②顯赫, 權勢 // *full of one's own* ~ [貶]自命不凡的, 自高自大的.

important /ɪm'pɔːtnt/ *a*. ①重要的, 重大的②顯赫的; 有權勢的③自高自大的 ~**ly** *ad*.

importunate /ɪm'pɔːtʃunət/ *a*. 強求的;纏擾不休的;堅持的;迫切的 **~ly** *ad*.

importune /ɪmpɔː'tjuːn/ *v*. (向…)強求;(向…)糾纏不休;(妓女)拉(客) **importunity** *n*.

impose /ɪm'pəuz/ *vt*. 課(稅);把…強加給 *vi*.(+ on, upon)①占便宜;利用②欺騙 **imposition** *n*.

imposing /ɪm'pəuzɪŋ/ *a*.①給人深刻印象的②壯麗的;堂皇的;雄偉的 **~ly** *ad*.

impossible /ɪm'pɒsəbl/ *a*. ①做不到的,不可能的;不會有的,不可能發生的②不能忍受的;不合情理的 **impossibility** *n*. **impossibly** *ad*.

impostor /ɪm'pɒstə(r)/ *n*. 冒名詐騙者;騙子.

imposture /ɪm'pɒstʃə(r)/ *n*. 冒名詐騙;欺詐.

impotent /'ɪmpətənt/ *a*. ①無力的;軟弱無能的②【醫】陽痿的 **impotence** *n*. **~ly** *ad*.

impound /ɪm'paund/ *vt*. [書]【律】沒收,充公;扣押(人或財物等).

impoverish /ɪm'pɒvərɪʃ/ *vt*. 使貧困;使每況愈下;使虛弱 **~ment** *n*.

impracticable /ɪm'præktɪkəbl/ *a*. ①不能實行的,做不到的②(指道路)不通行的 **impracticability** *n*. **impracticably** *ad*.

impractical /ɪm'præktɪkl/ *a*. ①不切實際的;不現實的;不實用的②(指人)不善於做實際工作的 **impracticality** *n*. **~ly** *ad*.

imprecation /ˌɪmprɪ'keɪʃn/ *n*. [書]詛咒;咒語;祈求.

impregnable /ɪm'pregnəbl/ *a*. 攻不破的;堅固的;堅定的 **impregnability** *n*. **impregnably** *ad*.

impregnate /'ɪmpregneɪt/ *vt*. ①使充滿;使飽和;滲透,灌注②使受精,使懷孕 **impregnation** *n*.

impresario /ˌɪmprɪ'sɑːrɪəu/ *n*. (*pl*. **~s**) [意](劇院、音樂會、樂團的)經理;導演;演出主辦人;(名藝人的)經理人.

impress /ɪm'pres/ *vt*. ①使銘記;使留下深刻印象;使極為崇敬欽佩②蓋印;在…上打記號 *vi*. 引人注意,嘩衆取寵 /'ɪmpres/ *n*. 印象,痕迹,印記;銘刻.

impression /ɪm'preʃn/ *n*. ①印象,感覺;感想,模糊的觀念,意見,想法②蓋印,印記;壓痕③【印】印刷(品);印數;印次;第…版④影響;效果⑤(戲劇演員或藝人為取悅觀衆而對名人們的)摹仿 // *be under the ~ that* (通常指錯誤地)以為;覺得.

impressionable /ɪm'preʃənəbl/ *a*. 易感的;敏感的;易受影響的 **impressionability** *n*. **impressionably** *ad*.

impressionism /ɪm'preʃənɪzəm/ *n*. (繪畫、文藝等方面的)印象主義,印象派.

impressionist /ɪm'preʃənɪst/ *n*. 印象主義者,印象派藝術家;(專門摹仿名人以取悅觀衆的)演員(或藝人) *a*. 印象主義的,印象派的 **~ic** *a*. 印象的;印象主義的,印象派的.

impressive /ɪm'presɪv/ *a*. 給人留下深刻印象的;令人難忘的;令人大為敬佩的 **~ly** *ad*.

imprimatur /ˌɪmprɪ'meɪtə(r)/ *n*. [拉](尤指羅馬天主教教會的)出版許可;[謔]許可,批准.

imprint /ɪm'prɪnt/ *vt*. ①蓋(印);印刷②刻上(記號),標出(特徵);銘刻;使銘記 /'ɪmprɪnt/ *n*. 蓋印,刻印;痕迹;特徵;印象;(書籍書名頁上關於出版時間, 地點和出版社的)版本説明(亦作 **the printer's** ～或 **the publisher's** ～).

imprison /ɪm'prɪzn/ *vt*. 關押, 監禁; [喻]束縛, 限制 **~ment** *n*.

improbable /ɪm'prɒbəbl/ *a*. 未必有的; 不大可能(發生)的; 未必確實的 **improbability** *n*. 不大可能(發生的事) **improbably** *ad*.

improbity /ɪm'prəʊbətɪ/ *n*. 邪惡; 不誠實; 不正直.

impromptu /ɪm'prɒmptju:/ *a*. & *ad*. 即席的(地), 臨時的(地), 無準備的(地) *n*.【樂】即興曲.

improper /ɪm'prɒpə(r)/ *a*. ①不適當的, 不合適的; 不正確的, 錯誤的②不道德的; 下流的; 不合禮儀的; 不正派的 **~ly** *ad*. **~ness** // ～ *fraction*【數】假分數, 可約分數.

impropriety /ˌɪmprə'praɪətɪ/ *n*. 不適當; 不正當(行為); 不得體的舉止; 錯誤的言語.

improve /ɪm'pru:v/ *v*. ①(使)變得更好; 改善, 改良; 增進②增高(土地等的)價值; 升值 // ～*on*/*upon* 作出比(原有)更好的東西; 對(原有的)作出改進.

improvement /ɪm'pru:vmənt/ *n*. 改良; 改進(措施); 改善(的地方); 增進.

improvident /ɪm'prɒvɪdənt/ *a*. 目光短淺的; 不顧將來的; 不經濟的; 不注意節約的 **improvidence** *n*. **~ly** *ad*.

improvise /'ɪmprəvaɪz/ *vt*. 即席創作(演奏或演唱); 臨時準備; 臨時湊成 **improvisation** *n*.

imprudent /ɪm'pru:dənt/ *a*. 輕率的; 魯莽的 **imprudence** *n*. **~ly** *ad*.

impudence /ɪm'pjʊdəns/ *n*. 厚顏無耻(的舉止); 冒失(的行為); 失禮(的言行).

impudent /'ɪmpjʊdənt/ *a*. 厚顏無耻的; 冒失的; 失禮的 **~ly** *ad*.

impugn /ɪm'pju:n/ *vt*. [書]指責, 責難; 對…表示懷疑.

impulse /'ɪmpʌls/ *n*. ①衝動②【物】衝量; 脉冲③鼓舞; 刺激; 一時高興, 突然的心血來潮 // ～*buying*(一時心血來潮的)即興購物 *on* ～一時衝動地; 突然心血來潮地.

impulsion /ɪm'pʌlʃn/ *n*. [書]衝動; (想做某事的)強烈欲望; 推動力.

impulsive /ɪm'pʌlsɪv/ *a*. (易)衝動的; 感情用事的; 任性的 **~ly** *ad*.

impunity /ɪm'pju:nətɪ/ *n*. 不受懲罰; 無罪; 不受損失 // *with* ～不受懲罰地; 泰然地.

impure /ɪm'pjʊə(r)/ *a*. ①不純的, 攙假的; 混雜的②不純潔的; 不道德的; 下流的; (指語言)不規範的 **~ly** *ad*.

impurity /ɪm'pjʊərətɪ/ *n*. ①不純; 不潔; 不道德; 不貞節; 下流②(常 *pl*.)雜質.

impute /ɪm'pju:t/ *vt*. (賓語後接介詞"to")把…歸咎(或歸因)於; 把…推給; 把…轉嫁於 **imputable** *a*. (後接"to")可歸咎(或歸因)於…的 **imputably** *ad*. **imputation** *n*.

in /ɪn/ *prep*. ①(表示位置, 地點, 方向)在…中, 在…上; 向, 朝②(表示時間、過程)在…期間; 在…後③(表示狀態, 情況)處於…之中, 在…狀態之中④(表示範圍, 領域, 方面, 性質, 能力)在…之內; 在…方面⑤(表示服飾, 打扮)穿(戴)着; 帶着⑥(表示職業、活動)從事於, 參加着⑦(表示地位, 方式, 形式, 媒介, 手段, 材料)按照, 符合於, 用, 以⑧(表示目的, 動機, 原因)由於, 為了; 作為…的表示⑨(表示動作) = into *ad*. ①朝裏, 向內,在內②在家,在工作地點,在獄中③到達,來到;得到④當政,當選⑤(指農作物等)收穫⑥(指服裝)流行,時髦;(指果菜魚肉等食品)正上市;可買到⑦(指燈、火等)點着,亮着,燃燒着 *a*. 時髦的;(在少數人中)流行的 // *be ~ for* [口]勢必遭受 *be (well) ~ with sb* [口]與人友好,與人親近(以期得益) *go/be ~ for* 參加(競賽) *~ all* 總計,一共 *~ that* [口]因為 *the ~s and outs (of sth)* (事情的)內情,詳情.

in. *abbr*. = inch(es).

in- [前綴] (在 l 前作 il-;在 b, m, p 前作 im-;在 r 前作(ir-)①表示"在內","進","入","向","朝"②(構成形容詞,副詞和名詞)表示"非","不","無".

inability /ˌɪnəˈbɪlətɪ/ *n*. 無能力;無才能.

inaccessible /ˌɪnækˈsesəbl/ *a*. 達不到的,進不去的;難接近的;難得到的 **inaccessibility** *n*. **inaccessibly** *ad*.

inaccurate /ɪnˈækjərət/ *a*. 不準確的;不精密的;錯誤的 **inaccuracy** *n*. **~ly** *ad*.

inaction /ɪnˈækʃn/ *n*. 不活動;不活躍;懶散;遲鈍.

inactive /ɪnˈæktɪv/ *a*. ①不活動的,不活躍的;遲鈍的;懶散的②沒事做的;暫停不用的,【軍】非現役的 **~ly** *ad*. **inactivity** *n*.

inadequate /ɪnˈædɪkwət/ *a*. ①不充足的;不適當的②不能勝任的;不善於照料自己的 **inadequacy** *n*. **~ly** *ad*.

inadmissible /ˌɪnədˈmɪsəbl/ *a*. 不能接納的;不能允許的;不能承認的 **inadmissibility** *n*.

inadvertent /ˌɪnədˈvɜːtənt/ *a*. ①疏忽的;漫不經心的②出於無心的,非故意的 **inadvertency** *n*. **~ly** *ad*.

inadvisable /ˌɪnədˈvaɪsəbl/ *a*. 不可取的;不妥當的;不明智的 **inadvisability** *n*.

inalienable /ɪnˈeɪlɪənəbl/ *a*. 不可剝奪的;不可分割的 **inalienability** *n*. **inalienably** *ad*.

inane /ɪˈneɪn/ *a*. 無意義的;空洞的;愚蠢的 **inanity** *n*. ①空洞;無知;愚蠢②(常 *pl*.)無聊愚蠢的言行.

inanimate /ɪnˈænɪmət/ *a*. 無生命的;無生氣的;沒精打采的;枯燥乏味的 **inanimation** *n*.

inanition /ˌɪnəˈnɪʃən/ *n*. ①【醫】營養不足;虛弱②空虛;無內容.

inapplicable /ɪnˈæplɪkəbl/ *a*. 不能應用的;不適用的;不適宜的 **inapplicability** *n*. **inapplicably** *ad*.

inappropriate /ˌɪnəˈprəʊprət/ *a*. 不適當的;不相宜的 **~ly** *ad*. **~ness** *n*.

inapt /ɪnˈæpt/ *a*. 不合適的;不熟練的,笨手笨脚的 **~itude** *n*. **~ly** *ad*.

inarticulate /ˌɪnɑːˈtɪkjʊlət/ *a*. (指人)不善於言辭的;口齒不清的;(指言辭)辭不達意的 **~ly** *ad*. **~ness** *n*.

inasmuch as /ˌɪnəzˈmʌtʃ əz/ *conj*. [書]由於;因為.

inattention /ˌɪnəˈtenʃn/ *n*. 不注意;漫不經心;疏忽.

inattentive /ˌɪnəˈtentɪv/ *a*. 不注意的;漫不經心的;疏忽的 **~ly** *ad*. **~ness** *n*.

inaudible /ɪnˈɔːdəbl/ *a*. 聽不見的 **inaudibly** *ad*.

inaugural /ɪˈnɔːgjʊrəl/ *a*. 就職(儀式)的;開幕的;開始的.

inaugurate /ɪˈnɔːgjʊreɪt/ *vt*. ①開始;開創;開幕;舉行(開業、落成,成立等)儀式②為…舉行就職典禮 **inauguration** *n*. **inaugurator** *a*. 開創者,

創始人;主持就職典禮的人.

inauspicious /ˌɪnɔːˈspɪʃəs/ *a*. 不祥的,不吉利的 **~ly** *ad*.

inboard /ˈɪnbɔːd/ *ad*. & *a*. (指發動機)在船(或飛機)内(的);(指船)發動機裝在船體内的.

inborn /ˈɪnˈbɔːn/ *a*. 天生的,天賦的.

inbound /ˈɪnbaund/ *a*. [美]返航的;開回本國(原地)的.

inbred /ɪnˈbred/ *a*. ①近親繁殖的②天生的;先天的.

inbreeding /ˈɪnˈbriːdɪŋ/ *n*. 近親繁殖.

in-built /ˈɪn ˈbɪlt/ *a*. (= built-in)内在的,固有的.

Inc. *abbr*. (亦作 **inc.**) [美] = incorporated(有限)公司的.

incalculable /ɪnˈkælkjuləbl/ *a*. ①數不清的,不可勝數的;極大的②難預測的,不可靠的,無定的 **incalcurably** *ad*.

incandescent /ˌɪnkænˈdesnt/ *a*. 白熱的,白熾的;熾熱的;極亮的 **incandescence** *n*. **~ly** *ad*. **~lamp** 白熾燈.

incantation /ˌɪnkænˈteɪʃn/ *n*. 咒語;符咒;念咒 **incantatory** *a*.

incapable /ɪnˈkeɪpəbl/ *a*. ①(作表語時其後接"of")不會…的;無能力的②無能的,沒有用的 **incapability** *n*. **incapably** *ad*.

incapacitate /ˌɪnkəˈpæsɪteɪt/ *vt*. ①使無能力;使殘廢②【律】使無資格;剝奪…的法定權力.

incapacity /ˌɪnkəˈpæsətɪ/ *n*. 無能力;【醫】官能不全;【律】無資格.

incarcerate /ɪnˈkɑːsəreɪt/ *vt*. 監禁,禁閉 **incarceration** *n*.

incarnate /ɪnˈkɑːneɪt/ *a*. (用於名詞後)化身的;人體化的;實體化的 / ˈɪnkɑːneɪt / *vt*. 賦予形體;使成化身;使具體化;體現 **incarnation** *n*. 化身,體現 **the I-** *n*.【宗】上帝化身為耶穌降臨人世.

incautious /ɪnˈkɔːʃəs/ *a*. 不慎重的,不小心的;魯莽的,輕率的 **~ly** *ad*. **~ness** *n*.

incendiary /ɪnˈsendɪərɪ/ *a*. ①放火的,縱火的;燃燒的②煽動性的 *n*. 燃燒彈(亦作 **~bomb**);縱火者.

incense[1] /ˈɪnsens/ *n*. (燃燒時發出香氣的)香;香發出的烟.

incense[2] /ɪnˈsens/ *vt*. 使發怒,激怒.

incentive /ɪnˈsentɪv/ *n*. 刺激;鼓勵;動機;誘因.

inception /ɪnˈsepʃn/ *n*. [書]開始,發端.

incessant /ɪnˈsesnt/ *a*. 不停的,連續不斷的 **~ly** *ad*.

incest /ˈɪnsest/ *n*. 亂倫(罪).

incestuous /ɪnˈsestjuəs/ *a*. (犯)亂倫(罪)的;[貶](指一夥人之間)關係不正常地親密和曖昧的 **~ly** *ad*.

inch /ɪntʃ/ *n*. ①英寸,吋②(數量,距離等的)少許,少量,少額 *v*. (使)慢慢地移動;(使)漸進 // *by ~es* 幾乎,僅僅;一點一點地,漸漸 *every ~* 完全地,徹底地 *not give/budge an ~* 寸步不讓;紋絲不動.

inchoate /ɪnˈkəueɪt/ *a*. [書]①才開始的;初步的②未完成的;不發達的 **~ly** *ad*.

incidence /ˈɪnsɪdəns/ *n*. 發生率;影響範圍(程度).

incident /ˈɪnsɪdənt/ *n*. ①小事件,偶發事件②(國家、對立集團之間敵對性的)事件;事變③(帶有社會騷亂等性質的)暴力事件 *a*. (常作表語)易發生的,附隨而來,有關聯的(後接介詞 to 或 upon).

incidental /ˌɪnsɪˈdentl/ *a*. ①(作表語)

易發生的(後接介詞 to)②附帶的,伴隨的;非主要的③偶然的 // ~*expenses* 額外開支;雜費 ~music【樂】(影、劇、詩朗誦等的)配樂.

incidentally /ˌɪnsɪ'dentlɪ/ *ad*. 順便說一下;附帶地;偶然地.

incinerate /ɪn'sɪnəreɪt/ *v*. (把…)燒成灰,燒掉,焚化 **incineration** *n*. **incinerator** *n*. 焚化爐.

incipient /ɪn'sɪpɪənt/ *a*. 開始的,剛出現的,初期的**~ly** *ad*.

incise /ɪn'saɪz/ *vt*. 切入,切開;雕刻 **incision** *n*.【醫】切口,切開.

incisive /ɪn'saɪsɪv/ *a*. 尖銳的,深刻的,透徹的**~ly** *ad*.

incisor /ɪn'saɪzə(r)/ *n*.【解】切牙,門牙(= ~tooth).

incite /ɪn'saɪt/ *vt*. ①激勵;刺激②煽動,嗾使**~ment** *n*.

incivility /ˌɪnsɪ'vɪlətɪ/ *n*. 無禮貌;粗野;不禮貌的言行.

inclement /ɪn'klemənt/ *a*. (指天氣)險惡的;寒冷的;狂風暴雨的 **inclemency** *n*.

inclination /ˌɪŋklɪ'neɪʃn/ *n*. ①傾向;嗜好;意向②點頭;彎腰③傾斜;斜坡;傾度;【數】傾角,斜角.

incline /ɪn'klaɪn/ *v*. ①(使)屈身;點頭②傾斜;(使)傾向於;(使)想要;易於 *n*. 斜面;坡度**~d** *a*. (作表語)傾向於…的;想要…的;(在某方面)有天賦的 // ~*d plane*【數】斜面.

include /ɪn'kluːd/ *vt*. 包含,包括;算入**~d** *a*. 包含的;包括…在內的 **inclusion** *n*. 包含(物);含有.

including /ɪn'kluːdɪŋ/ *prep*. 包含,包括.

inclusive /ɪn'kluːsɪv/ *a*. 包含的;包括(別的,一切)在內的;(用於日期、數字等的名詞後)包括所述限度在內的 **~ly** *ad*. **~language** *n*. (不帶任何性別歧視意味的)中性措詞.

incognito /ɪŋkɒg'niːtəʊ/ (略作 **incog** /ɪn'kɒg/) *a*. & *ad*. 隱姓埋名的(地);化名的(地);化裝的(地) *n*. 隱姓埋名(者);化名(者),微行(者).

incoherent /ˌɪŋkəʊ'hɪərənt/ *a*. (指思想、語言、文字)不聯貫的;無條理的;語無倫次的 **incoherence** *n*. **~ly** *ad*.

incombustible /ˌɪŋkəm'bʌstəbl/ *a*. [書]不燃的;不能燃燒的.

income /'ɪŋkʌm/ *n*. 收入,所得,收益 // ~*tax* 所得稅.

incoming /'ɪnkʌmɪŋ/ *a*. 進來的;新來的;繼任的;新任的.

incommensurable /ˌɪŋkə'menʃərəbl/ *a*. 不能比較的;無共同尺度的;懸殊的.

incommensurate /ˌɪŋkə'menʃərət/ *a*. ①不相稱的;不適當的,不相對應的②= incommensurable.

incommode /ˌɪŋkə'məʊd/ *vt*. [書]使感不便;妨礙;打擾.

incommodious /ˌɪŋkə'məʊdɪəs/ *a*. 不方便的;(因過於狹小而使人感到)不舒服的**~ly** *ad*.

incommunicable /ˌɪŋkə'mjuːnɪkəbl/ *a*. 不能傳達的;無法表達的.

incommunicado /ˌɪŋkəˌmjuːnɪ'kɑːdəʊ/ *a*. & *ad*. 被禁止和外界接觸的(地);(尤指犯人)被單獨監禁的(地).

incomparable /ɪn'kɒmprəbl/ *a*. 不能比較的;無可比擬的;無雙的 **incomparability** *n*. **incomparably** *ad*.

incompatible /ˌɪŋkəm'pætəbl/ *a*. 不相容的;不一致的;不能和諧共存的;【醫】配伍禁忌的 **incompatibility** *n*.

incompetent /ɪn'kɒmpɪtənt/ *a*. ①不勝任的;不夠格的②無能的;不熟練

的③【律】無資格的 *n*. 無能者;不勝任者;【律】無資格者~**ly** *ad*. **incompatence, -cy** *n*.

inconceivable /ˌɪŋkən'siːvəbl/ *a*. ①不可思議的;難以想像的②無法相信的, 不可理解的 **inconceivably** *ad*.

inconclusive /ˌɪŋkən'kluːsɪv/ *a*. 不確定的;無確定結果的;無定論的;不能令人信服的~**ly** *ad*. ~**ness** *n*.

incongruity /ˌɪŋkɒŋ'gruːətɪ/ *n*. 不調和;不一致;不相稱;不協調的事物.

incongruous /in'kɒŋgrʊəs/ *a*. 不調和的;不相稱的;不一致的;不適宜的, 不恰當的~**ly** *ad*. ~**ness** *n*. = incongruity

inconsequent /ɪn'kɒnsɪkwənt/ *a*. ①不合邏輯的;前後矛盾的;不切題的② = inconsequential **inconsequence** *n*. ~**ly** *ad*.

inconsequential /ɪnˌkɒnsɪ'kwenʃl/ *a*. 無關緊要的, 微不足道的, 不相干的 ~**ly** *ad*.

inconsiderable /ˌɪŋkən'sɪdrəbl/ *a*. 不值得考慮的;無足輕重的;微小的.

inconsiderate /ˌɪŋkən'sɪdərət/ *a*. ①不體諒別人的②欠考慮的;粗心的;輕率的~**ly** *ad*. ~**ness** *n*.

inconsistent /ˌɪnkən'sɪstənt/ *a*. ①不一致的, 不協調的;不合邏輯的, 前後矛盾的②反覆無常的 **inconsistency** *n*.

inconsolable /ˌɪŋkən'səʊləbl/ *a*. 無法安慰的;極度悲傷的 **inconsolably** *ad*.

inconspicuous /ˌɪŋkʊn'spɪkjʊəs/ *a*. 不顯眼的, 不引人注目的 ~**ly** *ad*. ~**ness** *n*.

inconstant /ɪn'kɒnstənt/ *a*. ①(指人)反覆無常的;無信義的;感情不專的②(指事物)易變的;無規則的 **inconstancy** *n*. ~**ly** *ad*.

incontestable /ˌɪŋkən'testəbl/ *a*. 不能爭辯的;無可否認的;不容置疑的 **incontestably** *ad*.

incontinent /ɪn'kɒntɪnənt/ *a*. 【醫】大小便失禁的;無節制的;(尤指)縱欲的;無抑制的 **incontinence** *n*.

incontrovertible /ˌɪŋkɒntrə'vɜːtəbl/ *a*. 無可辯駁的;顛撲不破的;不容置疑的 **incontrovertibility** *n*. **incontrovertibly** *ad*.

inconvenience /ˌɪŋkən'viːnɪəns/ *n*. 不方便;麻煩;為難之處;麻煩的事 *vt*. 使感不便;使為難;打擾 **inconvenient** *a*. **inconveniently** *ad*.

incorporate /ɪn'kɔːpəreɪt/ *vt*. ①結合, 合併;收編;(使)混合②[美](使)組成公司;(使)結成社團 /ɪn'kɔːpərɪt/ *a*. 組成公司的;合併的~**d** *a*. [美](略作 **Inc.**)成為法人組織的;組成(有限)公司的(用在公司名稱後).

incorporation /ɪnˌkɔːpə'reɪʃn/ *n*. ①結合;合併;編入②社團;公司;法人.

incorporeal /ˌɪŋkɔː'pɔːrɪəl/ *a*. [書]非物質的;無實體的, 無形(體)的.

incorrect /ˌɪŋkə'rekt/ *a*. 錯誤的;不正確的;不妥當的~**ly** *ad*. ~**ness** *n*.

incorrigible /ɪn'kɒrɪdʒəbl/ *a*. 不可救藥的;積習難改的;難以糾正的 **incorrigibility** *n*. **incorrigibly** *ad*.

incorruptible /ˌɪŋkə'rʌptəbl/ *a*. ①不貪污受賄的, 廉潔的②不受腐蝕的;不易敗壞的 **incorruptibility** *n*. **incorruptibly** *ad*.

increase /ɪn'kriːs/ *v*. ①增加, 增大;增進, 增強②繁殖 /'ɪŋkriːs /*n*. 增加(量);增大(額);繁殖 **increasing** *a*. 越來越多的;日漸增多的 **increasingly** *ad*. 不斷增加地, 日益, 越來越 // *on the* ~ 在增加, 不斷增加.

incredible /ɪn'kredəbl/ *a*. ①不可相信的②[口]驚人的;極好的 **incredibility** *n*. **incredibly** *ad*. 非常;出奇地;難以置信地,驚人地.

incredulous /ɪn'kredjuləs/ *a*. 不相信的;不輕信的 **incredulity** *n*. **~ly** *ad*.

increment /'ɪŋkrəmənt/ *n*. 增額,增值;(尤指工資的)增長 **~al** *a*. **~ally** *ad*.

incriminate /ɪn'krɪmɪneɪt/ *vt*. ①控告,使負罪②連累,牽連 **incriminating, incriminatory** *a*. **incrimination** *n*.

incrust /ɪn'krʌst/ *v*. =encrust.

incrustation /ˌɪnkrʌ'steɪʃn/ *n*. ①用外殼(皮)包覆;結硬殼②硬殼,外皮③水銹,污垢,渣殼④鑲嵌(物).

incubate /'ɪŋkjubeɪt/ *v*. ①孵卵;孵化;培養(細菌)②【醫】(病、細菌等在身體內)潛伏③醞釀;籌劃 **incubation** *n*. ①孵卵(期);籌劃(期)②【醫】潛伏期(亦作 **incubation period**) **incubator** *n*. (人工)孵卵器;早產嬰兒保育箱.

incubus /'ɪŋkjubəs/ *n*. (*pl*. **~es, -bi** /-baɪ/) (傳說中與睡夢中女人性交的)夢魔;惡夢,(像惡夢似的)精神負擔.

inculcate /'ɪnkʌlkeɪt/ *vt*. 反覆灌輸;諄諄教導 **inculcation** *n*.

inculpate /'ɪnkʌlpeɪt/ *vt*. 控告;歸罪於;連累(某人)受罪 **inculpation** *n*.

incumbent /ɪn'kʌmbənt/ *a*. ①(後接 on, upon)有義務的,成為責任的,義不容辭的②在職的,在任的 *n*. [美]任職者(尤指在政府中) **incumbency** *n*. 職責;義務;職位.

incur /ɪn'kɜː(r)/ *vt*. 招致,蒙受,惹起.

incurable /ɪn'kjʊərəbl/ *a*. 醫治不好的,不能矯正的 **incurability** *n*. **incurably** *ad*.

incurious /ɪn'kjʊərɪəs/ *a*. 不感興趣的;無好奇心的;不愛追根究底的;不關心的 **incuriousity** *n*.

incursion /ɪn'kɜːʃn/ *n*. 侵犯;侵入;襲擊.

incurved /ɪn'kɜːvd/ *a*. 彎曲的,向內彎曲的.

Ind *abbr*. = Independent (candidate) 【政】無黨派(候選人).

indaba /ɪn'dɑːbə/ *n*. [南非]會議;討論;疑難問題.

indebted /ɪn'detɪd/ *a*. (作表語)負債的;受惠的;蒙恩的;感激的(後接介詞"to") **~ness** *n*.

indecent /ɪn'diːsnt /*a*. ①粗鄙的;猥褻的,下流的②不適宜的,不恰當的 **indecency** *n*. **~ly** *ad*. // ~ *assault* 【律】猥褻罪;性騷擾 ~ *exposure* (尤指男性)有傷風化的生殖器官暴露罪 *in ~ haste* 急匆匆地有欠妥當(或不很禮貌).

indecipherable /ˌɪndɪ'saifrəbl/ *a*. (密碼)難以破譯的;(字迹等)無法辨認的.

indecision/ˌɪndɪ'sɪʒn/ *n*. 無決斷力;優柔寡斷;猶豫不決.

indecisive /ˌɪndɪ'saɪsɪv/ *a*. ①非決定性的,不明確的②猶豫不決的;優柔寡斷的 **~ly** *ad*.

indecorous /ɪn'dekərəs/ *a*. [書]不合禮節的;不體面的;不雅的 **indecorum** *n*. [書]①不體面;不雅;不合禮節②失禮的言行.

indeed /ɪn'diːd/ *ad*. 事實上,確實;真正地;實在,其實 *int*. (表示疑問,驚訝、諷刺、輕蔑)當真? 真的! 果真!.

indefatigable /ˌɪndɪ'fætɪgəbl/ *a*. 不疲

倦的;不懈地;不屈不撓的 **indefatigability** *n*. **indefatigably** *ad*.

indefensible /ˌɪndɪ'fensəbl/ *a*. ①難防禦的②難辯解的;難辯護的;難寬恕的 **indefensibility** *n*. **indefensibly** *ad*.

indefinable /ˌɪndɪ'faɪnəbl/ *a*. 難下定義的;難以描述的 **indefinably** *ad*.

indefinite /ɪn'defɪnət/ *a*. ①模糊的,不明確的②無定限的,無限期的 **~ly** *ad*. // ~*article*【語】不定冠詞.

indelible /ɪn'deləbl/ *a*. 擦不掉的,不能消除的 **indelibly** *ad*.

indelicate /ɪn'delɪkət/ *n*. (指人或其言行)粗俗的;粗魯的;不文雅的 **indelicacy** *n*. **~ly** *ad*.

indemnify /ɪn'demnɪfaɪ/ *vt*. ①保障,保護②賠償,補償 **indemnification** *n*.

indemnity /ɪn'demnətɪ/ *n*. ①保障,保護②損失賠償(金);補償.

indent /ɪn'dent/ *v*. ①(把…)刻成鋸齒狀,使成犬牙形②(印刷,書寫中)縮進排(或書寫)③[英]【商】用(雙聯單)訂貨 /'ɪndent/ *n*. [英]【商】雙聯訂單.

indentation /ˌɪnden'teɪʃn/ *n*. ①呈鋸齒狀②凹入處;缺口③(印刷或書寫中每段首行開端的)空格.

indenture /ˌɪn'dentʃə/ *n*. 合同,契約;(常 *pl*.)(昔日師徒訂立的)學徒合約 *vt*. 訂立僱用合同;訂立師徒合約(使成為學徒).

independence /ˌɪndɪ'pendəns/ *n*. 獨立;自主;自立 // *I- Day*(七月四日)美國獨立紀念日.

independent /ˌɪndɪ'pendənt/ *a*. ①獨立的;自主的;自治的②自食其力的;(經濟上能)自主的③單獨的,獨自的 *n*. 獨立派人士;無黨派者 **~ly** *ad*. // ~*means*(不必依賴外援)充足的個人經濟收入.

in-depth /ɪn'depθ/ *a*. 認真作出的;詳細的;徹底的.

indescribable /ˌɪndɪs'kraɪbəbl/ *a*. 難以描述的;形容不出的 **indescribably** *ad*.

indestructible /ˌɪndɪ'strʌktəbl/ *a*. 不能破壞的;毀滅不了的 **indestructibility** *n*. **indestructibly** *ad*.

indeterminable /ˌɪndɪ'tɜːmɪnəbl/ *a*. 不能决定的;不能解决的;無法確定的 **indeterminably** *ad*.

indeterminate /ˌɪndɪ'tɜːmɪnət/ *a*. 不確定的;不明確的;模糊的;【數】不確定的;未定元的 **indeterminacy** *n*.

index /'ɪndeks/ *n*. (*pl*. **~es**, **indices** /'ɪndɪsiːz/) ①索引②指標;標志;指數; *v*. (為…)加索引;把…編入索引;指明,指出 **~-linked** *a*. (指工資、退休金等)與生活費用指數挂鈎的 // ~*finger* 食指.

Indian /ˌɪndɪən/ *a*. ①印度(人)的②印第安人的 *n*. ①印度人②(亦作 **American** ~)美洲印第安人 // ~*corn* = maize 玉米,包米 ~*file* (= single file)一路縱隊 ~*ink* 墨汁 ~*summer* 晚秋的暖晴天氣,十月小陽春;[喻]愉快、如意老當益壯的晚年.

india rubber /ˌɪndɪə 'rʌbə(r)/ *n*. 橡皮擦(= eraser).

indicate /'ɪndɪkeɪt/ *vt*. ①指示,表示;指出②表明(症狀、原因等);象徵;預示;表示有必要,表明…是可取的③簡單陳述.

indication /ˌɪndɪ'keɪʃn/ *n*. ①指示,指出;表示②象徵,徵兆,迹象.

indicative /ɪn'dɪkətɪv/ *a*. 指示的,表示的;象徵的;【語】// ~*mood*【語】陳述語氣.

indicator /'ɪndɪkeɪtə(r)/ *n*. ①指示者,指示物;標識②指示器;(車輛的)方向燈;【化】指示劑.

indices /'ɪndɪsiːz/ *n*. index 的複數.

indict /ɪn'daɪt/ *vt*.【律】控告,對…起訴 **~able** *a*. 可起訴的,可告發的 **~ment** *n*.

indie /'ɪndɪ/ *a*. & *n*. 獨立經營的(電影院、電台、電視台等);與大唱片公司不挂鉤的(自營片商).

indifference /ɪn'dɪfrəns/ *n*. 不關心,不計較;冷淡;不在乎.

indifferent /ɪn'dɪfrənt/ *a*. ①不關心的;不感興趣的;冷淡的②平庸的,平凡的;差勁的 **~ly** *ad*.

indigenous /ɪn'dɪdʒɪnəs/ *a*. 本地的,土生土長的 **~ly** *ad*.

indigent /ɪndɪdʒənt/ *a*. 貧困的 **indigence** *n*. **~ly** *ad*.

indigestible /ˌɪndɪ'dʒestəbl, -daɪ-/ *a*. 難消化的;[喻]難以理解的 **indigestibility** *n*. **indigestibly** *ad*.

indigestion /ˌɪndɪ'dʒestʃən, -daɪ-/ *n*. 消化不良(症) **indigestive** *a*.

indignant /ɪn'dɪgnənt/ *a*. 憤慨的,義憤的 **~ly** *ad*.

indignation /ˌɪndɪg'neɪʃn/ *n*. 憤慨,義憤.

indignity /ɪn'dɪgnətɪ/ *n*. 輕蔑;屈辱;侮辱(性的言行).

indigo /'ɪndɪgəʊ/ *n*. 靛藍;靛藍類染料;深藍色.

indirect /ˌɪndɪ'rekt, -daɪ-/ *a*. ①間接的;迂迴的,曲折的②不直截了當的;不坦率的 **~ly** *ad*. **~ness** *n*. // ~ *object*【語】間接賓語 ~ *speech* (= reported speech)【語】間接引語 ~ *tax* 間接稅.

indiscernible /ˌɪndɪ'sɜːnəbl/ *a*. 覺察不出的;難辨別的.

indiscipline /ɪn'dɪsɪplɪn/ *n*. 無紀律;缺乏訓練.

indiscreet /ˌɪndɪs'kriːt/ *a*. (言行)不檢點的;欠慎重的,輕率的 **~ly** *ad*. **indiscretion** *n*.

indiscriminate /ˌɪndɪ'skrɪmɪnət/ *a*. 不加區別的,不分青紅皂白的;任意的,胡亂的 **~ly** *ad*.

indispensable /ˌɪndɪ'spensəbl/ *a*. 不可缺少的,必需的 **indispensability** *n*. **indispensably** *ad*.

indisposed /ˌɪndɪ'spəʊzd/ *a*. ①身體不適的,有點小病的②不願意的;厭惡的 **indisposition** *n*. 不舒服,小病;不願;厭惡.

indisputable /ˌɪndɪ'spjuːtəbl/ *a*. 無可爭辯的;不容置疑的 **indisputably** *ad*.

indissoluble /ˌɪndɪ'sɒljʊbl/ *a*. ①不能溶解的;難分解的;不可分離的②穩定的;堅固持久的 **indissolubly** *ad*.

indistinct /ˌɪndɪ'stɪŋkt/ *a*. 不清楚的,模糊的;朦朧的 **~ly** *ad*.

indistinguishable /ˌɪndɪ'stɪŋgwɪʃəbl/ *a*. 難區別的,不能辨別的 **indistinguishably** *ad*.

indium /'ɪndɪəm/ *n*.【化】(銀白色金屬元素)銦.

individual /ˌɪndɪ'vɪdʒʊəl/ *a*. ①(常用於 each 後)單獨的,個別的,單一的②個人的,個體的③特殊的,特有的,獨特的 *n*. 個人,個體;[口]人,(尤指)古怪的人 **~ly** *ad*. 以個人資格;個性上;各個地,獨特地.

individualism /ˌɪndɪ'vɪdʒʊəlɪzəm/ *n*. ①個人主義,利己主義②個性,獨特性;[口]我行我素 **individualist** *n*. 個人主義者;利己主義者 **individualistic** *a*. 個人主義(者)的.

individuality /ˌɪndɪˌvɪdʒʊ'ælətɪ/ *n*. ①

個體;個人;獨立存在②個性,個人的特徵;(*pl*.)個人嗜好.

individualize, -ise /ˌɪndɪ'vɪdʒʊəlaɪz/ *vt*. ①使個體化,使有個人特色,使個性化②一一列舉,分別詳述 **individualization** *n*.

indivisible /ˌɪndɪ'vɪzəbl/ *a*. 不可分割的;【數】除不盡的 **indivisibility** *n*. **indivisibly** *ad*.

Indo-[前綴] 表示"印度","印度種"如 **~-European** *a*. 印歐語系的;說印歐語系語言民族的.

Indo-China /'ɪndəʊ'tʃaɪnə/ *n*. 印度支那(亞洲).

indocile /ɪn'dəʊsaɪl/ *a*. 難馴服的;倔強的 **indocility** *n*.

indoctrinate /ɪn'dɒktrɪneɪt/ *vt*. 灌輸;教訓 **indoctrination** *n*.

indolent /'ɪndələnt/ *a*. ①懶惰的;不積極的②【醫】不痛的 **indolence** *n*. **~ly** *ad*.

indomitable /ɪn'dɒmɪtəbl/ *a*. 不屈不撓的;不氣餒的;大無畏的 **indomitably** *ad*.

indoor /'ɪndɔ:(r)/ *a*. 屋内的,室内的 **~s** *ad*.

indorse /ɪn'dɔ:s/ *vt*. =endorse.

indrawn /ˌɪn'drɔ:n/ *a*. 吸入體内的(尤指氣體).

indubitable /ɪn'dju:bɪtəbl/ *a*. [書]不容置疑的;明確的 **indubitably** *ad*.

induce /ɪn'dju:s/ *vt*. ①引誘;勸使②引起,導致③【醫】(用藥物)催生,助產 **~ment** *n*.誘因;動機;[婉]賄賂.

induct /ɪn'dʌkt/ *vt*. 使正式就職;使入會;徵召入伍.

induction /ɪn'dʌkʃn/ *n*. ①【邏】歸納法,歸納推理②【電】感應(現象)③就職(典禮);入會;入伍 // ~*coil*【電】感應綫圈 ~*course* 就業培訓教程~*motor*【電】感應電動機,異步電動機.

inductive /ɪn'dʌktɪv/ *a*. ①【邏】歸納(法)的②【電】感應的 **~ly** *ad*.

indulge /ɪn'dʌldʒ/ *v*. ①縱情(享受),(尤指)大飽口福,沉迷,沉溺②使滿足;縱容;遷就 **~nt** *a*.縱容的,溺愛的;寬容的 **~ntly** *ad*.

indulgence /ɪn'dʌldʒəns/ *n*. ①縱情,沉迷,沉溺②放任,縱容,嬌養③嗜好;着迷的事物④恩惠;(天主教的)免罪;豁免;【商】付款延期.

industrial /ɪn'dʌstrɪəl/ *a*. ①工業的,產業的,實業的②工業上用的③工業高度發達的 **~ism** *n*.工業(產業)主義 **~ist** *n*.工業家,實業家 **~ly** *ad*. // ~*action* 罷工,怠工 ~*dispute* 勞資糾紛 ~*estate*[英](建在近郊區的)工業區(=trading estate) ~*relations* 勞資關係 *I-Revolution*(十八世紀六十年代在英國開始的)工業革命,產業革命.

industrialize, -ise /ɪn'dʌstrɪəlaɪz/ *v*. (使)工業化 **industrilization, -isation** *n*.

industrious /ɪn'dʌstrɪəs/ *a*. 勤奮的;刻苦的 **~ly** *ad*. **~ness** *n*.

industry /'ɪndʌstrɪ/ *n*. ①勤奮;刻苦②工業,產業,實業(尤指)服務性行業.

inebriate /ɪ'ni:brɪət/ *a*. 經常醉醺醺的 *n*.醉漢,酒徒 /ɪ'ni:brɪeɪt/ *vt*.使醉,灌醉 **~d** *a*.[書](常作借表語)喝醉的;[喻]興奮的;如痴如醉的 **inebriation** *a*.

inedible/ɪn'edɪbl/ *a*.不宜食用的,不能吃的 **inedibly** *ad*.

ineducable /ɪn'edjʊkəbl/ *a*. 無法教育的;不堪造就的 **ineducability** *n*. **ineducably** *ad*.

ineffable /ɪn'efəbl/ *a*. ①不可言喻的, 不可名狀的②應避諱的, 說不得的 **ineffably** *ad*.

ineffective /ˌɪnɪ'fektɪv/ *a*. 無效的, 不起作用的; 效率低的, 無能的 **~ly** *ad*. **~ness** *n*.

ineffectual /ˌɪnɪ'fektʃuəl/ *a*. 無效的; 不靈驗的; 不稱職的; 無能的 **~ly** *ad*.

inefficient /ˌɪnɪ'fɪʃnt/ *a*. (指機器、程序、方法等)效率低的; 無效的; (指人)無能的; 效率差的 **inefficiency** *n*. **~ly** *ad*.

inelastic /ˌɪnɪ'læstɪk/ *a*. ①無彈力的; 無伸縮性的②無適應性的; 不能變通的.

inelegant /ˌɪn'elɪgənt/ *a*. 不雅(觀)的, 不精緻的; 粗俗的 **inelegance** *n*. **~ly** *ad*.

ineligible /ɪn'elɪdʒəbl/ *a*. 不合格的; 無資格的; 不可取的 **ineligibility** *n*.

ineluctable /ˌɪnɪ'lʌktəbl/ *a*. 不可避免的; 必然發生的 **ineluctably**.

inept /ɪ'nept/ *a*. ①笨拙的; 愚蠢的; 無能的, 不稱職的②不合時宜的; 不適當的 **~itude** *n*. (亦作 **~ness**) **~ly** *ad*.

inequality /ˌɪnɪ'kwɒlətɪ/ *n*. ①不平等; 不平均; 不等量②高低起伏; (平面)不平坦③【數】不等式.

inequitable /ɪn'ekwɪtəbl/ *a*. 不公正的, 不公平的 **inequitably** *ad*.

inequity /ɪn'ekwətɪ/ *n*. 不公平, 不公正.

ineradicable /ˌɪnɪ'rædɪkəbl/ *a*. 不能根除的; 根深蒂固的 **ineradicably** *ad*.

inert /ɪ'nɜːt/ *a*. ①無活動力的②【化】惰性的; 非活性的③(指人)不活潑的, 無生氣的, 遲鈍的 **~ly** *ad*.

inertia /ɪ'nɜːʃə/ *n*. ①無活動力; 不活潑②【物】慣性; 慣量 **~l** *a*. // **~l** *guidance*/或**~** *navigation*【軍】慣性制導 **~** *reel seat-belt* (車輛刹車時會自動收緊的)慣性安全帶 **~** *selling* (把貨寄給並未訂購的潛在顧客, 如未遭退還即向其收款的)慣性推銷.

inescapable /ˌɪnɪ'skeɪpəbl/ *a*. 無法逃避的; 必然發生的 **inescapably** *ad*.

inessential /ˌɪnɪ'senʃəl/ *a*. & *n*. 無關緊要的; 可有可無的(東西).

inestimable /ɪn'estɪməbl/ *a*. 無法估計的; 極貴重的; 無價的 **inestimably** *ad*.

inevitable /ɪn'evɪtəbl/ *a*. 不可避免的; 必然(發生)的; [俗][謔]照例的, 照常的 **inevitability** *n*. **inevitably** *ad*. **the ~** *n*. 注定要發生的事.

inexact /ˌɪnɪg'zækt/ *a*. ①不精確的, 不準確的②不嚴格的; 不仔細的 **~itude**, **~ness** *n*.

inexcusable /ˌɪnɪk'skjuːzəbl/ *a*. 不可原諒的; 無法辯解的 **inexcusably** *ad*.

inexhaustible /ˌɪnɪg'zɔːstəbl/ *a*. 用不完的; 無窮盡的 **inexhaustibly** *ad*.

inexorable /ɪn'eksərəbl/ *a*. 不屈不撓的; 不可動搖的; 堅持不懈的; 無情的 **inexorably** *ad*.

inexpedient /ˌɪnɪk'spiːdɪənt/ *a*. 不適當的, 不明智的, 失策的 **inexpediency** *n*.

inexpensive /ˌɪnɪk'spensɪv/ *a*. (指價格)不貴的, 便宜的 **~ly** *ad*.

inexperience /ˌɪnɪk'spɪərɪəns/ *n*. 無經驗; 不熟練 **~d** *a*.

inexpert /ɪn'ekspɜːt/ *a*. 不熟練的; 不老練的; 外行的 **~ly** *ad*.

inexpiable /ɪn'ekspɪəbl/ *a*. (罪錯等)不能抵償的, 無法贖回的 **inexpiably**

ad.

inexplicable /ˌɪnɪk'splɪkəbl/ *a*. 無法說明的；莫名其妙的 **inexplicably** *ad*.

inexpressible /ˌɪnɪk'spresəbl/ *a*. 表達不出的；難以形容的 **inexpressibly** *ad*.

inextinguishable /ˌɪnɪk'stɪŋgwɪʃəbl/ *a*. 不能撲滅的；壓制不住的 **inextinguishably** *ad*.

in extremis /ˌɪnɪk'striːmɪs/ *ad*. [拉] 在危急情況下；臨終時.

inextricable /ˌɪnɪk'strɪkəbl/ *a*. ①解不開的；糾纏不清的；不能解決的②無法擺脱的 **inextricably** *ad*.

INF *abbr*. = intermediate-range nuclear forces【軍】中程核武器.

infallible /ɪn'fæləbl/ *a*. ①一貫正確的；不會犯錯的②絕對有效的，確實可靠的 **infallibility** *n*. **infallibly** *ad*.

infamous /'ɪnfəməs/ *a*. ①聲名狼藉的，臭名昭著的②無耻的；邪惡的 **~ly** *ad*. **infamy** /'ɪnfəmɪ /*n*. ①臭名②醜行；劣迹.

infant /'ɪnfənt/ *n*. 嬰孩；幼兒；[英]【律】(十八歲以下的)未成年者 **infancy** *n*. 嬰兒期，幼年期；初期；萌芽期；[英]【律】(18 歲以下的)未成年期 // *~prodigy* 神童.

infanticide /ɪn'fæntɪsaɪd/ *n*. 殺嬰罪；殺嬰犯.

infantile /'ɪnfəntaɪl/ *a*. ①嬰兒(期)的②幼稚的，孩子氣的 **infantilism** *n*. 幼稚病；幼稚行為.

infantry /'ɪnfəntrɪ/ *n*. 步兵(部隊).

infatuate/ɪn'fætjʊɪt/ *vt*. ①使冲昏頭腦；使糊塗②使着迷.

infatuated /ɪn'fætʃʊeɪtɪd/ *a*. 痴情地迷戀着的 **infatuation** *n*.

infect /ɪn'fekt/ *vt*. ①傳染(疾病，病菌等)；污染；侵染②感染；使受影響.

infection /ɪn'fekʃn/ *n*. 傳染(病)；感染；侵染.

infectious /ɪn'fekʃəs/ *a*. ①傳染(性)的②感染性的；易傳播的 **~ly** *ad*. **~ness** *n*.

infer /ɪn'fɜː/ *v*. 推理，推斷，推論；作出推論.

inference /'ɪnfərəns/ *n*. 推理，推斷，推論 **inferential** *a*.

inferior /ɪn'fɪərɪə(r)/ *a*. ①(地位，職務等)下等的，下級的②(質量等)低劣的，次要的 *n*. 下級；部下；晚輩.

inferiority /ɪnˌfɪərɪ'ɒrətɪ/ *n*. 下級；下等，次級，低級 // *~complex*【心】自卑情結，自卑感.

infernal /ɪn'fɜːnl/ *a*. ①地獄的；陰間的②惡魔似的，窮凶極惡的③[口]壞透的；可惡的；該死的 **~ly** *ad*.

inferno /ɪn'fɜːnəʊ/ *n*. (*pl*. **~s**) ①地獄，陰森可怕的地方②火海；熊熊烈火.

infertile /ɪn'fɜːtaɪl/ *a*. 不結果實的；不能生育的；貧瘠的 **infertility** *n*.

infest /ɪn'fest/ *vt*. (指害蟲、老鼠、盜賊等)成群出沒；猖獗；侵擾 **~ation** *n*.

infidel /'ɪnfɪdəl/ *n*. 不信教者；异教徒.

infidelity /ˌɪnfɪ'delətɪ/ *n*. (夫婦間的)不忠；不貞；(尤指)通奸.

infield /ˌɪnfiːld/ *n*.【體】(板球或棒球的)内場；内野；全體内野手

infighting /'ɪnfaɪtɪŋ/ *n*. ①(拳擊中的)貼近對打②(集團内的)派系傾軋；暗鬥.

infiltrate /'ɪnfɪltreɪt/ *v*. (使)滲入；滲透；(悄悄地)混進 **infiltration** *n*. **infiltrator** *n*. 滲入者，潛入者.

infinite /ˈɪnfɪnət/ *a*. 無限的, 無窮的, 廣大無邊的 **~ly** *ad*. **the I-** *n*.【宗】(具有無限恩典且法力無邊的)造物主, 上帝.

infinitesimal /ˌɪnfɪnɪˈtesɪml/ *a*. 無限小的; 極微小的 **~ly** *ad*.

infinitive /ɪnˈfɪnətɪv/ *n*. & *a*.【語】(動詞)不定式(的).

infinitude /ɪnˈfɪnɪtjuːd/ *n*. 無限, 無窮; 無限量; 無窮數.

infinity /ɪnˈfɪnətɪ/ *n*. ①(時間、空間、數目的)無限, 無窮 ②大量; 無數 // *to* ~ 直到無限.

infirm /ɪnˈfɜːm/ *a*. ①(身心)虛弱的, 懦弱的 ②不牢固的 **~ity** *n*. 虛弱, 懦弱 **the ~** *n*. 體弱者.

infirmary /ɪnˈfɜːmərɪ/ *n*. 醫院; 診所; 醫務室.

inflame /ɪnˈfleɪm/ *v*. 激怒; 煽動; (使)激動 **~d** *a*. ①【醫】發炎的, 紅腫的 ②被激怒的.

inflammable /ɪnˈflæməbl/ *a*. ①易燃的 ②易激動的, 易激怒的 **inflammability** *n*. **inflammably** *ad*.

inflammation /ˌɪnfləˈmeɪʃn/ *n*.【醫】炎症; 紅腫.

inflammatory /ɪnˈflæmətrɪ/ *a*. 刺激性的; 煽動性的; 激怒人的.

inflate /ɪnˈfleɪt/ *v*. ①(使)膨脹 ②【經】使(通貨)膨脹 ③使得意; 使驕傲 **inflatable** *a*. 可膨脹的 *n*. 可充氣物品.

inflated /ɪnˈfleɪtɪd/ *a*. ①充了氣的 ②洋洋得意的 ③(語言)誇張的, 言過其實的 ④【經】惡性通貨膨脹的; (價格)飛漲的.

inflation /ɪnˈfleɪʃn/ *n*. ①膨脹 ②【經】通貨膨脹, (物價)暴漲 ③自負; 浮誇 **~ary** *a*. 通脹(引起的) // *~ary spiral*【經】惡性通脹.

inflect /ɪnˈflekt/ *vt*.【語】使(詞)發生屈折變化;【語】使變音; 使轉調 **~ed** *a*. (指語言)有大量詞形變化的.

inflection, (英亦作 **inflexion**) /ɪnˈflekʃn/ *a*. 變音, 轉調;【語】屈折變化, 詞形變化.

inflexible /ɪnˈfleksəbl/ *a*. ①不可彎曲的; 不變的, 固定的 ②不屈服的; 堅定的 **inflexibility** *n*. **inflexibly** *ad*.

inflict /ɪnˈflɪkt/ *vt*. 予以打擊; 使承受(損失、痛苦、處罰等) **~ion** *n*.

in-flight /ˌɪnˈflaɪt/ *a*. 飛行中的.

inflorescence /ˌɪnflɔːˈresəns/ *n*.【植】花序; 花簇.

inflow /ˈɪnfləʊ/ *n*. 流入(物).

influence /ˈɪnflʊəns/ *n*. ①影響; 感化 ②勢力, 權勢 ③有影響的人物(事物); 有權勢的人 *vt*. 影響, 感化; 左右, 支配 // *under the* ~ (*of alcohol*)[書][謔]喝醉的.

influential /ˌɪnflʊˈenʃl/ *a*. 有影響的; 有權勢的 **~ly** *ad*.

influenza /ˌɪnflʊˈenzə/ *n*. (略作 **flu**)【醫】流行性感冒.

influx /ˈɪnflʌks/ *n*. 流入; (大批人員或大量物資的)彙集.

info /ˈɪnfəʊ/ [口] = information.

inform /ɪnˈfɔːm/ *vt*. 告訴; 報告; 通知 *vi*. 告發, 告密(後接 on 或 against) **~ant** *n*. 通知者; 報告者 **~ed** *a*. 有學識的, 見多識廣的 **~er** *n*. 告發者.

informal /ɪnˈfɔːml/ *a*. ①非正式的; 簡略的 ②不拘禮節(形式)的 ③口語的; 通俗的 **~ity** *n*. **~ly** *ad*.

information /ˌɪnfəˈmeɪʃn/ *n*. ①通知; 報告 ②情報; 消息; 資料.

infra- [前綴] 表示“在下”, “在下部”.

infraction /ɪnˈfrækʃn/ *n*. 違法; 犯規.

infra dig /ˌɪnfrə ˈdɪɡ/ *a*. ([拉] infra

dignitaten 之略)有失尊嚴的;有失身份的.

infrared /ˌɪnfrəˈred/ *a*. 【物】紅外綫的;產生紅外綫輻射的.

infrastructure /ˈɪnfrəˌstrʌktʃə(r)/ *n*. (社會、國家的)基礎結構;基本設施.

infrequent /ɪnˈfriːkwənt/ *a*. 稀罕的, 少見的 **infrequency** *n*. **~ly** *ad*.

infringe /ɪnˈfrɪndʒ/ *v*. 破壞, 違背;侵犯, 侵害 **~ment** *n*.

infuriate /ɪnˈfjʊərɪeɪt/ *vt*. 激怒, 使極為憤怒 **infuriating** *a*. 令人極為憤怒的 **infuriatingly** *ad*.

infuse /ɪnˈfjuːz/ *vt*. ①注入;灌輸②泡製(茶葉、草藥等);浸漬 **infusion** *n*. ①灌輸, 注入②浸漬, 泡製③浸液.

ingenious /ɪnˈdʒiːnɪəs/ *a*. ①機靈的;足智多謀的;有獨創性的②精巧製成的, 結構巧妙的 **~ly** *ad*. **ingenuity** *n*.

ingénue /ˈænʒeɪnjuː/ *n*. [法](尤指由演員扮演戲劇中的)天真姑娘.

ingenuous /ɪnˈdʒenjʊəs/ *a*. 質樸的, 單純的;直率的, 老實的 **~ly** *ad*.

ingest /ɪnˈdʒest/ *vt*. 攝取(食物);咽下;吸收 **~ion** *n*.

inglenook /ˈɪŋglnʊk/ *n*. 壁爐邊;爐邊暖融融處.

inglorious /ɪnˈglɔːrɪəs/ *a*. 可耻的, 不光彩的 **~ly** *ad*.

ingoing /ˈɪŋˌgəʊɪŋ/ *a*. 進來的, 進入的.

ingot /ˈɪŋgət/ *n*. 【冶】(尤指金、銀的)鑄塊, 錠.

ingrained /ɪnˈgreɪnd/ *a*. ①(指習慣, 癖好等)根深蒂固的;難改的②(指污迹等)深染的, 除不掉的.

ingratiate /ɪnˈgreɪʃɪeɪt/ *vt*. 迎合;討好 **ingratiating** *a*. 逢迎的, 討好的, 巴結的 **ingratiatingly** *ad*.

ingratitude /ɪnˈgrætɪtjuːd/ *n*. 忘恩負義.

ingredient /ɪnˈgriːdɪənt/ *n*. 成份;要素.

ingress /ˈɪŋgres/ *n*. 進入;入境權.

in-group /ˈɪn gruːp/ *n*. 內部集團;派系, 幫派.

ingrowing /ˈɪngrəʊɪŋ/ *a*. 向內生長的;(指甲)長進肌肉內的.

inhabit /ɪnˈhæbɪt/ *vt*. 居住, 栖息 **~able** *a*. 適於居住(栖息)的 **~ation** *n*. 居住, 栖息, 住處.

inhabitant /ɪnˈhæbɪtənt/ *n*. 居民, 住戶.

inhale /ɪnˈheɪl/ *vt*. 吸入, 把(烟)吸入肺內 **inhalant** *n*. 被吸入的藥物 **~r** *n*. 【醫】(能使藥物成氣霧狀供患者吸入的)氣霧(吸入)器.

inherent /ɪnˈhɪərənt/ *a*. 固有的, 生來的 **~ly** *n*.

inherit /ɪnˈherɪt/ *vt*. 繼承(遺產、頭銜、封號、權利等);(經遺傳而)得到(性格、特徵等);(從前任)繼承;接受 **~or**, (**~ress**) *n*. (女)繼承人.

inheritance /ɪnˈherɪtəns/ *n*. 繼承;承受;遺傳(性);遺產;繼承物.

inhibit /ɪnˈhɪbɪt/ *vt*. 制止, 禁止;抑制, 約束 **~ed** *a*. (指人及個性)拘謹的, 拘束的 **~edly** *ad*.

inhibition /ˌɪnhɪˈbɪʃn/ *n*. 禁止;約束;抑制.

inhospitable /ɪnhɒˈspɪtəbl/ *a*. 不好客的;冷淡的;不適於居住的;荒凉的 **inhospitability** *n*.

inhuman /ɪnˈhjuːmən/ *a*. 非人的, 無人性的;冷酷無情的, 殘忍的 **~ity** *n*. 冷酷無情, 殘忍;野蠻(行為).

inhumane /ˌɪnhjuːˈmeɪn/ *a*. 不近人情的, 不人道的;殘忍的 **~ly** *ad*.

inimical /ɪˈnɪmɪkl/ *a*. 有敵意的;不利的;有害的 **~ly** *ad*.

inimitable /ɪ'nɪmɪtəbl/ *a*. 不可仿效的;無比的,無雙的.

iniquity /ɪ'nɪkwətɪ/ *n*. 極度的不公正;不義;邪惡;罪過 **iniquitous** /ɪ'nɪkwɪtəs/ *a*. **iniquitously** *ad*.

initial /ɪ'nɪʃl/ *a*. 最初的,開始的 *n*. (尤指姓名的)首字母~**ly** *ad*.起初,開始.

initiate /ɪ'nɪʃɪeɪt/ *vt*. ①開始,發起;着手②引進;加入;正式介紹③傳授(知識,秘密等);啓發;使入門 /ɪ'nɪʃɪɪt/ *n*.被傳授初步知識者;掌握機密者;新入會者.

initiation /ɪˌnɪʃɪ'eɪʃn/ *n*. 開始;創始;加入;入會.

initiative /ɪ'nɪʃətɪv/ *n*. ①創始;率先行動②積極性,主動性③倡議;動議權// *on one's own* ~主動地 *take the*~帶頭,採取主動.

initiator /ɪ'nɪʃɪeɪtə(r)/ *n*. 創始者,倡議者;傳授者~**y** *a*.起初的;啓蒙的;入會的.

inject /ɪn'dʒekt/ *vt*. ①注射,打(針)②注入,引入(新思想、感情等).

injection /ɪn'dʒekʃn/ *n*. ①注射,打針;[喻]注入,引入②注射劑(液),針藥.

injudicious /ˌɪndʒuː'dɪʃəs/ *a*. 不明智的;判斷不當的;不慎重的.

injunction /ɪn'dʒʌŋkʃn/ *n*.【律】禁令,指令;[書]命令.

injure /'ɪndʒə(r)/ *vt*. 損害,毀壞,傷害(身體或思想感情)~**d** *a*.(在身心方面)受傷害的,受損害的 **the ~d** *n*. 受傷者,傷員.

injurious /ɪn'dʒʊərɪəs/ *a*. 有害的;侮辱的;中傷的.

injury /'ɪndʒərɪ/ *n*. 損害,傷害[廢]侮辱~**-time** *n*.【體】(為彌補)因運動員受傷而耽誤比賽所進行的加時賽// *add insult to* ~ 傷害外又加侮辱;落井下石.

injustice /ɪn'dʒʌstɪs/ *n*. 不公正,不公平;不公正的行為,不義之舉.

ink /ɪŋk/ *n*. 墨水,油墨;(墨魚,魷魚等的)墨汁 *vt*.塗油墨;用墨水描黑(鉛筆底稿等)~**y** /'ɪnkɪ /*a*.塗有墨水的;烏黑的,漆黑的~**-pad** *n*.印台.

inkling /'ɪŋklɪŋ/ *n*. 暗示;略知;迹象.

inlaid /'ɪnleɪd/ *a*. 鑲嵌的,嵌有花樣的.

inland /'ɪnlənd/ *a*. 內地的;國內的 *ad*.在內地,向內地// *the I-Revenue* [英](專司國內稅收的)稅務局.

in-laws /'ɪnlɔːz/ *pl*.*n*. 姻親,外戚.

inlay /ˌɪn'leɪ/ *n*. ①鑲嵌物,鑲嵌圖案②【牙科】(填補牙洞用的金屬或塑膠等)鑲嵌材料,鑲嵌法.

inlet /'ɪnlet/ *n*. ①水灣,小港②入水口,進氣口.

in loco parentis /ɪn ˌləʊkəʊ pə'rentɪs/ *ad*. [拉]代行父母的職務,負起父母的責任.

inmate /'ɪnmeɪt/ *n*. 同室或同屋居住者(尤指醫院、監獄等非自願居住者).

in memoriam /ˌɪn mə'mɔːrɪəm/ *prep*. [拉](用於墓碑、墓志銘上)為紀念….

inmost /'ɪnməʊst/ (亦作 **innermost**) *a*. 最內部的;最深處的;[喻]秘藏心中的,內心深處的.

inn /ɪn/ *n*. (尤指鄉村中的)小旅館,客棧;小酒館 // *Inns of Court* 倫敦法學協會(具有授予高級律師資格的四個法學團體).

innards /'ɪnədz/ *pl*. *n*. [口]①內臟;(常指)胃腸②內部結構,內部機構.

innate /ɪ'neɪt/ *a*. 天生的;固有的~**ly**

ad.

inner /'ɪnə(r)/ *a*. ①內部的②(指思想、感情)內心的;秘密的 // ～*circle* 核心集團 ～*city* 內城區(位於市中心的老城區, 多為貧民區) ～*man*/*woman*①【修】靈魂, 精神②[謔]肚子, 胃口.

inning /'ɪnɪŋ/ *n*. (棒球或板球賽的)一局;盤.

innings /'ɪnɪŋz/ *n*. (單複同形)①(板球賽中輪到)運動員該擊球的時候②[英]在職務上大顯身手的時期 // *have had a good*～[英諺]一直走運;幸福長壽.

innocent /'ɪnəsnt/ *a*. ①無罪的;無辜的;清白的②天真無邪的, 單純的③無知的, 頭腦簡單的④無害的 *n*. 天真無邪的人(尤指孩子);無辜的人 **innocence** *n*. **～ly** *ad*. // ～*of* [口]缺少, 無…的.

innocuous /ɪ'nɒkjʊəs/ *a*. 無害的;無侵犯意圖的**～ly** *ad*.

innovate /'ɪnəveɪt/ *v*. 改革, 革新, 創新 **innovation** *n*. **innovator** *n*. 革新者, 改革者.

innovative, innovatory /'ɪnəveɪtɪv, -tərɪ/ *a*. 革新的, 創新的;富有革新精神的.

innuendo /ˌɪnjuː'endəʊ/ *n*. [貶]影射;中傷;暗諷.

innumerable /ɪ'njuːmərəbl/ *a*. 無數的, 數不清的**～ly** *ad*.

innumerate /ɪ'njuːmərət/ *a*. 沒有基本數學知識的, 不會數數(或做算術)的 **innumeracy** *n*.

inoculate /ɪ'nɒkjʊleɪt/ *vt*.【醫】接種疫苗;打預防針 **inoculation** *n*.

inoffensive /ɪnə'fensɪv/ *a*. 無害的;不討厭的**～ly** *ad*.

inoperable /ɪn'ɒpərəbl/ *a*. ①【醫】不宜動手術的, 無法開刀治療的②不能實行的, 行不通的**～ly** *ad*.

inoperative /ɪn'ɒpərətɪv/ *a*. (指法律、規章等)不生效的;不起作用的**～ly** *ad*.

inopportune /ˌɪn'ɒpətjuːn/ *a*. 不合時宜的;不適當的**～ly** *ad*.

inordinate /ɪn'ɔːdɪnət/ *a*. 過度的, 過份的**～ly** *ad*.

inorganic /ɪnɔː'gænɪk/ *a*. ①【化】無機(物)的②無生物的③無組織體系的;人造的**～ally** *ad*.

inpatient /'ɪnpeɪʃnt/ *n*. 住院病人.

input /'ɪnpʊt/ *vt*. & *n*. ①輸入(資料);【計】輸入(數據);【電】輸入(電流)②輸入(物);輸入量.

inquest /'ɪŋkwest/ *n*. 審訊, 審問;查詢, 調查;(尤指對突然死亡原因的)偵查.

inquietude /ɪn'kwaɪətjuːd/ *n*. 不安;焦慮.

inquire /'ɪn'kwaɪə(r)/ *v*. ①打聽;詢問②調查;查問 **～r** *n*. 查詢者 **inquiring** *a*. 好問的, 愛打聽的 **inquiringly** *ad*. // ～*after* 問候 ～*for* 求見 ～*within*[告示用語]查詢入內.

inquiry /ɪn'kwaɪərɪ/ *n*. ①詢問;追究②調查, 審查.

inquisition /ˌɪnkwɪ'zɪʃn/ *n*. 嚴查, 盤問 **the I-** *n*. (中世紀羅馬天主教審訊, 迫害異教徒的)宗教法庭.

inquisitive /ɪn'kwɪzətɪv/ *a*. 好奇的;愛盤根究底的**～ly** *ad*.

inquisitor /ɪn'kwɪzɪtə(r)/ *n*. 審問者;檢查官;**(I-)**(中世紀天主教)宗教法庭的法官**～ial** *a*. **～ially** *ad*.

inquorate /ɪn'kwɒreɪt/ *a*. (指會議出席者)不夠法定人數的.

inroads /'ɪnrəʊdz/ *pl*. *n*. 侵犯;侵害;損害 // *make* ～ *into*/*on* 侵佔;消

耗;減少.

inrush /'ɪnrʌʃ/ *n*. 涌入;闖入;流入.

insalubrious /ˌɪnsə'lu:brɪəs/ *a*. [書](指氣候、環境等)不利於健康的, 對身體有害的.

insane /ɪn'seɪn/ *a*. 精神錯亂的, 瘋狂的;愚蠢的 **insanity** *n*. **~ly** *ad*.

insanitary /ɪn'sænɪtrɪ/ *a*. 不衛生的, 有害健康的.

insatiable /ɪn'seɪʃəbl/ *a*. 不知足的, 貪得無饜的 **insatiably** *ad*.

insatiate /ɪn'seɪʃɪət/ *a*. [書]永不知足的, 無法滿足的.

inscribe /ɪn'skraib/ *vt*. ①寫;記;刻;銘記②題獻, 題贈 **inscription** *n*. ①碑文;銘刻②(贈書上的)題詞;署名.

inscrutable /ɪn'skru:təbl/ *a*. 莫測高深的;不可思議的.

insect /'ɪnsekt/ *n*. ①(昆)蟲;(俗常指)小爬蟲②[貶]卑賤的小人**~icide** *n*. 殺蟲劑**~icidal** *a*.

insectivore /ɪn'sektɪvɔ:(r)/ *n*. 食蟲動物(植物)**insectivorous** *a*. 食蟲的.

insecure /ˌɪnsɪ'kjʊə(r)/ *a*. ①不安全的;不牢靠的②惴惴不安的;信心不足的 **insecurity** *n*. **~ly** *ad*.

inseminate /ɪn'semɪneɪt/ *vt*. 使受孕, 授精 **insemination** *n*.

insensate /ɪn'senseɪt/ *a*. ①沒有感覺的, 無知覺的②無情的, 殘忍的;無理性的.

insensible /ɪn'sensəble/ *a*. ①失去知覺的;麻木不仁的;昏迷不省的②不知道的, 沒察覺的③難以察覺的 **insensibility** *n*. **insensibly** *ad*.

insensitive /ɪn'sensətɪv/ *a*. 感覺遲鈍的, 無感覺的, 不敏感的**~ly** *ad*. **insensitivity** *n*.

inseparable /ɪn'seprəbl/ *a*. 分不開的, 不可分離的 **inseparably** *ad*.

insert /ɪn'sɜ:t/ *vt*. 插進, 夾入 /'ɪnsɜ:t/ *n*. 插入物**~ion** *n*. 插入;(尤指報刊上)插登的廣告(或啓事).

in-service /'ɪnsɜ:vɪs/ *a*. 在職(時進行)的// ~*training* 在職(不脫產)培訓(進修).

inset /ɪn'set/ *vt*. 嵌入, 插入(插圖等) /'ɪnset /*n*. 插入物;插頁;插圖(尤指附在大幅地圖角上的小地圖).

inshore /ˌɪn'ʃɔ:(r)/ *a*. 近海岸的;靠近陸地的 *ad*. 向海岸的(地), 向陸地的(地).

inside /ɪn'saɪd/ *n*. ①內部, 裏面;內側;內容;內情②[俗]腸胃, 內臟 /'ɪnsaɪd / *a*. 內部的, 裏面的;局內的 /ɪn'saɪd /*ad*. 在內(部), 在裏面;[英俚]在獄中 /'ɪn'saɪd /*prep*. 在…之內, 在…裏面**~r** *n*. 局內人, 知內情者// ~*left*(*right*)【體】(足球運動的)左(右)內鋒 ~*of*[口]在…之內;(時間上)少於 ~*out* 裏朝外地;徹底地 ~*r dealing*/*trading* 幕後交易.

insidious /ɪn'sɪdɪəs/ *a*. 陰險的;隱伏的;暗中為害的**~ly** *ad*.

insight /'ɪnsaɪt/ *n*. 洞察力, 悟力;見識**~ful** *a*. 有見識的.

insignia /ɪn'sɪgnɪə/ *pl*. *n*. 勛章;權位之標幟(如王冠、徽章、肩章、領章等).

insignificant /ˌɪnsɪg'nɪfɪkənt/ *a*. 無意義的;不重要的;沒價值的;沒用的;微不足道的 **insignificance** *n*.

insincere /ˌɪnsɪn'sɪə(r)/ *a*. 不誠實的;虛假的;無誠意的**~ly** *ad*. **insincerity** *n*.

insinuate /ɪn'sɪnjʊeɪt/ *v*. ①暗示, 暗諷②巧妙地潛入;使悄悄地進入 **insinuation** *n*. 暗示, 暗諷.

insipid /ɪn'sɪpɪd/ *a*. 乏味的;枯燥的;

無風趣的;沒活力的~**ity** *n*.

insist /ɪn'sɪst/ *v*. ①硬要,堅持②堅决主張,定要.

insistent /ɪn'sɪstənt/ *a*. 堅持的;堅决的;強求的;迫切的 **insistence** *n*. ~**ly** *ad*.

in situ /ˌɪn 'sɪtjuː/ *ad*. & *a*. [拉]在原處(的),在恰當位置上(的).

insofar as /ˌɪnsə'fɑːr əz/ *conj*. (= in so far as) 在…的範圍内;到…的程度;只要.

insole /'ɪnsəʊl/ *n*. 鞋内底,鞋墊.

insolent /'ɪnsələnt/ *a*. 傲慢的,蠻横無禮的 **insolence** *a*. ~**ly** *ad*.

insoluble /ɪn'sɒljʊbl/ *a*. ①不溶解的②不能解决的,難以解釋的.

insolvent /ɪn'sɒlvənt/ *a*. & *n*. 無力償付債務的(人),破產的(人) **insolvency** *n*.

insomnia /ɪn'sɒmnɪə/ *n*. 【醫】失眠(症)~**c** *n*.失眠症患者.

insomuch /ˌɪnsəʊ'mʌtʃ/ *ad*. 到如此之程度 // ~ *as* (用作 *conj*.)由於,因為.

insouciant /ɪn'suːsɪənt/ *a*. [法]漫不經心的;滿不在乎的;無憂無慮的 **insouciance** *n*.

inspect /ɪn'spekt/ *vt*. ①檢查;檢驗;審查②檢閱;視察~**ion** *n*.

inspector /ɪn'spektə(r)/ *n*. ①檢查員,視察員,稽查員②[英](警察)巡官~**ate** *n*.(總稱)視察(檢查)人員,視察(檢查)團.

inspiration /ˌɪnspə'reɪʃn/ *a*. ①(文學、藝術、音樂等創作上的)靈感②鼓舞;激勵③[口]靈機,妙想~**al** *a*.

inspire /ɪn'spaɪə(r)/ *vt*. ①鼓舞,激勵②使生靈感;使感悟~**d** *a*.有靈感的;靈機一動產生的.

inspiring /ɪn'spaɪərɪŋ/ *a*. 激勵的;[口]扣人心弦的.

Inst. *abbr*. = Institute, Institution.

inst *abbr*. = instant (this month)本月(常用於商業信函中).

instability /ˌɪnstə'bɪlətɪ/ *n*. 不穩定;動搖性;不堅决;反覆無常.

install /ɪn'stɔːl/ *vt*. ①任命,使就職②安裝(設備、機器),設置 ~**ation** *n*.就職(典禮);安裝,設置;設備,裝置.

instal(l)ment /ɪn'stɔːlmənt/ *n*. ①(分期付款的)每期應付額②(報刊中分期連載作品,電視連續劇的)一期;一部;一集// ~ *plan* [美](=[英]hire purchase)分期付款購貨法.

instance /'ɪnstəns/ *n*. ①事例,實例,例證,情況②要求,建議 *vt*.舉例(證明)// *at the* ~ *of* 應…的請求;在…建議下 *for* ~例如 *in the first* ~最初,首先 *in this* ~ [書]在此種情況下.

instant /'ɪnstənt/ *n*. 瞬間;時刻 *a*.①即刻的;迫切的②(指食品,飲料等)(配製)方便的,即食的,速溶的③本月的(商業信函中使用,常略作 *inst*)~**ly** *ad*.馬上,立即 *conj*.一…就 // *for an* ~ 一瞬間 *in an* ~馬上.

instantaneous /ˌɪnstən'teɪnɪəs/ *a*. 瞬間的,即刻的~**ly** *ad*.

instead /ɪns'ted/ *ad*. 代替,更替 // ~ *of* 代替,而不是.

instep /'ɪnstep/ *n*. 脚背;(脚背部份之)鞋面;襪面.

instigate /'ɪnstɪgeɪt/ *vt*. 煽動,唆使;挑起,策劃 **instigation** *n*. **instigator** *n*. 唆使者,煽動者.

instil(l) /ɪn'stɪl/ *vt*. 逐漸灌輸(思想,感情等)**instillation** *n*.

instinct /'ɪnstiŋkt/ *n*. 本能,天性;直覺~**ive** *a*. ~**ively** *ad*.

institute /'ɪnstɪtjuːt/ *n*. 協會,學會;學

院 *vt*.①設立,創立;制定;開始②任命;【宗】授…以聖職.

institution /ˌɪnstɪ'tjuːʃn/ *n*. ①設立;制定;任命②慣例;制度;規定③(大學、銀行、教會、醫院、福利院等)大的社會團體(機構)④[口][謔]名人,明星**~al** *a*.慣例的,制度上的;社會福利事業性質的.

instruct /ɪn'strʌkt/ *vt*. ①命令,指示②教授,教導③通知;向(律師等)提供事實情況**~or** *n*.教師,教練(員);[美](大學)講師**~ress** *n*.[美]女講師.

instruction /ɪn'strʌkʃn/ *n*. ①教導,教授② (*pl*.)指令,指示;(使用)說明**~al** 教學(性)的// *~al television* 教學電視.

instructive /ɪn'strʌktɪv/ *a*. 有教育意義的,啓發的,有益的**~ly** *ad*.

instrument /'ɪnstrumənt/ *n*. ①儀表,儀器②樂器(=musical~)③[口]傀儡,受人利用的工具**~ation** *n*.①(車輛等中的)儀表(總稱)②譜寫器樂樂曲.

instrumental /ˌɪnstru'mentl/ *a*. ①有幫助的;起作用的②為樂器譜曲的**~ist** *n*.器樂演奏者.

insubordinate /ˌɪnsə'bɔːdɪnət/ *a*. 不服從的,反抗的 **insubordination** *n*.

insubstantial /ˌɪnsəb'stænʃl/ *a*. ①無實體的,不實在的;幻想的②不堅固的,脆弱的;[喻]無真憑實據的.

insufferable /ɪn'sʌfrəbl/ *a*. 難忍受的,受不了的 **insufferably** *ad*.

insufficient /ˌɪnsə'fɪʃnt/ *a*. 不足的,不夠的;不充分的 **insufficiency** *n*. **~ly** *ad*.

insular /'ɪnsjulə(r)/ *a*. ①海島(似)的②[貶](心胸)偏狹的;孤立的.

insulate /'ɪnsjuleɪt/ *vt*. ①隔離,使孤立②【物】使絕緣,使隔熱,使隔音**~d** *a*.絕緣的,隔熱的,隔音的 **insulation** *n*.①絕緣(材料);隔熱(材料);隔音(材料)②孤立,隔離 **insulator** *n*.隔熱器;絕緣物(尤指絕緣瓷瓶).

insulin /'ɪnsjulɪn/ *n*. 【生化】胰島素.

insult /'ɪnsʌlt/ *n*. 侮辱(性的言行) / ɪn'sʌlt / *vt*.侮辱**~ing** *a*.侮辱性的,無禮的.

insuperable /ɪn'sjuːpərəbl/ *a*. 不能克服的,難以超越的 **insuperability** *n*. **insuperably** *ad*.

insupportable /ˌɪnsə'pɔːtəbl/ *a*. 難堪的,不能忍受的;無根據的 **insupportably** *ad*.

insurance /ɪn'ʃɔːrəns/ *n*. ①保險(業);保險費,(=pemium)保險金額②安全保障// *~ broker* 保險經紀人 *~ policy* 保險單.

insure /ɪn'ʃɔː(r)/ *vt*. ①保險,投保②[美]=ensure.

insurgent /ɪn'sɜːdʒənt/ *a*. 造反的,叛亂的;暴動的 *n*.造反者,叛亂份子 **insurgence** *n*.

insurmountable /ˌɪnsə'mauntəbl/ *a*. 不可克服的,難以逾越的.

insurrection /ˌɪnsə'rekʃn/ *n*. 叛亂,造反;暴動.

intact /ɪn'tækt/ *a*. (作表語)原封未動的,完整無損的.

intaglio /ɪn'tɑːlɪəu, -'tɑː-/ *n*. 凹雕(藝術),凹雕玉石.

intake /'ɪnteɪk/ *n*. ①吸入(量),進入(量)②進水口,通氣孔.

intangible /ɪn'tændʒəbl/ *a*. ①觸摸不到的;不可捉摸的;難以理解的②【商】(資產等)無形的.

integer /'ɪntɪdʒə(r)/ *n*. 【數】整數.

integral /'ɪntɪgrəl/ *a*. ①構成整體所必需的,缺一不可的②完整的;【數】

整數的;積分的 *n*. 全體整體;【數】積分 **~ly** *ad*. // ~ *calculus*【數】積分學.

integrate /ˈɪntɪɡreɪt/ *vt*. 使成整體;使併入;使融合為一體;使結合起來 **~d** *a*. 完整協調的 **integration** *a*. // ~*d circuit*【無】集成電路.

integrity /ɪnˈteɡrətɪ/ *n*. ①誠實, 正直 ②完整, 完全.

integument /ɪnˈteɡjʊmənt/ *n*. (動植物的)皮膚, 外皮, 外殼.

intellect /ˈɪntəlekt/ *n*. 智力, 才智.

intellectual /ˌɪntɪˈlektʃʊəl/ *a*. (有)智力的, 理智的, 聰明的 *n*. 知識份子 **~ly** *ad*.

intelligence /ɪnˈtelɪdʒəns/ *n*. ①聰明才智②消息;情報;情報人員(機構) // ~ *quotient* (略作 *IQ*)智商 ~ *test* 智力測驗.

intelligent /ɪnˈtelɪdʒənt/ *a*. 有才智的, 聰明的 **~ly** *ad*.

intelligentsia /ɪnˌtelɪˈdʒentsɪə/ *n*. 知識份子 **the ~** *n*. (總稱)知識份子;知識界.

intelligible /ɪnˈtelɪdʒəbl/ *a*. 可以理解的, 易領悟的 **intelligibility** *n*.

Intelsat /ˈɪntelˌsæt/ *n*. 國際電信衛星組織, 國際通信衛星.

intemperate /ɪnˈtempərət/ *a*. 無節制的, 放縱的;過度的, (尤指)飲酒過度的, 酗酒的 **intemperance** *n*.

intend /ɪnˈtend/ *vt*. ①想, 打算;企圖②意指, 打算使…成為 **~d** *a*. 預期的;打算中的;故意的 *n*. [口]意中人, 未婚妻(夫).

intense /ɪnˈtens/ *a*. ①極端的;激烈的, 強烈的②熱烈的, 熱情的 **~ly** *ad*. **intensity** *n*.

intensify /ɪnˈtensɪfaɪ/ *v*. 使強烈, 加強, 加劇;強化, 變猛烈 **intensification** *n*.

intensive /ɪnˈtensɪv/ *a*. 加強的;集中的;精深的;徹底的;【語】加強詞義的 *n*.【語】強議詞 **~ly** *ad*. // ~ *care* (對重症病人的)特別監護 ~ *care unit* 重症病房, 監護病房.

intent /ɪnˈtent/ *n*. 意圖, 目的 *a*. 專心的, 專注的 **~ly** *ad*. // *to all* ~*s* (*and purposes*)無論從那一方面來看;實際上.

intention /ɪnˈtenʃn/ *n*. ①意圖, 目的;打算②意義;意旨 **~al** *a*. 故意的, 有意的 **~ally** *ad*.

inter /ɪnˈtɜː(r)/ *vt*. 葬, 埋葬.

inter- [前綴]表示"在…中","在…間","相互".

interact /ˌɪntərˈækt/ *vt*. 相互作用(影響) **~ion** *n*. **~ive** *a*.

interbreed /ˌɪntəˈbriːd/ *v*. (使)雜交繁殖;(使)生育雜種.

intercede /ˌɪntəˈsiːd/ *vi*. 調停, 說和;代為求情 **intercession** *n*. **intercessor** *n*. 調解者;說情者.

intercept /ˌɪntəˈsept/ *vt*. 攔截;截擊;截斷;遮斷, 阻斷 **~ion** *n*. **~er, ~or** *n*. 攔截者;攔截飛機.

interchange /ˈɪntətʃeɪndʒ/ *v*. ①交換;交替(位置等)②(使)更迭發生 /ˈɪntətʃeɪndʒ/ *n*. 交換;交替;【建】立體交叉道, 立交橋 **~able** *a*. 可交換的, 可更替的 **~ability** *n*. **~ably** *ad*.

inter-city /ˌɪntəˈsɪtɪ/ *a*. 城市間的, (尤指高速交通工具)(在)市際(運行)的.

intercollegitae /ˌɪntəkəˈliːdʒɪət/ *a*. 大學(學院)間的.

intercom /ˈɪntəkɒm/ *n*. 對講電話裝置;內部通話系統.

intercommunicate /ˌɪntəkəˈmjuːnɪˈkeɪt/ *vi*. 互通;互相聯繫, 互相通信 **inter-**

communication *n*.

intercommunion /ˌɪntəkəˈmjuːnjən/ *n*. ①【宗】基督教各教派共同舉行的聖餐②各教派之間的交流.

interconnect /ˌɪntəkəˈnekt/ *v*. (使)互相聯繫**~ion** *n*.

intercontinental /ˌɪntəˌkɒntɪˈnentl/ *a*. 洲際的 // *~ ballistic missile* (略作 **IBM**)洲際彈道導彈.

intercourse /ˈɪntəkɔːs/ *n*. ① = sexual ~ ②交際,交往.

interdenominational /ˌɪntədɪˌnɒmɪˈneɪʃənl/ *a*. 【宗】各教派之間的;涉及不同教派的;各教派所共有的.

interdependent /ˌɪntədɪˈpendənt/ *a*. 互相依賴的 **interdependence** *n*. **~ly** *ad*.

interdict /ˈɪntədɪkt/ *n*. ①禁止;禁令②【宗】停止教權令 /ˌɪntəˈdɪkt /*vt*. ①禁止,制止;頒禁令;【宗】停止教權②【軍】閉鎖,阻斷(敵人通道) **~ion** *n*. ①禁止,制止;【軍】閉鎖,阻斷

interdisciplinary /ˌɪntəˈdɪsɪplɪnərɪ/ *a*. 涉及兩門以上學科的;跨學科的.

interest /ˈɪntrəst/ *n*. ①關心,趣味;興趣,感興趣的事;愛好②利害關係;(常 *pl*.)利益③利息;股份;權益④(*pl*.)同業 *vt*. 使發生興趣;使關心;使有份兒.

interested /ˈɪntrəstɪd/ *a*. ①感興趣的,關心的②有利害關係的;偏私的

interesting /ˈɪntrəstɪŋ/ *a*. 引起興趣的,有趣的**~ly** *ad*.

interface /ˈɪntəfeɪs/ *n*. 分界面;兩獨立學科相交並互相影響之處.

interfere /ˌɪntəˈfɪə(r)/ *vi*. ①干涉;調解②抵觸,衝突;妨礙,干擾;[婉]性騷擾.

interference /ˌɪntəˈfɪərəns/ *n*. ①干涉;【無】干擾②抵觸;妨礙③【體】犯規撞人.

interferon /ˌɪntəˈfɪərɒn/ *n*. 【生化】干擾素.

interim /ˈɪntərɪm/ *n*. & *a*. 暫時(的),臨時(的);期中的 // *in the ~* 在過渡時期.

interior /ɪnˈtɪərɪə(r)/ *a*. ①內部的,室內的,內地的②內心的,秘密的 *n*. ①內部;內地;(常大寫)內政②內心 **~ly** *ad*. // *~ decorator* 室內裝飾家(工人).

interject /ˌɪntəˈdʒekt/ *vt*. 插嘴說,插話.

interjection /ˌɪntəˈdʒekʃn/ *n*. 感嘆聲;【語】感嘆詞.

interlace /ˌɪntəˈleɪs/ *vt*. 編織,使交織;使交錯.

interlay /ˌɪntəˈleɪ/ *vt*. 置於其中 **~er** *n*. 【建】夾層,間層.

interleave /ˌɪntəˈliːv/(亦作 **interleaf** /ˈɪntəliːf/) *vt*. 在(書頁中)夾入空白紙.

interline /ˌɪntəˈlaɪn/ *vt*. ①寫(印)在…行間;隔行書寫(印刷)②在面和裏子之間加襯 **~ar** *a*. 寫(印)在行間的.

interlink /ˌɪntəˈlɪŋk/ *vt*. 互相連結,使結合.

interlock /ˌɪntəˈlɒk/ *v*. (使)連結,(使)連鎖 *n*. 連結;連鎖(裝置);精紡針織品.

interlocutor /ˌɪntəˈlɒkjʊtə(r)/ *n*. 對話者,交談者.

interloper /ˈɪntələʊpə(r)/ *n*. 闖入者;干涉他人事務者.

interlude /ˈɪntəluːd/ *n*. ①間歇,間隔②幕間(插入的演出);插曲,穿插(事件).

intermarry /ˌɪntəˈmærɪ/ *vt*. (不同家族、種族、宗教信仰之間)通婚 **inter-**

marriage *n*.

intermediary /ˌɪntəˈmiːdɪərɪ/ *a*. 中間人的, 居間的, 媒介的 *n*. 中間人, 調解者, 媒介;送信人

intermediate /ˌɪntəˈmiːdɪət/ *a*. 中間的, 居中的;中級的**~ly** *ad*.

intermezzo /ˌɪntəˈmetsəʊ/ *n*. 【樂】幕間插曲;間奏曲;(只有一個樂章的)器樂曲.

interminable /ɪnˈtɜːmɪnəbl/ *a*. [貶]冗長的;沒完沒了的 **interminably** *ad*.

intermingle /ˌɪntəˈmɪŋgl/ *v*. (使)混合,(使)攙雜.

intermission /ˌɪntəˈmɪʃn/ *n*. ①中止, 中斷②[美]幕間休息, 課間休息(=[英]interval).

intermittent /ˌɪntəˈmɪtənt/ *a*. 間斷的, 間歇的**~ly** *ad*.

intern[1]/ɪnˈtɜːn/ *vt*. (尤指戰時)扣留, 拘禁**~ee** *n*. 被扣留(拘禁)者**~ment** *n*.

intern(e)[2]/ˈɪntɜːn/ *n*. [美]住院實習醫生(=[英]houseman).

internal /ɪnˈtɜːnl/ *a*. ①內部的;國內的;內政的②內在的, 本身的, 固有的③體內的;內心的;精神的**~ly** *ad*. // *~-combustion engine* 內燃機 *I-Revenue Service*[美]國內稅務局(=[英]Inland Revenue).

international /ˌɪntəˈnæʃnəl/ *a*. 國際(上)的, 世界的 *n*.【體】國際體育比賽;國際比賽參賽者, 國手**~ly** *ad*. **the I-** *n*. (分別於一八六四、一八八九、一九一九年創建的)三個社會主義、共產主義、國際工人組織之一.

Internationale /ˌɪntənæʃəˈnɑːl/ *n*. [法](the ~)《國際歌》.

internecine /ˌɪntəˈniːsaɪn/ *a*. 自相殘殺的, 兩敗俱傷的;內訌的.

internet /ˈɪntənet/ *n*. 國際資訊網絡, 互連網.

interpellate /ˌɪntəːˈpeleɪt/ *vt*. (在議會中就政府政策向有關人員)提出質詢 **interpellation** *n*.

interpenetrate /ˌɪntəˈpenɪtreɪt/ *v*. (互相)貫通, 互相滲透 **interpenetration** *n*.

interpersonal /ˌɪntəˈpɜːsənl/ *a*. 人與人之間(關係)的.

interplanetary/ˌɪntəˈplænɪtrɪ/*a*. (行)星際(間)的.

interplay /ˈɪntəpleɪ/ *v*. 相互作用(影響).

Interpol /ˈɪntəpɒl/ *n*. (International Criminal Police Organization 之簡稱)國際刑警組織.

interpolate /ɪnˈtɜːpəleɪt/ *vt*. (在講話或文章中)插入, 增添(評論或一段文章)**interpolation** *n*.

interpose /ˌɪntəˈpəʊz/ *v*. ①放入;插入(兩者之中)②插嘴 **interposition** *n*.

interpret /ɪnˈtɜːprɪt/ *v*. ①說明, 解釋②翻譯,(通常指)口譯③詮釋;闡釋(詩、文等);演奏, 表演**~ation** *n*.

interpreter /ˌɪnˈtɜːprɪtə(r)/ *n*. 口譯者, 譯員.

interregnum /ˌɪntəˈregnəm/ *n*. (*pl*. **~s, -na**) (新王尚未即位的)無王期,(繼任者尚未執政的)空位期.

interrelate /ˌɪntərɪˈleɪt/ *v*. (使)相互關聯 **interrelation** *n*.

interrogate /ɪnˈterəgeɪt/ *v*. 質問, 審問, 訊問 **interrogation** *n*. **interrogator** *n*. 訊問者;質問者.

interrogative /ɪntəˈrɒgətɪv/ *a*. 疑問的;質問的 *n*. 疑問詞**~ly** *ad*.

interrupt /ˌɪntəˈrʌpt/ *vt*. ①阻止, 中斷, 遮斷②插嘴, 打斷(說話)**~ion** *n*.

intersect /ˌɪntəˈsekt/ *v*. 橫斷, 橫截;

(道路等)相交;交叉 **~ion** *n*. ①相交;横斷②交叉點;十字路口.

interspersed /ˌɪntəˈspɜːst/ *a*. 點綴的;散佈的.

interstate /ˌɪntəˈsteɪt/ *a*. [美]各州間的,州際的.

interstellar /ˌɪntəˈstelə(r)/ *a*. 【天】星際的.

interstice /ɪnˈtɜːstɪs/ *n*. (常 *pl*.) 間隙,裂縫.

intertwine /ˌɪntəˈtwaɪn/ *v*. (使)纏結,(使)糾纏.

interval /ˈɪntəvl/ *n*. ①(指時間或空間方面的)間歇,間隔②[英]工間休息,幕間休息(=[美]intermission) // *at ~s* 時時,處處 *at ~s of* 每隔…時間(距離).

intervene /ˌɪntəˈviːn/ *vi*. ①(在時間、空間方面)插入,介入②干預,干涉,調停.

intervention /ˌɪntəˈvenʃn/ *n*. 干涉,調停 **~ist** *n*. (主張)干涉別國内政者.

interview /ˈɪntəvjuː/ *vt*. & *n*. ①面試,口試②會見,會談③採訪;採訪記 **~ee** *n*. 被會見(採訪)者 **~er** *n*. 會見者(採訪者).

interwar /ˈɪntəˈwɔː(r)/ *a*. 兩次戰爭(尤指一九一九至一九三九年兩次世界大戰)之間的.

interweave /ˌɪntəˈwiːv/ *v*. (使)交織,(使)交錯編織.

intestate /ɪnˈtesteɪt/ *a*. 【律】(作表語)未留遺囑的 **intestacy** *n*. // *die ~* 沒留遺囑就死了.

intestine /ɪnˈtestɪn/ *n*. (常 *pl*.) 【解】腸 **intestinal** *a*.

intimate[1] /ˈɪntɪmət/ *a*. ①親密的,親近的;(指氣氛)親切的②私人的;[婉](男女間)私通的③(指知識等)詳盡的;精湛的 **intimacy** *n*. ①親密,友好②[婉]私通;(*pl*.)親昵行為 **~ly** *ad*.

intimate[2] /ˈɪntɪmeɪt/ *vt*. ①暗示,提示②宣佈,通知 **intimation** *n*.

intimidate /ɪnˈtɪmɪdeɪt/ *vt*. 恫嚇;威逼 **intimidation** *n*. **intimidating, intimidatory** *a*.

into /ˈɪntə, ˈɪntə/ *prep*. ①(表示動作變化的方向或結果)進入,向内,朝…方向;變成,轉入②(表示時間)直到③【數】除 // *be ~ sth* [口]熱衷於.

intolerable /ɪnˈtɒlərəbl/ *a*. 不堪的,難忍的,受不了的 **intolerably** *ad*.

intolerant /ɪnˈtɒlərənt/ *a*. 偏狹的,固執的,氣量狹窄的,不能容忍異己的 **intolerance** *n*. **~ly** *ad*.

intonation /ˌɪntəˈneɪʃn/ *n*. 語調,聲調;[口]稍微帶有的(某種)口音.

intone /ɪnˈtəʊn/ *v*. 吟誦(詩歌、禱告文等),(平鋪直敍單調地)背誦或說話.

in toto /ɪn ˈtəʊtəʊ/ *ad*. [拉]完全地,全部地,總共地.

intoxicate /ɪnˈtɒksɪkeɪt/ *vt*. ①使醉,使麻醉,使中毒②使陶醉,使大為興奮 **intoxicant** *n*. 麻醉品,(尤指)酒精度高的酒類 *a*. 使醉的,麻醉的,沉醉的 **intoxication**.

intra- [前綴]表示"内","在内","内部".

intractable /ɪnˈtræktəbl/ *a*. ①倔強的,難對付的②難解決的;難處理的;難治療的 **intractability** *n*. **intractably** *ad*.

intramural /ˌɪntrəˈmjʊərəl/ *a*. ①(建築物、組織、團體、學校等)内部的②[美](體育比賽)校内各班級之間的,隊際的.

intransigent /ɪnˈtrænsɪdʒənt/ *a*. 不妥協的,不讓步的,堅持己見的 **intransigence** *n*. **~ly** *ad*.

intransitive /ɪn'trænsətɪv/ *a*.【語】(指動詞)不及物的 *n*.不及物動詞 **~ly** *ad*.

intrapreneur /ˌɪntrəprə'nɜː/ *n*. 公司内企業家(大企業中具有企業家魄力、精神的人才).

intrastate /ˌɪntrə'steɪt/ *a*. (尤指美國)州内的.

intrauterine /ˌɪntrə'juːtəraɪn/ *a*. 子宮内的// ~*device*(置於子宮内的)避孕環.

intravenous /ˌɪntrə'viːnəs/ *a*.【醫】靜脉内(注射)的 **~ly** *ad*.

intrepid /ɪn'trepɪd/ *a*. 勇猛的, 無畏的 **~ity** *n*.

intricate /'ɪntrɪkət/ *a*. ①錯綜複雜的②精緻的 **intricacy** *n*. 錯綜複雜; (*pl*.)錯綜複雜的事物 **~ly** *ad*.

intrigue /ɪn'triːg/ *v*. ①使感興趣; 使好奇②策劃陰謀, 密謀 *n*. ①陰謀, 詭計②私通, 奸情 **~r** *n*. 陰謀家; 奸夫(婦) **intriguing** *a*. 引起興趣的, 有魅力的 **intriguingly** *ad*.

intrinsic /ɪn'trɪnsɪk/ *a*. (指價值、性質)内在的; 本身的; 真正的; 實在的 **~ally** *ad*.

intro /'ɪntrəʊ/ *n*. (*pl*. **~s**) [口](=introduction)介紹, 引見;【樂】序曲.

introduce /ˌɪntrə'djuːs/ *vt*. ①引導; 介紹, 引見②引進, 推廣, 採用③提出(議案等); 播出(廣播, 電視節目)④插入.

introduction /ˌɪntrə'dʌkʃn/ *n*. ①引導; 介紹, 引見②推廣; 採用; 引進③序, 導言;【樂】前奏, 序曲④初步, 入門 **introductory** *a*.

introspection /ˌɪntrə'spekʃn/ *n*. 反省, 内省 **introspective** *a*.

introvert /'ɪntrəvɜːt/ *n*.【心】内向型性格者 **~ed** *a*. (性格)内向的 **introversion** *n*.

intrude /ɪn'truːd/ *v*. 闖進, 侵入; 把…強加於人 **~r** *n*. 闖入者, 侵入者 **intrusion** *n*. 闖入, 侵擾 **intrusive** *a*.

intuition /ɪntjuː'ɪʃn/ *n*. 直覺(力); 直覺知識; 直感事物 **intuitive** *a*. **intuitively** *ad*.

Inuit/'ɪnjʊɪt/ *n*. ①伊努伊特人(住在美洲的愛斯基摩人)②伊努伊特語.

inundate /'ɪnʌndeɪt/ *vt*. 淹沒, 泛濫; 使充滿 **inundation** *n*. 洪水, 泛濫.

inure /ɪ'njʊə(r)/ *vt*. 使習慣(適應)於(艱苦、危險等不快之事); 鍛煉.

invade /ɪn'veɪd/ *v*. ①侵入, 侵犯, 侵占②蜂擁而入③打擾; (疾病)侵襲 **~r** *n*. 入侵者, 侵犯者.

invalid[1]/'ɪnvəlɪd/ *n*. 病人, 病弱者 /ˌɪnvə'liːd / *v*. (因傷病而)退伍; 把…作傷病員處理.

invalid[2]/ɪn'vælɪd/ *a*. 無用的;【律】無效的, 作廢的; (論點等)站不住脚的 **~ly** *ad*.

invalidate /ɪn'vælɪdeɪt/ *vt*. 使失效, 使無效 **invalidation** *n*.

invalidity /ˌɪnvə'lɪdətɪ/ *n*. 無效力; (因傷病而)喪失工作能力.

invaluable /ɪn'væljʊəbl/ *a*. 無價的, 非常貴重的.

invasion /ɪn'veiʒn/ *n*. 入侵; 侵犯, 侵害 **invasive** *a*.

invective /ɪn'vektɪv/ *n*. 謾罵, 猛烈抨擊.

inveigh /ɪn'veɪ/ *vi*. 痛罵, 猛烈攻擊.

inveigle /ɪn'veɪgl/ *vt*. 誘騙, 誘惑 **~ment** *n*.

invent /ɪn'vent/ *vt*. 發明, 創造; 揑造, 虛構 **~er, ~or** *n*. 發明(創造)者.

invention /ɪn'venʃn/ *n*. ①新發明, 發明的東西②發明才能, 創造能力 **inventive** *a*. 發明創造的, 有發明才能

的 **inventively** *ad*. **inventiveness** *n*.

inventory /ˈɪnvəntrɪ/ *n*. ①(貨物, 傢具等的)清單, 詳細目錄②存貨; 盤存.

inverse /ˈɪnˈvɜːs/ *a*. 相反的, 翻轉的, 倒轉的 *n*. 反面;【數】倒數 **~ly** *ad*. // *in ~ proportion/relation* 成反比.

inversion /ɪnˈvɜːʃn/ *n*. 倒轉, 反轉, 顛倒.

invert /ɪnˈvɜːt/ *vt*. 翻過來; (上下, 前後)倒置, (裏外)反轉 **~ed** *a*. // *~ed commas* 引號(=quotation mark).

invertebrate /ɪnˈvɜːtɪbreɪt/ *n*. 無脊椎動物 *a*. 無脊椎的.

invest /ɪnˈvest/ *v*. 投資, 投入(金錢, 時間等) **~ment** *n*. 投資(額); 投資對象 **~or** *n*. 投資者 // *~in* [口]購買 *~with* 授與, 賦予(權力, 權利).

investigate /ɪnˈvestɪgeɪt/ *vt*. 研究; 調查; 審查 **investigation** *n*. **investigator** *n*. 調查者; 研究者 **investigative** *a*. // *investigative reporting/journalism* (揭露貪污等違法事件的)深入調查報導.

investiture /ɪnˈvestɪtʃə(r)/ *n*. [書]授權(儀式), 授職(典禮).

inveterate /ɪnˈvetərət/ *a*. (指習慣、成見等)根深蒂固的, 積重難返的 **inveteracy** *n*. **~ly** *ad*.

invidious /ɪnˈvɪdɪəs/ *a*. 惹人反感的, 令人厭惡的; 招嫉忌的 **~ly** *ad*.

invigilate /ɪnˈvɪdʒɪleɪt/ *vi*. [英]監考 **invigilator** *n*. 監考人.

invigorate /ɪnˈvɪgəreɪt(r)/ *vt*. 提神; 使強壯; 鼓舞, 激勵 **invigorating** *a*. 提神的, 強身的; 鼓舞人心的.

invincible /ɪnˈvɪnsəbl/ *a*. 無敵的 **invincibility** *n*. **invincibly** *ad*.

inviolable /ɪnˈvaɪəbl/ *a*. 神聖不可侵犯的; 不可違背的, 不容褻瀆的 **inviolability** *n*. **inviolably** *ad*.

inviolate /ɪnˈvaɪələt/ *a*. 未受侵犯的; 不會受侵犯的; 未受褻瀆的.

invisible /ɪnˈvɪzəbl/ *a*. 無形的, 看不見的; 隱蔽的 **invisibility** *n*. **invisibly** *ad*.

invite /ɪnˈvaɪt/ *vt*. ①招待, 邀請②請求③招致, 引起; 吸引 /ˈɪnvaɪt/ *n*. [口]招待, 邀請 **invitation** *n*. 招待, 邀請; 請帖, 招待券; 引誘; 鼓勵 **inviting** *a*. 引人注目的, 吸引人的 **invitingly** *ad*.

in vitro /ˌɪn ˈviːtrəʊ/ *a*. [拉]【生】體外受精的; 在試管內.

invoice /ˈɪnvɔɪs/ *v*. & *n*. (開)發票.

invoke /ɪnˈvəʊk/ *vt*. ①祈求(神靈)保祐; 用魔法(符咒)召喚(鬼魂, 妖精等)②籲請, 乞求③實施(法律等) **invocation** *n*.

involuntary /ɪnˈvɒləntrɪ/ *a*. ①無意識的, 不自覺的②非故意的 **involuntarily** *ad*.

involute(d) /ˈɪnvəluːt(ɪd)/ *a*. ①複雜的, 錯綜的, 紛亂的②內旋的,【植】內捲的 **involution** *n*.

involve /ɪnˈvɒlv/ *vt*. ①必然需要②包括, 涉及; 牽涉, 連累, 使陷入 **~ment** *n*.

involved /ɪnˈvɒlvd/ *a*. ①複雜的②有關的, 有牽連的; (與他人)有密切關係的.

invulnerable /ɪnˈvʌlnərəbl/ *a*. 不會受傷害的; [喻]安全的, 保險的 **invulnerability** *n*.

inward /ˈɪnwəd/ *a*. ①(向)內的, 裏面的②內心的; 心靈上的 *ad*. (亦作 **~s**)向內, 向中心 **~ly** *ad*. 在內(部), 向內; 向中心; 在心靈上 **~ness** *n*. 本性, 本質;【宗】靈性, 心性.

iodin(e) /ˈaɪədiːn [美] ˈaiədaɪn/ *n*. 【化】碘 **iodize** *vt*. 用碘(或碘化物)處理,使含碘.

ion /ˈaɪən, ˈaɪɒn/ *n*. 【物】離子 **~ize, ~ise** *v*. (使)電離,(使)成離子 **~ization, ~isation** *n*.

ionosphere /aɪˈɒnəsfɪə(r)/ *n*. 【物】電離層 **ionospheric** *a*.

iota /aɪˈəʊtə/ *n*. ①希臘語中的第九個字母(即 I, ι)②極小量,些微.

IOU /ˌaɪəʊˈjuː/ *n*. [口]為 I owe you (我欠你)讀音之略;欠條,借據.

IPA /ˌaɪpiːˈeɪ/ *n*. *abbr*. = ①International Phonetic Alphabet 國際音標 ②International Phonetic Association 國際語音學會.

IPR *n*. *abbr*. = intellectual property rights 知識產權.

ipso facto /ˌɪpsəʊ ˈfæktəʊ/ *ad*. [拉]根據事實本身.

IQ, I. Q. *abbr*. = intelligence quotient 智商.

IRA, I. R. A. *abbr*. = Irish Republic Army 愛爾蘭共和軍.

Iranian /ɪˈreɪnjəʊ/ *a*. 伊朗的;伊朗人(語言)的 *n*. 伊朗人;伊朗語.

Iraqi /ɪˈrɑːkɪ/ *n*. (*pl*. **~s**)伊拉克人 *a*. 伊拉克(人)的.

irascible /ɪˈræsəbl/ *a*. 易被激怒的,性情暴躁的 **irascibility** *n*. **irascibly** *ad*.

irate /aɪˈreɪt/ *a*. 極為憤怒的;生氣的 **~ly** *ad*.

ire /ˈaɪə(r)/ *n*. [詩]怒火.

iridescent /ɪrɪˈdesnt/ *a*. ①彩虹(色)的 ②現暈色的(色彩能像彩虹似發生變化的),閃光的 **iridescence** *n*.

iridium /ɪˈrɪdɪəm/ *n*. 【化】銥.

iris /ˈaɪərɪs/ *n*. ①【解】(眼球的)虹膜 ②【植】鳶尾屬植物;鳶尾花.

Irish /ˈaɪərɪʃ/ *a*. 愛爾蘭的,愛爾蘭人(語言)的 // ~ *coffee* (加有威士忌和大量奶油的)愛爾蘭(熱)咖啡 **~(wo)man** *n*. 愛爾蘭(女)人.

irk /ɜːk/ *vt*. [書]使苦惱,使厭倦 **~some** *a*. 討厭的,令人厭倦的 **~somely** *ad*.

iron /ˈaɪən/ *n*. ①鐵;鐵器②熨斗,烙鐵③(高爾夫球)鐵頭球棒④(*pl*.)脚鐐;手銬⑤(堅忍不拔的)意志,毅力 *a*. ①鐵(製)的②堅強的,堅决的③嚴格的;冷酷無情的 *v*. 熨燙(衣服) **~handed** *a*. 鐵腕的;嚴厲的 // *I-Age*【考古】鐵器時代 ~ *out* 燙平;[喻](通過協商)解决(問題);消除(誤解).

ironic(al) /aɪˈrɒnɪk(l)/ *a*. 反語的,諷刺的,冷嘲的 **ironically** *ad*.

ironing /ˈaɪənɪŋ/ *n*. ①熨燙②(集合詞)燙過(或待燙)的衣物 // ~ *board*/ *table* 熨衣台.

ironmonger /ˈaɪənmʌŋgə(r)/ *n*. [英]鐵器商(店);五金商(店)(=[美] hardware dealer) **~y** *n*. [英]五金製品;鐵器(=[美]hardware).

ironstone /ˈaɪənstəʊn/ *n*. ①含鐵礦石,菱鐵礦②結實的白色瓷器.

irony /ˈaɪərənɪ/ *n*. ①反話,諷刺,冷嘲 ②(事與願違的)諷刺性事件或尷尬局面.

irradiate /ɪˈreɪdɪeɪt/ *v*. ①照耀,發光;(使)變得光輝燦爛②用放射綫(日光、紫外綫等)照射 **irradiation** *n*.

irrational /ɪˈræʃənl/ *a*. ①沒有推理能力的,沒理性的②不合理的,荒謬的;【數】無理的 **~ity** *n*. **~ly** *ad*.

irreconcilable /ɪˈrekənsaɪləbl/ *a*. 不能和解的,不能調和的.

irrecoverable /ɪrɪˈkʌvərəbl/ *a*. 不能恢復的;不能挽回的,不能補救的;醫

治不好的 **irrecoverably** *ad*.

irredeemable /ˌɪrɪ'diːməbl/ *a*. ①不能贖回的②(尤指公債, 紙幣等)不能兌現的, 不能兌成黃金的③難矯正(醫治, 補救)的 **irredeemably** *ad*.

irreducible /ˌɪrɪ'djuːsəbl/ *a*. 不能削減(簡化)的.

irrefutable /ˌɪrɪ'fjuːtəbl/ *a*. 無可辯駁的;無法推翻的

irregular /ɪ'regjulə(r)/ *a*. ①不規則的;無規律的;不合常規的②不正規的, 非正式的③【語】不規則變化的 *n*.(常 *pl*.)非正規軍人;違反規定的事物**~ity** *n*. **~ly** *ad*.

irrelevant /ɪˌreləvənt/ *a*. 不恰當的;不相干的;離題的 **irrelevancy** *n*. **~ly** *ad*.

irreligious /ˌɪrɪ'lɪdʒəs/ *a*. 反宗教的;無宗教信仰的;不虔誠的**~ly** *ad*.

irremediable /ˌɪrɪ'miːdɪəbl/ *a*. ①醫治不好的②不可挽回的, 不能彌補的 **irremediably** *ad*.

irremovable /ˌɪrɪ'muːvəbl/ *a*. 不能移動的;不能罷免的, 不能撤職的.

irreparable /ɪ'repərəbl/ *a*. 不能修補的;不能彌補的.

irreplaceable /ˌɪrɪ'pleɪsəbl/ *a*. 無可替代的.

irrepressible /ˌɪrɪ'presəbl/ *a*. 壓制不住的, 約束不了的 **irrepressibly** *ad*.

irreproachable /ˌɪrɪ'prəutʃəbl/ *a*. 無可非議的, 無缺點的, 無過失的 **irreproachably** *ad*.

irresistable /ˌɪrɪ'zɪstəbl/ *a*. 不可抗拒的;非常堅強的;有極大魅力的 **irresistably** *ad*.

irresolute /ɪ'rezəluːt/ *a*. 無決斷能力的;猶豫不决的**~ly** *ad*.

irrespective /ˌɪrɪs'pektɪv/ *a*. **~of** *prep*. 不顧, 不考慮.

irresponsible /ˌɪrɪ'spɒnsəbl/ *a*. ①無責任感的;不負責任的②不承擔責任的 **irresponsibly** *ad*.

irretrievable /ˌɪrɪ'triːvəbl/ *a*. 不能彌補的, 不能挽救的 **irretrievably** *ad*.

irreverence /ɪ'revərəns/ *n*. ①不敬;不尊敬;無禮②不敬(或無禮)的言行 **irreverent** *a*.

irreversible /ˌɪrɪ'vɜːsəbl/ *a*. ①不可逆轉的, 不可翻轉(倒置)的②不能改變(取消)的 **irreversibly** *ad*.

irrevocable /ɪ'revəkəbl/ *a*. 不能改變(取消)的;最後的 **irrevocably** *ad*.

irrigate /'ɪrɪgeɪt/ *vt*. ①灌溉(田地, 作物)②【醫】冲洗(傷口)**irrigable** *a*. 可灌溉的 **irrigation** *n*.

irritable /'ɪrɪtəbl/ *a*. 易怒的;急躁的 **irritability** *n*. **irritably** *ad*.

irritant /'ɪrɪtənt/ *a*. 刺激的, 有刺激性的 *n*. 刺激品;[喻]令人煩惱的事物.

irritate /'ɪrɪteɪt/ *vt*. ①激怒;使煩惱;使急躁②使發癢, 使發炎, 使疼痛;刺激.

irritation /ˌɪrɪ'teɪʃn/ *n*. 激怒;憤怒;焦躁;發炎, 疼痛.

irrupt /ɪ'rʌpt/ *vi*. 突然闖入, 突然侵入;[喻]猛然發作**~ion** *n*.

is /ɪz(強音);z, s(弱音)/ be 的第三人稱單數;現在時形態.

ISBN *n*. *abbr*. = International Standard Book Number 國際標準圖書編號.

isinglass /'aɪzɪŋglɑːs/ *n*. ①(淡水魚中提取的)魚膠②(= mica)【礦】雲母(片).

Islam /ɪz'lɑːm/ *n*. ①伊斯蘭教, 回教②伊斯蘭教國家(信徒)穆斯林**~ic** *a*.

island /'aɪlənd/ *n*. ①島;島狀物②

[喻]孤單的事物;離群的人③(= traffic ~)(道路中的)交通安全島.

isle /aɪl/ *n*. (主要用於詩歌及專有名稱)島 **~t** *n*.小島.

ism /'ɪzəm/ *n*. 主義;學說;制度;理論.

-ism [後綴](構成抽象名詞)表示①"主義","學說","信仰","制度"②"行為","行動"③"特徵","特性"④"狀態","病態"⑤"偏見","歧視".

isn't /'ɪznt/ [口]=is not.

isobar /'aɪsəbɑː(r)/ *n*. 【氣】(地圖上尤指氣象圖上的)等壓綫 **~ic** *a*.

isolate /'aɪsəleɪt/ *vt*. ①隔離;孤立;使脫離②【化】使離析 **~d** *a*.孤立的,單獨的.

isolation /ˌaɪsə'leɪʃn/ *n*. 隔離;孤立,單獨 // ~ *hospital* (*ward*)(為傳染病患者設的)隔離醫院(病房).

isolationism /ˌaɪsə'leɪʃənɪzəm/ *n*. [常貶]孤立主義 **isolationist** *n*. & *a*. 孤立主義者;孤立主義的.

isomer /'aɪsəʊmə(r)/ *n*. 【化】同分异構體;【物】同質異能素 **~ic(al)** *a*. **~ism** *n*.同分異構性;同質異能性.

isometric /ˌaɪsə'metrɪk/ *a*. ①等體積(容積)的,大小相等的②(指肌肉本身的伸縮動作)靜力肌肉鍛煉的③(指繪圖)等比例的;等距離的;等角的 **~s** *pl*. *n*.靜力肌肉鍛煉法 // ~ *exercises* 靜力肌肉鍛煉.

isosceles /aɪ'sɒsəliːz/ *a*. 【數】等腰的;等邊的 // ~ *triangle* 等腰(邊)三角形.

isotherm /'aɪsəθɜːm/ *n*. 【氣】(地圖上的)等溫綫,恆溫綫.

isotope /'aɪsətəʊp/ *n*. 【化,物】同位素.

Israeli /ɪz'reɪlɪ/ *n*. 以色列人 *a*.以色列(人)的.

issue /'ɪʃuː/ *n*. ①(問題的)關鍵,要點,論點;爭端②流出,發出③發行;發行額;出版物;(報刊等出版物的)一期④結局,結果⑤【律】子女,子嗣 *v*.①(使)流出,發出②發行,出版;公佈③分發;發給,配給 // ~ *from* 產生自…;是…的後代 *take* ~ *with* 反對,不同意;與…爭論.

-ist [後綴]①(構成名詞)表示"動作的實踐者","專業人員",如: **tourist** *n*.旅游者②(構成可兼作形容詞的名詞)表示"(思想、主義、學說的)信奉者",信奉"…主義(學說)"的人,如: **socialist** 社會主義者.

isthmus /'ɪsməs/ *n*. 地峽 **the I-** *n*.巴拿馬(或蘇伊士)地峽.

it /ɪt/ *pro*. ①(指已提到過的事物,動植物或幼兒)它,牠,這②(指不為人所知的人)他,她,這③(用作無人稱動詞的主語表示天氣,時間,距離等)④(用於強調句中之任一部份 *n*. [口]重要人物;要點,關鍵 **~s** *a*. (it的所有格)它的 // *That's* ~ ①完了,沒有了②對了;要的就是這個③原因就在於此.

IT /ˌaɪ'tiː/ *abbr*. = information technology【計】信息技術.

ITA *abbr*. = Independent Television Authority[英]獨立電視局.

Italian /ɪ'tælɪən/ *a*. 意大利的;意大利人(語)的 *n*.意大利人(語).

italic /ɪ'tælɪk/ *a*. 【印】斜體的 **~ize, ~ise** *vt*. 用斜體字印刷 **~s** *pl*. *n*.斜體字.

itch /ɪtʃ/ *n*. ①癢②渴望,熱望 *vi*.①發癢②渴望,極想 **~y** *a*. // *have an* ~*ing palm* [口]貪財 (*get*/*have*) *an* ~*y feet* [口](感到脚發癢想去)旅行或漫遊的強烈欲望.

it'd /'ɪtəd/ = ①it had②it would.

item /ˈaɪtəm/ *n*. ①條款,項目②(新聞的)一條,一則(= news ~) *ad*.(列舉項目時用)又,另外 **~ize**, **~ise** *vt*.詳細列舉,逐項開列.

iterate /ˈɪtəreɪt/ *vt*. 重複,反覆,再三地做(說) **iteration** *n*.

itinerant /aɪˈtɪnərənt/ *a*. 巡迴的;流動的.

itinerary /aɪˈtɪnərərɪ, ɪˈt-/ *n*. 旅行日程;行程表;旅行路綫.

itself /ɪtˈself/ *pron*. ①(作為 it 的反身代詞)它自己,它本身②(用於強調)自身,本身 // *by* ~ 獨立地,單獨地 *in* ~實質上;本身.

ITV *abbr*. = Independent Television [英]獨立電視公司.

IUD *abbr*. = intrauterine device 置於子宮内的避孕環.

IVF *abbr*. = in vitro fertilization 體外受精.

ivory /ˈaɪvərɪ/ *n*. ①象牙;象牙色②(*pl*.)象牙製品 *a*.象牙色的,乳白色的 // ~*tower*[喻](為逃避現實世界所構築的)象牙塔.

J

jab /dʒæb/ *v*. ①戳,刺,捅②(近距離用拳)快擊,猛擊 *n*. 戳,猛刺,捅;[口]注射.

jabber /'dʒæbə(r)/ *vi*. & *n*. 急促而含糊地說(的話).

jabot /'ʒæbəʊ/ *n*. (男女襯衣)胸前的皺褶花邊.

jacaranda /ˌdʒækə'rændə/ *n*. (熱帶和亞熱帶的)藍花楹屬植物.

jacinth /'dʒæsɪnθ/ *n*. 【礦】橘紅色寶石.

jack /dʒæk/ *n*. ①【機】千斤頂,起重機②(亦作 **knave**)(紙牌中的)杰克③(滾球戲中作靶子的)小白球④【電】插座⑤(標誌國籍的)船首旗 *vt*.(～*sth in*)放棄,停止(計劃,工作);(～*up*)用起重機(千斤頂)舉起,頂起 **～-in-the-box** *n*.(打開蓋即有玩偶跳起的)玩偶盒 // *J-Frost*(霜的擬人化名稱)霜精;嚴寒 *J-of all trades* 萬能博士,(雜而不精的)三脚貓.

jackal /'dʒækɔːl/ *n*. 【動】豺,胡狼;【喻】爪牙,狗腿子.

jackanapes /'dʒækəneɪps/ *n*. 傲慢無禮的人;厚顏無耻之輩.

jackass /'dʒækæs/ *n*. ①公驢②[口]笨蛋 // *laughing* ～【鳥】(= kookaburra)笑鴗.

jackboot /'dʒækbuːt/ *n*. (尤指軍用)長統靴;[喻]軍人統治;暴政.

jackdaw /'dʒækdɔː/ *n*. 【鳥】穴鳥,寒鴉.

jacket /'dʒækɪt/ *n*. ①短上衣,茄克,外套②(精裝書的)護封(亦作 **dust** ～)③(尤指連皮烤的土豆的)皮.

jackknife /'dʒæknaɪf/ *n*. ①大摺刀②(彎身跳下入水前才直身的)摺刀式跳水法(= ～dive) *v*.(帶拖車的車輛)兩頭翹起成 V 字形(常指因交通事故所造成者).

jackpot /'dʒækpɒt/ *n*. 【牌】(參賽各方追加後的)大筆賭注 // *hit the* ～①【牌】贏得大筆賭注②獲得極大成功;大交鴻運.

jack rabbit /'dʒækˌræbɪt/ *n*. 【動】(北美的)長耳大野兔.

Jacobean /ˌdʒækə'bɪən/ *a*. & *n*. (英國)詹姆士一世(時代)的(人).

Jacobite /'dʒækəbaɪt/ *n*. (退位後)英王詹姆士二世的擁戴者;擁戴其後裔繼承王位者).

Jacquard /'dʒækɑːd/ *n*. 花布織物(= ～weave).

Jacuzzi /dʒə'kuːzɪ/ *n*. (浴水來回旋轉能起按摩作用的)潔可浴缸.

jade[1] /dʒeɪd/ *n*. 碧玉,翡翠(飾物) *a*. 翡翠色的,碧綠色的.

jade[2] /dʒeɪd/ *n*. ①老馬,駑馬,疲憊不堪的馬②[貶或謔]女人 **～d** *a*. 疲憊不堪的;膩煩的.

Jaffa /'dʒæfə/ *n*. (以色列)雅法橙(= ～orange).

jag[1] /dʒæg/ *n*. ①(岩石等)鋸齒狀突出物②[口]注射 **～ed** *a*. 鋸齒狀的;(邊緣)粗糙不齊的.

jag[2] /dʒæg/ *n*. [口]狂飲;縱酒狂歡.

jaguar /'dʒægjʊə(r)/ *n*. 【動】美洲虎.

jail /dʒeɪl/(英亦作 **gaol**) *n*. 監獄 *vt*. 監禁;把…關進監獄 **～er, ～or** (英亦作 **gaoler**)獄卒,監獄看守 **～bird** (英亦作 **gaolbird**) *n* [口]慣犯;(長期坐

牢的)囚犯.

jalopy /dʒə'lɒpɪ/ *n*. [俗](破舊的)老爺汽車.

jam[1]/dʒæm/ *n*. 果醬 **~my** *a*. ①沾滿果醬的②[英俚]輕而易舉的;幸運的.

jam[2]/dʒæm/ *v*. ①塞入;擠進②使塞滿;(使)阻塞;(使)卡住;擁擠③【無】干擾 *n*.①擁擠;阻塞;卡住②【無】干擾;失真 **~ming** *n*. **-packed** *a*. [俗]塞得滿滿的;擠得水泄不通的// *be in/get into a* ~陷入困境~ *session* 即興爵士演奏會.

jamb(e) /dʒæm/ *n*.【建】(門窗,壁爐的)側柱.

jamboree /ˌdʒæmbə'riː/ *n*. ①童子軍大會②歡樂的聚會;慶祝會.

Jan. *abbr*. = January.

jangle /'dʒæŋgl/ *v*. ①(使)發出金屬撞擊般的刺耳聲②刺激(神經等);使不安③吵嚷;口角.

janitor /'dʒænɪtə(r)/ *n*. ①[美]房屋管理員(= caretaker)②看門人,門衛.

January /'dʒænjʊərɪ/ *n*. 一月,正月.

japan /dʒə'pæn/ *n*. 日本漆;亮漆 *vt*. 給…塗(日本)漆;使表面黑亮

Japan /dʒə'pæn/ *n*.日本.

Japanese /ˌdʒæpə'niːz/ *a*. 日本(人)的;日語的 *n*.(單複數同形)日本人;日語.

jape /dʒeɪp/ *n*. [舊]笑話;嘲弄.

japonic /dʒə'pɒnɪkə/ *n*. 【植】日本榅桲,日本山茶.

jar[1]/dʒɑː(r)/ *n*. (大口圓柱形的)罐,罎;廣口瓶.

jar[2]/dʒɑː(r)/ *v*. ①(使)發出刺耳聲②使產生不愉快的感覺;刺激③(使)震動④衝突;不和諧 *n*. ①刺耳聲②震動;顛簸③刺激,震驚④衝突;不和諧 **~ring** *a*.刺耳的;不和諧的 **~ringly** *ad*.

jargon /'dʒɑːgən/ *n*. [常貶](某一行業、團體或階層的)專門術語;行話;隱語.

jasmine /'dʒæsmɪn; [美]-mən/ *n*. 【植】茉莉,素馨.

jasper /'dʒæspə(r)/ *n*. (紅、黃或墨綠色不透明的)半寶石;碧玉.

jaundice /'dʒɔːndɪs/ *n*. ①【醫】黃疸病②嫉妒;猜忌;偏見 **~d** *a*.①患黃疸病的②有偏見的;猜忌心重的.

jaunt /dʒɒnt/ *n*. & *vi*. (作)短途遊覽.

jaunty /'dʒɔːntɪ/ *a*. ①快活的;輕快的;洋洋得意的;信心十足的②時髦的 **jauntily** *ad*.

javelin /'dʒævlɪn/ *n*. 矛;標槍 **the** ~ *n*.【體】擲標槍比賽.

jaw /dʒɔː/ *n*. ①頜,顎②【機】顎夾,虎鉗牙③(*pl*.)上下顎;口部④(*pl*.)(山谷,通道等的)谷口,狹口⑤(*pl*.)危險的境遇⑥[口]饒舌;講道;訓人⑦閒談 *v*.[俚]喋喋不休;(對…)嘮叨 **~bone** *n*.顎骨牙床骨 **~breaker** *n*. [口]極難發音的字 **~breaking** *a*.

jay /dʒeɪ/ *n*. ①【鳥】樫鳥②聒絮的人,嘮嘮叨叨者.

jaywalk /'dʒeɪwɔːk/ *vi*. (不守交通規則,不顧安全地)穿越馬路 **~er** *n*. 走路不守交通規則者 **~ing** *n*.

jazz /dʒæz/ *n*. ①爵士音樂;爵士舞曲②[俚][貶]無稽之談;浮誇的言論.③*v*.把…奏成爵士樂;奏爵士樂;跳爵士舞// *and all that* ~[俚]諸如此類的東西~ *up* 使活潑;使有生氣;使有刺激性.

jazzy /'dʒæzɪ/ *a*. [俗]①像爵士樂似的②俗麗的;花哨的 **jazzily** *ad*.

jealous /'dʒeləs/ *a*. ①妒忌的；吃醋的；嫉忌的②妒羨的；羨慕的③猜疑的；留心提防的；戒備的 ~**ly** *ad*. ~**y** *n*. ①妒忌；嫉忌②妒羨③猜疑.

jeans /dʒiːnz/ *pl*. *n*. (非正式場合穿的)藍斜紋布長褲；(尤指)工裝褲；牛仔褲(亦稱 **blue** ~).

jeep /dʒiːp/ *n*. 吉普車；小型越野汽車.

jeer /dʒɪə(r)/ *v*. & *n*. 嘲笑；戲弄.

Jehovah /dʒɪ'həʊvə/ *n*. 【宗】(舊約聖經中對上帝的稱呼)耶和華 // ~'s Witness 耶和華見證會(基督教一教派，相信末日即將來臨，除該教派教徒外，餘皆墮入地獄.).

jejune /dʒɪ'dʒuːn/ *a*. [書]①(尤指寫作)內容空洞的；枯燥乏味的②不成熟的；幼稚的.

jell /dʒel/ *v*. ①(使)成膠狀；(使)凍結②[口](使)定形；使明確化；變明確；(使)具體化.

jellaba(h) /'dʒeləbə/ (亦作 **djellaba(h)**) /dʒɪ'lɑːbə/ *n*. (阿拉伯國家男子穿的)帶兜帽長袍.

jelly /'dʒelɪ/ *n*. ①果子凍；肉凍②膠狀物 **jellied** *a*. 變成膠狀的；成果子凍的.

jellyfish /'dʒelɪfɪʃ/ *n*. ①【動】水母，海蜇②優柔寡斷的人.

jemmy /'dʒemɪ/ *n*. (=[美] jimmy /'dʒɪmɪ/)(盜賊用的)撬門鐵棍 *vt*. 撬開(門窗).

je ne sais quoi /ˌʒə nə ˌseɪ 'kwɑː, -ˌsə-/ *n*. [法]①難以描述或表達的事物②(=I don't know what)我不知道是甚麼.

jenny /'dʒenɪ/ *n*. ①母驢②【鳥】雌鷦鷯.

jeopardize, -dise /'dʒepədaɪz/ *vt*. 使受危險；危害.

jeopardy /'dʒepədɪ/ *n*. 危險；危難.

jerboa /dʒɜː'bəʊə/ *n*. 【動】(阿拉伯和北非沙漠的)跳鼠.

jeremiad /ˌdʒerɪ'maɪæd/ *n*. 哀訴；悲哀的故事；哀史.

jerk[1]/dʒɜːk/ *v*. ①猛地一拉(一推，一扭，一扔，一動等)②痙攣 *n*. ①急拉；急推，急扭；急扔；急動②【醫】(因反射而引起的)肌肉攣縮；(*pl*.)(因激動引起的)肌肉的抽搐 // ~(*oneself*)*off*[卑](指男子)手淫 ~(*sth*) *out* 突然急促地說出.

jerk[2]/dʒɜːk/ *n*. [美俚][貶]傻瓜，笨蛋；微不足道的小人物.

jerkin /'dʒɜːkɪn/ *n*. (男用或女用)背心；坎肩.

jerkwater /'dʒɜːkˌwɔːtə(r)/ *a*. [口]①微不足道的②偏遠的.

jerky /'dʒɜːkɪ/ *a*. ①急動的；急拉的②(車輛等)不平穩的，顛簸的③(文體等)佶屈聱牙；(說話)結結巴巴的④痙攣的⑤愚蠢的 **jerkily** *ad*. **jerkiness** *n*.

Jerry /'dʒerɪ/ *n*. [英俚]德國人；德國兵.

jerry /'dʒerɪ/ *a*. 草率的；偷工減料的 ~**-build** *vt*. 偷工減料地建造 ~**-builder** 偷工減料的建築商.

jerry can /'dʒerɪ kæn/ *n*. (亦作 **blitz can**)五加侖的汽油(或水)罐.

jersey /'dʒɜːzɪ/ *n*. ①針織緊身上衣(尤指毛衣)②毛料織物(亦作 ~**-wool**)③(**J-**)澤西種乳牛.

Jerusalem artichoke /dʒə'ruːsələm 'ɑːtɪtʃəʊk/ *n*. ①【植】菊芋(產於北美洲)②菊芋的塊根(可食用).

jest /dʒest/ *n*. [書]玩笑；笑話；俏皮話 *v*. (對…)開玩笑；嘲笑 ~**er** *n*. 愛開玩笑者；小丑；(中世紀朝廷中的)弄臣 ~**ing** *a*. [書]滑稽的；逗笑的；

愛開玩笑的 ~**ingly** *ad*.

Jesuit /'dʒezjʊɪt/ *n*. ①(羅馬天主教)耶穌會教士②[貶](常 j-)危險的人;狡猾虛偽的(男)人 ~**ic(al)** *a*. ~**ically** *ad*.

Jesuitism /'dʒezjʊɪtɪzəm/ *n*. ①耶穌會教義②(j-)狡猾;危險.

Jesus /'dʒiːzəs/ *n*. (基督教創始者)耶穌(亦作 ~**Christ**, ~**of Nazareth**) *int*. (用來表示強烈的懷疑,失望、痛苦、驚恐等情緒)天哪;豈有此理.

jet[1] /dʒet/ *n*. ①(氣體、液體或火焰的)噴射,噴出,迸出②噴出物③噴口;噴嘴;噴射器④噴氣發動機(亦作~**engine**);噴氣式飛機(=~**plane**) *v*. ①噴出;射出②乘噴氣機飛行;用噴氣機載運 ~**liner** *n*. 噴氣式客機 ~-**propelled** *a*. 噴氣發動機推動的 // ~*lag*(乘噴氣機引起的)生理節奏失調,噴氣機時差症 ~*set*(經常乘噴氣機作環球旅遊的)富裕階層.

jet[2] /dʒet/ *n*. 煤玉;黑玉 ~-**black** *a*. 黑玉的;烏黑發亮的.

jetsam /'dʒetsəm/ *n*. (船舶遇險時)投棄的貨物;(冲上岸的)投棄貨物或裝備.

jettison /'dʒetɪsn/ *n*. & *vt* ①【海】【空】拋棄,丟棄(貨物等)②扔棄(累贅或無用之物)③【牌】[俚]擲掉不要的牌.

jetty /'dʒetɪ/ *n*. 防波堤;棧橋;突碼頭.

Jew /dʒuː/ *n*. ①猶太人②猶太教徒 ~**ess** *n*. [蔑]猶太婦女 ~**ish** *a*. ~**ry** *n*. (總稱)猶太人;猶太民族 ~'**s-harp**, ~**s' harp** *n*. 單簧口琴,手撥口琴.

jewel /'dʒuːəl/ *n*. 寶石;寶石飾品 ~(**l**)**er** *n*. 珠寶商;寶石匠 ~(**l**)**ery** *n*. (總稱)珠寶;珠寶飾物.

Jezebel /'dʒezəbl/ *n*. (常作 j-)[貶]詭詐的女人;蕩婦.

jib[1] /dʒɪb/ *n*. ①(起重機的)伸臂;吊車臂②【海】船首三角帆 ~**boom** *n*. 【海】第三斜桅.

jib[2] /dʒɪb/ *v*. ①(指馬等)退縮;横跑;後退②(指人)躊躇不前 // ~*at* 對…表示不願意;厭惡.

jibe[1] /dʒaɪb/ *v*. & *n*. ① = gibe *v*. ② = gybe .

jibe[2] /dʒaɪb/ *vi*. [美口]一致;符合(+with).

jiff, jiffy /dʒɪf, 'dʒɪfɪ/ *n*. [口]一會兒,片刻 // *in a* ~馬上,立刻.

jig /dʒɪg/ *n*. ①(舞步輕快的)吉格舞;吉格舞曲②【機】夾具;鑽模;裝配架 *v*. ①跳吉格舞②(使)(上下前後)急速跳動.

jigger[1] /'dʒɪgə(r)/ *n*. ①(容量為 1 或 1/2 盎司的)配酒用的量杯②[美俚]小玩意;小巧複雜的東西.

jigger[2] /'dʒɪgə(r)/ *n*. (美亦作 **chigger**)【蟲】沙蚤;恙螨.

jiggered /'dʒɪgəd/ *a*. [英口]①[舊](用於表示驚訝或憤怒)真的嗎! 豈有此理! ②精疲力竭的;累壞了的.

jiggery-pokery /ˌdʒɪgərɪ 'pəʊkərɪ/ *n*. [英口]陰謀,詭計;詐騙.

jiggle /'dʒɪgl/ *v*. (使)輕輕搖晃(或跳動) *n*. 輕輕的搖晃(或跳動) **jiggly** *a*. 搖晃的;不穩定的.

jigsaw /'dʒɪgsɔː/ *n*. ①【機】鋸曲綫機;豎鋸;綫鋸②(= ~puzzle)拼圖遊戲.

jihad/dʒɪ'hɑːd/ *n*. ①【宗】伊斯蘭教徒為護教進行的)聖戰②(為維護或反對某種主義、信仰、政策進行的)鬥爭、運動.

jilt /dʒɪlt/ *vt*. 遺棄,拋棄(情人);拒絕履行婚約.

jim crow /dʒɪm 'krəʊ/ *n*. (常大寫)[美][蔑]①黑人②[口]對黑人的歧視;種族隔離 *a*. ①[蔑]黑人的②歧視黑人的;黑人專用的.

jimjams /'dʒɪmdʒæmz/ *pl*.*a*. [俚]極度的緊張不安.

jimmy /'dʒɪmɪ/ *n*. [美]=jemmy.

jingle /'dʒɪngl/ *v*. ①(使)發出玎璫聲②(使)(詩或歌譜)鏗鏘悅耳;合乎韵律(或節奏)*n*.①(鈴,硬幣等小件金屬物體撞擊的)玎璫聲②(電視廣告中)簡單,重複而且朗朗上口的詩句或歌謠.

jingo /'dʒɪŋgəʊ/ *int*. // *by*～(表示驚异,快樂或加強語氣)啊呀! 天哪!

jingoism/'dʒɪŋgəʊɪzəm/*n*. 侵略主義;大國沙文主義 **jingoist** *n*.侵略主義者;大國沙文主義者 **jingoistic** *a*. **jingoistically** *ad*.

jink /dʒɪŋk/ *vi*. 閃開;急轉 *n*.①閃開;急轉②(*pl*.)嬉鬧 // *high* ～*s* 喧嚷嬉鬧.

jinn(ee),jinni /dʒɪ'niː/ *n*. (伊斯蘭教傳說中的)精靈,神怪.

jinrik(i)sha, jinricksha /ˌdʒɪn'rɪkʃə/, (jin)rickshaw/ (dʒɪn)'rɪkʃɔː/ *n*. 人力車,黃包車.

jinx /dʒɪŋks/ *n*. [俗]不吉祥的人或事物 *vt*.使…倒霉.

jitter /'dʒɪtə(r)/ *vi*. [口]緊張不安;戰戰兢兢**～y** *a*.

jitterbug /'dʒɪtəbʌg/ *n*. 吉特巴舞(隨爵士樂節拍跳的一種快速舞);跳吉特巴舞者.

jitters /'dʒɪtəz/ *pl*.*n*. 極度的緊張不安.

jiujutsu /dʒjuː'dʒɪtsuː/ *n*. [日]=jujitsu.

jive /dʒaɪv/ *n*.(節奏輕快的)爵士樂;搖擺樂;搖擺舞 *vi*.跳搖擺舞;奏搖擺樂.

Jnr (亦作 Jr.,Jun) *abbr*. =Junior.

job /dʒɒb/ *n*. ①工作②職業③職責;任務④[口]犯罪的行為(尤指盜竊)⑤[俗]成果,成品// ～*centre* 職業介紹所～ *lot* 經過搭配批發出售的貨物(尤指劣質貨物)～'*s comforter*)想安慰別人却適得其反使人更為難過者 ～ *sharing* 共職;一工分做制(一份工作分班輪做的勞動制度).

jobber /'dʒɒbə(r)/ *n*. ①[英]證券經紀人②[貶]假公濟私者**～y** *n*.營私舞弊,假公濟私.

jobbing /'dʒɒbɪŋ/ *a*. 打零工的,幹散活的.

jobless /'dʒɒblɪs/ *a*. ①無職業的,失業的②失業職工的**～ness** *n*. // *the* ～(總稱)失業者.

jockey /'dʒɒkɪ/ *n*. (賽馬的)騎師;駕駛員 *v*.誘使;運用手段謀取// ～*for sth* 運用手段謀取(好處,利益等)～*sb into* (*out of*) *sth* 誘使某人做(放弃)某事.

jockstrap /'dʒɒkstræp/ *n*. (男運動員穿的)下體護身.

jocose /dʒəʊ'kəʊs/ *a*. 開玩笑的;詼諧的;滑稽的**～ly** *ad*. **jocosity** *n*.

jocular /'dʒɒkjʊlə(r)/ *a*. ①詼諧的;愛開玩笑的②打趣的;逗樂的**～ity** *n*.**～ly** *ad*.

jocund /'dʒɒkənd/ *a*. [書]歡樂的,快活的**～ly** *ad*.

jodhpurs /'dʒɒdpəz/ *pl*. *n*. (亦作 **Jodhpur breeches**)騎馬褲.

jog /dʒɒg/ *v*. ①輕推;輕搖②慢走;緩步跑 *n*.①輕推;輕搖②慢步;緩行③提醒**～ger** *n*.慢跑鍛練者**～ging** *n*.慢跑運動// ～*sb*'*s memory* 喚起某人的記憶 ～*trot* ①慢步;緩行②單調的進程;常規.

joggle /'dʒɒgl/ *v*. & *n*. 輕輕顛搖.

john /dʒɒn/ *n*. [美俚]①盥洗室, 廁所②嫖客.

John Bull /ˌdʒɒn 'bʊl/ *n*. ①約翰牛(英國或英國人的綽號)②典型的英國人.

johnny /'dʒɒnɪ/ *n*. ①[舊][口]傢伙, 漢子②[俚]避孕套, 陰莖套.

joie de vivre /ˌʒwɑː də 'viːvrə/ *n*. [法]生活的歡樂;盡情享受生活的樂趣.

join /dʒɔɪn/ *v*. ①連接;接合;(使)結合②參加;加入;作…的成員③和…在一起;和…作伴④鄰接, 毗連 *n*. 連接處;接合點;接縫 // ～*in* 參加～*up* 參軍.

joiner /'dʒɔɪnə(r)/ *n*. ①[主英]細木工人②[俗]愛參加各種社團、組織的人③聯合者;接合者, 接合物～**y** *n*. ①細木工業②細木工製品.

joint[1] /dʒɔɪnt/ *n*. ①接頭, 榫;接縫;接合處②【解】關節③(用來燒烤的)大塊肉, 帶骨的腿肉④[俚][貶](夜總會、賭窟, 小酒館等)低級下流的娛樂場所⑤[俚]大麻香烟 *v*. ①連接, 結合②(從關節處)切斷;把(肉)切成帶骨的大塊～**ed** *a*.

joint[2] /dʒɔɪnt/ *a*. ①共同的;共有的;聯合的②連帶的③連接的;結合的 ～**ly** *ad*. // ～*-stock company*, ～*-stock corporation* 股份公司 ～*-venture* 合資企業.

jointure /'dʒɔɪntʃə(r)/ *n*. 【律】(丈夫指定死後由)妻子繼承的遺產;寡婦所得產.

joist /dʒɔɪst/ *n*. 【建】擱柵;小梁(地板等的)托架.

joke /dʒəʊk/ *n*. ①笑話;玩笑②笑柄;笑料③易如反掌的事;無實在內容的東西;空話 *v*. (和…)開玩笑;說笑話;戲弄 **jokey, joking** *a*. 開玩笑的 **jokingly** *ad*. // *a practical* ～惡作劇 *joking apart / aside* 且別開玩笑;言歸正傳.

joker /'dʒəʊkə(r)/ *n*. ①愛開玩笑的人;喜講笑話的人②[俚]傢伙③【牌】(撲克牌中可作任何牌或王牌用的)百搭, 飛牌.

jollify /'dʒɒlɪfaɪ/ *vt*. 使高興;使歡樂 *vi*. 尋歡;飲酒作樂 **jollification** *n*.

jollity /'dʒɒlətɪ/ *n*. 歡樂;高興;歡宴.

jolly /'dʒɒlɪ/ *a*. ①快活的, 歡樂的②令人愉快的;喜愛的③微醉的 *ad*. [英俗]很, 非常 *v*. ①使高興;(與 *along* 連用)奉承②(向…)開玩笑;戲弄 // ～*boat* (大船上附帶的)小船 *Jolly Roger* 海盜旗(飾有白色骷髏的黑旗)～*well* 確實, 肯定.

jolt /dʒəʊlt/ *n*. & *v*. ①震搖;(使)顛簸②猛擊③(使)震驚;使慌亂.

Jonah, jonah /'dʒəʊnə/ *n*. 帶來不祥的人;白虎星.

jonquil /'dʒɒŋkwɪl/ *n*. 【植】黃水仙;(水仙屬)長壽花.

josh /dʒɒʃ/ *v*. [美俚](無惡意地)戲弄;揶揄;(和…)開玩笑 *n*. [美俚]戲謔;戲言;嘲笑.

joss /dʒɒs/ *n*. ①(中國的)神像, 佛像②[口]幸運;機會～**(-)stick** *n*. (祭神用的)香.

jostle /'dʒɒsl/ *v*. 推;擠;碰撞.

jot /dʒɒt/ *n*. 少量, 一點兒 *vt*. 匆匆記下;略記(與 down 連用)～**ter** *n*. 小筆記本～**tings** *pl*. *n*. 簡短筆記;略記.

joule /dʒuːl/ *n*. 【物】(功及能量的單位)焦耳.

jounce /dʒaʊns/ *v*. (使)震動;(使)顛簸 *n*. 震動;顛簸 **jouncy** *a*.

journal /'dʒɜːnl/ *n*. ①日報;雜誌, 定

期刊物②日記, 日志.

journalese /'dʒɜːnə'liːz/ *n*. [貶](語言淺薄、好用陳詞濫調的)新聞文體.

journalism /'dʒɜːnəlɪzəm/ *n*. ①新聞業;新聞工作②新聞寫作;新聞文稿③(總稱)報刊雜誌④報刊通俗文章.

journalist /'dʒɜːnəlɪst/ *n*. 新聞工作者;新聞記者;報刊雜誌撰稿人 **~ic** *a*.

journey /'dʒɜːnɪ/ *n*. (通常指陸上)旅行;旅程;[喻]歷程 *v*.旅行;遊歷.

journeyman /'dʒɜːnɪmən/ *n*. ①熟練工人②(有工作經驗能勝任某一行業的)老手.

joust /dʒaʊst/ *n*. ①(古時騎士的)馬上長槍比武②(*pl*.)馬上比武大會 *vi*.①進行馬上長槍比武②參加比賽;競技.

jovial /'dʒəʊvɪəl/ *a*. 快活的;愉快的 **~ly** *ad*. **joviality** *n*.

jowl /dʒaʊl/ *n*. ①顎;下顎②(*pl*.)頰;(胖子的)雙下巴.

joy /dʒɔɪ/ *n*. ①歡樂, 喜悅②樂事;樂趣 *vi*.(+in)歡欣;高興.

joyful /'dʒɔɪfl/ *a*. ①歡樂的, 喜氣洋洋的②令人高興的 **~ly** *ad*. **~ness** *n*.

joyless /'dʒɔɪlɪs/ *a*. 不快樂的, 不高興的 **~ly** *ad*. **~ness** *n*.

joyous /'dʒɔɪəs/ *a*. = joyful **~ly** *ad*. **~ness** *n*.

joyride /'dʒɔɪraɪd/ *n*. & *vi*. [口]駕車兜風(尤指偷車高速亂開) **~r** *n*. 偷車高速亂開者.

joy stick /'dʒɔɪ stɪk/ *n*. [俚]飛機的操縱桿;(電腦等的)操縱裝置.

JP *abbr*. = Justice of the Peace.

Jr. *abbr*. = Junior.

jubilant /'dʒuːbɪlənt/ *a*. 歡呼的;興高采烈的, 喜氣洋洋的 **~ly** *ad*.

jubilation /ˌdʒuːbɪ'leɪʃn/ *n*. ①歡欣;歡騰②慶祝.

jubilee /'dʒuːbɪliː/ *n*. ①周年紀念;(尤指)二十五、五十、六十或七十五周年紀念②歡樂的佳節;喜慶 // *diamond* ~六十周年紀念, 鑽石婚紀念 *golden* ~五十周年紀念, 金婚紀念 *silver* ~二十五周年紀念, 銀婚紀念.

Judaism /'dʒuːdeɪɪzəm/ *n*. ①猶太教②猶太民族的文化、社會和宗教信仰 **Judaic** *a*. **Judaist** *n*.猶太教教徒.

Judas /'dʒuːdəs/ *n*. [貶]出賣朋友的人;叛徒.

judder /'dʒʌdə(r)/ *vi*. & *n*. 劇烈顫抖;震動.

judge /dʒʌdʒ/ *n*. ①法官, 審判員②(比賽等的)裁判;仲裁人③鑒賞家;鑒定人 *v*.①審判;判决②裁决;裁判;評定③鑒定;識別④斷定;[口]認為;想 // *judging by / from* 由…看來;從…判斷.

judg(e)ment /'dʒʌdʒmənt/ *n*. ①審判;判决;裁判②鑒定;判斷;評價③判斷力;識別力④意見, 看法⑤(常用單數)報應;天罰 **~al** *a*. // *Judgment Day*, *Day of Judgment*【宗】上帝的最後審判日;世界末日.

judicature /'dʒuːdɪkətʃə(r)/ *n*. ①司法(權)②(總稱)審判員, 法官;法院.

judicial /dʒuː'dɪʃl/ *a*. ①司法的;法院的;法官的②法院判决的③公正的;明斷的 **~ly** *ad*.

judiciary /dʒuː'dɪʃərɪ/ *n*. ①(總稱)法官②司法部門;法院系統(或制度).

judicious /dʒuː'dɪʃəs/ *a*. 有見識的;明智的;賢明的 **~ly** *ad*. **~ness** *n*.

judo /'dʒuːdəʊ/ *n*. 日本柔道(由柔術演變發展的一種摔跤運動).

jug /dʒʌg/ *n*. ①帶柄小口水罐(或水壺)②壺中物, 罐中物③[俚]監牢

vt.①用罐煨或炖(野兔等)②[俚]監禁,關押 **~ful** *n*.滿壺,滿罐.

juggernaut /'dʒʌgənɔːt/ *n*. ①[英俗]巨型載重卡車②摧毀一切(或不可抗拒)的力量(如戰爭).

juggle /dʒʌgl/ *v*. ①(將數物來回拋上接住地)玩雜耍;變戲法②玩把戲;耍花招③歪曲;竄改;顛倒(事實等) **~r** *n*.①玩雜耍者;魔術師②騙子.

jugular /'dʒʌgjulə(r)/ *a*.【解】頸的;喉的;頸靜脉的 *n*.頸靜脉(亦作 **~vein**) // *go for the* ~[俗]猛烈抨擊對方論據中之致命弱點.

juice /dʒuːs/ *n*. ①(果,菜等之)汁,液②(*pl*.)體液③精力;活力④[口]電流;汽油;液體燃料(等能源)⑤[美俚]酒,(尤指)威士忌 *vt*.榨汁;[美俚]擠奶 // ~*up* 使有精力;使活潑;使更有趣 *stew in one's own* ~ 自作自受.

juicy /'dʒuːsɪ/ *a*. ①多汁的②獲利豐厚的,油水多的③有趣的;津津有味的.

jujitsu /dʒuː'dʒɪtsuː/ *n*. [日]柔術,柔道.

juju /'dʒuːdʒuː/ *n*. (西非某些黑人部落用的)護身符;符咒.

jujube /'dʒuːdʒuːb/ *n*. ①果味膠糖②棗樹.

jukebox /'dʒuːkbɒks/ *n*. (投幣)自動點唱機.

julep /'dʒuːlɪp/ *n*. [美]威士忌(或白蘭地)加薄荷和糖的冷飲.

Julian calendar /ˌdʒuːlɪən 'kælɪndə(r)/ *n*. 羅馬儒略曆(儒略·凱撒於公元前46年訂定的曆法乃當今通用陽曆之前身).

julienne /ˌdʒuːlɪ'en/ *n*. [法]肉汁菜絲湯.

July /dʒuː'laɪ /*n*. 七月.

jumble /'dʒʌmbl/ *v*. 使混亂;搞亂;混雜①混亂,雜亂;雜亂的一堆②[英]舊雜貨義賣品 // ~*sale* [英]舊雜貨義賣.

jumbo /'dʒʌmbəʊ/ *a*. [口]特大的,巨大的 *n*.(亦作 **~jet**)巨型噴氣客機,珍寶型客機,巨無霸噴射客機.

jump /dʒʌmp/ *v*. ①跳,跳躍;跳過②(因興奮、震驚等)跳起;使驚起③(價格等)暴漲;猛增④突然改變;匆匆作出⑤欣然接受(+at),積極參與,急切投入(+in, into)⑥略去⑦突然襲擊;抨擊;叱責(+on, upon)⑧【橋牌】跳級叫牌⑨闖(紅燈) *n*.①跳,躍;跳躍運動②(需跳越的)障礙物③驚跳;(*pl*.)震顫,心神不定④暴漲;猛增 **~ed-up** *a*.[貶]自命不凡的;暴發的;小人得志的 // ~*jet* 能垂直起降的噴氣機 ~ *leads*/*wire*【電】跨接綫 ~*suit* 連衣褲工作服;(婦女的)連衣褲便服 ~ *the gun* (賽跑時)搶跑;倉促行動 ~ *the quene* 不按次序排隊,插隊.

jumper[1] /'dʒʌmpə(r)/ *n*. [英]套頸毛衣;緊身毛衣.

jumper[2] /'dʒʌmpə(r)/ *n*. ①跳躍者②跳蟲(如蚤等);經訓練能跳障礙的馬.

jumpy /'dʒʌmpɪ/ *a*. 心驚肉跳的;神經質的 **junpily** *ad*.

junction /'dʒʌŋkʃn/ *n*. ①連接;接合②接合點;交叉點;(鐵路的聯軌點;河流的匯合處)③高速公路的出入口.

juncture /'dʒʌŋktʃə(r)/ *n*. 時機;關頭 // *at this* ~ 在此(關鍵)時刻.

June /dʒuːn/ *n*. 六月.

jungle /'dʒʌŋgl/ *n*. ①叢林;密林②凌亂的一堆東西;錯綜複雜的事③(為生存而)激烈鬥爭的地方.

junior /'dʒu:nɪə(r)/ *a*. ①年少的;較年幼的(略作 **Jun** 或 **Jr.** 加在兒子或年幼者姓名之後以區別父子或學校中兩男生同名)②(級別,職位)較低的;資歷較淺的③[美](大學或中學)三年級生的 *n*.①年少者②(職位,級別)較低者;晚輩③[美](大學或中學的)三年級生④[口](對兒子的稱呼)小子,孩子 **~ity** *n*.①年少②晚輩(下級)的身份(或處境) // *~ school* [英]小學.

juniper /'dʒu:nɪpə(r)/ *n*. 【植】檜樹;杜松.

junk[1]/dʒʌŋk/ *n*. ①[口]廢棄物品;舊貨②[口]便宜貨;假貨;廢話③[俚]麻醉毒品,(尤指)海洛英 // *~ bond* (利息高,風險大的)低檔債券 *~ food*(炸馬鈴薯片等)高熱量、營養價值低的食品 *~ mail*(大量郵寄的)廣告宣傳品.

junk[2]/'dʒʌŋk/ *n*. 平底中國帆船;舢板.

junket /'dʒʌŋkɪt/ *n*. ①凝乳食品,乳凍甜食②野餐;宴會③[美口][貶](借口視察的)公費旅遊 *v*.①宴請;舉行宴會②作公費旅遊 **~ting** *n*.歡宴;[美貶]公款宴請要人.

junkie, junky /'dʒʌŋkɪ/ *n*. [俚]吸毒犯;毒品販子.

junta /'dʒʌŋtə/ *n*. [常貶](發動政變上台的)軍政府.

Jupiter /'dʒu:pɪtə(r)/ *n*. ①【羅神】(主神)朱庇特②木星.

juridical /dʒʊə'rɪdɪkl/ *a*. ①審判(上)的;司法(上)的②法律(上)的 **~ly** *ad*. // *~ person* 法人.

jurisdiction /ˌdʒʊərɪs'dɪkʃn/ *n*. ①司法權;裁判權②管轄權;管轄範圍;權限 **~al** *a*.

jurisprudence /ˌdʒʊərɪs'pru:dns/ *n*. 法學;法理學.

jurisprudent /ˌdʒʊərɪs'pru:dənt/ *a*. 精通法律的 *n*. 法理學家 **~ial** *a*. **~ially** *ad*.

jurist /'dʒʊərɪst/ *n*. 法學家;法律專家;法官.

juror /'dʒʊərə(r)/ *n*. ①陪審員②(競賽時的)評審委員.

jury /'dʒʊərɪ/ *n*. 陪審團;(競賽時的)評審委員會 **~man**, (**~woman**) *n*.陪審員,(女陪審員).

just[1]/dʒʌst/ *a*. ①公正的;公平的;正直的②應得的;正當的;適當的;合理的③精確的 **~ly** *ad*. **~ness** *n*.

just[2]/dʒʌst/ *ad*. ①正好,恰好②僅僅③剛才④剛好;幾乎不⑤剛要,正要⑥[口]非常;真正 // *~ about* 大約;幾乎 *~ as* ①正當…的時候②正像 *~ so* 正是如此,一點不錯.

justice /'dʒʌstɪs/ *n*. ①正義;正當;公正;公平②正確;妥當;合理③司法;審判④審判員,法官 // *bring sb to ~* 把某人緝拿歸案,將某人繩之以法 *do ~ to sb/sth* 公平對待某人(某事);公正評判某人(某事) *do oneself ~* 充分發揮自己的力量 *Justice of the Peace* 治安官.

justifiable /'dʒʌstɪfaɪəbl/ *a*. ①可證明為正當的;有正當理由的;無可非議的②可辯解的;情有可原的 **justifiability** *n*. **justifiably** *ad*.

justification /ˌdʒʌstɪfɪ'keɪʃn/ *n*. ①證明正當;正當的理由;辯護②【印】(活字的)整理;(使活字每行都排齊的)裝版;整理.

justify /'dʒʌstɪfaɪ/ *vt*. ①證明為正當;認為有理;為…辯護②【印】整(版),裝(版);調整(活字)的間隔使每行都排齊 **justified** *a*.有理由的;正當的.

jut /dʒʌt/ *v*. (使)突出;伸出 *n*.伸出

部份.

jute /dʒuːt/ *n*. 【植】黃麻;黃麻纖維.

juvenile /ˈdʒuːvənaɪl/ *n*. ①青少年②扮演少年角色的演員③幼獸 *a*. ①青少年的;適合青少年的;青少年特有的②[貶]幼稚的 // ~*delinquency* 少年犯罪 ~*delinquent* 少年犯.

juvenilia /ˌdʒuːvəˈnɪlɪə/ *pl*. *n* ①(某作家或畫家等)少年時代的作品②少年文藝讀物.

juxtapose /ˌdʒʌkstəˈpəʊz/ *vt*. 使並列;使並置 **juxtaposition** *n*. 並列;並置.

K

K, k /keɪ/ ①【化】元素鉀(potassium)的符號②[口]代表數字"千".

K, k /keɪ/ *abbr*. = ①【物】kelvin②kilo.

kaffir /'kæfə(r)/ *n*. [蔑]非洲黑人(南非的一種黑人).

kaftan /'kæftən/ *n*. ①(近東地區男子的)寬鬆長袍②長而寬鬆的女裝(亦作 caftan).

kail /keɪl/ =kale.

Kaiser /'kaɪzə(r)/ *n*. (1918年前德國或奧匈帝國的)皇帝.

kalashnikov/kə'lɑːʃnɪkɒv/*n*.卡拉什尼柯夫槍(卡拉什尼柯夫是二十世紀蘇聯設計師);俄國造自動步槍.

kale /keɪl/ *n*. ①【植】羽衣甘藍②(蘇格蘭的)甘藍菜湯.

kaleidoscope /kə'laɪdəskəʊp/ *n*. ①萬花筒②千變萬化的景象(或色彩) **kaleidoscopic** *a*. **kaleidoscopically** *ad*.

kamikaze /ˌkæːmɪ'kɑːzɪ/ *n*. [日](第二次世界大戰末期駕機撞擊敵艦的)日本空軍敢死隊員,神風突擊隊員;神風隊的飛機 *a*. (指動作等)敢死的,自殺性的.

kangaroo /ˌkæŋgə'ruː/ *n*. 【動】大袋鼠 // ~ *court* [口](少數人非法私設的)模擬法庭.

kaolin /'keɪəlɪn/ *n*. (亦作 **china clay**)高嶺土;瓷土.

kapok /'keɪpɒk/ *n*. 木棉.

kaput /kə'pʊt/ *a*. [俚]壞了的;完蛋的;徹底失敗的.

karaoke /ˌkærə'əʊkeɪ/ *n*. 卡拉OK;伴唱機.

karat /'kærət/ *n*. =carat.

karate /kə'rɑːtɪ/ *n*. [日]空手道(一種徒手自衛武術).

karma /'kɑːmə/ *n*. (印度教、佛教)羯磨(梵文的音譯);決定來世命運的所作所為;因果報應.

karoo /kə'ruː/ *n*. [南非]乾燥台地.

kauri /'kaʊrɪ/ *n*. 【植】(產於新西蘭的)南方貝殼杉(其木及樹脂頗具商業價值).

kayak /'kaɪæk/ *n*. 愛斯基摩獨木舟;(用帆布或塑膠製的)小划子.

kazoo /kə'zuː/ *n*. 玩具小笛.

kbyte /'kbaɪt/ *n*. 【計】(=kilobyte)千字節.

kebab /kɪ'bæb, kə'bæb/ *n*. (亦作 **kebob** /kɪ'bɒb/)(常 *pl*.)烤肉串.

kedge /kedʒ/ *n*. (= ~-anchor)小錨 *v*. 拋小錨以移船.

kedgeree /'kedʒəriː/ *n*. (加有葱花雞蛋的)魚拌飯.

keel /kiːl/ *n*. ①(船等的)龍骨②(動物的)龍骨脊,脊棱 *vi*. (+over)①(指船)傾覆②翻身,顛倒;[口]突然昏倒 // *on an even* ~ 平穩的(地);穩定的(地);神志清醒的(地).

keen[1]/kiːn/ *a*. ①熱心的;渴望的②激烈的,強烈的③敏銳的;敏捷的④鋒利的;(言詞等)尖銳的;(指風)凜冽的,刺骨的⑤[英](指價格)競爭力強的 **~ly** *ad*. **~ness** *n*.

keen[2]/kiːn/ *v*. & *n*. (為死者)哀號,慟哭.

keep /kiːp/ *v*. (過去式及過去分詞 **kept**/kept/)①保持;保留,保存;(食物等)保持不壞;保守(秘密)②(使…)保持着(某種狀態)③履行;遵守④慶祝;過(節),過(年)⑤整理,料理⑥保護;看守⑦扶養;飼養⑧拘留;挽留,留住;阻止⑨經營;備有;開設⑩保衛;守衛⑪繼續不斷;維持 *n*.①生活資料,生計②【史】(城堡的)塔樓③牢監,監獄 **~er** *n*.①看守人;看護者;(動物園的)飼養員②保管員,管理人;(商店,客棧等的)所有者,經營者③[口]【球】(gaol keeper 之略)守門員 **~-fit** *n*.健身運動,保健操 // ~ *from* ①阻止;使免於②抑制,克制 ~(*sb*) *in* (作為懲罰)將(學生)留校,把(學生)關夜學 ~ *off* ①讓開;不接近②不讓接近;把…驅開 ~ *on*(*doing sth*) 繼續(進行);繼續下去 ~ *to* (*sth*) 堅持;固守 ~ *under* 壓制,控制 ~ *up* 維持;保持;繼續 ~ *up with* 跟上,不落後於 ~ *up with the Joneses* [口]和鄰居親友在生活上進行攀比.

keeping /ˈkiːpɪŋ/ *n*.①保管,保存②供養;飼養③一致;協調 // *in* (*out of*) ~ *with* 和…一致(不一致) *in safe*~ 妥為保管.

keepsake /ˈkiːpseɪk/ *n*. 紀念品;贈品.

keg /keg/ *n*. 桶;小桶.

kelp /ˈkelp/ *n*. 海草;巨藻;大型褐藻.

kelvin /ˈkelvɪn/ *n*. (略作 **K**)開氏溫度(開氏溫標的計量單位) // ~ *scale* 開氏溫標(以絕對零度 −273.15℃為零度的一種國際溫標).

ken /ken/ *n*. 知識範圍;見地 *v*.[蘇格蘭]知道 // *in* (*out of* 或 *beyond*) *one's* ~ 在某人的知識範圍之內(之外).

kennel /ˈkenl/ *n*. 狗窩;(*pl*.)養狗場 *v*.(使)進狗窩;(使)呆在狗窩.

kepi /ˈkeɪpl, ˈkepɪ/ *n*. (有平圓頂及水平帽沿的)法國軍帽.

kept /kept/ keep 的過去式及過去分詞 *a*.受人資助和控制的 // ~ *woman*(受人贍養的)姘婦,情婦.

keratin /ˈkerətɪn/ *n*.【生化】角朊.

kerb /kɜːb/(=[美]curb) *n*. 人行道上的鑲邊石 **~stone**/ *n*.(用作鑲邊石的)石塊 // ~ *crawling* 沿人行道慢速行駛物色對象上車進行嫖娼的活動.

kerchief /ˈkɜːtʃɪf/ *n*. ①(女用)方頭巾,方圍巾②[舊][詩]手帕,手巾.

kerfuffle /kəˈfʌfl, kæˈfʌfl/ *n*. [口]騷動;混亂 // *fuss and* ~[口]無謂的騷亂,大驚小怪.

kermes /ˈkɜːmɪz/ *n*.【化】蟲胭脂,胭脂蟲粉(一種紅色染料).

kernel /ˈkɜːnl/ *n*.①(硬殼果或果核內的)仁②核心,中心.

kerosene, -sine /ˈkerəsiːn/ *n*. [美]煤油,火油([英] **paraffin**).

kestrel /ˈkestrəl/ *n*.【鳥】紅隼.

ketch /ketʃ/ *n*. 雙桅小帆船.

ketchup /ˈketʃəp/ *n*. 番茄沙司,番茄醬.

kettle /ˈketl/ *n*.(燒水用的)水壺 // *a pretty*/*fine* ~ *of fish* 困境,窘境,尷尬的局面.

kettledrum /ˈketldrʌm/ *n*. 銅鼓,定音鼓.

key /kiː/ *n*. ①(開鎖,上鐘錶發條等的)鑰匙②(鋼琴,打字機等的)鍵(盤)③關鍵;要害;綫索;秘訣;解答④【樂】調;(文章,表現等)基調 *v*.(+to)【樂】調音,調弦;使適合於 *a*.主要的,關鍵的 **~note** *n*.①【樂】基調,主調②主旨,要旨 **~-pad** *n*.小型鍵盤(電腦等的附屬裝置可放在手掌上操作) **~-ring** *n*.鑰匙環,鑰匙圈 **~stone** *n*.①【建】冠石,塞縫石,拱頂石②要旨,根本原理 // *~in*【計】操作鍵盤輸入(數據等) *~ed up* 極為激動,非常緊張.

keyboard /'kiːbɔːd/ *n*. 鍵盤 *v*. 操作(電腦等的)鍵盤;操作鍵盤輸入(數據,資料等).

keyhole/'kiːhəul/ *n*. 鎖眼,鑰匙孔.

kg *abbr*. = kilogram(s).

KGB /ˌkeɪdʒɪ'biː/ *n*. [俄] *abbr*. 克格勃(原蘇聯的國家情報機構).

khaki /'kɑːkɪ/ *n*. & *a*. 卡其布(的);土黃色(的) **~s** *pl*. *n*. 卡其布軍裝,卡其布褲子.

khan /kɑːn, kæn/ *n*. (常大寫)可汗,汗(印度、中亞阿富汗等國家的統治者或官吏之稱號).

KHz / *abbr*. = kilohertz .

kibbutz /kɪ'buts/ *n*. (*pl*. **~im**/-ɪm/)以色列的居民點或農場 **~nik** *n*. 此類居民點的居民.

kibosh /'kaɪbɒʃ/ *n*. ①[俚]胡說②阻止;制服 // *put the ~ on* [俚]結束;使完蛋;毀滅.

kick /kɪk/ *v*. ①踢②(足球,橄欖球)踢球得分③(槍、炮)(向…)後座,(朝…)反衝;(球)突然反彈④[口]反對;抱怨⑤[口]戒除(毒癮) *n*. ①踢②反彈(力);反衝(力);後座(力)③(極度的)刺激;興奮 **~back** *n*. [俚]回扣,佣金 **~off** *n*. (足球的)開球;[口]開始 **~-start** *n*. (亦作 ~-starter)(摩托車的)脚踏式起動板,反衝式起動器 *v*. 用脚踏起動板起動(摩托車) // *~off* (足球)開球;[口]開始 *~ out*. 驅逐,開除,解僱 *~ up* [口]引起(騷動).

kid[1]/kɪd/ *n*. ①小山羊,小羚羊②小山羊皮③[口]小孩;少年.

kid[2]/kɪd/ *v*. [口]嘲弄;取笑;欺瞞.

kidnap /'kɪdnæp/ *vt*. 誘拐;綁架 **~per** *n*. 拐子;綁架者.

kidney /'kɪdnɪ/ *n*. ①【解】腎②(動物的)腰子 // *~ bean* 菜豆,腎豆.

kiduldt /'kɪdʌlt/ *a*. [美俚](電視節目等)老少咸宜的.

kidvid /'kɪdʌɪd/ *n*. [美俚]兒童電視節目.

kill /kɪl/ *v*. ①殺死;弄死;屠宰②毀掉;扼殺;使終止③中和;抵消④消磨(時光)⑤[口]使…痛苦(或難受) *n*. ①殺死②獵殺的鳥獸 **~er** *n*. 殺人者,凶手;吃人的野獸;致人死命的東西 **~joy** *n*. 掃興的人(或事物) // *~ off/out* 殺光,消滅 *~ or cure* 孤注一擲;好歹 *~ two birds with one stone* [諺]一箭雙雕,一舉兩得 *to ~* [俚]過分地.

killing /'kɪlɪŋ/ *a*. ①致死的②[口]非常累人的③[口]很好笑的 *n*. (尤用於) // *make a ~*. 大發利市;賺大錢.

kiln /kɪln/ *n*. 窰.

kilo /'kiːləu/ *n*. *abbr*. = kilogram.

kilo- /'kiːləu/ [構詞成分]表示"千"如 kilolitre *n*. 千升.

kilobyte /'kɪləbaɪt/ *n*. 【計】千字節.

kilocalorie /'kɪləuˌkælərɪ/ *n*. 千卡.

kilogram(me) /'kɪləgræm/ *n*. 千克,公斤(略作 **kg**).

kilohertz /'kɪləhɜːts/ *n*. 【電】千赫(略作 **kHz**).

kilometre, -meter /'kɪləˌmiːtə(r)/ *n*. 公里,千米(略作 **km**).

kilowatt /'kɪləwɒt/ *n*. 【電】千瓦(略作 **kw**) **~-hour** 千瓦小時.

kilt /'kɪlt/ *n*. ①(蘇格蘭高地男子穿的)短褶裙②蘇格蘭式短裙 **~ed** *a*. 穿褶裙的.

kimono /kɪ'məunəu/ *n*. [日]①和服②和服式晨衣;和服式浴衣.

kin /'kɪn/ *n*. (總稱)親屬, 親戚.

kind[1]/kaɪnd/ *a*. 仁慈的;厚道的;和藹的, 親切的;友愛的 **~-hearted** *a*. 仁慈的, 好心腸的.

kind[2]/kaɪnd/ *n*. ①種;類;[貶]幫, 夥 ②性質, 本質// *a ~ of* 幾分, 稍稍 *in ~* 以貨代款;以實物;[喻]以同樣方式(回敬) *~ of* [口]有點兒, 有幾分(作狀語用).

kindergarten /'kɪndəgɑːtn/ *n*. 幼兒園.

kindle /'kɪndl/ *v*. ①點燃;着火②使明亮;發亮③煽動;鼓舞, 激發.

kindling /'kɪndlɪŋ/ *n*. 引火柴(禾) // *~ point* 着火點, 燃點.

kindly /'kaɪndlɪ/ *a*. ①和藹的, 親切的;友好的②(氣候等)溫和宜人的 *ad*. ①和藹地, 親切地;友好地, 體貼地②誠懇地, 衷心地③請(客套用語, 有時用於帶諷刺意味的命令上) **kindlily** *ad*. **kindliness** *n*.

kindness /'kaɪndnɪs/ *n*. ①仁慈;和氣;好意②友好的行為;好事 // *~ of*...(信封上用語)煩…轉交.

kindred /'kɪndrɪd/ *n*. ①宗族;親屬;血緣關係②(總稱)親屬, 親戚 *a*. ①親屬的, 親戚的;宗族的②類似的;同種的, 同源的 // *~ spirit* 志同道合的人, 趣味相同者.

kinetic /kɪ'netɪk, kaɪ'-/ *a*. ①運動的;動力(學)的②活動的;有力的 **~ally** *ad*. **~s** *pl.n*. (動詞用單數)動力學 // *~ art* 動態藝術(尤指雕塑).

king /kɪŋ/ *n*. ①王, 國王, 君主;(部落的)首領②(某界)巨子, …大王;(同類中)最有勢力者③(紙牌中的)老K;(國際象棋中的)王;(西洋跳棋中的)王棋④(水果, 植物中的)最佳品 **~ly** *a*. 國王(似)的, 君主政體的 **~ship** *n*. 王位;王權;君主統治 **~-size(d)** *a*. [口](尤作定語)特大(號)的 // *~'s ransom* 大量的錢財.

kingcup /'kɪŋkʌp/ *n*. 【植】鱗莖毛茛, 驢蹄草.

kingdom /'kɪŋdəm/ *n*. ①王國;[喻]領域②界(大自然三界之一) // *till/until ~ come* [口]永遠 *to ~ come* 歸天, 上西天.

kingfisher /'kɪŋfɪʃə(r)/ *n*. 【鳥】翠鳥, 魚狗.

kingpin /'kɪŋpɪn/ *n*. ①[口]首要人物, 領袖②(保齡球的)中央瓶.

kink /kɪŋk/ *n*. ①(綫, 繩, 頭髮等的)紐結, 絞纏②[口]乖僻, 偏執, 古怪 **~y** *a*. ①絞纏的;捲曲的②[俚][貶]怪僻的;(尤指性行為)不正當的, 反常的.

kinsfolk /'kɪnzfəʊk/ *pl.n*. =kin.

kinsman, (**kinswoman**) /'kɪnzmən, ('kɪnzˌwʊmən) / *n*. 男親屬, (女親屬).

kiosk /'kɪɒsk/ *n*. ①(車站, 廣場等處的)書報亭, 飲食攤②[舊英]公用電話間③廣告亭.

kip /kɪp/ *n*. & *vi*. ①[口]睡覺②床.

kipper /'kɪpə(r)/ *n*. 腌(或熏)鮭魚.

kirk /kɜːk/ *n*. [蘇格蘭]教會.

kirsch /'kɪəʃ/ *n*. [德](無色)櫻桃酒.

kismet /'kzsme/ *n*. [書]命運, 天命.

kiss /'kɪs/ *v*. ①接吻②(微風等)輕觸, 輕拂 *n*.吻 **~able** *a*. [褒]惹人親吻的 **~er** *n*. [俚]嘴;面孔 // *~ away* 吻掉(眼泪等) *~ goodby(e) to sth*, *~ sth goodby(e)* [俚]無可奈何地失去某物 *~ of life* (口對口)人工呼吸;起死回生的舉措.

kit /kɪt/ *n*. ①成套工具(用具, 物件等);(可自行組裝的)整套配件②(士兵或旅客的)個人行裝 *vt*. 裝備

~bag *n*. 長形帆布行裝(或用具)袋 // ~ *out* 裝備妥當.

kitchen /'kɪtʃɪn/ *n*. 廚房, 竈間 **~ette** /-'et/ *n*. 小廚房 // ~ *garden* (自用)菜圃, 菜園 ~*-sink drama* (本世紀五、六十年代創作的)表現英國平民家庭生活的現實主義戲劇.

kite /kaɪt/ *n*. ①風箏, 紙鳶②【鳥】鳶 **~-flying** *n*. ①放風箏②[俚](為窺測他人立場、觀點等而做出的)試探性的言行.

kith /kɪθ/ *n*. 朋友; 親屬 // ~ *and kin* 親友們.

kitsch /kɪtʃ/ *n*. [貶]迎合低級趣味的拙劣文藝作品.

kitten /'kɪtn/ *n*. 小貓 **~ish** *a*. 小貓(似)的; 嬉耍的; 活蹦亂跳的 // *have* ~*s* [英口]煩躁不安, 緊張擔憂.

kittiwake /'kɪtɪweɪk/ *n*. (產於北大西洋和北冰洋的)三趾鷗; 海鷗.

kitty[1]/'kɪtɪ/ *n*. [兒]小貓, 貓咪.

kitty[2]/'kɪtɪ/ *n*. ①(某些牌戲中各家下的)全部賭注②[口](團體或家庭成員)湊集的資金.

kiwi /'ki:wi:/ *n*. ①【動】(新西蘭產的, 不會飛的)鷸鴕②[俚](常大寫)新西蘭人// ~ *fruit* 獼猴桃.

klaxon /'klæksn/ *n*. 電警笛(聲); 電喇叭.

kleptomania /ˌkleptə'meɪnɪə/ *n*. 偷盜癖 **~c** *n*. 有偷盜癖的人.

km *abbr*. = kilometre(s).

knack /næk/ *n*. ①訣竅, 竅門; 技巧②(言、行等)習慣, 癖.

knacker /'nækə(r)/ *n*. 收買、屠宰或出售病弱老馬者 *v*. [俚]使精疲力竭 **~ed** *a*. [英俚]精疲力竭的.

knapsack /'næpsæk/ *n*. [舊](=rucksack)(軍用或旅行)背包.

knave /neɪv/ *n*. ①(紙牌中的)杰克(=Jack)②[舊]無賴, 流氓 **~ry** *n*. [舊]無賴行徑, 流氓行為 **knavish** *a*. [舊]無賴的, 奸詐的.

knead /ni:d/ *v*. ①揉, 捏(麵, 陶土等); 捏做(麵糰)②揉, 按摩(肌肉).

knee /ni:/ *n*. ①膝; 膝蓋; 膝關節②(長褲, 長襪的)膝部 *vt*. 用膝蓋碰 **~cap** *n*. 【解】膝蓋骨 *vt*. 槍擊(某人的)膝蓋骨 **~-deep** *a*. 深及膝部的, 沒膝的 **~-high** *a*. 高到膝部的 **~-jerk** *n*. 【醫】膝反射 *a*. [貶](尤指答覆或反應等)無意識的, 不自覺的 **~s-up** *n*. [口]歡樂的聚會.

kneel /ni:l/ *vi*. (過去式及過去分詞 **knelt** /nelt/或**~ed**)跪下; 跪着.

knell /nel/ *n*. ①(喪)鐘聲②凶兆.

knew /nju:/ know 的過去式.

knickerbockers /'nɪkəbɒkəz/ *pl*. *n*. (膝下扎起的)燈籠褲.

knickers /'nɪkəz/ *pl*. *n*. ①[英口]女式短襯褲②[美] = knickerbockers // *get one's* ~ *in a twist* [英俚]惱怒; 慌亂.

knick-knack (亦作 **nick-nack**) /'nɪknæk/ *n*. 小傢具; 小玩意; 小擺設; 小裝飾品.

knife /naɪf/ *n*. (*pl*. **knives** /naɪvz/) (作工具或武器的)有柄小刀 *v*. (用刀)切, 砍, 戳, 刺; (刀似地)劈開, 穿過 **~-edge** *n*. ①刀口, 刀刃②關鍵時刻; 結果(前途)未卜之際 // *under the* ~[口]在動手術中.

knight /naɪt/ *n*. ①[英]爵士②(歐洲中世紀的)騎士, 武士③(國際象棋中的)馬 *vt*. 封…為爵士(或騎士) **~hood** *n*. ①騎士(爵士)資格(地位或身份)②騎士精神, 俠義③(總稱)騎士; 爵士 **~ly** *a*. ①騎士(般)的; 俠義的②由騎士(爵士)組成的 **~-er-**

rant *n*. (中世紀的)遊俠騎士;俠客.

knit /nɪt/ *v*. (過去式及過去分詞 **knit** 或~**ted**)①編織,編結;針織②(使)皺起(眉頭)③接合(折骨等);(使)緊密結合 ~**ter** *n*. 編織(編結)者;編織機 ~**wear** *n*. 針織品.

knitting /ˈnɪtɪŋ/ *n*. 編織(物);針織(品) // ~ *needle* 織針,毛衣針.

knives /naɪvz/ knife 的複數.

knob /nɒb/ *n*. ①(門、抽屜的)圓形把手;(收音機、電視機等)旋鈕,按鈕②(樹幹上的)節③(黃油,糖,煤等)小團塊 // *with* ~*s on* [俚]尤其,更加;突出地.

knobbly /ˈnɒblɪ/ *a*. 有節的;疙瘩多的.

knock /nɒk/ *v*. ①敲,擊,打②敲掉;去掉③(使)碰撞④[口]找…岔子,(對…)吹毛求疵⑤(發動機出故障時發出的)砰砰爆擊聲 *n*.①敲,打;敲打聲②(發動機出故障時的)爆擊聲③[口](板球賽的)盤、局 ~**about** *a*. (指喜劇)庸俗喧鬧的 ~**-down** *a*. (指價格)非常低廉的 ~**-knees** *pl*. *n*. 內翻膝 (~**-kneed** *a*. 膝內翻的) ~**-out** *n*. ①(拳擊)打倒(對手)的一擊②淘汰賽③[口]轟動一時的事件;引人注目的人物 ~**-up** *n*. (網球、羽毛球)賽前的熱身活動 // ~ *about/around* ①[口]漂泊流浪,到處漫遊②毆打,虐待 ~ *back* [口]①大口喝下②花費③拒絕(接受) ~ *down* ①撞倒,擊倒;拆毀②[口]壓價 ~ *off* ①(從費用、價格中)扣除②[口]匆匆做成,即席創作③[口]中止(工作)④[俚]偷竊 ~*-on effect* 間接影響,附帶後果 ~ *out* ①打昏,使失去知覺②使傾倒,使震驚③擊敗而使淘汰 ~ *up* ①趕做,趕製②[口]敲門喚醒.

knocker /ˈnɒkə(r)/ *n*. ①門環②[口]吹毛求疵的人,說別人壞話者③(*pl*.)[英俚]婦女乳房 ④來訪者.

knoll /nəʊl/ *n*. 圓丘,土墩.

knot /nɒt/ *n*. ①(綫、繩、索等的)結;(裝飾用的)花結,蝴蝶結②(樹木,木材上的)節疤;(動物或人身上的)硬塊;[喻]麻煩事;難題③【海】節(=浬/小時),海里④一小群,一小簇 *v*.①打結;成結②打結繫住(或捆綁) ~**ty** *a*. ①多結的;(樹木、木材)多節的②棘手的;令人困惑的 ~**-hole** *n*. 木材上的節孔.

know /nəʊ/ *v*. (**knew** /njuː/ , **known** /nəʊn/)①知道;懂得②相識,認識;認出,識別③精通,熟悉④體驗;經歷 ~**able** *a*. 可知的;可認識的 ~**-all**, ~**-it-all** *n*. [常貶]萬事通;自以為無所不知者 ~**-how** *n*. [口]專門技能;知識 // ~ *one's business* 懂行,精通自己的本行.

knowing /ˈnəʊɪŋ/ *a*. ①有見識的;會意的;心照不宣的②機敏的,聰明的;精明的;老練的 *n*. 知識;認識 ~**ly** *ad*. 故意地;心照不宣地 // *There's no* ~ ...無法知道….

knowledge /ˈnɒlɪdʒ/ *n*. ①知識;學問②知道;理解③認識 ~**able** *a*. 有知識的;淵博的;有見識的 ~**ably** *ad*. // *perceptual*(*rational*)~ 感性(理性)認識 *to one's* ~據某人所知.

known /nəʊn/ know 的過去分詞 *a*. 知名的;已知的.

knuckle /ˈnʌkl/ *n*. 指關節;(小牛,豬等)膝關節,脚圈;肘 *v*.用指關節敲打 ~**-duster**([美] **brass** ~**s**)銅指關節環(套在指關節上以增加打人的力度) ~**head** *n*. [口][貶]笨蛋 ~ **under**[俗]認輸;屈服// ~ *down*

着手認真地幹,開始努力工作 *near the* ~[口]接近誨淫的,有點下流的.

KO, ko, /ˌkeɪ'əʊ/ *abbr*.[口]=knockout[1].

koala /kəʊ'ɑːlə/ *n*.【動】(澳洲的無尾)考拉熊.

kohl /kəʊl/ *n*. 東方婦女用來把眼圈塗黑的一種化妝品.

kohlrabi /ˌkəʊl'rɑːbɪ/ *n*.【植】球莖甘藍.

kook /kuːk/ *n*. [美]怪人;狂人;傻瓜 **~y** *a*.

kookaburra /'kʊkəbʌrə/ *n*.【鳥】(澳洲的)笑鳩(啄魚為食,亦作 **laughing Jackass**).

kope(c)k /'kəʊpek, 'kɒpek/ *n*. 戈比(俄羅斯等原蘇聯某些國家的輔幣,為1/100之盧布).

kopje, koppie /'kɒpɪ/ *n*. (南非的)小山丘.

Koran /kə'rɑːn/ *n*. (the ~)(伊斯蘭教)古蘭經(亦作可蘭經).

Korean /kə'rɪən, kɔ(ː)'rɪən/ *n*. 朝鮮語;朝鮮(族)人 *a*.朝鮮(人)的;朝鮮語的.

kosher /'kəʊʃə(r)/ *a*. ①(指食物符合猶太教食規因而)清潔可食的;(指飲食店)供應清潔可食食物的②[口]真正的;正當的;合法的 *n*.(符合猶太教食規的)清潔食物.

kowtow /'kaʊ'taʊ/ *vi*. (亦作 **kotow** /'kəʊ'taʊ/ ①磕頭,叩首②卑躬屈膝.

kph *abbr*.=kilometres per hour.

kraal /krɑːl/ *n*. ①(南非有柵欄防護的)村莊②(南非)牛欄;羊圈.

kraken /'krɑːkən/ *n*. (傳說在挪威海出現的)海妖.

K ration /'keɪ 'ræʃn/ *n*. (美軍的)K種口糧袋,應急口糧.

Kremlin /'kremlɪn/ *n*. (莫斯科的)克里姆林宮;俄國政府;前蘇聯政府.

krill /krɪl/ *n*.(*pl*. **krill**) 燐蝦.

kris /kriːs/ *n*. (馬來西亞或印度尼西亞人的)波紋刀刃短劍.

krona /'krəʊnə/ *n*.(*pl*. **-nor** /-nɔː/)(瑞典的貨幣單位)克朗.

krone /krəʊne/ *n*.(*pl*. **-r** /-neə/)(丹麥、挪威的貨幣單位)克朗.

krypton /'krɪptɒn/ *n*.【化】氪.

kudos /'kjuːdɒs/ *n*. [口]榮譽,名譽;名聲.

Ku Klux Klan /ˌkuː 'klʌks 'klæn/ *n*. 三K黨(美國的秘密白人組織以歧視迫害黑人而臭名昭著).

kumis(s), koumiss /'kuːmɪs, 'kʊmɪs/ *n*. (中亞地區人用馬奶釀成的)乳酒.

kümmel /'kʊməl/ *n*. [德](用茴蒿籽調製的)芹香白酒.

kumquat /'kʌmkwɒt/ *n*.【植】金橘,金柑.

kung fu /ˌkʊŋ 'fʊ/ *n*. [漢]功夫(中國傳統武術).

kw *abbr*.=kilowatt 千瓦.

kwh *abbr*.=kilowatt-hour 千瓦小時.

L

L, l /el/ 表示①large 大號②Latin 拉丁文③lake 湖泊④learner-driver 實習駕駛員⑤litre 升⑥left 左⑦line 綫⑧L 形之物.

laager /'lɑːgə(r)/ *n*. 車陣;戰車圍成的防禦陣地.

lab /læb/ *abbr*. = ①labo(u)r 勞動②laboratory 實驗室.

label /'leɪbl/ *n*. 標籤;標記 *v*.①貼上標籤,打上標記②歸類為,劃為.

labia /'leɪbɪə/ *n*. *pl*. 唇, 陰唇 **~l** /'leɪbɪəl/ *a*.唇的 *n*.唇音.

laboratory /lə'bɒrətrɪ/ *n*. (*pl*. **-ries**) 實驗室;藥廠.

laborious /lə'bɔːrɪəs/ *a*. ①費力的;困難的②勤勉的.

labo(u)r /'leɪbə(r)/ *n*. ①勞動;勞力;工人②難事;(分娩)陣痛 *v*.勞動,工作 **~er** *n*. 工人, 勞動者 **L-Party** (英)工黨.

Labrador/'læbrədɔː(r)/*n*. = Labrador retriever 一種經過訓練,能銜回獵物的黃色或黑色的拾獚.

laburnum/lə'bɜːnəm/*n*.【植】金鏈花;水黃皮;高山金鏈花.

labyrinth /'læbəˌrɪnθ/ *n*. ①迷宮,曲徑②難辨的事 **~ine** /-aɪn/ *a*.①迷宮般的;錯綜複雜的②費解的.

lace /leɪs/ *n*. ①花邊②繫帶;繫鞋帶;編織帶 *v*.①用帶繫,穿帶子②編織③(在食品、飲料中)加入稍許烈性酒或藥物 **lacy** /'leɪsɪ/ *a*. 花邊(狀)的 **~-ups** *n*.繫帶鞋.

lacerate /'læsəreɪt/ *v*. 劃破;傷害;折磨;使苦 **leceration** /ˌlæsə'reɪʃn/ *n*. 傷口.

lachrymal /'lækrɪml/ *a*. 泪的,泪腺的 **lachrymatory** *a*.催泪的 **lachrymose** /'lækrɪməʊs/ *a*.悲哀的,愛流泪的.

lack /læk/ *a*. 不足的,缺乏的 *v*.①缺少,短缺②需要 **~ing** *n*.

lackadaisical /ˌlækə'deɪzɪkl/ *a*. 懶洋洋的;無精打采的.

lacker /'lækə(r)/ *n*. 同 **lacquer**.

lackey /'lækɪ/ *n*. 僕從;走狗 *v*.侍候,奉承.

lacklustre /'lækˌlʌstə(r)/ *a*. ①無光澤的,沒光彩的②晦澀的.

laconic /lə'kɒnɪk/ *a*. (語言)簡練的 **~ally** *ad*. **~ism** *n*.

lacquer /'lækə(r)/ *n*. ①真漆,噴漆②漆器 *v*. 噴漆,塗漆 **~er** *n*. 漆匠

lacrosse /lə'krɒs/ *n*.【加】長柄曲棍球.

lactation /læk'teɪʃn/ *n*. ①乳汁分泌②哺乳,哺乳期 **lacteal** /'læktɪəl/ *a*. 乳的,乳汁的,乳狀的.

lactic /'læktɪk/ *a*.【化】乳的,乳汁的 **~gland** *n*. 乳腺 **~acid** *n*.乳酸.

lactose /'læktəʊs/ *n*.【化】= milk sugar 乳糖 **lactobacillus** *n*.乳酸杆菌.

lacuna /lə'kjuːnə/ *n*. *pl*. **lacunae** /-niː/ ①空隙;空白②脫漏.

lad /læd/ *n*. (*pl*. **laddie** /'lædɪ/)少年,年輕人,小伙子.

ladder /'lædə(r)/ *n*. 梯子,階梯 *v*.①(襪子)抽絲②成名.

laden /'leɪdn/ *a*. ①裝着貨的②結碩果的③負重擔的.

lading /'leɪdɪŋ/ *n*. 裝貨,裝載 // *bill of* ~ 提單,提貨單.

ladle /'leɪdl/ *n*. 長炳勺 *v*. ①(用勺)

舀,盛②提供.

lady /'leɪdɪ/ *n*. (*pl*. **ladies**) 女士;夫人;小姐;貴婦;淑女 **~bird** = **~bug** 瓢蟲 **~-killer** *n*. 勾引女子的老手 **~like** *a*. 貴婦樣的;女人腔的 **~ship** *n*. 夫人, 貴婦人身份 // *~-in-waiting*(英)宮廷侍女.

lag /læg/ *v*. (**lagged, lagging**)走得慢;落伍;延遲;變弱;落後於 *n*. [俚]囚犯.

lager /'lɑːgə(r)/ *n*. 貯藏啤酒(存數月之淡啤酒).

laggard /'lægəd/ *a*. 落後的, 遲緩的 *n*. 落後者,遲鈍的人.

lagoon /lə'guːn/ *n*. 鹹水湖;瀉湖.

laid /leɪd/ lay 之過去分詞 **~-back** *a*. 放鬆的,鬆懈的 **~-off** 被解僱的.

lain /leɪn/ lie 之過去分詞.

lair /leə(r)/ *n*. 獸穴棲息處 *v*. 進窩.

laird/leəd/*n*. [蘇格蘭](尤指較富裕的)地主.

laissez-faire /ˌleɪseɪ 'feə(r)/ *n*. 自由主義,放任主義.

laity /'leɪətɪ/ *n*. 俗人(區別於僧侶);門外漢.

lake /leɪk/ *n*. ①湖 **~let** *n*. 小湖 **~side** *n*. 湖邊;②深紅色染料.

lam /læm/ *vt*. 敲打, 鞭打 *vi*. 犯罪後突然潛逃.

lama /'lɑːmə/ *n*. 喇嘛(蒙古、西藏喇嘛教僧侶).

lamasery /'lɑːməsərɪ/ *n*. 喇嘛寺.

lamb /læm/ *n*. ①羔羊;羊肉②溫和的人③聽話的乖孩子; *v*. 羊產仔 **lambskin** *n*. 小羊皮, **lambwool** *n*. 羊仔毛.

lambast(e) /læm'beɪst/ *v*. [俚]①鞭打,狠打②嚴厲責罵.

lambency /'læmbənsɪ/ *n*. 閃爍;柔光;巧妙 **lambent** /'læmbənt/ *a*. (光、焰)輕輕搖曳, 閃爍的, 發亮的;輕巧的.

lame /leɪm/ *a*. 跛的;殘廢的,瘸拐的;蹩脚的 *v*. 使跛足 /'lɑːmeɪ/ *n*. 金銀綫織物.

lamé/'lɑːmeɪ/*n*.(絲、毛、棉和金綫、銀綫的)交織錦、緞.

lament /lə'ment/ *vt*. 悲嘆, 哀悼;傷心 *n*. 哀悼; 慟哭; 悼詞 **lamentable** /'læməntəbl/ *a*. 可悲的 **lamentation** /ˌlæmen'teɪʃn/ *n*.

lamina /'læmɪnə/ *n*. (*pl*. **-nae** /-'niː/) 薄片; 迭層; 薄板 **~te** /'læmineɪt/ *vt*. 壓切成薄板(片),用薄板覆蓋 **~ted** *a*. 由薄板迭成 // *~ted wood* 膠合板.

lammas /'læməs/ *n*. ①(天主教八月一日)聖彼得脫難紀念日②收穫節.

lamp /læmp/ *n*. 燈,燈泡;光 **~black** *n*. 油烟 **~less** *a*. 無燈的 **~-post** *n*. 燈柱,燈杆 **~shade** *n*. 燈罩 **~wick** *n*. 燈芯 // *~stand* 燈台,燈座.

lampoon /læm'puːn/ *n*. 諷刺文(詩) *v*.寫諷刺文;諷刺 **~-er, ~-ist** *n*. 諷刺作家.

lamster /'læmstə(r)/ *n*. [美俚]逃亡者,潛逃者,逃犯,逃兵.

lance /lɑːns 或 læns/ *n*. 標槍, 長矛,捕鯨槍, 柳葉刀 *vt*. 用矛刺穿, 用刀割開, 投擲 *vi*. 急速前進 **~er** *n*. ①持槍者②槍騎兵 // *~ corporal* (英陸軍代理)下士;一等兵.

lancet /'lɑːnsɪt/【醫】*n*. ①刺血針, 柳葉刀,口針②【建】矛尖狀裝飾, 尖拱(窗).

land /lænd/ *n*. ①陸地, 地面②土地,農田③國土,國家④地方,地帶,境界 *vi*.登陸;着陸;降落 **~ed** *a*.有土地的;地產的;上了岸的 **~er** *n*. 司罐工人;把鈎工人,(宇航)着陸器;(輸送金屬)斜槽 ~**lady** *n*.女房東 ~ **law** *n*.土地法 ~**less** *a*.無土地的 ~**lord** *n*.地主,房東,店主 ~**lubber** *n*.下不了海的人 ~**mark** *n*.界標 ~**slide** 或 ~**slip** *n*.山崩,塌方;泥石流;大勝利 ~ **tax** *n*.土地稅 ~**wash** *n*.海浪冲岸 ~**way** *n*.陸路(交通) ~**wards** *a*. & *ad*.朝向陸地 // ~ *agency* 地產管理處 ~*bank* 地產銀行 ~*carriage* 陸運 ~*forces* 陸軍 ~*holder* 土地占有者,租地人 ~*mine* 地雷 ~*reform* 土地改革 ~*waiter* 海關人員.

landau /'lændɔː/ *n*. 舊式摺叠式敞篷汽車;四輪敞篷馬車.

landfall/'lændfɔːl/*n*.航程後最初的登陸、着陸.

landing /'lændɪŋ/ *n*. 登陸,降落,着陸;下車;樓梯平台 // ~ *craft* 登陸艇 ~*field* 着陸地,機場 ~*force* 陸戰隊 ~*ship tank* 坦克登陸艇 ~*stage* 躉船,棧橋,浮碼頭 ~*strip* 飛機起落跑道.

landlocked/'lændlɒkt/*n*.【地】陸圍的.

landlord/'lændlɔːd/*n*.①地主②房東.

landlubber/'lændlʌbə(r)/*n*.(水手用語)旱鴨子(指不善於航海的人).

landmark/'lændmɑːk/*n*.(明顯的)陸標;地標.

landscape /'lændskeɪp/ *n*. 風景,景緻,景觀 // ~ *gardening* 園藝 ~*painting* 風景畫 .

landslide/'lændslaɪd/*n*.山崩;塌方.

lane /leɪn/ *n*. 小巷,窄道;航道,通道,車道,跑道;泳池中分道.

language /'læŋgwɪdʒ/ *n*. 語言,語調,措辭;言語 .

languet /'læŋgwet/ 舌狀的.

languid /'læŋgwɪd/ *a*. 怠倦的;陰沉的,無精打采的;不興旺,不活潑的,緩慢的 **languish** /'læŋgwɪʃ/ *vi*. 衰弱;疲倦;凋萎;煩惱,焦慮;渴望;憔悴,潦倒;脉脉含情的.

languor /'læŋgə(r)/ *n*. 衰弱無力,消沉;柔情;倦怠,沉悶.

lank /læŋk/ *a*. 瘦的,細長的;平直的(頭髮) ~**y** /'læŋkɪ/ *a*. 瘦長的,細長的.

lanolin(e) /'lænəlɪn/ *n*. 羊毛脂.

lantern /'læntən/ *n*. 燈籠,提燈;街燈 // ~ *fly* 白蠟蟲 ~ *slide* 幻燈 .

lanthanum /'lænθənəm/ *n*. 【化】鑭(銀白色).

lanyard /'lænjəd/ *n*. 拉火繩,短繩;勛章 *n*.

Laos /'laʊs/ *n*. 老撾 **Laotian** /'laʊʃɪən/ *n*. 老撾人,寮人;老撾語.

lap /læp/ *n*. (人坐時的)腰以下到膝的部份,大腿前部;衣服下襬,裙兜;(跑道之)一圈,重叠部分,搭接 *vt*. 摺叠;舐;拍打;被包住,圍起 ~**ful** *a*. 滿兜 // ~ *belt* (~ *strap*) 安全帶 ~*dog* 叭兒狗 ~ *joint* 搭接縫 ~ *top* (電腦等)小得可放在膝上操作的 ~ *up* 舐光,喝乾;欣然接受.

lapel /lə'pel/ *n*. (主要用於複數)翻領.

lapidary /'læpɪdərɪ/ *n*. 玉石;寶石工藝;寶石商 *a*. 玉石雕刻的;簡潔優雅的.

lapis lazuli 天青石;青金石.

lapp /læp/ *n*. (分佈在斯堪的納維亞北部的)拉普人;拉普語.

lapse /læps/ *n*. (時間的)消逝,推移;緩流;過失,小錯誤;行為失檢【律】消失,喪失;偏離(正道);墮落.

lapwing /'læpwɪŋ/ *n*. 【動】田鳧,鳳頭麥雞.

larboard /'lɑːbəd/ *n*. 左舷(現在一般

用 Port) *a*.左舷的.

larceny /'lɑːsənɪ/ *n*. 【律】盜竊罪;非法侵占財產.

larch /lɑːtʃ/ *n*. 落葉松;落葉松木材.

lard /lɑːd/ *n*. 猪油 *vt*.塗上猪油;潤色,點綴 **~er** /'lɑːdə(r)/ *n*. 肉櫃,肉庫 **~y** / *a*. 含猪油的,塗猪油的;裝模作樣的.

large /lɑːdʒ/ *a*. ①大的,巨大的②廣博的③自由奔放的;奔放的 **~-ness** *n*. **~-handed** *a*. 大手大脚的,慷慨大方的 **~-minded** *a*. 大度的,寬容的 **~-scale** *a*. 大規模的 // ~ *tonnage product* 大量產品 *at* ~ 自由,在逃,逍遙法外;自在地;籠統地,無的放矢的;無任所的.

largely /'lɑːdʒlɪ/ *ad*. 大量地;主要地;慷慨地.

largess(e) /'lɑːdʒes/ *n*. 賞賜,慷慨贈予 // *cry* ~ 討賞錢.

largo /'lɑːgəʊ/ *a*., *ad*. & *n*. 緩慢;寬廣;(音樂)廣板.

lariat/'lærɪət/*n*.①(拴住吃草馬匹等用的)繫繩②套馬用的套繩.

lark /lɑːk/ *n*. 雲雀,百靈鳥[俗]嬉戲 *v*.①嬉耍,鬧着玩,取笑②(騎馬)跳越;玩樂.

larva /'lɑːvə/ *pl*. **~e** /-viː/ *n*. 幼蟲,幼體,蛹 **~l** *a*.幼蟲的 **larvicide** *n*. 殺幼蟲劑.

larynx /'lærɪŋks/ *n*. *pl*. **~es** 或 **larynges** /lə'rɪndʒiːz/ 喉嚨,氣管口.

lasagne/lə'zænjə/*n*.(意大利式)鹵汁麵條.

lascar /'læskə(r)/ *n*. 東印度水手;東印軍勤務員;東印度炮兵.

lascivious /lə'sɪvɪəs/ *a*. 好色的;浪蕩的;色情的 **~ly** *ad*.

laser /'leɪzə(r)/ *n*. 激光,鐳射(器)(= light amplification by stimulated emission of radiation).

lash /læʃ/ *n*. ①鞭上之皮條②責罵③眼睫毛④申訴⑤攔河壩,蓄水池 *v*. 鞭笞;痛斥;用繩捆綁 **~ings** *n*. 許多,大量;鞭打;申訴;綁縛 **~er** *n*. 鞭打者;責罵者.

lass /læs/ , **~ie** /'læsɪ/ *n*. 少女,小姑娘;情侶.

lassitude /'læsɪtjuːd/ *n*. 疲倦,無精打采.

lasso /læ'suː/ *n*. 套索, *v*.以套索捕捉.

last /lɑːst/ *a*. 最後的,臨終的;最近的; *ad*.最後,上一次, *vi*.延續,維持 // *the* ~ *day* 世界末日;最後審判日 *L-Supper* 最後的晚餐(達芬奇名畫) ~ *of all* 最後.

lasting /'lɑːstɪŋ/ *a*. 耐久的;永遠的;持久的.

lat. /læt/ *abbr*. = latitude .

latch /lætʃ/ *n*. 門插銷,閂,彈簧鎖 *v*. 閂上,插上插銷(用碰鎖鎖上)(喻),抓住;理解.

late /leɪt/ *a*. (**~r**, **~st**)遲的,晚的;晚期的;新近的,已故的;前任的 *ad*.晚,遲;近來 **~ly** *ad*. 近來,最近; **later** *a*. 較遲的 **latish** *a*. 稍遲的,稍晚的.

latency /'leɪtnsɪ/ *n*. 潛伏,潛在 **latent** *a*.

lateral /'lætərəl/ *a*. 側面的,橫向的 **~ly** *ad*.

latex /'leɪteks/ *n*. 乳液,膠乳.

lath /lɑːθ/ *n*. 板條,板椿 *v*. **~er** *n*. 釘板條工人 // ~ *house* 遮光育苗室.

lathe /leɪð/ *n*. 車床,鏇床.

lather /'lɑːðə(r)/ *n*. ①肥皂泡沫②(馬的)汗沫,[喻]激動,焦躁 *v*. 塗以皂沫.

Latin /ˈlætɪn/ *n*. 拉丁語;拉丁人 *a*. 拉丁語的,拉丁的.

latitude /ˈlætɪtjuːd/ *n*. 緯度;地域.

latitudinarian /ˌlætitjuːdɪˈneərɪən/ *n*. 尤指在宗教方面寬宏大度的人.

latrine /ləˈtriːn/ *n*. (軍營中溝形)廁所,公共廁所,茅坑.

latter /ˈlætə(r)/ *n*. (兩者中)後者 ~**day** *a*. 近來的,現代的.

lattice /ˈlætɪs/ *n*. 格子;網格 ~**window** 格子窗.

laud /lɔːd/ *v*. & *n*. 讚美,讚揚 ~**able** *a*. 值得稱讚的,可稱讚的 ~**ably** *ad*. ~**ation** /lɔːˈdeɪʃn/ *n*. 稱讚.

laudanum /ˈlɔːdənəm/ *n*. 鴉片酊.

laugh /lɑːf/ *n*. 笑;笑聲 *v*. 笑;嘲笑;發笑 ~**able** /ˈlɑːfəbl/ *a*. 可笑的 ~**ter** /ˈlɑːftə(r)/ *n*. 笑;笑聲 // ~ *away* 付之一笑,笑而不理 ~ *in one's sleeve* 暗自發笑 ~ *off* 嗤之以鼻;一笑置之 ~ *out* 哄笑.

laughing /ˈlɑːfɪŋ/ *a*. 笑的,可笑的 ~**stock** *a*. 笑柄 // ~ *gas* 笑氣.

launch /ˈlɔːntʃ/ *v*. ①發射,投擲②使(船)下水③發動(戰爭)④開展(運動,鬥爭)⑤發起,創辦 *n*. 下水典禮;汽艇 // ~*ing pad* (火箭)發射台 ~ *window* 發射時限.

launder /ˈlɔːndə(r)/ *v*. 洗燙(衣服) ~**er** *n*. 洗衣工 **laundry** *n*. 洗衣店,洗衣業 ~**man** *n*. 洗衣男工 ~**woman** *n*. 洗衣女工.

laureate /ˈlɒrɪət/ *a*. 桂冠,戴桂冠的;卓越的 // *the Poet-L* ~ 桂冠詩人.

laurel /ˈlɒrəl/ *n*. 月桂樹,桂冠;光榮,榮譽.

lav. *abbr*. = lavatory.

lava /ˈlɑːvə/ *n*. 熔岩,岩漿.

lavatory /ˈlævətrɪ/ *n*. 盥洗室;廁所.

lave /leɪv/ *n*. [詩]洗,(波浪)冲刷 ~**-ment** *n*.【醫】灌洗.

lavender /ˈlævəndə(r)/ *n*.【植】①薰衣草②淡紫色.

lavish /ˈlævɪʃ/ *vt*. 浪費;慷慨給予 *a*. 浪費;過分慷慨大方,過多的 ~**ly** *ad*.

law /lɔː/ *n*.【律】法律,法令,定律;法則,規律,法治;司法界,法學 ~**-abiding** *a*. 守法的 ~**breaker** *n*. 犯法者 ~ **court** *n*. 法院,法庭 ~**ful** *a*. 合法的,法定的 ~**maker** *n*. 立法者 ~**suit** *n*. 訴訟案 // ~ *office* 律師事務所.

lawn /lɔːn/ *n*. ①草坪,草地②上等細麻布 // ~ *mewer* 刈草機.

lawyer /ˈlɔːjə(r)/ *n*. 律師;法律專家.

lax /læks/ *a*. 鬆懈的,鬆弛;通便的;腹瀉的;馬虎的,不嚴格的 ~**ation** /ˌlækˈseɪʃn/ *n*. 鬆弛,放鬆 ~**ative** /ˈlæksətiv/ *a*. 通便的,輕度腹瀉的;放肆的 *n*. 輕瀉劑 ~**ity** /ˈlæksətɪ/ *n*. 輕瀉;鬆弛,疏忽.

lay /leɪ/ *vt*. (**laid** /leɪd/)①放,擱②把…壓平③擺,排,鋪設,敷設④砌(磚等)⑤塗⑥佈置,安排;擬定(計劃)⑦提出(問題,主張,要求)⑧平息,消除(顧慮),驅除(鬼魔,怪)⑨下(蛋);(飛機)投(彈)⑩放(烟幕彈)⑪歸罪於…⑫打賭⑬埋葬 *n*. 位置;方向,地理形勢;下蛋 *a*. 外行的;~**about** *n*. 流浪漢 ~**-by** *n*. 停車場,貯藏 ~ **figure** *n*. 人體活動模型 ~**man** *n*. 凡夫俗子,外行,門外漢 ~**-off** *n*. [美]解僱;停工期間 *v*. 下崗 ~**out** *n*. 設計,安排;情況 // ~ *aside* 擱置一邊 ~ *down* 放下,使躺下,獻出(生命) ~ *in* 積累,儲存 ~ *out* 擱擺,展示 ~ *the table* 擺桌設宴 ~ *up* (球)上籃;切入籃 ~

waste 破壞;使荒廢.

layer /'leɪə(r)/ *n*. 層;階層;地層;鋪設者 **brick** ~ *n*. 砌磚工, 泥瓦匠【植】壓枝;壓條 *v*. 分層, 壓枝培植.

layette /leɪ'et/ *n*. [法]嬰兒(全套)用品.

laze /leɪz/ *n*. & *v*. 懶散; 混日子 **laziness** /'leɪzɪnɪs/ 懶惰;怠惰 **lazily** *ad*. 懶洋洋地;偷懶地.

lazy /'leɪzɪ/ *a*. 懶惰的, 懶散的, 不愛幹活的; 慢吞吞的; 無精打采的 **~bones** *n*. 懶骨頭 // *Lazy Susan* 餐桌上的旋轉盤 ~ *tongs* 用以鉗東西之伸縮鉗;惰鉗.

lb. *abbr*. = pound(s) 磅.

lea /liː/ *n*. [詩]草地, 草原【紡】縷, 小絞.

leach /liːtʃ/ *vt*. (液體)瀝濾, 用水漂濾 *n*. 濾灰, 濾汁.

lead[1]/led/ *n*. ①鉛②測錘③鉛綠④鉛筆芯⑤子彈 **~den** *a*. 沉重的;沉悶的.

lead[2]/liːd/ *v*. (**led, led**)領導, 率領, 指揮, 領先;主持;引導;帶領;過(生活)=live ; *n*. 領導, 帶頭, 領先;主角, 首位;管道;導綫;牽狗繩 **~er** 領導人, 領袖, 指揮;導管 **~ership** 領導, 領導能力 **~ing** *n*. 領導, 指揮;引導 *a*. 主要的, 主導的.

leaf /liːf/ (*pl*. **leaves** /liːvz/) 葉子, (書)頁;門(扇), 薄金屬片 **~less** *n*. 無葉的 **~let** *n*. 小葉, 葉片;傳單, 散葉印刷品 **~y** *a*. 多葉的, 枝葉茂盛的 // ~ *bud* 葉芽 ~ *fat* 板油 ~ *mould* 腐殖土 ~ *stalk* 葉柄 ~ *through* 翻書一遍但並不注意看.

league/liːg/ *n*. ①聯盟;同盟②里格(舊時長度單位, 約合 3 英里或 4.8 公里).

leak /liːk/ *n*. 漏洞, 漏水(電) *vi*. 漏, 泄漏 **~age** /'liːkɪdʒ/ *n*. 漏, 漏出;泄露, 漏出量 **~y** *a*. 漏的, 有漏洞的;易泄露秘密的, 小便失禁的.

lean /liːn/ *v*. 傾斜;傾向;傾的;屈身 *a*. 瘦的;貧困的 **~ing** *a*. 傾斜的 // *~ing tower of Pisa* 比薩斜塔.

leap /liːp/ (**leapt** /lept/ 或 **leaped** /liːpt/) *n*. & *v*. 跳躍, 飛躍, 迅速行動, 躍進 // ~ *year* 閏年.

learn /lɜːn/ *vt*. (**learned** 或 **learnt**) 學;學到, 學會, 習得, 知道, 得知, 聽說 **~ed** /'lɜːnd/ *a*. 有學問的 **~er** *n*. 學者;初學者, 進修者 **~ing** *n*. 學, 學問, 學識, 知識.

lease /liːs/ *vt*. 出租;租得, 租借 *n*. 租約, 租契, 租借期限.

leash /liːʃ/ *n*. (繫狗的)皮帶, 皮條;吊環;束縛;控制.

least /liːst/ *a*. little 的最高級, 表示最小的, 最少, 最不重要的 // *at* ~至少, 起碼 *not in the* ~一點也不.

leather /'leðə(r)/ *n*. 皮革, 皮革製品 **~n** /'leðən/ *a*. 皮革的, 皮革製的 **~-head** 笨蛋 **~jacket** 長腳蠅蛆 **~y** *a*. 似皮革, 堅韌的 // *American* ~油布.

leave /liːv/ *v*. (**left**) ①離開, 脫離②把…留下, 剩下 // *French* ~不告而別~ *about* 亂放 ~ *alone* 不管, 不理會 ~ *behind* 留下;忘帶 ~ *out* 省去 ①休假, 告假②告別③許可, 同意 *on* ~休假.

leaven /'levn/ *n*. 酵母, 麴酸酵劑 *v*. 酸酵;醞釀.

lecher /'letʃə(r)/ *n*. 淫棍, 好色之徒 **~ous** /'letʃərəs/ *a*. 淫蕩的, 好色的 **~y** /'letʃərɪ/ *n*. 色欲, 好色, 淫蕩.

lectern /'lektən/ *n*. 讀經台, 小講台.

lecture /'lektʃə(r)/ *n*. 演講;講義;講話;上課;教訓 **lecturer** *n*. 講師, 老

師,演講者.

led /led/ lead 之過去式,過去分詞 *a*. 受指導的,被牽着走的 // ~ *captain* 善於拍馬的人.

ledge /ledʒ/ *n*. 壁架,岩架,暗礁.

ledger /'ledʒə(r)/ *n*. 總帳;分類帳;底帳;(脚手架)橫木 ~ **bait** 底餌 ~ **board**【建】托架橫木,板條;扶手.

lee /liː/ *n*. 下風,背風的,庇護所,避風處 ~**ward** /'liːwəd/ *a*. & *n*. 下風(的),背風(的) ~**way** *n*. 餘地.

leech /liːtʃ/ *n*.【動】水蛭;吸血鬼 *v*. 榨取乾淨,吸盡血汗.

leechee /'lɪtʃiː/ *n*. 荔枝.

leek /liːk/ *n*. 韭菜,青蒜.

leer /lɪə(r)/ *n*. 斜眼一瞥;秋波,斜瞅 *v*. 瞟,斜眼瞅;送秋波【化】退火爐.

leery /'lɪərɪ/ *a*. 機警;狡猾的;留神;猜疑的.

lees /liːz/ *n*. 渣糟,糟粕;沉積物;酒糟.

left /left/ *a*. 左邊,左的 *v*. leave 之過去式和過去分詞 ~**-handed** *a*. 左撇的,慣用左手的 ~**ist** *n*. 左派 ~**over** *n*. 剩菜剩飯 ~**wing** *n*. 左翼的.

leg /leg/ *n*. 腿;支撐柱;褲脚管;襪統 ~**gy** *a*. 細長腿的 = long-legged ~**less** *a*. 無腿的 ~**man** *n*. 採訪記者 ~**pull** 欺騙 ~**show** 露大腿節目 ~**work** 跑腿的差使.

legacy /'legəsɪ/ *n*. 遺產,遺物 ~**-hunter** 為得遺產而奉承者.

legal /'liːgl/ *a*. 法律的;合法的 ~**ism** /'liːgəlɪzəm/ *n*. 文牘主義;墨守成規 ~ **istic** /liːgə'lɪstɪk/ *a*. ~ **ity** /liː'gælətɪ/ *n*. 合法性 ~ **ize** /'liːgəlaɪz/ *vt*. 法律認可,使合法,合法化.

legate /lɪ'geɪt/ *vt*. 作為遺產而讓與 *n*. /'legɪt/ 羅馬教皇使節;使節

legatee /legə'tiː/ *n*. 遺產繼承人

legation *n*. /lɪ'geɪʃn/ 公使館.

legato/lə'gɑːtəʊ/*ad*.【音】連唱地;連奏地.

legend /'ledʒənd/ *n*. 傳說,神話,題跋;地圖圖例 ~**ary** *a*. 傳說的,傳奇式的 ~**ry** *n*. 傳說集.

legerdemain /ˌledʒədə'meɪn/ *n*. 戲法;騙術,花招;手法.

leger line = **ledger** /'ledʒə(r)/ **line**【樂】加綫(五綫譜上加綫).

legging /'legɪŋ/ *n*. 綁腿(布);細腿毛綫褲.

legible /'ledʒəbl/ *a*. 字迹清楚的;易讀的 **legibility** /ˌledʒə'bɪlətɪ/ *n*.

legion /'liːdʒən/ *n*. 軍團,大批軍隊;衆多;大批;無數.

legislate /'ledʒɪsleɪt/ *v*. 立法,制定法律 **legislation** *n*. 立法,法規 **legislative** *a*. 立法的;有立法權的 **legislator** 立法者 **legislature** 立法機關.

legitimate /lɪ'dʒɪtɪmət/ *a*. 合法的;守法的;正常的;正統的;嫡出的.

Leghorn /'leghɔːn/ *n*. 來亨(意大利地名) /'legɔːn/ 來亨雞.

lego /'liːgəʊ/ *n*. 塑塊積木拼板.

leguaan /lə'gwɑːn/ *n*.【動】南非鬣鱗蜥 (=leguan).

legume /'legjuːm/ *n*. = legumen /lɪ'gjʊmɪn/ *pl*. **legumina** 豆莢;豆科植物.

lei /'leiː/ *n*.(*pl*.**-s**) 夏威夷人戴頸上之花環.

Leipzig /'laɪpsɪg/ *n*. (德國)萊比錫.

leisure /'leʒə(r)/[美]/liːʒər/ *n*. 空閑,悠閑,安逸 ~**ly** *a*.悠閑的,從容不迫的 *ad*. 悠閑地,從容不迫地 // ~ *centre* 消遣娛樂中心.

leitmotif/'laɪtməʊˌtiːf/*n*. [德]①【音】主導主題②主旨.

lemming/'lemɪŋ/ *n*.【動】旅鼠.

lemon /'lemən/ *n*. 檸檬; 檸檬色 **~drop** 檸檬糖 **~kali, ~squash, ~ade** 檸檬汽水 **~curd** 檸檬酪.

lend /lend/(**lent**) *vt*. 借, 貸(款), 出租 **~er** *n*. 出借人; **~ing** *n*. 出租, 出借 // *~ing library* 借書處, 收費圖書館.

length /leŋθ/ *n*. 長夜, 長, 一根, 一股(綫) **~en** /'leŋθən/ *vt*. 延長, 伸長, 拉長 **~y** *a*. 冗長的, 漫長的, 囉嗦的 // *at ~* 詳盡地, 最終, 終於.

lenient /'liːnɪənt/ *a*. 寬大的, 仁慈的 **lenience, leniency** *n*. 寬大, 憐憫 **lenity** *n*. (*pl*. **-ties**) 寬大, 慈悲; 寬大處理.

lens /lenz/ (*pl*. **-es**) **n**. 透鏡; 凸、凹透鏡; (相機)鏡頭 **~louse** [俚]搶鏡頭的人 **~man** (*pl*. **men**) 攝影師.

Lent/lent/*n*.【宗】大齋節(指復活節前為期 40 天的齋戒及懺悔, 以紀念耶穌在荒野禁食.).

lent/lent/lend 的過去式和過去分詞.

lentil /'lentl/ *n*. 小扁豆.

lento/'lentəʊ/*a*. & *ad*. [意]①【音】緩慢的(地)②【語】(發音時)慢速的(地).

Leonardo da Vinci /ˌliːə'nɑːdəʊ də 'vɪntʃɪ/ *n*. 達芬奇(意大利美術家, 科學家).

leonine/'liːəʊnaɪn/*a*. 獅子般的.

leopard /'lepəd/ *n*. 豹 American ~ = jaguar **~spot** 豹斑區域(停火時交戰雙方各自占領的交互區域) **~ess** *n*. 母豹.

leotard/'liːəʊtɑːd/*n*. (雜技、舞蹈等演員穿的)緊身連衣褲.

leper /'lepə(r)/ *n*. 麻瘋病人 **leprosy** *n*. 麻瘋症 **leprous** /'leprəs/ *a*.

leprechaun/'leprəkɔːn/*n*. (愛爾蘭民間傳說中的狀如矮小老人的、調皮的)小精靈.

leprosy/'leprəsɪ/*n*.【醫】麻風病.

lesbian /'lezbɪən/ *n*. & *a*. (女)同性戀愛者; 女性同性愛的 // *~ love* 女同性愛.

lese-majesty /ˌleɪz 'mædʒesteɪ/ *n*.【律】叛逆罪, 欺君罪, 大逆不道.

lesion /'liːʒn/ *n*. 損傷, 損害 *vt*. 對…造成損害.

less /les/ (little 之比較級) *a*. 較小, 較少, 較次, 更少(小) **~en** /'lesn/ *v*. 使小, 變小, 減少 **~er** *n*. 更小, 更次 // *more or ~* 或多或少.

lessee /le'siː/ *n*.【律】承租人, 租戶 **lessor** /'lesɔː(r)/ *n*. 出租人.

lesson /'lesn/ *n*. 功課, 一節課, 一課; 教訓, 懲戒.

lest /lest/ *conj*. 唯恐; 免得.

let /let/(**let**) *vt*. 讓, 容許, 使; 出租, 放 // *~ alone* 不管, 更甭說 *~ down* 放下; 使人失望; 辜員 *~ go* 放開, 釋放 *~ loose* 放掉, 放任; ~'*s* = *let us*.

lethal /'liːθl/ *a*. 致命的; 殺傷性的 *n*. = ~gene **~ity** *n*. 致死性; 殺傷力; 致死率 **~ly** *ad*.

lethargic /lə'θɑːdʒɪk/ *a*. 昏睡的, 嗜睡的, 無氣力的 **lethargy** /'leθədʒɪ/ *n*. 嗜睡症, 無生氣.

letter /'letə(r)/ *n*. 字母, 文字; 書信 *pl*. 文學; 學問.

lettuce /'letɪs/ *n*.【植】萵苣; [美俚]鈔票.

leucocyte /'luːkəsaɪt/ = leukocyte *n*. 白血球, 白細胞 **leuk(a)emia** /luː'kiːmɪə/ *n*. 白血病.

levee /'levɪ/ *n*. 早朝; 接見; 總統招待會; 冲積堤 *vt*. 築堤.

level /'levl/ *n*. 水平(綫); 水平儀; 水

準;水位,等級,階層 *a*.水平的;平穩的;平坦的 *vt*.弄平坦,平整,使成水平;拉平;瞄準;夷平.

lever /'liːvə(r)[美]'levər/ *n*. 杆;槓杆 *v*.用槓杆撬動;移動;槓杆操縱 **leverage** /'levərɪdʒ/ *n*. 槓杆作用;槓杆率;力量;影響.

leveret /'levərɪt/ *n*. 未滿歲的小兔.

leviathan /lɪ'vaɪəθn/ *n*. 海中怪獸;巨型遠洋輪;大海獸;龐然大物;集權國家,極權主義國家;有財有勢的人.

Levi's /'liːvaɪz/ *n*. *pl*. 牛仔褲之商標名;寫作 levis.

levitation /ˌlevɪ'teɪʃn/ *n*. 懸浮,升飄空中,飄浮 **levitate** /'levɪteɪt/ *v*. **levity** /'levətɪ/ *n*. (行為舉止)輕浮,輕飄.

levy /'levɪ/ *v*. & *n*. 徵收,徵集;強索,扣押徵用,徵稅;派款.

lewd /ljuːd/ *a*. 淫猥的,好色的,淫蕩的 **~ly** *ad*. **~ness** *n*.

lexicon /'leksɪkən/ *n*. 詞典,字典;特殊詞彙,專門詞彙 **lexicology** /ˌleksɪ'kɒlədʒɪ/ *n*. 詞彙學 **lexicographer** /ˌleksɪ'kɒgrəfə(r)/ 詞典編纂者 **lexicography** /ˌleksɪ'kɒgrəfɪ/ *n*. 詞典學,詞典編纂法.

ley /leɪ/ *n*. 牧草地;暫作牧場的可耕地.

L.G.V. 大型貨車 Large Goods Vehicle 之縮略.

liable /'laɪəbl/ *a*. 應負(法律)責任的,有義務的;傾向性的;應受,應付的 **liability** /'laɪəbɪlətɪ/ *n*.

liaise /lɪ'eɪz/ *v*. 建立聯絡關係聯絡 **liaison** /lɪ'eɪzn/ 聯絡;連續.

liana /lɪ'ɑːnə/ *n*. 藤本植物.

liar /'laɪə(r)/ *n*. 說謊的人.

lib *abbr*. = liberation.

libation /ˌlaɪ'beɪʃn/ *n*. 奠酒,祭奠用的酒;飲酒.

libel /'laɪbl/ *n*. 誹謗文;誹謗罪;侮辱 *v*.誹謗.

liberal /'lɪbərəl/ *a*. 自由的,不受束縛的;慷慨大方的;豐盛的;開明的;自由隨便的 **~ity** /ˌlɪbə'rælətɪ/ *n*. 寬大的;公正;豪爽,大方,氣量大;磊落;思想開明 **~ism** 自由主義.

liberate /'lɪbəreɪt/ *v*. 解放 **liberation** /ˌlɪbə'reɪʃn/ *n*.

libertarian /ˌlɪbə'teərɪən/ *n*. 自由意志論者,自由鼓吹者.

libertine /'lɪbətiːn/ *n*. 浪子,放蕩人;自由思想家.

liberty /'lɪbətɪ/ *n*. 自由(權);解放;釋放(*pl*.)特權.

libido/lɪ'biːdəʊ/*n*.情欲;感情衝動;(尤指)性欲.

Libra /'liːbrə/ *n*. (所有格 **-brae** /-briː/) 天平座 **libra** /liːbrə/ *n*. (*pl*.**-e** /'liːbriː/) ①磅(略作 **lb.**) = pound ②鎊[略£] /'liːbrɑː/.

library /'laɪbrərɪ/ (*pl*.**-braries**) *n*. 圖書館;文庫 **librarian** /laɪ'breərɪən/ *n*. 圖書館管理員;圖書館長.

libretto /lɪ'bretəʊ/ *n*. (*pl*.**-s**, **libretti** /lɪ'brətiː/) 歌劇劇本;歌詞.

librium /'lɪbrɪəm/ *n*. 【藥】利眠寧(= chlordiazepoxide).

lice /laɪs/ *n*. (**louse** 的複數)【動】虱子.

licence /'laɪsəns/ = license *n*. 許可證,執照; **licencee** /-'siː/ *n*. 領有執照者 **~plate** 或 **~tag** 牌照 **licentiate** /ˌlaɪ'senʃɪət/ *n*. 領了開業許可證(執照)者 **licentious** /laɪ'senʃəs/ *a*. 放肆的;無法無天的.

lichee /'liːtʃiː/ *n*. 【植】荔枝 = litchi.

lichen /'laɪkən/ *n*. 【植】地衣,苔蘚.

lichgate /ˈlɪtʃgeɪt/ = lychgate *n*. 停柩門.

licit /ˈlɪsɪt/ *a*. 合法的, 正當的 **~ly** *ad*.

lick /lɪk/ *v*. 舔, [俚]擊敗; 揍打, 戰勝 **~spit** 馬屁精.

lickspittle /ˈlɪkˌspɪtl/ *n*. = lickspit 馬屁精, 奉承者.

licorice /ˈlɪkərɪs/ *n*. = liquorice 甘草.

lid /lɪd/ *n*. 蓋; 眼皮, 臉, [美俚]帽子.

lido /ˈliːdəʊ/ *n*. 露天游泳池; 海濱浴場.

lie /laɪ/ (**lay** /leɪ/ **lain** /leɪn/) **lying** *v*. 躺, 卧; 在於, 位於.

lie /laɪ/ (**lied** /laɪd/ **lying**) *v*. 說謊 *n*. 謊話, 假話 // *white* ~無惡意之謊話.

lief /liːf/ *ad*. 欣然, 樂意地.

liege /liːdʒ/ *n*. 君主, 王侯 *a*. 君主的; 至上的; 臣民的 **~man** 忠實部下.

lien /lɪən/ *n*. 扣押權, 留置權.

lieutenant /lefˈtenənt/ *n*. 副官; 陸軍中尉; 海軍上尉; 空軍中尉 // ~ *colonel* 陸軍中校 ~ *commander* 海軍少校 ~ *general* 陸軍中將 ~ *governer* [英]代理總督, 副總督 [美]副州長.

life /laɪf/ (*pl*. **lives** /laɪvz/) *n*. 生命; 性命; 生活; 生物; 壽命 **~less** 無生命的; 無生氣的; 無活力的 **~r** *n*. 終身監禁者, 無期徒刑犯 **~long** *a*. 終身, 一生 **~time** *n*. 一生, 終生 // ~ *belt* 或 ~ *-jacket* 救生衣 ~ *annuity* 終身年金 ~ *assurance* =(美) ~ *insurance* 人壽保險 ~ *buoy* 救生圈 ~ *cycle* 生命周期 ~ *force* 生命力 ~ *-guard* 救生員 ~ *line* 生命綫 ~ *sentence* 無期徒刑 ~ *-style* 生活方式 ~ *zone* 生物帶.

lift /lɪft/ *v*. 舉起, 提起, 抬, 吊; 提高; 提升; 空運; (美)償清, 贖取, 解除, 撤消(命令), [俚]偷竊, (雲霧)消散 *n*. 提, 升, 吊, 舉, 一次起吊; 電梯 = [美] elevator; 吊車, 起重機; 免費搭便車 **~-er** *n*. 起重機, 升降機; 小偷.

ligament /ˈlɪgəmənt/ *n*. 繫帶; 韌帶.

ligature /ˈlɪgətʃə(r)/ *n*. 綁扎, 結扎, 帶子, 縛帶; 縛法.

light /laɪt/ *n*. ①光綫, 光, 光亮 ②燈 ③天窗 ④視力 ⑤見解, 觀點 *v*. 點, 點燃 (過去時態, **lighted** 或 **lit**) **~ing** *n*. 照明, 點火 **~house** *n*. 燈塔 **~proof** *a*. 不透光的 **~ship** *n*. 燈塔船 **~-year** *n*. 光年 // ~ *pen* 光筆 ~ *wave*【物】光波 ~ *up* 點火, 照亮.

light /laɪt/ *a*. 發光的, 明亮的; 淡的, 淺的; 輕的, 輕便的 **~-armed** *a*. 輕武器裝備的 **~breeze** *n*. 微風 **~duty** *a*. 輕型的 **~-face** *n*. & *a*. 白體活字 **~-fingered** *a*. 手指靈巧的; 有盜竊的 **~-headed** *a*. 頭暈目眩的 **~hearted** *a*. 無憂無慮的; 輕鬆愉快的 **~-minded** *a*. 輕浮的, 不嚴肅的 // ~ *artillery* 輕炮兵 ~ *heavy weight* 輕重量級 ~ *weight* 輕量級 ~ *water* 普通水.

lighten /ˈlaɪtn/ *v*. ①照亮, 點火 ②啓發 ③減輕 ④變輕鬆.

lighter /ˈlaɪtə(r)/ *n*. ①點火者, 點火器 ②打火機 ③駁船.

lightning /ˈlaɪtnɪŋ/ *n*. 閃電, 電光 // ~ *arrester* (= *conductor*, *rod*) 避雷針 ~ *beetle* (~ *bug*) 螢火蟲 ~ *strike* 閃電式罷工.

lights /læɪts/ *n*. *pl*. (供食用)動物肺臟.

lightsome /ˈlaɪtsəm/ *a*. ①輕快的, 敏捷的, 輕盈的 ②輕鬆愉快的, 無憂無慮的 ③發光的, 不暗的.

ligneous /'lɪgnɪəs/ *n*. 木質的;木頭似的.

lignite /'lɪgnaɪt/ *a*. 褐煤(= brown coal).

like /laɪk/ *vt*. 喜歡;愛好;想;希望 *a*.像的,相似的,類似的; *conj*.如同,好像 *n*.愛好,嗜好 **~lihood**/'laɪklɪhʊd/ *n*. 可能(性) **~ly** *a*.很可能的,很像真的;適當的,恰好的;漂亮的 **liking** /'laɪkɪŋ/ 愛好,喜歡.

lik(e)able /'laɪkəbl/ *n*. 可愛的,討人喜歡的(= likeable).

lilac /'laɪlək/ *n*.【植】丁香,紫丁香 *a*.淡紫色的.

lilliputian/ˌlɪlɪ'pjuːʃjən/*a*.極小的;微型的.

Lilo/'laɪləʊ/*n*.橡皮充氣墊(如供海濱休閑躺卧用商標名).

lilt /lɪlt/ *v*. 歡唱,快活地唱;輕快地跳 *n*.韵律.

lily /'lɪlɪ/ *n*.【植】百合,百合花;純潔的人和物 **~ livered** *a*.膽小的 **~white** *a*.純白的 // *~ pad* 浮在水面上的睡蓮葉子.

limb /lɪm/ *n*. 肢;翼;大枝;頑童;爪牙.

limber /'lɪmbə(r)/ *a*. 柔軟的,可塑的;輕快,敏捷的 *n*.炮兵牽引車.

limbo /'lɪmbəʊ/ *n*. 地獄之邊緣;垃圾堆;監牢;拘禁.

lime /laɪm/ *n*. 石灰;粘(鳥)膠;酸橙 **~-kiln** *n*.石灰窰 **~light** *n*.舞台聚光燈 **~stone** *n*.石灰石 **~water** *n*.石灰水.

limerick/'lɪmərɪk/*n*.(幽默、無聊、通俗的)五行詩.

limit /'lɪmɪt/ *n*. 界限;限制;極限;限額 *v*.限制,限定 **~ation** *n*.限制,限度 **~less** *a*.無限的 // *~ ed company* 股份有限公司,簡寫為:Ltd.

limonite /'laɪmənaɪt/ *n*.【礦】褐鐵礦.

limousine /'lɪməziːn/ *n*. 大型高級轎車;接送旅客之交通車.

limp /lɪmp/ *vi*. & *n*. 一瘸一拐地走,跛足行;慢.

limpet /'lɪmpɪt/ *n*.【動】蝛,帽貝;死不肯辭職的人;水下爆破彈.

limpid /'lɪmpɪd/ *a*. 透明清澈的;平靜的;無憂無慮的.

linchpin /'lɪntʃpɪn/ *n*. 掣輪楔;關鍵人物.

Lincoln, Abraham /'lɪŋkən/ 林肯(美16任總統).

linctus/'lɪŋktəs/*n*.止咳糖漿.

linden /'lɪndən/ *n*. 椵木;美洲椵;菩提樹.

line /laɪn/ *n*. ①綫,索,繩②釣絲③測量繩④路綫,管綫,綫條⑤作業綫;界綫⑥方針⑦行業⑧排,行列,一行(文字,詩),隊列 **~-shooter** *n*.吹牛的人 **~ sman** *n*. 綫務員,護路工 **~-tape** *n*.捲尺 **~unit** 接綫盒 **~up** *n*.一排人 *v*.劃綫,排隊;襯裏 // *in a ~*成一行,排成隊 *in ~ with* 和…一致;符合 *out of ~*不一致 *~ drawing* 綫描;綫條畫 *~haul* 長途運輸 *~ man* 養路工,護路工 *~ production* 流水作業 *~ up* 排成行或列隊.

lineage /'lɪnɪɪdʒ/ *n*. 血統;世系;門第 **lineal** /'lɪnɪəl/ *a*. 直系的;正統的.

lineament/'lɪnɪəmənt/*a*.(面部的)輪廓;特征.

linear/'lɪnɪə(r)/*a*.綫的;綫狀的;直綫的.

linen /'lɪnɪn/ *n*. 亞麻布,亞麻製品.

liner /'laɪnə(r)/ *n*. 定期航班,班機;襯裏,襯墊.

linesman/'laɪnzmən/*n*.①(有些球類的)巡邊員、司綫員、邊綫裁判員等②

鐵路巡綫工人;養路工人.

ling /lɪŋ/ *n*. 鱈魚【植】石南.

linger /'lɪŋgə(r)/ *vi*. 徘徊;逗留;拖延 **~ing** *a*.

lingerie /'lænʒəriː/ *n*. [法]亞麻製品;尤指小孩、婦女之內衣.

lingo /'lɪŋgəʊ/ *n*. 莫明其妙的話語;隱語.

lingua /'lɪŋgwə/ *n*. (*pl*. **-e**) 舌頭;語音;混合語 **~l** *a*. 語言的 **linguist** /'lɪŋgwɪst/ *n*. 語言學家 **linguistic** /lɪŋ'gwɪstɪk/ *a*. 語言的,語言學的 **linguistics** 語言學.

lingua franca /'lɪŋgwə 'fræŋkə/(各種不同母語集團的人作為交際工具共同使用的)混合語.

liniment /'lɪnɪmənt/ *n*. 【藥】搽劑,塗敷藥.

lining /'laɪnɪŋ/ *n*. 裏子,襯裏;襯墊,襯套.

link /lɪŋk/ *n*. 環,節;鏈環,連結物;聯繫.

links /lɪŋks/ *n*. *pl*. 海邊草地;高爾夫球場.

linnet /'lɪnɪt/ *n*. 【鳥】紅雀,朱頂雀.

lino /'laɪnəʊ/ *n*. *abbr*. =linoleum.

linocut/'laɪnəʊkʌt/*n*. 油氈浮雕圖案;油氈浮雕圖案印刷品.

linoleum /lɪ'nəʊlɪəm/ *n*. 油氈;漆布.

linotype /'laɪnəʊtaɪp/ *n*. 長條排版機.

linseed /'lɪnsiːd/ *n*. 亞麻子(仁) // ~ *oil* 亞麻子油.

lint /lɪnt/ *n*. 皮棉,綳帶用麻布;棉絨.

lintel /'lɪntl/ *n*. 【建】過樑,楣石.

lion /'laɪən/ *n*. ①獅子②勇士,慓悍之人 **~ess** *n*. 母獅 **~et** *n*. 幼獅.

lip /lɪp/ *n*. 唇,緣 **~-deep** *a*. 口頭上的,無誠意的 **~-read** *v*. 觀唇辨音 **~-reading** *n*. // ~ *service* 口惠,空口答應 ~ *stick* 口紅,唇膏.

liquefy /'lɪkwɪfaɪ/ *v*. ①液化②溶解.

liqueur /lɪ'kjʊə(r)/ *n*. 甜露酒 // ~ *glass* 小酒杯.

liquid /'lɪkwɪd/ *n*. 液體, *a*. 液體的,液態的;流動的.

liquidate /'lɪkwɪdeɪt/ *v*. 清算,清理,了結,償清;消除.

liquor /'lɪkə(r)/ *n*. 酒;液;煮汁 **~head** *n*. 醉漢 // *malt* ~啤酒=beer.

liquorice /'lɪkərɪs/ *n*. 甘草 **~-stick** *n*. [美俚]單簧管.

lira /'lɪərə/ (*pl*. **lire, -s**) *n*. 里拉(意大利貨幣單位).

lisle /laɪl/ *n*. 萊爾棉綫或萊爾綫織物.

lisp /lɪsp/ *v*. 咬着舌頭發音 *n*. 大舌頭,口齒不清.

lissom, lissome /'lɪsəm/ *a*. 柔軟的;輕快的 **~ly** *ad*. **~ness** *n*.

list /lɪst/ *n*. 清單,目錄,名單;布條;狹條.

listen /'lɪsn/ *vi*. 聽,聽從;傾聽,聆聽 **~er** /'lɪsnə/ *n*. 聽衆,收聽者 **~ing** /'lɪsnɪŋ/ *n*. 傾聽,收聽 // ~ *in* 監聽,偷聽.

listeriosis /lɪsˌtərɪ'əʊsɪs/ *n*. 惡性食物中毒.

listless /'lɪstlɪs/ *a*. 懶洋洋的,無精打采的,倦怠的 **~ly** *ad*. **~ness** *n*.

lit /lɪt/ 是 light 的過去及過去分詞.

litany /'lɪtənɪ/ *n*. (*pl*. **~nies**) 啓應祈禱文;長篇大論的說明.

literacy /'lɪtərəsɪ/ *n*. 識字,能讀會寫;有學問.

literal /'lɪtərəl/ *a*. 文字的,文字上的,字面上的,逐字逐句的 **~ly** *ad*.

literary /'lɪtərərɪ/ *a*. 文學的;文學上的;書面上的.

literate /ˈlɪtərət/ *a*. 有學問的,有文化的,能寫會讀的.

literati /ˌlɪtəˈrɑːtɪ/ *n*. [複]文人學士;知識界.

literature /ˈlɪtrətʃə(r)/ *n*. 文學;文學作品;文獻;印刷品.

lithe /laɪð/ *a*. 柔軟的;輕快的,敏捷的 **~ly** *ad*. **~ness** *n*.

lithium /ˈlɪθɪəm/ *n*.【化】鋰.

litho /ˈlaɪθəʊ/ (*pl*.**-thos**) 是 lithograph 石印和 lithographic 石印的之縮寫.

lithography /lɪˈθɒgrəfɪ/ *n*. 石印術,平版印刷品, **lithograph** /ˈlɪθəgrɑːf/ *n*. 石印 **lithographer** /-fə/ *n*. **lithographic** /ˌlɪθəˈgræfɪk/ *a*. 石印的.

litigant /ˈlɪtɪgənt/ *a*. 在訴訟中的,有關訴訟的 *n*.訴訟當事人.

litigate /ˈlɪtɪgeɪt/ *v*. 訴諸法律,打官司;爭論 **litigation** /ˌlɪtɪˈgeɪʃn/ *n*.

litigious /lɪˈtɪdʒəs/ *a*. 好訴訟,愛打官司的;愛爭論的.

litmus /ˈlɪtməs/ *n*. 石蕊 **~paper** *n*. 石蕊試紙.

litotes /ˈlaɪtəʊtiːz/ *n*. (單複數同)曲言法;反語法.

litre /ˈliːtə(r)/ *n*. (容量單位)升=(美)liter.

litter /ˈlɪtə(r)/ *n*. 槍架,轎輿;褥草;落葉層;同胎生下之一窩小崽;亂七八糟的東西 *v*.亂丟廢物、弄亂;(家畜)產仔.

little /ˈlɪtl/ (**less** 或 **lesser, least** /liːst/) *a*. 小的;小得可愛的;少的,不多的 *ad*. 一點,少量,沒有多少 // ~ *by* ~慢慢地,一點兒一點兒地.

littoral /ˈlɪtərəl/ *a*. 海濱的,沿海的;沿岸地區的.

liturgy /ˈlɪtədʒɪ/ *n*. 禮拜儀式,聖餐儀式 **liturgical** *a*.

live[1] /lɪv/ *v*. 活着,生活,生存;過(活),過日子;居住享受;(在自己生活中)實踐 **~able** *a*.(=livable)適宜於居住的,易相處的 **~lihood** /ˈlaɪvlɪhʊd/ *n*. 生活,生計 // ~ *by* 靠…為生 ~ *down* 靠以後行為洗清污名或挺住,直到人們忘却 ~ *in* (异性)同居,住進 ~ *out* 外宿 ~ *rough* 過苦日子 ~ *through* 渡過 ~ *together*(未婚)同居 ~ *up to* 生活得無愧於,配得上;達到預期目標 ~ *with* 共處;忍受.

live[2] /laɪv/ *a*. 活的,有生命的;活潑的,生氣勃勃的,生動的;活生生的;燃燒着的;實况的 **~lily** *ad*.活潑地,生動地,熱鬧地,鮮明地 **~ly** *a*. & *ad*.活潑的,精神旺盛的,充滿生氣的;輕快的 **~liness** *n*. **~n(up)** *vi*.使更活躍 // *a* ~ *account* 流水帳 ~ *bait* 活餌 ~ *graphite* 含鈾石墨 ~ *load* 活荷載、工作負載 ~ *parking* 司機留在車内等着的停車 ~ *pick up* 實况録像 ~ *stock* 家畜 ~ *wire* 帶電電綫.

livelong /ˈlɪvlɒŋ/ *a*. 漫長的;整個的;完全的.

liver /ˈlɪvə(r)/ *n*. 肝;猪肝色,肝臟;生活者 **~ish** *a*.肝色的;肝火旺;脾氣壞的,易發怒的 // ~ *complaint* 肝病.

liverwort /ˈlɪvəwɜːt/ *n*.【植】歐龍牙草.

liverwurst /ˈlɪvəwɜːst/ *n*. (肝泥灌製的)臘腸.

livery /ˈlɪvərɪ/ *n*. (侍從穿的)制服,號衣;口糧 // ~ *coach* 出租馬車 ~ *company* 倫敦同業公會 ~ *stable* 馬車行.

livid /ˈlɪvɪd/ *a*. 青灰的,鉛色的;怒氣

冲冲的.

living /'lɪvlŋ/ *a*. 活着的,有生命的;生動逼真的 *n*.生活,生計,生存 **L-Buddha** 活佛 ~**death** 活受罪 ~-**room** 起居室 ~ **space** 生存空間;居住面積 ~ **standard** 生活水準,生活標準 // *make a* ~謀生.

lizard /'lɪzəd/ *n*.【動】蜥蜴 **L-**[美國]亞拉巴馬州之別名.

llama /'lɑːmə/ *n*. 美洲駝,無峰駝.

LLB *abbr*. = Bachelor of Laws 法學士.

loach /ləʊtʃ/ *n*.【動】泥鰍.

load /ləʊd/ *n*. 擔子,重載,負擔,重任,負載,工作量 *vt*.裝船(車) // ~ *displacement*(船的)滿載排水量 ~ *draught* = ~ draft(船的)滿載吃水 ~ *line*(船的)滿載吃水綫 ~ *shedding* 分區停電.

loadstar /'ləʊdstɑː(r)/ *n*. 北極星;目標;指導原則(=lodestar).

loadstone /'ləʊdstəʊn/ *n*. 天然磁石;吸引人的東西.

loaf /'ləʊf/ *n*.(*pl*. **loaves**)一個(大)麵包 *v*.混日子;遊蕩, ~**er** 二流子,流浪漢.

loam /ləʊm/ *n*. 沃土;壤土,粘砂土 *v*.用土填(蓋住).

loan /ləʊn/ *n*. 出借;借貸,貸款 ~**ee** /ləʊ'niː/ 債務人 ~**er** 出借者.

loath /ləʊθ/ *a*. 討厭,厭惡的,不願意 ~**e** /ləʊð/ *v*. 討厭,厭惡,不喜歡;噁心.

loaves /ləʊvz/ *n*. 是 loaf 之複數.

lob /lɒb/ *v*. 慢慢地走(跑,動);(網球)吊高球 *n*.笨重的人,傻大個;高球.

lobby /'lɒbɪ/ *n*. 門廳;門廊,議會休息室,會客室 *v*.疏通遊說活動.

lobe /ləʊb/ *n*. 耳垂;【解】(肺、腦、肝等的)葉,【植】瓣片.

lobelia /ləʊ'biːljə/ *n*.【植】半邊蓮.

lobectomy /ləʊ'bektəmɪ/ *n*.【醫】(肝,腦,肺等的)葉切除術.

lobotomy/ləʊ'bɒtəmɪ/*n*.【醫】腦白質切斷術.

lobster /'lɒbstə(r)/ *n*. 龍蝦;英國士兵;笨人,傻瓜.

local /'ləʊkəl/ *a*. 當地的,地方的,本地的;局部的 ~**ism** /'ləʊkəlɪzm/ 地方主義,鄉土觀念;土話;本地風俗;心胸狹窄 ~**ity** /ˌləʊ'kælətɪ/ *n*. 地點,位置,場所,環境 ~**ly** *ad*.局部的,地方上的.

locate /ləʊ'keɪt/ *v*. 安置,定位,座落於;探出,找出,位於.

location /ləʊ'keɪʃn/ *n*. 定位,定綫;設計;位置,場所,地點.

loch /lɒk/ *n*. [蘇格蘭]濱海湖,海灣.

loci /'ləʊsaɪ/ *n*. locus 之複數.

lock /lɒk/ *n*. 鎖,拘留所;氣塞,氣閘,水閘;一綹頭髮 *v*.鎖住,固定卡住 ~**age** *n*. 船閘通行,船閘系統 ~**smith** *n*.鎖匠,銅匠 ~-**up** *n*.囚徒,監獄.

locker /'lɒkə(r)/ *n*. 上鎖的人;裝鎖的櫥櫃.

locket /'lɒkɪt/ *n*. 項鏈上挂的裝相片小盒.

lockjaw /'lɒkdʒɔː/ *n*.【醫】強直性痙攣;破傷風;牙關緊咬.

locomobile /ˌləʊkəʊ'məʊbɪl/ *n*. 自動機車 *a*.自動推進的.

locomotive /ˌləʊkə'məʊtɪv/ *n*. 火車頭,機車 *a*.運動的,運轉的.

locum tenens /'ləʊkəm 'tiːnenz/ *n*. [拉]代理牧師;臨時代理醫師.

locus /'ləʊkəs/ *n*.(*pl*. **loci**)場所,地點,所在地;軌迹.

locust /'ləʊkəst/ *n*.【動】蝗蟲;【植】刺

槐[俚]警棍.

locution /lə'kjuːʃn/ *n*. 特別說話方式;語風;慣用語,成語.

lode /'ləʊd/ *n*. 礦脈,豐富礦藏,(英)水路;排水溝.

lodge /lɒdʒ/ *n*. (工廠,學校的)門房,傳達室;小屋,小旅館,(劇場中)前座,包廂;巢穴,協會分支,支部 *vi*. 寄宿;豎立,停留 **lodger** 寄宿者房客 **~ment** 寄宿處,住處,立足點;占領,據點;提出,沉積 **lodging** 住宿,住處,公寓;存放處,倒伏,借宿 **lodging-house**(包住不包吃的)公寓.

loft /lɒft/ *n*. 屋頂閣樓,廐樓;頂層,鴿房 *vt*. 儲存閣樓,(高爾夫球)高打出去,向空射;跳過(障礙) **~ty** /'lɒftɪ/ *a*. 崇高的,高尚的.

log /lɒg/ *n*. 原木,圓木;測程儀,計程儀;航海日志,航行日志;記錄表 // ~ *chip* 測程板 ~ *reel* 測程儀綫絡車.

loganberry /'ləʊgənbrɪ/ *n*. 【植】羅甘莓,大楊莓(木莓和黑莓雜交品).

logarithm /'lɒgərɪðəm/ *n*. 【數】對數.

loggerhead /'lɒgəhed/ *n*. 笨蛋,傻子;鐵球棒.

loggia /'ləʊdʒə/ *n*. (*pl*. **~s**; **loggie** /'ləʊdʒe/)【建】凉廊,廊檐.

logic /'lɒdʒɪk/ *n*. 邏輯,論理學 **~al** *a*. 合邏輯的 **~ian** /lə'dʒɪʃn/ *n*. 邏輯學家,論理學家 **logistics** /lə'dʒɪstɪks/ *n*. 符號;(數理)邏輯;計算術;後勤學.

logo /'ləʊgəʊ/ = logotype *n*. 標識語,連合活字.

loin /lɒɪn/ *n*. (*pl*.)【解】腰;恥骨區;生殖器官;腰肉.

loiter /'lɒɪtə(r)/ *v*. 遊手好閒,閒逛;混日子 **~er** *n*. 混日子的人,遊手好閒者.

loll /lɒl/ *v*. 懶洋洋地躺;閒蕩,(頭)下垂,(舌)伸出.

lollipop /'lɒlɪpɒp/ *n*. 錢;棒糖;糖果[英]攔車棒(棍).

lollop /'lɒləp/ *vi*. 蹦蹦跳跳地走 = loll, lounge.

lolly /'lɒlɪ/ *n*. (*pl*. **-lies**) 錢;硬糖(塊).

London /'lʌndən/ *n*. 倫敦(英國首都).

lone /ləʊn/ *a*. 寂寞的,孤獨的,無伴的 **~ly** *a*. 寂寞的,孤獨的,獨身的,無伴的 **~liness** *n*. **~r** = ~ wolf 性格孤癖的人,獨來獨往的人 **~some** /'ləʊnsəm/ *a*. 幽靜的,寂寞的;淒涼的 *n*. 自己(一人),獨自.

long /lɒŋ/ *vi*. 渴望 *a*. 長,長的,長久的,長期的;冗長的 **~boat** *n*. (放在大船上的)大艇 **~bow** *n*. 大弓 **~clothes** *n*. 襁褓 **~-distance** *a*. 長途 **~-drawn**(**-out**) *a*. 拉長的 **~hand** *n*. 普通寫法 **~-life** *a*. 耐久的;長命的 **~-lived** *a*. 長壽的 **~-range** *a*. 遠程的;長期的 **~-run** *a*. 長遠的 **~sighted** *a*. 眼力好的;有眼光的;遠視的 **~standing** *a*. 長期的 **~suffering** *a*. 堅忍的 **~term** *a*. 長期的 **~ton** *n*. 長噸 **~wave** *n*. 長波 **~ways**, **~wise** = lengthwise *ad*. 縱長地 // *as* ~ *as* = so ~ as 長達…之久;只要 ~ *face* 不愉快的臉色 ~ *johns*[口]長內衣褲 ~ *jump* 跳遠 ~ *play* 密紋唱片.

longevity /lɒn'dʒevətɪ/ *n*. 長壽,長命 **~pay** 年資附加工資.

longitude /'lɒndʒɪtjuːd/ *n*. 經度,經綫 **longitudinal** /ˌlɒndʒɪ'tjuːdɪnl/ *a*.

longshore /'lɒŋʃɔː/ *a*. 沿岸工作的 **~man**碼頭工人.

loo /luː/ *n*. [美口]便所,廁所.

loofah /'lu:fə/ *n*. =luffa /'lʌfə/絲瓜筋(洗澡用).

look /lʊk/ *v*. 看,瞧,顯得;注意,留心;朝向;打量 **~-alike** *n*.[美俚]面貌相似者 **~-in** *n*.一瞥,走馬看花 **~out** *n*.注意;警惕;看守 **~over** *n*.粗略的一看 // ~ *after* 照料,照管 ~ *ahead* 考慮未來 ~ *away* 轉過臉去 ~ *back* 回顧;追憶 ~ *down* (*upon*)蔑視,看不起 ~ *forward to* 盼望,期待 ~ *like* 好像 ~ *in* 順訪 ~ *into* 窺視,調查;過問 ~ *on* 觀望 ~ *up* 往上看,(物價)上漲,(詞典中)查找 ~ *up to* 敬仰.

looker /'lʊkə/ *n*. ①觀看者;檢查員②外貌好的人**~-on** 旁觀者.

lookingglass /'lʊkɪŋglɑ:s/ *n*. 鏡子.

loom /lu:m/ *n*. 織布機;槳柄,櫓柄 *vi*. 朦朧出現,陰森地逼近;隱隱約約出現 *n*.朦朧出現的形象;巨大幻影.

loon /lu:n/ *n*. 【鳥】潛鳥,魚鷹;鄉下佬 **~y** [俚]獃傻人,神經病患者.

loop /lu:p/ *n*. 圈,環,匝;綫圈;環狀物;避孕環;環道;回路,翻跟斗;翻筋斗飛行 *v*.打成圈,箍住,翻筋斗,兜圈子 **~hole** *n*.槍眼;窺孔;遁詞,藉口,(契約中)漏洞,圈套**~-line**(電信的)環形綫路(鐵路的)會車綫.

loose /lu:s/ *a*. 鬆的,散的,模糊的;放蕩的 **~ly** *ad*. **~en** *v*. 放鬆,解開.

loot /lu:t/ *n*. 掠奪物,贓物;戰利品 *v*.劫掠,掠奪.

lop /lɒp/ *v*. 截短,砍,伐,修剪,斬斷;刪除 *n*.除枝,修剪.

lope /ləʊp/ *v*. & *n*. 慢跑,飛奔.

lop-eared/'lɒpˌɪəd/*a*.有垂耳的.

lopsided /'lɒpsaɪdɪd/ *a*. 傾向一方的,不勻稱的.

loquacious /lə'kweɪʃəs/ *a*. 多嘴的,多話的 **loquacity** /ˌlɒ'kwæsətɪ/ *n*.

loquat /'ləʊkwɒt/ *n*.【植】枇杷樹,枇杷.

lord /lɔ:d/ *n*. 君主,貴族,老爺;上帝,大王,(在姓氏前)勛爵 **~ly** *a*.貴族似的,有氣派的,傲慢的 **~ship** *n*.貴族之身份.

lore /lɔ:(r)/ *n*. (特殊的)學問,專門知識,博學.

lorgnette /lɔ:'njet/ *n*. [法]長柄眼鏡.

lorry /'lɒrɪ/ *n*. [英]卡車,運貨汽車(=[美]truck) **~-hop** *vi*.免費搭卡車.

lose /lu:z/ *v*.(**lost** /lɒst/) 丢失,失去;迷失;錯過;輸掉;失敗 **loser** /'lu:zə/ *n*. 失敗者,輸家 **losing** *n*.虧本的,失敗的.

loss /lɒs/ *n*. 遺失,損失;失敗;死亡 // ~ *ratio* 虧損率,損害率 *at a* ~ 沒辦法;為難;不知所措;虧本地.

lot /lɒt/ *n*. 運氣,命運;(抽)籤;(貨物之)一批,[口]大量,許多,全部,一切 // *a lot of* = lots of 許多許多.

loth /ləʊθ/ *a*. =loath.

lotion /'ləʊʃn/ *n*. 洗液,洗滌劑.

lottery /'lɒtərɪ/ *n*. 抽彩票發獎;碰運氣的事.

lotto /'lɒtəʊ/ *n*. 洛托數卡牌賭博遊戲.

lotus /'ləʊtəs/ *n*. 荷花,蓮花;忘憂樹 //~*land*安樂鄉,安逸.

loud /laʊd/ *a*. 大聲的,響亮的,吵鬧的 **~ly** *ad*. **~ness** *n*. **~speaker** *n*. 大喇叭.

lough /lɒk/ *n*. [愛爾蘭]湖泊,海灣.

lounge /laʊndʒ/ *n*. 閑逛,漫步;休息室,娛樂室.

lour /'laʊə(r)/ *vi*. 皺眉頭;怒目而視;天轉陰霾;愁眉苦臉.

louse /laʊs/ *n*.(*pl*. **lice** /laɪs/【動】虱

子,小蟲,寄生蟲;卑鄙的人.

lout /laʊt/ *n*. 大老粗,蠢人 *vt*.愚弄,嘲弄 *vi*.鞠躬.

Louvre /'luːvrə/ *n*. (法國巴黎)盧浮宮.

lovage /'lʌvɪdʒ/ *n*.【植】拉維紀草(調味用).

love /lʌv/ *n*. 愛,愛情,戀愛,愛人;愛戴,熱愛;愛好 *v*.愛,熱愛;愛戴;戀慕,愛好,喜歡 **~able** /'lʌvəbl/ *a*. = **lovable** **~bird** *n*. 相思鳥 **~less** *a*. 沒有愛情的,得不到愛情的 **~lorn** *a*.失戀的,害相思病的 **~ly** *a*. & *ad*.可愛的(地)、愉快的(地);高尚純潔的(地) **~r** /'lʌvə/ *n*. 愛人;情人 **~rlike** *a*.情人般的 // ~-*affair* 風流韵事 ~ *all*(比賽)零比零 ~ *child* 私生子 ~ *life* 一生之戀愛經歷 ~ *making* 談情說愛;調情;性交 ~-*nest* 愛情窩巢;新婚家庭 ~ *song* 情歌 ~ *token* 定情物,愛情紀念品 ~*struck* 愛得神魂顛倒的 ~ *at first sight* 一見鍾情.

low /ləʊ/ *a*. ①低的;矮的;淺的②卑下的,下流的③低廉的④無教養的⑤消沉的⑥低速的 **~born** *a*.出身低微的 **~bred** *a*.沒有教養的,粗魯的 **~brow** *n*. & *a*.文化程度低的(人) **~browed** *a*.前額低的 **L-Church** *a*.低教派教會的 **~-down** *a*.非常低的,下賤的,卑鄙的 *n*.(喻)內幕,真相 **~-key** *a*.低強度的;低調的,有節制的 **~land** *n*.低地國家;(複數指)蘇格蘭 **~life** *n*.下等社會的人 **~-necked** *a*.露胸的,開領低的 **~-spirited** *a*.無精神的 // ~ *cost* 低價出售的 *L* ~ *Countries* 低地國(荷蘭,比利時和盧森堡) ~-*profile* 不起眼,隱而不露的 ~ *tide* 低潮 ~ *water* 低水位,低潮.

lower /'ləʊə(r)/ *a*. 較低的;下級的,低級的 *v*.降低,貶低.

loyal /lɔɪəl/ *a*. 忠誠的;忠實的 **~ly** *ad*. **~ty** *n*. **~ist** *n*.

lozenge /'lɒzɪndʒ/ *n*. //(*motive*);菱形【藥】錠劑;糖錠;藥片;菱形花紋,菱形面,菱形玻璃.

L.P. *abbr*. = ①Low Pressure 低壓②long primer 十點鉛字③long-playing 密紋(唱片)④Labour Party 工黨⑤large paper 大開本.

L-plate /'el pleɪt/ *n*. 教練車前後挂的牌(意為學員實習駕駛車).

LSD. *abbr*. = lysergic acid diethylamide 麥角酸二乙基酰胺(麻醉藥).

Lt. *abbr*. = lieutenant.

Ltd. *abbr*. = limited(Liability) 常用在股份有限公司名稱之後.

lubber /'lʌbə(r)/ *n*. 傻大個,笨大漢;無經驗的水手.

lubricate /'luːbrɪkeɪt/ *v*. 塗油,上油,使潤滑 **lubricant** *a*.潤滑的 *n*.潤滑劑,潤滑油;能減少摩擦的東西 **lubrication** /ˌluːbrɪ'keɪʃn/ *n*. 潤滑,油潤,上油.

lubricious /luː'brɪʃəs/ *a*. = lubricous /'luːbrɪkəs/滑潤的,光滑的,難捉摸的;不穩定的;淫蕩的.

lucarne /luː'kɑːn/ *n*.【建】老虎天窗,屋頂窗.

lucent /'ljuːsənt/ *a*. 發亮的;透明的.

lucerne /luː'sɜːn/ *n*.【植】[英]苜蓿 = [美]alfalfa.

lucid /'luːsɪd/ *a*. 清澈的,透明的;清楚明白的;神志清醒的.

Lucifer /'ljuːsɪfə(r)/ *n*.【天】金星,曉星;惡魔;安全火柴.

luck /lʌk/ *n*. 運氣,幸運,造化,僥幸 **~y** *a*.運氣好的,僥幸的 // *rough*

～倒霉 ～ *money*[penny][英]吉利錢.

lucrative /'lu:krətɪv/ *a*. 有利的, 合算的; 賺錢的.

lucre /'lu:kə(r)/ *n*. 利益, 賺頭; 金錢 **filthy ～**骯髒錢, 不義之財.

Luddite /'lʌdaɪt/ *n*. 魯德分子, (該派反對機械化、自動化).

ludicrous /'lu:dɪkrəs/ *a*. 滑稽的; 荒唐的; 可笑的.

ludo /'lu:dəʊ/ *n*. 擲骰子數點作輸贏的遊戲.

lues /'lu:i:z/ *n*. 病疫, 傳染病; 梅毒(＝～venerea) **luetic** /lu:'etɪk/ *a*. 梅毒的, 傳染病的 **～ally** *ad*.

luff /lʌf/ *n*. 搶風行駛, 貼風行駛 // ～ *up* 船側受風而行.

lug /lʌg/ *n*. 用力拖拉; 硬拉; 懶人 *vi*. 擺架子, 裝腔作勢; [美俚]勒索, 敲詐錢財; [俚]耳朵; 突緣; 笨傢伙.

luggage /'lʌgɪdʒ/ *n*. 行李(總稱), 箱包, (＝[美]baggage) **～-carrier** *n*. 自行車後衣架 **～rack** *n*. 火車上行李架 // ～ *van* 行李車(＝[美]baggage van).

lugger /'lʌgə(r)/ *n*. 斜桁橫帆小船.

lugubrious /lə'gu:brɪəs/ *a*. (顯得做作的)憂傷的, 悲痛的, 如喪考妣的; 陰鬱的 **～ly** *ad*.

lugworm /'lʌgwɜ:m/ *n*.【動】沙蠋(釣餌用).

lukewarm /ˌlu:k'wɔ:m/ *a*. 微溫的; 不熱心的.

lull /lʌl/ *vt*. 使安靜, 鎮靜; 緩和; 哄騙 *n*. 間歇; 催眠曲 **～aby** /'lʌləbaɪ/ *n*. 催眠曲, 搖籃曲.

lullaby/'lʌləbaɪ/*n*. 搖籃曲; 催眠曲.

lulu /'lu:lu:/ *n*. 出衆的人; 突出的事; 特種津貼.

lumbago /lʌm'beɪgəʊ/ *n*. (*pl*. **～s**) 腰痛, 腰肌痛, 腰部風濕痛.

lumber /'lʌmbə(r)/ *n*. [美]木材, 木料, 方木 [英]碎屑; 廢料 *vt*. 採伐(木材); 阻塞; 拖運木材 *vi*. 笨重地移動; 隆隆地行進 *n*. 隆隆聲 **～jack** *n*. 伐木工; 短茄克衫.

luminary /'lu:mɪnərɪ/ *n*. 天體; 發光體; 燈光; 照明; 杰出名人.

luminous /'lu:mɪnəs/ *a*. 發光的, 明亮的; 照耀着的; 明白易懂的, 啓發性的; 明快的, 明朗的, 光明燦爛的 **～energy**光能.

lump /lʌmp/ *n*. 團, 塊, 麵糰; 腫瘤, 瘤子; 責打, 指責, 懲罰 **～y** *a*. 多團塊的, 滿是疙瘩的; 愚鈍的, 笨拙的; [俚]醉醺醺的 // ～ *sugar* 方糖 ～ *sum* 總額 ～ *work* 包工, 包幹.

lunar /'lu:nə(r)/ *a*. 月亮的, 太陰的; 冷清清的, 銀的 **～naut** 登月宇航員 // ～ *caustic* 硝酸銀 ～ *calendar* 陰曆, 農曆 ～ *orbit* 繞月軌道.

lunatic /'lu:nətɪk/ *a*. 瘋癲的, 精神錯亂的, 瘋狂的 *n*. 精神病患者, 瘋子; 狂人; 大傻瓜 // ～ *asylum* 瘋人院(常稱 mental home 或 mental insitution) ～ *fringe* 極端份子.

lunch /lʌntʃ/ *n*. 午餐; 便餐 **～-room** 便餐館 **～-time** 午餐時間.

luncheon /'lʌntʃən/ *n*. 正式午餐; 午宴; 午餐會 **～ette** /ˌlʌntʃə'net/ *n*. 小餐館 **～-eteria** /ˌlʌntʃɪ'tɪərɪə/ *n*. 簡易自助餐館 **～meat** *n*. 午餐肉 // ～ *voucher* 午餐證(券).

lung /lʌŋ/ *n*. 肺臟, 肺; 呼吸器官.

lunge /lʌndʒ/ *n*. 刀劍之刺, 戳; 突進, 猛衝 *v*. (用劍)刺, 戳, 推, 衝.

lupin /'lu:pɪn/ *n*.【植】白羽扁豆.

lupine /'lju:paɪn/ *a*. 狼的; 凶猛的; 貪婪的.

lurch /'lɜ:tʃ/ *v*. (偷偷)徘徊; 躲藏; 埋

伏;潛行 *n*. 東倒西歪地蹣跚;(船突然)傾側;(玩牌)大敗;慘敗;處狼狽境地 **~er** *n*. 小偷;奸細,間諜;雜種獵狗.

lure /luə(r)/ *n*. 誘餌;誘惑,魅力 *vt*. 誘回,引誘,誘惑.

lurid /ˈluərɪd/ *a*. 蒼白的,陰慘可怕的;(夕陽)血紅的,刺目的.

lurk /lɜːk/ *vi*. 潛伏;埋伏;鬼鬼祟祟地活動,偷偷摸摸地行動 *n*. 潛伏,潛行;[俚]欺騙,欺詐 **~er** 潛伏者,偵察者.

luscious /ˈlʌʃəs/ *a*. 芬芳的,過分香而令人膩的;肉欲的;色情的.

lush /lʌʃ/ *a*. 多汁的;味美的;芬芳的;草木茂盛的;豪華的,繁榮的;[口](過分)花俏的,[俚]酒;醉漢 *v*. 喝醉 **~ed** *a*. 喝醉了的 // ~ *worker* [美俚]專門以醉漢為對象之扒手. *n*. = ~roller.

lust /lʌst/ *n*. 欲望,食欲;渴望,熱烈追求;肉欲;色情 *vi*. 渴望;貪求;好色 **~er** *n*. 好色鬼,荒淫的人.

lustre /ˈlʌstə(r)/ *n*. 光澤;光彩;光輝;光榮,榮譽;光面呢絨,(綢緞);釉,瓷器 **~less** *a*. 無光澤的 **~ware** *n*. 光瓷器皿.

lute /luːt/ *n*. 琵琶;封泥 **~lutanist** *n*. 琵琶演奏者.

Lutheran /ˈluːθərən/ *a*. 馬丁·路德的;路德教(派)的.

luxuriant /lʌgˈʒuərɪənt/ *a*. 華美的;繁茂的,豐富的;豪華的,奢華的 **~ly** *ad*. **luxuriance** /lʌgˈʒuərɪəns/ *n*.

luxuriate /lʌgˈʒuərɪeɪt/ *vi*. 生活奢侈,繁茂;沉迷於;盡情享受 **luxurious** /lʌgˈʒuərɪəs/ *a*. 豪華的,奢侈的;非常舒適的;詞藻華麗的.

luxury /ˈlʌkʃərɪ/ *n*. 奢侈,豪華;奢侈品;美食;樂趣;享受.

L.V. *abbr*. = ①luncheon voucher 午餐證,就餐券②launch vehicle 運載火箭 ③legal volt【電】法定伏特④low vottage 低壓⑤landing vehicle 登陸車輛.

lychee/laɪˈtʃiː/ *n*. = litchi【植】荔枝.

lychgate /ˈlɪtʃgeɪt/ *n*. = lichgate 停柩廳.

Lycra(s) /ˈlaɪkrə(s)/ *n*. 緊身彈力泳裝(商標名).

lye /laɪ/ *n*. 灰汁;鹼液.

lying/ˈlaɪɪŋ/lie(躺)的現在分詞.

lymph /lɪmf/ *n*. 清泉;【解】淋巴(液) // ~ *node*【解】淋巴結.

lymphocyte /ˈlɪmfəusaɪt/ *n*. 【醫】淋巴細胞;淋巴球.

lynch /lɪntʃ/ *n*. 私刑; *vt*. 私刑處死 **~law** *n*. 私刑(非法殺害).

lynx /lɪŋks/ *n*. (*pl*. **~es**)【動】猞猁,山貓;猞猁孫皮.

lyre /ˈlaɪə(r)/ *n*. 古希臘七弦豎琴;抒情詩;樂譜架 **~bird** *n*.【鳥】琴鳥.

Lyre = Lyra /ˈlaɪərə/ *n*.【天】天琴座.

lyric /ˈlɪrɪk/ *n*. 抒情詩;抒情作品;抒情詩人.

lysol /ˈlaɪsɒl/ *n*. (消毒防腐劑)來沙爾;煤酚皂溶液.

M

M, m /em/ *m*. 可表示①majesty 陛下②male 男③married 已婚④masculine 男性;陽性⑤meridian 子午綫⑥meter(s)米⑦mile 哩⑧middle 中(號)⑨minute(s)分(鐘)⑩month 月.

M ①(*pl*.MM)Monsieur /məˈsjɜː(r)/ [法]先生②Motorway 機動車道.

ma. *n*. [兒語]媽(mamma 之略).

MA *abbr*. = Master of Arts 文學碩士.

ma'am *n*. /mæm/ = madam 女士,夫人, /ˈmædəm/ [口]太太,小姐(對女主人的稱呼,現僅用於句中或句末).

mac /mæk/ *n*. [口]machintosh.

macabre /məˈkɑːbrə/ *a*. 以死亡為主題的;可怕的,陰慘的.

macadam /məˈkædəm/ *n*. 碎石;碎石路**~ize** 用碎石鋪路.

Macao /məˈkaʊ/ *n*. 澳門.

macaque /məˈkɑːk/ *n*. 獮猴;(亞洲)短尾猴.

macaroni /ˌmækəˈrəʊnɪ/ *n*. 通心粉.

macaroon /ˌmækəˈruːn/ *n*. 蛋白杏仁餅乾.

macaw /məˈkɔː/ *n*. 金剛鸚鵡;美國棕櫚.

mace /meɪs/ *n*. ①釘頭錘②權杖③豆蔻香料 **~bearer** 執權杖者.

macerate /ˈmæsəreɪt/ *v*. 浸軟;餓瘦 **maceration** /-ˈreɪʃn/ *n*. 絕食.

Mach /mɑːk/ *n*.【物】= **~number** 馬赫數(超高速單位) **~wave**(原子彈爆炸時的)衝擊波.

machete /məˈtʃetɪ/ *n*. [南美]大砍刀.

Machiavellian /ˌmækɪəˈvelɪən/ *a*. 陰謀的,不擇手段的 *n*.不擇手段的陰謀家.

machination /ˌmækɪˈneɪʃn/ *n*. 策劃;陰謀;詭計.

machine /məˈʃiːn/ *n*. 機器,機械;機關,機構**~ry** 機械,機件之集合名詞 **machinist** /məˈʃiːnɪst/ 機工,機械師 **~building** 機器製造(業)**~ carbine** 衝鋒槍,卡賓槍**~-gun** *n*.機槍 *v*.用機槍掃射 **~-hour** 機器運轉時間 **~ language** 計算機語言**~-made** 機製的**~ pistol** 手提機關槍**~ readable** 可直接為計算機使用的**~ rifle** 自動步槍**~-sewed** *a*.機縫的**~ shop** 金工車間**~ tool** 機床,工作母機**~ translation** 機器翻譯.

machismo /məˈtʃɪzməʊ/ *n*. [西]男子氣慨.

macho /ˈmætʃəʊ/ *n*. [西](*pl*.**-chos**)健壯男子 *a*.雄性的,有膽量的.

mackerel /ˈmækrəl/ *n*. (*pl*. **-s**)鯖魚,馬鮫魚.

mackintosh /ˈmækɪntɒʃ/ *n*. 防水膠布;膠布雨衣;(泛指)雨衣.

macramé /məˈkrɑːmɪ/ *n*. (傢具裝飾用)花邊;流蘇.

macrobiosis /ˌmækrəʊbaɪˈəʊsɪs/ *n*. 長命,長壽.

macrobiotics /ˌmækrəʊbaɪˈɒtɪks/ *n*. *pl*.不吃化學品助長之穀物、菜蔬之長壽術.

macrocosm /ˈmækrəʊkɒzəm/ *n*. (= macrocosmos)宇宙;宏觀世界;整體.

macromolecule /ˌmækrəʊˈmɒlɪkjuːl/ *n*.【化】大分子,高分子;(= macromole).

macron /'mækrɒn/ *n*. 長音符(—).

macula /'mækjʊlə/ (*pl*. -**lae** /-liː/) *n*. (太陽之)黑點;(皮膚之)痣.

mad /mæd/ *a*. (**-der, -dest**) 瘋狂的;凶猛的,狂暴的;魯莽的;狂熱的;入迷的[口]生氣的,憤怒的,(at, about)極高興,快活的;**~house** 瘋人院;吵鬧的場所[俚]駕駛室**~man**瘋子~ **money**[美]女人身上帶的錢,私房錢 **~woman** 女狂人 **~ly** *ad*. **~ness** *n*. 癲狂,瘋狂,狂熱 **~den** /'mædən/ *v*. 發狂,使發狂,使發怒 **~denning** *a*. 使人發狂的,使人氣極的.

madam /'mædəm/ *n*. 夫人,太太(對婦女之尊稱).

Madame /mə'dɑːm/ (*pl*. **mesdames** /meɪ'dɑːm/)*n*. [法]太太,夫人.

madder /'mædə(r)/ *n*. 【植】茜草染料;鮮紅色.

made /meɪd/ make 的過去式 // *have it* ~ 做成功.

Madeira /mə'dɪərə/ *n*. (馬德拉島產)白葡萄酒~ **cake**, 馬德拉蛋糕.

mademoiselle/mɑːdmwɑː'zel/*n*. [法]小姐.

Madonna /mə'dɒnə/ *n*. 聖母瑪利亞;聖母像.

madrigal /'mædrɪgl/ *n*. 情歌;小曲;牧歌.

maelstrom /'meɪlstrɒm/ *n*. 大漩渦;大災害;禍亂.

maestro /'maɪstrəʊ/ *n*. 藝術大師(如作曲家,名指揮);[美俚]樂隊指揮;(球隊)領隊.

Mae West /'meɪ 'west/ [軍俚]海上救生衣.

Mafia /'mæfɪə/ *n*. 黑手黨,黑社會(組織)**Mafiosi** /ˌmæfɪ'əusiː/ *n*. 黑手黨成員(複)(*sing*, **-Mafioso**).

magazine /ˌmægə'ziːn/ *n*. ①雜誌,期刊②子彈匣;彈藥庫③膠卷盒.

magenta /ˌmə'dʒentə/ *n*. 品紅,洋紅.

maggot /'mægət/ *n*. 蛆;空想,狂想**~y** *a*. 多蛆的,胡思亂想的.

Magi /'meɪdʒaɪ/ *n*. *pl*. 東方賢人 (*sing*. **Magus**).

magic /'mædʒɪk/ *a*. 魔術的;不可思議的 *n*. 魔術,魔力**~al** 魔術般的**~ian** /mə'dʒɪʃn/ *n*. 魔術師.

magistrate /'mædʒɪstreɪt/ *n*. 地方長官;法官 **magisterial** /ˌmædʒɪ'stɪərɪəl/ *a*. 長官的,師長作風的;有權威的,傲慢的;公平的.

magma /'mægmə/ *n*. 岩漿;稠液;乳漿劑.

magnanimous /mæg'nænɪməs/ *a*. 氣量大的,高尚的,豪爽的 **~ly** *ad*. **magnanimity** /ˌmægnə'nɪmətɪ/ *n*. 寬仁,雅量,高尚行為.

magnate /'mægneɪt/ *n*. 富豪;權貴;巨頭;大資本家.

magnesium /mæg'niːzɪəm/ *n*. 鎂 **magnesia** /mæg'niːʃə/ *n*. 氧化鎂.

magnet /'mægnɪt/ *n*. 磁石 **~ism** 磁,磁力,吸引力**~ize** *v*. 磁化.

magnetic /mæg'netɪk/ *a*. 磁性的;具吸引力的**~ally** *ad*. // *~field* 磁場 *~north*(羅盤磁針所指方向)北 ~*tape*(録音,録像)磁帶.

magneto /mæg'niːtəʊ/ *n*. (*pl*. **-tus**) 磁力發電機.

magnificence /mæg'nɪfɪsns/ *n*. 宏偉,莊嚴,壯麗,堂皇.

magnificent /mæg'nɪfɪsnt/ *n*. 壯麗的,富麗堂皇的**~ly** *ad*.

magnify/'mægnɪfaɪ/*v*. (用放大鏡把物體)放大;誇大;誇張.

magnitude /'mægnɪtjuːd/ *n*. 廣大;巨大;重大;光度,等級;重要.

magnolia /mæg'nəʊlɪə/ *n*. 【植】木蘭 // *M～State*(美)密西西比州之別名.

magnum /'mægnəm/ *n*. (兩夸脫)大酒瓶 **～opus** /'əʊpəs/ *n*. [拉]個人之重大事業,大作,巨著;杰作.

magpie /'mægpaɪ/ *n*. 喜鵲;黑白花紋.

maguey /'mægweɪ/ *n*. 【植】龍舌蘭,[美]牧用套索 // *～hemp* 劍麻.

Magyar /'mægjɑː(r)/ *n*. 馬札爾人;匈牙利語 *a*. 馬札爾人(或語言)的.

Maharajah/ˌmɑːhə'rɑːdʒə/*n*. 印度一些土邦主、王公過去的頭銜.

Maharishi/ˌmɑːhɑː'riːʃɪ/*n*. 大聖(印度教教師和精神領袖的稱號).

mahatma /mə'hɑːtmə/ *n*. (印度)大善知識;聖雄,聖賢;偉人.

mahjong(g) /mɑː'dʒɒŋ/ *n*. 麻將牌.

mahogany /mə'hɒgənɪ/ *n*. 桃花心木,紅木.

mahout /mə'haʊt/ *n*. 馭象人;看管象的人.

maid /meɪd/ *n*. 處女;未婚女子,閨女,姑娘;女僕.

maiden /'meɪdn/ *n*. [古]處女,閨女,少女 *a*. 未婚的,處女的,初次的 **～ly** *ad*. **～hair tree** 銀杏樹 **～head** 處女膜 **～hood** 處女時代 **～voyage** 處女航,初次航行 **～ over**(板球)未得分之投球.

mail /meɪl/ *n*. 郵政,郵件;鎧甲 **～-bag** *n*. 郵袋 **～boat** *n*. 郵船 **～coach** *n*. 郵件馬車 **～er** *n*. ①郵寄者②郵件打戳;分類、稱重機 **～ing** *n*. 郵寄,郵寄品 **～ing list** *n*. 通訊(發送)名單 **～man** *n*. 郵遞員,郵差 **～order** *n*. 郵購,函購 **～shot** *n*. 廣告郵政快件 // *～car*(鐵路)郵車 *～clerk* 郵局辦事員 *～matter* 郵件.

maim /meɪm/ *vt*. 殘害;使殘廢;使負重傷 **～ed** *a*. 殘廢的,負重傷的.

main /meɪn/ *n*. 體力,主要部分,要點,[詩]大海洋,(水,電,煤氣)總管幹綫 *a*. 主要的;總的;全 **～frame** 電腦主機 **～land** 大陸 **～ly** *ad*. 主要,大概,大抵 **～mast** *n*. 主桅杆 **～ plane** 主翼,機翼 **～sail** *n*. 主帆,大帆 **～spring** *n*. 主發條;主要動機 **～stay** *n*. 中堅,台柱,主要生活來源 **～ stem** = ～stream *n*. 主流.

maintain /meɪn'teɪn/ *vt*. 維持;保持;繼續;堅持,維護;保養 **maintenance**/'meɪntənəns/ *n*. 維持,維護,維修,保養.

maisonette /ˌmeɪzə'net/ *n*. 小住宅,【英】(分別出租之)房間.

maître d'hôtel /ˌmetrə dəʊ'tel/ *n*. [法]管家,(旅館,飯店)總管.

maize /meɪz/ *n*. (英(玉米) **～na** /mə'ziːnə/ *n*. 玉米粉.

majesty/'mædʒəstɪ/*n*. 雄偉;壯觀;崇高.

major /'meɪdʒə(r)/ *a*. 主要的;較大的;年長的 *n*. 專業;陸軍少校;成年人 *vi*. 主修,專攻(課程) **～ premise** 大前提 **～ scale** 大音階 **～ seminary** 祭司神學院 **～ette** *n*. 軍樂隊女領隊 **～domo** *n*. 大管家;監管人 **～ general** *n*. 陸軍(海軍陸戰隊)少將.

majority /mə'dʒɒrətɪ/ *n*. 大多數;成年;法定年齡 **～ leader** 多數黨的領袖 // *～rule* 多數裁定原則.

make /meɪk/ *vt*. (**made** /meɪd/) 做,作,製造,造成,創作,準備,掙,賺;使…成為 *n*. 式樣,構造,製造,組織 **～er** 製造者,出票人 **～-believe** *n*. 假裝 **～fast** *n*. 繫船浮子(柱) **～peace** *n*. = peace-maker **～shift** *n*. 將就,湊合;權宜之計 **～up** *n*. 化裝,

~**weight** *n*. 填料, 補足重量的東西 // ~ *back* 回來 ~ *bold* 冒昧; 請允許 ~ *dead*【電】切斷 ~ *do with* 設法應付 ~ *down* 清算; 改小; 準備 ~ *harbour* 入港 ~ *for* 有利於; 傾向於 ~ *off with* 拐走; 偷去 ~ *one's living* 謀生 ~ *out* 認出; 理解, 領悟 ~ *up* 補, 彌補, 補充.

making /'meɪkɪŋ/ *n*. 製造, 製作(物), 生產; 成因要素; 製造過程 ~ *up price*【股】核定價格.

mal /mɑːl/ *n*. [法] = sickness // ~ *de mer* /ˌ-də'mer/ 暈船 ~ *du pays* /ˌ-djuːpeɪ'iː/ 思鄉病; 前綴 = bad, badly 例: ~**development** 發育不良.

maladjusted /ˌmælə'dʒʌstɪd/ *a*. 精神失調的, 調節不善的; 不適應 **maladjustment** *n*.

maladministration /ˌmælədˌmɪnɪ'streɪʃn/ *n*. 管理不善, 處理不當; 胡搞, 瞎指揮.

maladroit /ˌmælə'drɔɪt/ *a*. 笨拙, 愚鈍的 ~**ly** *ad*. ~**ness** *n*.

malady /'mælədɪ/ *n*. 毛病, 疾病; (社會)弊端; 歪風邪氣.

malaise /mæ'leɪz/ *n*. [法]小病, 不舒服, 精神欠爽.

malapropism /'mæləprɒpɪzəm/ *n*. 可笑的誤用; 不當之言行.

malaria /mə'leərɪə/ *n*. 瘧疾, 瘴氣 ~**l** *a*.

Malay /mə'leɪ/ *n*. 馬來人(語) *a*. 馬來人(語)的 ~**sia** *n*. 馬來西亞 ~**sian** *a*.

malcontent /'mælkəntent/ *a*. 抱怨的, 不滿的 *n*. 不滿分子.

male /meɪl/ *a*. 男的, 公的, 雄性的 *n*. 男, 男子, 男性, 雄性動物 ~**chauvinism** 大男子主義 ~**chauvinist** 大男子主義者.

malediction /ˌmælɪ'dɪkʃn/ *n*. 詛咒; 誣衊; 誹謗(benediction 之反義).

malefactor /'mælɪfæktə(r)/ *n*. 罪人; 犯人; 作惡者, 壞蛋.

malevolent /mə'levələnt/ *a*. 壞心腸的, 惡毒的, 幸災樂禍的 ~**ly** *ad*. **malevolence** /mə'levələns/ *n*.

malformed /mæl'fɔːmd/ *a*. 畸形的; 殘缺的 **malformation** /-'meɪʃn/ *n*.

malfunction /mæl'fʌŋkʃn/ *n*. 失靈; 機能失常; 故障.

malice /'mælɪs/ *n*. 惡意; 惡感, 毒心; 怨恨; 敵意 **malicious** /mə'lɪʃəs/ *a*.

malign /mə'laɪn/ *a*. 有害的, 邪惡的, 惡性的 *vt*. 誣衊, 誹謗, 中傷 ~**er** 誣衊者 ~**ly** *a*. ~**ity** /mə'lɪgnətɪ/ *n*. 惡意, 敵意, 怨恨, 惡性(病).

malignant /mə'lɪgnənt/ *a*. 惡意的, 惡毒的, 惡性的(腫瘤) *n*. 懷惡意的人 ~**ly** *ad*. **malignance** /mə'lɪgnənsɪ/ *n*.

malinger /mə'lɪŋgə(r)/ *v*. 裝病, 泡病號 ~**er** *n*. 裝病者 ~**y** *n*.

mall /mæl/ *n*. (不走汽車之)林蔭道; 林蔭散步場或步行購物中心.

mallard /'mælɑːd/ *n*.【動】鳧, 綠頭鴨, 野鴨.

malleable /'mælɪəbl/ *a*. 可鍛的, 有延展性的, 韌性的, 柔順的. **malleability** /ˌmælɪə'bɪlətɪ/ *n*. ~ **iron** 韌鐵 ~**cast iron** 可鍛鑄鐵.

mallet /'mælɪt/ *n*. 木槌; 馬球棍.

mallow /'mæləʊ/ *n*. 錦葵屬植物.

malmsey /'mɑːmzɪ/ *n*. (希臘)醇香白葡萄酒.

malnutrition /ˌmælnjuː'trɪʃn/ *n*. 營養不良.

malodor /ˌmæ'ləʊdə(r)/ *n*. 惡臭味, 臭氣 ~**ous** /-əs/ *a*.

malpractice /ˌmæl'præktɪs/ *n*.【醫】

療法失當;玩忽職守;瀆職;【律】違法行為;歪風邪氣.

malt /mɔːlt/ *n*. 麥芽;啤酒;麥乳精 **~horse** *n*.磨麥芽的馬**~house** *n*.麥芽作坊**~man** *n*.麥芽製造人// *~dust* 麥芽糖;麥麴糟 *~extract* 麥精 *~liquor* 啤酒 *~ed milk* 麥乳精 *~whisky* 麥精威士忌酒.

maltreat /ˌmælˈtriːt/ *vt*. 虐待**~ment** *n*.

mama /məˈmɑː/ *n*. = mamma [兒語] 媽媽;乳房.

mammal /ˈmæml/ *n*. 哺乳動物**~ian** /mæˈmeɪlɪən/ *a*.

mammary /ˈmæmərɪ/ *a*. 乳房的,胸脯的// *~cancer* 乳癌 *~gland* 乳腺.

mammon /ˈmæmən/ *n*. 錢財,財富 **M** ~財神爺.

mammoth /ˈmæməθ/ *n*. 猛獁象(古生代巨象);龐然大物 *a*.巨大的.

man /mæn/ (*pl*. **men** /men/) *n*. 人,人類;男人,大丈夫;成年男子,男僕;棋子 *v*.(過去式及過去分詞 **manned**)配置人員(兵員,船員);拿出丈夫氣概;使鼓足勇氣**~-eater** *n*.食人者**~hole** *n*.人孔井;檢修孔 **~hood** *n*. 成人;丈夫氣;人格 **~-hour** *n*.工時,一人一小時工作量;**~kind** *n*.人類**~ly** *a*.**~liness** *n*.男子氣;雄偉;大膽**~nish** *a*.男子氣的 **~handle** *v*. 粗暴對待 **~handler** *n*. [美體]摔跤選手 **~hour** *n*.工時**~hunt** *n*.警方搜捕 **~-made** *a*.人工的,人造的,**~power** *n*.人力,勞動力**~servant** *n*.男僕**~slaughter** *n*.殺人【律】過失殺人(罪).

manacle /ˈmænəkl/ *n*. 手銬;束縛,拘束 *vt*.上手銬,束縛.

manage /ˈmænɪdʒ/ *v*. 辦理,處置;管理,支配,經營;操縱,應付;對付 **~able** *a*. **~ment** *n*. **~er** 經理;處理者;經營者 **~rial** /ˌmænəˈdʒɪərɪəl/ *a*.經理的;管理上的.

manatee /ˌmænəˈtiː/ *n*.【動】海牛.

mandarin /ˈmændərɪn/ *n*. 中國滿清官吏;中國官話,普通話;柑橘;橙黃色~ **dialect** 漢語~ **duck** 鴛鴦~ **fish** 桂魚.

mandate /ˈmændeɪt/ *n*. 命令,訓令,指令,*v*.【律】委托管理.

mandator /mænˈdeɪtə(r)/ *n*. 下令者,委托者**~y** *a*.命令的,訓令的.

mandible /ˈmændɪbl/ *n*. 下顎骨.

mandolin /ˈmændəlɪn/ *n*.【樂】瓢琴,八弦琴.

mandrake /ˈmændreɪk/ *n*. 曼德拉草,(麻醉劑料) = 'May apple.

mandrel /ˈmændrɪl/ *n*. (車床的)軸胎,心軸.

mandrill /ˈmændrɪl/ *n*. [西非]藍面狒狒.

mane /meɪn/ *n*. (馬,獅頸上的)鬃毛 **~y** *a*.

manful /ˈmænfl/ *a*. 雄偉的,果斷勇敢的**~ly** *ad*.

manganese /ˈmæŋgəˈniːz/ *n*. 錳.

mange /meɪndʒ/ *n*. (畜類)疥癬 **mangy** *a*.生疥癬的,難看的.

mangel (**wurzel**) /ˈmæŋgl (ˈwɜːzl)/ *n*. 飼料(甜菜).

manger /ˈmeɪndʒə(r)/ *n*. 馬(牛)槽(槽).

mangetout/ˌmɒnʒˈtuː/ *n*. 一種扁平豌豆,其豆莢和籽一樣可以食用.

mangle /ˈmæŋgl/ *vt*. 亂砍,亂摔,毀壞;用軋布砑光 *n*.砑光機,絞肉機.

mango /ˈmæŋgəʊ/ *n*.(*pl*. **~(e)s**) 芒果.

mangrove/ˈmæŋgrəʊv/ *n*.紅樹屬植物.

mania /'meɪnɪə/ *n*. 癲狂, 狂愛, 狂熱 **~c** *n*. 瘋子, 狂人.

manic /'mænɪk/ *a*. 躁狂的 **~-depressive** *a*. 躁狂抑鬱症的.

manicure /'mænɪkjʊə(r)/ *n*. 修指甲(術) *vt*. 修…的指甲; 修平; 修剪 **manicurist** /'mænɪkjʊərɪst/ *n*. 指甲美化師 // ~*parlour* 指甲美化室.

manifest /'mænɪfest/ *a*. 明白的, 明顯的 *vt*. 指明, 表明, 證明; 使瞭解; 出現 *n*.【商】船貨清單 **~ly** *ad*. **~ation** *n*. 表示; 發表政見的示威活動.

manifesto /ˌmænɪ'festəʊ/ *n*. (*pl*. **toes, tos**) 宣言, 聲明, 告示, 佈告.

manifold /'mænɪfəʊld/ *a*. 許多的, 種種的; 多方面的 *v*. 複寫本 *vi*. 複印, 複寫 // ~*paper* 打字紙 ~*writer* 複寫器.

manikin /'mænɪkɪn/ *n*. (= manakin, mannikin 及 manequin) 矮人, 侏儒, 木製模特兒, 人體模型 // ~*girl* 服裝模特.

manil(l)a /mə'nɪlə/ *n*. 馬尼拉紙, (信封)牛皮紙.

manipulate /mə'nɪpjʊleɪt/ *vt*. 使用, 處理; 操作; 竄改 **manipulation** *n*. **manipulative** *a*. **manipulator** *n*. 操作者, 操縱者, 竄改者.

manna /'mænə/ *n*. 神糧; 美味【醫】甘露, 木蜜.

mannequin/mænɪkɪn/*n*. ①女時裝模特②(與人體般大小的)人體模型.

manner /'mænə(r)/ *n*. 方法, 做法; 態度, 行為舉止(*pl*.)禮貌; 規矩; 風俗, 習慣; 風格, 手法 **~ed** *a*. 矯揉造作的 **~ism** 守舊; 矯揉造作之風格; 怪癖; 獨特風格 **~ly** *a*. & *ad*. 有禮貌; 謙恭, 慇懃的(地).

mannikin/'mænɪkɪn/*n*. = manikin.

manoeuvre /mə'nuːvə(r)/ *n*. 調動, 部署; (*pl*.)軍事演習; 調兵遣將, 策略, 謀略, *vi*. 演習, 調動, 部署; 用計; 耍花招 **manoeuvrable** *a*.

manor /'mænə(r)/ *n*. [英]領地; 莊園, [美]永久性租借地 **~ial** *a*.

manqué /mɒŋ'keɪ/ *a*. [法]沒有成功的; 失意的.

mansard roof /'mænsɑːd ruːf/ *n*.【建】複折式屋頂.

manse /mæns/ *n*. 牧師住宅.

mansion /'mænʃn/ *n*. 公館; 公寓; 宅第; 大樓 // ~*house* 宅邸, 官邸.

mantel /'mæntl/ *n*. 壁爐架, 壁爐台 (= ~piece 及 ~shelf).

mantilla /mæn'tɪlə/ *n*. (女用)小披風, 大面紗.

mantis /'mæntɪs/ *n*. (*pl*. **mantes** /'mæntiːz/) 螳螂.

mantle /'mæntl/ *n*. 披風, 罩衣; 蓋罩, 外表; 翕(煤氣燈)紗罩.

mantra/'mæntrə/*n*. (印度教和大乘佛教中的)曼特羅, 禱文, 符咒.

manual /'mænjʊəl/ *a*. 手工的, *n*. 手冊, 指南;【樂】琴鍵盤 **~ly** *ad*.

manufactory /ˌmænjʊ'fæktərɪ/ *n*. 工廠, 製造廠商 **manufacture** /-tʃə *vt*. 大量生產, 製造 *n*. 工業; 工廠產品.

manufacture/ˌmænjʊ'fæktʃə(r)/*v*. 大量製造; 加工.

manure /mə'njʊə(r)/ *n*. 肥料, 糞 *v* 施肥.

manuscript /'mænjʊskrɪpt/ *a*. 手寫的, 手抄的 *n*. 手抄本, 原稿.

Manx /'mæŋks/ *a*. 英國曼島的, 曼島(人)的 **~ cat** *n*. 曼島貓.

many /'menɪ/ *a*. (**more, most**) 許多很多的 *pro*. 許多, 很多 **~fold** *ad*. 許多倍地 **~-minded** *a*. 三心二意的 **~-sided** *a*. 多邊的, 多方面的; 多才

多藝的 // *a good* ~ 非常多的 ~ *a time* = ~ *times* 多次.

Maoism/'maʊɪzəm/ *n*. 毛(澤東)主義.

Maori /'maʊrɪ/ *n*. & *a*. [新西蘭]毛利族人;毛利語.

map /mæp/ *n*. 地圖, 天體圖 *vt*. (**mapping, mapped**)測繪, 畫地圖制訂 ~**per** 繪圖人 // ~ *mounter* 裱地圖者 ~ *out* 安排, 規劃 ~ *scale* 地圖比例尺.

maple /'meɪpl/ *n*. 楓樹, 槭;淡棕色.

Mar. March 之縮寫, 三月.

mar/mɑː(r)/ *vt*. 損壞, 毀壞.

marabou/'mærəbuː/ *n*. 【鳥】禿鸛.

maraca/mə'rækə/ *n*. 【音】沙球(打擊樂器).

maraschino/ˌmærə'skiːnəʊ/ *n*. 黑櫻桃酒.

marathon /'mærəθən/ *n*. 馬拉松長跑, 持久比賽 *n*. 需極大持久力的 *vi*. 參加持久比賽.

maraud /mə'rɔːd/ *v*. 掠奪, 搶劫 ~**er** *n*. ~**ing** *a*.

marble /'mɑːbl/ *n*. 大理石;彈子, 玻璃球 (*pl*.) 大理石雕刻品;理智 ~**-hearted** *a*. 鐵石心腸的, 無情冷酷的.

March /mɑːtʃ/ *n*. 三月 // ~ *brown* 魚餌蜉蝣 ~ *hare* 交尾期野兔.

march /mɑːtʃ/ *n*. & *v*. 行進, 進軍, 行軍, 挺進 【樂】進行曲 (*pl*.)邊境, 接界.

marchioness /ˌmɑːʃə'nes/ = marquise / mɑː'kiːz/ *n*. 侯爵夫人, 侯爵未亡人;女侯爵.

Mardi Gras /ˌmɑːdɪ 'grɑː/ [法]懺悔星期二(狂歡節).

mare /meə(r)/ *n*. 牝馬, 母驢, 母馬 // *a* ~ *'s nest* 一場空歡喜.

margarin(e) /ˌmɑːdʒə'riːn/ *n*. 人造奶油, 人造黃油, = [英口] marge.

margin /'mɑːdʒɪn/ *n*. 邊緣, 限界, 欄外空白;餘地;【商】差價, 賺頭, 餘額 ~**al** *a*. 邊緣的, 記欄外的;邊際的, 不太重要的 ~**ally** *ad*.

marguerite /ˌmɑːgə'riːt/ *n*. 雛菊, 延命菊.

marigold /'mærɪgəʊld/ *n*. 金盞花, 萬壽菊 // ~ *window* 菊花窗.

marijuana = marihuana /ˌmærjʊ'ɑːnə/ *n*. 大麻(一種麻醉品).

marimba /mə'rɪmbə/ *n*. [拉美]木琴.

marina /mə'riːnə/ *n*. 小遊艇船塢.

marinade /ˌmærɪ'neɪd/ *n*. = marinate 浸泡魚、肉之鹵汁 *vt*. /'mærɪneɪt/.

marine /mə'riːn/ *a*. 海的;海事的;海運的;海軍的 ~**r** *n*. 海員, 水手 // *the M~ Corps* [美]海軍陸戰隊 *n*. 海軍陸戰隊官兵;地勤海軍, 海運業.

marionette /ˌmærɪə'net/ *n*. 牽綫木偶;傀儡.

marital /'mærɪtl/ *a*. 丈夫的;婚姻的 ~**y** *ad*. 作為丈夫.

maritime /'mærɪtaɪm/ *a*. 海的, 海上的, 海事的;航海的;海邊的.

mark /mɑːk/ *n*. ①印, 記號, 標記, 標志②目標③痕迹④分數⑤標準⑥(德幣)馬克 *v*. 作記號, 標上號;記分數;指示;標價;注意 ~**down** *n*. 標低售價 ~**ed** *a*. 有記號的, 加印記的;顯著的 ~**er** *n*. 打記號的人, 打分數的人, 記分器, 記分員;點名先生;遺傳標記 // ~ *time* 原地踏步, 躊躇.

market /'mɑːkɪt/ *n*. ①市場, 菜市②銷路, 市價③行情;市面 *v*. 在市場上買賣 ~**able** 適銷的, 有銷路的 ~**ing** 商品銷售業務 // ~ *day* 集市(日) ~ *garden* 商品菜園 ~ *research* 市場調查.

marksman /'mɑːksmən/ *n*. 射手, 狙

擊手,神槍手.

marl /mɑːl/ *n*. 泥灰肥料.

marmalade /ˈmɑːməleɪd/ *n*. 橘子醬.

marmite /ˈmɑːmaɪt/ *n*. 砂鍋.

marmoreal /mɑːˈmɔːrɪəl/ = marmorean /mɑːˈmɔːrɪən/ *a*.[詩](似)大理石的.

marmoset /ˈmɑːməzet/ *n*. [南美]狨猴.

marmot /ˈmɑːmət/ *n*.【動】土撥鼠;旱獺;瑪摩游泳帽.

maroon /məˈruːn/ *vt*. 放逐孤島;使孤立;帶着帳篷旅行 *n*. & *a*. 醬紫色(的),褐紅色(的) **~er** 海盜,流落孤島者;野營旅行者.

marquee /mɑːˈkiː/ *n*. 大帳篷,大帳幕.

marquess /ˈmɑːkwɪs/ =marquis *n*. 侯爵;公爵之長子,尊稱.

marquetry /ˈmɑːkɪtrɪ/ *n*. 鑲嵌工藝.

marquis/ˈmɑːkwɪs/*n*.某些國家中比伯爵高一級的貴族稱號;侯爵.

marriage /ˈmærɪdʒ/ *n*. 婚姻;結婚;婚禮 **~able** *a*. 可結婚的,已到結婚年齡的 **~ability** *n*.

marrow /ˈmærəʊ/ *n*. 髓,骨髓;精髓;精華;滋養品// ~*squash* 西葫蘆.

marry /ˈmærɪ/ *v*. (**-rying, -ried**) 結婚,娶,嫁;使結合 **~off** 嫁出 **married** *a*. 已婚的// ~*a fortune* 和有錢人結婚.

Mars /mɑːz/ *n*. 火星;戰神 **Martian** /mɑːʃn/ *a*. 火星的,火星人.

marsh /mɑːʃ/ *n*. 沼澤地 **~y** *a*. // ~*gas* 沼氣,甲烷.

marshal /ˈmɑːʃl/ *n*. 元帥;典禮官;司法秘書官;市執法官 *vt*. (**~ling, ~led**)安排就緒;集合;排列;引導// ~*ling yard* 貨車編組場,調車場.

marshmallow/ˈmɑːʃˌmæləʊ/*n*. 蜀葵糖劑;糖稀.

marsupial /mɑːˈsuːpɪəl/ *a*. 有袋的 *n*. 有袋動物// ~*frog*(南美)袋蛙.

mart/mɑːt/*n*.市場[廢]交易會;拍賣場.

martello tower /mɑːˈteləʊ ˈtaʊə(r)/ 沿海築的圓形小炮塔.

marten /ˈmɑːtɪn/ *n*. 貂皮;貂.

martial /ˈmɑːʃl/ *a*. 戰爭的;戰時的;軍事的;尚武的 **~ly** *ad*. 好戰地,勇敢地// ~*art* 武術(如功夫,柔道等) ~*law* 戒嚴令,軍管,軍法.

martin/ˈmɑːtɪn/*n*. 紫崖燕;燕科小鳥.

martinet /ˌmɑːtɪˈnet/ *n*. 紀律嚴明的(人),嚴格要求的;**~ism** /-ɪzəm/ *n*. 嚴格的訓練.

martini /mɑːˈtiːnɪ/ *n*. (艾酒和杜松子酒混合成)馬丁尼雞尾酒.

martyr /ˈmɑːtə(r)/ *n*. 殉道者,殉難者;烈士;受(病魔)折磨者 *v*. 殺害,迫害,折磨 **~dom** *n*. 殉道;殉難;赴義.

marvel /ˈmɑːvl/ *n*. 驚奇的東西;非凡的人物,奇才 **~lous** *a*. 奇异的,不可思議的;了不起的;妙極的 **~lously** *ad*.

Marxism /ˈmɑːksɪzəm/ *n*. 馬克思主義 **Marxist** /ˈmɑːksɪst/ *n*. & *a*. 馬克思主義者(的).

marzipan/ˈmɑːzɪpæn/*n*. 杏仁蛋白糊;杏仁蛋白軟糖.

masc. *abbr*. = masculine.

mascara /mæˈskɑːrə/ *n*. (染)睫毛油.

mascot(te) /ˈmæskət/ *n*. 福神,吉人,吉祥物.

masculine /ˈmæskjʊlɪn/ *a*. 陽性的,男性的,雄的;男子氣概的;勇敢的 *n*. 陽性,男子 **~ly** *ad*. **masculinity** /-ˈlɪnətɪ/ *n*. 丈夫氣,剛毅.

mash /mæʃ/ *n*. 麥芽漿(啤酒原料),麵粉、麩子混搗成漿的喂牛、馬飼料,土豆泥;亂糟糟的一團 *vt*. 搗碎,搗爛.

mask /mɑːsk/ *n*. 面罩;假面具,掩蔽物;偽裝 *vt*. 戴面具,化裝;蒙蔽;掩蓋;掩護.

masochism /ˈmæsəkɪzəm/ *n*. 【心】受虐狂,自我虐待 **masochist** *n*. **masochistic** *a*. **masochistically** *ad*.

mason /ˈmeɪsn/ *n*. 石匠,泥水匠,瓦工;共濟會成員 **~ry** *n*. 石土技術,石建築;共濟會制度.

masque /mɑːsk/ *n*. (中世紀)假面戲劇;化裝舞會 **~rade** /ˌmɑːskəˈreɪd/ *n*. 蒙面舞會;偽裝;假托;掩飾 *vi*. 參加化裝舞會,冒充,假裝 **~rader** *n*. 化裝跳舞者,冒充者,戴面具者.

mass /mæs/ *n*. 塊,堆,團;群衆;【教】彌撒 **~acre** /ˈmæsəkə/ *n*. 大屠殺;成批屠宰 **~cult** *a*. [美口]大衆文化 **~ive** *a*. 大的,重的,魁偉的;大規模的;大塊的 **~ively** *ad*. **~-market** *a*. 搶手的 **~produce** *v*. 大批量生產 **M-book** *n*. 【教】彌撒經 // *the ~es* 民衆,大宗,衆多,總體 *~media* 宣傳工具,媒體 *~meeting* 群衆大會 *~production* *n*. 大規模生產 *~society* 群體.

massacre/ˈmæsəkə(r)/*n*. 大屠殺;殘殺.

massage /ˈmæsɑːʒ/ *n*. & *v*. 按摩;推拿;(電子計算機)處理,分理 **~r, massagist** 按摩師 **masseur** /mæˈsɜː/ 男按摩師 **masseuse** /mæˈsɜːz/ 女按摩師.

massif /ˈmæsiːf/ *n*. [法]【地】叢山;山岳;地塊.

mast /mɑːst/ *n*. 桅,杆,橡果 **~head** *n*. 頂,[美]報頭;版權頁 // *~house* 桅杆製造廠.

mastectomy /məˈstektəmɪ/ *n*. 乳腺切除術.

master /ˈmɑːstə(r)/ *n*. 主人;僱主;船長;校長;老師;先生;師傅;能手,大師 **M-**碩士,原版録音主盤 *vt*. 掌握,控制;熟練,精通 **~ful** *a*. 主人派頭的,專横的,傲慢的;熟練的 **~hood** = mastership *n*. **~ly** *a*. 巧妙的,熟練的 **~mind** *v*. 策劃,暗中指揮 **~piece**; **~work** *n*. 杰作,名著 **~ship** *n*. 碩士學位,校長職位;精通 **~singer** *n*. = meistersinger 職工歌手 **~y** *n*. 控制,精通 // *~key* 萬能鑰匙 *~plan* 總計劃 *~of ceremonies* 司儀 *~stroke* 豐功偉績;妙舉.

mastic /ˈmæstɪk/ *n*. 乳香脂;塗料;膠粘劑.

masticate /ˈmæstɪkeɪt/ *v*. 嚼咀;煉(橡膠)成漿 **mastication** *n*.

mastiff /ˈmæstɪf/ *n*. 一種體大腰短的看家狗.

mastitis /mæˈstaɪtɪs/ *n*. 【醫】乳腺炎.

mastodon /ˈmæstədɒn/ *n*. 【古生】柱牙象;龐然大物[美拳]重量級拳擊手.

mastoid /ˈmæstɔɪd/ *a*. 乳頭狀的,乳房狀的 **mastoiditis** /ˌmæstɔɪˈdaɪtɪs/ *n*. 乳突(骨)炎.

mat /mæt/ *n*. 蓆子;墊子;叢;簇 *vt*. 鋪蓆子;纏結;使褪光 **~ting** *n*. (鋪地)墊子,蘆蓆 // *on the ~* 被處罰,受責備.

matador /ˈmætədɔː(r)/ *n*. 鬥牛士.

match /mætʃ/ *n*. ①火柴②導火索③比賽,競賽④對手,敵手⑤夥伴;配偶 *vt*. 配合,匹敵,匹配;配對 **~able** *a*. 能匹敵的 **~board** *n*. 假型板 **~less** *a*. 無敵的,無比的 **~box** *n*. 火柴盒 **~maker** *n*. 媒人 **~stick** *n*. 火柴梗 *a*. 瘦長個 **~wood** *n*. 做火柴梗的木料.

mate /meɪt/ *n*. ①夥伴；同事②配偶③大副，駕駛員；*v*.成配偶；交配【象棋】*vt*. & *n*.將軍，將死～**ly** *a*.友好的.

material /mə'tɪərɪəl/ *n*. 材料，原料；物資；織物，料子；資料 *pl*.必需品；要素；人才 *a*.物質的；主要的；實質性的；必需的～**ly** *ad*. ～**ism** *n*.唯物主義～**list** 唯物主義的；唯物主義者 **materialistic** /məˌtɪərɪə'lɪstɪk/ *a*. ～**ize** *v*.使具體化；使物質化；實現，成為事實.

maternal /mə'tɜːnl/ *a*. 母親的；母系的，母方的～**ism** *n*.慫恿，溺愛～**ly** *ad*. **maternity** /mə'tɜːnətɪ/ *n*. 母性；懷孕// ～*hospital* 產科醫院 ～*leave* 產假 ～*nurse* 助產士.

mathematics = **maths** /ˌmæθə'mætɪks/ *n*. 數學 **mathematical** *a*.數學(上)的，數理的；精確的 **mathematician** /ˌmæθəmə'tɪʃn/ *n*.數學家.

maths/mæθs/ *abbr*. = mathematics.

matinée /'mætneɪ/ *n*. [法](戲劇，音樂會等的)日場.

matins /'mætɪnz/ *pl*.*n*.【教】早課，晨禱.

matriarch /'meɪtrɪɑːk/ *n*. 女家長，女族長 ～**al** /ˌmeɪtrɪ'ɑːkl/ *a*.母權的，母系的～**y** *n*.女家長(族長)制，母權制.

matricide /'mætrɪsaɪd/ *n*. 殺母(罪)；弒母者.

matriculate /mə'trɪkjʊleɪt/ *vt*.(大學)錄取新生；註冊入學 **matriculation** /məˌtrɪkjʊ'leɪʃn/ *n*.錄取入學(大學)入學考試.

matrimony /'mætrɪmənɪ/ *n*. 結婚；婚姻生活；夫妻關係 **matrimonial** /mætrɪ'məʊnɪəl/ *a*.

matrix /'meɪtrɪks/ *n*.(*pl*.) **matrices** /'meɪtrɪsiːz/【解】子宮；母體；發源地；模型 /'mætrɪks/【印】紙型；【數】(矩)陣，方陣.

matron /'meɪtrən/ *n*.(年齡較大、有聲望的)婦女；女會監；主婦；女主任；女總幹事；護士長；女會長；女主席.

matt /mæt/ *a*. 無光澤的、表面粗糙的(=mat).

matter /'mætə(r)/ *n*. 重要事情；物質，物品；情況，事故 *vi*.要緊，有重大關係// *What's the* ～? 怎麼一回事?(=*What's wrong*?) ～*of fact a*.事實上的，實際上的，實事求是的 ～*-of-factly* 如實地；平淡地.

mattock /'mætək/ *n*. 鶴嘴鋤.

mattress /'mætrɪs/ *n*.(床上用)墊子，席子，彈簧床墊.

mature /mə'tjʊə(r)/ *a*. 熟的，成熟的；成人的；到期的(票據)**maturity** *n*. **maturation** /ˌmætʃʊ'reɪʃn/ *n*.成熟，老成；【醫】化膿.

maudlin /'mɔːdlɪn/ *a*. 易哭的，易傷感的，喝醉後就哭的 *n*.脆弱的感情.

maul /mɔːl/ *n*. 大木槌 *v*.虐待，打傷，嚴厲批評；撕裂～**er** *n*.使用木槌的人，拳擊家.

maunder /'mɔːndə(r)/ *vi*. 嘮嘮叨叨地講，[英方]咕咕噥噥；無目的、無聊地說或做.

maundy /'mɔːndɪ/ *n*.【宗】濯足禮，[英]濯足節時分發給貧民的救濟金 // *M*～*Thursday*(基督教)濯足節(復活節前的星期四).

mausoleum /ˌmɔːsə'lɪəm/ *n*. 陵廟，陵墓，陵 **mausolean** /ˌmɔːsə'lɪən/ *a*.

mauve /məʊv/ *n*. 苯胺紫(染料)；紅紫色 *a*.淡紫的.

maverick /'mævərɪk/ *n*. 鬧獨立性的人；無黨派政治家.

maw /mɔː/ *n*. 動物的嘴、喉或胃；食

管 **~-bound** *a*.(牲畜)便秘的 **~worm** *n*.綫蟲;偽君子.

mawkish /'mɔːkɪʃ/ *a*. 令人作嘔的;討厭的;無味的;太易傷感的 **~ly** *ad*. **~ness** *n*.

max. = maximum.

maxim/'mæksɪm/ *n*. 真理;基本原理;格言;座右銘.

maximum /'mæksɪməm/ *n*. (*pl*.**-mums, -ma**) 極點,最大限度,最高額 *a*.最大的;最高的 **maximal** *a*.極為可能的;最大的;最高的 **maximize** /'mæksɪmaɪz/ *vt*.使增(擴)到最大限度 **maximization** *n*.

May /meɪ/ *n*. 五月 **~fly** *n*.蜉蝣 **may-day** *n*.無綫電話中呼救信號;**M-Day** *n*. 五月一日勞動節 **~pole** *n*.五月柱 **~tide, ~time** *n*. 五月的季節.

may /meɪ/ *aux*. *v*.(*pp*. *might*) 或許,也許,可能;願.

maybe /'meɪbiː/ *ad*. 大概;或許;可能.

mayhem /'meɪhem/ *n*.【律】傷害人肢體罪(指暴力行為);(美國)【拳】打倒在地.

mayonnaise /ˌmeɪə'neɪz/ *n*. [法]蛋黃醬,蛋黃汁.

mayor /meə(r)/ *n*. 市長 **~al** /'meərəl/ *a*. **~alty, ~ship** *n*.市長之職位 **~ess** /'meəres/ *n*.市長夫人;女市長.

maze /meɪz/ *n*. 迷津,迷宮,迷魂陣;困惑,為難; *vt*.[多用 *p.p.*]使困惑,使為難.

mazurka /mə'zɜːkə/ *n*. 瑪祖卡舞(曲).

MB *abbr*. = Bachelor of Medicine 醫學士; = Bachelor of Music 音樂學士.

MBE = *abbr*. Member (of the Order) of the British Empire[英]帝國勛章獲得者.

MC ①*abbr*. = master of ceremonies 司儀② = marginal credit 邊際信用③ Member of Congress 國會議員.

MCC *abbr*. = Marylebone Cricket Club[英]瑪麗勒本板球俱樂部.

MD *abbr*. = Doctor of Medicine 醫學博士.

ME *abbr*. = Mechanic Engineer 機械工程師; Military Engineer 工程兵; Middle English 中古英語.

me /miː/ *pron*. (賓格)我.

mead /miːd/ *n*. 蜂蜜酒;[詩]草原(= meadow).

meadow /'medəu/ *n*. 草原,草地 **~sweet** *n*.珍珠花;麻葉綉球.

meagre /'miːgə(r)/ ①[英](食物)質量差的,粗劣的② = meager[美] *a*.貧瘠的,瘦的;不毛的;貧乏的 **~ly** *ad*. **~ness** *n*.

meal /miːl/ *n*. 餐,飯;粗粉;麥片;玉米碴 **~ly** *a*.(粗)粉狀的,粉質的 **~ly-mouthed** *a*.拐彎抹角說的;油嘴滑舌的,會說話的.

mealie /'miːlɪ/ *n*.(南非)玉米,玉蜀黍.

mean /miːn/ *v*. 意思,意味着;計劃,打算 *a*.中間的;平庸的;平均的;卑鄙的;吝嗇的 **~ing** *n*.意思,意義 **~ly** *ad*.下賤地 **~t**(動詞過去式) **~s** 方法,手段 **~time** *ad*. & *n*.(= meanwhile)同時;期間;一會兒功夫 // *by all ~s* 務必,必定 *by no ~s* 决不,絲毫不.

meander /mɪ'ændə(r)/ *n*. 彎曲,曲折, *v*.迂迴曲折地前進;盤旋,無目的地走.

measles /'miːzlz/ *n*. 麻疹,痧子 **measly** *a*.麻疹(似)的;[俚]無用,無價值的,微不足道的.

measure /'meʒə(r)/ *n*. 尺寸,尺度,分量,分寸;措施,手段,方法,辦法 *v*.測

量, 量, 計量 **measurable** /'meʒərəbl/ *a*. 可量的, 相當的, 適當的 **~d** *a*. 量過的, 適度的, 慎重的 **~ment** *n*. 計量, 測量, 量度; 尺寸, 大小 // *~ up to* (*with*)[美]符合; 達到(期望, 要求).

meat /miːt/ *n*. (食用)肉; 內容; 實質 **~y** *a*. 多肉的; 內容豐富的; 有血有肉的.

Mecca /'mekə/ *n*. 麥加(沙特阿拉伯, 伊斯蘭教聖地之一, 是全世界穆斯林的朝拜中心).

mechanic /mɪ'kænɪk/ *n*. 機械工, 技工 **~s** 機械學; 力學 **~al** *a*. **~ally** *ad*.

mechanism /'mekənɪzəm/ *n*. 結構, 機械裝置; 手法; 技巧; 機制; 機能 **mechanistic** /ˌmekə'nɪstɪk/ *a*. 機械論的, 機械學的 **mechanize** /'mekənaɪz/ *v*. 機械化, 機能化的.

mechanization /ˌmekənaɪ'zeɪʃn/ *n*. 機械化.

med. *abbr*. = ①medical/ a. 醫學的②medicine *n*. 醫藥③medieval *a*. 中古; 中世紀④medium *n*. 中介, 媒介, 傳導體.

medal /'medl/ *n*. 獎章; 勛章; 證章 **~lic** /mɪ'dælɪk/ *a*. **~lion** /mɪ'dæliən/ *n*. 大獎章; 大徽章; 出租汽車牌照 **~list** /'medəlɪst/ *n*. 獎章得主.

meddle /'medl/ *vi* 弄, 摸弄; 參與; 干涉; 插手 **~r** *n*. 多事者, 好管閑事者 **~some** *a*. 愛管閑事的.

media /'miːdɪə/ *n*. medium 之複數 **~l** /'miːdɪəl/ *a*. 中間的; 平均的; 中央的 **~lly** *ad*. **~n** /'miːdɪən/ *a*. & *n*. 中央(的), 中間(的), 中值(的), 中位(的) **~event** 媒介事件.

medial/'miːdɪəl/*a*. 中間的.

mediate /'miːdɪeɪt/ *v*. 斡旋; 調解; 做中人; 介於 **mediation** /ˌmiːdɪ'eɪʃn/ *n*. **mediative** /'miːdɪeɪtɪv/ *a*. 調解的; **mediatively** *ad*. **mediator** *n*. 調解人; 中間人; 斡旋者.

medic /'medɪk/ *n*. [美俚]醫生【軍】軍醫助手; 醫科學生.

medical /'medɪkl/ *a*. 醫學的; 醫療的; 醫術的 **~ly** *ad*. **meddicament** /me'dɪkəmənt/ *n*. 藥物, 藥劑 **medicate** /'medɪkeɪt/ *vt*. 用藥物治療 **medication** /ˌmedɪ'keɪʃn/ *n*. 藥物治療, 藥物處理.

medicine /'medsn/ *n*. 醫藥, 內服藥; 醫學, 醫術 **medicinal** /mə'dɪsɪnl/ *a*. 醫學的; 內服藥; 藥用的; 良藥; 內科; 咒術 **medicinally** *ad*. **medicineman** *n*. 巫醫, [俚]醫生.

medieval /ˌmedɪ'iːvl/ *a*. 中古的, 中世紀的.

mediocre /ˌmiːdɪəʊkə(r)/ *a*. 普普通通的; 中等的; 平庸的, 無價值的 **mediocrity** /ˌmiːdɪ'ɒkrətɪ/ *n*.

meditate /'medɪteɪt/ *v*. 深思, 沉思, 默想, 冥想; 反省; 考慮; 企圖; 策劃 **meditation** *n*. 深思熟慮 **meditative** *a*. 默想的, 冥想的 **meditator** *n*. 默想者.

Mediterranean /ˌmedɪtə'reɪnɪən/ *n*. 地中海.

medium /'miːdɪəm/ *n*. (*pl*. **media**) 媒介質, 傳導體; 中間物; 培養基; 媒介; 宣傳工具; 環境 *a*. 中級的; 普通的; 中等的 **~-sized** *a*. 中等大小的 **~ wave** *n*. 中波.

medlar /'medlə(r)/ *n*. 【植】歐楂.

medley /'medlɪ/ *n*. 混合, 混雜; 烏合之衆.

medulla /me'dʌlə/ *n*. (*pl*. **-lae** /-liː/) 【解】骨髓 **medulitis** /ˌmedə'laɪtɪs/ *n*. 【醫】骨髓炎 **~ry** *a*.

meek /miːk/ *a*. 溫順的;柔和的;虛心的;卑躬屈膝的**~ly** *ad*. **~ness** *n*.

meerkat /ˈmɪəkæt/ *n*. (南非)海島貓鼬;(四趾)沼狸.

meet /miːt/ (過去時及過去分詞 **met**) *vt*. 遇見,碰上,相遇,會面;初次見面;接見;認識;答覆;滿足;迎合 *a*. 適合的**~ing** 聚會;集會;會議.

mega /ˈmegə/ *a*. 極好的;非常成功的;兆,百萬**~buck** /-bʌk/ *n*. [俚]一百萬美元**~cycle**/ˈ-ˌsaɪkl/ *n*.【物】兆周**~star** *n*. 巨星**~hertz** *n*.【物】兆赫**~phone** *n*. 麥克風,擴音器**~ton** *n*. 百萬噸**~volt** *n*.【物】兆伏(特)**~watt** *n*.【物】兆瓦(特).

megabyte/ˈmegəbaɪt/*n*.【計】兆字節(量度信息單位).

megafog /ˈmegəfɒg/ *n*. 霧信號器.

megagame /ˌmegəˈgeɪm/ *n*. 大賽.

megalith /ˈmegəlɪθ/ *n*. 巨石,巨碑**~ic** /megəˈlɪθɪk/ *a*. 巨石的.

megalomania/ˌmegələʊˈmeɪnɪə/*n*.【醫】誇大狂.

megaphone/ˈmegəfəʊn/*n*. 喇叭筒;擴聲器.

megaton/ˈmegətʌn/*n*. 兆噸;百萬噸;百萬噸級.

meiosis /maɪˈəʊsɪs/ *n*. (*pl*. **-ses**)【生】減數分裂,成熟分裂【語】= litotes 間接肯定法.

melamine /ˈmeləmiːn/ *n*.【化】三聚氰胺,蜜胺**~ resin** 蜜胺樹脂.

melancholy /ˈmelənkɒlɪ/ *n*. 憂鬱,憂鬱症;愁思;沉思 **melancholia** /ˌmelənˈkəʊlɪə/ *n*.【醫】憂鬱病 **melancholiac** *a*. & *n*. 患憂鬱病的(人).

mélange /meɪˈlɑːnʒ/ *n*. [法]混合物;什錦;雜燴;雜記.

melanin /ˈmelənɪn/ *n*.【醫】黑(色)素

melanism *n*. 黑色素過多,【生化】黑化,暗化.

mêlée /meleɪ/ [法]混戰;鬥毆;激烈論戰.

melliferous /mɪˈlɪfərəs/ *a*. 產蜜的;甜的.

mellifluous /meˈlɪfluəs/ = mellifluent. /meˈlɪfluənt/ *a*. 甜蜜的,甘美的.

Mellotron /ˈmelətrɒn/ *n*. (一種計算機編程序的)電子琴.

mellow /ˈmeləʊ/ *a*. (瓜果等)成熟的,甘美多汁的;(酒)芳醇的;肥沃的;老練的;圓潤的,豐滿的;愉快的,溫和的,柔和的, *v*. 使柔和,使芳醇;使成熟.

melodrama /ˈmelədrɑːmə/ *n*. 情節劇,傳奇劇;戲劇性的事件.

melody /ˈmelədɪ/ *n*. 甜蜜的音樂,好聽的曲調 **melodic** /mɪˈlɒdɪk/ *a*. 有旋律的,調子美妙的 **melodious** /mɪˈləʊdɪəs/ *a*. 旋律優美的.

melon /ˈmelən/ *n*. 甜瓜[美俚]額外紅利;橫財 **water** ~西瓜 // ~ *cutting* 瓜分,分肥;[俚]分紅.

melt /melt/ *vi*. (~ed; ~ed, melten) 融化;熔化;逐漸消失,變軟,軟化;使消散;融掉**~age** /ˈmeltɪdʒ/ 熔化;熔化物**~ing** *a*. 熔化的,溶解 // ~*ing point* 熔點 ~*ing pot* 坩堝;大熔爐;各種族融合之國 ~*up* [美] = ~*down* 溶化物.

member /ˈmembə(r)/ *n*. 成員;會員;社員;議員;委員;肢體;部分;**~ship** 委員身份(地位;資格);會籍 // *M-of Parliament* (議會)議員.

membrane /ˈmembreɪn/ *n*. [劑]膜;隔膜;膜狀物.

memento /mɪˈmentəʊ/ *n*. *pl*. ~**s** 或 ~**es** 紀念品,令人回憶的東西;令人警惕的東西.

memo /'meməʊ/ *n*. [口] = memorandum 記錄;照會;備忘錄.

memoir /'memwɑː(r)/ *n*. 傳記;實錄 *pl*. 回憶錄;學會紀要.

memorable /'memərəbl/ *a*. 可記憶的;不可忘記的;難忘的 **memorably** *ad*. **memorabilia** /ˌmemərə'bɪlɪə/ *n*. 大事記;偉人言行錄.

memory /'memərɪ/ *n*. (*pl*. **-ries**) 記憶(力), 回憶, 紀念【計】存儲器;**memorial** /mə'mɔːrɪəl/ *a*. 紀念的;記憶的;追悼的 *n*. 紀念物, 紀念品(*pl*.) 記錄, 備忘錄, 史冊 **memorize** *v*. 記憶;記錄;儲存 // ～*bank*【計】存儲體 ～*drum*【計】存儲磁鼓.

memsahib /'memsɑːb/ *n*. [印度]夫人;太太;女士;小姐(原指歐洲女子).

men /men/ *n*. **man** 之複數～**folk(s)** 男人們.

menace /'menəs/ *vt*. 嚇, 恐嚇, 脅迫;使有危險(with) **menacing** *a*. 威脅的;險惡的 **menacingly** *ad*.

ménage /meɪ'nɑːʒ/ *n*. [法]家庭;家務(管理);家政.

menagerie /mɪ'nædʒərɪ/ *n*. [法]動物園;供展覽的一批動物.

mend /mend/ *vt*. 修補;修理;織補;改正;改善;加快～**er** 修理者, 修正者 // *on the* ～ 恢復健康, 痊愈.

mendacious /men'deɪʃəs/ *a*. 虛假的 ～**ly** *ad*.

mendacity /men'dæsətɪ/ *n*. 虛假;謊言;捏造撒謊癖.

mendicant /'mendɪkənt/ *a*. 行乞的;乞食的 *n*. 乞丐;托鉢僧.

menhir /'menhɪə(r)/ *n*. 【考古】巨石, 糙石巨柱.

menial /'miːnɪəl/ *a*. 奴性的;卑下的;僕人的 *n*. 奴僕 ～**ly** *ad*.

meningitis /ˌmenɪn'dʒaɪtɪs/ *n*. 【醫】腦膜炎 **meningitic** *a*.

meniscus /mə'nɪskəs/ *n*. (*pl*. ～**es** ～**ci** /-saɪ/) 新月形【物】凹凸透鏡;【解】半月板.

menopause /'menəpɔːz/ 【醫】停經, 絕經(期) **menopausal** *a*.

menstruation /ˌmenstrʊ'eɪʃn/ *n*. 月經;月經期間 **menstrual** /'menstrʊəl/ *a*. **menstruate** /'menstrʊeɪt/ *vi* 來月經;行經.

mensuration /ˌmensjʊ'reɪʃn/ *n*. 測定;測量;求積法 **mensurable** /'mensjʊərəbl/ *a*. 可度量的, 可測量的.

mental /'mentl/ *a*. 內心的;精神的;心理的;智力的【解】頦的 *n*. 精神的東西;意志薄弱的人;傻子, 糊塗蟲 ～**ly** *ad*. ～**ity** /men'tælətɪ/ *n*. 腦力;智力;精神;心理;意識.

menthol /'menθɒl/ 【化】薄荷醇 // ～*pencil* 薄荷錠.

mention /'menʃn/ *n*. & *vt*. 說起, 提到, 談到, 提及;敍述;提名表揚.

mentor /'mentɔː(r)/ *n*. 指導人, 輔導教師, 教練.

menu /'menjuː/ *n*. (*pl*. ～**s**) [法]菜單;餐, 飯菜.

MEP *abbr*. = Member of the European Parliament 歐洲議會議員.

mercantile /'mɜːkəntaɪl/ *a*. 商業的;商人的;貿易的 **mercantilism** *n*. 重商主義.

Mercator projection 墨卡托投影.

mercenary /'mɜːsɪnərɪ/ *a*. 為金錢工作的;僱傭的 *n*. (*pl*.)僱傭軍;僱用的人.

mercer /'mɜːsə(r)/ *n*. 綢緞商～**y** 綢布店, 絲綢織物～**ize** *vt*. 作絲光處理.

merchandise /'mɜːtʃəndaɪz/ *n*. 商品,

貨物 **~r** *n*. 商人.

merchant /'mɜːtʃənt/ *n*. 商人, 批發商, 貿易商; [美] 零售商 **~able** *a*. 可買賣的, 有銷路的 **~like** *a*. 商人似的 **~man** *n*. 商船, 貨船 // *~bank* 商業投資銀行 *~navy* (一個國家的) 商業船隊.

mercury /'mɜːkjʊrɪ/ *n*. ①水銀, 汞 ②精神, 元氣【天】M-水星 **mercurial** /mɜː'kjʊrɪəl/ *a*. 水星的.

mercy /'mɜːsɪ/ *n*. 仁慈; 憐憫; 寬恕; 恩惠; 僥幸, 幸運; **merciful** *a*. **mercifully** *ad*. **merciless** *a*. 冷酷無情的, 殘忍的 **mercilessly** *ad*. **mercilessness** *n*.

mere /mɪə(r)/ *a*. 單單, 只; 不過 *n*. 池沼, 小湖 **~ly** *ad*. 單, 只; 純粹, 全然.

meretricious /ˌmerɪ'trɪʃəs/ *a*. ①華而不實的; 耀眼的, 俗不可耐的 ②[古] 娼妓似的.

merganser /mɜː'gænsə(r)/ *n*.【鳥】秋沙鴨.

merge /mɜː'dʒ/ *vt*. 吞沒, 吸收, 使消失【律】合併, 使結合, 融合 **~e** /ˌmɜː'dʒiː/ *n*. 合併的一方 **~nce** *n*. **~r** *n*. (企業等的) 合併, 併吞, 合併者【律】= trust 托拉斯.

meridian /mə'rɪdɪən/ *n*. & *a*.【天】子午綫(的); 經綫(的); [方] 正午(幸福, 成功等的) 頂點, 全盛期(的) // *~altitude*【天】子午綫高度, 中天高度 *~passage* 中天.

meringue /mə'ræŋ/ *n*. 蛋白糖霜; 蛋白甜餅.

merino /mə'riːnəʊ/ *n*. (*pl*. **-s**) (美利奴) 綿羊; (美利奴) 羊毛.

merit /'merɪt/ *n*. 優點, 長處; 功績, 功勞; 成就; 優良品質;【律】(**~s**) 事實真相, 是非曲直 **~orcracy** *n*. 精英領導階層, 學術名流 // *~system* 量才錄用之人才制度.

meritorious /ˌmerɪ'tɔːrɪəs/ *a*. 有功勛的, 有功勞的 **~ly** *ad*.

Merlin, Merlyn /'mɜːlɪn/ *n*. 傳說中的預言家, 魔術師;【鳥】灰背隼.

mermaid /'mɜːmeɪd/ *n*. 美人魚; [美] 女游泳健將.

merry /'merɪ/ *a*. 愉快的, 快活的; 有趣的; 生動的 **merrily** *ad*. **~-andrew** 丑角, 笨人 **~-go-down** *n*. [口] 強烈啤酒 **~-go-round** *n*. 旋轉木馬, 走馬燈 **~making** *n*. 歡樂, 喝酒作樂 **~thought** = wishbone【鳥】叉骨.

mescal /me'skæl/ *n*. 龍舌蘭(酒).

mescaline /'meskəlɪn/ *n*.【化】墨斯卡靈(幻覺劑).

mesdames /meɪ'dɑːm/ *n*. [法] madame 之複數.

mesh /meʃ/ *n*. 網眼, 篩孔; 網, 網絡; (齒輪之) 嚙合 *v*. 用網捕捉; 使纏住; 使咬合 **~work** 網狀物.

mesmerize /'mezməraɪz/ *vt*. 給…施行催眠; 迷惑 **~r** *n*. 催眠者 **mesmerization** /ˌmezməraɪ'zeɪʃn/ *n*. 施催眠術; 催眠狀態.

meson /'miːzɒn/ = mesotron【物】介子, 重電子 **~ic** *a*.

mess /mes/ *n*. ①混亂, 弄糟, 大雜燴 ②集體用膳人員, 食品, 食堂, 伙食 *v*. ①供膳 ②搞亂; 弄亂(髒) *~* **gear** (**~kit**) *n*. [美俚] 餐具 // *~about* 磨洋工, 閑蕩 *~around* [美俚] 浪費時間, 混日子 *~up* [美俚] 陷入困境, 弄糟.

message /'mesɪdʒ/ *n*. 通訊, 口信; 問候; 消息, 信息.

messenger /'mesɪndʒə(r)/ *n*. 使者; 送信人, 信使; 傳令兵 // *~call* 傳呼(電話).

Messiah /mɪ'saɪə/ *n*. 彌賽亞,(猶太人盼望的)救世主,救星;(基督教徒心目中的)救世主,基督 **Messianic** /ˌmæsɪ'ænɪk/ *a*.

messieurs /meɪ'sjɜː/ *n*. [法]monsieur 之複數.

Messrs /'mesəz/ *n*. = Mr. 之複數 (messieurs 之縮略).

messy /'mesɪ/ *a*. (**messier, messiest**) 凌亂的,混亂的;污穢的;骯髒的,難辦的 **messily** *ad*.

met /met/ meet 之過去式.

metabolism /mə'tæbəlɪzəm/ *n*.【生】新陳代謝. **metabolic** /ˌmetə'bɒlɪk/ *a*. **metabolize** /mə'tæbəlaɪz/ *v*.(使發生)代謝變化.

metal /'metl/ *n*. ①金屬,金屬製品;【化】金屬元素;金屬性②(鋪路)碎石;[英]鐵軌③本質;成色**~lic** *a*. **~lurgy** /mɪ'tælədʒɪ/ *n*. 冶金(術) **~lurgic** /ˌmetəl'ɜːdʒɪk/ *a*. 冶金的 **~lurgist** *n*. 鑄工,冶金學家 **~work** *n*. 金屬製品,金屬製造工人.

metamorphosis /ˌmetə'mɔːfəsɪs/ *n*. (*pl*. **-ses** /-siːz/)變形;變質;變態.

metaphor /'metəfə(r)/ *n*.【語】隱喻,暗喻**~ical** /ˌmetə'fɒrɪkl/ *a*. **~ically** *ad*. 用比喻,用隱喻.

metaphysics /ˌmetə'fɪzɪks/ *n*. 形而上學,玄學,空談 **metaphysical** *a*.

mete /miːt/ *v*. ①分配;給予②測量,評定 *n*. 界石,邊界.

meteor /'miːtɪɔː(r)/ *n*.【天】流星,曳光**~ic** /ˌmiːtɪ'ɒrɪk/ *a*. 大氣的,氣象的;流星(似)的,曇花一現的**~ite** *n*. 隕星,隕石.

meteorology /ˌmiːtɪə'rɒlədʒɪ/ *n*. 氣象學;氣象 **meteorological** /ˌmiːtɪərə'lɒdʒɪkl/ *a*. **meteorologist** /ˌmiːtɪə'rɒlədʒɪst/ *n*. 氣象學家.

meter /'miːtə(r)/ *n*. 測量儀表;計量器;韵律(=metre)米,公尺 *vt*. 用表計算(測量,記録).

methane /'miːθeɪn/ *n*.【化】甲烷,沼氣.

methanol /'meθənɒl/ *n*.【化】甲醇,木醇(=methyl alcohol).

methinks /mɪ'θɪŋks/ *v*. (*pp*. **methought**) [古]我想;據我看來(=it seems to me).

method /'meθəd/ *n*. 方法;方式;順序,規律;修理**~ical** /mɪ'θɒdɪkl/ *a*. **~ically** *ad*. **~ology** /ˌmeθə'dɒlədʒɪ/ *n*. 方法學,方法論.

Methodist /'meθədɪst/ *n*. 方法論者;【生】分類學家;【宗】衛理公會教徒 **Methodism** /'meθədɪzəm/ *n*. 墨守成規;衛理公會派.

meths/meθs/*n*. [英口]甲基化酒精.

methyl /'meθɪl ,'miːθaɪl/ *n*.【化】甲基.

meticulous /mɪ'tɪkjʊləs/ *a*. 小心翼翼的;膽小的;細緻的;過分注意瑣事的 **~ly** *ad*.

metier /'metɪeɪ/ *n*. [法]職業;行業;工作;專長.

metonymy /mɪ'tɒnɪmɪ/ *n*.【語】換喻,轉喻.

metre /'miːtə(r)/ *n*. ①[韻]韻律,格律②[英]米,公尺③測量儀器,表,計(=meter).

metric /'metrɪk/ *a*. 米制的;(採用)公制的;米的**~al** *a*. 韻律的,詩的;測量用的**~ally** *ad* // *metric system* 米制 *metric ton* 公噸.

metro /'metrəʊ/ *n*.(*pl*.**-s**) 地鐵,地下鐵道.

metronome /'metrənəʊm/ *n*.【樂】節拍器 **metronomic** /ˌmetrə'nɒmɪk/ *a*.(像)節拍器的,有節奏的.

metropolis /mə'trɒpəlɪs/ *n*. 首都;大都會 **metropolitan** /ˌmetrə'pɒlɪtən/ *a*.

mettle /'metl/ *n*. 氣質,脾性,性格;勇氣,精神,氣概.

mew /mjuː/ *n*. & *v*. 咪咪(貓叫) *pl*. (設有馬車房的)馬店.

Mexican /'meksɪkən/ *n*. 墨西哥人 *a*. 墨西哥(人)的.

mezzanine /'mezəniːn/ *n*. 底層與二層間之夾層樓面;樓廳包廂.

mezzo-soprano /'metsəʊsəp'rɑːnəʊ/ *n*. 【樂】女中音;女中音歌手.

mezzotint /'metsəʊtɪnt/ *n*. & *vt*. 鏤刻凹板.

Mg【化】元素鎂(magnesium)的符號.

mg = milligram(s)毫克.

mgr *abbr*. = manager 經理; = [法] Monseigneur(e).

MHz *abbr*. = megahertz 兆赫.

miaow/mɪ'aʊ/*n*. & *v*. = meow 咪咪(貓叫聲).

miasma /mɪ'æzmə/ *n*. (*pl*. **-s, -ta**) ①腐敗有機物散發之毒氣,瘴氣②不良氣氛.

mica /'maɪkə/ *n*. 【礦】雲母 **~ceous** /maɪ'keɪʃəs/ *a*. 含雲母的,雲母的.

mice /maɪs/ *n*. mouse(鼠,耗子)之複數.

M.I.C.E. *abbr*. = Member of the Institute of Civil Engineers[英]土木工程師學會會員.

Michaelmas /'mɪkəlməs/ *n*. 米迦勒節(9月29日);英國四大結帳日之一 **~daisy**【植】紫苑.

mickey /'mɪkɪ/ *n*. [英俚]精神,傲慢,自誇 **M- Mouse** *n*. 米老鼠 // *take the* ~ 取笑,嘲弄 *a*. 幼稚的;容易的;不重要的.

micro /'maɪkrəʊ/ *n*. (*pl*. **-s**) 微,小;[美]特超短裙 **microcomputer, microprocessor** 微機之縮略詞 **~ampere** /ˌmaɪkrəʊ'æmpeə(r)/ *n*. 微安(培) **~analysis** *n*.【化】微量分析 **~bar** *n*. 微巴(壓力單位) **~barograph** /ˌmaɪkrəʊ'bærəgrɑːf/ *n*.【氣】微(氣)壓計 **~bus** *n*. 微型公共汽車 **~copy** *n*. 微縮副本 **~electronics** *n*. 微電子學 **~element** *n*. 微量元素 **~farad** *n*.【電】微法(拉)(電容單位) **~form** *n*. 縮微印刷品,縮微過程 **~gram** *n*. 微克(重量單位) **~graph** *n*. 顯微(製)圖 **~litre** 微升(千分之一毫升) **~mini** *n*. 超超短裙 **~miniature** *a*. 超小型的,微型的 **~motor** *n*. 微電機 **~reader** *n*. 顯微閱讀器 **~second** *n*. 微秒 **~some** *n*.【生】微粒體;微體.

microbe /'maɪkrəʊb/ *n*. 微生物,細菌,病菌 **microbial** /maɪ'krəʊbɪəl/ *a*.

microbiology /ˌmaɪkrəʊbaɪ'ɒlədʒɪ/ *n*. 微生物學 **microbiologist** *n*. 微生物學家.

microchip /'maɪkrəʊtʃɪp/ *n*. [美口]微型集成電路片;微晶片.

microcomputer /ˌmaɪkrəʊkəm'pjuːtə(r)/ *n*. 微型電子計算機,微型電腦,微機.

microcosm /'maɪkrəʊkɒzəm/ *n*. ①微觀世界;人類社會②縮影,縮圖.

microdot /'maɪkrəʊdɒt/ *n*.【攝】微點拷貝;微點照片.

microfiche /'maɪkrəʊfiːʃ/ *n*. 縮微膠片.

microfilm /'maɪkrəʊfɪlm/ *n*. 縮微膠卷,縮微照片 **~er** *n*. 縮微攝影機.

microlight /'maɪkrəʊlaɪt/ *n*. 長翼輕型小飛機.

micrometer /maɪ'krɒmɪtə(r)/ *n*.【機】

測微計,千分尺;【天】測距器.

micron /'maɪkrɒn/ *n*. (*pl*. **-s, -cra** /-krəl/) 微米=100 萬分之一米;符號 μ.

microorganism /ˌmaɪkrəʊ'ɔːgənɪzəm/ *n*. 微生物(亦作 micro-organism).

microphone /'maɪkrəʊfəʊn/ *n*. 話筒,傳聲筒,麥克風(擴音器,揚聲器).

microprocessor /'maɪkrəʊprəʊsesə/ *n*. 微機處理器.

microscope /'maɪkrəʊskəʊp/ *n*. 顯微鏡 **microscopic**, /ˌmaɪkrə'skɒpɪk/ **microscopical** *a*. **microscopically** *ad*. **microscopist** 顯微鏡操作者 **microscopy** 顯微鏡學.

microsurgery /ˌmaɪkrəʊ'sɜːdʒərɪ/ *n*. 顯微外科手術 (= micromanupilation).

microwave /'maɪkrəweɪv/ *n*. 微波 // ～*oven* 微波爐.

micturate /'mɪktjʊəreɪt/ *v*. (使)排尿(=urinate) **micturition** *n*.

mid- /mɪd/ *a*. (前綴)表示"中央的","中間的"意思～**air** *n*. 半空中～**day** *n*. & *a*. 正午,中午～**land** *n*. & *a*. 內地(的)中部地區～**most** *a*. 正中的～**night** *n*. 子夜;半夜～**point** *n*. 中點;中心的～**sea** *n*. 外海,外洋～**section** *n*. 中部～**ship** *n*. 船身中部～**shipman** *n*. [英]海軍軍官候補生～**summer** *n*. 仲夏,盛夏～**way** *a*. & *ad*. 中途,半路上～**winter** *n*. 冬至 // *M-summer Day* 6 月 24 日,施洗約翰節[英國四結帳日之一].

midden /'mɪdn/ *n*. [俚]糞堆;垃圾堆;垃圾箱.

middle /'mɪdl/ . *n*. 中央,中間,正中,中部 *a*. 中間的,中等的～**-aged** *a*. 中年的 **M- Ages** *n*. 中世紀～**-class** *a*. 中產階級的 **M- English** *n*. 中世紀英語 **M- East** *n*. 中東～**height** *a*. 中等身材;半山腰～**man** *n*. 中人,經紀人～**most** *a*. 正中的～**of-the-road** *n*. 中間路綫～**-sized** *a*. 中號的～**weight** *a*. (拳擊,舉重)中量級 **M- West** *n*. [美]中西部(各州) // ～*age* 中年;壯年～*class* 中產階級 ～*ear* 中耳.

middling /'mɪdlɪŋ/ *a*. 中等的;普通的;二流的;不好不壞的 *n*. (*pl*.)中級品;標準(棉花).

midge /mɪdʒ/ *n*. (蚊、蚋等)昆蟲;小個,侏儒.

midget /'mɪdʒɪt/ *n*. 小個子,侏儒;小照片;袖珍潛艇.

MIDI /mɪ'dɪ/ *abbr*. *n*. 電子琴外控系統;[法]米迪(法國南部地區);**midi** [美]半長裙.

midriff /'mɪdrɪf/ *n*.【解】橫隔膜;[美俚]肚子,露腰上衣.

midst /mɪdst/ *n*. 中部,中央,中間 *in the* ～*of* 在…當中,在…中間.

midwife /'mɪdwaɪf/ *n*. (*pl*. ～**wives**) 助產士,接生婆 **midwifery** *n*. 助產術,助產學.

mien /miːn/ *n*. 風度,態度,樣子,外表.

miffed /mɪft/ *a*. [美口]生氣的,發怒的,惱火的.

might /maɪt/ *v*. may 之過去式, *n*. 力,力氣,勢力,兵力～**y** *a*. 強大的,有力的;偉大的,非凡的～**ily** *ad*. 強烈地,猛烈地,有力地,非常 // *with* ～*and main* = with all one's～盡全力,拼命.

mignonette /ˌmɪnjə'net/ *n*.【植】木犀草;灰綠色.

migraine /'miːgreɪn/ *n*. [法]【醫】周期性偏頭痛.

migrate /maɪ'greɪt ,'maɪgreɪt/ *vi*. 遷移,移居(海外),定期移遷 **migration**

/maɪ'greɪʃn/ *n*. **migrant** *a*. =migratory *n*. 候鳥,移居者.

mike /maɪk/ *n*. 話筒,送話器 // ~ *fright* 話筒前之膽怯.

milch /mɪltʃ/ *a*. (家畜)有奶的,產乳的,為擠奶飼養的.

mild /maɪld/ *a*. 溫和的;溫厚的;柔和的;輕微的,適度的~**ly** *ad*. ~**en** *v*. (使)溫和變暖和~**ness** *n*.

mildew /'mɪldjuː/ *n*. 霉;霉菌, *v*. (使)發霉~**ed** *a*.

mile /maɪl/ *n*. 英里,哩(=1609米), **mil(e)age** /'maɪlɪdʒ/ *n*. 英里數,里程;按英里支付的運費;汽車耗一加侖油所行的平均里程;好處,利潤 ~**meter** *n*. (計)里程表~**post** = ~-**stone** 里程碑,劃時代重大事件.

milieu /'miːljɜː/ *n*. (*pl*. **-s, -x**) [法]周圍,環境,背景.

militant /'mɪlɪtənt/ *a*. 戰鬥中的,交戰中的;鬥志高的;好戰的 ~**ly** *ad*. **militancy** /'mɪlɪtənsɪ/ *n*. 交戰狀態;戰鬥精神.

military /'mɪlɪtrɪ/ *a*. 軍人的,軍事的,軍用的,好戰的,戰鬥性的 **militarily** *ad*. **militarism** *n*. 軍國主義,黷武主義,尚武精神 **militarist** *n*. 軍國主義者,軍閥,軍事專家 **militaristic** *a*.

militate /'mɪlɪteɪt/ *v*. 發生影響,起作用.

militia /mɪ'lɪʃə/ *n*. 民兵[英]國民軍 ~**man** *n*. 民兵(男).

milk /mɪlk/ *n*. 奶,牛奶;乳狀液,乳劑 *v*. 擠(牛)奶,榨取,剝削 ~**er** /'mɪlkə/ *n*. ①擠奶器;擠奶人②乳牛 ~-**float** *n*. [英]小型電動送牛奶車 ~ **glass** *n*. 乳白色玻璃 ~**ing** *n*. ~**maid** *n*. 擠奶女工 ~**man** *n*. 送(賣)牛奶的人~ **shake** 泡沫牛奶(牛奶冰淇淋混合飲料)~**sop** *n*. 懦夫,沒骨氣的人~**y** *a*. **Milky way** *n*. 銀河 // ~ *round* ①送牛奶的綫路②企業人事部官員一路去好幾個學院招募人員的任務 *M*~*Route*[美俚]奶路(商人向華盛頓政府機關做買賣的門道) ~ *route* [美空俚]短距離航綫.

mill /mɪl/ *n*. 磨粉機;磨坊;工廠;工場【冶】軋鋼機,研磨機 *v*. 磨碎,碾碎,鋸斷,軋(花邊),銑,攪拌~**er** 磨坊主,銑工, ~**wheel** 水車(輪子) **millstone** *n*. 磨盤石 // ~ *round one's neck* 肩負重擔如磨石壓肩.

millennium /mɪ'lenɪəm/ *n*. (*pl*. ~**s**, **-nia**/-nɪə/) 一千年;千年之福;太平盛世;黃金時代.

milleped(e) /'mɪlɪpiːd/ *n*. 【動】馬陸,千足蟲(=milipede).

millet /'mɪlɪt/ *n*. 【植】黍,小米;粟.

milli- 表示"毫","千分之一"複合成分,如 **millisecond** 毫秒 **milliard** /'mɪlɪɑːd/ 十億 ~**bar** /'mɪlɪbɑː/ *n*. 毫巴[氣壓單位 = 1/1000bar] ~**gram(me)** /'mɪlɪgræm/ *n*. 毫克[=千分之一克]~**litre** *n*. 毫升(千分之一公升)~**metre** *n*. 毫米(千分之一米).

milliner /'mɪlɪnə(r)/ *n*. 女帽頭飾商 ~**y** *n*. 女帽商.

million /'mɪljən/ ①[數]百萬②百萬元 ~**aire** /ˌmɪljə'neə(r)/ *n*. 百萬富翁,富豪~**ette** /ˌmɪljə'net/ *n*. 小富豪~**fold** *a*. & *ad*. 百萬倍~**th** *num*. 第一百萬(個).

millipede /'mɪlɪpiːd/ *n*. (= millepede).

milometer/maɪ'lɒmɪtə(r)/*n*. (汽車的)計程器.

milt /mɪlt/ *n*. 脾臟;魚精液 *vt*. 使(魚卵)受精.

mime /maɪm/ *n*. 啞劇;摹擬表演;小丑,丑角 *vi*. 作摹擬表演;演滑稽角色~**sis** /mɪ'miːsɪs/ *n*. 模仿,摹擬,擬態~**tic** /mɪ'metɪk/ *a*.

mimic /'mɪmɪk/ *v*. (過去及過去分詞皆 **mimicked**)學樣,模仿,模擬 *n*. 巧於模仿之人(動物);丑角 **mimicry** *n*. 學樣,模仿,徒手表演.

mimosa /mɪ'məʊzə/ *n*. 【植】含羞草.

min. *abbr*. ① = minimum 最低限度② = minute(s)分(鐘)③ = minister 部長④ = ministry 部.

mina /'maɪnə/ *n*. *pl*. **-nae** /-niː/ = *myna*【鳥】鷯哥,八哥.

minaret /ˌmɪnə'ret/ *n*. (伊斯蘭教的)宣禮塔.

minatory /'mɪnətərɪ/ = **minacious** /mɪ'neɪʃəs/ *a*. 威脅性的,威嚇的.

mince /mɪns/ *vt*. 切碎,剁碎,絞碎;半吞半吐地說;婉轉地說~**r** *n*. 絞肉機 **mincing** *a*. 裝腔作勢的,裝模作樣的 ~**meat** *n*. 百果餡,肉末~**-pie** *n*. 百果餡餅.

mind /'maɪnd/ *n*. 精神;心力;目的;意向;記憶 ~**ed** *a*. 有意志力的 ~**blower**迷幻劑~**er** *n*. (機器、家畜、幼兒等的)看管人~**ful** *a*. 注意的,留心的;不忘的~**less** *a*. 不注意的,無心的;粗心大意的;愚鈍的 // *change one's* ~ 改變主意,變卦 *make up one's* ~ 决心,拿定主意 *in one's* ~*'s eye* 在心目中;在想象中 *v*. 注意,留心,當心;照應;牽掛;反對;介意 ~ *blow* 使產生幻覺 ~ *blowing a*. 令人產生幻覺的;動人心弦的.

mine /maɪn/ *pro*. (I 的絕對所有格,物主代詞) *n*. 礦,礦山,資源,寶庫;【軍】地雷,水雷, *v*. 開礦,採礦,採掘,破壞;布雷~**r** *n*. 礦工~**field** *n*. 礦區;布雷區 ~**sweeper** *n*. 掃雷器;掃雷艦.

mineral /'mɪnərəl/ *n*. 礦物;【化】無機物 *a*. 礦物的;含礦物的;無機的 ~**ogy** /ˌmɪn'ərælədʒɪ/ *n*. 礦物學 ~**ogist** *n*. 礦物學家 // ~ *water* 礦泉水.

minestrone /ˌmɪnɪs'trəʊnɪ/ *n*. [意大利]濃菜湯.

mingle /'mɪŋgl/ *v*. 混合,相混;參加,加入;交際.

mingy /'mɪndʒɪ/ *a*. (**-gier**, **-giest**) [英口]卑鄙的,吝嗇小氣的.

mini- /'mɪnɪ/ 前綴,表示"微型","小的",如 **minibus** *n*. 小公共汽車,小巴 = **minicar** 微型汽車;小麵包車 **minicab** *n*. 微型小出租汽車 **minicam** *n*. 微型照相機.

miniature /'mɪnətʃə(r)/ *n*. 微小畫像;縮影 *a*. 小型的;小規模的;縮小的 **miniaturist** *n*. 纖細畫家,微圖畫家 **miniaturize** *vt*. 使微型化 **miniaturization** *n*. 微型化.

minicomputer /ˌmɪnɪkəm'pjuːtə(r)/ *n*. 微型電子計算機;微機.

minicrisis /'mɪnɪ'kraɪsɪs/ *n*. 短暫危機.

minim /'mɪnɪm/ *n*. 微小物;一滴;一點;極矮小的人.

minima /'mɪnɪmə/ *n*. 是 **minimum** 之複數異體字.

minimum /'mɪnɪməm/ *n*. 最小;最低;最少限度 **minimal** /'mɪnɪməl/ *a*. **minimally** *ad*. **minimize** /'mɪnɪmaɪz/ *v*. 使減到最少,按最小限估計;輕視 **minimization** /ˌmɪnɪmaɪ'zeɪʃn/ *n*. // ~ *landing rate* 飛機的最慢降落速度 ~ *range* 最小射程 ~ *thermometer* 最低溫度計.

minion /'mɪnjən/ *n*. 寵兒,寵臣,寵物;走狗,奴才.

miniseries /'mɪnɪsɪəriːz/ *n*. 電視系列節目;連續劇.

miniskirt /'mɪnɪskɜːt/ *n*. 超短裙.

minister /'mɪnɪstə(r)/ *n*. 政府部長;閣員;大臣;公使,外交使節;牧師 **~ial**/ˌmɪnɪ'stɪərɪəl/ *a*. **ministration** *n*. 行宗教儀式;救濟;救助 **ministry** /'mɪnɪstrɪ/ *n*. 服務,侍奉;牧師職務,牧師;内閣,(政府)部.

mink /mɪŋk/ *n*.【動】貂,水貂;貂皮.

minnow /'mɪnəʊ/ *n*. 鮭魚,小魚,雜魚.

minor /'maɪnə(r)/ *a*. 較小的,少數的;不重要的,較次的;選修科【樂】小調 **minority** /maɪ'nɒrətɪ/ *n*. 少數,少數黨,較少票數,少數派.

minster /'mɪnstə(r)/ *n*. 修道院附屬禮拜堂,大教堂.

minstrel /'mɪnstrəl/ *n*. 中世紀吟遊詩人,詩人,歌手;音樂家;旅行樂師.

mint /mɪnt/ *n*. 薄荷;造幣廠;巨額;富源 *v*. 創造,鑄造.

minuet /ˌmɪnjʊ'et/ *n*. 小步舞(曲).

minus /'maɪnəs/ *prep*. & *a*. ①員②減的③零下的 *n*. 員數;員號,減號;欠缺,損失 ~*charge*【電】員電荷.

minuscule /'mɪnəskjuːl/ *n*. = minisule 小書寫體;小寫字母 *a*. 極小的,微小的.

minute /'mɪnɪt/ *n*. 分(1/60 小時),一會工夫,一瞬間;備忘録,紀要 *a*. /maɪ'njuːt/微小的,細小的,詳細的;精密的 **~ly** *ad*. 每分鐘(地),詳細地 **~ness** *n*. **minutiae** /maɪ'njuːʃiː/ *n*. 瑣事;細節,小節.

minx /mɪŋks/ *n*. 頑皮姑娘.

MIP *abbr*. ① = marine insurance policy 海運保險單 ② = mean indicated pressure 平均指示壓力.

miracle /'mɪrəkl/ *n*. 奇迹,奇事 **miraculous** /mɪ'rækjʊləs/ *a*. **miraculously** *ad*. ~*play*(中世紀基督教)奇迹劇.

mirage /'mɪrɑːʒ/ *n*. 海市蜃樓;幻想.

mire /'maɪə(r)/ *n*. 泥沼,淤泥;礦泥 *v*. 濺滿泥濘,陷入泥坑;進退兩難;一籌莫展.

mirror /'mɪrə(r)/ *n*. 鏡子;反射鏡 *n*. & *v*. 反映,借鑒 **~image** *n*.【物】鏡像,鏡中人(物) **~writing** *n*. 倒寫.

mirth /mɜːθ/ *n*. 歡笑,歡樂 **~ful** *a*. 高高興興的 **~less** *a*. 悲傷的,鬱悶的 **~fulness** *n*. **~lessness** *n*.

mis-/mɪs/ *pref*. 表示"壞","不當","錯誤","不適宜".

misadventure /ˌmɪsəd'ventʃə(r)/ *n*. 意外事故;不幸;灾難;横禍.

misadvice /ˌmɪsəd'vaɪs/ *n*. 餿主意,錯誤的勸告.

misanthrope /'mɪsənθrəʊp/ *n*. **misanthropist** /mɪ'zænθrəpɪst/ *n*. 厭世者,遁世者 **misanthropic** /ˌmɪzən'θrɒpɪk/ *a*. **misanthropy** /mɪ'sænθrəpɪ/ *n*. 厭世.

misapprehend /ˌmɪsæprɪ'hend/ *vt*. 誤解,誤會 **misapprehension** /ˌmɪsæprɪ'henʃn/ *n*.

misappropriate /ˌmɪsə'prəʊprɪeɪt/ *vt*. 亂用;挪用;私吞;【律】侵占,霸占 **misappropriation** *n*.

misbehave /ˌmɪsbɪ'heɪv/ *v*. 行為不當,不規矩,作弊,行為失常 **misbehaviour** *n*.

miscalculate /ˌmɪs'kælkjʊleɪt/ *v*. 錯算,估錯,錯認 **miscalculation** *n*.

miscarriage /ˌmɪs'kærɪdʒ/ *n*. 早產,流產;失敗,失策;誤投(信件) **miscarry** *v*.

miscast /ˌmɪsˈkɑːst/ *vt*. ①加錯(帳目等)②扮演不相稱的角色.

miscegenation /ˌmɪsɪdʒɪˈneɪʃn/ *n*. 人種混雜;混血.

miscellaneous /ˌmɪsəˈleɪnɪəs/ *a*. 各種各樣的,五花八門的,混雜的,多方面的 **miscellany** /mɪˈselənɪ/ *n*. 雜集;雜記.

mischance /ˌmɪsˈtʃɑːns/ *n*. 不幸;災難,橫禍;故障.

mischief /ˈmɪstʃɪf/ *n*. 頑皮,淘氣;損害;災害;毛病,故障;禍根;惡作劇 **mischievous** /ˈmɪstʃɪvəs/ *a*. **mischievously** *ad*.

miscible /ˈmɪsəbl/ *a*. 易混合的,可溶的;**miscibility** /ˌmɪsəbɪlətɪ/ *n*. 可溶性.

misconception /ˌmɪskənˈsepʃən/ *n*. 誤解;錯覺;看法錯誤 **misconceived** /ˌmɪskənˈsiːvd/ *a*.

misconduct /mɪsˈkɒndʌkt/ *n*. 行為不正,不規矩;瀆職,處理不當;胡作非為;通奸.

misconstrue /ˌmɪskənˈstruː/ *vt*. 誤解,誤會;曲解 **misconstruction** /ˌmɪskənˈstrʌkʃn/ *n*.

miscreant /ˈmɪskrɪənt/ *a*. 邪惡的,惡劣的 *n*. 惡棍,歹徒.

misdeed /ˌmɪsˈdiːd/ *n*. 惡劣行為;罪過;壞事.

misdemeanour /ˌmɪsdɪˈmiːnə(r)/ *n*. 不正當行為,行為不端;輕罪 // *high* ~重罪.

misdirect /ˌmɪsdɪˈrekt/ *vt*. 指導錯誤,指錯(方向)**~tion** *n*.

miser /ˈmaɪzə(r)/ *n*. 吝嗇鬼,小氣鬼,守財奴;鑽孔機,鑿井機 **miserable** /ˈmɪzrəbl/ *a*. 可憐的,痛苦的,不幸的,悲慘的,**miserably** *ad*. **misery** /ˈmɪzərɪ/ *n*. 苦難;不幸;痛苦;悲慘;貧窮.

misfire /ˌmɪsˈfaɪə(r)/ *v*. (槍炮,機器等)不發火,不着火;開動不起來;不中要害;不奏效.

misfit /ˈmɪsfɪt/ *n*. 不合適;不合身的衣着;不適應環境的人.

misfortune /ˌmɪsˈfɔːtʃuːn/ *n*. 背運,倒霉;不幸,災禍,災難;私生子.

misgiving /ˌmɪsˈgɪvɪŋ/ *n*. 疑惑;憂慮,擔心;不安.

misguided /ˌmɪsˈgaɪdɪd/ *a*. 搞錯的,被指導錯的**~ly** *ad*. **~ness** *n*.

mishap /ˈmɪshæp, ˌmɪsˈhæp/ *n*. (不太大的)事故;災禍 // *without* ~平安無事.

mishear /ˌmɪsˈhɪə(r)/ *vt*. (**misheard** /-hɜːd/) 聽錯.

mishmash /ˈmɪʃmæʃ/ *n*. 混雜物,大雜燴.

misinform /ˌmɪsɪnˈfɔːm/ *vt*. 誤傳,傳錯**~ation** *n*. 誤傳,錯誤的消息.

misinterpret /ˌmɪsɪnˈtɜːprɪt/ *vt*. 曲解,誤釋;誤譯 **~ation** *n*. **~er** *n*. 誤譯者,誤解者.

misjudge /ˌmɪsˈdʒʌdʒ/ *v*. 判斷錯,看錯;低估;輕視**~ment** *n*.

mislay /ˌmɪsˈleɪ/ (**mislaid** /-ˈleɪd/) *vt*. 把(東西)放錯地方;丟失.

mislead /ˌmɪsˈliːd (/-**led**/led/) *vt*. 帶錯路;引入歧途;使迷惑,哄騙'**~ing** *a*. **~ingly** *ad*.

mismanage /ˌmɪsˈmænɪdʒ/ *vt*. 辦錯,管理不當;處理失當**~ment** *n*.

misnomer /ˌmɪsˈnəʊmə(r)/ *n*. 誤稱,使用不當名稱;用詞不當.

misogyny /mɪˈsɒdʒɪnɪ/ *n*. 厭惡女人(症) **misogynist** *n*. 厭惡女人的人.

misplace /ˌmɪsˈpleɪs/ *vt*. 放錯地方,忘記把…放何處;錯愛.

misprint /ˌmɪsˈprɪnt/ *n*. & *v*. 印錯,

誤印.

mispronounce /ˌmɪsprəˈnaʊns/ *v*. 讀錯, 發錯音 **mispronunciation** /ˌmɪsprəˌnʌnsɪˈeɪʃn/ *n*.

misquote /ˌmɪsˈkwəʊt/ *vt*. 引用錯, 誤引 **misquotation** *n*.

misrepresent /ˌmɪsˌreprɪˈzent/ *vt*. 傳錯, 誤傳; 曲解; 誣告, 顛倒黑白 **~ation** *n*.

misrule /ˌmɪsˈruːl/ *n*. 不正確的管理; 苛政; 紊亂 *vt*. 管錯; 作風惡劣之管理.

miss /mɪs/ *v*. 丟失, 沒有命中(目標); 沒有趕上; 想念; 發覺沒有; 漏掉; 缺席 **~ing** *a*. 丟失的, 失踪的 // *~ out* 省去, 刪掉; (常跟 on 連用) 錯過機會; 忽略, *give sb a* ~ 避開某人 *give it a* ~ 跳過去; 省去.

Miss /mɪs/ *n*. 小姐① *pl*. **misses** 對姑娘或未婚女子之稱呼②**Mississippi** 密西西比河之縮略.

missa /ˈmɪsə/ = Mass【宗】彌撒.

missal /ˈmɪsl/ *n*.【宗】彌撒書, 禱告書.

misshapen /ˌmɪsˈʃeɪpən/ *a*. 殘廢的; 畸形的; 醜陋的.

missile /ˈmɪsaɪl/ [美]/ˈmɪsəl/ *n*. 導彈; 飛彈; 投射器.

mission /ˈmɪʃn/ *n*. 任務, 使命, 派遣; 使團 **~ary** /ˈmɪʃənrɪ/ *a*. 傳教士.

Mississippi /ˌmɪsɪˈsɪpɪ/ *n*. 密西西比[美國]州名; 河名.

missive /ˈmɪsɪv/ *a*. 指令的; *n*. 公文, 書信.

Missouri /mɪˈzʊərɪ/ *n*. 密蘇里[美國]州名, 河名.

misspell /ˌmɪsˈspel/ (**-spelled**/spelt/, **-spelt**) *vt*. 拼錯 **~ing** *n*. 拼寫錯誤.

misspent /ˌmɪsˈspent/ *a*. 浪費; 虛度(年華).

missus (= **missis**) /ˈmɪsɪz/ *n*. [口, 方] 太太, 夫人.

mist /mɪst/ *n*. 薄霧, 較 fog 淡之霧; 矇矓(眼)迷糊 **~iness** *n*. **~y** *a*. 有霧的, 矇矓的, 模糊的, 蒙昧的 // *~ over* (= ~up) (玻璃) 因受潮氣而模糊; (眼睛) 眼淚汪汪.

mistake /mɪˈsteɪk/ *vt*. & *vi*. (**mistook, mistaken**) 弄錯; 誤會, 誤解, **mistaken** /mɪsˈteɪkən/ *a*. 錯誤的, 誤解了的, 誤會了的, 弄錯的; **mistakenly** *ad*. 錯誤地 *n*. 錯誤, 過失, 事故, 誤會, 誤解, 看錯.

mister /ˈmɪstə(r)/ *n*. 先生(常作 **Mr.**).

mistime /ˌmɪsˈtaɪm/ *vt*. 不合時宜地幹.

mistletoe /ˈmɪsltəʊ/ *n*.【植】槲寄生 giant ~【植】桑寄生.

mistral /ˈmɪstrəl/ *n*. (法國地中海沿岸一帶之) 乾寒北風.

mistreat /ˌmɪˈtriːt/ *v*. 虐待, 酷待 **~ment** *n*.

mistress /ˈmɪstrɪs/ *n*. 情婦; 女主人, 老闆娘, 女教師.

mistrial /ˌmɪsˈtraɪəl/ *n*. 無效審判; 未決審判.

mistrust /ˌmɪsˈtrʌst/ *n*. & *v*. 不相信, 疑惑 **~ful** *a*.

misunderstand /ˌmɪsˌʌndəˈstænd/ *v*. (**misunderstood** /ˌ-ˈstʊd/) 誤會, 誤解; 曲解 **~ing** *n*. 誤會, 誤解; 不和.

misuse /ˌmɪsˈjuːz/ *vt*. 錯用, 濫用; 虐待 **misusage** /ˌmɪsˈjuːzɪdʒ/ *n*.

mite /maɪt/ *n*. 極小的東西; 小錢; 小不點(孩子), 稍許.

mitigate /ˈmɪtɪgeɪt/ *v*. 鎮靜; 緩和; 減輕 **mitigation** *n*.

mitre /ˈmaɪtə(r)/ *n*. 尖頂主教冠, 僧帽; 斜接縫, 接榫 *v*. 給與…以主教

冠;使斜接.

mitt /mɪt/ =mitten /'mɪtən/ *n*. 連指手套;[俚]手掌;拳頭.

mix /mɪks/ *vt*. 混合,攙和;使結合;使(動,植)雜交;結交,(親密)交往;攪拌 **~er** *n*. 混合(攪拌)器;混合者;調酒;[美口]交際家;交誼會;【無】錄音師 **~ing** *n*. 混合,錄音 **~ture** *n*. 混合(狀態),混雜,混合體 **~-up** /'mɪksʌp/ *n*. [口]混亂,混戰;混合物,迷惑[俚]打架.

mixed /'mɪkst/ *a*. 混成的,混合的;混雜的;各式各樣的 **~ness** *n*. 混合,混成;混雜 **~-up** *a*. 混亂;迷惑的 // ~ *blessing* 好壞,禍福混雜的事情 ~ *double*(球賽)混合雙打 ~ *feelings* 悲喜交集 ~*grill* 雜燴(菜肴).

mizzen /'mɪzn/ =mizen *n*. 後桅;又叫 mizzen-mast.

mizzle /'mɪzl/ *vi*. (下)毛毛雨[英俚]逃走,撤走;[方]使糊塗 *n*. 濛濛雨.

mks units *abbr*. = metre-kilogram-(me)-second 米·千克·秒單位制.

mkt *abbr*. =market 市場.

ml *abbr*. =millilitre(s)毫升[千分之一升]之縮略詞.

Mlle *pl*. **Mlles**[法]=Mademoiselle 小姐.

mm *abbr*. =millimetre(s)毫米之縮略詞.

MM *abbr*. = ①Military Medal[英]軍功章②Ministry of Munitions 軍需部③Machinist's Mate[美]【軍】機械軍士④mercantile marine 商船(總稱),商船船員.

Mme *pl*. **Mmes.** *abbr*. = [法] Madame 太太,夫人;[美俚]老鴇.

Mn *abbr*. =manganese【化】錳 black ~ 氧化錳.

mnemonic /nɪ'mɒnɪk/ *a*. 記憶的;增進記憶的;記憶術的.

mo *abbr*. = ①moment[俚]一會兒②Monday 星期一③Missouri 密蘇里(州)=④money order 匯票;匯款⑤mail order 郵購⑥medical officer 軍醫;軍醫主任⑦mass observation 民意調查.

moan /məʊn/ *n*. & *v*. 呻吟,哼;悲嘆;嗚咽 **~er** 發出哼聲者,呻吟人;悲觀者.

moat /məʊt/ *n*. 護城河,壕溝.

mob /mɒb/ *n*. 暴民,暴徒;群衆;烏合之衆; *vt*. (**mobbing, mobbed**)成群暴動,聚衆鬧事;成群歡呼 // ~ *psychology* 群衆心理 ~ *scene*(電影中的)群衆場面.

mobile /'məʊbaɪl, 'məʊbɪl/ *a*. 活動的;運動的;易變的;易感動的;反覆無常的;活動裝置的;流動的 **mobility** /məʊ'bɪlətɪ/ *n*.

mobilize /'məʊbɪlaɪz/ *vt*. 發動;調動;使流動;使(不動產)變成動產 *vi*. 動員(起來) **mobilization** /ˌməʊbɪlaɪ'zeɪʃn/ *n*.

mobster /'mɒbstə(r)/ *n*. [俚]暴徒,匪徒,歹徒.

moccasin /'mɒkəsɪn/ *n*. ①硬底鹿皮靴②有毒水蛇.

mocha /'mɒkə/ *n*. (阿拉伯產)穆哈咖啡;(咖啡和巧克力混成)深褐色調料.

mock /mɒk/ *vt*. 嘲笑,挖苦;模仿學樣;模擬考試 **~er** /'mɒkə(r)/ *n*. 嘲笑者;學人樣嘲弄人的人;【鳥】= mockingbird **~ery** /'mɒkərɪ/ *n*. 嘲笑,挖苦;笑柄;冒牌;拙劣的模仿;惡劣的事例;徒勞 **mockingly** /'mɒkɪŋlɪ/ *ad*. **mockingstock** *n*. 笑柄 // ~*auction*(=Dutch auction)騙人拍賣 ~*battle* 演習,模擬戰 ~-

majesty 虛張聲勢, 空架子 ～*modesty* 假謙虛 ～*trial* 模擬裁判 ～*up* 實物大模型.

mockingbird /'mɒkɪŋbɜːd/ *n*. 【鳥】模仿鳥.

mod[1]/mɒd/ *n*. 現代時髦派分子, 極時髦的人(指英國 60 年代穿着整齊的青年幫派).

mod[2] ① = moderate 適度 ② = modern 現代 ③ = modulus [數] 模數; 系數 ④ 蓋爾高原一年一度的文化藝術大賽.

MOD *abbr*. = Ministry of Defence 國防部.

mod cons = modern conveniences(生活上的)現代便利設備.

mode /məʊd/ *n*. 法, 樣, 方式, 方法; 模, 型, 體裁, 款式; 習慣, 風尚 **modish** /'məʊdɪʃ/ *a*. 時髦的 **modishly** *ad*.

model /'mɒdl/ *n*. 模型, 雛型; 原型; 模特兒, 樣板; 典型, 模範 *v*. (過去式過去分詞, **~led**) 製作…的模型; 仿造.

modem /'məʊdəm/ *n*. 【魚】調製解調器.

moderate /'mɒdərət/ *a*. 有節制的; 溫和的; 穩健的; 中庸的, 適度的; 普通的; [美俚] 慢吞吞的; 遲鈍的 *n*. 溫和主義者; 穩健的人 *vi*. 變緩和; 做會場司儀, 主持(會議) **~ly** *ad*. 適度, 適中, 普通 **moderation** *n*. **moderator** /'mɒdəreɪtə(r)/ *n*. 仲裁者, 調解者; [美國] 議長長老會仲裁.

modern /'mɒdn/ *a*. 現代的, 近代的, 時新的, 時髦的; 摩登的 ～**ism** /'mɒdənɪzəm/ *n*. 現代式, 現代主義, 現代派 **~ist** /'mɒdənɪst/ *n*. 現代主義者 ～**ity** /mɒ'dɜːnətɪ/ *n*. 現代性; 新式; 現代作風.

modernize /'mɒdənaɪz/ *v*. 使現代化; 近代化; 維新. **modernization** /ˌmɒdənaɪ'zeɪʃn/ *n*. 現代化; 維新.

modest /'mɒdɪst/ *a*. 謙虛謹慎的; (女子)端莊優雅的; 害羞的 **~ly** *ad*. **~y** /'mɒdɪstɪ/ *n*. 虛心, 謙虛, 謹慎; 節制; 中肯; 羞怯.

modicum /'mɒdɪkəm/ *n*. 少量, 少許, 一點點.

modify /'mɒdɪfaɪ/ *vt*. (過去式及過去分詞, **-fied**) 修改; 變更; 調節; 修飾 **modifier** /'mɒdɪfaɪə(r)/ *n*. 修改者; 【語】修飾詞 **modification** *n*.

modulate /'mɒdjʊleɪt/ *vt*. 調節; 調整, 緩和, 減輕, 【無】調制 **modulation** /ˌmɒdjʊ'leɪʃn/ *n*. **modulator** /ˌmɒdjʊleɪtə(r)/ *n*. 調制者, 調節器.

module /'mɒdjuːl/ *n*. 模, 系數; 模數; 模塊; (航天器之)艙.

modus operandi /ˌməʊdəs ˌɒpə'rændiː/ *n*. (*pl*. **modi** /'məʊdiː/) 做法, 方式, 方法, 操縱法 **modus vivendi** /～vɪ'vendiː/ *n*. 生活方式, 生活態度; 權宜之計; 暫時協定; 妥協.

mogilalia /ˌmɒdʒɪ'leɪlɪə/ *n*. 【醫】口吃, 發音困難症.

mogul /'məʊgl/ *n*. 權貴; 富豪; 大人物; 火車頭.

MOH *abbr*. = Medical Officer of Health 軍醫官 = Ministry of Health 衛生部.

mohair /'məʊheə(r)/ *n*. 安哥拉山羊毛或其織品.

Moham = Mohammedan /məʊ'hæmɪdən/ *n*. 穆罕默德(伊斯蘭教祖).

mohican = mohigan /məʊ'hiːgən, məʊ'hiːkən/ *n*. 剃邊留中的髮型(美國亞利桑那科羅拉多河區印第安人常留之髮型).

moiety /'mɔɪətɪ/ *n*. (*pl*. **-ties**) 一半; 一部分.

moiré /'mwɑːreɪ/ *a*. 有波紋的; 雲紋

綢的 *n*. 波紋;雲紋.

moist /mɔɪst/ *a*. 潤濕的, 潮濕的;眼淚汪汪的 **~en** /'mɔɪsn/ *v*. 弄濕;變濕 **~ture** /'mɔɪstʃə(r)/ *n*. 濕氣, 水分, 濕度;(喻)泪; **moisturizer** /'mɔɪstʃəraɪzə/ *n*. 濕潤器.

moke /məʊk/ *n*. [英俚]驢子;笨人, 傻子;[美俚]黑人;[澳俚]劣馬, 駑馬.

molar /'məʊlə(r)/ *a*. 磨的, 臼齒的 *n*. 臼齒;[美俚]牙齒.

molasses /mə'læsɪz/ *n*. 糖漿;糖蜜.

mole /məʊl/ *n*. ①黑痣②【化】克分子(量)防波堤;人工港③【動】鼹鼠, 田鼠;在暗處工作的人;長期潛伏的間諜;地下工作者 **~hill** *n*. 鼹鼠丘 // *make a mountain out of a molehill* 小題大做.

molecule /'mɒlɪkjuːl/ *n*. 【物、化】分子;克分子;[口]微小顆粒 **molecular** /mə'lekjʊlə(r)/ *a*. 分子的, 由分子組成的;【物】摩爾的.

molest /mə'lest/ *v*. 使煩惱;折磨;妨礙;調戲, 性騷擾 **~er** *n*. **~tation** /ˌməʊle'steɪʃn/ *n*.

moll /mɒl/ *n*. [俚]妓女, 婊子[美俚]盜賊之姘婦, 女流氓.

mollify /'mɒlɪfaɪ/ *vt*. 緩化;使軟化;平息;撫慰;鎮靜 **mollification** /ˌmɒlɪfɪ'keɪʃn/ *n*. 平息;緩和;安慰 **mollifier** /'mɒlɪfaɪə/ *n*. 安慰者;【醫】緩和劑, 鎮靜藥.

mollusc /'mɒləsk/ *n*. 【動】軟體動物.

mollycoddle /'mɒlɪkɒdl/ *v*. 溺愛, 嬌生慣養; *n*. 女人氣的男人.

Molotov /'mɒlətɒf/ **cocktail** *n*. 莫洛托夫燃燒彈[俚]燃燒瓶.

molten /'məʊltən/ melt 之過去分詞 *a*. 熔化了的, 澆鑄的.

molybdenum /mɒ'lɪbdənəm/ *n*. 【化】鉬.

moment /'məʊmənt/ *n*. 片刻, 瞬息, 刹那;機會, 時機, 當前【物】力矩 **~al** /məʊ'mentəl/ *a*. 【物】慣量的, 力矩的 **~ary** /'məʊməntrɪ/ *a*. 頃刻的, 暫時的, 時時刻刻的 **~arily** *ad*.

momentous /mə'mentəs/ *a*. 重大的;重要的;聲勢浩大的 **~ly** *ad* **~ness** *n*.

momentum /mə'mentəm/ *n*. (*pl*. **~s, -ta** /-tə/)【物】動量;[口]惰性;勢頭;要素;契機.

Mon. *abbr*. = Monday.

monac(h)al /'mɒnəkəl/ *a*. 修道士, 僧侶的.

monarch /'mɒnək/ *n*. 帝王, 君主, 元首 **~al** /mɒ'nɑːkəl/ *a*. **~ist** /'mɒnəkɪst/ *a*. 君主主義者 **~y** /'mɒnəkɪ/ *n*. 君主政治;君主政體;大權.

monastery /'mɒnəstrɪ/ *n*. (*pl*. **-teries**) *n*. 修道院, 寺院, 廟宇 **monastic** /mə'næstɪk/ *a*. 僧侶的, 修女的;出家, 禁欲的 **monasticism** /mə'næstɪsɪzəm/ *n*. 寺院制度;禁欲主義.

Monday /'mʌndɪ/ *n*. 星期一.

monetary /'mʌnɪtrɪ/ *a*. 貨幣的;金錢的, 財政(上)的 **monetarily** /'mʌnɪtərəlɪ/ *ad*. **monetarism** /mʌn'ɪtərɪzəm/ *n*. 貨幣增多導致通貨膨脹的理論 **monetarist** *a*. & *n*.

money /'mʌnɪ/ *n*. 貨幣, 錢, 金錢;財富;通貨 **~-changer** *n*. = dealer *n*. 貨幣兑換商 **~-grubbing** *n*. 貪財謀利 **~-lender** *n*. 放債者 **~-maker** *n*. 會賺錢的人 **~ man** *n*. 金融家 **~-market** *n*. 金融市場, 金融界 **~ matter** *n*. 借貸事宜, 財政問題.

Mongolia /mɒŋ'gəʊlɪə/ *n*. 蒙古 **Mon-**

golian /mɒn'gəʊlɪən/ *n*.蒙古人(語) *a*.蒙古人(語)的,黃種人的.

mongolism /'mɒŋgəlɪzəm/ *n*.【醫】先天性愚型;白痴.

mongoos(e) /'mɒŋguːs/ *n*.【動】獴;貓鼬,狐猿.

mongrel /'mʌŋgrəl/ *n*.(動、植物)雜種,[蔑]混血兒,雜種.

monitor /'mɒnɪtə(r)/ *n*.告誡物;勸告者;班(級)長;監控器;巨蜥 *v*.監督,監視,監控;檢查~**ial** /ˌmɒnɪ'tɔːrɪəl/ *a*.

monk /mʌŋk/ *n*.僧侶,隱士,和尚 ~**shood** /'mʌŋkshʊd/ *n*.附子屬植物.

monkey /'mʌŋkɪ/ *n*.猴子,猿;[喻]頑童,淘氣鬼 *vt*.學樣嘲弄 *vi*.惡作劇,打攪,瞎弄~ **business**[美俚]狡猾的惡作劇,頑皮行為,胡鬧,要弄 ~ **drill**[俚]柔軟操~ **engine** 打樁機 ~ **money**[美俚]公司的臨時股票;期票~ **nut** 花生~ **puzzle**【植】(連猴子也難爬上去的)智利松;智利南美杉 ~ **wrench**【機】活動扳手.

mono /'mɒnəʊ/ [前綴]單,獨,一例如:monolingual 只懂一種語言的,monologue 獨白;(元音前 mon)如:monaural 單聲道.

monochrome /'mɒnəkrəʊm/ *n*.單色畫 *a*.單色的,黑白的.

monocle /'mɒnəkl/ *n*.單片眼鏡 **monocular** /mɒ'nɒkjʊlə/ *a*.

monogamy /mə'nɒgəmɪ/ *n*.一夫一妻制;單配偶 **monogamous** *a*.

monogram /'mɒnəgræm/ *n*.(詞首字母之)組合文字,花押字.

monograph /'mɒnəgrɑːf/ *n*.專題著作(論文).

monolith /'mɒnəlɪθ/ *n*.磐石,獨石柱(碑,像)~**ic** *a*.

monolog(ue) /'mɒnəlɒg/ *n*.獨白,獨脚戲劇本.

monomania /ˌmɒnəʊ'meɪnɪə/ *n*.偏僻,偏執狂 **monomaniac** /-'meɪnɪæk/ *n*.偏執狂者;**monomaniacal** *a*.

monophobia /ˌmɒnəʊ'fəʊbɪə/ *n*.【心】【醫】獨居恐怖,單身恐怖症.

monoplane /'mɒnəpleɪn/ *n*.單翼飛機.

monopoly /mə'nɒpəlɪ/ *n*.壟斷;獨占;專利(權);專賣 **monopolist** /mə'nɒpəlɪst/ *n*.獨占者,壟斷者;專利者 **monoplistic** /məˌnɒpə'lɪstɪk/ *a*.**monopolize** /mə'nɒpəlaɪz/ *vt*.

monorail /'mɒnəʊreɪl/ *n*.單軌;單軌鐵路.

monoscope /'mɒnəskəʊp/ *n*.【電】單像管;存儲管式示波器.

monosodium glutamate /ˌmɒnəʊ'səʊdɪəm-'gluːtəmeɪt/【生化】穀氨酸鈉(味精,味素的化學成分).

monosyllable /'mɒnəsɪləbl/ *n*.單音節詞 **monosyllabic** /ˌmɒnəsɪ'læbɪk/ *a*.單音節的,由單音節構成的.

monotheism /'mɒnəʊθiːɪzəm/ *n*.一神教(論)**monotheist** *n*.一神教徒;一神論者 **monotheistic** *a*.

monotone /'mɒnətəʊn/ *n*. & *a*.單調音(的) *v*.單調地讀(說) **monotonous** /mə'nɒtənəs/ *a*.單調,無聊,乏味的,千篇一律的 **monotonously** *ad*. **monotony** /mə'nɒtənɪ/ *n*.單音,單調.

monoxide /mɒ'nɒksaɪd/ *n*.【化】一氧化物.

monseigneur /ˌmɒnse'njɜːr/ *n*.[法](*pl*. **messeigneurs** /meɪse'njɜːr/)閣下,大人,老爺(對王族、大主教、貴族等的尊稱).

monsieur /mə'sjɜː/ *n*.[法](*pl*.

messieurs /meɪ'sjɜː/)相當於英語中 Mr. 先生及招呼中的 sir.

Monsignor /mɒn'siːnjə(r)/ *n*. [意]閣下 = monseigneur.

monsoon /ˌmɒn'suːn/ *n*. (亞洲印度洋)季風, 夏季季風期, 雨季.

monster /'mɒnstə(r)/ *n*. 怪物, 怪胎; 殘忍的人, 窮兇極惡者 **monstrosity** /mɒn'strɒsətɪ/ *n*. 畸形, 怪物.

monstrance /'mɒnstrəns/ *n*. 【宗】聖體匣.

monstrous /'mɒnstrəs/ *a*. 畸形的; 巨大的; 可怕的; 窮凶極惡的[口]笑死人的 *ad*. [美口]非常, 極 **~ly** *ad*. **~ness** *n*.

montage /'mɒntɑːʒ, mɒn'tɑːʒ/ *n*. [法]輯繪; 【影】蒙太奇, 剪輯畫面; 裝配.

Monte Carlo /'mɔːntə 'kɑːrləː/ 蒙特卡洛(摩納哥城市), 【統】隨機抽樣(檢驗)法.

month /mʌnθ/ *n*. (歲月的)月; 一個月時間 **~ly** *a*. 每月的, 每月一次的, 按月的; 月刊 *ad*. 每月一次 // *lunar* ~太陰月 *solar* ~太陽月 *this day* ~下[上]一個月的今天.

monument /'mɒnjʊmənt/ *n*. 紀念碑, 墓碑, 紀念像; 遺迹 **~al** /ˌmɒnjʊ'mentl/ *a*. 紀念碑的, 紀念的; 巨大的, 雄偉的; 不朽的; [口]極端, 非常的 **~ally** *ad*.

moo /muː/ *n*. 哞(牛叫聲) *vi*. 哞哞地叫.

MOO *abbr*. = Money Order Office 郵匯處, 郵匯部.

mooch /muːtʃ/ *vi*. 徘徊; [俚]鬼鬼祟祟的走 *vt*. [美俚]揩油, 招搖撞騙; 偷偷拿走; 索取 **~er** *n*. [俚]靠揩油混日子的人, 招搖撞騙者; 寄生蟲, 食客.

mood /muːd/ *n*. (一時的)心情, 情緒; 【語】語氣; 【樂】調式(= mode) **~y** /'muːdɪ/ *a*. 易怒的; 喜怒無常的; 不高興的 **~ily** *ad*. **~iness** *n*.

mook /mʊk/ *n*. 雜志式書(由雜志(magazine)和書(book)拼綴而成.

moon /muːn/ *n*. 月, 月球, 月亮; 繞任何行星轉的衛星 *vi*. [口]懶洋洋地閒蕩; 出神獃看; 無精打采地東張西望; *vt*. 虛度年華; 稀里糊塗混日子 **~ish** *a*. 月亮似的, 三心兩意的 **~less** *a*. 無月光的 **~let** *n*. 小月亮; 人造衛星 **~y** /'muːnɪ/ *a*. 月狀的, 新月形的; 月光下的, 恍惚的; 有醉意的 **~beam** *n*. 月光的月綫; **~light** *n*. 月光 *a*. 月光下的 **~lighter** *n*. ①日夜身兼兩職的人②(= moonshiner) **~lit** *a*. 月亮照着的, 月明的 **~shine** *n*. 月光; 荒唐的空想; 夢話; [美口]走私酒, 非法釀酒 **~shiner** *n*. [美口]非法釀酒商, 酒類走私者 **~stone** *n*. 【礦】月長石 **~struck** *a*. 發狂的, 神經錯亂的 **~walk** *n*. 月球漫步.

moor /mɒə/ *n*. 荒野沼地; 獵場; 停泊; 拋錨, 繫留 *v*. 繫泊 **~ing** *n*. 繫泊地; 繫泊用具 **~hen** 母赤松雞; 水雞 **~land** 荒野, 高沼地.

Moor /mɔː(r)/ *n*. 摩爾人(非洲西北部伊斯蘭教民族) **~ish** *a*.

moose /muːs/ *n*. (單、複數同)【動】北美大角麋; 駝鹿.

moot /muːt/ *a*. 有討論餘地的; 未决的 *vt*. 討論; 提出問題; 實習辯論 **~ed** /'muːtɪd/ *a*. [美]未决定的, 有疑問的 // *~ court* 假設法庭 *~ hall* 集會所.

mop /mɒp/ *n*. 墩布, 拖把; 亂蓬蓬的頭髮 *v*. (過去式及過去分詞 **mopped**)用墩布拖, 擦 **~py** *a*. 拖把似的; 亂蓬蓬的.

mope /məʊp/ *v*. 鬱鬱不樂, (使)掃

興,閑蕩.

moped /'məʊped/ *n*. 摩托自行車;機動脚踏兩用車.

moppet /'mɒpɪt/ *n*. (布)玩偶;小孩;巴兒狗.

moraine /mɒ'reɪn/ *n*.【地】冰磧;冰川堆石.

moral /'mɒrəl/ *a*. 道德上的,道義上的;品行端正的;精神上的 *n*. 寓意,教誨 *pl*. 品行 **~ly** /'mɒrəlɪ/ *ad*. 道德上,德義上,規矩地;正直地;的的確確 **~ist** *n*. 道德家,倫理學家 **~ism** *n*. 道德主義;道義;格言 **~istic** *a*. 道學的,教訓的 **~ize** /'mɒrəlaɪz/ *vt*. 訓導,啓發…的德性;教化;賦與…德性;講道;說教;給予道德上的感化.

morale /mɒ'rɑːl/ *n*. (軍隊之)士氣;風紀;精神;信念;道義,道德.

morality /mə'rælətɪ/ *n*. 道德,道義;倫理學,德行,德性;品行;是非善惡;寓意,教訓;寓言劇(= ~play) // *commercial* ~ 商業道德.

morass /mə'ræs/ *n*. 沼澤,泥淖;艱難,困境;墮落.

moratorium /ˌmɒrə'tɔːrɪəm/ *n*. (*pl*. **-ria**或**-riums**)【律】延期償付權;延緩償付期;(活動的)暫停;暫禁.

moray /'mɔːreɪ; mɔː'reɪ/ *n*.【動】海鰻,海鱔.

morbid /'mɔːbɪd/ *a*. 不健全的;病態的;致病的;病理學的;惡性的;可怕的 **~ly** *ad*. **~ness** *n*. 病態.

mordant /'mɔːdnt/ *a*. 諷刺的,尖酸的;腐蝕性的 *n*. 媒染劑;金屬腐蝕劑 **~ly** *ad*.

mordent /'mɔːdənt/ *n*.【樂】波音.

more /mɔː(r)/ *a*. many, much 的比較級,(數量,程度上)更多的,較多的,更大的,更好的;另外,此外 *ad*. 更多,更大,格外, // *all the* ~ 格外,越發 ~ *and* ~ 越來越 ~ *or less* 有點兒,或多或少;約,左右 ~ *than all* 尤其 ~ *than enough* 足夠;太多 *not* ~ *than*... 不超過,至多 *once* ~ 再來一次,再來一個 *what is* ~ 加之,而且,(用作插入語).

moreover /mɔː'rəʊvə(r)/ *ad*. 況且,並且,加之;此外.

mores /'mɔːreɪz/ *n*. [拉](社會)風俗,習俗,慣例;道德觀念.

morganatic /ˌmɔːgə'nætɪk/ *a*. (婚姻)貴賤的(指王室、貴族與庶民(通婚) **~marriage** 社會上身份高的男子和身份低的女子結婚的婚姻.

morgue /mɔːg/ *n*. = mortuary 停尸房;[美](報館)資料室.

moribund /'mɒrɪbʌnd/ *a*. 垂死的,奄奄一息的;死氣沉沉的.

Mormon /'mɔːmən/ *n*. (基督復興教)摩門教徒 **~ism** *n*. 摩門教.

morn /mɔːn/ *n*. [詩]黎明,早晨 // *at* ~ = in the morning *the* ~'*s morn* 明早.

mornay /'mɔːneɪ/ *n*. 莫爾內氏沙司(一種乳脂沙司,調味品).

morning /'mɔːnɪŋ/ *n*. 早晨,上午,[詩]黎明 // ~ *after* [口]宿醉後的不好受 ~*-after pill* 服避孕丸 ~ *coat* 晨禮服 ~ *draft* (早餐前喝的)晨酒 ~ *dress* 女便服;(男)常禮服 ~ *glory*【植】牽牛花 ~ *paper* 晨報 ~ *sickness*【醫】孕婦晨吐.

Moroccan /mə'rɒkən/ *a*. 摩洛哥的 *n*. 摩洛哥人 **morocco** /mə'rɒkəʊ/ *n*. 摩洛哥(山羊)皮.

moron /'mɔːrɒn/ *n*. 白痴;[口]低能兒 **~ic** *a*.

morose /mə'rəʊs/ *a*. 愁眉苦臉的;鬱悶的,不高興的;脾氣壞的;乖僻的 **~ly** *ad*. **~ness** *n*.

morphia, morphine /'mɔːfɪə, 'mɔːrfiːn/ *n*.【化】嗎啡.

morphology /mɔː'fɒlədʒɪ/ *n*.【生、地】形態學;【語】詞態學;詞法;**morphological** /ˌmɔːfə'lɒdʒɪkl/ *a*.

morris /'mɒrɪs/ **dance** (打扮成傳奇人物跳的)莫利斯舞.

morrow /'mɒrəʊ/ *n*. [詩]翌日,次日,第二天.

Morse /mɔːs/ *n*.【訊】莫爾斯電碼;也寫作~**alphabet**[**code**].

morsel /'mɔːsl/ *n*. (食物之)一口,一小片;少量,一點.

mortal /'mɔːtl/ *a*. 死的;不能不死的;凡人的,人類的;性命攸關的;致命的,臨終的 ~**ly** *ad*. ~**ity** /mɔː'tælətɪ/ *n*.必死之命運;死亡率,失敗率,大量死亡 // ~*combat* 你死我活的戰鬥 ~*disease* 絕症 ~*enemy* 不共戴天之仇人 ~*wound* 致命傷 ~*sin*(*s*)不可饒恕的大罪.

mortar /'mɔːtə(r)/ *n*. 臼,搗鉢,研鉢;【軍】迫擊炮,【建】灰漿~**board** *n*.①(瓦匠用)灰漿板②[口]學士帽.

mortgage /'mɔːgɪdʒ/ *n*.【律】抵押;抵押權,抵押契據 *v*.抵押;把…許給 ~ **bond** *n*.抵押債券~**e** /mɔ'gɪ'dʒiː/ *n*.【律】接受抵押者;受押人;抵押權人~**r** *n*. = mortgagor /ˌmɔːgɪ'dʒɔːr, mɔːgə'dʒɔː/ *n*.抵押人.

mortify /'mɔːtɪfaɪ/ *v*. (過去式過去分詞皆 **mortified**)使感耻辱;抑制(感情)【醫】壞疽 **mortification** /ˌmɔːtɪfɪ'keɪʃn/ *n*.【醫】脫疽,壞疽;[宗教]禁欲修行,苦行;耻辱;遺恨.

mortise, mortice /'mɔːtɪs/ *n*. 榫眼,固定,安定 // ~*lock* 做在門裏的插鎖.

mortuary /'mɔːtʃərɪ/ *n*. 停尸房(= morgue).

mosaic /məʊ'zeɪɪk/ *n*. 馬賽克;鑲嵌細工;拼花工藝,【建】鑲嵌磁磚~**ist** /məʊ'zeɪɪsɪst/ *n*. 鑲嵌細工師.

Moselle /məʊ'zel/ *n*. 德國莫澤爾產白葡萄酒.

Moslem /'mɒzlem/ = Moselim *n*. & *a*. 穆斯林(的),伊斯蘭教徒.

mosque /mɒsk/ *n*. 清真寺,回教寺院,伊斯蘭教寺院.

mosquito /məs'kiːtəʊ/ *n*. (*pl*. ~**s**, ~**es**) 蚊子~**cide** *n*.滅蚊藥~**craft** 快艇~**curtain**(~**net**)*n*.蚊帳.

moss /mɒs/ *n*.【植】苔蘚,地方~**y** 生了苔的,苔狀的.

most /məʊst/ *a*. many, much 之最高級;(數量、程度上的)最大的,最多的,最高的;(無冠詞者作大概,大多數講) *ad*.(much 之最高級)最,最多~**ly** *ad*.大部分,多半,主要地;基本上.

MOT MOT Test 汽車使用期間一年一度的檢驗.

motel /məʊ'tel/ *n*. [美]汽車遊客旅館.

motet /məʊ'tet/ *n*.【樂】讚美詩,聖歌;讚歌.

moth /mɒθ/ *n*. [蟲]蛾~**ball**(**s**)樟腦丸,衛生球 *v*.使防蛀;推遲(工程等)~**-eaten** *a*.蟲蛀的;陳舊的~**y** *a*.多蛾的,蟲蛀的.

mother /'mʌðə(r)/ *n*. 母親,媽媽;本源;老大娘,老太太;修女,院長;*a*.母國的,本國的 *vt*.像母親一樣照管~**hood** 母性;母道,母親的義務~**ly** *a*.母親般的,慈愛的~**less** *a*.沒有母親的~**land** = ~country 母國;祖國~**-in-law** *n*.岳母;婆婆(丈夫之母)~**-of-pearl** *n*.珍珠母,青貝~**wort** *n*.【植】益母草 // ~*ship* 航空母艦 ~*tongue* 母語,本國語,本族語 ~*wit* 天生智慧,常識.

motif /məʊ'tiːf/ *n*. [法]主題,要點,基本花紋.

motion /'məʊʃn/ *n*. 運動,移動,運行;動議;提議;大便排泄 *v*.用手勢示意 **~less** *a*.靜止不動的**~al** *a*.運動的,起動的 **~picture** *n*. & *a*. 電影(的).

motive /'məʊtɪv/ *a*. 發動的,引起運動的;動機的 *n*.動機,動因 **motivate** /'məʊtɪveɪt/ *vt*. 給與動力,促動;激發,誘導.

motivation /ˌməʊtɪ'veɪʃn/ *n*. 動機,動機因素;動力**~al** *a*.

motley /'mɒtlɪ/ *a*. 繁雜的;雜色的 *n*.穿雜色服之小丑.

motocross /'məʊtəʊkrɒs/ *n*. 摩托車越野(比)賽.

motor /'məʊtə(r)/ *n*. 原動力;馬達,發動機;電動機;汽車 *vt*.開汽車;坐汽車旅行;用汽車搬運 **~bicycle** *n*.摩托車**~boat** *n*.汽艇**~cab** *n*.出租汽車**~cade**[美]汽車的長蛇陣;汽車隊**~car** *n*.汽車**~cycle** *n*.摩托車,機器脚踏車**~cyclist** *n*.騎摩托車的人**~-scooter** *n*.低座(無樑)小摩托車 **~man** 司機,電機操作者 **~squadron** *n*.汽車隊**~way** *n*.機動車道 **motorial** /məʊ'tɔːrɪəl/ = **motory** /'məʊtərɪ/ *a*.原動的,運動的;引起運動的;【解】運動神經的 **motorist** /'məʊtərɪst/ *n*.開汽車的人;乘汽車旅行者 **motorize** /'məʊtəraɪz/ *vt*.摩托化,使(車)機動化.

mottled /'mɒtld/ *a*. 雜色的;斑駁的.

motto /'mɒtəʊ/ *n*. (*pl*.**-es, -s**) 座右銘,訓言,箴言;題詞;【樂】主題句,附題句挂籤的糖果袋 // *~kiss* 附題句或挂籤的糖果.

mould /məʊld/ *n*. (瞼)模子,模型;字模;氣質;脾性;性格;肥土,壤土;霉,霉菌;霉病 *v*.翻砂,造型,澆鑄,陶冶;用土蓋;發霉**~y** *a*.發霉的,陳腐的;[俚]十分無聊的 // *leaf*~腐殖質土 *~board* 模板,型板;犁壁.

moulder /'məʊldə(r)/ *v*. 朽,朽壞;墮落,消衰,退化;吊兒浪當地混日子 *n*.模塑者,造型者;【印】電鑄板.

moult /'məʊlt/ *v*. & *n*. (羽毛等)脱落,脱換;脱皮.

mound /maʊnd/ *n*. ①堤,(城堡)護堤;土墩,小丘②(象徵王權的)寶球 *v*.築堤;造土墩子,築堤防禦.

mount /maʊnt/ *v*. 登,爬上;騎,乘上,跨上;安裝,裝配;裱(畫,地圖)鑲上(寶石等);封固;增長,上升;組織準備 *n*.坐騎(馬,自行車等),騎馬,登,爬上;襯托紙,裱畫紙,鑲寶石之托,支架;(顯微鏡之)載(玻)片;踏脚台;(電子管)管脚;山丘.

mountain /'maʊntɪn/ *n*. (比 hill 大的)山,山岳,(*pl*.)山脉;山一樣的東西;大量**~ed** *a*.山一樣的;多山的 **~eer** /maʊntɪ'nɪə/*n*.山地人;登山運動員 **~eering** *n*.登山運動**~ous** /'maʊntɪnəs/ *a*.多山的;山似的**~-high** *a*.如山高的 **~side** *n*.山腰 **~ stronghold** *n*.山寨 // *~artillery* 山炮;山地炮兵 *~battery* 山炮隊 *~bike*(直把粗輪)山地車 *~lion* = puma 或 cougar【動】美洲豹 *~railway* 山區鐵道 *~range* 山脉 *~system* 山系 *~wood* 石棉,石灰木.

mountebank /'maʊntɪbæŋk/ *n*. 走江湖醫生,騙子**~ery** *n*.詐騙行為;大話.

Mountie /'maʊntɪ/ *n*. = Mounty[俚]加拿大皇家騎警.

mourn /mɔːn/ *v*. 悲,悲傷,悲嘆;吊,哀悼,戴孝**~er** /'mɔːnə(r)/ *n*.悲傷的人,悲嘆的人,哀傷的人;守喪的

人,哀悼者;送喪的人,[美]懺悔者 **~ful a**. 悲哀的, 哀痛的, 使人傷心的 **~fully** *ad*. **~ing** *n*. 悲傷;哀悼,喪服,居喪,半旗;戴孝.

mouse /maʊs/ *n*. (*pl*. **mice** /maɪs/) 鼠,耗子;[喻]膽小的人;[俚](眼睛被打得)青腫【計】手動游標鈕 *v*. 捕鼠,來回窺探;搜捕,欺員,虐待;撕裂 **~er** *n*. 捉耗子的貓;偵探 **~bird** *n*. (=coly)鼠鳥 **~trap** *n*. 捕鼠器;小戲院 **mousy** /'maʊsɪ/ *a*. 多鼠的;耗子似的;膽小的.

moussaka /muː'sɑːkə/ *n*. 茄子夾肉,茄夾(希臘名菜肴).

mousse /muːs/ *n*. [法]奶油凍;奶油肉凍 **~line** /muːs'liːn/ *n*. [法]細棉布;木斯林高級玻璃.

moustache /mə'stɑːʃ/ *n*. 髭,小髯,(貓等之)鬚(=mustache).

mouth /maʊθ/ *n*. 口,嘴,口腔;口狀物,孔,穴;吹口;入口;江河入海口;/maʊð/ *v*. 大聲講;叫罵;嚼,吃,用口銜 **~er** /'maʊðə/ *n*. 吹牛的人,說大話的人 **~ful** /'maʊθfʊl/ *n*. 滿口,一口,少量(食物) **~ing** /'maʊðɪŋ/ *n*. 怪臉,苦相,誇口;**~piece** *n*. 烟嘴口,樂器吹口;口罩;小話筒;代言人 **~wash** *n*. 嗽口液 **~y** /'maʊðɪ/ *a*. 說大話的,誇口的;嘴碎的 *~organ* 口琴; *~-to-~ a*. 口對口的(人工呼吸).

move /muːv/ *v*. 動,移動,搬動;使運行,搖動;感動,鼓動;激動,打動,發動;活動,行動;遷移 **moveable** = **movable** /'muːvəbl/ *a*. & *n*. **~ment** *n*. 運動;活動;進退;行動,動靜;動作;動搖;舉動,移動;【樂】樂章;速度,【語】節奏,韻律;運轉 **moving** *a*. 令人感動的,動人的 **movingly** *ad*.

movie /'muːvɪ/ *n*. 電影(院);影片.

mow /məʊ/ *vt*. (**mowed, mowed** 或 **mown**)刈,割(草,麥等);收割 **~er** 割草人;割草機 // *~down* 大屠殺,殘殺.

mozzarella /ˌmɒtsə'relə/ *n*. 意大利乾酪.

M.P. *abbr*. = Member of Parliament [英]下院議員, = military police 憲兵隊, = metropoliton police 首都警察隊, = motion picture 電影, = Master of Painting 繪畫碩士, = melting point 熔點.

M.Pd. *abbr*. = Master of Pedagogy 教育學碩士.

M.P.E. *abbr*. = Master of Physical Education 體育碩士.

mpg *abbr*. = miles per gallon 英里/加侖.

MPh *abbr*. = Master of Philosophy 哲學碩士.

mp.h. *abbr*. = miles per hour 英里/時.

M.R. *abbr*. = machine rifle 自動步槍.

Mr. *abbr*. = mister /'mɪstə(r)/ *n*. 先生,(稱呼語,置名字前).

Mrs *abbr*. /'mɪsɪz/ (=mistress)夫人,太太.

Ms /mɪz/ *n*. 女士(可替代 Miss 和 Mrs).

MSc *abbr*. = Master of Science 理科碩士.

MSS *abbr*. = manuscripts *a*. 手寫的,手抄的, *n*. 手稿,抄本.

Mt. *abbr*. = mount, mountain 山.

much /mʌtʃ/ *a*. (more, most)[用於修飾不可數名詞]許多的,很多的,大量的 *n*. 許多,大量,很大程度 *ad*. (**more, most**)幾乎,很大程度上.

muchness /'mʌtʃnɪs/ *n*. 大量 // ~of a

muchness 大同小异,半斤八兩.

mucilage /'mjuːsɪlɪdʒ/ *n*. 粘液,膠水(=[英]gum).

muck /mʌk/ *n*. 糞土;髒土;糞肥;腐殖土,垃圾 ~**raking** *n*. 搜集,揭發名人的醜事 ~**raker** *n*. 專門報道醜聞的人 ~-**up** *n*. 一團糟 ~**y** *a*. 廐肥(似)的,濕糞的,污穢的,討厭的;可耻的, // ~ *about* 混的;閑蕩;幹傻事, ~ *in* [俚]與別人分擔某一任務 ~ *out* 清掃,清理(畜舍).

mucous /'mjuːkəs/ *a*. 【動,植】粘液的,分泌粘液的 **mucus** *n*. // ~ *membrane*【解】粘膜.

mucus/'mjuːkəs/*n*. 粘液;類似粘液的物質.

mud /mʌd/ *n*. 泥,泥漿;污物 ~**dy** *a*. 泥濘的;模糊的 ~**guard** *n*. (車輪的)擋泥板 ~**hole** *n*. (道路的)泥坑,坑窪 ~**pack** *n*. 美容面膜泥敷膏 // ~ *slinger*[美俚]中傷者,毀謗者; ~ *slinging*(政界)毀謗,誣衊.

muddle /'mʌdl/ *v*. 使混亂,使慌張,使糊塗,混淆 *n*. 混亂,糊塗,雜亂 ~-**headed** *a*. 昏頭昏腦.

muesli /'mjuːzlɪ/ *n*. 穀物,殼果;乾果,同牛奶製成的一種瑞士食品.

muezzin /muː'ezɪn/ *n*. (伊斯蘭教清真寺)祈禱報時人.

muff /mʌf/ *n*. ①防寒皮手籠;【機】保溫套,襯套②笨蛋③失誤;[美俚]失敗④[俚](下流)女人,姑娘.

muffin /'mʌfɪn/ *n*. ①小鬆餅,鬆糕②陶瓷小盤.

muffle /mʌfl/ *v*. ①覆蓋,裹住,用圍巾圍住;蒙住頭;捂住②消音;使鈍 *n*. 圍巾,拳擊手套;消音器 ~**r** *n*. ①長圍脖,大圍巾②無指厚手套③消音器.

mufti /'mʌftɪ/ *n*. (常穿制服者所穿之)便衣,便服.

mug /mʌg/ *n*. ①(帶把)大杯②笨蛋;生手③暴徒;流氓阿飛④自充有學問的人⑤下巴;親吻⑥(警方存查之)照片 *vt*. 裝鬼臉;給…拍照,對…行兇搶劫;親嘴 ~**ger** (= ~ gar) 裝怪臉者;行兇搶劫者;人像攝影師 ~**ging** /'mʌgɪŋ/ *n*. [美劇]啞劇, ~**gins** /'mʌgɪnz/ *n*. 蠢人;笨蛋 ~**gy** 悶熱的,潮濕的;[美]喝醉了的.

mulatto /mjuː'lætəʊ/ *n*. (*pl*. ~**es**) 黑白混血兒.

mulberry /'mʌlbrɪ/ *n*. ①[植]桑;桑椹②深紫紅色.

mulch /mʌltʃ/ *n*. 地面覆蓋料 ~-**cover** *n*. 落葉層.

mulct /mʌlkt/ *n*. 罰金;懲罰 *vt*. 處以罰金.

mule /mjuːl/ *n*. ①騾子②頑固分子③雜種 **mulish** *a*.

mull /mʌl/ *n*. ①人造絲薄綢②鼻烟壺③混亂 *v*. ①深思熟慮②(加香料、糖將酒)燙熱③弄糟.

mullah /'mʌlə/ *n*. 先生;師;穆斯林神學家.

mullet /'mʌlɪt/ *n*. 鯔,鯡鯉科魚.

mulligan /'mʌlɪgən/ *n*. [美俚]蔬菜燴肉.

mulligatawny /ˌmʌlɪgə'tɔːnɪ/ *n*. (印度)咖哩肉湯.

mullion /'mʌlɪən/ *n*. 【建】(門窗的)直欞豎框.

multi-(= mult-) /'mʌltɪ/ 表示"多;多倍"之前綴例如: multistorey 多層(樓) multipurpose 多種用途.

multicellular /ˌmʌltɪ'seljulə(r)/ *a*. 【生】多細胞的.

multicolo(u)red /'mʌltɪˌkʌləd/ *a*. 多色的.

multifarious /ˌmʌltɪ'feərɪəs/ *a*. 形形

色色的;千差萬別的.

multiflora rose /ˌmʌltɪ'flɔːrə rəʊz/ *n*. 薔薇.

multilateral /ˌmʌltɪ'lætərəl/ *a*. 多邊的**~ism** *n*. **~ly** *ad*.

multilingual /ˌmʌltɪ'lɪŋgwəl/ *a*. 多種語言(文字)的 *n*. 懂多種語言(文字)的人.

multimedia /mʌltɪ'miːdɪə/ *n*. & *a*. 多媒體(多指電腦).

multimillionaire /ˌmʌltɪmɪljə'neə(r)/ *n*. 億萬富翁,大富豪.

multinational /ˌmʌltɪ'næʃnəl/ *a*. 多民族(國家)的;跨國公司的;多國公司的.

multiped, multipede /'mʌltɪped, -piːd/ *a*. & *n*. 多足的;多足蟲.

multiple /'mʌltɪpl/ *a*. ①多重的;複合的;複式的,多式多樣的②倍數的,倍③多路的;並聯的 *n*. **~-choice** *a*. 多項選擇(填空)題的 ~ **sclerosis** /sklə'rəʊsɪs/ *n*.【醫】多發性硬化.

multiplex /'mʌltɪpleks/ *a*. 複合的,多重的 *n*. 包括若干個飯店,酒吧,電影場的綜合娛樂總彙.

multiplicity /ˌmʌltɪ'plɪsətɪ/ *n*. (*pl*. **-ties**) 多,多樣,重複;多樣性,多重性;複雜.

multiply /'mʌltɪplaɪ/ *v*. 增殖;繁殖;(成倍)增加,【數】乘 **multiplication** *n*. **multiplicand** /~'kænd/ *n*. 被乘數.

multipurpose /ˌmʌltɪ'pɜːpəs/ *a*. 多能的;多效應的;多用途的.

multiracial /ˌmʌltɪ'reɪʃəl/ *a*. 多種族的,多民族(和睦相處)的.

multitude /'mʌltɪtjuːd/ *n*. ①許多,大量;②大群人,群衆 **multitudinous** /ˌmʌltɪ'tjuːdɪnəs/ *a*.

mum /mʌm/ *a*. 無言的,沉默的 *n*. ①沉默②[口](=madam)③[英兒]媽媽.

mumble /'mʌmbl/ *v*. 咕嚕地說 *n*. 含糊的話,咕嚕.

mumbo jumbo /ˌmʌmbəʊ 'dʒʌmbəʊ/ *n*. ①莫名其妙的話語②故意複雜化的語言③令人迷惑的做法.

mummer /'mʌmə(r)/ *n*. (滑稽)啞劇演員.

mummy /'mʌmɪ/ *n*. ①木乃伊;乾屍;乾癟的人②[英兒]媽媽 **mummify** /'mʌmɪfaɪ/ *v*. 製成木乃伊;弄乾保存.

mumps /mʌmps/ *n*.【醫】①流行性腮腺炎②慍怒.

munch /mʌntʃ/ *v*. 用力(大聲)地咀嚼.

mundane /mʌn'deɪn/ *a*. ①世俗的,塵世間的;庸俗的;②宇宙的**~ly** *ad*.

municipal /mjuː'nɪsɪpl/ *a*. 城市的,都市的**~ity** /mjuːˌnɪsɪ'pælətɪ/ *n*. 自治市;市政當局.

munificent /mjuː'nɪfɪsnt/ *a*. 慷慨給予的;毫不吝惜的;寬厚的**~ly** *ad*. **munificence** *n*.

muniments /'mjuːnɪmənts/ *n*.【律】契據;證券;文件.

munition /mjuː'nɪʃn/ *n*. (常作**~s**)軍火,軍需品,軍用品,軍火庫.

mural /'mjʊərəl/ *a*. 牆壁(上)的;牆壁似的 *n*. 壁畫;[美]壁飾**~ist** 壁畫家.

murder /'mɜːdə(r)/ *n*. 凶殺,謀殺,殺害 *v*. ①殺害,謀殺,凶殺②扼殺;糟踏;毀壞**~er** *n*. 凶手,殺人犯**~ous** *a*. 殺人的;殘忍的.

murk /mɜːk/ *n*. & *a*. 黑暗(的);陰暗(的)**~y** *a*. 陰暗的;含糊的;曖昧的.

murmur /'mɜːmə(r)/ *n*. & *v*. 私語,

咕噥;低聲說話;抱怨;嘀咕.

murrain /'mʌrɪn/ *n*. ①鵝口瘡②牛瘟.

muscat /'mʌskæt /*n*. ①麝香葡萄②麝香葡萄酒(= **muscatel** /ˌmʌskə'tel/) *n*. 麝香葡萄酒.

muscle /'mʌsl/ *n*. 【解】肌(肉);臂力,力氣 **muscular** /'mʌskjʊlə(r)/ *a*. 肌(肉)的,肌肉發達,壯健的 // *muscular dystrophy*【醫】肌肉萎縮症 ~*in* 擠進去.

muse /mjuːz/ *v*. & *n*. ①沉思,冥想②呆看.

Muse / mjuːz/ *n*. 主管文藝、美術、音樂等的女神;繆斯.

museum /mjuː'zɪəm/ *n*. 博物館;美術館// ~*piece* 珍品,重要美術品;[貶]老古董.

mush /mʌʃ/ *n*. ①軟塊②多愁善感;痴情;廢話~**y** *a*. 柔軟的;軟弱的;傷感的.

mushroom /'mʌʃrum/ *n*. ①蘑菇,蕈②暴發戶③蘑菇狀物 // ~*cloud* 蘑菇雲(原子彈爆炸時升起).

music /'mjuːzɪk/ *n*. ①音樂②樂曲,樂譜 ~**al** *a*. ~**ally** *ad*. ~**ian** /mjuː'zɪʃn/ *n*. 音樂家;樂師;作曲家 ~**ianship** 音樂家派頭,(身份)**musicology** /ˌmjuːzɪ'kɒlədʒɪ/ *n*. 音樂學;音樂研究 **musicologist** 音樂專家// ~*centre* (收録放一體的)音響 ~*hall* 音樂廳.

musk /mʌsk/ *n*. 麝香;【動】麝;【植】香溝水漿~**y** *a*. ~**rat** 麝鼠;麝鼠皮毛.

musket /'mʌskɪt/ *n*. 滑膛槍,火槍 ~**eer** /ˌmʌskɪ'tɪə/ (有滑膛槍裝備的)火槍手~**ry** /'mʌskɪtrɪ/ 步槍隊;步槍射擊訓練.

Muslim, Muslem /'muzlɪm/ *n*. 伊斯蘭教徒,穆斯林.

muslin /'mʌzlɪn/ *n*. 平紋細布.

musquash /'mʌskwɒʃ/ *n*. 【動】麝香鼠;麝鼠皮.

mussel /'mʌsl/ *n*. 蛤貝;淡菜.

must /mʌst, 弱 məst/ *v*. & *aux*. 助動詞無變化形式,表示必須,必要 *n*. 必須做的事;必需的東西.

must /mʌst/ *n*. ①葡萄汁;新葡萄酒②霉臭③麝香.

mustang /'mʌstæŋ/ *n*. (美西南部)野馬.

mustard /'mʌstəd/ *n*. 芥;芥子;芥末;深黃色 // ~*gas*【化】芥子氣 ~*oil*【化】芥末油.

muster /'mʌstə(r)/ *n*. & *v*. 召集,集合,檢閱;拼湊// *pass* ~通過檢查;及格,符合要求 ~*master* 檢閱官.

musty /'mʌstɪ/ *a*. (**-tier, -tiest**) 發霉的,陳腐的 **mustily** *ad*. **mustiness** *n*.

mutable /'mjuːtəbl/ *a*. 易變的;可變的;不定的,無常的;三心兩意的 **mutability** /ˌmjuːtə'bɪlətɪ/ *n*. 可變性.

mutation /mjuː'teɪʃn/ *n*. 變化,變異;更換 **mutate** /mjuː'teɪt/ *v*. (使)變異;【生】使突變 **mutant** /'mjuːtənt/ *a*. 變異的 *n*. 變種動(植)物.

mute /mjuːt/ *a*. ①啞的②緘默無言的 *n*. ③啞巴④【樂】弱音器~**d** *a*. (音)減弱了的,(色)變柔和的;(反應)減弱了的~**ly** *ad*.

muticate /'mjuːtɪˌkeɪt/ *a*. 無芒刺的;【動】無爪、齒等防衛結構的.

mutilate /'mjuːtɪleɪt/ *v*. 切斷(手、足等);使斷肢,殘害,毀傷;使殘缺不全 **mutilation** /mjutɪ'leɪʃn/ *n*.

mutiny /'mjuːtɪnɪ/ *n*. & *v*. 暴動;兵變,叛變;造反.

mutt /mʌt/ *n*. [美俚]傻子;無足輕重

的人;雜種狗.

mutter /'mʌtə(r)/ *n*. & *v*. 咕噥,小聲低語;抱怨;嘀咕 // ~*and numble* 吞吞吐吐.

mutton /'mʌtn/ *n*. 羊肉 ~**head**(~**top**)笨人,傻瓜~**y** *a*.有羊肉味的 // ~*chop* 羊排;羊肉片.

mutual /'mjuːtʃʊəl/ *a*. ①相互的,②共同的~**ly** *ad*.

Muzak /'mjuːzæk/ *n*.(飯店,商店,工廠的)音樂廣播網.

muzzle /'mʌzl/ *n*. ①(動物的)口鼻;口套②槍口;炮口;噴嘴 *v*.上口套;封住…嘴;壓制言論.

muzzy /'mʌzɪ/ *a*.(**-zier, -ziest**)[口]頭腦混亂的;遲鈍的;(醉得)發呆的 **muzzily** *ad*. **muzziness** *n*.

mW *abbr*. = milliwatt(s) *n*.【電】毫瓦(特).

MW *abbr*. = ① = megawatt(s) ② = military works 軍事工程,築壘.

my /maɪ/ *a*. ①(所有格)我的②(用於稱呼)我的 **My Lord** /mɪ 'lɔːd/ 大人,老爺(對貴族、主教、法官等尊稱).

mycology /maɪ'kulədʒɪ/ *n*. 真菌學.

mym /maɪm/ 萬米(長度單位).

myna, mynah, mina /'maɪnə/ *n*.【鳥】鷯哥,印度燕八哥.

myopia /maɪ'əʊpɪə/ = myopy /'maɪəpɪ/ *n*.【醫】近視 **myopic** /maɪ'ɒpɪk/ *a*.近視眼的;缺乏遠見的 **myopically** *ad*.

myriad /'mɪrɪəd/ *n*. 一萬;無數;極大數量 *a*.無數的.

myrrh /mɜː(r)/ *n*. 沒藥(作香料,藥材).

myrtle /'mɜːtl/ *n*.【植】番櫻桃;長春花;加州桂.

myself /maɪ'self/(*pl*.**ourselves**) *pro*.(我)自己,我(親自).

mystery /'mɪstərɪ/ *n*. ①神秘的事物,不可思議的事物②神秘,秘密;訣竅;秘訣③疑案小說[故事,電影];**mysterious** /mɪ'stɪərɪəs/ *a*.神秘的;曖昧的;故弄玄虛的 **mysteriously** *ad*.

mystic /'mɪstɪk/ *n*. 神秘主義者 *a*.神秘的,不可思議的,奧妙的,神秘主義的(=~al)~**ism** /'mɪstɪsɪzəm/ *n*.神秘,神秘主義,玄妙.

mystify /'mɪstɪfaɪ/ *vt*. 使神秘化;迷惑,蒙蔽 **mistification** /ˌmɪstɪfɪ'keɪʃn/ *n*.

mystique /mɪ'stiːk/ *n*. 神秘性;神秘氣氛;秘訣.

myth /mɪθ/ *n*. ①神話故事②奇人奇事③虛構故事 **mythical** /'mɪθɪkl/ *a*.神話般的 **mythology** /mɪ'θɒlədʒɪ/ *n*.神話學;神話;神話志.

myxoma /ˌmɪksəmə/ *n*.(*pl*. ~**s**, ~**mata**)【醫】粘液瘤 ~**tosis** /ˌmɪksəʊmə'təʊsɪs/ *n*.①粘液瘤(菌)存在②多發性粘液瘤③兔瘟病

N

N,n /en/【數】任意數;不定數;不定量.

N.,n. *abbr*. =①name 名字②navy 海軍③neuter 中性;中立者④new 新⑤【化】nitrogen 氮,氮氣⑥North 北,北方⑦number 數,號碼.

Na *abbr*. =【化】natrium 鈉 [sodium 之舊名].

NA *abbr*. =[美]National Archives 國家檔案館.

N.A. *abbr*. =①national academician 國家科學院院士 ②national academy 國家科學院③national army 國民軍.

NAA *abbr*. =National Aeronautic Association[美]全國航空協會.

NAACP *abbr*. =National Association for the Advancement of Colored People[美]全國有色人種協進會.

NAAFI *abbr*. **Naafi** /'næfɪ/ = Navy Army and Air Force Institutes [英] 海、陸、空小賣店經營機構.

naan =nan bread 印度半發酵的麵包,常做成扁平大樹葉的形狀.

nab /næb/ *vt*. (過去式及過去分詞 **nabbed**) [口]逮捕,拘捕;猛然抓住.

nabe /neɪb/ *n*. [美]鄰里電影院.

NACA *abbr*. = National Advisory Committee for Aeronautics [美] 國家航空諮詢委員會.

nacelle /næ'sel/ *n*. 【空】機艙;客艙;(輕氣球的)吊籃.

N.A.D. *abbr*. =National Academy of Design[美]國家設計院.

nadir /'neɪdɪə(r)/ *n*. ①天底(天體觀察者脚底下正中點)②最下點,最低點③最低溫度.

naevus /'niːvəs/ *n*. (*pl*. **-vi,** /-vaɪ/)【醫】痣,胎記.

NAFIA *abbr*. *n*. = North American Free Trade Agreement 北美自由貿易協定.

naff /næf/ *a*. [俚]蹩脚的;無用的.

nag /næg/ *n*. ①駑馬,老馬②舊汽車③愛嘮叨的人(尤指婦女) *v*.(過去式及過去分詞 **nagged**)嘮叨;不斷找碴;責罵;發牢騷;困擾 **nagging** *a*. & *n*.

naiad /'naɪæd/ *n*. (*pl*. **~s, naiades** /'naɪədiːz/) 希臘神話中的水仙女 [喻]女游泳者.

nail /neɪl/ *n*. ①指甲,爪②釘子 **~-brush** *n*. 指甲刷 **~ clipper** *n*. 指甲鉗,指甲刀 **~-file** *n*. 指甲銼 **~ polish,** **~ varnish** *n*. 指甲油 **~sick** *a*. (板材)因屢釘而變得不結實的;釘眼漏水的 // *hit the ~ on the head* 一針見血,正中要害;話說得中肯;說得對.

naive /naɪ'iːv/ *a*. 天真的;樸素的;戇的 **~ly** *ad*. **~ness** *n*. **~ty ~té** *n*. 質樸,樸素,天真的話語.

naked /'neɪkɪd/ *a*. 裸體的,露的;荒瘠的;率直的,露骨的 **~ness** *n*. **~ feet** *n*. 赤脚 **~ fields** *n*. 荒地 // *the ~ eye* 肉眼 *a ~ heart* 赤裸裸的心 *the ~ truth* 明明白白的事實 *a ~ debenture* [英]無擔保證券.

namby-pamby /ˌnæmbɪ 'pæmbɪ/ *a*. & *n*. ①多愁善感的(人);沒有决斷的(人)②柔弱的(文風).

name /neɪm/ *n*. ①名,名字,姓名;名

稱②名聲, 名譽; 空名; 名義, 名目③ *-pl*. 惡罵 *v*. 命名, 給…取名, 提名, 指定; 指出名字 **~less** *a*. 沒有名字的 **~ly** *ad*. 即, 換句話說, **~-dropper** *n*. 言談中常隨意提到顯要人物以抬高自己身價的人 **~sake** *n*. 同姓名的人(特指)沿用某人姓名的人 // *~ plate* 姓名牌, 名稱牌 *~ tape* 標名布條.

nan bread /nɑːn bred/ *n*. [印度]半發麵餅(簡稱 naan).

nanny /ˈnænɪ/ *n*. [英](*pl*. **nannies**) 保姆 **~ goat** 雌山羊.

nap /næp/ *n*. ①小睡, 打盹②一種牌戲, (= napoleon) ③ 孤注一擲 // *take a ~* 睡午覺 *v*. (過去式及過去分詞 **napped**) *~ or nothing* 成敗在此一舉.

napalm /ˈneɪpɑːm/ *n*. ①凝固汽油②凝固汽油彈.

nape /neɪp/ *n*. 頸背, 後頸, 項部.

naphtha /ˈnæfθə/ *n*. 【化】粗揮發油; 石腦油 **~lene** /ˈnæfθəliːn/ *n*. 【化】萘 // *~ ball* 衛生球, 樟腦丸.

napkin /ˈnæpkɪn/ *n*. 餐巾, 擦嘴布; [英](嬰兒)尿布.

Napoleon /nəˈpəʊlɪən/ *n*. 拿破侖.

nappy /ˈnæpɪ/ *n*. (*pl*. **nappies**) (嬰兒的)尿布.

narcissism /nɑːˈsɪsɪzəm/ *n*. 自我陶醉; 自戀 **narcisistic** *a*.

narcissus /nɑːˈsɪsəs/ *n*. (*pl*. **~cissi**) 水仙花.

narcotic /nɑːˈkɒtɪk/ *a*. 麻醉的; 安眠用的; 吸毒成癮的 *n*. ①麻醉劑, 安眠藥 ② 吸毒成癮的人 **narcosis** /nɑːˈkəʊsɪs/ = narcotism /ˈnɑːkətɪzəm/ *n*. 麻醉作用, 麻醉狀態; 昏睡; 不省人事.

nark /nɑːk/ *n*. [英俚]警方密探; 令人不愉快的人 *v*. 惹人生氣; 當密探, 監視 **narky** *a*. 脾氣壞的, 易發怒的 // *~ it* 住口, 停住.

narrate /nəˈreɪt/ *v*. 講述(故事)情節, 講解 **narration** *n*. **narrator** *n*. 講解員; 講述者 **narrative** /ˈnærətɪv/ *n*. 故事; 敍述; 敍事體.

narrow /ˈnærəʊ/ *a*. 狹隘的, 窄的 **~ly** *ad*. **~ness** *n*. **~-minded** 心胸狹窄的; 才疏學淺的 **~-mindedness** *n*. 氣量小; 心胸狹隘 // *~ escape* 九死一生 *~gage* 窄(鐵)軌; *v*. 變窄; 縮小 *the ~s* 狹窄的海峽; 連接兩水域之狹道.

narwhal /ˈnɑːwəl/ *n*. 一角鯨, (產於北極)(= narwhale).

NASA *abbr*. = National Aeronautics & Space Administration [美]全國航天航空管理局, 國家航空和宇航局.

nasal /ˈneɪzəl/ *a*. ① 鼻的 ② 鼻音的 **~ly** *ad*. 鼻音化地.

nascent /ˈnæsnt/ *a*. 初生的; 初期的 // *~ state* 初生態.

nasturtium /nəˈstɜːʃəm/ *n*. 旱金蓮(花).

nasty /ˈnɑːstɪ/ *a*. (**-tier, -tiest**)令人作嘔的; 俗氣; 下流的; 難以理解和處理的 *n*. 討厭的傢伙 **nastily** *ad*. **nastiness** *n*.

natal /ˈneɪtl/ *a*. 誕生的; 初生的; 生來的.

nation /ˈneɪʃn/ *n*. 國家; 民族; 種族 **~-wide** *a*. 全國性的, 全國範圍内的 // *(the) most favoured ~s* 最惠國, *(the) United Nations* 聯合國.

national /ˈnæʃnəl/ *a*. 民族的; 國家的; 國民的 **~ly** *ad*. 全國性地 **~ism** *n*. 愛國心; 國風, 民族主義, 愛國主義 **~ist** *a*. & *n*. 民族主義者(的) **~ize** /ˈnæʃnəlaɪz/ *v*. 使國家化, 國

有化 // ~ *anthem* 國歌 *N* ~ *Day* 國慶節 ~ *economy* 國民經濟 ~ *grid* 全國高壓供電聯網 ~ *income* 國民收入 *N* ~ *Insurance* 國民保險(英國對疾病、失業等的強制保險) ~ *monument*(美聯邦政府管轄的)名勝古迹 ~ *revenue* 國家歲入 *N* ~ *Service*[英]國民兵役 *N* ~ *Weather Service* 國家氣象服務站.

nationality /ˌnæʃəˈnælətɪ/ *n*. 國民性,民族性;國籍;船籍,國民 // *the minority nationalities* 少數民族, *the dual* ~雙重國籍.

native /ˈneɪtɪv/ *a*. ①出生地,本地的②土著的,本地的③天生地 *n*.本地人;土著,土人 **~ly** *ad*. **~ness** *n*.

Nativity /nəˈtɪvətɪ/ *n*. ①誕生②[N-]耶穌誕生,聖母瑪利亞誕生節.

NATO *abbr*. = North Atlantic Treaty Organization 北大西洋公約組織.

natter /ˈnætə(r)/ *vi*. ①閑談,瞎扯②發牢騷 *n*.談話,聊天.

natty /ˈnætɪ/ *a*. (**-tier**, **-tiest**) ①(外貌,衣着)整潔的,乾淨的,清爽的②靈巧的,敏捷的 **nattiness** *n*.

natural /ˈnætʃrəl/ *a*. ①自然的②天然的③固有的;天生的;常態的④逼真的⑤庶出的,私生的 **~ly** *ad*. **~-born**天生的;本國出生的; **~ism** *n*.自然(主義);本能行動; **~ist** *n*.博物學家;自然主義者;[英]鳥商剝製師 **~istic** *a*.自然主義;寫實的;博物學的 **naturalize** *v*.①使歸化,使入國籍②馴化,風土化 **naturalization** *n*.馴化,歸化,入國籍 // ~ *gas* 天然氣 ~ *history* 博物學 ~ *law* 自然規律 ~ *science* 自然科學.

nature /ˈneɪtʃə(r)/ *n*. ①大自然,自然界②原始狀態③天性,本性;脾性;性質;品種;類別 **~d** *a*.有…脾氣的 **good-~d** *a*.脾氣好的 **ill-~d** *a*.脾氣壞的 **naturism** *n*.自然主義;[婉]裸體主義; **naturist** *n*.裸體主義者.

naught /nɔːt/ *n*. ①無;無價值②【數】零(= nought).

naughty /ˈnɔːtɪ/ *a*. (**-tier**, **-tiest**) 淘氣的,頑皮的;撒野的;不聽話的 **~tily** *ad*. **~tiness** *n*.

nausea /ˈnɔːsɪə/ *n*. ①噁心;嘔吐;暈船②極度厭惡 **~nt** /ˈnɔːzɪənt/ *n*. 嘔吐劑 **~te** /ˈnɔːsɪeɪt/ *v*. 使嘔吐;使厭惡 **nauseous** /ˈnɔːsɪəs/ *a*. 令人作嘔的;討厭的.

naut *abbr*. = nautical /ˈnɔːtɪkl/ *a*. 海上的;船舶的;水手的 // ~ *mile* = sea mile, 浬即 1852 米(長度), ~ *terms* 航海用語.

nautical/ˈnɔːtɪkəl/*a*. 航海的;海上的;海員的.

nautilus /ˈnɔːtɪləs/ *n*. (*pl*. **~es**, **-li** /-laɪ/)鸚鵡螺.

nav *abbr*. = ①naval ②navigable ③navigation .

navaid /ˈnæveɪd/ *n*. 助航裝置系統.

naval /ˈneɪvl/ *a*. 海軍的;軍艦的 **~y** *ad*.

nave /neɪv/ *n*. 【建】教堂中殿;聽衆席.

navel /ˈneɪvl/ *n*. 肚臍;中心;中央 // ~ *orange* 甜臍橙 ~ *string* (*cord*) 臍帶.

navigate /ˈnævɪgeɪt/ *vt*. ①駕駛(船,飛機)②導航,領航③航行;橫渡 **navigable** *a*.可航行的,適航的 **navigation** /ˌnævɪˈgeɪʃn/ *n*. 航行,導航,領航,航海術; **navigator** /ˈnævɪgeɪtə/ *n*. 航行者,領航員.

navvy /ˈnævɪ/ *n*. (築鐵路、挖運河的)勞工;掘土機,挖泥機.

navy /ˈneɪvɪ/ *n*. 海軍;海軍官兵 [英]

海軍部 // ~ *blue* 藏青色 ~ *yard* [美]海軍造船廠.

nay /neɪ/ *a*. [古]不, 否, 非也(= no) // *yea and ney* 支支吾吾; 模棱兩可.

Nazi /'nɑːtsɪ/ *n*. 納粹(德國國家社會黨(的)成員, 法西斯分子) **Nazism** *n*. 納粹主義.

N. B., NB, nb *abbr*. = nota bene [拉]注意, 留心 (即 note well).

NBC *abbr*. = National Broadcasting Company [美]全國廣播公司.

NbE, N by E *abbr*. =north by east 北偏東.

NbW, N by W *abbr*. =north by west 北偏西.

NCO *abbr*. =noncommissioned officer 軍士.

Nd *abbr*. =【化】neodymium 釹(元素).

Nd *abbr*. =【化】neon 氖(元素).

NE, NE, ne *abbr*. = ① northeast; northeastern 東北 ② New England 新英格蘭③no effects 無存款.

Neanderthal/nɪ'ændətɑːl/*a*. ①(公元前12000年居住在歐洲的原始人)尼安德特人的; (類似)尼安德特人的②原始人似的; 兇暴粗魯的.

neap-tide /niːp taɪd/ *n*. 最低, 最小的潮水, 小潮.

near /nɪə(r)/ *a*. ①近, 接近, 鄰近②差不多; 相近; 將近③節省地 **~by** *a*. 附近的; **~ly** *a*. 幾乎 **~ness** *n*. 接近; 附近 **~-sighted** *a*. 近視的 **~-term** *a*. 近期的 // ~ *by* 在附近 *draw* ~ 接近, 靠近, 來臨 *far and* ~ 遠近, 到處 ~ *at band* 即將到來, 在手頭 ~ *and dear* 極親密.

neat /niːt/ *a*. 乾淨的, 整潔的; 勻稱的; 端正的; 簡潔的, 適當的; 靈巧的 **~ly** *ad*. **~ness** *n*. **~en** *v*. 使乾淨.

nebula /'nebjʊlə/ *n*. (*pl*. **-lae** /-liː/) ①【天】星雲, 雲狀, 霧影②【醫】角膜翳③噴霧劑 **nebulous** /'nebjʊləs/ *a*. 星雲的; 雲霧狀的; 朦朧的; 模糊的.

necessary /'nesəsərɪ/ *a*. 必要的; 不可缺的; 必然的 **necessarily** *ad*. 必定, 必然, 當然 **necessitate** /nɪ'sesɪteɪt/ *vt*. ①使成為必需, 使需要②強迫, 迫使 **necessitous** /nɪ'sesɪtəs/ *a*. 窮困的; 必需的; 緊迫的 **necessity** /nɪ'sesətɪ/ *n*. ①需要; 必要性②必需品③必然性.

neck /nek/ *n*. ①頸, 脖子, (衣)領; ②海峽; 狹路 *vi*. 摟住脖子親嘴; 擁抱 **~erchief** /'nekətʃɪf/ *n*. 圍巾, 圍脖兒 **~lace** *n*. 項鏈, 項圈 **~let** *n*. 小項圈 **~line** *n*. 領口 **~piece** *n*. 裝飾性圍巾 **~tie** *n*. 領帶; [美俚]絞索.

necromancy /'nekrəumænsɪ/ *n*. ①向亡靈問卜的巫術②妖術; 巫術.

necropolis /nɪ'krɒpəlɪs/ *n*. 大墓地.

nectar /'nektə(r)/ *n*. ①甘露; 蜜酒②【植】花蜜③一種汽水.

nectarine /'nektərɪn/ *n*. 【植】油桃 *a*. 甘美的.

née /neɪ/ *a*. [法](已婚女子的)娘家姓如: Mrs. Smith, ~ Jones 娘家姓瓊斯氏的史密斯夫人.

need /niːd/ *n*. ①必要, 需要②缺乏, 不足③需求④貧窮⑤危急的時候 *v*. 要, 必須; 不得不 **~ful** /'niːdfl/ *a*. 必要的, 不可缺少的 **~less** *a*. 不必要的 **~y** *a*. 貧窮的.

needle /'niːdl/ *n*. ①針, 縫針, 編織針②磁針, 羅盤針【植】針葉 *v*. 拿針縫; 扎針治療; 刺激 **~-beer** *n*. [美俚]加了酒精的啤酒 **~point** *n*. 針尖, 刺綉, 針綉花邊 **~work** *n*. 針綫活, 縫紉, 刺綉.

ne'er /neə(r)/ [詩] = never **ne'er-do-well** *n*. 廢物蛋,沒用的人,飯桶.

nefarious /nɪ'feərɪəs/ *a*. 惡毒的,窮兇極惡的 **~ly** *ad*.

negate /nɪ'geɪt/ *v*. 否定,否認;取銷;使無效 **negation** /nɪ'geɪʃn/ *n*. 拒絕,反對;無,不存在【邏】否定之斷定.

negative /'negətɪv/ *a*. 否定的;拒絕的;反對的;消極的【電】陰(性)的,負(極)的 *n*. ①否定詞語②消極性【攝影】照相底片 **~ly** *ad*. **~ness** *n*. 否定(消極)性 **negativism** /'negətɪvɪzəm/ *n*. 否定論;消極主義;懷疑主義.

neglect /nɪ'glekt/ *v*. 輕視;忽視,無視;忽略;漏做 *n*. 疏忽;忽略 **~ful** *a*. 疏忽的;不留心的;冷淡的.

negligee /'neglɪʒeɪ/ *n*. [法]女便服;長睡衣 *a*. 隨便的.

negligence /'neglɪdʒəns/ *n*. ①疏忽失職【律】過失;粗心大意;不介意;冷淡 ②懶散;不整齊 **negligent** *a*.

negligible /'neglɪdʒəbl/ *a*. 無足輕重的,微不足道的;可忽略的;很小的 **negligibility** *n*. **negligibly** *ad*.

negotiable /nɪ'gəʊʃɪəbl/ *a*. ①可協商的,可談判的②可轉讓的③可通行的,可流通的 **negotiability** *n*.

negotiate /nɪ'gəʊʃɪeɪt/ *vt*. 議定,商定,談判【貿】轉讓,兌現 [口]通過,跳過 *vi*. 交涉,談判 **negotiation** /nɪˌgəʊʃɪ'eɪʃn/ *n*. ①協商;談判;交涉;協定②讓與;議付;交易 **negotiator** *n*. 協商者,談判者.

Negro /'niːgrəʊ/ *n*. (*pl*. **~es**) [貶]黑人,黑種人(現多用 black) *a*. 黑人的;黑的 **Negress** /'niːgres/ *n*. [貶]女黑人 **Negroid** /'niːgrɔɪd/ *a*. 黑人(似)的 **Negrophobe** /-fəʊb/ *n*. 畏懼黑人的人.

neigh /neɪ/ *n*. 嘶鳴聲 *vi*. (馬)嘶.

neighbour /'neɪbə(r)/ *n*. 街坊,鄰居,鄰近的人 **~hood** *n*. 四鄰,街坊,鄰里 **~ing** *a*. 鄰近的,毗鄰的,接壤的 **~ly** *a*. 像鄰人的;親切的;和睦的 // *~hood watch* 鄰里互相照料.

neither /'naɪðə(r), niːðə(r)/ *ad*. 兩者都不,也不 // *N- he nor I knew*. 他不知道,我也不知道 *~ flesh nor fish* 非驢非馬.

Nelson, Horatio /'nelsən/ *n*. 納爾遜,(1758-1805)英海軍大將.

nemesis /'neməsɪs/ *n*. (*pl*. **-eses** /-əsiːz/) ①復仇者;給以報應者②天罰,報應.

neo- 前綴,意為"新","新近","近代的".

neo-con /'niːəʊ'kɒn/ *n*. 【政】新保守主義者 *a*. 新保守主義的.

neoconservatism /ˌniːəʊkən'sɜːvətɪzəm/ *n*. 【政】新保守主義.

neoconservative /ˌniːəʊkən'sɜːvətɪv/ *n*. 新保守主義者 *a*. 新保守主義的.

neolithic /ˌniːə'lɪθɪk/ *a*. 新石器時代的.

neologism /niː'ɒlədʒɪzəm/ *n*. ①新詞;舊詞新義②新詞的使用③【宗】新教義的遵守(採用) **neologize** /niː'ɒlədʒaɪz/ *v*. 創造新詞(新義),使用新詞(新義)【宗】採用新說.

neon /'niːɒn/ *n*. 【化】氖 // *~ light* 氖光燈,霓虹燈.

neonate /'niːəʊneɪt/ *n*. 出生不滿一月的嬰兒,新生兒; **neonatal** /niːəʊ'neɪtəl/ *a*.

neophyte /'niːəfaɪt/ *n*. ①【宗】新入教者,新祭司②新來者;初學者,生手[美]大學一年級生.

nephew /'nevju:, 'nefju:/ *n*. 侄子;外甥.

nephritis /nɪ'fraɪtɪs/ *n*. 【醫】腎炎 **nephritic** /nɪ'frɪtɪk/ *a*. 腎的.

nepotism /'nepətɪzəm/ *n*. 袒護(重用)親戚,任人唯親;裙帶關係 **nepotic** /ni'pɒtɪk/ *a*.

Neptune /'neptju:n/ *n*. ①【羅神】海神,尼普頓②【天】海王星③海,海洋 // ~'*s revel* 赤道節, *son of* ~水手,船夫.

neptunium /nep'tju:nɪəm/ *n*. 【化】鎿(原譯錼).

nerve /nɜ:v/ *n*. ①神經②膽力;勇氣;果斷;膽略[口]冒昧;大膽③中樞,核心(*pl*.)④膽怯;憂愁;神經過敏 *vt*.鼓勵,激勵 ~**less** /'nɜ:vlɪs/ *a*. ①無力的;無生氣的;②沉着的;鎮靜的③無知覺的 **nervy** /'nɜ:vɪ/ *a*. [美]大膽的,有勇氣的[英口]神經質的,神經緊張的,[俚]冷靜的;厚臉的 ~**-centre** 神經中樞 ~**-racking** 使人心煩的;傷腦筋的 // ~ *fibre* 神經纖維 ~ *gas* 神經錯亂性毒氣~ *strain* 神經過勞.

nervous /'nɜ:vəs/ *a*. ①神經(方面)的②神經過敏的;易怒的③有勇氣的④緊張不安的;膽小的 ~**ly** *ad*. // ~ *disease* 神經病 ~ *Nellis* [俚]膽小鬼;無用的人 ~ *breakdown* 神經衰弱 ~ *system* 神經系統 *feel* ~ *about* 以…為苦,害怕…,擔心….

nest /nest/ *n*. ①巢,窩,窟②安息處;住處;休息處;避難,隱蔽處③一窩雛,(鳥蟲等的)群,一套 *v*.築巢,使進窩,使伏窩 // ~ *egg* 留窩蛋[喻]儲備金(物).

nestle /'nesl/ *v*. ①[罕]營巢,造窩②安頓,安居③偎依,緊貼一起,懷抱 ~**ing** *n*.剛孵出的雛(鳥).

net /net/ *n*. ①網,網眼織物;網狀物②羅網;陷阱 *v*.(過去式及過去分詞 **netted**)①用網捉,撒網,用網覆蓋②誘入網套 *a*.純的;淨的;無虛價的;基本的;最後的.

nether /'neðə(r)/ *a*. [古]下面的 // ~ *lip* 下唇, ~ *garments* [謔]褲子 ~ *regions* 冥府,地獄 ~ *world* 陰間;來世.

nettle /'netl/ *n*. 蕁麻,[喻]使人煩惱的事,苦惱 *v*.激,激怒,惹~**-rash** 蕁麻疹~**some** /-səm/ *a*. 惱火的.

network /'netwɜ:k/ *n*. 網眼織物,網狀系統,聯絡網;電路,網絡 *v*.建立關係網.

neural /'njʊərəl/ *n*. 【解】神經(系統)的 ~**ly** *ad*.

neuralgia /njʊə'rældʒə/ *n*. 【醫】神經痛.

neuritis /njʊə'raɪtɪs/ *n*. 【醫】神經炎.

neurology /njʊə'rɒlədʒɪ/ *n*. 神經病學 **neurological** /ˌnjʊərə'lɒdʒɪkl/ *a*. **neurologist** /njʊə'rɒlədʒɪst *n*. 神經病學家;神經病專科醫生.

neurosis /njʊə'rəʊsɪs/ *n*. (*pl*. **-oses** /-əʊsi:z/ 精神神經病;神經官能症 **neurotic** /njʊə'rɒtɪk/ *a*. 神經的;神經(機能)病的(人).

neurosurgery /ˌnjʊərəʊ'sɜ:dʒərɪ/ *n*. 神經外科.

neuter /'nju:tə(r)/ *n*. & *a*. 中性(的);無性(的);中立(的).

neutral /'nju:trəl/ *a*. ①中立的②不偏向的;中庸的;不鮮艷的;非彩色的③【化,電】中性的,中和的④無性的 *n*.①中立者;中立國②【機】空檔 ~**ity** /nju:'trælətɪ/ *n*. ①中立;中立地位;不偏不倚②中性,中和 ~**ize** /'nju:trəlaɪz/ *vt*. ①使中立化②【電,化】使中和【物】使平衡;③抵銷;使

失效 // ~ *gear* 空檔.

neutrino /njuːˈtriːnəʊ/ *n*. (*pl*. **-noes**)【物】中微子.

neutron /ˈnjuːtrɒn/ *n*.【物】中子 // ~ *bomb* 中子彈.

never /ˈnevə(r)/ *ad*. (ever 的否定形式)決不, 永不; 從來沒有 **~theless** /ˌnevəðəˈles/ *ad*. 仍然, 不過, 可是; 儘管如此.

never-never /ˈnevəˈnevə(r)/ *n*. ①邊遠地區, 不毛之地②理想的地方③[英俚]分期付款制 *a*. 想像中的; 非真實的.

new /njuː/ *a*. ①新的; 新開發的②初次的; 新奇的③新鮮的, 新到的④生的, 不熟悉的⑤另加的 *ad*. 最近 **~-born** *a*. 新生(的) **~-coined** 新造的, **~-comer** 新來的(人); 陌生人 **New England**[美]新英格蘭 **~fangled** *a*. 新花樣的; 過分摩登的 **~-fashioned** *a*. 新式的, 新流行的 **~ish** /ˈnjuːɪʃ/ *a*. 有些新的, 相當新的 **~ly** *ad*. ①最近, 新近②重新, 又, 再度 // *N~ Testament*(基督教的)《聖經·新約》 ~ *town* 新市鎮, 衛星城 *New World* 新世界(指西半球).

newel /ˈnjuəl/ *n*.【建】(螺旋梯的)中心柱, (樓梯兩端支持扶手的)望柱, 起柱.

news /njuːz/ *n*. ①新聞, 消息; 新聞報道②新鮮事, 奇聞③音信 **~-agent** *n*. 報刊經銷人 **~caster** *n*. 新聞廣播員 **~flash** *n*. 簡明新聞 **~-hen** *n*. [美俚]女新聞記者 **~letter** *n*. 時事通訊, 新聞信札 **~monger** *n*. 愛傳新聞的人 **~paper** *n*. 新聞紙, 報紙 **~print** *n*. (印報用)白報紙 **~reel** *n*. 新聞片 **~-room** *n*. [英]閱報室, [美](報館, 電台)編輯部 **~-stand** *n*. 報亭, 報攤 **~worthy** *a*. 有新聞價值的 **~y** *a*. 新聞多的.

newt /njuːt/ *n*.【動】蠑螈.

newton /ˈnjuːtn/ *n*.【物】牛頓(MKS 米-千克-秒制力的單位)【化】牛頓(粘度單位).

next /nekst/ *a*. ①其次的, 下次的, 接着來的②隔壁的, 挨着的 // ~ *door* 隔壁 ~ *of kin* 最近親.

nexus /ˈneksəs/ *n*. 連繫, 聯絡; 網絡; 連杆; 關係.

NHS *abbr*. = National Health Service [英]國家保健局.

Ni *abbr*.【化】= nickel 鎳.

NI *abbr*. = ①National Insurance 國民保險; ②Northern Ireland 北愛爾蘭; ③national income 國民收入; ④net income 淨收入.

nib /nɪb/ *n*. 鋼筆尖 [俚]要員, 重要人物.

nibble /ˈnɪbl/ *vt*. ①一點一點地咬②找碴兒 *n*. 咬一小口; 吃少量飯.

nibs /nɪbz/ *n*. (his, her nibs) [美口]自以為了不起的要人, // *his* ~ 那位大人(先生).

Nicaragua /ˌnɪkəˈrægjuə/ *n*. 尼加拉瓜(位於中美洲).

nice /naɪs/ *a*. 好的, 不錯的; 漂亮的; 親切的; 懇切的; 吸引人的; 微妙的 [反]討厭的 **~ly** *ad*. ①好好地; 漂亮地, 機敏地; 愉快地, 規規矩矩地②非常講究地③恰好 **~ty** *n*. 細微的區別; 微妙之處; 精密; 考究.

niche /nɪtʃ/ *n*. 壁龕; 適當的地位.

nick /nɪk/ *v*. ①刻痕於, 弄缺口②說中③[俚]偷竊④[英俚]逮捕 *n*. 刻口, 刻痕, 縫隙 [俚]監獄, 警局, [美俚]五分鎳幣 **~name** *n*. 綽號, 諢名, 外號; 教名 // *in good* ~ 狀況良好 *in the* ~ *of time* 在緊要關頭; 恰好.

nickel /'nɪkl/ *n*.【化】鎳;[加,美]五分鎳幣.

nickelodeon /ˌnɪkə'ləʊdɪən/ *n*. [美]①(門票一律五分的)五分戲(影)院②投幣式自動點唱機(=jukebox).

nicotin(e) /'nɪkətiːn/ *n*.【化】尼古丁,烟鹼,烟草素.

niece /niːs/ *n*. 侄女;甥女.

nifty /'nɪftɪ/ *a*.(**-tier**; **-tiest**) [美俚]俏皮的,漂亮的.

niggard /'nɪgəd/ *n*. 小氣鬼 **~ly** *a*. & *ad*. 小氣的(地).

nigger /'nigə(r)/ *n*. [口][蔑]黑人.

niggle /'nɪgl/ *v*. 為小事操心;不斷找碴 *n*. 麻煩事 **niggling** *n*.

nigh /naɪ/ *ad*. & *prep*. (**-er**, **-est**) [詩]靠近,附近.

night /naɪt/ *n*. 夜,夜晚,晚間;黑夜 **~ly** *ad*. & *a*. 每夜(的) **~-cap** *n*. 睡帽 [俚]睡前酒 **~club** *n*. 夜總會 **~dress** *n*. 女睡衣 **~fall** *n*. 黃昏 **~gown** *n*. 睡衣,睡袍 **nightingale** /'naɪtɪŋgeɪl/ *n*.【鳥】夜鶯 **~jar** *n*.【鳥】歐夜鶯(喻)夜間幹壞事的人;夜遊人 **~man** *n*. 掏糞工,守夜人 **~mare** *n*. 睡魔,惡夢;恐怖感 **nighty-night** /'naɪtɪ'naɪt/ *n*. 晚安. **~shade** *n*.【植】茄屬(有毒植物) **~ shift** *n*. 夜班 **~shirt** *n*. (男用)睡衣 **~ soil** *n*. 大糞,糞便 **~time** *n*. 夜間 **~-viewer** *n*. 夜間(紅外綫)觀察器 **~work** *n*. 夜間工作.

nihilism /'naɪɪlɪzəm/ *n*.【哲】①虛無主義;懷疑論;無政府主義②恐怖手段 **nihilist** *n*. **nihilistic** /ˌnaɪɪ'lɪstɪk/ *a*.

nil /nɪl/ *n*. 無;零(=zero).

nimble /'nɪmbl/ *a*. 敏捷的,靈活的;機警的 **nimbly** *ad*. **~ness** *n*.

nimbus /'nɪmbəs/ *n*. (*pl*. **~es**; **-bi** /-baɪ/)【氣】雨雲.

nincompoop /'nɪŋkəmpuːp/ *n*. 傻瓜,笨蛋.

nine /naɪn/ *num*. 九,九個 **ninth** /naɪnθ/ *num*. 第九(的) **~teen** /ˌnaɪn'tiːn/ *num*. 十九 **~teenth** *num*. 第十九 **ninety** *num*. 九十 **ninetieth** *num*. 第九十 **ninefold** /'naɪnfəʊld/ *a*. 九倍的 **~pin** *n*. 九柱戲 // *~ teenth hole* 高爾夫球場裏的酒吧間.

nip /nɪp/ *v*. (**-ped**)夾,掐,捏;輕咬[俚]跑,趕;搶去;偷走;逮捕 **~per** *n*. [英口](無賴)少年;吝嗇鬼 **~py** *a*. 寒冷,刺骨的;敏捷的,伶俐的.

nipple /'nɪpl/ *n*. ①奶頭 ②奶頭狀突起.

nirvana /nɪə'vɑːnə/ *n*. ①【佛】涅槃;極樂世界②解脫.

nisi /'naɪsaɪ/ *a*.【律】否則;非絕對的 // *decree* ~在一定期限內不提出異議即作確定的判決.

nit /nɪt/ *n*. ①虱卵 ②[美]沒用的人,飯桶(= nitwit) **~-picking** *a*. & *n*. 找碴兒,挑剔.

nitrogen /'naɪtrədʒən/ *n*.【化】氮,氮氣 **nitric** /'naɪtrɪk/ *a*. 氮的; **nitrous** /'naɪtrəs/ *a*. 亞硝酸的 **nitrogenous** /naɪ'trɒdʒənəs/ *a*. 含氮的 **nitrate** *n*.【化】硝酸鹽,硝酸根 **nitroglycerin(e)** /ˌnaɪtrəʊ'glɪsəriːn/ *n*.【化】消化甘油,甘油三硝酸脂,炸油.

nitty-gritty /'nɪtɪ 'grɪtɪ/ *n*. [俚]基本事實;本質;事實.

no /nəʊ/ *a*. 沒有;不;不可 *ad*. 根本不;否 // *~-claim bonus* (保險費)無賠款折扣 *~ go area* 禁區 *~ man's-land* 無主土地;真空地帶 *~ man* ①=nobody ②不肯妥協的人.

no. = number 數之縮略 **No. 1** 第一,

一流;自己.

nob /nɒb/ *n*. ①[俚]頭;頭上的一擊②球形門把③富豪;上流人物.

nobble /'nɒbl/ *vt*. [俚]勾引人說話;收買加威脅.

Nobel Prize /'nəʊˌbel 'praɪz/ *n*. 諾貝爾獎金.

noble /'nəʊbl/ *a*. ①崇高的,高尚的②貴族的,高貴的③壯麗宏偉的 *n*. 貴族 **nobility** /nəʊ'bɪlətɪ/ *n*. 貴族身份,高尚 **nobly** *ad*. **~man** *n*. 貴族 **~woman** *n*. 貴婦.

noblesse /nəʊ'bles/ *n*. [法]貴族;貴族的地位(階級) // ~ *oblige* 位高則任重,(常帶譏諷).

nobody /'nəʊbədɪ/ *pro*. 無人;誰也不 *n*. 無名小卒.

nocturnal /nɒk'tɜːnl/ *a*. 夜的;夜間的,夜出的 **~y** *ad*.

nocturne /'nɒktɜːn/ *n*. 【樂】夜曲,夢幻曲.

nod /nɒd/ *n*. & *vt*. 點(頭);點頭表示(同意,打招呼),低頭 // ~ *off* 打瞌睡.

noddle /'nɒdl/ *n*. [口]頭,腦袋瓜.

node /nəʊd/ *n*. 節,結;瘤【植】莖節【天】交點.

nodule /'nɒdjuːl/ *n*. 小結,小瘤【醫】結核 // ~ *bacteria* 根瘤菌.

Noel, Nowel /nəʊ'el, no'ɛl/ *n*. 聖誕節, **n**~ 聖誕頌歌.

noggin /nɒgɪn/ *n*. ①一小杯(酒),[俚]鉛桶②[美俚]頭;腦筋.

noise /nɔɪz/ *n*. ①聲音②叫喊,嘈雜聲;噪音;喧鬧;吵鬧 **~ful** *a*. 吵鬧的 **~less** *a*. 沒有聲音的,非常安靜的 **~maker** *n*. 發出嘈雜聲的人群 **~proof** *a*. 防雜音的,隔音的 **noisily** *ad*. 大聲,吵鬧地 **noisy** *a*. 嘈雜的,喧鬧的 // *be noised abroad* 謠傳.

noisome /'nɔɪsəm/ *a*. 有害的;有毒的;惡臭的 **~ly** *ad*.

nomad /'nəʊmæd/ *n*. 遊牧民族一員,流浪者 **~ic** *a*.

nom de plume /ˌnɒm də 'pluːm/ [法] *n*. 筆名.

nomenclature /nə'menklətʃə(r)/ *n*. (科學,文藝等的)命名法,專門用語,名稱,術語.

nominal /'nɒmɪnəl/ *a*. ①名義上的,空有其名的②微不足道的③名稱上的,票面上的 *n*. 名詞性的詞 **~ly** *ad*.

nominate /'nɒmɪneɪt/ *vt*. ①提名,任命,指定,推薦②命名 **nomination** /ˌnɒmɪ'neɪʃn/ *n*. **nominative** *a*. 【語】主格的 /-neɪtɪv/ 被提名的 **nominator** *n*. 提名(任命,推薦)者 **nominee** /ˌnɒmɪ'niː/ *n*. 被提名(指定,任命,推薦)者.

non /nɒn/ [前綴],非,不是(=not).

nonagenarian /ˌnɒnədʒɪ'neərɪən/ *a*. & *n*. 九十至九十九歲的(人).

nonaggression /ˌnɒnə'greʃn/ *n*. 不侵略,不侵犯.

nonagon /'nɒnəgɒn/ *n*. 【數】九邊形 **~al** *a*.

nonalcoholic /ˌnɒnælkə'hɒlɪk/ *a*. 不含酒精的.

nonaligned /ˌnɒnə'laɪnd/ *a*. 不結盟的 **nonalignment** *n*.

nonce /nɒns/ *n*. 現時,目前 **a ~-word** (為某一場合或特殊需要而)臨時造的詞. // *for the* ~目前,暫且 *-a*.

nonchalant /'nɒnʃələnt/ *a*. 不關心的,漫不經心的;冷淡的 **~ly** *ad*. **nonchalance** /'nɒnʃələns/ *n*. 無動於衷.

non-combatant /ˌnɒn 'kɒmbətənt/ *a*. & *n*. 非戰鬥人員.

non-commissioned /ˌnɒn kə'mɪʃənd/

a. 無委任狀的;無軍銜的 // ~ *officer* 軍士.

non-committal /ˈnɒn kəmɪtl/ *a*. (態度)不明朗的;不承擔義務的.

non compos mentis /ˌnɒn ˈkɒmpəs ˈmentɪs/ *a*. [拉]【律】精神失常的.

non-conductor /ˌnɒn kənˈdʌktə(r)/ *n*. 【物】非導體,絕緣體.

nonconformist /ˌnɒnkənˈfɔːmɪst/ *n*. ①非國教教徒②不符合傳統規範的 *a*. 不信奉國教的,不墨守成規的 **nonconformity** *n*.

non-contributory /ˌnɒn kənˈtrɪbjʊtrɪ/ *a*. 非捐助的.

nondescript /nɒnˈdɪskrɪpt/ *a*. 形容不出的,莫明其妙的,不三不四的.

none /nʌn/ (=no one)沒有任何事物;沒有任何人,沒人 **nonetheless** /ˌnʌnðəˈles/ *ad*. (= **nevertheless, however**).

nonentity /nɒˈnentətɪ/ *n*. 無足輕重的人(東西).

nonessential /ˌnɒnɪˈsenʃəl/ *a*. & *n*. 非本質的(東西);不重要的(人).

non-event /nɒnɪˈvent/ *n*. 大肆宣揚但並未發生的事.

non-existent /nɒnɪgˈzɪstənt/ *a*. 不存在的 **nonexistence** *n*.

non-flammable /ˌnɒnˈflæməbl/ *a*. 不易燃的.

non-intervention /ˌnɒnɪntəˈvenʃn/ *n*. 不干涉主義.

non-nuclear /ˌnɒnˈnjuːklɪə(r)/ *a*. 非核的 // ~ *warfare* 常規戰爭.

nonpareil /ˌnɒnpəˈreɪl/ *a*. 無與倫比的,無雙的.

nonpartisan /ˌnɒnˈpɑːtɪzæn/ *a*. 超黨派的,不受任何黨派控制的.

non-payment /ˌnɒnˈpeɪmənt/ *n*. 不支付,無支付能力.

nonplussed /ˌnɒnˈplʌst/ *n*. 左右為難的,狼狽不堪的.

nonsectarian /ˌnɒnsekˈteərɪən/ *a*. 非宗派的.

nonsense /ˈnɒnsns/ *n*. ①無意義的話②胡說,廢話;胡扯;荒唐;胡鬧 **nonsensical** /nɒnˈsensɪk/ *a*.

non sequitur /ˌnɒn ˈsekwɪtə(r)/ *n*. [拉]【邏】不根據前提之推理.

non-smoker /ˌnɒn ˈsməʊkə(r)/ *n*. 不吸烟的人;禁烟場所.

nonstandard /nɒnˈstændəd/ *a*. 不規範的,不標準的.

non-starter /ˌnɒn ˈstɑːtə(r)/ *n*. 無多大希望成功的人(事).

non-stick /ˌnɒn ˈstɪk/ *a*. 不粘(包裝)的.

non-stop /ˌnɒn ˈstɒp/ *a*. 不停的,(飛機,列車等)直達的.

nontoxic /nɒnˈtɒksɪk/ *a*. 無毒的.

nonuniform /nɒnˈjuːnɪfɔːm/ *a*. 不一致的,不統一;不均勻的.

non-violence /ˌnɒnˈvaɪələns/ *n*. 非暴力主義.

noodle /ˈnuːdl/ *n*. 麵條,粉條 **~head** *n*. 笨蛋,傻瓜.

nook /nʊk/ *n*. 凹角,角落;隱匿處,躲避處.

noon /nuːn/ *n*. 正午,中午 **~day**[詩] *n*. 正午,全盛 = ~tide, ~time.

noose /ˈnuːs nʊs/ *n*. 套索,絞索 [喻]束縛;圈套,羈絆.

nor /nɔː(r)/ *conj*. (既不)…也不…(同 not, neither 連用).

Nordic /ˈnɔːdɪk/ *a*. ①北歐人的②[俚]亞利安人.

norm /nɔːm/ *n*. ①規範,模範;準則;標準②定額.

normal /ˈnɔːml/ *a*. ①正常的;平常的;普通的②正規的;標準的;額定的

③智力正常的 **~ly** *ad*. **~ity** /nɔːˈmælətɪ/ *n*. 正常狀態,標準【化】規度 **~ize** /ˈnɔːməlaɪz/ *v*. 標準化;正常化.

Norse /nɔːs/ *n*. & *a*. 斯堪的納維亞(的)挪威人(語).

north /nɔːθ/ *n*. ①北②北方③北部 *a*.北的,北方的 *ad*.在北方,向北 **~ly** *a*. **~ern** /ˈnɔːðən/ *a*. 北的,北方的 **~erner** *n*.北方人 **~bound** *a*. 向北方的,北行的 **~wards** *ad*.向北 // *N- pole* 北極 *N- Sea* 北海(英國西歐之間)*N-star* 北極星.

nos *abbr*. = numbers.

nose /nəʊz/ *n*. ①鼻;吻;嗅覺②汽車(飛機等的)前頭突出部分 **~-ape** *n*.【動】長鼻猿 **~bag** *n*.馬糧袋,防毒面具 **~bleed** *v*.鼻出血 **~-dive** *n*.【空】俯衝,急降 **~gay** *n*.(芳香)花束 **~y** 或 **nosy** *a*. 大鼻子的;好管閑事的 **nosiness** *n*.

nosh /nɒʃ/ *n*. (吃)快餐,小吃 *v*.吃.

nostalgia /nɒˈstældʒə/ *n*. 鄉愁;懷舊 **nostalgic** /nɒˈstældʒɪk/ *a*.

nostril /ˈnɒstrəl/ *n*. 鼻孔.

nostrum /ˈnɒstrəm/ *n*. 秘方;假藥,萬應靈藥.

not /nɒt/ *ad*. 不(否定語).

notable /ˈnəʊtəbl/ *a*. 值得注意的;著名的 *n*.要人,著名人士 **notably** *ad*. **notability** /ˌnəʊtəˈbɪlətɪ/ *n*. 知名人士.

notary /ˈnəʊtərɪ/ *n*. 公證人(亦稱 ~ **public**).

notation /nəʊˈteɪʃn/ *n*. 記號,符號,標誌.

notch /nɒtʃ/ *n*. ①V 字形槽口,凹口②[美]山谷③[口]等,級.

note /nəʊt/ *n*. ①筆記,記錄②註釋③便條(外交)照會④鈔票⑤【樂】音色,調子 *v*.注意,注目;加註釋 **~book** *n*.筆記本 **~d** *a*.著名的,知名的 **~let** *n*.短簡,短信 **~paper** *n*.信紙,便條紙 **~worthy** *n*. /ˈnəʊtˌwɜːðɪ/ 值得注意的,顯著的.

nothing /ˈnʌθɪŋ/ *n*. ①沒有,沒有甚麼東西(甚麼事)②無價值的人(事,物);瑣事 *ad*.毫不,决不 **~ness** *n*.

notice /ˈnəʊtɪs/ *n*. ①注意②通知,通告,佈告③離職通知 *v*.注意到;看到;留心;提及;評介 **~able** *a*.引人注意的,顯著的 **~ably** *ad*. // *notice board* 佈告牌.

notify /ˈnəʊtɪfaɪ/ *vt*. ①通告,宣告,佈告,通知②報告 **notifiable** /ˈnəʊtɪfaɪəbl/ *a*. 應通知的,應具報的 **notification** /ˌnəʊtɪfɪˈkeɪʃn/ *n*.

notion /ˈnəʊʃn/ *n*. ①見解,想法,看法,觀點;打算,意向②空泛的理解③空想,奇想 *pl*. [美]雜貨 **~al** *a*.想象中的,非現實的[美]空想的;名義上的.

notorious /nəʊˈtɔːrɪəs/ *a*. 臭名遠揚的,聲名狼藉的; **~ly** *ad*. **notoriety** /ˌnəʊtəˈraɪətɪ/ *n*. 臭名昭著.

notwithstanding /ˌnɒtwɪθˈstændɪŋ/ *prep*. 儘管,雖然…仍…[古]儘管如此,還是.

nougat /ˈnuːgɑː/ *n*. 花生鳥結糖.

nought /nɔːt/(= naught) *n*. ①零,0;②無③沒有價值的人(東西).

noun /naʊn/ *n*.【語】名詞.

nourish /ˈnʌrɪʃ/ *v*. ①滋養,施肥於②培養;撫養;助長,教養 **~ment** *n*.營養,滋養;食物 **~ing** *a*.

nouveau riche /ˌnuːvəʊ ˈriːʃ/ *n*. (*pl*. **nouveaux riches**)[法]暴發戶.

nouvelle cuisine /nuːˈvel kwiːˈziːn/ *n*. 清淡調味烹飪法.

Nov. *abbr*. = November.

nova /'nəʊvə/ *n*. (*pl*. **～s, ～vae**)【天】新星.

novel[1]/nɒvəl/ *n*. (長篇)小說 **～ist** *n*. 小說家 **～ette** /ˌnɒvə'let/ *n*. 中篇小說 **～wright** /'nɒvl'raɪt/ *n*. [蔑]小說家.

novel[2]/'nɒvl/ *a*. 新的,新穎的,新奇的 **～ty** *n*.珍奇.

November /nəʊ'vembə(r)/ *n*. 十一月.(縮寫成 Nov.)

novena /nəʊ'viːna/ *n*. (*pl*. **-s, -nae** /-niːl/)【宗】(天主教)連續九天的禱告; **novenial** /nəʊ'veniəl/ *a*. 每九年的.

novice /'nɒvɪs/ *n*. 初學者,新手,生手,【宗】新教徒.

now /nau/ *ad*. ①現在,此刻,目前②剛才,方才 *conj*. 那末,當時;接着,於是 **～adays** *ad*. 現今,現時,現在 // *N-Generation* "新一代"人 *just ～*剛才;現在,眼下 ～ *and then* (*again*)時而,時常,不時.

Nowel, Nowell /nəʊ'el/ *n*. 聖誕節 = Noel.

nowhere /'nəʊweə(r)/ *ad*. 甚麼地方都沒有 *n*. 無人知道的地方.

noxious /'nɒkʃəs/ *a*. 有害的,不衛生的,有毒的;引起反感的,對精神有壞影響的.

nozzle /'nɒzl/ *n*. 管嘴;噴嘴;[俚]鼻子.

NSPCC *abbr*. = National Society for the Prevention of Cruelty to Children 全國防止虐待兒童學會.

NT *abbr*. = ①National Trust 國家托拉斯 ②New Testament (基督教)《聖經》之《新約全書》.

nuance /'njuːɑːns/ *n*. (*pl*. **-s** /iz/) (色彩、音調、意義等的)細微差別.

nub /nʌb/ *n*. (故事)要點;(問題的)核心.

nubile /'njuːbaɪl;'nuːbl/ *a*. (女子)已到結婚年齡的.

nuclear /'njuːklɪə(r)/ *a*. ①核的②【物】原子核的,原子能的③核心的,中心的 // ～ *bomb* 核彈 ～ *energy* 核能 ～ *family* 核心家庭(包括父母子女) ～ *fission*【物】核分裂,核裂變 ～ *free zone* 無核區 ～ *fusion* 核聚變;核合成 ～ *power* 核大國 ～ *powered* 核動力的 ～ *reactor* 核反應堆 ～ *winter* 核戰爭後(理論上的)黑暗、低溫時期.

nucleic acid /njuːˌkliːɪk 'æsɪd/ 核酸.

nucleonics /ˌnjuːklɪ'ɒnɪks/ *n*. 原子核物理學,核子學.

nucleus /'njuːklɪəs/ *n*. (*pl*. **～es nuclei** /'njuːklɪaɪ/) 核,核心【生】細胞核【物】原子核.

nude /njuːd/ *a*. ①裸的,裸體的②無裝飾的,光禿的 *n*. [美]裸體畫(雕像,照片) **nudie** /'njuːdɪ/ *n*. 廉價的黃色影片,賣弄色相的女演員(舞女) **nudism** *n*.裸體主義 **nudist** *n*. & *a*. 裸體主義者 **nudity** /'njuːdətɪ/ *n*.

nudge /nʌdʒ/ *vt*. & *n*. (用臂、肘)輕推(促其注意);接近.

nugatory /'njuːgətərɪ/ *a*. 瑣碎的;無價值的;不起作用的.

nugget /'nʌgɪt/ *n*. (天然)塊金;礦塊;貴重的東西.

nuisance /'njuːsns/ *n*. 使人為難的行為;討厭的東西.

nuke /'njuːk/ *n*. [美俚]①核武器②核電站 *vt*. 核進攻,使用核武器進攻.

null /nʌl/ *a*. ①無效力的,無束縛力的②無用的;無益的;無價值的③沒有特徵的,沒有個性的④沒有的;零的 **～ity** /'nʌlətɪ/ *n*. **～ify** *v*. 使無效;廢弃;取銷;抹殺.

numb /nʌm/ *a*. 麻木的,凍僵了的;沒有知覺的,鈍的, **~ly** *ad*. **~ness** *n*. **~skull** *n*. = numskull 笨蛋.

number /'nʌmbə(r)/ *n*. ①數;數字②號碼,第…號③夥伴;④號子⑤許多;若干⑥數目 **~less** *a*. 無數的,數不清的 // ~ *crunching* 電子計算機大型數據加工 ~ *one* 頭號,頭兒,我 ~ *plate*(汽車)號碼牌.

numeral /'nju:mərəl/ *a*. 數的;表示數的 *n*. 數字【語】數詞 // *Roman* ~*s* 羅馬數字.

numerate /'nju:mərət/ *vt*. 數點;計算,算數 **numeracy** *n*.

numeration /ˌnju:mə'reɪʃn/ *n*. 計算;讀數【數】命數法;讀數法.

numerator /'nju:məreɪtə(r)/ *n*. ①【數】(分數的)分子②計算者③計數器;回轉號碼機.

numerical /nju:'merɪkl/ *a*. 數字的;用數字表示的 **~ly** *ad*. // ~ *control* 數控 ~ *notation*【樂】簡譜.

numerous /'nju:mərəs/ *a*. 人數多的;大批的,許多的.

numismatist /nju:'mɪzmətɪst/ *n*. (古)錢幣收藏家.

numskull /'nʌmskʌl/ *n*. 傻瓜,笨蛋.

nun /nʌn/ *n*. 修女;尼姑 **~nery** /'nʌnərɪ/ *n*. 尼姑庵;女修道院 **~-hood** *n*. 修女之身份.

nuncio /'nʌnsɪəʊ/ *n*. (*pl*. **~s**) ①羅馬教皇的大使②使者.

nuptial /'nʌpʃl/ *a*. 結婚的,婚姻的 *n*. (*pl*.)婚禮.

N. U. R. *abbr*. = National Union of Railwaymen[英]全國鐵路工人聯合會.

nurse /nɜ:s/ *n*. ①護士,看護②阿姨,保育員 *v*. 看護③照料(病人)④小心管理⑤喂養;喂奶⑥抱(希望等).

nursery /'nɜ:sərɪ/ 托兒所,育兒室;苗圃 **~man** *n*. 園丁,花匠 // ~ *rhyme* 童謠,兒歌 ~ *school* 幼兒園 ~ *slope* 適合於初學者滑雪之平坦山坡.

nursing /'nɜ:sɪŋ/ *a*. 領養(孩子)的 *n*. 保育,護理 // ~ *home* 私人療養所;小型私人醫院 ~ *officer* 護理主任.

nurture /'nɜ:tʃə(r)/ *n*. ①養育;培育;教養②營養物;食物 *v*. 培養;鼓勵;給…營養.

nut /nʌt/ *n*. ①堅果;堅果果仁②難事;難題③[美俚]腦袋;笨蛋;怪人;覺得有趣的東西④【機】螺帽,螺母 **~ty** *a*. 有許多堅果的;美味的;愉快的;內容充實的 **~ter** *n*. [俚]古怪人 **~cracker** *n*. ①核桃夾子;軋堅果的鉗子②星鴉 **~gall** *n*. 五倍子 **~meg** /'nʌtmeg/ *n*. 【植】肉豆蔻 **~shell** *n*. 堅果硬殼,簡明大要 // *in a* ~ *shell* 簡括地說 ~ *hatch*【鳥】鳾,五十雀.

nutria /'nju:trɪə/ *n*. 海貍鼠皮毛.

nutrient /'nju:trɪənt/ *a*. 營養的,滋補的 *n*. 營養物養料.

nutriment /'nju:trɪmənt/ *n*. 營養物;食物.

nutrition /nju:'trɪʃn/ *n*. ①營養(作用)②食物;【農】追肥 **~al** *a*. **nutritious** /nju:'trɪʃəs/ *a*. 有營養的;滋養的 **nutritive** /'nju:trətɪv/ *a*. 富於營養的.

nuzzle /'nʌzl/ *vt*. 用鼻子擦(掘).

NW *abbr*. = northwest (ern) 西北(向).

n. wt. = net weight 淨重.

nylon /'naɪlɒn/ *n*. 尼龍,耐綸 // ~ *hose* 尼龍長統絲襪.

nymph /nɪmf/ *n*. 【希神】寧芙(半神半人的少女).

nymphet /'nɪmfet/ *n*. 進入青春期的姑娘. **~ic** *a*.

nymphomaniac /ˌnɪmfə'meɪnɪæk/ *a*. & *n*. 【醫】花痴(的);慕男狂患者(的).

NZ *abbr*. =New Zealand 新西蘭.

O

O, o /əʊ/ ①old 老的；舊的②Observer 觀察家③Ocean 海洋④October 十月⑤order 定單⑥offer 報價，報盤.

OA *abbr*. = Omni-Antenna 全向天綫.

o.a.d. *abbr*. = overall dimension 全尺寸，外廓尺寸.

oaf /əʊf/ *n*. (*pl*. **~s**; **oaves** /əʊvz/) *n*. 畸形兒；痴兒；呆子，傻瓜，**~ish** /ˈəʊfɪʃ/ *a*.

oak /əʊk/ *n*. ①櫟樹，橡木②櫟木傢具(木器)**~en** /ˈəʊkən/ *a*. 櫟(木製)的**~-apple** 櫟癭 // ~ *gall* 櫟五倍子.

oakum /ˈəʊkəm/ *n*. 麻絮；填絮.

OAO *abbr*. = orbiting astronomical observatory 天體觀察衛星.

OAP *abbr*. = old-age pensioner 領養老金的老年人.

OAPEC *abbr*. = Organization of the Arab Petroleum Exporting Countries 阿拉伯石油輸出國組織.

oar /ɔː(r)/ *n*. 槳，櫓**~sman** *n*. 划手**~smanship** *n*. 划船本領**~swoman** *n*. 女划手**~y** /ˈɔːrɪ/ *a*. 槳狀的.

oasis /əʊˈeɪsɪs/ *n*. (*pl*. **oases** /-siːz/ ①(沙漠)綠洲；沃洲②慰藉物

oast /əʊst/ *n*. 烘爐；烤房，乾燥室(=**~-house**).

oaten /ˈəʊtən/ *a*. 燕麥的**~cake** *n*. 燕麥餅.

oath /əʊθ/ *n*. (*pl*. **oaths** /əʊðz/) ①誓言，【律】誓約②詛咒，咒罵語.

oats /əʊts/ *n*. 【植】燕麥(糧食作物，多用於飼料)**oatmeal** *n*. (人吃的)燕麥粉；燕麥片；燕麥粥.

obbligato /ˌɒblɪˈgɑːtəʊ/ *n*. & *a*. 【樂】(必不可少的)伴奏；不可少的.

obdurate /ˈɒbdjʊərət/ *a*. ①頑固的，固執的②冷酷的**~ly** *ad*. **obduracy** /ˈɒbdjʊərəsɪ/ *n*.

OBE *abbr*. = Officer (of the Order) of the English Empire (獲得英帝國勛章的)英國軍官.

obedient /əˈbiːdɪənt/ *a*. & *ad*. 服從的；馴良的 **~ly** *a*. **obedience** /əˈbiːdɪəns/ *n*. 服從，忠順，"屬下".

obeisance/əʊˈbeɪsəns/*n*. ①尊敬；敬重；敬意②鞠躬；敬禮.

obelisk /ˈɒbəlɪsk/ *n*. 埃及方尖塔，金字塔頂.

obese /əʊˈbiːs/ *a*. 肥胖的，肥大的；**obesity** /əʊˈbiːsətɪ/ *n*. 肥胖，肥大【醫】肥胖症.

obey /əˈbeɪ/ *v*. ①服從，遵守，聽話②順從；任其擺佈.

obfuscate /ˈɒbfəskeɪt/ *vt*. ①使暗淡；使模糊②使糊塗 **obfuscation** /ˌɒbfəsˈkeɪʃn/ *n*.

obituary /əˈbɪtʃʊərɪ/ *n*. (*pl*. **-aries**) 報上的訃告 **obituarist** *n*. 訃告執筆.

object /ˈɒbdʒɪkt/ *n*. ①物，物體②目標；目的，宗旨③【語】賓語④客觀；對象 *v*. /əbˈdʒekt/ ①反對，持異議②抱反感，有意見 **objection** /əbˈdʒekʃn/ *n*. 反對；異議；不承認 **objectionable** *a*. 令人討厭的**~or** *n*. 反對者 // *no*. 不成問題；怎麼都行.

objective /əbˈdʒektɪv/ *a*. 客觀的；不偏見的 *n*. 目標，目的，任務**~ly** *ad*. **objectivity** *n*. 客觀性，客觀現實.

objet d'art /ˌɒbʒeɪ ˈdɑː/ *n*. [法]古玩；小型工藝美術品.

oblate /'ɒbleɪt, ɒ'bleɪt/ *a*. 扁圓形的;扁球形的.

oblation /əʊ'bleɪʃn/ *n*. 祭品;供奉;(對教會的)捐獻.

obligatory /ɒ'blɪgətrɪ/ *a*. 義務的;強制的 **obligation** /ɒblɪ'geɪʃn/ *n*. ①義務;責任②債務;證券③恩惠,恩義④欠下的人情 // ~ *parasilism* 專性活物寄生菌.

oblige /ə'blaɪdʒ/ *vt*. ①迫使;責成②施惠於,施恩於 **obligee** /ɒblɪ'dʒiː/ *n*.【律】債權人;受惠者 **obligor** /ɒblɪ'gɔː(r)/ *n*.【律】債務人 **obliging** *a*. 懇切的;樂於助人的;有禮貌的 **obligingly** *ad*. **obligingness** *n*.

oblique /ə'bliːk/ *a*. ①斜的;傾斜的②不正當的③間接的 *n*. 斜綫(/) **~ly** *ad*. **~ness** *n*. // ~ *angle*【數】斜角.

obliterate /ə'blɪtəreɪt/ *vt*. 塗去,擦掉,删去;消滅…的痕迹 **obliteration** *n*. **obliterative** *a*.

oblivious /ə'blɪvɪəs/ *a*. ①健忘的,易忘的②忘却,忘記(of)③不在意的(to) **oblivion** /ə'blɪvɪən/ *n*. 被忘却,【律】大赦.

oblong /'ɒblɒŋ/ *n*. & *a*. 長方形(的);橢圓形(的).

obloquy /'ɒbləkwɪ/ *n*. ①大駡譴責②臭名;耻辱.

obnoxious /əb'nɒkʃəs/ *a*. 討厭的,可憎的,【律】有責任的 **~ly** *ad*. **~ness** *n*.

oboe /'əʊbəʊ/ *n*.【樂】雙簧管 **oboist** *n*. 吹雙簧管者.

obscene /əb'siːn/ *a*. ①猥褻的,淫穢的②醜惡的,討厭的 **~ly** *ad*. **obscenity** /əb'senətɪ/ *n*.

obscure /əb'skjʊə(r)/ *a*. ①黑暗的,朦朧的②不明瞭的,曖昧的;晦澀的③偏僻的;不出名的 *v*. 使暗;遮蔽,隱藏;使難理解 **~ly** *ad*. **~ness** = obscurity *n*.

obsequies /'ɒbsɪkwɪz/ *n*. 葬(喪)禮;**obsequial** /əb'siːkwɪəl/ *a*.

obsequious /əb'siːkwɪəs/ *a*. 奉承拍馬的,巴結的 **~ness** *n*. **~ly** *ad*.

observable /əb'zɜːvəbl/ *a*. ①看得見的,觀察得出的②值得注意的③值得慶祝的④可遵守的 *n*. 值得注意的東西 **observably** *ad*.

observance /əb'zɜːvəns/ *n*. ①遵守②儀式;典禮;紀念③習慣,慣例 **observant** *a*. ①注意的,留心的,盯着的②觀察力敏鋭的;機警的③嚴格遵守…的 **observatory** *n*. 觀察台;天文氣象台.

observe /əb'zɜːv/ *vt*. ①遵守;舉行;紀念;慶祝②觀察,監視③注意到,看到 **observation** /ˌɒbzə'veɪʃn/ *n*. ①觀察,瞭望②(觀察得的)知識,經驗③評述,短評,按語 **observer** *n*. 觀察者;評論家.

obsess /əb'ses/ *vt*. 纏住,迷住;使着迷 **~ive** *a*. 成見的,引起成見的 **~ion** *n*. **~ional** *a*. 擺脱不了的.

obsidian/ɒb'sɪdɪən/*n*.【礦】黑曜岩.

obsolete /'ɒbsəliːt/ *a*. ①已廢棄的②陳舊的,過時的 **obsolescent** /ˌɒbsə'lesnt/ *a*. 逐漸被廢棄的;快要廢棄的;萎縮的 **obsolescence** *n*.

obstacle /'ɒbstəkl/ *n*. 障礙(物),阻礙,妨礙,干擾.

obstetrics /əb'stetrɪks/ *n*. 產科學,助產術 **obstetric** *a*. **obstetrician** /ˌɒbstə'trɪʃn/ *n*. 產科醫生.

obstinate /'ɒbstənət/ *a*. 頑固的;頑強的;難治的 **~ly** *ad*. **obstinacy** /'ɒbstənəsɪ/ *n*.

obstreperous /əb'strepərəs/ *a*. 吵鬧的,喧囂的;任性的.

obstruct /əbˈstrʌkt/ *v*. 堵塞;阻撓;設置障礙 **~ion** /əbˈstrʌkʃn/ *n*. **~ionist** *n*.妨礙議事者**~ive** *a*.

obtain /əbˈteɪn/ *vt*. 得到,獲得,達到(目的)**~able** *a*.能得到的,能達到的.

obtrude /əbˈtruːd/ *vt*. ①強迫人接受,強行②擠出,衝出 **obtrusion** /əbˈtruːʒn/ *n*. **obtrusive** /əbˈtruːsɪv/ *a*. **obtrusively** / *ad*. **obtrusiveness** *n*. 愛多嘴,愛多管閑事.

obtuse /əbˈtjuːs/ *a*. ①鈍的②遲鈍的【數】鈍角**~ly** *ad*. **~ness** *n*.不尖;不銳利;鈍;不鮮明.

obverse /ˈɒbvɜːs/ *n*. (錢幣的)表面;相互對應面 *a*.表面的.

obviate /ˈɒbvɪeɪt/ *vt*. 除去,廢除.

obvious /ˈɒbvɪəs/ *a*. ①明顯的②顯而易見的,顯著的**~ly** *ad*.**~ness** *n*.

ocarina /ˌɒkəˈriːnə/ *n*. 【樂】洋壎(陶製的蛋形笛).

occasion /əˈkeɪʒn/ *n*. ①場合,時節,時刻②機會,時機③原因,理由 *vt*.惹,引起**~al** *a*.非經常的,偶爾的;必要時的,臨時的**~ally** *ad*.

Occident /ˈɒksɪdənt/ *n*. [詩]西洋,西方 **~al** *a*.

occiput /ˈɒksɪpʌt/ *n*. 【解】枕骨部.

occlude /əˈkluːd/ *vt*. 使閉塞;使堵塞;封鎖 **occlusion** *n*. **occlusive** *a*. // *occluded front*【氣】錮囚鋒.

occult /ɒˈkʌlt/ *a*. ①神密的;玄妙的;超自然的②秘密的;不公開的;隱伏的 // *the* ~ 秘學.

occupant /ˈɒkjʊpənt/ *n*. 占有者;居住者【律】占據者 **occupancy** *n*.占據期間.

occupation /ˌɒkjuˈpeɪʃn/ *n*. ①占領②職業;工作;業務;消遣 **~al** *a*. // *~al therapy* 工作療法,職業療法.

occupy /ˈɒkjʊpaɪ/ *vt*. 佔有,佔領,佔用;使用;充滿;使從事 **occupier** /ˈɒkjʊpaɪə(r)/ *n*. // *be occupied* 忙於.

occur /əˈkɜː(r)/ *vi*. ①發生②出現;存在③想起**~rence** /əˈkʌrəns/ *n*. ①(事件)發生,出現②遭遇,事故,事件,事變.

ocean /ˈəʊʃn/ *n*. ①洋,大海②【喻】一望無垠;無量 (*of*)**~ia** /ˌəʊʃɪˈeɪnɪə/ *n*. 大洋洲**~ic** /ˌəʊʃɪˈænɪk/ *a*. **oceanography** /ˌəʊʃəˈnɒgrəfɪ/ *n*. 海洋地理學**~going** *a*.行駛外洋的,遠洋的// ~ *liner* 遠洋定期客輪, ~ *tramp* 無一定航綫的遠洋貨輪.

ocelot /ˈəʊsɪlɒt/ *n*. [拉美]豹貓.

oche /ˈɒkeɪ/ *n*. 起跑綫.

ochre / = ocher /ˈəʊkə(r)/ *n*. ①赭石②黃褐色③[俚]金錢.

o'clock /əˈklɒk/ (= of the clock)…點鐘.

Oct. *abbr*. = October 十月.

octagon /ˈɒktəgən/ *n*. 八邊形,八角形 **~al** /ɒkˈtægənəl/ *a*.

octahedron /ˌɒktəˈhedrən/ *n*. (*pl*. **~s, -hedra**) 八面體.

octane /ˈɒkteɪn/ *n*. 【化】辛烷 // ~ *rating* 辛烷值.

octave /ˈɒktɪv/ *n*. 【樂】八度音.

Octet(te) /ɒkˈtet/ *n*. 【樂】八重唱,八重奏.

October /ɒkˈtəʊbə(r)/ *n*. 十月.

octogenarian /ˌɒktədʒɪˈneərɪən/ *a*. & *n*. 八十至九十歲的(人).

octopus /ˈɒktəpəs/ *n*. (*pl*. **~es, -pi** /paɪ/)【動】章魚.

ocular /ˈɒkjʊlə(r)/ *a*. 眼睛的;視覺上的 *n*.目鏡.

oculist /ˈɒkjulɪst/ *n*. 眼科醫生(專家).

OD *abbr*. *n*. = overdose【醫】超大劑量 *v*.(過去式 **OD'd**)超劑量用藥,亦可表示 **over-draft**, **overdrawn**"透支"之義.

odd /ɒd/ *a*. ①奇怪的;奇妙的;古怪的②臨時的;零星的③奇數的④不配對的;單隻的 ~**ball** *a*. & *n*. 古怪人;~**ity** *n*. 怪人,怪事;~**ments** *n*. 零頭;殘餘 ~**ness** *n*. **odds** *n*. 差額;勝算;可能性 // *at odds* 不和,和…鬧彆扭 *odds and ends* 零碎物件;殘餘,零星雜品.

ode /əʊd/ *n*. 頌歌,頌詩,賦.

odium /'əʊdɪəm/ *n*. 憎恨,厭惡;公憤 **odious** /'əʊdɪəs/ *a*.

odo(u)r /'əʊdə(r)/ *n*. ①氣味;香氣;臭氣②味道 ~**ous** *a*. ~**less** *a*. 沒有氣味的 **odoriferous** /ˌəʊdə'rɪfərəs/ *a*. 有香氣的 **odorize** /'əʊdəraɪz/ *v*. 使充滿香味;給…加臭味.

odyssey /'ɒdɪsɪ/ *n*. 長途漂泊;冒險旅行.

OECD *abbr*. = Organization for Economic Cooperation and Development 經濟合作與發展組織.

oedema /ɪ'diːmə/ *n*.【醫】浮腫,水腫.

o'er /ɔː(r), ɒr/ *ad*. & *prep*. [詩] = **over**.

oesophagus /ɪ'sɒfəgəs/ *n*. (*pl*. ~**es**, **-gi** /-dʒaɪ/)【解】食道.

oestrogen /'iːstrədʒən/ *n*.【生化】雌激素.

of /əv, ɒv/ *prep*. ①(示所屬關係之)的,屬於…的;②在…中;③(示範圍、方面)關於….

off /ɒf/ *ad*. ①離開;隔開②脫開③斷絕;脫落;消失④在那邊,遠處⑤中止,中斷 *a*. 右邊的;那一邊的(食物)不新鮮的;(身體)不舒服的;沒事的;休息的 [美俚]有點失常的 *prep*. 離開;脫離;從;由 ~**-camera** *a*. 電影,(電視)鏡頭外的;私生活中的 ~**-cast** *a*. 被遺棄的,放蕩的,無用的(人) ~**chance** *a*. 不大可能成功的;機會極少的 ~**-colour** *a*. 氣色不好的;不對頭的;低級趣味的 ~**-duty** *a*. 業餘的;下班後的 ~**-gauge** *a*. 非標準的 ~**-key** *a*. 走音的;不協調的 ~**-mike** *ad*. 不用擴音話筒或離話筒較遠處 ~**put** *vt*. [英俚]使困窘,使為難 ~**take** *n*. 出口;泄水處;排水渠 // ~*-the-bench* 法庭以外的 ~*-the-peg*; ~*the-rack* 現成的 ~*-the-shelf* 買來就可用的 *off*! = *Be off*! 滾開; ~ *and on* 斷斷續續.

offal /'ɒfl/ *n*. 食品下脚料;下水;内臟;糠,麩;廢料.

offcut /'ɒfkʌt/ *n*. 剩料,下脚料.

offend /ə'fend/ *v*. 冒犯,得罪,激怒,違犯,違背 ~**er** *n*. 罪犯,得罪人的人;冒犯者 **offence** /ə'fens/ *n*. **offensive** *a*. 討厭的,令人不快的;無禮的;唐突的;進攻性的.

offer /'ɒfə(r)/ *vt*. ①提供;提議②【商】出價,開價,報價③供奉,貢獻④表示願意 ~**ing** *n*. 貢獻;祭品;禮物 ~**tory** /'ɒfətrɪ/ *n*.【宗】奉獻儀式;捐款.

offhand /'ɒf'hænd/ *a*. 隨便的;即席的;無準備的;唐突的(也可用) **offhanded** *ad*. 毫無準備地.

office /'ɒfɪs/ *n*. ①職務②辦公室,辦事處③政府機關④營業處,公司⑤公職,官職 ~**r** *n*. ①官員,辦事員;(高級)職員②軍官;武官;船長;高級船員③幹事;理事.

official /ə'fɪʃl/ *a*. ①職務上的,公務上的②官方的,正式的③官氣十足的 *n*. 官員;行政人員;高級職員 **officially** *ad*. **officialdom** *n*. 官場;官

僚作風// *Official Receiver*(處理破產公司事務的)接收大員.

officiate /əˈfɪʃɪeɪt/ *v*. ①執行(職務);主持(會議)②【宗】充當司祭③充當裁判.

officious /əˈfɪʃəs/ *a*. ①愛管閑事的②非官方的;非正式的③好意的;慇懃的**~ly** *ad*. **~ness** *n*.

offing /ˈɒfɪŋ/ *n*. (岸上能見之)海面;[喻]不遠的將來// *in the* ~在海面上;在附近;好像即將來臨.

offlicence /ˈɒflaɪsns/ *n*. [英](不許堂飲的)賣酒執照.

offset /ˈɒfset/ *v*. & *n*. ①抵銷;彌補;補償②分支;支脉.

offshoot /ˈɒfʃuːt/ *n*. ①分枝,側枝②支流,支脉③衍生物.

offside /ɒfˈsaɪd/ *a*. ①在對方界内②越位(犯規)③(車馬)右邊.

offspring /ˈɒfsprɪŋ/ *n*. 子女;子孫;後代;產物;仔.

often /ˈɒfn/ *ad*. 常常,往往,再三(詩中常用) **oft** /ɒft/ *ad*.

ogee arch /ˈəʊdʒiː ɑːtʃ/ *n*. 葱形拱.

ogle /ˈəʊgl/ *n*. 秋波,媚眼 *v*.送秋波,施媚眼.

ogre /ˈəʊgə(r)/ *n*. 吃人魔鬼**~ish** *a*.

oh /əʊ/ *int*. 啊! 哦! 呀! (表示痛苦,驚訝等的)嘆語.

ohm /əʊm/ *n*. 歐姆,(電阻單位).

OHMS *abbr*. = On His (Her) Majesty's Service 為英王(女王)陛下效勞.

oil /ɔɪl/ *n*. ①油;油類②石油③ *pl*. 油畫顏料 *v*. ④用油潤滑**~ly** *a*.油質的,油膩的,油垢的;油滑的;**~cloth** *n*.(油布)漆布**~ field** *n*.油田**~skin** *n*. 防水布,油布// ~ *rig* 鑽井架 ~ *tanker* 油船,油輪 ~ *tight* 防油的,不滲油的 ~ *well* 油井.

ointment /ˈɔɪntmənt/ *n*. 油膏,藥膏,軟膏.

okapi /əʊˈkɑːpɪ/ *n*. 俄卡皮鹿(類似長頸鹿,但頸不長).

O.K. okay /əʊ ˈkeɪ/ *a*. [口]好;對,不錯;可以;行 *n*.同意;認可;許可;查訖 *v*.簽上 **OK**(表示同意,批准;核准,可以通過).

okra /ˈəʊkrə/ *n*. (非洲產)秋葵.

old /əʊld/ *a*. ①老的;上了年紀的;衰老的②…歲的;…久的③古時的,陳年的;舊的**~en** *a*.[古]古昔的,**~ie** /ˈəʊldɪ/ *n*. [口]老歌子;老片子;老話;傳說// ~*-age pensioner* 拿養老金的退休人員 ~ *boy*, *girl* 老校友 ~*-fashioned* 老式的;過時的 ~ *guard* 老保守派 ~ *hand* 老手;慣犯 ~ *hat*[俚]舊式的;過時的;陳腐的 ~ *maid*①老處女②懦弱而斤斤較量的男人 ~ *master* 大畫家 ~ *Nick* 魔鬼,惡鬼 ~ *Testsment*(基督教)《聖經》之《舊約全書》 ~ *World* 舊世界(歐亞非洲),東半球.

oleaginous /ˌəʊlɪˈædʒɪnəs/ *a*. 含油的,油質的.

oleander /ˈəʊlɪændə(r)/ *n*. 地中海地區開花的常綠灌木.

olfactory /ɒlˈfæktərɪ/ *n*. (常 *pl*.)嗅覺;鼻 *a*.嗅覺器官的.

oligarchy /ˈɒlɪgɑːkɪ/ *n*. 寡頭政治 **oligarch** *n*. 寡頭政治執行者; **oligarchic, oligarchical** *a*.

olive /ˈɒlɪv/ *n*. 橄欖樹,橄欖枝 *a*.橄欖色// ~ *branch* 橄欖枝(和平、和解之象徵) ~ *oil* 橄欖油.

Olympiad /əˈlɪmpɪæd/ *n*. 奧林匹克運動會.

Olympian /əˈlɪmpiən/ *a*. ①奧林匹斯山的;奧林匹斯諸神的②神仙般的;

威儀堂皇的.

Olympics /əˈlɪmpɪks/ = Olympic Games 四年一度的國際奧林匹克運動會 **Olympic** *a*.

ombudsman /ˈɒmbədzmən/ *n*. (*pl*. **-men** /-mən/ 巡視官(專門員責調查市民對政府抱怨意見之官員).

omega /ˈəʊmɪgə/ *n*. 希臘文第二十四個字母 **Ω** *ω* // *alpha and* ~始末;全部;首尾

omelet(te) /ˈɒmlɪt/ *n*. 煎蛋餅, 攤雞蛋.

omen /ˈəʊmen/ *n*. 前兆, 預兆, 兆頭; *v*. 預示, 預告 **ominous** /ˈɒmɪnəs/ *a*. ①預兆的②不吉的, 不祥的.

omit /əʊˈmɪt/ **omitted**①省略;刪節;遺漏②疏忽; **omission** /əʊˈmɪʃn/ *n*. **omissive** *a*.

omnibus /ˈɒmnɪbəs/ *n*. ①公共汽車(老式)②若干本書;幾個電視或廣播節目之選集// ~ *film* 短片集錦.

omnipotent /ɒmˈnɪpətənt/ *a*. 全能的;有無限權力的;[謔]萬能的**~ly** *ad*. **omnipotence** /ɒmˈnɪpətəns/ *n*. 全能, 萬能// *Omnipotence*(全能的)上帝.

omniscient /ɒmˈnɪsɪənt/ *a*. 無所不知的;博學的 **omniscience** *n*.

omnivorous /ɒmˈnɪvərəs/ *a*. 雜食性的;不揀食的 **omnivore** /ˈɒmnɪˌvɔː(r)/ *a*. 雜食動物的.

on /強 ɒn, 弱 ən/)*ad*. & *prep*. ①在…上;蓋着;屬於②依據;因…;從…得來的③朝…, 向…④接近…, 沿…⑤關於…, 論述…⑥累加⑦冒…之險⑧繼續// ~ *a bust* 酩酊大醉 ~ *and after* 以後 ~ *the air* 正廣播 ~ *the blink* 破了, 壞了, 情況不好 ~ *the book* 預定好的 ~ *the boost* 冒充顧客行竊 ~ *the cuff*[美俚]賒欠 ~ *the floor*[美議會]在發言中 ~ *the fly* 逃亡中 ~ *the spot* 當場, 現場, 即席 ~ *top of the heap*[美]大大成功, 一切順利 ~ *and* ~繼續, 不停地.

onanism /ˈəʊnənɪzəm/ *n*. 【醫】①交媾中斷②(男性)手淫.

ONC *abbr*. = Ordinary National Certificate 普通國家合格證書.

once /wʌns/ *n*. & *ad*. ①一次;一回;一遍;一倍②從前, 曾經③一旦, *conj*. **~-over** *n*. [美俚]隨隨便便看一眼, 草草率率的檢查// *at* ~立即;馬上.

oncogene /ˈɒŋkədʒiːn/ *n*. 致癌基因.

oncoming /ˈɒnkʌmiŋ/ *n*. & *a*. 迎面而來(的);接近(的).

OND *abbr*. = Ordinary National Diploma 普通國家執照(文憑).

one /wʌn/ *a*. ①獨一的;單一的②某一個③一體的;一致的 *n*. 一個人;一歲;單位;一 1(號) *pro*. 人;世人;我們;任何人**~ness** *n*. 獨一無二;統一;一體 **~self** *pro*. 本身, 自己 **~-liner** *n*. 簡短、機警的詼諧語 **~-off** *a*. 只供使用一次的, 一次性的**~-sided** *a*. 單方面的, 片面的**~-way** *a*. 單向的, 單行的, 片面的// *at* ~一致, 協力 ~ *by* ~一個一個地, 挨次 ~*-armed bandit* 吃角子老虎, 投幣購貨機(= slot machine) ~ *night stand* 一夜的停留演出;(喻)一夜夫妻 ~ *to* ~一對一的.

onerous /ˈɒnərəs/ *a*. 繁重的;麻煩的【律】有法律義務的.

ongoing /ˈɒngəʊɪŋ/ *a*. 前進的, 行進的.

onion /ˈʌnɪən/ *n*. 洋葱, 葱頭.

on-line /*a*. 【自】在綫的(指儀器設備直接受電子計算機的操縱).

on-looker /ˈɒnlʊkə(r)/ *n*. 目擊者, 旁觀者; 觀看者.

only /ˈəʊnlɪ/ *a*. ①唯一的②獨一無二的 *ad*. ①僅僅, 只, 單, 才, 不過②不料, 結果却 *conj*. 但是, 可是.

onomat = onomatopoeia /ˌɒnəˌmætəˈpɪə/ *n*. 擬聲詞, 象聲詞 **onomatopoeic** *a*.

onset /ˈɒnset/ *n*. 開始, 動手, 攻擊【醫】發作.

onslaught /ˈɒnslɔːt/ *n*. 猛烈攻擊, 猛然襲擊.

onto /ˈɒntə/ *prep*. 到…上; 在…之上.

ontology /ɒnˈtɒlədʒɪ/ *n*. 【哲】本體論, 實體論 **ontologic** *a*.

onus /ˈəʊnəs/ *n*. (*pl*. **onuses**) [拉]義務; 責任; 重擔.

onward /ˈɒnwəd/ *a*. 前進的; 向前的; 向上的 *ad*. (= **onwards**).

onyx /ˈɒnɪks/ *n*. 石華, 縞瑪瑙 // ~ *marble* 條紋大理石.

oodles /ˈuːdlz/ *n*. [美口]大量; 巨額.

oomph /ʊmf/ *n*. [美俚]魅力; 性感; 精力 *a*. 極有魅力的.

ooze /uːz/ *vi*. ①滲出, 漸漸流出②(秘密)泄漏 *n*. 淤泥; 滲漏, 分泌 **oozy** *a*. **oozily** *ad*.

OP *abbr*. = ①operation, operator; ② observation post 觀察哨所.

opacity /əʊˈpæsətɪ/ *n*. 不透明(體), 不透明部; 曖昧; 愚鈍.

opal /ˈəʊpl/ *n*. (半透明)蛋白石 **opalescent** /ˌəʊpəˈlesnt/ *a*. 乳白色的.

opaque /əʊˈpeɪk/ *a*. 不透明的; 無光澤的; 含糊的; 遲鈍的.

op art = optical art 光效應畫派(藝術).

op.cit. /ˈɒp ˈsɪt/ = opere citato[拉]見前引書.

OPEC *abbr*. = Organization of Petroleum Exporting Countries 石油輸出國組織.

open /ˈəʊpən/ *a*. ①開放的②無蓋的; 敞口的; 開闊的③公開的; 無限制的④寬大的; 豁達的⑤未決定的⑥坦白的, 直率的 *v*. ①打開, 開②公開, 開放, 張開, 開始, 開設 **~er** *n*. 開罐頭刀 **~ly** *ad*. 公開地 **~ing** *n*. 開口; 開幕; 空地; 開始; 機遇; 空缺 **~-air** *a*. 戶外的; 露天的 **~-and-shut** *a*. 很簡單的 **~cast mining** *n*. 露天開礦 **~-end** *a*. 開發的(指發行不限量隨時可兌現的股票等); 不受限制的 **~-ended** *a*. ①無限度的, 無約束的②可變更的 **~handed** *a*. 慷慨的, 豪爽的 **~hearted** *a*. 胸懷坦白的, 坦率大方的 **~-heart surgery** *n*. 體外循環心臟手術 **~-hearth** *a*. ①平爐的②使用平爐的 **~-minded** *a*. 虛心的; 開通的, 無偏見的 **~ness** *n*. 開放; 公開; 坦白; 無私; 寬大 **~-plan** *a*. (房屋或辦公室的)沒有內牆隔開的 **~work** *n*. 網眼織物 // ~ *ballot* 無記名投票 ~ *day* 沒有應酬的日子 ~ *door*【外交】門戶開放 ~ *house*(客人可隨意來去的)家庭招待會 ~ *letter* 公開信 ~ *prison* 沒有多少保安措施的監獄 ~ *question* 未决問題 ~ *secret* 公開的秘密 ~ *verdict* 存疑裁决 ~ *warfare* 野戰 *in the* ~ (*air*)露天, 戶外.

opera /ˈɒprə/ *n*. ①歌劇, 是 **opus** /ˈəʊpəs/之複數, 作品; 樂曲②[美口]廣播劇; 電視劇.

operate /ˈɒpəreɪt/ *v*. 工作, 操作; 動作, 運轉; 見效,【醫】動手術; 服用瀉藥; 作戰; 操作市場; 經營管理 **~operating system** *n*.【科】工業系統 **operator** *n*. 操作者; 接綫生, 電話員, 報務員 **operation** /ˌɒpəˈreɪʃn/ *n*. 動

作,行動,業務,操作,運轉;手術 **operational** *a*. **operative** *a*. & *n*. 職工,私人偵探.

ophidian /əʊ'fɪdɪən/ *a*. & *n*. 蛇(似的).

ophthalmic /ɒf'θælmɪk/ *a*. 眼的;眼科的 **ophthalmology** /ˌɒfθæl'mɒlədʒɪ/ *n*. 眼科學 **ophthalmologist** *n*. 眼科醫師 **ophthalmoscope** /ɒf'θælməskəʊp/ *n*. 【醫】眼膜曲率鏡 // ~ *optician* 眼鏡店,光學儀器商.

opiate /'əʊpɪət/ *n*. 鴉片劑,麻醉劑.

opinion /ə'pɪnjən/ *n*. ①意見,看法;見解 ②主張;評價 **opinionated** /ə'pɪnjəneɪtɪd/ *a*. 堅持己見的,不易説服的,極自負的; **opine** /əʊ'paɪn/ *v*. [諧]想認為,以為;發表意見 // ~ *poll* 民意測驗.

opium /'əʊpɪəm/ *n*. 鴉片 ~**poppy** 罌粟.

opossum /ə'pɒsəm/ *n*. 負鼠 鼣 ~**shrimp**【動】糠蝦 // *play* (*act*) ~ 裝死,裝蒜.

opponent /ə'pəʊnənt/ *a*. 對立的,對抗的 *n*. 反對者,敵手.

opportunity /ˌɒpə'tju:nətɪ/ *n*. 機會,好機會 **opportune** *a*. 凑巧的;恰好的;合時宜的 **opportunism** *n*. 機會主義 **opportunist** /'ɒpətju:nɪst/ *n*. 機會主義者.

oppose /ə'pəʊz/ *v*. ①反對,反抗,對抗 ②使對立,相對 **opposition** /ˌɒpə'zɪʃn/ *n*. // *be* ~*d to* 反對,不同意.

opposite /'ɒpəzit/ *a*. ①相對的,對面的,對立的②面對面,背對背的,敵對的 *n*. 相反的事物(人);對立面 *ad*. 在對面,在相反的位置.

oppress /ə'pres/ *v*. ①壓迫,壓制;虐製②使感壓抑;使意氣消沉 **oppression** *n*. **oppressor** *n*. 壓迫者,暴君 ~**ive** *a*. ①暴虐的;壓制的②沉重的;悶熱的;憂鬱的 ~**ively** *ad*.

opprobrium /ə'prəʊbriəm/ *n*. ①臭名;恥辱②責罵.

oppugn /ɒ'pju:n/ *vt*. 質問;抗辯;反駁;抗擊.

opt /ɒpt/ *vi*. 選擇 // ~ *for* 選取,贊成 ~ *out* 撤退.

optic /'ɒptɪk/ *a*. 【解】眼的;視力的;【物】光學的 *n*. 鏡片 **optics** *n*. 光學 // *optical character reader* 電腦光符讀數器; *optical fibre* 光導纖維.

optimism /'ɒptɪmɪzəm/ *n*. 樂觀主義 **optimist** *n*. 樂觀主義者 **optimistic** /ˌɒptɪ'mɪstɪk/ *a*. 樂天主義的;樂觀的 **optimistically** *ad*.

optimum /'ɒptɪməm/ *n*. (*pl*. ~**s** -**ma**) 最適度 *a*. 最適度的 **optimal** /'ɒptɪməl/ *a*. 最適宜的;最理想的 **optimize** /'ɒptɪmaɪz/ *vt*. 使最佳化;優化.

option /'ɒpʃn/ *n*. 選擇,取捨;可選擇之東西; ~**al** *a*. 可隨意選擇的;非強制的 *n*. 選修科.

optometrist /ɒp'tɒmɪtrɪst/ *n*. 驗光配鏡師 **optometry** *n*. ①視力測定(法) ②驗光配鏡業(術).

opulent /'ɒpjʊlənt/ *a*. 富裕的;豐富的;華麗的 **opulence** *n*.

opus/'əʊpəs/(文學藝術方面的)巨著;創作(尤指音樂作品).

opuscule /ɒ'pʌskju:l/ *n*. [法]小作品;小曲.

or /ɔ:(r)弱 ə/ *conj*. 或,或者;還是;抑或是.

oracle /'ɒrəkl/ *n*. ①天啓,神論②神使,先知,預言者 **oracular** /ɒ'rækjulə(r)/ *a*.

oral /'ɔ:rəl/ *a*. [美]口頭的;口述的;【解】口的;口部的 *n*. 口試;口服避

孕藥 **orally** *ad*.

orange /'ɒrɪndʒ/ *n*. 橘;橙;柑 *a*.橙黃色的 **orangeade** /ˌɒrɪndʒ'eɪd/ *n*. 橘子水;橘子汽水 **orangery** /'ɒrɪndʒərɪ/ *n*. 橙園;養橙溫室.

Orangeman /'ɒrɪndʒmən/ *n*.(北愛爾蘭支持新教的秘密團體成員,奧林奇派分子.

orangutan, orangoutang /ɔːˌræŋuː'tæn/ *n*.【動】猩猩.

orator /'ɒrətə(r)/ *n*. 演說者,演講者;雄辯家;辯護人 **oration** /ɔː'reɪʃn/ *n*. 演講 **oratorical** /ˌɒrə'tɒrɪkl/ *a*. 演說(家)的;雄辯家似的 **oratory** *n*.①雄辯術;演講術;修辭;誇張文體②祈禱室;小禮拜堂.

oratorio /ˌɒrə'tɔːrɪəʊ/ *n*. (*pl*. **~s**)【樂】聖樂(歌曲).

orb /ɔːb/ *n*. ①天體;球②(象徵王權的)寶球.

orbit /'ɔːbɪt/ *n*. ①【天】軌道;【解】眼眶②人生旅程;勢力範圍 *v*.使進入軌道(運行),沿軌道運行.

orchard /'ɔːtʃəd/ *n*. 果園**~ist** *n*.果樹栽培家.

orchestra /'ɔːkɪstrə/ *n*. 管弦樂;管弦樂隊**~l** /ɔː'kestrəl/ *a*. **orchestrate** /'ɔːkɪstreɪt/ *v*. 為管弦樂隊譜寫音樂;[喻]使和諧結合 **orchestration** /ˌɔːkɪs'treɪʃn/ *n*. 和諧的安排 // *orchestra pit* 舞台前樂池.

orchid /'ɔːkɪd/ *n*.【植】蘭,蘭花.

ordain /ɔː'deɪn/ *v*. ①(命運)注定;規定②任命(牧師、聖職).

ordeal /ɔː'diːl/ *n*. 嚴峻考驗;苦難的經驗;折磨.

order /'ɔːdə(r)/ *n*. ①次序;秩序②命令,訓令③規則④【商】定貨,定單;匯票;匯單⑤教團,修道會;公會;**~ly** *a*.①整潔②有秩序的;整齊的③有規則,有紀律的 *n*.傳令兵;勤務兵;通訊員;衛生員;護理員**~liness** /'ɔːdəlɪnɪs/ *n*. 整潔;整齊;秩序井然.

ordinal number /'ɔːdɪnl/ *n*. 序數.

ordinance /'ɔːdɪnəns/ *n*. ①法令;訓令②佈告.

ordinary /'ɔːdənrɪ/ *a*. 普通的,平常的,正常的 **ordinarily** *ad*. // *~ seaman*(相當於陸軍列兵的)見習水兵.

ordination /ˌɔːdɪ'neɪʃn/ *n*. ①整理;排列;分類②委任.

ordnance /'ɔːdnəns/ *n*. ①大炮;軍械;武器②軍需品 ~ *survey*[英]陸地測量部.

ordure /'ɔːdjʊə(r)/ *n*. ①糞便;肥料;排泄物②粗話,下流話.

ore /ɔː(r), ɒr/ *n*. 礦石,礦砂;礦.

oregano /ɒ'rɪgɑːnəʊ/ *n*.【植】(作調料用的)牛至.

organ /'ɔːgən/ *n*. ①風琴②器官③機關;機構④嗓音,喉舌⑤編制 **organist** *n*.風琴手**~-grinder** *n*.(街頭)手搖風琴師.

organdie, organdy /'ɔːgændɪ/ *n*. 薄棉布;蟬翼紗.

organic /ɔː'gænɪk/ *a*. ①器官的;器質性的;有機體②有組織的③有機的④結構的 **organically** *ad*. // *organic food*【生】(不含化學物)天然食品.

organism /'ɔːgənɪzəm/ *n*. 有機體;生物體;有機組織.

organize /'ɔːgənaɪz/ *v*. 組織安排;創辦;編組;使組成工會;使(思路)有條理 **organization** /ˌɔːgənaɪ'zeɪʃn/ *n*. 組織;結構;體制 **organizer** *n*.組織者.

orgasm /'ɔːgæzəm/ *n*. ①(感情的)極端興奮②【醫】性欲亢進.

orgy, orgie /'ɔːdʒɪ/ *n*.(*pl*.**~gies**)①

喧鬧的宴會②狂歡亂舞;無節制;放蕩;**orgiastic** /ˌɔːdʒɪ'æstɪk/ *a*. 狂飲的;狂歡的.

oriel /'ɔːrɪəl/ *n*. 凸肚窗.

Orient /'ɔːrɪənt/ *n*. 東方;亞洲;東亞 **oriental** /ɔːrɪ'entl/ *a*. 東的;東方的;遠東的;東方式的 **Orientalist** /ˌɔːrɪ'entəlɪst/ *n*. 東方人;東方通;東方文化研究者 *v*.- /'ɔːrɪent/ = orientate 定方位;擺正方向;[喻]辨明真相,正確判斷 **orientation** /ˌɔːrɪən'teɪʃn/ *n*. ①向東②方向;定位③方針 **orienteering** /ˌɔːrɪən'tɪərɪŋ/ *n*. 越野識圖比賽.

orifice /'ɒrɪfɪs/ *n*. (管的)口,孔,銳孔.

origami /ɒrɪ'gɑːmɪ/ *n*. ①(日本傳統藝術)折紙手工②折紙手工品.

origin /'ɒrɪdʒɪn/ *n*. 開始;起源;由來 **~al** *a*. ①原始的;初期的②原本的,原物的③創造性的;別出心裁的 *n*. 原型,雛型,原作 **originally** *ad*. **originality** /ˌərɪdʒən'ælətɪ/ *n*. 獨創性,創造力,創見;創舉 **originate** /ə'rɪdʒɪneɪt/ *vt*. ①發起;引起②創辦,創始,發明 **origination** *n*. 開始;創作;起因 **originator** *n*. 發起人,創作者.

oriole /'ɔːrɪəul/ *n*.【鳥】黃鸝,金鶯.

ormolu /'ɔːməluː/ *n*. (鍍金用)金箔;鍍金物.

ornament /'ɔːnəmənt/ *n*. ①裝飾②增添光彩的人(物,行為);擺設 *v*. 美化,裝飾 **~al** /ˌɔːnə'mentl/ *a*. **~alist** 裝飾家;設計師 **~ation** /ˌɔːnəmen'teɪʃn/ *n*.

ornate /ɔː'neɪt/ *a*. 裝飾的;華美的;考究的.

ornithology /ˌɔːnɪ'θɒlədʒɪ/ *n*. 鳥類學;禽學 **ornithological** /ˌɔːnɪθə'lɒdʒɪkl/ *a*. **ornithologist** *n*. 鳥類學家.

orotund /'ɒrəutʌnd/ *a*. ①朗朗的(聲音)②浮誇的,做作的.

orphan /'ɔːfn/ *n*. & *a*. 孤兒(的) **orphanage** /'ɔːfənɪdʒ/ *n*. 孤兒院,孤兒身份(狀態).

orrery /'ɒrərɪ/ *n*. 太陽系儀.

orris /'ɒrɪs/ *n*.【植】①香鳶尾,菖蒲②(=~root)菖蒲根.

orthodontics /ˌɔːθə'dɒntɪks/ *n*. *pl*.【醫】正牙學(= orthodontia) **orthodontist** *n*. 正牙醫師.

orthodox /'ɔːθədɒks/ *a*. ①東正教的;正統派的②正統的 **orthdoxy** /ˌɔːθə'dɒksɪ/ *n*. 正教;正統性 **O-Church** 東正教會.

orthography /ɔː'θɒgrəfɪ/ *n*. 正字法;綴字法;表音法 **orthographic** /ˌɔːθə'græfɪk/ *a*.

orthopaedics /ˌɔːθə'piːdɪks/ *n*. 矯形學 **orthopaedic** *a*. **orthopaedy** /'ɔːθəupiːdɪ/ *n*.【醫】矯正術;矯形學 **orthopaedist** *n*. 矯形醫師.

ortolan /'ɔːtələn/ *n*.【鳥】蒿雀;圃鵐.

oryx /'ɒrɪks/ *n*. (*pl*. **~es**)【動】非洲大羚羊.

OS *abbr*. = ① old school 守舊派② Ordnance Survey 陸地測量部③ outsize(d) *a*. 超標準尺寸的 *n*. 特大型.

Oscar /'ɒskə(r)/ *n*. [美]【影】奧斯卡金像獎.

oscillate /'ɒsɪleɪt/ *vi*. ①擺動;振動;振蕩②動搖;猶豫③躊躇 **oscillation** /ˌɒsɪ'leɪʃn/ *n*. **oscillator** *n*. [電]振蕩器;搖擺者 **osillatory** *a*.

oscilloscope /ə'sɪləskəup/ *n*.【物】示波器 **oscilloscopic** /-'skɒpɪk/ *a*.

osculate /'ɒskjuleɪt/ *v*. 接吻;接觸;有共通性 **osculation** *n*.

osier /'əuzɪə(r)/ *n*. 【植】杞柳；柳條 *a*. 柳條編的.

osmium /'ɒzmɪəm/ *n*. 【化】鋨(最重之金屬元素).

osmosis /ɒz'məusɪs/ *n*. 【生理】滲透(作用)滲透性 **osmotic** /ɒz'mɒtɪk/ *a*. 滲透的.

osprey /'ɒsprə/ (= **ospray**) *n*. 【鳥】鶚, 魚鷹.

osseous /'ɒsɪəs/ *a*. 骨的；骨質的 ~**ly** *ad*.

ossify /'ɒsɪfaɪ/ *vt*. ①骨化；使硬化②使僵化；使頑固 **ossification** /ˌɒsɪfɪ'keɪʃn/ *n*.

ostensible /ɒs'tensəbl/ *a*. ①外表的, 表面上的②假裝的③可公開的；顯然的 **ostensibly** *ad*.

ostentation /ˌɒsten'teɪʃn/ *n*. 賣弄；風頭主義；講排場；虛飾 **ostentatious** /ˌɒsten'teɪʃəs/ *a*. 自負的；誇示的；浮華的；炫耀的.

osteopathy /ˌɒstɪ'ɒpəθɪ/ *n*. 整骨術；骨病 **osteopath** /'ɒstɪəpæθ/ *n*. 整骨科大夫；按摩醫生.

ostler /'ɒslə(r)/ *n*. (旅館的)馬伕.

ostracize /'ɒstrəsaɪz/ *vt*. 放逐；排斥 **ostracism** *n*.

ostrich /'ɒstrɪtʃ/ *n*. 鴕鳥 // ~ *policy* 鴕鳥政策.

OT *abbr*. = Old Testament *n*. (基督教的)《聖經》的《舊約全書》.

OTC *abbr*. = Officers' Training Corps *n*. [英]軍官訓練團.

other /'ʌðə(r)/ *a*. 別的, 另外的, 其他的；其餘的；另一個人(物) **otherwise** /'ʌðəwaɪz/ *ad*. 不同地, 不那樣；用別的方法 *conj*. 否則, 不然 **otherworldly** /'ʌðəwɜːldlɪ/ *a*. 來世的, 超俗的；空想中的；精神上的 // *otherly abled* [人]有殘疾的.

otiose /'əutɪəus/ *a*. 不必要的；沒有用的；多餘的；無效的.

otter /'ɒtə(r)/ *n*. 水獺；水獺皮.

ottoman /'ɒtəmən/ *n*. (*pl*. ~**s**) ①土耳其②椅子③(無靠背的)矮腳條椅 Ottoman Empire【史】奧斯曼帝國.

oubliette /ˌuːblɪ'et/ *n*. (僅可從頂孔進出的)土牢.

ouch /autʃ/ 嘆詞[美]哎唷！痛死我了！

ought /ɔːt/ *v*. & *aux*. 應該, 應當；本應.

Ouija /'wiːdʒə/ *n*. 靈應板(用於招魂術或心靈感應之信息).

ounce /auns/ *n*. ①盎司, (= 1/16 磅 = 28.4 克)；金衡 = 1/12 磅；= 31.104 克②流兩(= 1/12 品脫)③少量.

our /ɑː(r)/ *pro*. 我們的 **ours** 我們的東西 **ourselves** /ˌɑː'selvz/ 我們自己.

ousel /'uːzəl/ = ouzel【鳥】黑鶇(潛水鳥).

oust /aust/ *vt*. ①逐出, 攆走, 驅逐②【律】剝奪③取代.

out /aut/ *ad*. ①向外；在外；出去, 離開②完, 盡；*a*. 在野的, 下台的；外面的, 外頭的；過了時的；不省人事的 ~**er** *a*. 外側的, 外部的 ~**ing** *n*. 郊遊, 遠足；外出 ~**ward** *a*. 外表的；向外去的 ~**wards** *ad*. **outer space** 外層空間 **outer most** 最外(的), 最遠(的), 在最後面(的) **outwardly** *ad*. **out-of-the -way** *a*. 遙遠的.

out- /aut/ [前綴]加動詞、分詞或動名詞前表示"出"；"向外"；"在外"；"超過"；"勝過".

outact /aut'ækt/ *vt*. 行動上勝過.

outback /'autbæk/ *a*. 內地的 *ad*. 向內地 *n*. 內地.

outbid /'autbɪd/ *v*. 出價高於…；搶先.

outboard motor /'aʊtbɔːd 'məʊtə(r)/ *n*. 艇外推進機.
outbreak /'aʊtbreɪk/ *n*. ①(戰爭、怒氣的)爆發②暴動;反抗.
outbuilding /'aʊtbɪldɪŋ/ *n*. 外屋;副屋(=outhouse).
outburst /'aʊtbɜːst/ *n*. (火山、情感等的)爆發;迸發.
outcast /'aʊtkɑːst/ *a*. 被逐出的,被排斥的 *n*. 無家可歸的人;被逐出的人;流浪者.
outclass /'aʊtklɑːs/ *vi*. 大大超過;比…高一等.
outcome /'aʊtkʌm/ *n*. 結果;成果;後果.
outcrop /'aʊtkrɒp/ *n*. 露出,露出地面.
outcry /'aʊtkraɪ/ *n*. ①叫喊,怒號,喧嚷②叫賣;拍賣.
outdated /ˌaʊt'deɪtɪd/ *a*. 過時的;陳舊的.
outdo /ˌaʊt'duː/ *v*. 勝過;優於;凌駕;打敗;制服.
outdoors /ˌaʊt'dɔːz/ *ad*. 在屋外,戶外,露天,野外.
outface /ˌaʊt'feɪs/ *v*. 逼視…使其目光移開;恐嚇.
outfall/'aʊtfɔːl/*n*.①(湖泊、河流等的)出水口②排水口.
outfield /'aʊtfiːld/ *n*. (遠離宅地之)土地,邊地,郊外【體】棒球外場;外野手.
outfit /'aʊtfɪt/ *n*. 旅費,旅行用品,全套衣服;裝備;商業用具,生財,設備;精神準備~**ter** *n*.旅遊用品商店.
outflank /ˌaʊt'flæŋk/ *vt*. 【軍】包抄,迂迴敵側;突然勝過.
outgoing /'aʊtgəʊɪŋ/ *a*. ①出發的②對人友好的;愛交際的 **outgoings** *n*.支出;開銷;出發;外出.
outgrow /ˌaʊt'grəʊ/ *v*. 長得比…快(大) **outgrowth** *n*.
outhouse/'aʊthaʊs/*n*.主屋外面的附屬建築物.
outlandish /aʊt'lændɪʃ/ *a*. 外國氣派的,異國風味的;奇異的;粗魯笨拙的.
outlast /ˌaʊt'lɑːst/ *vt*. 較…經久;比…持久;比…命長.
outlaw /'aʊtlɔː/ *n*. 被剥奪法律保護權的罪犯;歹徒;亡命之徒;逃犯;土匪 *v*.使失去法律效力;使非法.
outlay /'aʊtleɪ/ *n*. 費用,花費;支出.
outlet /'aʊtlet/ *n*. ①出口,出路;排水口;通風口②銷路;批發商店③發泄.
outline /'aʊtlaɪn/ *n*. ①外形,輪廓②略圖,梗概,提綱 *v*.①畫輪廓,打草圖②概括論述.
outlive /'aʊtlɪv/ *v*. 比…長壽;度過…而健在.
outlook /'aʊtlʊk/ *n*. ①景色,風光景緻②前景;展望;前途③見地,見解④觀點.
outlying /'aʊtlaɪŋ/ *a*. 在邊境外的;邊遠的.
outmanoeuvre /ˌaʊtmə'nuːvə(r)/ *vt*. 對…機動制勝;用謀略制勝,計謀勝過;挫敗(敵人之)陰謀.
outmatch /'aʊtmætʃ/ *vt*. 勝過,優於;超過.
outmoded /aʊt'məʊdɪd/ *a*. 過時的;不流行的.
outnumber /aʊt'nʌmbə(r)/ *v*. 比…多;數量上勝過.
outpatient /'aʊtpeɪʃnt/ *n*. 門診病人.
outplacement /'aʊtpleɪsmənt/ *a*. 【經】(解僱後的)新職介紹.
outpost /'aʊtpəʊst/ *n*. 前哨;前哨陣地;警戒部隊.
outpouring /'aʊtpɔːrɪŋ/ *n*. ①(傾吐)

激動的言語②流出物.

output /'aʊtpʊt/ *n*. ①產量;生產,出產②電腦輸出信號 *v*.電子計算機產生數據輸出.

outrage /'aʊtreɪdʒ/ *n*. ①暴行;凌辱②義憤;痛恨 *v*.施加暴行;侮辱;違反(法律)~**ous** *a*.①無法無天的②蠻橫的③不能容忍的~**ously** *ad*.

outré /'uːtreɪ/ *a*. [法]奇怪荒誕的;出乎常軌的;失當的;奇特的.

outrider /'aʊtraɪdə(r)/ *n*. 騎馬侍從;(摩托開道)警衛.

outrigger /'aʊtrɪgə(r)/ *n*. (防翻船的)舷外斜木;懸臂支架.

outright /'aʊtraɪt/ *ad*. & *a*. ①完全(的),徹底(的),直率(的),公然(的).

outrun /aʊt'rʌn/ *vt*. (**-ran** /-'ræn/ **-run**) 追過;跑…比快;超過.

outsell /ˌaʊt'sel/ *vt*. (**-sold**/-səʊld/) 賣得比…多(快,貴).

outset /'aʊtset/ *n*. 開頭,開端,開始.

outshine /aʊt'ʃaɪn/ *vt*. (**-shone** /-'ʃɒn/)比…亮;比…聰明(優秀、漂亮);勝過.

outside /ˌaʊt'saɪd/ *n*. 外頭,外部,外面;外界;外表 *prep*. 在(向)…的外邊;超過…的範圍 *ad*. /'aʊtsaɪd/ 在外面,在外頭;在戶外,在(向)海上;【體】出綫,出界 *a*. /'aʊtsaɪd/ (用作表語)外面的;外部的;膚淺的;極端的;局外的~**r** *n*.局外人;外來者;門外漢;外行.

outsize, outsized /'aʊtsaɪz(d)/ *a*. 特大型的,超標準尺寸的.

outskirts /'aʊtskɜːts/ *n*. 郊外;外邊.

outsmart /ˌaʊt'smɑːt/ *vt*. [美]= outwit 智力上勝過;給…上當.

outspoken /ˌaʊt'spəʊkən/ *a*. 直言不諱的;坦率的;毫無保留的.

outstanding /ˌaʊt'stændɪŋ/ *a*. ①顯著的;突出的,杰出的②未付的;未清的;未解决的.

outstay /ˌaʊt'steɪ/ *v*. 逗留得比…久;(=overstay).

outstretched /ˌaʊt'stretʃt/ *a*. 擴張的;伸長的.

outstrip /ˌaʊt'strɪp/ *vt*. 超過;追過;優於;勝過;逃脫.

outtake /'aʊtteɪk/ *n*. ①向外通風道②從未發行的廢棄録音或影片中挑出部分.

outtrade /aʊt'treɪd/ *v*. 買賣中占…上風;占…的便宜.

outvote /ˌaʊt'vəʊt/ *vt*. 投票數勝過;得票多於…;通過投票取勝.

outweigh /ˌaʊt'weɪ/ *vt*. 比…重;勝過;強於.

outwit /ˌaʊt'wɪt/ *vt*. 哄騙;瞞住;智勝.

outworks /'aʊtwɜːks/ *n*. 【軍】外圍工事.

outworn /ˌaʊt'wɔːn/ *a*. 過時的;已廢的;穿破的.

ouzel /'uːzl/ =ousel *n*.黑鶇,魚鷹.

ouzo /'uːzəʊ/ *n*. 希臘茴香烈酒.

ova /'əʊvə/ *n*. **ovum** 之複數【生】卵;卵細胞.

oval /'əʊvl/ *a*. 卵形的,橢圓的.

ovary/'əʊvərɪ/*n*.【解】卵巢.

ovation/əʊ'veɪʃn/*n*.熱烈鼓掌、歡呼.

oven /'ʌvn/ *n*. 竈,爐;烘箱,烤爐.

over /'əʊvə(r)/ *prep*. ①在…的上方;…上的②越過……,對過的③全面,到處④一面…一面…⑤關於 *ad*.在上,從上向下;越過,在那邊;倒過來 *a*.完了;剩餘 *n*.改變擲板球方向 ~**ly** *ad*.過度地 // *all* ~完全完了 ~*again*再來一次 ~ *and* ~轉來轉去,反反覆覆 ~ *and* ~ *again* 三番五次.

over-[前綴]①過度;太~**eat** 吃得過多②在上;在外;越過~**coat**③自上而下~**flow** 泛濫.

overact /ˌəʊvər'ækt/ *v*. 過度…,過分…,做得過火.

overall /ˌəʊvər'ɔːl/ *n*. 套頭工作服;罩衫 *pl*. 連衣工作褲 *a*. & *ad*.全部(的),總的,綜合的;所有的.

overarm /'əʊvərɑːm/ *a*. & *ad*. 舉手過肩(扔).

overawe /ˌəʊvər'ɔː/ *v*. 使畏縮,嚇住;威壓.

overbalance /ˌəʊvə'bæləns/ *vt*. 重過,重於,失去平衡.

overbearing /ˌəʊvə'beərɪŋ/ *a*. 架子十足的;傲慢的;專橫的.

overblown /ˌəʊvə'bləʊn/ *a*. ①被吹散了的;被蓋住了的②誇張的;膨脹過分的③腰圍過大的.

overboard /'əʊvəbɔːd/ *ad*. 向船外;到水中// *go* ~過份愛好;狂熱追求.

overcast /ˌəʊvə'kɑːst/ *v*. ①烏雲遮蓋,使陰暗②包邊縫攏 *a*.多雲的,陰鬱的.

overcharge /ˌəʊvə'tʃɑːdʒ/ *v*. 亂討價,索價太高;充(電)過多.裝子彈過多的.

overcoat /'əʊvəkəʊt/ *n*. 大衣,外衣(=outerwear)[俚]降落傘.

overcome /ˌəʊvə'kʌm/ (~**-came,-come**) *vt*. 克服,戰勝;壓倒,制服.

overcrowd /ˌəʊvə'kraʊd/ *vt*. 使(過份)擁擠.

overdo /ˌəʊvə'duː/ *vt*. 過於…,…過度;誇張// ~ *it* 做得過火;過勞;誇張.

overdose /'əʊvədəʊs/ *n*. 過量用藥 *v*. /ˌəʊvə'dəʊs/

overdraft /'əʊvədrɑːft/ *n*. ①【商】透支②透支額③通風過度.

overdraw /ˌəʊvə'drɔː/ *v*.【商】(存款)透支; **overdrawn** *a*.

overdress /ˌəʊvə'dres/ *v*. 穿着過份講究,過度裝飾.

overdrive /ˌəʊvədraɪv/ *vt*. (**over-drove, -driven**) 超速開車;汽車中高速齒輪箱.

overdue /ˌəʊvə'djuː/ *a*. 過期的;遲到的;早該實現的.

overestimate /ˌəʊvər'estɪmeɪt/ *vt*. 過高估計,過份評價 /ˌəʊvər'estɪmət/ *n*. 過高的估計,過份的評價.

overflow /ˌəʊvə'fləʊ/ *vt*. (**-flowed, -flew**) 使溢出,使泛濫;使漲滿;淹沒 ~**ing** *a*.溢出的;過剩的.

overgrown /ˌəʊvə'grəʊn/ *a*. 長得太大的,個子長得過高的.

overhang /ˌəʊvə'hæŋ/ *v*. (**-hung** /'hʌŋ/))倒懸;吊在…上面逼近;威脅 *n*.【建】懸垂,挑出屋頂.

overhaul /ˌəʊvə'hɔːl/ *vt*. ①翻查;仔細檢查②追上 /'əʊvəhɔːl/ *n*. 檢查;大修.

overhead /ˌəʊvə'hed/ *ad*. ①在上,在頭頂上;②在高空中 /'əʊvəhed/ *a*. ①頭頂上的;架空的②所有的③平均的④通常開支的 *pl*.*n*.①企業一般管理費用②天花板.

overhear /ˌəʊvə'hɪə(r)/ *v*. 偷聽,無意中聽到~**er** *n*.偷聽者.

overjoyed /ˌəʊvə'dʒɔɪd/ *a*. 喜出望外的;狂喜的.

overkill /ˌəʊvə'kɪl/ *vt*. ①宰盡殺絕②重複命中③用過多的核力量摧毀 *n*. /'əʊvəkɪl/ 殺害過多;矯枉過正.

overland /'əʊvəlænd/ *a*. 陸上的,陸路的 /ˌəʊvə'lænd/ *ad*.

overlap /ˌəʊvə'læp/ *v*. & *n*. 重複,交搭,搭接;覆蓋.

overlay /ˌəuvəˈleɪ/ *vt*. (**-laid** /-ˈleɪd/) 覆蓋,鋪,塗.

overleaf /ˌəuvəˈliːf/ *ad*. (紙)反面;在次頁.

overload /ˌəuvəˈləud/ *vt*. 超載;裝填過度【電】充電過量 /ˈəuvələud/ *n*. 過重裝載,過重負擔,超負荷.

overlook /ˌəuvəˈluk/ *vt*. ①俯視;眺望,瞭望②忽略,漏看.

overmuch /ˌəuvəˈmʌtʃ/ *a*. & *ad*. 過多的(地) *n*. 過量,剩餘.

overnight /ˌəuvəˈnaɪt/ *ad*. ①昨晚②通宵,一夜工夫 *a*. ①昨夜的②通夜的③一夜之際;忽然的 // *an ~ millionaire* 暴發戶.

overpower /ˌəuvəˈpauə(r)/ *vt*. ①制服,壓倒②深深感動③使難以承受.

overrate /ˌəuvəˈreɪt/ *v*. 估計過高,高估.

overreach /ˌəuvəˈriːtʃ/ *v*. 非分妄為致使…失敗, *~ oneself* 弄巧成拙.

override /ˌəuvəˈraɪd/ *vt*. (**-rode** /ˈ-rəud/ , **-ridden** /-ˈrɪdn/) ①蹂躪②藐視(法規);制服,壓倒③踐踏④越權(處置).

overrule /ˌəuvəˈruːl/ *vt*. ①統治,克服②否决;駁回③以權取銷(决定,方針等);宣佈無效.

overrun /ˌəuvəˈrʌn/ *vt*. (**-ran** /-ˈræn/, **-run**) ①蔓延;猖獗;泛濫②侵略;蠶食③超出(範圍).

overseas /ˌəuvəˈsiːz/ *a*. & *ad*. ①海外的,來自海外的,外國的②往海外的.

oversee /ˌəuvəˈsiː/ *vt*. (**-saw**; **-seen**) ①俯瞰;監督,監視②漏看;錯過**~r** *n*. 監工,工頭.

overshadow /ˌəuvəˈʃædəu/ *v*. ①奪去…的光輝②掃…的面子③使…黯然失色.

overshoe /ˈəuvəʃuː/ *n*. [美] *pl*. 套鞋.

overshoot /ˌəuvəˈʃuːt/ *v*. ①子彈打得太高而未中②走過頭;做過份.

oversight /ˈəuvəsaɪt/ *n*. ①出於疏忽之錯;失察②監督,看管.

oversleep /ˌəuvəˈsliːp/ *v*. (**-slept** /-ˈslept/)睡過了頭,睡得過久.

overspill /ˈəuvəspil/ *n*. 溢出物;過剩物資(人口).

overstate /ˌəuvəˈsteɪt/ *vt*. 誇大,誇張 **~ment** 言過其實;大話.

overstay /ˌəuvəˈsteɪ/ *v*. 逗留過久;使坐得過久 // *~ one's welcome* 逗留過久而使人生厭.

overstep /ˌəuvəˈstep/ *v*. 走過頭;越過界限 // *~ one's authority* 越權.

overt /ˈəuvɜːt/ *a*. 公開的,公然的**~ly** *ad*.

overtake /ˌəuvəˈteɪk/ *vt*. (**-took** /-ˈtuk/ ; **-taken** /-ˈteɪkən/) ①追上,趕上,超越②突然襲擊③打垮,壓倒.

overtax /ˌəuvəˈtæks/ *vt*. ①抽稅過重,過度徵稅②使負擔太重.

overthrow /ˌəuvəˈθrəu/ *vt*. (**-threw** /-ˈθruː/ **-thrown** /-ˈθrəun/) 推翻,打倒; /ˈəuvəθrəu/ *n*. 傾覆,滅亡,垮台,失敗,瓦解**~al** *n*.

overtime /ˈəuvətaɪm/ *n*. ①超時,加班②加班費 /ˈəuvətaɪm/ *ad*. 在額定時間之外.

overtone /ˈəuvətəun/ *n*. ①【樂】陪音,泛音②言外之意.

overture /ˈəuvətjuə(r)/ *n*. ①序幕,開端②【樂】序曲,前奏曲.

overturn /ˌəuvəˈtɜːn/ *v*. 顛倒,顛覆;推翻,打倒.

overview /ˈəuvəvjuː/ *n*. 一般觀察;總的看法;概論.

overweening /ˌəuvəˈwiːnɪŋ/ *a*. 自以為了不起的;自負的;誇大了的.

overweight /ˌəʊvəˈweɪt/ *a*. 超重的, 偏重的, 優勢的;超過規定重量的.

overwhelm /ˌəʊvəˈwelm/ *vt*. 壓倒;傾覆, 制服 **~ing** *a*. 壓倒的, 勢不可擋的 **~ingly** *ad*.

overwork /ˌəʊvəˈwɜːk/ *vt*. ①工作過度, 使過度勞累②綉滿 /ˈəʊvəwɜːk/ *n*. 過勞, 勞累過度 /ˈəʊvəwɜːk/ 加班.

overwrought /ˌəʊvəˈrɔːt/ *a*. ①緊張過度的, 興奮過度的②[寫作]過分推敲的;不自然的③過勞的.

oviparous /əʊˈvɪpərəs/ *a*. 【動】卵生的.

ovoid /ˈəʊvɔɪd/ *a*. 卵圓形的 *n*. 卵形物.

ovulate /ˈɒvjʊleɪt/ *vi*. 排卵 **ovulation** /ˌɒvjʊˈleɪʃn/ *n*.

ovum /ˈəʊvəm/ *n*. (*pl*. **ova** /ˈəʊvə/) 卵;卵細胞.

owe /əʊ/ *vt*. ①對…負有(義務, 債務);欠②歸功於 **owing** /ˈəʊɪŋ/ *a*. ①該付的, 未付的, 欠着的②有負於, 有恩於, 應歸功於 // *owing to* 由於.

owl /aʊl/ *n*. ①貓頭鷹, 梟②做夜工的人;夜遊神;夜生活者 **~et** /ˈaʊlɪt/ *n*. 小貓頭鷹 **~ish** *a*.

own /əʊn/ *a*. 自已的, (用於強調所有格) *v*. 擁有;持有 **owner** /ˈəʊnə(r)/ *n*. 所有者, 物主 **ownership** /ˈəʊnəʃɪp/ *n*. 物主身份, 所有權 // *hold one's* ~堅持自己立場 *my* ~ *idea* 我自己的想法 *on one's* ~ [俚]獨自地, 獨立地;主動地 ~ *up* 爽快承認.

ox /ɒks/ *n*. (*pl*. **oxen** /ˈɒksn/) 公牛, 閹公牛.

Oxbridge /ˈɒksbrɪdʒ/ *n*. & *a*. 牛津及劍橋大學.

oxeye /ˈɒksaɪ/ *n*. ①(人的)大眼睛②牛眼菊, 春白菊.

Oxfam /ˈɒksfæm/ *n*. 牛津救荒委員會.

oxide /ˈɒksaɪd/ *n*. 【化】氧化物 **oxidation** /ˌɒksɪˈdeɪʃən/ *n*. 【化】氧化(作用) **oxidize** /ˈɒksɪdaɪz/ *vt*. 使氧化, 使脱氫;使增加原子價 *vi*. 氧化, 生銹.

oxygen /ˈɒksɪdʒən/ *n*. 【化】氧, 氧氣

oxygenate /ɒkˈsɪdʒəneɪt/ *vt*. 【化】用氧處理;充氧於…; **oxyacetylene** /ˌɒksɪəˈsetəliːn/ *a*. 【化】氧乙炔的.

oxymoron /ˌɒksɪˈmɔːrɒn/ *n*. 【語】矛盾修飾法 // 例如: *a wise fool* 聰明的傻瓜.

oyez /əʊˈjez/ =Oyes 聽! 靜聽! 肅靜! (一般喊三次).

oyster /ˈɔɪstə(r)/ *n*. ①蠔, 牡蠣②極少開口的人 **~bird**, **~catcher** *n*. 蠣鷸.

oz *abbr*. =ounce(s) 盎司.

ozone /ˈəʊzəʊn/ *n*. ①【化】臭氧②[喻]爽心怡神的力量[口]新鮮空氣, **~layer** *n*. 臭氧層.

P

Pp /piː/ ①park 停車②page 頁③past 過去的④penny 便士(貨幣單位)⑤【化】phosphorus 磷.

PA *abbr*. =①personal assistant 私人助理②public address system 有綫廣播系統③Petroleum Administration 石油管理局.

p.a. *abbr*. =per annum [拉]每年.

PAA *abbr*. = Pan American World Airways [美]泛美航空公司.

pace /peɪs/ *n*. ①步,一步②一步之長度③(走或跑的)速度;步態;步調;步幅 *v*. 慢慢地走,踱步;(馬)蹓蹄走;步測;定步速 **~maker** *n*. ①定步速者②=artificial~maker 電子心臟定調器// *at a snail's* ~爬行,慢吞吞走 *hold* (*keep*)~*with* 跟…齊步前進 *set the* ~(*for*) 作步調示範帶頭 ~ *off* (*out*) 步測 *put someone through his* (*her*) *paces* 試試某人的本領.

pachyderm /ˈpækɪdɜːm/ *n*. ①厚皮動物(象、河馬等);【喻】厚臉皮的人;精神麻木的人.

pacific /pəˈsɪfɪk/ *a*. ①太平的;和平的;溫和的②愛好和平的③(*P-*)太平洋的 **pacifist** /ˈpæsɪfɪst/ *n*. ①和平主義者;綏靖主義者②持消極態度者 **pacifism**/ˈpæsɪfɪzəm/ 和平主義.

pacify /ˈpæsɪfaɪ/ *v*. ①撫慰;使鎮靜②平定,平息;綏靖 **pacification** /ˌpæsɪfɪˈkeɪʃn/ *n*.

pack /pæk/ *n*. ①背包;行李;捆,一堆;大堆②一夥;一群;一副(牌)③[美]罐頭食品④【商】包裝⑤【電】單元;部件 *vt*. ①打點行裝②裝罐頭;裝填;填塞③壓緊;使成一群④把…打發走;解僱(*off*)⑤馱貨⑥變結實⑦做包裝(運輸)生意 **~ing** *n*. 包裝;行李[美]食品加工業;罐頭業;襯墊;填料 **~horse** *n*. 馱馬// ~*ice* 浮冰,積冰 ~*in* 停止 ~*off* 打發走 ~*up* ①打包②收拾行李③解僱 [俚]機器出故障.

package /ˈpækɪdʒ/ *n*. ①包裝;包裹;捆,束,組②包裝用品③部件、組件;綜合設備④打包費⑤整套廣播(電視)節目 *v*. 打包,裝箱 **packaging** *n*. (效高美觀之)包裝法,打包// ~ *deal* 一攬子交易 ~ *holiday* (*tour*) 由旅行社代作一切安排的旅行,包辦度假旅行.

packet /ˈpækɪt/ *n*. ①包裹,小件行李②一捆;袋③[俚]大筆錢// ~ *boat* (*ship*) 郵船;班輪 *a* ~ *of cigarettes* 一包香烟.

pact /pækt/ *n*. 合同,條約,契約,協定.

pad /pæd/ *n*. ①襯墊;墊料,填料,緩衝物②束、捆③肉趾④(火箭等的)發射台⑤[美俚]床;房間;公寓 *v*. (過去式及過去分詞 **-ded**)①填,填塞②不出脚步聲地走③給(文章)補白;拉長④虛報 **~ding** *n*. ①填充,裝填②填料,芯;③補白.

paddle[1]/ˈpædl/ *n*. 槳,短槳 *v*.用槳划船;攪打 // ~ *steamer* 明輪船 ~ *wheel* 蹼輪,(輪船的)明輪.

paddle[2]/ˈpædl/ *v*.涉水;用脚玩水.

paddock /ˈpædək/ *n*. (練馬用)圍場;蛙;蟾蜍.

paddy /ˈpædɪ/ *n*. ①[英口]大怒②水

稻;穀;水稻田 **~-field** *n*. 水稻田 **~rice** *n*. 稻穀,水稻 **~ whack** /-hwæk/ *n*. [英]大怒;[美]揍,痛打.

padlock /ˈpædlɒk/ *n*. 挂鎖,扣鎖.

padre /ˈpɑːdreɪ/ *n*. 隨軍牧師,神父.

paean /ˈpiːən/ *n*. 贊歌;凱歌;歌頌.

paediatrics /ˌpiːdɪˈætrɪks/ *n*.【醫】兒科學;(= pediatrics) **paediatrician** /ˌpiːdɪəˈtrɪʃn/ *n*. 兒科醫生(專家).

paedophilia /ˌpiːdəuˈfɪlɪə/ *n*. 兒童色情狂 (= pedophilia); **paedophile** /ˈpiːdəˌfaɪl/ *n*. 患兒童色情狂的人.

paella /pɑːˈelə/ *n*. 肉菜飯(西班牙菜飯).

pagan /ˈpeɪgən/ *a* & *n*. 異教徒的(人);沒有宗教信仰的人;**paganism** 異教;偶像崇拜.

page /peɪdʒ/ *n*. ①頁,一頁版面②小侍從,聽差 *v*. 標頁碼;(侍者)叫名找人;當聽差.

pageant /ˈpædʒənt/ *n*. ①露天表演②盛大的着裝遊行③慶典 **pageantry** /ˈpædʒəntrɪ/ *n*. 壯觀,盛觀;彩飾;虛飾.

pager /ˈpədʒə(r)/ *n*. 傳呼機.

paginate /ˈpædʒɪneɪt/ *vt*. 標…的頁碼 **pagination** *n*.

pagoda /pəˈgəudə/ *n*. 寶塔;廟宇.

paid /peɪd/ *v*. pay 之過去式 // *put* "~" *to* 結束,了結,付清.

pail /peɪl/ *n*. 桶,提桶 **~ful** *n*. 一滿桶,一桶量.

pain /peɪn/ *n*. 痛,疼痛;(精神的)痛苦;煩惱 (*pl*.)麻煩,費心,苦心 **~ful** /ˈpeɪnfl/ *a*. **~fully** *ad*. **~less** *a*. 無痛的 **~lessly** *ad*. **~-killer** *n*. 止痛藥; **~staking** *a*. (不辭)勞苦的,煞費苦心的,勤奮努力的 // *on ~ of death* 違者則處以死刑.

paint /peɪnt/ *n*. ①顏料;油漆;塗料②化妝品;胭脂、香粉 *v*. ①用(顏料)繪畫;搽粉(胭脂);給…着色②上油漆;把…塗成(某種顏色) **~er** *n*. 畫家;油漆匠;繫船纜索;【動】美洲豹 (= cougar); **~ing** *n*. 繪畫;繪畫藝術;上色,着色;塗料.

pair /peə(r)/ *n*. 一對,一雙;一套;一副;一男一女 *v*. 使成對;使成配偶;使交配.

paisley /ˈpeɪzlɪ/ *n*. & *a*. 渦漩紋花呢 **~pattern** 渦漩型紋.

pajamas = **U.S. pyjamas**/pəˈdʒɑːməz/ *n*. 寬大的睡衣褲.

Pakistani /ˌpɑːkɪˈstɑːnɪ/ *a*. & *n*. (*pl*. **-s**)巴基斯坦人(的).

PAL *abbr*. = Philippine Air Lines 菲律賓航空公司.

pal /pæl/ *n*. [口]夥伴,好朋友;同夥,同僚,同謀.

palace /ˈpælɪs/ *n*. ①宮,宮殿②邸宅,宏偉大廈③官邸.

palaeography /ˌpælɪˈɒgrəfɪ/ *n*. 古文書學;古字體.

palaeolithic /ˌpælɪəυˈlɪθɪk/ *a*. 舊石器時代的.

palaeontology /ˌpælɪɒnˈtɒlədʒɪ/ *n*. 古生物學;化石學 **palaeontological** /ˈpælɪˌɒntəˈlɒdʒɪkəl/ *a*.

palatable /ˈpælətəbl/ *a*. ①好吃的,可口的②愉快的,愜意的.

palate /ˈpælət/ *n*. ①【解】腭②味覺;嗜好.

palatial /pəˈleɪʃl/ *a*. 宮殿似的;宏偉的 **~ly** *ad*.

palaver /pəˈlɑːvə(r)/ *n*. 廢話,空談;哄騙.

pale /peɪl/ *a*. 蒼白的;灰白的;暗淡的 *n*. 樁;圍籬;柵欄 *v*. 使之黯然失色;使變蒼白 **~hearted** *a*. 膽小的, **~ly** *ad*. 柔弱無力地;淡淡的 **~ness**

n. // *beyond the* ～越規的,為社會所不容的.

palette /'pælət/ *n*. 調色板 **～knife** *n*. 調色刀.

palindrome /'pælɪndrəʊm/ *n*. 回文(正讀反讀皆可的語句).

paling /'peɪlɪŋ/ *n*. ①打樁做柵欄②樁;柱;柵.

palisade /ˌpælɪ'seɪd/ *n*. ①樁,木柵,柵欄②(*pl*.)斷崖.

pall /pɔːl/ *n*. ①棺衣②祭台罩布③陰霾;悲哀④[喻]幕⑤濃烟 *v*. 失味,走味;掃興;喪失吸引力;令人生厭 **～bearer** *n*. 抬棺材的人[美俚]飯館裏撤盤子的人.

pallet /'pælɪt/ *n*. 草墊;(便於裝卸的)台板;墊板;(瓦工)抹子.

palliasse /'pælɪæs, pælɪ'æs/ *n* = paillasse 草薦,草墊.

palliate /'pælɪeɪt/ *vt*. ①(暫時)緩解(病痛),減輕②掩飾(罪過) **palliative** /'pælɪətɪv/ *a*. & *n*. 治標劑;姑息劑.

pallid /'pælɪd/ *a*. ①蒼白的,沒血色的②病態的 **pallor** /'pælə(r)/ *n*.

pally /'pælɪ/ *a*. (**plllier, palliest**) [俚]親密的,要好的.

palm /pɑːm/ *n*. ①手掌,手心②棕櫚(樹) // ～ *butter* 棕櫚油 ～ *crab*【動】椰子蟹,桓螯,尾蟹 ～ *fat* 椰子油 ～ *off* 擺脫 *P* ～ *Sunday*【宗】復活節前的星期天.

palmistry /'pɑːmɪstrɪ/ *n*. 手相術; **palmist** *n*. 看手相者.

palomino /ˌpælə'miːnəʊ/ *n*. (*pl*. **～s**) 淡黃色的馬;淡黃褐色.

palpable /'pælpəbl/ *a*. 摸得出的;明顯的;**～ly** *ad*.

palpate /'pælpeɪt/ *a*. 有觸鬚的 *v*.【醫】觸診,摸,捫診 **palpation** /ˌpæl'peɪʃn/ *n*. 觸診.

palpitate /'pælpɪteɪt/ *v*. (心)跳動,悸動;發抖(with) **palpitation** /ˌpælpɪ'teɪʃn/ *n*.

palsy /'pɔːlzɪ/ *n*. 中風;癱瘓;麻痹;痙攣 **palsied** *a*.

paltry /'pɔːltrɪ/ *a*. (**paltrier, -triest**) 微不足道的,渺小的.

pampas /'pæmpəs/ *n*. (*pl*.) 南美大草原 **～grass** *n*. 蒲葦.

pamper /'pæmpə(r)/ *vt*. 慫恿;慣壞,溺愛.

pamphlet /'pæmflɪt/ *n*. 小冊子 **～eer** /ˌpæmflətɪə(r)/ *n*. 小冊子作者.

pan /pæn/ *n*. ①盆子;平底鍋②自然界之精靈 *vi*. 攝拍全景;淘金 *vt*. 用平底鍋燒菜,[美俚]嚴厲批評;糟蹋(名譽) pan- 前綴表示:全,萬,泛,如:**～-American** 泛美 // ～ *down* 降下(鏡頭以拍攝全景) ～ *out* 選出;[俚]賺錢.

panacea /ˌpænə'sɪə/ *n*. 萬靈藥;仙丹;補救辦法.

panache /pæ'næʃ/ *n*. [法][喻]誇耀,炫耀;擺架子;耍派頭.

Panama(hat) /'pænəmɑː/ *n*. 巴拿馬(草帽).

panatella /ˌpænə'telə/ *n*. (細長的)雪茄烟.

pancake /'pæŋkeɪk/ *n*. 烙餅,薄煎餅 // *P* ～ *Day* [Tuesday] 聖灰節(此日習慣吃餅) ～ *landing* (飛機)平降着陸 ～ *turner* (廣播電台或電視台的)唱片放送員.

panchromatic /ˌpænkrəʊ'mætɪk/ *a*.【攝】全色 // ～ *film* 全色膠卷(軟片) ～ *plate* 全色乾片.

pancreas /'pæŋkrɪəs/ *n*.【解】胰(腺) **pancreatic** /ˌpæŋkrɪ'ætɪk/ *a*.

panda /'pændə/ *n*.【動】熊貓 // ～

car 警察巡邏車.

pandemic /pænˈdemɪk/ *a*. 流行性的, 傳染的 *n*. 傳染病.

pandemonium /ˌpændɪˈməʊnɪəm/ *n*. 混亂;大吵大鬧;無法無天.

pander /ˈpændə(r)/ *n*. 拉皮條者 *v*. ~(*to*) 拉皮條;慫恿幹壞事;煽動;迎合.

P & O *abbr*. Peninsula and Oriental (Steamship Company) [英]半島和東方輪船公司.

P & P *abbr*. postage and packing 郵資加包裝費.

pane /peɪn/ *n*. (窗格)玻璃;(門牆)嵌板.

panegyric /ˌpænɪˈdʒɪrɪk/ *n*. & *a*. 頌詞(的)配電盤,儀表盤.

panel /ˈpænl/ *n*. ①面;板;門窗板②配電盤,儀表盤【律】全體陪審員;公開討論會小組;專(門)家小組名單 *v*. 嵌板子,置鞍墊(以裝飾) **~ling** *n*. 鏡板;鑲木 **~list** *n*. 專門小組成員 **~-beater** 專修汽車車身的人員 // ~ *discussion* [美]小組討論會 ~ *heating* 壁板供暖.

pang /pæŋ/ *n*. (肉體)痛苦;劇痛;折磨.

pangolin /pæŋˈgəʊlɪn/ *n*. 【動】穿山甲.

panic /ˈpænɪk/ *n*. 驚慌,恐慌;熱狂 **~ky** *a*. **~-stricken, ~-struck** *a*. 恐慌的,受驚的.

panicle /ˈpænɪkl/ *n*. 【植】散穗花序.

panier /ˈpænɪə(r)/ = pannier / *n*. 馱籃,背簍;車兜.

panoply /ˈpænəplɪ/ *n*. ①盛裝;禮服②壯麗的陳列.

panorama /ˌpænəˈrɑːmə/ *n*. ①(展現)全景②概觀,概論 **panoramic** /ˌpænəˈræmɪk/ *a*.

pansy /ˈpænzɪ/ *n*. ①三色堇,三色紫羅蘭②脂粉氣男人;搞同性戀的男子.

pant /pænt/ *v*. ①氣喘吁吁②心跳 *n*. 褲子 **~dress** 工裝褲 **~legs** 褲管.

pantaloons /ˌpæntəˈluːnz/ *n*. (*pl*.) 馬褲,褲子.

pantechnicon /pænˈteknɪkən/ *n*. ①傢具搬運車②倉庫.

pantheism /ˈpænθɪɪzəm/ *n*. 泛神論;多神信仰 **pantheist** *n*. 泛神論者 **pantheistic** /ˌpænθɪˈɪstɪk/ *a*.

pantheon /pænˈθɪən/ *n*. 萬神殿;偉人(先哲)祠;諸神.

panther /ˈpænθə(r)/ *n*. 黑豹.

panties /ˈpæntɪz/ *n*. (*pl*.) = panty 童褲,女褲 // *panty girdle* 叉式腰帶 *panty hose* (女用)連襪褲.

pantile /ˈpæntaɪl/ *n*. 【建】波形瓦.

pantograph /ˈpæntəgrɑːf/ *n*. ①伸縮,畫圖儀器②縮放儀③(電車頂上的)導電弓架.

pantomime /ˈpæntəmaɪm/ *n*. ①啞劇②[英]聖誕節上演之神話劇③手勢,姿勢,示意動作.

pantry /ˈpæntrɪ/ *n*. (*pl*. **-tries**) 餐具室;配膳室;碗櫥 **~man** 飯廳管理員.

pants /pænts/ *n*. (*pl*.) ①褲子;緊身長襯褲②內褲.

pap /pæp/ *n*. ①(嬰兒或病人吃的)軟食,半流質食物②援助;津貼③幼稚的話④奶頭.

papacy /ˈpeɪpəsɪ/ *n*. 羅馬教皇之職位;教皇制度 **papal** *a*.

paparazzo /ˌpɑːpɑːˈrɑːttsɔː/ *n*. (*pl*. **paparazzi** /-tsiːl/) 追踪有名人物拍攝照片的攝影師;無固定職業攝影師.

papaya /pəˈpaɪə/ *n*. 番木瓜 (= papaw /pɔːpɔː/).

paper /'peɪpə(r)/ *n*. ①紙;糊牆紙②報;報紙③文章, 論文④(*pl*.)文件⑤考題, 試卷 *v*. 用紙糊牆 ~**back** *n*. 平裝本 ~**backed** *a*. 紙面裝的 ~**boy** *n*. 報童 ~**cut** *n*. 剪紙 ~**hanger** *n*. ①裱糊工人②[美]用偽鈔者 ~**hanging** *n*. 糊牆紙 ~**maker** *n*. 造紙工, ~**-thin** *a*. 薄如紙的 ~**weight** *n*. 鎮紙 // ~ *baron* 挂名男爵 ~ *currency* 紙幣 ~ *pulp* 紙漿 ~ *work* 文書工作,寫作 ~ *on* ~ 理論上,統計上.

papier-mâché /ˌpæpɪeɪ 'mæʃeɪ/ *n*. [法]①紙型②製型紙.

papist /'peɪpɪst/ *n*. & *a*. [蔑]羅馬天主教徒(的).

papoose /pə'puːs/ *n*. ①北美印第安人的嬰兒②[俚]同工會會員一起工作的非會員工人.

paprika /'pæprɪkə/ *n*. (匈牙利)紅辣椒,辣椒粉.

Pap test, smear /pæptest, smɪə/ *n*. 早期子宮頸癌塗片檢驗.

papyrus /ˌpə'paɪərəs/ *n*. (*pl*. **-ri**/-rai/【植】紙莎草,莎草紙.

par /pɑː(r)/ *n*. ①同等;同位②平價③【商】牌價,票面金額 // *above* ~ 在票面價值以上 *at* ~ 照票面價值 ~ *value* 票面價值 *on a* ~ *with* 和…相等(同價).

parable /'pærəb/ *n*. 寓言;比喻[美俚]大話.

parabola /pə'ræbələ/ *n*. 抛物綫; **parabolic** *a*.

paracetamol /ˌpærə'siːtəmɒl/ *n*. 退熱止痛藥.

parachute /'pærəʃuːt/ *n*. 降落傘 *v*. 用降落傘着陸 **parachutist** *n*. 傘兵;跳傘者.

parade /pə'reɪd/ *n*. ①遊行,示威遊行②閱兵式,檢閱 *v*. ①列隊行進②誇耀,標榜 ~**ground** *n*. 練兵場,校場 // ~ *rest* 士兵在檢閱時的稍息姿勢.

paradigm /'pærədaɪm, -dɪm/ *n*. 範例;示範.

paradise /'pærədaɪs/ *n*. 天堂,樂園,樂土;伊甸園.

paradox /'pærədɒks/ *n*. ①似非而可能的論點②反論;疑題③自相矛盾的話;奇談 **paradoxical** /pærə'dɒksɪkl/ *a*. **paradoxically** *ad*.

paraffin(e) /'pærəfɪn/ *n*. ①[美]石蠟②[英]煤油.

paragliding /'pærəˌglaɪdɪŋ/ *n*. 降落傘高空滑翔.

paragon /'pærəgən/ *n*. 模範,典範.

paragraph /'pærəgrɑːf/ *n*. ①(文章之)段,節②短文,短評.

parakeet /'pærəkiːt/ *n*.【鳥】長尾小鸚鵡.

parallax /'pærəlæks/ *n*.【物】視差.

parallel /'pærəlel/ *a*. ①平行的②相似的③同一方向的 *n*. ①平行綫②相似物③對比④緯綫 *v*. ①使並行②對比③與…匹配 **parallelism** /'pærelelɪzəm/ *n*. 對句法.

parallelogram /ˌpærə'leləgræm/ *n*.【數】平行四邊形.

paralysis /pə'ræləsɪs/ *n*. (*pl*. **-ses** /-siːz/) 麻痹;癱瘓;中風 **paralyse** /'pærəlaɪz/ *vt*. ①使麻痹;使癱瘓②使無效;使驚獃 **paralytic** /ˌpærə'lɪtɪk/ *a*.

paramedic /ˌpærə'medɪk/ *n*. ①傘兵軍醫,傘降醫師②醫務輔助人員 **paramedical** /ˌpærə'medɪkl/ *a*.

parameter /pə'ræmɪtə(r)/ *n*.【數】參數,變數.

paramilitary /ˌpærə'mɪlɪtrɪ/ *a*. 起軍

事輔助作用的,准軍事性的.

paramount /'pærəmaʊnt/ *a*. 最高的;至上的;首要的;最重要的.

paramour /'pærəˌmʊə(r)/ *n*. ①奸夫;情婦②情人.

paranoia /ˌpærə'nɔɪə/ *n*. 【醫】偏執狂,妄想狂 **paranoid** /'pærənɔɪd/ *a*. 患妄想狂的 *n*. 患妄想狂者(=paranoiac).

paranormal /ˌpærə'nɔːml/ *a*. 超自然的;無法用科學解釋的.

parapet /'pærəpɪt/ *n*. 欄杆;女兒牆;(防禦的)胸牆.

paraphernalia /ˌpærəfə'neɪlɪə/ *n*. (*pl*.) ①隨身行頭②各種器具③行裝.

paraphrase /'pærəfreɪz/ *n*. 釋義;意譯.

paraplegia /ˌpærə'pliːdʒə/ *n*. 【醫】截癱;下身麻痹 **paraplegic** *a*.

parapsychology /ˌpærəsaɪ'kɒlədʒɪ/ *n*. 【醫】心靈學.

paraquat /'pærəkwɒt/ *n*. 百草枯,(一種劇毒的含陽離子)除草劑.

parasite /'pærəsaɪt/ *n*. ①寄生物;寄生蟲②食客 **parasitic** /ˌpærə'sɪtɪk/ *a*. 寄生的. **parasiticide** *a*. & *n*. 殺寄生蟲藥.

parasol /'pærəsɒl; 'pærəsɔːl/ *n*. (女用)陽傘.

paratroops /'pærətruːps/ *n*. 傘兵部隊, **paratrooper** *n*. 傘兵.

parboil /'pɑːbɔɪl/ *v*. 煮成半生半熟.

parcel /'pɑːsl/ *n*. ①包,包裹②【商】(貨物的)一宗 *v*. (**-ling -led**)①分,區分②把…打成包袱捆扎一起 // ~*out* 劃分開;分配,分派.

parch /pɑːtʃ/ *vt*. ①烤,烘②使乾,渴, **~ing** *a*. 似烤的,乾燥的 **~ment** *n*. 羊皮紙,硫酸紙,大學畢業文憑.

pardon /'pɑːdən/ *n*. ①原諒,寬恕②【律】赦免;*v*. **~able** *a*. **~ably** *ad*. **~er** *n*. ①寬恕者②獲准出售天主教免罪符者.

pare /peə(r)/ *vt*. ①剥;削(果皮等);修(指甲等);削去(邊,角等) **parings** /'peərɪŋz/ *n*. ①削皮②削下的皮,刨花.

parent /'peərənt/ *n*. 父、母親,雙親 **~age** /'peərəntɪdʒ/ *n*. ①父母的身份②出身;血統;門第 **~al** /pə'rentl/ *a*. 父母親的;父的;母的;父母般的;**~hood** *n*. 父母之身份 **parenting** *n*. 將孩子撫養長大(之活動).

parenthesis /pə'renθəsɪs/ *n*. (*pl*. **-eses** /-əsiːz/) 【語】插入語 **parenthetical** /ˌpærən'θetɪkl/ *a*.

par excellence /ˌpɑːr 'eksəlɑːns/ *a*. & *ad*. [法]最卓越的(地),無與倫比的(地);典型的(地).

pargeting /'pɑːdʒɪtɪŋ/ *n*. 【建】①石膏,灰泥②粉刷裝飾.

pariah /pə'raɪə/ *n*. 賤民;社會渣滓.

parietal /pə'raɪətl/ *a*. 【解】腔壁的;體壁的,周壁的.

Paris /'pærɪs/ *n*. 巴黎(法國首都).

parish /'pærɪʃ/ *n*. ①教區②濟貧區 **~pump** *a*. 教區範圍的 **~ioner** /pə'rɪʃənə(r)/ *n*. 教區居民.

parity /'pærətɪ/ *n*. ①同等,平等②同格,同位.

park /pɑːk/ *n*. ①公園②停車場;停炮場 *v*. 存車 // ~*ing lot* 停車場 ~*ing meter* 停車收費投幣機 ~-*ing ticket* 違章停車罰款通知.

parka /'pɑːkə/ *n*. 帶兜帽風雪衣,派克大衣.

parkinson's disease /'pɑːkɪnsnz dɪziːz/ *n*. 震顫性麻痹症(=parkinsonism /'pɑːkɪnsənɪzəm/ *n*.)

parky /'pɑːkɪ/ *a*. [英俚]寒冷的.

parlance /'pɑːləns/ *n*. ①腔調, 說法②[古]談判, 辯論.

parley /'pɑːlɪ/ *n*. & *v*. 會談, (尤指敵對雙方之)談判.

parliament /'pɑːləmənt/ *n*. 議會, 國會; 立法機構 **~al** /ˌpɑːlə'mentəl/ *a*. (=parliamentary /ˌpɑːlə'mentrɪ/) **parliamentarian** /ˌpɑːləmən'teərɪən/ *n*. 議院法規專家.

parlo(u)r /'pɑːlə(r)/ *n*. ①起居室②客廳, 會客室.

parlous /'pɑːləs/ *a*. [古, 謔]靠不住的; 危險的; 難對付的.

Parmesan /ˌpɑːmɪ'zæn/ *n*. (意大利)巴馬乾酪.

parochial /pə'rəʊkɪəl/ *a*. ①教區的②郇鎮的③偏狹的; 地方性的 **parochialism** /pə'rəʊkɪəlɪzəm/ *n*. 教區制度; 地方觀念.

parody /'pærədɪ/ *n*. (*pl*. **-dies**) 誇張而拙劣的摹仿 *v*. (過去式及過去分詞 **-died**) 把(他人詩作)摹仿成滑稽體裁.

parole /pə'rəʊl/ *n*. & *v*. 提前釋放, 假釋許可 // *on* ~ (俘虜)獲得釋放宣誓; 特別口令; 准許假釋.

parotid (gland) /pə'rɒtɪd/ *n*. 【醫】腮腺 **parotitis** /ˌpærə'taɪtɪs/ *n*. 腮腺炎.

paroxysm /'pærəksɪzəm/ *n*. ①(疾病)突然發作, 陣發②(突然而來的)發作或活動.

parquet /'pɑːkeɪ, 'pɑːrkeɪ/ *n*. & *v*. 木條鑲花紋地板 **~ry** *n*.

parricide /'pærɪsaɪd/ *n*. ①殺父母者; 殺親犯②叛逆, 忤逆.

parrot /'pærət/ *n*. ①【動】鸚鵡②應聲蟲 *v*. 鸚鵡學舌般說話機械地模仿.

parry /'pærɪ/ *v*. (**~rying** **~ried**) ①擋開; 避開, 閃開②迴避(質問).

parse /pɑːz/ *v*. 【語】從語法上分析, 解析.

parsec /pɑː'sek/ *n*. 【天】秒差距(天體距離單位=3.26光年).

parsimony /'pɑːsɪmənɪ/ *n*. 吝嗇, 小氣 **parsimonious** /ˌpɑːsɪ'məʊnɪəs/ *a*.

parsley /'pɑːslɪ/ *n*. 【植】歐芹, 洋芫荽.

parsnip /'pɑːsnɪp/ *n*. 歐洲防風(調味, 着色用).

parson /'pɑːsn/ *n*. 教區牧師 **~age** *n*. 牧師住宅; 牧師聖俸 // *~'s nose* 食用煮禽尾(屁股).

part /pɑːt/ *n*. ①部分, 局部②配件, 零件③部, 篇④角色⑤一方, 方面 *v*. 分開; 分別 **~ing** *a*. & *n*. 臨別; 臨終; 分別 **~ly** /'pɑːtlɪ/ *ad*. **~-time** /'pɑːt'taɪm/ *n*. 業餘時間; 兼職 // *~ and parcel* 重要(基本)部分 *take sb's ~* 袒護; 支持 *~ of speech* 詞類 *~ song* 合唱歌曲 *~ with* 放棄所有權.

partake /pɑː'teɪk/ *v*. (過去式及過去分詞 **-took, -taken**) ①參與②分享, 分擔; 共享[口]吃光, 喝光.

parterre /pɑː'teə(r)/ *n*. ①花圃, 花池子②[法]劇場正廳.

partial /'pɑːʃl/ *a*. ①一部分, 局部的, 不完全的②不公平的③偏愛的 **~ity** /ˌpɑːʃɪ'ælətɪ/ *n*. 偏心, 不公平 **~ly** *ad*. // *be ~ to* 偏愛.

participate /pɑː'tɪsɪpeɪt/ *v*. 參與, 參加; 分擔; 共享 **participant** /pɑː'tɪsɪpənt/ *a*. 參加的; 有關係的 *n*. 參加者 **participation** /pɑːˌtɪsɪ'peɪʃn/ *n*. 關係; 參加 **participator** (=participant) *n*.

participle /'pɑːtɪsɪpl/ *n*. 【語】分詞.

parti-coloured /'pɑːtɪkʌləd/ *a*. ①雜色; 斑駁的②多樣化的.

particular /pəˈtɪkjʊlə(r)/ *a*. ①特殊的,特別的,特有的②特定的,獨特的,獨自的③苛求的,挑剔的;講究的 *n*. 詳情,細節;細目;特色 **~ly** *ad*. **~ize** *v*. ①使特殊化②詳述,細論 **~ity** /pəˌtɪkjʊˈlærətɪ/ *n*. 特性,特殊性.

partisan /ˌpɑːtɪˈzæn/ *n*. 【軍】遊擊隊;黨羽;堅定支持者 *a*. ①黨派性的;有偏袒的②遊擊隊的.

partition /pɑːˈtɪʃn/ *v*. 分割;分開;劃分;隔開 *n*. 隔牆;隔開部分,隔開成小房間,【律】分財產.

partner /ˈpɑːtnə(r)/ *n*. ①合夥人;夥伴,搭檔②配偶③【律】合股人 *v*. ①同…合作(合夥),做…的夥伴②做搭檔 **~ship** *n*. 合夥關係;合股經營.

partridge /ˈpɑːtrɪdʒ/ *n*. 【動】鷓鴣;[美]松雞.

parturition /ˌpɑːtjʊˈrɪʃn/ *n*. 分娩;生產.

party /ˈpɑːtɪ/ *n*. ①黨,黨派;政黨②聚會,宴會③同行者,隨行人員④【律】訴訟關係人,一方,當事人 **~-wall** 公共牆,通牆 // *~ line* 合用電話綫;分界綫;政黨路綫.

parvenu /ˈpɑːvənjuː/ *n*. [法]新貴,暴發戶.

pascal /ˈpæskəl/ *n*. 帕斯卡(壓強單位,可縮寫為:**Pa**).

paschal /ˈpæskl/ *a*. ①逾越節的②聖誕節的.

pass /pɑːs/ *v*. (**~ed**, **past**) ①經過,通過;穿過,越過②推移;流逝③及格;獲准,被批准④轉讓⑤度過(時光)⑥傳遞⑦實施⑧停止⑨不出牌,放弃出牌 *n*. 及格通過;傳球;派司;通行證;隘口 **~able** *a*. 通得過的 **~ing** *a*. 短暫的,刹那的,倉促的;隨便的 // *make a ~ at* [俚]對…吊膀子,向…調情 *~ away* 過時;去世 *~ out* 出去,[美俚]被打昏過去;死 *~ over* 疏忽,忽略 *~ up* [俚]拒絕;絕交;不理.

passage /ˈpæsɪdʒ/ *n*. ①通行②旅行③航行④通行(權)⑤通道⑥(文章的)一段,一節 **~way** *n*. 通道,走廊.

passbook /ˈpɑːsbʊk/ *n*. [英]銀行存摺;顧客賒欠帳本,提貨摺.

passé(e) /ˈpæseɪ/ *a*. [法]①過時的②已過盛時的.

passenger /ˈpæsɪndʒə(r)/ *n*. ①乘客;旅客②行人;過路人.

passer-by /ˈpɑːsəˈbaɪ/ *n*. (*pl*. **passers-by**) 過路人;過客.

passerine /ˈpæsəraɪn/ *a*. 【動】雀形目的(鳥).

passim /ˈpæsɪm/ *ad*. [拉]到處,處處,各處.

passion /ˈpæʃn/ *n*. ①熱情,激情②激怒③熱戀④耶穌受難⑤熱心;愛好;熱望 **~al** /ˈpæʃənəl/ *a*. **~ate** *a*. ①易動感情的,多情的②易怒的③熱烈的 **~ately** *ad*. **~-flower** *n*. 【植】西番蓮 **~-fruit** *n*. 西番蓮果(可食用) **~-play** *n*. 耶穌受難劇 **P-tide** *n*. 復活節前兩周.

passive /ˈpæsɪv/ *a*. ①被動的②不抵抗的,消極的③【語】被動語態 **~ly** *ad*. **passivity** /pæˈsɪvətɪ/ *n*. 被動性,消極情緒,消極怠工 // *~ resistance* 消極抵抗 *~ smoking* 不吸烟者吸進別人噴出的烟為被動吸烟者.

passkey /ˈpɑːskiː/ *n*. ①萬能鑰匙;專用鑰匙②盜賊用的鑰匙.

Passover /ˈpɑːsˌəʊvə(r)/ *n*. (紀念猶太人出埃及的)逾越節.

passport /ˈpɑːspɔːt/ *n*. 護照,通航護照,通行證.

password /ˈpɑːswəːd/ *n*. 【軍】(通過守

衛的)口令.

past /pɑ:st/ *a*. ①過去的;完了的②剛過去的;以往的③上(月,周),前(…年) *n*.過去;往事,過去的經歷;過去時態 // ～ *it* 老啦,幹不了啦 ～ *master* ①曾當過共濟會首領或行會;俱樂部的前主持人②某種技能;科目或活動的能手;老手.

pasta /'pæstə/ *n*. (做通心粉、麵條、包子的)麵糰.

paste /peɪst/ *n*. ①漿,糊②糊狀物③麵糊④製人造寶石的玻璃質混合物⑤製陶黏土⑥軟膏 *v*.用漿糊粘貼;使成糊狀 **pasting** /'peɪstɪŋ/ *n*. [俚]擊敗;狠狠一擊;狠狠地批評一通 **pasteboard** *n*. 紙板;擀麵板;[俚]名片.

pastel /'pæstel/ *n*. ①彩色粉筆(蠟筆),彩色粉筆,粉畫(法)②小品文③淡而柔和的色調 —/'pæstl/*a*. 彩色粉筆(蠟筆)畫的.

pasteurize /'pɑ:stʃəraɪz/ *v*. 加熱消毒,殺菌 **pasterization** /ˌpɑ:stʃəraɪ'zeɪʃn/ *n*.巴氏消毒法;低熱滅菌.

pastiche /pæ'sti:ʃ/ *n*. [法] = pasticcio /pæ'stɪtʃəʊ/ 東拼西湊的雜燴;模仿作品～.

pastille, pastil /'pæstəl/ *n*. 果味錠劑;藥糖丸;消毒丸.

pastime /'pɑ:staɪm/ *n*. 消遣,娛樂.

pastor /'pɑ:stə(r)/ *n*. 教區牧師.

pastoral /'pɑ:stərəl/ *n*. ①牧歌,田園詩②牧師給教區居民的公開信③田園景色 *a*. 牧人的;描寫田園生活的,主教的. **～ist** *n*.田園詩作者;放牧者.

pastrami /pæ'strɑ:mɪ/ *n*. 五香熏牛肉.

pastry /'peɪstrɪ/ *n*. ①油酥麵;油酥餡餅②精製糕點.

pasture /'pɑ:stʃə(r)/ *n*. ①牧場②牧草③牲畜飼養,放牧 **pasturage** /'pɑ:stʃərɪdʒ/ *n*. ①畜牧業②放牧權.

pasty[1]/'peɪstɪ/ *a*. ①麵糊似的②(臉色)蒼白的.

pasty[2]/'pæstɪ, 'pɑ:stɪ/ *n*. (*pl*. **pasties**) 餡餅.

pat /pæt/ *v*. & *n*. 輕拍,愛撫,輕打 *a*.適當的;恰好的;固定不變的;准備好的;立即的;流利的 // *off* ～ 背熟,牢記.

patch /pætʃ/ *n*. ①補釘;補片②臂章③小塊土地④斑點 *v*. 修補;拼湊(up);修理 **～work** *n*. 補綴品,拼湊成的東西,湊合物 **～y** *a*. ①盡是補釘的②因湊成而質量不穩定的 // ～*up*①解決平息②匆忙處理③拼湊④修理.

pate /peɪt/ *n*. [口]腦袋;傢伙.

pâté /'pæteɪ/ *n*. [法]肉末餅;肉(魚)醬.

patella /pə'telə/ *n*. (*pl*. **-s -lae** /-li:/)【解】髕,膝蓋骨.

paten /'pætən/ *n*.【宗】聖餐盤,祭碟.

patent /'peɪtənt, 'pætənt/ *n*. 專利(權);專利品;專利證書 *a*. 專利的,公開的,受專利權保護的 **～ly** *ad*. 顯然,公然,一清二楚地 // ～ *leather* 漆皮. ～*medicine* 成藥.

paternal /pə'tɜ:nl/ *a*. ①父親的;像父親的②父方的,世襲的 **paternalism** /pə'tɜ:nəlɪzəm/ *n*. 家長主義,家長作風 **paternalistic** /pəˌtɜ:nə'lɪstɪk/ *a*. 家長式的 **paternity** /pə'tɜ:nətɪ/ *n*. 父子關係.

paternoster /ˌpætə'nɒstə(r)/ *n*. (天主教)主禱文;咒符.

path /pɑ:θ/ *n*. ①路,徑;人行道,小路②途徑,方式;路綫;路程.

pathetic /pə'θetɪk/ *a*. ①可憐的,悲慘

的②傷感的 **~ally** *ad*.

pathogenic /ˌpæθəˈdʒenɪk/ *a*. 病原的；致病的.

pathology /pəˈθɒlədʒɪ/ *n*. 病理學 **pathological** /ˌpæθəˈlɒdʒɪkl/ *a*. 病理學上的,病態的;,由疾病引起的 **pathologist** *n*.

pathos /ˈpeɪθɒs/ *n*. ①引起憐憫的因素,同情②悲哀.

patient /ˈpeɪʃnt/ *a*. 能忍耐的,有耐心的 *n*. 病人,患者 **patience** /ˈpeɪʃns/ *n*. ①忍耐力;耐心②[英]單人牌戲.

patina /ˈpætɪnə/ *n*. (*pl*. **-s**) ①銅銹②古色光澤.

patio /ˈpætɪəʊ/ *n*. (*pl*. **-s**) [西班牙]天井,院子.

patois /ˈpætwɑː/ *n*. (*pl*. **patois** /ˈpætwɑːz/) [法]方言,土語,行話.

patriarch /ˈpeɪtrɪɑːk/ *n*. 家長;族長;元老;鼻祖;東正教最高主教 **patriarchal** /ˌpeɪtrɪˈɑːkl/ *a*. **patriarchy** /ˈpeɪtrɪɑːkɪ/ *n*. 家長制,族長制社會;父權制社會.

patrician /pəˈtrɪʃn/ *n*. 貴族;有教養的人 *a*. 貴族的.

patricide /ˈpætrɪsaɪd/ *n*. 殺父(行為);殺父者.

patrimony /ˈpætrɪmənɪ/ *n*. ①世襲財產,遺產②家傳,傳統,繼承物.

patriot /ˈpætrɪət, ˈpeɪt-/ *n*. 愛國者;愛國主義者 **patriotic** /ˌpætrɪˈɒtɪk/ *a*. **patriotism** /ˈpætrɪətɪzəm/ *n*. 愛國主義(心).

patrol /pəˈtrəʊl/ *n*. ①巡邏;偵察;巡視②巡邏兵③偵察隊 *v*.(過去式及過去分詞 ~**trolled**) 巡邏,巡視;偵察.

patron /ˈpeɪtrən, ˈpæ-/ *n*. ①贊助人,支持者;保護人②(商店,酒館的)常客,主顧 **patronage** /ˈpætrənɪdʒ/ *n*. 保護人之身份;(顧客之)惠顧,光顧 **patronize** /ˈpætrənaɪz/ *v*. ①支持;保護;贊助②光顧,惠顧③擺出屈尊俯就的樣子 // ~ *saint* 守護神.

patronymic /ˌpætrəˈnɪmɪk/ *n*. ①原於父名的姓②姓.

patten /ˈpætən/ *n*. ①木履,木套鞋,木底靴②壁脚.

patter /ˈpætə(r)/ *vi*. ①啪嗒啪嗒響②禱告,念經③念順口溜,喋喋不休 *n*. 順口溜;行話,切口.

pattern /ˈpætn/ *n*. ①模範,典範②模型,雛型③花樣,式樣,樣板,圖案,句型 *v*. 照圖樣做,摹製,製模 // ~ *after* 摹仿.

patty /ˈpætɪ/ *n*. ①小餡餅(= pâté)②小糖片.

paucity /ˈpɔːsətɪ/ *n*. ①少許,少量②缺乏,貧乏.

paunch /pɔːntʃ/ *n*. 肚子,腹,大肚子 **~y** *a*. 大腹便便的.

pauper /ˈpɔːpə(r)/ *n*. 貧民,窮人,叫化子 **~ism** 貧窮;貧民.

pause /pɔːz/ *n*. & *v*. ①中止;暫停;停頓②斷句③歇口氣.

pave /peɪv/ *v*. ①鋪(路)②鋪設 **~ment** 人行道(=[美]sidewalk) // ~*ment light* (地窖)頂窗.

pavilion /pəˈvɪlɪən/ *n*. (尖頂)大帳篷;樓閣;亭子;展覽分館.

pavlova /ˈpævləvə/ *n*. 巴甫洛娃果料蛋糕(上蓋蛋白、奶油、水果).

paw /pɔː/ *n*. (貓、狗等的)脚爪;爪子;(喻)手 *v*. 抓,扒,盤弄,笨黜地使用,[美俚]愛撫.

pawn /pɔːn/ *n*. ①典當;抵押②典當物,抵押品③[喻]爪牙,走卒 *v*. 典當掉,抵押掉 **~broker** *n*. 當鋪老闆.

pawpaw /pɔːpɔː/ *n*. 【植】木瓜,[美]巴

婆樹(果)(=papaw).

pay /peɪ/ *v*. (過去式及過去分詞 **paid**)①付(款),支付,發(薪水)②付清,償清,繳納③補償,報答④報復⑤給予 *n*. 工資,薪水,津貼;報酬 **~able** *a*. 可付的,(到期)應付的 **~ee** /peɪ'iː/ *n*. 收款人 **~er, ~or** /'peɪə(r)/ *n*. 付款人 **~ment** *n*. 支付,報償,報復. **~off** *n*. ①償清(債務)②如願以償③發薪 **~out** *n*. 支付,還清【海】緩緩放纜繩 **~roll** *n*. 工資單 // *paying guest* 在私人家中付費膳宿的人.

PAYE *abbr*. = pay-as-you-earn 所得稅扣除法.

payload /'peɪləʊd/ *n*. 酬載;有效負載;飛機上之乘客和貨物;火箭的爆發能力.

payola /peɪ'əʊlə/ *n*. [美]暗中行賄(的錢).

Pb.【化】鉛 = plumbum.

p. c. *abbr*. = ①per cent 百分數②postcard 明信片.

PC *abbr*. = ①Patrol craft 巡邏艇②Police Constable [英]普通警員③Privy Councillor 樞密院官員④Peace Corps [美]和平隊.

P.D. *abbr*. = ①[拉]perdiem 每日,按日②Police Department 警察局.

pd *abbr*. = paid 付訖.

PDT *abbr*. = Pacific Daylight Time 太平洋夏季時間.

PE *abbr*. = physical education 體育.

pea /piː/ *n*. (*pl*. **-s**) 豌豆 // *oregon* ~ 綠豆 ~ *green* 黄綠色 ~ *souper* [英口](尤指倫敦)黄色濃霧.

peace /piːs/ *n*. ①和平;太平;平靜;寂靜②和好,和睦;媾和,講和③安心,安靜④和諧 **~able** *a*. 平和的,溫和的 **~ably** *ad*. **~ful** *a*. 太平的;平時的,寧靜的 **~fully** *ad*. **peacemaker** *n*. 調解人,和事佬.

peach /piːtʃ/ *n*. ①桃②桃紅色③漂亮的姑娘④惹人喜歡的人或物 *a*. 桃紅色的 *vt*.(俚)告發,出賣(同夥).

peacock /'piːkɔk/ *n*. 孔雀 **~hen** *n*. 雌孔雀 **~fowl** /~faʊl/ *n*. 孔雀(或雌或雄) *vt*.炫耀.

peak /piːk/ *n*. ①山峰,山頂②頂峰,尖端③(帽子)鴨舌 *vt*. ①豎起②達到最高峰 **~ed** *a*. 豎起的;有峰的;有簷的 **~y** *a*. [俚]消瘦了的,憔悴的.

peal /piːl/ *n*. ①隆隆聲②鐘聲,鐘樂 *v*. 鳴響,轟轟響.

peanut /'piːnʌt/ *n*. ①花生②(喻)小人物③(長獅子鼻)的人④(*pl*.)小數目(錢) // ~ *butter* 花生醬 ~ *gallery* [俚]劇院頂層座.

pear /peə(r)/ *n*. 梨;梨樹.

pearl /pɜːl/ *n*. 珍珠;珍品 **~y** *a*. // ~ *barley* 大麥搓成的珠形顆粒.

peasant /'peznt/ *n*. 農民 **~ry** (集合名詞)農民,農民身份.

pease pudding /ˌpiːz 'pʊdɪŋ/ *n*. 豌豆布丁.

peat /piːt/ *n*. 泥炭,草炭(作肥料,燃氣用).

pebble /pebl/ *n*. ①卵石,細礫石②水晶 **pebbly** *a*. **~dash** 拋小石粗面牆(抹洋灰漿後拋小石而成).

pecan /'piːkən/ *n*. (美洲)薄殼山核桃(樹).

peccadillo /ˌpekə'dɪləʊ/ *n*. (*pl*. **~(e)s**) 輕罪;小過錯.

peccary /'pekərɪ/ *n*. (*pl*. **~ies**)【動】西貒(美國野豬).

peck /pek/ *v*. ①啄,啄起②鑿,琢③急吻一下 *n*. ④啄,啄的洞⑤[俚]食物;輕吻⑥[喻]找岔子 **~er** *n*. ①會

啄的鳥；啄木鳥②鶴嘴鋤，鎬 **~ish** *a*. 饑餓的，空肚子的；生氣的，找岔的 // ~ *at* 咬小口吃，找岔.

pectin /'pektɪn/ *n*. 果膠.

pectoral /'pektərəl/ *a*. 胸部的；肺病的 *n*. 胸飾【醫】止咳藥；胸肌，胸鰭.

peculation /ˌpekjʊ'leɪʃn/ *n*. 挪用，盜用，侵吞(公款等).

peculiar /pɪ'kjuːlɪə(r)/ *a*. ①獨特的，特有的；特殊的②特異的，奇特的③個人的 **~ity** /pɪˌkjuːlɪ'ærətɪ/ *n*.

pecuniary /pɪ'kjuːnɪərɪ/ *a*. ①金錢(上)的②應罰款的~ **aid** 資助.

pedagogue /'pedəgɒg/ *n*. [英] = pedagog 中小學老師，教員.

pedal /'pedl/ *a*. ①足的；脚踏板的② /'piːdl/ *n*.【數】垂足的；踏板 *v*. 騎自行車；踩踏板轉動.

pedant /'pednt/ *n*. 賣弄學問的人，學究，書呆子 **~ic** /pɪ'dæntɪk/ *a*. **~ry** /'pedntrɪ/ *n*.

peddle /'pedl/ *vt*. 販賣，沿街叫賣 **~r** *n*. 販毒者.

pederast /'pedəræst/ *n*. 雞奸者，男色者 **~y** *n*. 雞奸.

pedestal /'pedɪstl/ *n*. ①基座；底座，台②基礎.

pedestrian /pɪ'destrɪən/ *n*. 徒步行人 *a*. 徒步的，粗俗的，(文章等)平淡的 ~ **crossing** 人行橫道 ~ **precinct** /~'priːsiŋkt/ 商業區步行街.

pedicel /'pedɪsel/ = **pedicle** /'pedɪkl/ *n*. 花梗，肉莖.

pedicure /'pedɪkjʊə(r)/ *n*. 修脚；足醫.

pedigree /'pedɪgriː/ *n*. 血統；譜系；純種.

pediment /'pedɪmənt/ *n*.【建】山頭(牆)，人字牆，(門頂)三角飾.

pedlar /'pedlə(r)/ *n*. ①小販，商販②傳播(謠言)者 **~y** *n*. (= pedler *n*.).

pedometer /pɪ'dɒmɪtə(r)/ *n*.【測】計步器，步程計.

peduncle /pɪ'dʌŋkl/ *n*. 花梗【解】肉莖，肉柄.

pee /piː/ *n*. & *v*. (過去式及過去分詞 **peed**) [口]小便，撒尿.

peek /piːk/ *vi*. & *n*. 眯着眼看，偷看；一瞥.

peel /piːl/ *n*. 果皮；嫩芽；揭皮 *v*. 剝皮；削皮；去皮.

peep /piːp/ *n*. & *v*. ①(鳥，鼠等)唧唧叫聲②偷看，窺視；探頭 **P-ing Tom** (下流)偷看者.

peer /pɪə(r)/ *n*. 貴族；同輩，夥伴；同等的人；*vi*. 盯着看；凝視 *vt*. 可與…相比；把…封為貴族 **~ess** 貴族夫人，貴婦 **~less** *a*. 無比的，絕世無雙的 // ~ *group* 年齡，地位皆相仿的一群人.

peeved /piːvd/ *a*. [美口]惱怒的，生氣的.

peevish /'piːviʃ/ *a*. ①發怒的②脾氣暴躁的③倔強的 **~ly** *ad*. **~ness** *n*.

peewit /'piːwit/ *n*. = pewit【鳥】田鳧，鳳頭麥雞.

peg /peg/ *n*. ①木釘；竹釘，釘②衣夾；掛鈎③樁；柱 *v*. (過去式 **pegged**)用木釘(短樁)釘住；(喻)固定，限定(薪金)；穩住(市價) // *off the* ~ [口]現成的(服裝).

pegamoid /'pegəmɔɪd/ *n*. 人造革；防水布.

peignoir /'peɪnwɑː(r)/ *n*. [法](女用)寬大輕便晨衣，浴衣.

pejorative /pɪ'dʒɒrətɪv/ *a*. 惡化的，變壞的；帶輕蔑貶義的.

Pekingese, **Pekinese** /ˌpiːkɪ'niːz/ *n*. ①

叭兒狗,小獅子狗②北京人③北京話.

pelargonium /ˌpelə'gəʊnɪəm/ *n*.【植】天竺葵.

pelican /'pelɪkən/ *n*.【鳥】塘鵝,鵜鶘 ~ **crossing** *n*. 紅綠燈由行人操縱之人行橫道.

pellagra /pə'lægrə/ *n*.【醫】(缺乏維生素B引起的)糙皮病.

pellet /'pelɪt/ *n*. 小球;彈丸;丸藥;小子彈.

pell-mell /ˌpel'mel/ *ad*. & *a*. 亂七八糟(的),混亂(的).

pellucid /pe'luːsɪd/ *a*. ①透明的,清澄的②明瞭的,明晰的. ~**ity** *n*. 透明度.

pelmet /'pelmɪt/ *n*. (門)窗簾罩.

pelt /pelt/ *n*. ①(牛、羊等的)生皮,毛皮;②皮衣,裘 *v*. 投擲;打擊;連續抨擊;(雨水)猛降 // *at full*~ 開足馬力.

pelvis /'pelvɪs/ *n*. (*pl*. ~**es, pelves** /'pelviːz/)【解】骨盆 **pelvic** *a*.

pen[1]/pen/ *n*. ①蘸水筆,鋼筆,筆②(家畜)圍欄,圈欄 *v*. (過去式及過去分詞 **penned**) 寫,寫作 ~**friend** *n*. 筆友 ~**knife** *n*. 削鉛筆刀 // ~ *name* 筆名.

pen[2]/pen/ *n*. ①雌天鵝②監獄.

PEN, P. E. N. *abbr*. = International Association of Poets, Playwrights, Editors, Essayists and Novelists 國際筆會.

penal /'piːnl/ *a*. ①刑事的;刑法的②受刑罰的,當受刑的 ~ **ize** /'piːnəlaɪz/ *vt*.【律】處罰,處以刑罰;使處於不利地位 ~**ty** /'penltɪ/ *n*. ①刑罰,懲罰②罰款;違約罰金③報應.

penance /'penəns/ *n*. 懺悔,悔過;(贖罪而)苦行.

pence /pens/ (**penny** 的複數) 便士.

penchant /'pɑːnʃɑːn/ *n*. [法](強烈的)傾向;嗜好,愛好.

pencil /'pensl/ *n*. 鉛筆;石筆 *v*. (過去式及過去分詞 ~**led**) 用鉛筆畫(寫).

pendant /'pendənt/ *n*. ①垂飾,下垂物;耳環②鍊墜子.

pendent /'pendənt/ *n*. = pendant; *a*. ①吊着的,下垂的②懸而未决的.

pending /'pendɪŋ/ *a*. ①未定的;未决的②緊迫的 *prep*. 當…的時候,在…中.

pendulous /'pendjʊləs/ *a*. ①吊着的,懸垂的②搖擺不定的,未决的.

pendulum /'pendjʊləm/ *n*. ①鐘擺②[喻]動搖的人.

penetrate /'penɪtreɪt/ *vt*. ①滲透,進入,貫穿②洞察,透過,看穿,看透,識破 **penetrable** *a*. ①可滲透的;穿得過的②可識破的 **penetrating** *a*. ①敏銳的②刺耳的 **penetration** /ˌpenɪ'treɪʃn/ *n*. ①滲透,浸透②侵入③貫穿力④洞察力.

penguin /'peŋgwɪn/ *n*.【動】企鵝.

penicillin /ˌpenɪ'sɪlɪn/ *n*.【藥】配尼西林,青霉素.

peninsula /pə'nɪnsjʊlə/ *n*. 半島 ~**r** *a*. 半島(狀)的.

penis /'piːnɪs/ *n*. (*pl*. **penes** /'piːniːz/【解】陰莖.

penitent /'penɪtənt/ *a*. 後悔(悔悟,悔罪)的 *n*. 悔過者 **penitence** /'penɪtəns/ *n*. **penitentiary** /ˌpenɪ'tenʃərɪ/ *n*.【宗】聽悔僧;反省院,感化院;收容所,監獄.

pennant /'penənt/ *n*. ①長條旗,小燕尾旗②錦標,優勝錦旗.

pennon /'penən/ *n*. 細長三角旗,槍

旗,旗幟;燕尾旗.

penny /'penɪ/ *n*. (*pl*. **pence, pennies**) 便士[英國輔幣單位,硬幣=1/100英鎊,(71年前舊制=1/12先令)] **penniless** *a*. 身無分文,囊空如洗 **~-pinching** *a*. [俚]小氣的,吝嗇的.

penology /piː'nɒlədʒɪ/ *n*. 刑罰學;監獄學.

pension /'penʃn/ *n*. 退休金,撫恤金,養老金,生活補助 **~able** *a*. **~er** *n*. 領養老金的人,退休人員 /'penʃənə(r)/ *n*. [法]①公寓,寄宿學校②膳宿費 // ~*off* 發給養老金,使退職(休).

pensive/'pensɪv/ *a*. ①沉思的;冥想的②令人憂慮的.

pentacle /'pentəkl/ *n*.【化】= pentagram /'pentəgræm/ 五角星形.

pentagon /'pentəgən/ *n*. ①五角形,五邊形②五棱堡 **the P-** *n*. 五角大樓,美國國防部 **~al** /pen'tægənl/ *a*.

pentameter /pen'tæmɪtə(r)/ *n*. [詩]五音步詩行.

Pentateuch /'pentətjuːk/ *n*.【宗】聖經《舊約全書》頭五卷.

pentathlon /pen'tæθlən/ *n*. 五項全能(田徑比賽).

Pentecost /'pentɪkɒst/ *n*. 聖靈降臨節;(猶太人的)五旬節.

penthouse /'penthaus/ *n*. 樓頂房間;小棚屋;雨篷.

pent-up /ˌpent'ʌp/ *a*. (感情)被壓抑的,心中憤鬱的.

penultimate /pe'nʌltɪmət/ *n*. & *a*. = penult 倒數第二(的).

penumbra /pɪ'nʌmbrə/ *n*. (*pl*. **~brae** /-briː/) 半影;黑影;周圍的半陰影;畫面濃淡相交處,陰影 **~l** *a*.

penury /'penjʊrɪ/ *n*. ①貧窮;貧瘠;缺乏②吝嗇,小氣 **penurious** /pɪ'njʊrɪəs/ *a*.

peony /'piːənɪ/ *n*. 牡丹;芍藥.

people /'piːpl/ *n*. ①人民②種族,民族③居民;人們④平民;老百姓⑤人;人家;人類.

pep /pep/ *n*. [美俚]勁頭,銳氣,活力 *vt*. 給…打氣,刺激,鼓勵 // ~ *pill* [美俚]興奮藥片 ~ *talk* 鼓舞士氣的講話 ~ *up* 刺激,鼓勵.

pepper /'pepə(r)/ *n*. ①胡椒②刺激性,尖銳的批評③暴躁,急性子④[俚]活力,精力;勁頭;勇氣 *v*. 加辣椒,胡椒當佐料調味 **~y** *a*. 辣味的 **~corn** *n*. 胡椒子,乾胡椒 **~-mill** *n*. 磨胡椒子的小磨 **~mint** *n*. 薄荷 // ~*corn* (~*rent*)極低的租金.

peptic /'peptɪk/ *a*. ①胃的,(助)消化的②胃酶的③消化液的 // ~ *ulcer* 胃潰瘍或十二指腸潰瘍.

per /pɜː(r), pə(r)/ *prep*. ①以,靠(方式)②每一,如:~**annum** 每年 **per capita** /pɜː 'kæpɪtə/ 每人;按人(平均).

perambulate /pə'ræmbjʊleɪt/ *vt*. ①巡行,巡視②穿過,走過,徘徊於,漫步 **perambulation** *n*. **perambulator** /pə'ræmbjʊleɪtə(r)/ *n*. 嬰兒車(= pram).

percale /pə'keɪl/ *n*. 高級密織薄紗.

perceive /pə'siːv/ *vi*. ①察覺,發覺②看見,聽見③領悟,理會,瞭解.

percent /pə'sent/ *n*. ①每百;百分之…②[口]百分率.

percentage /pə'sentɪdʒ/ *n*. 百分法;百分數;百分比;百分率.

perceptible /pə'septəbl/ *a*. ①可以感覺到的②可理解的,認得出來的③相當的 **perceptibly** *ad*.

perception /pə'sepʃn/ *n*.【哲】①感覺

(作用);感受;知覺②感性認識;觀念;概念;直覺③洞察力 **perceptive** *a*. **perceptivity** /ˌpɜːsepˈtɪvətɪ/ *n*. 認識能力.

perch /pɜːtʃ/ *n*. ①(鳥的)棲木②高位休息處③【魚】淡水鱸魚 *vi*. (鳥)落,歇,坐,休息 *vt*. 使(鳥)歇在棲木上;把(人)置於高處(危險處).

perchance /pəˈtʃɑːns/ *ad*. [古]偶然;或許,可能.

percipient /pəˈsɪpɪənt/ *a*. ①感覺的②洞察的 *n*. 感覺者 **percipience** /pəˈsɪpɪəns/ *n*.

percolate /ˈpɜːkəleɪt/ *vt*. ①濾②(用滲濾壺)煮(咖啡)③(使)刺穿,穿過 **percolation** *n*. **percolator** *n*. 咖啡滲濾壺,進行滲濾的人.

percussion /pəˈkʌʃn/ *n*. 敲打,叩擊,撞擊,打擊 ~ **instrument**【樂】打擊樂器.

perdition /pəˈdɪʃn/ *n*. ①滅亡,毀滅②沉淪,墮落.

peregrination /ˌperɪgrɪˈneɪʃn/ *n*. 遊歷;(徒步)旅行 **peregrin(e)** /ˈperɪgrɪn/ *n*.【動】(打獵用的)鷹,遊隼;外僑,居留的外國人;遊歷者.

peremptory /pəˈremptərɪ/ *a*. ①斷然的,毅然的,命令式的②獨斷專橫的;武斷的.

perennial /pəˈrenɪəl/ *a*. ①四季不斷的,終年的;(青春)永葆的②不斷生長的③多年生的 **~ly** *ad*.

perestroika/ˌperəsˈtrɔɪkə/*n*. [俄]改革;前蘇聯制訂的關於改革蘇聯經濟和政治體制的計劃.

perfect /ˈpɜːfɪkt/ *a*. ①完全的;完美的;圓滿的②熟練的③分毫不差的 *n*.【語】完成時態 /pəˈfekt/ *vt*. 完成;貫徹;使完善;使精通 **~ly** *ad*. **~ion** *n*. **~ionist** *n*. ①至善論者②過份挑剔者 **perfectionism** /pəˈfekʃənɪzəm/ *n*. 完滿主義;至善論;過度追求盡善盡美 **~ive** *a*. 使完美(圓滿)的.

perfidy /ˈpɜːfɪdɪ/ *n*. (*pl*. **-dies**) 背信棄義;叛變 **perfidious** /pəˈfɪdɪəs/ *a*.

perforate /ˈpɜːfəreɪt/ *vt*. ①穿孔於②打洞,打眼 **perforation** /ˌpɜːfəˈreɪʃn/ *n*.

perforce/pəˈfɔːs/*ad*. 必須;只得.

perform /pəˈfɔːm/ *vt*. ①履行;實行,執行;完成(事業)②演出;表演 *vi*. 進行,執行 **~ance** /pəˈfɔːməns/ *n*. ①執行,履行;完成;償還②表演,演奏節目③功績,業績,成績 **~er** *n*. 執行者,履行人;完成者;演奏者,能手 **~ing** /pəˈfɔːmɪŋ/ *a*.

perfume /ˈpɜːfjuːm/ *n*. ①香,芳香;香味②香水,香料 -/pəˈfjuːm/ *vt*. 使散發香味;灑香水於… **perfumery** /pəˈfjuːmərɪ/ *n*. 香水類;香水;香料.

perfunctory /pəˈfʌŋktərɪ/ *a*. ①敷衍塞責的,馬虎的②例行公事的 **perfunctorily** *ad*.

pergola /ˈpɜːgələ/ *n*. (藤架作頂的)涼亭,蔭廊;藤架.

perhaps /pəˈhæps/ *ad*. 大概,多半;也許,或許,可能.

pericardium /ˌperɪˈkɑːdɪəm/ *n*. (*pl*. **-dia** /-djə/)【解】心包.

perihelion /ˌperɪˈhiːlɪən/ *n*. (*pl*. **-helia** /-hiːlɪə/) 近日點;最高點,極點.

peril /ˈperəl/ *n*. 危險;冒險 **~ous** *a*. **~ously** *ad*.

perimeter /pəˈrɪmɪtə(r)/ *n*.【數】周長;周邊;周界綫.

perinatal /ˌperɪˈneɪtəl/ *a*. 出生前後的日子.

period /ˈpɪərɪəd/ *n*. ①期,時期;期間;階段②句號③課時,一節課④(*pl*.)

月經(期) **~ic** /pɪərɪ'ɒdɪk/ *a*. 周期的;回歸的;定期的 **~ical** *n*. 期刊,雜志 // *~ ic table*【化】元素周期表.

peripatetic/ˌperɪpə'tetɪk/*a*. 到處走的;漫游的;(工作)流動的.

periphery /pə'rɪfərɪ/ *n*. 周圍;圓周;外面;邊緣 **peripheral** /pə'rɪfərəl/ *a*.

periphrasis /pə'rɪfrəsɪs/ *n*. (*pl*. **-ses** /-siːz/) 拐彎抹角說話, 迂迴說法 **periphrastic** /ˌperɪ'fræstɪk/ *a*.

periscope /'perɪskəʊp/ *n*. 潛望鏡.

perish /'perɪʃ/ *v*. ①滅亡;消滅,死去②腐爛,腐敗 **~able** *a*. 易腐敗的;脆弱的 **~ing** *a*. (餓得,冷得)要命的 *ad*. 極,非常,…得要命.

peritoneum /ˌperɪtəʊ'niːəm/ *n*. (*pl*. **-neal** /-'niːəl/)【解】腹膜 **peritonitis** /ˌperɪtə'naɪtɪs/【醫】腹膜炎.

periwig /'perɪwɪg/ *n*. 假髮.

periwinkle /'perɪwɪŋkl/ *n*.【動】荔枝螺;海螺;【植】長春花.

perjury /'pɜːdʒərɪ/ *n*.【律】偽誓;偽證 **perjure** /'pɜːdʒə(r)/ *v*. // *perjure oneself* 犯偽證罪.

perk /pɜːk/ *v*. 抬頭,昂首;翹尾巴;裝腔作勢;揚揚自得;打扮;[口]過濾;滲透 *n*. 津貼;賞錢;獎賞 **~y** *a*. 興高采烈的 // *~ up* 振作起來,高高興興.

perm /pɜːm/ *n*. & *v*. [口]電燙髮.

permafrost /'pɜːməfrɒst/ *n*. 永久性凍土.

permanent /'pɜːmənənt/ *a*. 永久的 **~ly** *ad*. **permanence** /'pɜːmənəns/ *n*.

permanganate /pə'mæŋgəneɪt/ *n*.【化】高錳酸鹽.

permeate /'pɜːmɪeɪt/ *vt*. ①滲入,透過②瀰漫,充滿 **permeable** /'pɜːmɪəbl/ *a*.

permit /pə'mɪt/ *v*. (過去式及過去分詞 **-mitted**) 許可, 允許; 准許 /'pɜːmɪt/ *n*. 許可證,執照;許可,准許 **permission** /ˌpə'mɪʃn/ *n*.; **permissible** *a*.; **permissive** *a*. 放任的;縱容的.

permutation /ˌpɜːmjuː'teɪʃn/ *n*. 交換,互換,取代.

pernicious /pə'nɪʃəs/ *a*. 有害的;惡毒的;致命的.

pernickety /pə'nɪkətɪ/ *a*. ①[口]愛挑剔的,吹毛求疵的②難對付的.

peroration /ˌperə'reɪʃn/ *n*. 結尾話,結論.

peroxide /pə'rɒksaɪd/ *n*. ①【化】過氧化物②過氧化氫.

perpendicular /ˌpɜːpən'dɪkjʊlə(r)/ *a*. 垂直的,正交的 *n*. 垂直綫;垂直面;鉛規;直立姿勢.

perpetrate /'pɜːpɪtreɪt/ *vt*. 幹(壞事),犯(罪);胡說 **perpetration** *n*. 為非作歹,行兇,犯罪 **perpetrator** *n*. 犯人;兇手;作惡者.

perpetual /pə'petʃʊəl/ *a*. 永久的;永恆的; 不斷的 **perpetuation** /pəˌpetʃʊ'eɪʃn/ *n*. **perpetuate** *vt*. 使永存, 使不朽 **perpetuity** /ˌpɜːpɪ'tjuːətɪ/ *n*. ①永存,不滅,不朽②終身養老金.

perplex /pə'pleks/ *vt*. ①使窘迫,使為難,使狼狽②使複雜化;使混亂 **~ity** *n*.

perquisite /'pɜːkwɪzɪt/ *n*. 津貼;賞錢;小費.

perry /'perɪ/ *n*. (*pl*. **-ries**) [英]梨酒.

per se /pɜː 'seɪ/ *ad*. [拉]就其本身而言.

persecute /'pɜːsɪkjuːt/ *v*. 迫害,摧殘;使為難, 困擾 **persecution**

/ˌpɜːsɪˈkjuːʃn/ *n*. **persecutor** *n*. 虐待者.

persevere /ˌpɜːsɪˈvɪə(r)/ *vi*. 忍耐, 熬住;百折不回, 不屈不撓, 堅持 *vt*. 支持, 支撐 **perseverance** *n*.

Persian /ˈpɜːʃn/ *n*. & *a*. 波斯的;波斯人(的), 波斯語(的) // ~ *carpet*/*rug* 波斯地毯 ~ *cat* 波斯貓.

persiflage /ˌpɜːsɪˈflɑːʒ/ *n*. 挖苦, 嘲弄.

persimmon /pəˈsɪmən/ *n*. 柿子;柿樹.

persist /pəˈsɪst/ *vi*. ①固執;堅持②繼續存在或發生 **~ent** /pəˈsɪstənt/ *a*. **~ently** *ad*. **~ence** *n*.

person /ˈpɜːsn/ *n*. ①人;個人②人身, 身體;本人③人物 // *in* ~①親自②身體上;外貌上.

persona /pəˈsəʊnə/ *n*. (*pl*. **-nae** /-niː/) [拉] ①表面形象②人格面貌 // ~ *non grata* /grɑːtə/(外交上)不受歡迎的人.

personable /ˈpɜːsənəbl/ *a*. 容貌漂亮的, 風度好的.

personage /ˈpɜːsənɪdʒ/ *n*. ①人, 個人②名士, 顯貴③人物, 角色④[謔]風度.

personal /ˈpɜːsənl/ *a*. ①個人的, 私人的②本人的③身體的 **~ly** *ad*. 親自地, 作為個人, 就本人而言 // ~ *column* (報紙)人事消息欄 ~ *computer* 個人計算機 ~ *pronoun* 人稱代名詞 ~ *stereo* 帶耳機的小型盒式收錄機(立體聲).

personality /ˌpɜːsəˈnælətɪ/ *n*. (*pl*. **-ties**) ①人格;個性, 人品②(有名)人物 *-pl*. ③人物的批評.

personify /pəˈsɒnɪfaɪ/ *vt*. ①擬人, 人格化 ②象徵 **personification** /pəˌsɒnɪfɪˈkeɪʃn/ *n*.

personnel /ˈpɜːsəˈnel/ *n*. ①全體人員, 班底②人事(部門).

perspective /pəˈspektɪv/ *a*. 透視的;透視畫法的 *n*. ①透視畫, 配景②遠景, 景色③適當比例④洞察力⑤觀點, 看法⑥希望;前途⑦透鏡;望遠鏡.

perspex /ˈpɜːspeks/ *n*. 透明塑膠.

perspicacious /ˌpɜːspɪˈkeɪʃəs/ *a*. 穎悟的, 敏銳的, 聰明的;眼光銳利的 **perspicacity** /ˌpɜːspɪˈkæsətɪ/ *n*.

perspire /pəsˈpaɪə(r)/ *v*. 出汗, 排汗 **perspiration** /ˌpɜːspəˈreɪʃn/ *n*.

persuade /pəˈsweɪd/ *v*. 說服, 勸說;使相信 **persuasion** *n*. **persuasive** *a*.

pert /pɜːt/ *a*. [美口]活潑的;敏捷的;冒失的.

pertain /pəˈteɪn/ *v*. ①附屬, 屬於②關於, 有關③適合.

pertinacious /ˌpɜːtɪˈneɪʃəs/ *a*. ①堅持的, 頑強的, 孜孜不倦的②頑固的 **pertinacity** /ˌpɜːtɪˈnæsətɪ/ *n*.

pertinent /ˈpɜːtɪnənt/ *a*. ①恰當的, 貼切的, 中肯的②所指的, 和…有關的 **pertinence** *n*.

perturb /pəˈtɜːb/ *vt*. 擾亂, 攪亂, 使混亂 **perturbance** /pəˈtɜːbəns/ *n*. = perturbation.

peruke /pəˈruːk/ *n*. 長假髮 *-vt*. 裝(假髮).

peruse /pəˈruːz/ *vt*. 熟讀;詳閱, 細讀;研討 **perusal** *n*.

Peruvian /pəˈruːvɪən/ *a*. 秘魯人的 *n*. 秘魯人.

pervade /pəˈveɪd/ *v*. 擴大;蔓延;普及;瀰漫;滲透 **pervasive** *a*. 擴大的;普及的.

perverse /pəˈvɜːs/ *a*. ①脾氣彆扭的, 倔強的②邪惡的;墮落的③違背意願的 **perversely** *ad*. 喪心病狂地 **perversity** /pəˈvɜːsɪtɪ/ *n*. 邪惡;墮落 乖僻;剛愎, 反常.

pervert /pə'vɜːt/ *v*. ①使反常,顛倒②誤用,濫用;曲解,誤解③使墮落,走邪路 - /'pɜːvɜːt/ *n*. 墮落者,走入邪路者;(性)反常者 **perversion** *n*.

pervious /'pɜːvɪəs/ *a*. ①能通過的,能透過的②能瞭解的.

peseta /pə'seɪtə/ *n*. 比塞塔(西班牙貨幣單位).

peso /'peɪsəʊ/ *n*. (*pl*. ~s) 比索(菲律賓及拉美一些國家的貨幣單位).

pessary /'pesərɪ/ *n*. 【醫】子宮托,子宮帽(避孕工具);陰道藥栓.

pessimism /'pesɪmɪzəm/ *n*. 悲觀;悲觀主義,厭世主義 **pessimist** /'pesɪmɪst/ *n*. 悲觀主義者 **pessimistic** /ˌpesɪ'mɪstɪk/ *a*. **pessimistically** *ad*.

pest /pest/ *n*. ①疫病②害蟲③討厭的人;害人蟲 **pesticide** /'pestɪsaɪd/ *n*. 殺蟲劑;農藥.

pester /'pestə(r)/ *vt*. 使煩惱;折磨;糾纏.

pestilence /'pestɪləns/ *n*. ①鼠疫,時疫,流行病②禍害;洪水猛獸③傷風敗俗之事 **pestilential** /ˌpesti'lenʃl/ *a*.

pestle /'pesl/ *n*. 乳鉢槌,杵.

pet /pet/ *n*. 供玩賞的動物,愛畜;寵物 *a*. 心愛的;親昵的;得意的 *vt*. 愛,寵愛,愛撫.

petal /'petl/ *n*. 花瓣 **~led** *a*.

petard /pe'tɑːd/ *n*. (古代攻城用)炸藥包 // *be hoist with* (*by*) *one's own* ~ 自作自受,害人反害己.

peter out /'piːtə(r) aʊt/ *n*. 逐漸枯竭;漸漸消失.

petersham /'piːtəʃəm/ *n*. ①靛青珠皮大衣呢②粗呢大衣③楞條絲帶.

petite /pə'tiːt/ *a*. [法](女子)身材嬌小的;小的;次要的.

petition /pə'tɪʃn/ *n*. ①請願;請求②請願書;訴狀 *v*. 請願;乞求 **~er** *n*. 請願者.

petrel /'petrəl/ *n*. 【動】海燕.

petrify /'petrɪfaɪ/ *v*. ①使(動,植物)石化②使變硬③使發獃 **petrefication** *n*.

petrochemical /ˌpetrəʊ'kemɪkl/ *a*. 石油化學的, *n*. 石化產品.

petrodollar /ˌpetrəʊ'dɒlə(r)/ *n*. (靠出口石油掙的)美元,石油美元.

petrol /'petrəl/ *n*. [英]汽油 // ~ *bomb* 汽油燃燒彈.

petroleum /pə'trəʊlɪəm/ *n*. 石油.

petticoat /'petɪkəʊt/ *n*. ①裙子;襯裙②[俚]女人;少女③褶狀物.

pettifogging /'petɪfɔgiŋ/ *a*. 訟棍般的;狡詐的;詭辯的 *n*. 訟棍行為,狡詐.

pettish /'petɪʃ/ *a*. ①不高興的②動不動鬧脾氣的③發脾氣時說的.

petty /'petɪ/ *a*. (~tier, -tiest) ①小的,一點點②瑣碎的;渺小的;不足道的③心眼小的 **~ness** *n*. // ~ *cash* 零花錢;零星收支 ~ *officer* 小公務員;下級軍佐.

petulant /'petjʊlənt/ *a*. 急躁的,愛鬧氣的 **~ly** *ad*. **petulance** /'petjʊləns/ *n*.

petunia /pə'tjuːnɪə/ *n*. 【植】牽牛花,暗紫色.

pew /pjuː/ *n*. 教堂內長凳,[口]椅子,座位.

pewter /'pjuːtə(r)/ *n*. 白鑞(錫鉛合金).

phalanger /fə'lændʒə(r)/ *n*. (澳洲袋貂科動物)捲尾袋鼠.

phalanx /'fælæŋks/ *n*. (*pl*. **-anxes**, **phalanges** /fə'lændʒiːz/) 結集隊伍;集團;結社.【解】指骨,趾骨.

phalarope /'fælərəʊp/ *n*. 【動】瓣蹼

鵝.

phallus /'fæləs/ *n*. (*pl*. **phalli** /-laɪ/) 陰莖;生殖器的象徵 **phallic** /'fælɪk/ *a*.

phantasm /'fæntæzəm/ *n*. ①幽靈②幻象,幻影,空想 **~al** *a*.

phantasmogoria /ˌfæntæzmə'gɒrɪə/ *n*. ①幻覺效應②變幻不定的情景.

phantasy /'fæntəsɪ/ *n*. = fantasy 空想,幻想.

phantom /'fæntəm/ *n*. ①鬼怪,妖怪;幽靈②錯覺;妄想③幻影④(人體)模型.

Pharaoh /'feərəʊ/ *n*. 法老(古埃及王稱號).

Pharisee /'færɪsiː/ *n*. ①法利賽教派的信徒②【宗】拘泥形式者③偽善者 **pharisaic(al)** /ˌfærɪ'seɪɪk(əl)/ *a*.

pharmaceutical /ˌfɑːmə'sjuːtɪkl/ *a*. 製藥的,藥劑師的 *n*. 藥物 **~ly** *ad*.

pharmacology /ˌfɑːmə'kɒlədʒɪ/ *n*. 藥物學;藥理學 **pharmacological** *a*. **pharmacologist** *n*. 藥劑師,藥學家.

pharmacopoeia /ˌfɑːməkə'piːə/ *n*. 藥典.

pharmacy /'fɑːməsɪ/ *n*. (*pl*. **-cies**) 配藥;製藥業,藥房 **pharmacist** 藥劑師.

pharynx /'færɪŋks/ *n*. (*pl*. **pharynges** /fæ'rɪndʒiːz/, **~es**) 【解】咽 **pharyngeal** /ˌfærɪn'dʒiːəl/ *a*. **pharyngitis** /ˌfærɪn'dʒaɪtɪs/ *n*. 【醫】咽炎.

phase /feɪz/ *n*. ①形勢,局面;階段②方面③相,相位 *v*. 使調整相位;使分階段 **~in** 分階段引入 **~out** 使逐步結束;逐步淘汰,逐步停止.

Ph. D. *abbr*. = Philosophiae Doctor [拉]哲學博士(=Doctor of philosophy).

pheasant /'feznt/ *n*. 雉,野雞.

phenobarbitone /ˌfiːnəʊ'bɑːbɪtəʊn/ *n*. 【藥】苯巴比妥(一種安眠藥和鎮靜劑)=[英]phenobarbital.

phenol /'fiːnɒl/ *n*. 【化】(苯)酚,石炭酸.

phenomenon /fə'nɒmɪnən/ *n*. (*pl*. **-na** /-nə/, **-nons**) 【哲】①現象,事件②罕有現象,奇迹;珍品;非凡的人 **phenomenal** *a*. 非凡的,驚人的 **phenomenally** *ad*.

phew /fjuː/ [嘆]呸,啐.

phial /faɪəl/ *n*. 小玻璃瓶,藥瓶.

philadelphus /ˌfɪlə'delfəs/ *n*. 【植】山梅花(=mock orange).

philanderer /fɪ'lændərə(r)/ *n*. 調戲婦女,玩弄女性的人.

philanthropy /fɪ'lænθrəpɪ/ *n*. ①博愛主義②慈善 **philanthropic** /ˌfɪlən'θrɒpɪk/ *a*. **philanthropist** /fɪ'læθrəpɪst/ *n*. 慈善家.

philately /fɪ'lætəlɪ/ *n*. 集郵 **philatelic** /fɪlə'telɪk/ *a*. **philatelist** /fɪ'lætəlɪst/ *n*. 集郵家,集郵者.

philharmonic /ˌfɪlɑː'mɒnɪk/ *a*. 歡喜音樂的,交響樂團的.

philippic /fɪ'lɪpɪk/ *n*. 猛烈的抨擊演說;痛斥.

philistine /'fɪlɪstaɪn/ *n*. 市儈的;庸俗的;無文化教養的;實利的 **philistinism** /'fɪlɪstɪnɪzəm/ *n*. 庸人習氣,市儈作風,實利主義.

philology /fɪ'lɒlədʒɪ/ *n*. 語文學;語文文獻學 **philological** /ˌfɪlə'lɒdʒɪkl/ *a*. **philologist** *n*. 語文學家,語言學家.

philosophy /fɪ'lɒsəfɪ/ *n*. ①哲學;哲理②世界觀,人生觀 **philosopher** *n*. 哲學家;賢人 **philosophical** /ˌfɪlə'sɒfɪkl/ *a*. **philosophize** /fɪ'lɒsəfaɪz/ *vi* 像哲學家般思考;賣弄大道理.

philtre /ˈfɪltə(r)/ *n*. ①媚藥,春藥②誘淫巫術.

phlebitis /flɪˈbaɪtɪs/ *n*.【醫】靜脈炎.

phlegm /flem/ *n*. ①痰②粘液③冷淡.

phlegmatic /flegˈmætɪk/ *a*. 冷淡的,不動感情的;多痰的 **~ally** *ad*.

phlox /flɒks/ *n*.(*pl*. **phlox, phloxes**)【植】福禄考.

phobia /ˈfəʊbɪə/ *n*.(病態)恐懼;憎惡 **phobic** *a*.

phoenix /ˈfiːnɪks/ *n*. 不死鳥,長生鳥,鳳凰.

phone /fəʊn/ *n*. & *v*.(打)電話;給人打電話;電話機 **~card** *n*. 電話磁卡 **~-in** *n*. 公用電話直播.

phonetic /fəˈnetɪk/ *a*. 語音(上)的,語音學的 **~ally** *ad*. **phonetics** *n*. 語音學.

phonic /ˈfɒnɪk/ *a*. ①聲音的②有聲的.

phonograph /ˈfəʊnəgrɑːf/ *n*. 老式留聲機,[美]唱機.

phonology /fəˈnɒlədʒɪ/ *n*. ①語音學②音位學,音韻學 **phonological** /ˌfəʊnəˈlɒdʒɪkl/ *a*.

phony /ˈfəʊnɪ/ *a*. & *n*. [美俚] = phoney 虛假(的);騙子;冒名頂替(的).

phosgene /ˈfɒzdʒiːn/ *n*.【化】光氣,碳酰氯,毒氣.

phosphorescence /ˌfɒsfəˈresns/ *n*. 磷光,鬼火,磷火 **phosphorescent** /ˌfɒsfəˈresnt/ *a*.

phosphorus /ˈfɒsfərəs/ *n*.【化】磷;磷光體 **phosphate** /ˈfɒsfeɪt/ *n*.【化】磷酸鹽.

photo /ˈfəʊtəʊ/ *n*.(*pl*. **photos**) 照片,照相(= photograph) **~finish** 終點攝相裁判;不相上下的競爭.

photocopy /ˈfəʊtəʊˌkɒpɪ/ *n*. 影印本,複印件 *v*. 複印.

photoelectric /ˌfəʊtəʊɪˈlektrɪk/ *a*.【物】光電的 // *~cell* 光電池,光電管 *~ effect* 光電效應.

photogenic /ˌfəʊtəʊˈdʒenɪk/ *a*.【生】發光的;由光導致的.

photograph /ˈfəʊtəʊgrɑːf/ *n*. 照片,相片 *v*. 照相,攝影 **photographer** /feˈtɒgrəfə(r)/ *n*. 照相師,攝影家 **photographic** /feʊtəˈgræfɪk/ *a*. **photography** /fəˈtɒgrəfɪ/ *n*. 攝影術,照相術.

photogravure /ˌfəʊtəʊgrəˈvjʊə(r)/ *n*. 照相凹板(印刷).

photometer /fəʊˈtɒmɪtə(r)/ *n*.【物】光度計,曝光表.

Photostat /ˈfəʊtəstæt/ *n*. 直接影印機.

photosynthesis /ˌfəʊtəʊˈsɪnθəsɪs/ *n*.【植】光合作用.

phrase /freɪz/ *n*. ①短語,詞組②修辭,用語 **phrasal** /ˈfreɪzl/ *a*. // *phrasal verb* 短語動詞.

phraseology /ˌfreɪzɪˈɒlədʒɪ/ *n*. ①用詞,措詞②術語③詞句.

phrenology /frəˈnɒlədʒɪ/ *n*. 顱相學,骨相學 **phrenologist** *n*. 顱相學家.

phut(t) /fʌt/ *ad*. & *n*. [口]拍的一聲 // *go ~* 泄氣,[喻]告吹.

phylactery /fɪˈlæktərɪ/ *n*.(*pl*. **-teries**)避邪符;皮製裝經匣.

phylum /ˈfaɪləm/ *n*.(*pl*. **-la** /-lə/),分門,別類,語系.

physical /ˈfɪzɪkl/ *a*. ①物質的,有形的②身體的,肉體的③自然的④自然科學的 **~ly** *ad*. // *~ geography* 地文學,自然地理學.

physician /fɪˈzɪʃn/ *n*. 醫生,内科大夫.

physics /ˈfɪzɪks/ *n*. 物理學 **physicist**

n. 物理學家.

physiognomy /ˌfɪzɪˈɒnəmɪ/ *n*. ①觀相術,相法②相貌,面孔.

physiology /ˌfɪzɪˈɒlədʒɪ/ *n*. ①生理學②生理(機能) **physiologic** /ˌfɪzɪəˈlɒdʒɪk/ *a*. **physiologist** /ˌfɪzɪˈɒlədʒɪst/ *n*. 生理學家.

physiotherapy /ˌfɪzɪəʊˈθerəpɪ/ *n*.【醫】理療(法)(熱療,按摩等) **physiotherapist** /ˌfɪzɪəʊˈθerəpɪst/ *n*.【醫】理療學家.

physique /fɪˈziːk/ *n*. [法]①體格;體形②地勢.

pi /paɪ/ *n*. (=希臘字母 π)【數】圓周率.

piano /pɪˈænəʊ/ *n*.(*pl*. **~s**) 鋼琴 **pianist** /ˈpɪənɪst/ *n*. 鋼琴家;鋼琴師 **pianola** /pɪəˈnəʊlə/ *n*. 自動鋼琴 // *~player* 彈鋼琴的人 *~system* 分期付款購貨法.

piazza /pɪˈætsə/ *n*.(*pl*. **~s**)①(特指意大利城市的)廣場;市場②遊廊.

pibroch /ˈpiːbrɒk/ *n*. (蘇格蘭)風笛曲.

pic /pɪk/ *n*.(*pl*. **~s, pix** /pɪks/) [**picture** 之略]照片,電影 **~-parlor** *n*.[美俚]電影院.

pica /ˈpaɪkə/ *n*.【印】12 點活字,十二磅因的活字;10 個字母佔一英寸的打字機.

picador /ˈpɪkədɔː(r)/ *n*.(*pl*. **~s, ~es** /ˌpikəˈdɔːriːz/) 騎馬鬥牛士.

picaresque /ˌpɪkəˈresk/ *a*. 以流浪漢和歹徒的冒險生涯為題材的(傳奇小說).

piccalilli /ˌpɪkəˈlɪlɪ/ *n*.(*pl*. **~s**) (印度的)辣泡菜.

piccaninny /ˌpɪkəˈnɪnɪ/ *n*. (*pl*. **~nies**) 黑種小孩;澳洲土著小孩.

piccolo /ˈpɪkələʊ/ *n*.(*pl*. **~s**)【樂】短笛.

pick /pɪk/ *v*. ①挑,剔,摘取②挑選,揀③挖,掘④(用手指)撥彈⑤吵架 *n*. ①鎬,鶴嘴鋤;牙籤②(樂器)撥子 **~ed** *a*. 精選的;摘下的 **~er** *n*. 採摘者;清棉機 **~ing** *n*. 撬開,採集;外快,額外收入 **~-me-up** *n*. [俚]興奮劑;**~off** *n*.【無】傳感器,揀拾器 **~pocket** *n*. 扒手 **~up** *n*. 工具車 // *~ on* 挑毛病,挑剔 *~ out* 挑選;啄出;聞出,領會 *~ up* 掘起;拾起;振奮;自然學會.

pickaback /ˈpɪkəbæk/ *ad*. 扛在肩上,背着(=piggyback).

pickaxe /ˈpɪkæks/ *n*. 大鶴嘴鋤,大洋鎬.

picket /ˈpɪkɪt/ *n*. ①樁,尖柱②步哨,哨兵,警戒哨;糾察 *vi* 放哨,擔任糾察員任務 // *~ line* 警戒綫(罷工時期)糾察綫.

pickings /ˈpɪkɪŋz/ *n*. 來得容易的額外收入,外快.

pickle /ˈpɪkl/ *n*. ①(腌魚,泡酸菜的)鹵汁②泡菜[口]尷尬,處境困難 *vt*. 把…泡在鹽水或醋裏 **pickled** *a*. [美]酩酊大醉的.

picnic /ˈpɪknɪk/ *n*. 野餐;郊遊 *v*.(過去式及過去分詞 **-nicked**) 去郊遊;去野餐 **~er** *n*. 野餐者;郊遊者.

pictorial /pɪkˈtɔːrɪəl/ *a*. 繪畫的;有圖片的 *n*. 畫報 **~ly** *ad*. **~ize** *v*. 用圖畫表示.

picture /ˈpɪktʃə(r)/ *n*. 圖;畫片;像片;寫照;如畫的風景;電視圖像;影片 *v*.印像 **~sque** *a*. 畫似的,別緻的,形象化的,逼真的 // *~rail* 挂景綫 *~ window* 獨塊玻璃之大窗,風景窗.

piddle /ˈpɪdl/ *v*. [口,兒]小便,撒尿;閑混.

piddling /ˈpɪdlɪŋ/ *a*. 細小的;無價值的;不足道的.

pidgin /ˈpɪdʒɪn/ *n*. 混雜語言;洋涇浜英語.

pie /paɪ/ *n*. 餡餅 // ~ *chart* 餅形統計圖表.

piebald/ˈpaɪbɔːld/*a*. ①(馬等)有黑白斑的;雜色的②雜種的.

piece /piːs/ *n*. ①片;斷片;碎片;一部分;一件;一塊;一項;一張②(藝術)作品 // ~ *together* 拼凑成.

pièce de rèsistance /ˌpjes də reˈzɪstɑːns/ *n*. [法](一餐中的)主菜;主要事件;主要作品.

piecemeal /ˈpiːsmiːl/ *ad*. 一件一件;逐漸地;零碎地.

piecework /ˈpiːswɜːk/ *n*. 計件工作;包工活.

pied /paɪd/ *a*. 斑駁的,雜色的,五顏六色的.

pied-à-terre /ˈpjeɪd ɑː ˈteə(r)/ *n*. (*pl*. **pieds-à-terre**) 臨時休息所,備用寓所.

pie-eyed /ˈpaɪˈaɪd/ *a*. [美俚]①喝醉了的②不漂亮的.

pier /pɪə(r)/ *n*. ①碼頭;防波堤②橋墩.

pierce /pɪəs/ *vt*. 穿(孔),刺穿,戳穿,穿入,穿進 **piercing** /ˈpɪəsɪŋ/ *a*. 刺穿的,尖銳的;刺骨.

pierrot /ˈpɪərəʊ/ *n*. [法](搽白粉,穿白衣的)丑角.

piety /ˈpaɪətɪ/ *n*. (*pl*. **pieties**) 虔誠,孝順.

piffle /ˈpɪfl/ *vi*. [口]講廢話 *n*. 廢話,傻事,無聊事.

pig /pɪg/ *n*. ①猪②[口](猪一般的)嘴饞的、骯髒的、貪心的人③[俚]警察 **~gish, ~gy** *a*. 貪的;饞的;頑固的 **~gery** /ˈpɪgərɪ/ *n*. 猪場,猪圈;猪的習性; **~let** *n*. 小猪 **~-headed** *a*. 頑固的; **~sty** /ˈpɪgstaɪ/ *n*. 猪圈;髒地方 **~-iron** *n*. 生鐵 **~tail** *n*. 辮子 **~gy bank** 儲錢罐.

pigeon /ˈpɪdʒɪn/ *n*. ①鴿子②[口]易受騙的人 *vt*. 用鴿子聯絡 **~hearted** *a*. 膽小的;害羞的 **~hole** *n*. 鴿窩 **~-toed** *a*. 脚趾內向的.

piggyback /ˈpɪgɪbæk/ *ad*. & *a*. = pickaback ①肩扛,背馱②在鐵道平板車上.

pigment /ˈpɪgmənt/ *n*. ①顏料,顏色②色素 **~al** *a*. **~ation** /ˌpɪgmenˈteɪʃn/ *n*. 色素澱積;着色.

pigmy /ˈpɪgmɪ/ *n*. & *a*. (= pygmy) 侏儒,矮人;很小的.

pike /paɪk/ *n*. ①(古代)長矛,鏢槍②矛頭,箭頭③【動】梭魚,狗魚④關卡,收稅門⑤通行稅⑥稅道.

pilaster /pɪˈlæstə(r)/ *n*. 【建】壁柱,半露柱.

pilau, pilaw /pɪˈlaʊ, pɪˈlɔː/ *n*. (東方的)燴魚,肉飯 =pilaf(f) /pɪˈlæf/.

pilchard /ˈpɪltʃəd/ *n*. 【動】沙丁魚(亦稱"沙腦魚").

pile /paɪl/ *n*. ①堆積,一叠②樁木;楔形③絨毛,毛茸④高大建築物 *v*. ①堆積,積聚②打樁③使起絨 **~driver** *v*. 打樁機,打樁者 **~-up** *n*. 數輛汽車碰撞一起.

piles /paɪlz/ *n*. 痔瘡,痔.

pilfer /ˈpɪlfə(r)/ *v*. 偷竊;小偷,扒手 **~age** /ˈpɪlfərɪdʒ/ *n*.

pilgrim /ˈpɪlgrɪm/ *n*. ①香客,朝聖者②旅客,流浪者 **~age** *n*. 朝山進香;朝聖;人生旅程.

pill /pɪl/ *n*. ①丸;藥丸②苦事③(the ~)女用口服避孕藥 **~box**①丸藥盒②[軍俚]獨立小地堡.

pillage /ˈpɪlɪdʒ/ *n*. 搶劫,掠奪;掠奪物

~r *n*. 掠奪者.

pillar /'pɪlə(r)/ *n*. ①柱, 紀念柱; 柱墩②台柱, 棟樑 **~box** *n*. [英]郵筒 **~stone** *n*. 奠基石.

pillion /'pɪlɪən/ *n*. (摩托車)後座.

pillory /'pɪlərɪ/ *n*. ①頸手枷②臭名, 笑柄 *v*.(過去式及過去分詞**-ried**)使人嘲笑.

pillow /'pɪləʊ/ *n*. 枕頭 *v*. 墊在頭下作枕頭 **~block** *n*.【機】軸台 **~case** *n*. 枕套(=~slip).

pilot /'paɪlət/ *n*. 領航員, 領港員【空】駕駛員, 飛行員 *a*. ①引導的, 導嚮的②小規模試驗性質的 *v*.給(船隻)領航; 指導, 駕駛(飛機等) **~age** *n*. 領航(費) **~ing** *n*. 領航, 引水 **~less** *a*. 無領航的 ~ **light** (熱水器)長命燈 ~ **officer** *n*. 空軍少尉.

pimento /pɪ'mentəʊ/ *n*. (*pl*. **~s**)【植】①多香果②甜辣椒.

pimp /pɪmp/ *n*. 妓院老闆, 老鴇 *v*. 拉皮條.

pimpernel /'pɪmpənel/ *n*.【植】海綠, 紫蘩蔞.

pimple /'pɪmpl/ *n*.【醫】丘疹; 粉刺; 膿疱 **pimly** *a*.

pin /pɪn/ *n*. ①別針, 飾針②釘, 銷, 栓 *v*.(過去式及過去分詞 **pinned**)(用釘)釘住, (用針)別住, 按住 **~ball** *n*. 桌上彈球遊戲 **~cushion** *n*. 針插 **~point** *n*. 針尖 **~prick** *n*. 針刺, 刺耳的話 **~stripe** *n*. 細條紋織物 **~-up** *n*. 釘在牆上的大相片(尤指半裸女) // ~ *money* (給妻, 女之)零用錢 ~ *tuck* (襯衣的)縫褶.

pinafore /'pɪnəfɔː(r)/ *n*. 圍裙; 涎布; 無袖女服.

pincenez /'pænsneɪ/ (*pl*. **pincenez** /'pænsneɪz/ [法]夾鼻眼鏡.

pincers /'pɪnsəz/ *n*. & *pl*. ①鉗子②【動】螯子.

pinch /pɪntʃ/ *v*. ①捏, 掐, 挾②折磨③壓縮, 限制④[俚]偷⑤[俚]抓住 *n*. ①捏, 掐, 挾②困難③微量, 一小撮④[俚]盜竊⑤逮捕 // *at a* ~ 在危急時刻 *feel the* ~ 需節衣縮食 ~ *and scrape* 東拼西湊.

pinchbeck /'pɪntʃbek/ *n*. ①銅鋅合金, 金色黃銅②贋品, 冒牌貨.

pine /paɪn/ *n*.【植】松樹; 松木 *v*. ①渴望; 戀慕②消瘦; 憔悴; 衰弱 // ~ *cone* 松果 ~ *marten* [英]黑褐貂.

pineal gland /paɪ'nɪəl glænd/ *n*.【解】松果腺.

pineapple /'paɪnæpl/ *n*. ①【植】菠蘿②[俚]手榴彈.

ping /pɪŋ/ *n*. & *vi*. 砰(槍彈飛過的聲音) **~er** *n*. 聲波發射器 // ~ *jockey* 聲納兵, 雷達兵.

ping-pong /'pɪŋpɒŋ/ *n*. 乒乓球.

pinion /'pɪnɪən/ *n*. ①【鳥】翅膀②臂膀③小齒輪 *vt*. 捆住(兩手), 束縛.

pink /pɪŋk/ *n*. ①【植】石竹花②桃紅色, 粉紅色③穿着入時的人 *a*. 粉紅色的 *v*. ①變粉紅色②機器格登格登地響 **~ish** *a*. 帶粉紅色的 // *in the* ~ [口]極健壯.

pinking shears /'pɪŋkɪŋ 'ʃɪəz/ *n*. 帶鋸齒口的剪子.

pinnacle /'pɪnəkl/ *n*.【建】小尖塔; 尖端; 針鋒; 頂點.

pint /paɪnt/ *n*. 品脫 [英] = 0.57 升弱; [美]液量 = 0.47 升強, 乾量 = 0.55 升.

pinyin/pɪn'jɪn/*n*. 用羅馬字表示中國漢字的規則.

pioneer /ˌpaɪə'nɪə(r)/ *n*. ①先鋒, 先驅②開拓者 *v*. 開拓, 開闢, 開(路); 提倡, 當先鋒.

pious /'paɪəs/ *a*. 虔誠的, 篤信的.

pip /pɪp/ *n*. ①(蘋果、梨等的)果仁;種子②(牌上的)點③【訊】尖聲信號,雷達反射點,熒屏脉沖 (軍裝肩章上的)星 *v*. [俚]反對;打敗;打破;擊斃;(小雞)破殼而出 // *give someone the* ~ [俚]惹人生氣.

pipe /paɪp/ *n*. ①管,管道,導管②烟斗③管樂器,笛④[俚]容易幹的工作⑤[美俚]交談;短信 *v*. ①吹(笛)②用管子輸送③[美俚]談論,透露④瞧,看⑤吹笛 **~line** *n*. 管路,輸油管,補給綫 **~r** *n*. 吹笛者 **piping** *n*. 吹笛;(糕點上的)花邊;(衣服上的)滾邊; **pipy** *a*. 管狀的;哭聲的 // *piping hot* 滾燙的,剛出鍋的 ~ *cleaner* 烟斗通條 ~ *down* 停止説話 ~ *dream* 黃粱美夢,幻想 ~ *layer* 鋪管工 ~*ed music* 管樂 *in the ~-line* 在準備過程中 ~ *up* 開始吹;加快速度;裝上花邊(飾).

pipette /pɪ'pet/ =pipete *n*. 【化】移液管,吸量管,球管.

pipit /'pɪpɪt/ *n*. 【鳥】鷚.

pippin /'pɪpɪn/ *n*. 蘋果品種;【植】種子 [美]美人,漂亮姑娘.

piquant /'pi:kənt/ *a*. ①辛辣的,開胃的②潑辣的;痛快的;有趣的③淘氣的④尖刻的,惹人生氣的 **~ly** *ad*. **piquancy** /'pi:kənsɪ/ *n*.

pique /pi:k/ *n*. 生氣,不高興,嘔氣 *v*. 使憤怒;急躁;誇耀;損傷(自尊心);引起(好奇心).

pique /pi:k/ *n*. & *v*.【牌】(兩人玩牌戲)凑三十(分).

piquet /pɪ'ket/ *n*. 皮克牌遊戲(雙人對玩).

piracy /'paɪərəsɪ/ *n*. ①海上掠奪,海盜行為②剽竊,非法翻印,侵害版權;侵犯專利權 **pirate** *n*. ①海盜,海盜船②剽竊者③侵害版權(專利權)者 **piratical** *a*.

piranha/pɪ'rɑ:njə/ *n*.【魚】鋸脂鯉;水虎魚,(凶狠的南美淡水小魚).

pirouette /ˌpɪru'et/ *n*.【舞】豎趾旋轉;(馬的)急轉.

piscatorial /ˌpɪskə'tɔ:rɪəl/ *a*. (愛)釣魚的;漁業的.

piss /pɪs/ *v*. [卑]小便,撒尿 *n*. 尿(血).

pistachio /pɪstɑ:ʃɪəʊ/ *n*. (*pl*. **~s**)【植】地中海區產的阿月渾子果實(調味用).

piste /'pi:st/ *n*. 滑雪道.

pistil /'pɪstl/ *n*.【植】雌蕊.

pistol /'pɪstl/ *n*. 手槍 **pistolier** /ˌpɪstə'lɪə(r)/ *n*. 手槍手 // *best the* ~ (賽跑時)搶跑;偷跑 *hotter than a* ~ [美]巨大成功.

piston /'pɪstən/ *n*.【機】活塞.

pit /pɪt/ *n*. ①坑 ;凹地;礦井②地獄;深淵③陷阱(喻)圈套④(劇場)正廳後座⑤鬥雞場;鬥狗場⑥加油站 *v*. (過去式及過去分詞 **~ted**)①挖坑,打礦井,使成麻臉②放入窖③使相鬥 **~head** *n*. 礦井口 **~man** *n*. 礦工 // ~*boss* (礦井)工頭;賭場老闆 ~ *bull terrier* 毛短、肌肉發達之獵犬.

pitapat, pit-a-pat /ˌpɪtə'pæt/ *ad*. 劈劈拍拍地(跑等),(心)卜卜(跳).

pitch¹/pitʃ/ *n*. 瀝青;松脂,樹脂 **~ing** *n*. 鋪地石,護堤石 **~y** *a*. 瀝青多的,瀝青般的,粘的;塗上瀝青的;漆黑的 **~-black** (**-dark**)漆黑一團 **~stone** *n*.松脂石.

pitch²/pɪtʃ/ *vt*. ①扔,投,抛,擲②搭(帳篷),扎(營盤);鋪(路面);安頓(住處)③努力推銷(商品) *vi* 扔,擲;投球;頭朝下(倒下),搭帳篷露宿;俯仰;高度;傾斜度 // ~*ed battle* 惡戰 ~*in* 熱心參與 ~*into* 攻擊

~*over*【空】轉彎 ~ *up*【空】上仰.

pitchblende /'pɪtʃblend/ *n*. 生產鐳的含瀝青鈾礦石.

pitcher /'pɪtʃə(r)/ *n*. ①帶把的大水罐, 柄盂, (=英文 jug). ②棒球投手.

pitchfork /'pɪtʃfɔːk/ *n*. ①乾草叉, 耙②【樂】音叉 *v*.突然推進.

pitfall /'pɪtfɔːl/ *n*. 陷坑;陷阱;誘惑;圈套;隱藏的危險.

pith /pɪθ/ *n*. ①【植】木髓, 樹心②【解】骨髓③精力, 精華 **~y** *a*. 有力氣的;簡潔的.

piton /'piːtɒn/ *n*. (登山用的)鋼錐, 鐵栓.

pitta bread /'pitə 'bred/ *n*. (中東阿拉伯人吃的)半醱麵餅.

pittance /'pɪtns/ *n*. 微薄之收入;少量食物.

pitter-patter /'pɪtəˌpætə(r)/ *ad*. & *v*. 啪噠啪噠地響.

pituitary /pɪ'tjuːɪtərɪ/ *a*. 大腦垂體的 // ~*gland* 腦垂體腺.

pity /'pɪtɪ/ *n*.(*pl*. **~ties**) ①憐憫, 同情②可惜的事, 憾事 *v*.(過去式及過去分詞 **pitied**) 覺得可憐, 可惜, 不幸; **piteous** /'pɪtɪəs/, **pitiable** *a*. 可憐的, 可憐又可笑的 **pitiful** *a*. 慈悲的, 可憐的 **pitifully** *ad*. **pitiless** *a*. 無情的, 冷酷的.

pivot /'pɪvət/ *n*. ①支軸, 磨軸【物】支點, 扇軸兒②中樞, 中心點 **~al** /'pivətl/ *a*. 樞要的, 中樞的 // ~*axis* 擺軸.

pix /pɪks/ *n*.(**pic** 之複數) [美俚]照片, 影片.

pixie /'pɪksɪ/ =pixy *n*. 小鬼, 妖精 *a*. 頑皮的.

pizza /'piːtsə/ *n*. (意大利)烤餡餅.

pizzazz /pɪ'zæz/ *n*. 令人興奮或吸引人的派頭;魔力;魅力.

pizzicato /ˌpɪtsɪ'kɑːtəʊ/ *a*. [意大利]【樂】撥奏(曲)的.

pl. *abbr*. =①plural /'plʊərəl/ 複數②place 地方③plate 盤子;板.

PLA *abbr*. = People's Liberation Army(中國)人民解放軍.

placard /'plækɑːd/ *n*. ①標語牌, 招貼②掛圖, 宣傳廣告畫③招牌.

placate /plə'keɪt/ *vt*. 安撫, 撫慰;使和解;得到諒解 **placatory** /plə'keɪtərɪ/ *a*. **placation** *n*.

place /pleɪs/ *n*. ①地方;場所;處;所在;位置②市區;市;鎮, 村③立場;處境;資格④席位 *v*. ①放;安置;排列②使就職;投資;訂(貨);任(職) **~able** *a*. 可定位的 **~man** *n*. 官吏, 驕橫小官 **~ment** *n*. 放, 安置, 安排(工作) // ~ *card*(宴席)座位牌 ~*hunter* 求職者 *be placed* 比賽入前三名, 入選; *take* ~ 發生, ~ *setting* (飯桌上)擺好刀、叉、匙、碗、碟、杯.

placebo /plə'siːbəʊ/ *n*. ①安慰物, 安慰劑, 寬心話②晚禱悼聲.

placenta /plə'sentə/ *n*.(*pl*. **~s**, **~tae** /-tiː/)【解】胎胚 **~l** *a*.

placid /'plæsɪd/ *a*. 平靜的;寧靜的;溫和的 **~ly** *ad*. **~ity** *n*.

placket /'plækɪt/ *n*. ①(女裙腰上的)開口②(裙上)口袋.

plagiarize /'pleɪdʒəraɪz/ *v*. 剽竊, 抄襲 **plagiarism** /'pleɪdʒərɪzəm/ *n*. 剽竊物 **plagiarist** /'pleɪdʒərɪst/ *n*. 剽竊者, 抄襲者.

plague /pleɪg/ *n*. 時疫, 瘟疫, 傳染病; *v*.(過去式及過去分詞~**d**)使染瘟疫, 遭灾禍, 折磨[口]麻煩.

plaice /pleɪs/ *n*.【魚】鰈.

plaid /plæd/ *n*. 方格呢披肩;蘇格蘭呢.

plain /pleɪn/ *a*. ①平的, 平坦的②平易的, 普通的③清楚的, 明白的④樸素無華的⑤粗陋的⑥直率的⑦平原 **~ly** *ad*. **~ness** *n*. **~-clothes** *n*. 便衣 // *~ sailing* 一帆風順 *~ speaking* 直言不隱 *~ weave* 平紋織物.

plainsong /'pleɪnsɒŋ/ *n*. 無伴奏、單旋律聖歌.

plaintiff /'pleɪntɪf/ *n*.【律】原告.

plaintive /'pleɪntɪv/ *a*. 可憐的; 悲哀的; 憂鬱的 **~ly** *ad*.

plait /plæt/ *n*. ①褶邊②辮子, 辮繩.

plan /plæn/ *n*. ①計劃, 設計, 方案, 規劃; 方法; 進程表②圖, 平面圖; 示意圖 *v*.(過去式及過去分詞**~ned**) ①計劃, 設計②製圖, 描繪(設計圖) // *planned parenthood* = family ~ 計劃生育.

plane /pleɪn/ *n*. ①飛機②平刨; 鏝③面, 平面, 水平 *v*. ①滑行, (賽船)在水面飛一樣滑跑②[口]坐飛機旅行③刨平 *-a*. 平的, 平面圖的, 在平面上的.

planet /'plænɪt/ *n*. ①【天】行星②星相 **~ary** /'plænɪtrɪ/ *a*.

planetarium /ˌplænɪ'teərɪəm/ *n*. (*pl*. **~s**, **-ria** /-rɪə/) 天象儀.

plangent /'plændʒənt/ *a*. 宏亮的; 反響的; 莊嚴的.

plank /plæŋk/ *n*. 木板, 厚板(比 board 厚) **~ing** *n*. 鋪板.

plankton /'plæŋktən/ *n*.【生】浮游生物.

plant /plɑːnt/ *n*. ①植物, 草; 草本②莊稼, 作物③工廠; 車間; 設備 *v*. 栽種, 播種; 安, 放, 裝; 插埋; 安插間諜, 栽贓; **~er** *n*. 種植的人, 栽培者; 種植園主; 大花盆.

plantain /'plæntɪn/ *n*.【植】車前草(中藥用); (菜食用)香蕉, 羊角蕉.

plantation /plæn'teɪʃn/ *n*. ①(熱帶、亞熱帶)種植園, 農場, 橡膠園②造林地; 人造林.

plaque /plɑːk/ *n*. ①(象牙、陶瓷等)飾板; 匾牌②徽章, 胸章;【醫】斑; 血小板; 牙銹斑.

plasma /'plæzmə/ *n*. 淋巴液; 血漿【生】原生質.

plaster /'plɑːstə(r)/ *n*. ①膠泥, 灰泥②熟石膏③敷傷口, 橡皮膏 *v*. 貼上橡皮膏; 粉刷(牆壁) **~ed** *a*.[俚]喝醉了的 **~board** *n*.【建】(內裝飾用)灰膠紙拍板 // *~ of Paris* 熟石膏.

plastic /'plæstɪk/ *n*. 塑料, 塑料製品; 塑膠; 電木 *a*. 塑料的, 可塑的, 塑性的; 造型的 **plasticity** /ˌplæ'stɪsətɪ/ *n*. 可塑性 // *~ bullet* 塑料子彈 *~ surgery*【醫】整形外科.

plasticine /'plæstɪsiːn/ *n*. 塑料代用粘土; 橡皮泥.

plate /pleɪt/ *n*. ①厚金屬板; 牌子②招牌; 印版; 鉛版③【攝】底片, 感光板④盤子, 盆子, 鍍金器皿⑤一副假牙 *v*. 鍍; 在…覆蓋金屬板 **~ful** *n*. 一滿盤 **~let** *n*. 小片, 血小板 // *~ glass* (上等)平板玻璃 *~ tectonics* 天地構造學.

plateau /'plætəʊ, plæ'təʊ/ *n*. (*pl*. **-x**, **-s** /-z/ ①高原, 台地, 高地②不進步也不退步的平穩階段③雕花托盤.

platen /'plætən/ *n*. 壓印盤; (打字機上)壓紙捲軸.

platform /'plætfɔːm/ *n*. ①台, 壇, 講壇, 主席台②步廊, (車站)月台, 站台, 平台③政綱④(海洋鑽井的)棧橋.

platinum /'plætɪnəm/ *n*.【化】鉑, 白金 // *~ blonde* 淡金髮女郎.

platitude /'plætɪtjuːd/ *n*. 單調, 平凡,

陳詞濫調.

platonic /plə'tɒnɪk/ *a*. 純精神的；純理論的 // ~ *love* 精神戀愛.

platoon /plə'tuːn/ *n*. ①【軍】(步兵的)一排，小隊②小組.

platteland /'plætəlɑːnd/ *n*. 非洲南部偏僻的鄉村地帶.

platter /'plætə(r)/ *n*. ①[美,英古]長圓形大托盤；大淺盤②唱片.

platypus /'plætɪpəs/ *n*. (*pl*. **-es**, **-pi** /-paɪ/)【動】鴨嘴獸.

plaudit /'plɔːdɪt/ *n*. 拍手，喝彩，稱贊.

plausible /'plɔːzəbl/ *a*. ①看上去很有道理的②嘴巧的，會說話的 **plausibility** *n*. **plausibly** *ad*.

play /pleɪ/ *v*. ①玩，玩耍，遊戲②進行(比賽)，打(球)；打賭③演戲，擔任一角色④(唱片，録音等)播放，吹，奏，彈(樂器)⑤開玩笑，玩弄 *n*. 玩耍，遊戲；娛樂；比賽；玩笑；玩弄；劇本；戲劇；話劇；戲 **~boy** *n*. 闊少，花花公子 **~er** *n*. 球員；選手；演員；演奏者；唱機；遊戲的人 **~ful** *a*. 愛玩遊戲的，開玩笑的 **~ground** *n*. 操場，運動場，遊戲場 **~group** *n*. 遊戲課(小組) **~house** *n*. 劇場，戲院 **~pen** *n*. 嬰兒圈欄 **~school** *n*. 幼兒園，幼稚園 **~thing** *n*. 小玩藝兒，玩具 **~wright** *n*. 劇作家 // ~ *down* 輕描淡寫 ~ *ing card* 撲克牌，紙牌 ~ *ing field* 戶外露天遊戲場 ~ *off* 得分相同而進行補賽；假裝，挑撥離間，從中漁利 ~ *on* 利用別人的弱點或同情心 ~ *up* ①大肆渲染②開始奏樂；越發使勁彈奏；奮戰③[口]嘲弄④引起麻煩.

plaza /'plɑːzə/ *n*. (西班牙都市中心的)廣場；集市.

PLC. **plc**. *abbr*. = Public Limited Company 公共有限公司.

plea /pliː/ *n*. ①懇求，請求；請願；禱告②辯解，託詞，口實③【律】抗辯，答辯.

plead /pliːd/ *vt*. ①辯論，辯護；答辯②主張；解釋 *vi*. 辯護，抗辯；懇求，求情 **~er** *n*. 【律】辯護人，律師.

pleasant /'pleznt/ *a*. (**~er**, **-est**) ①愉快的，快樂的，舒適的②活潑的，可愛的③有趣的 **~ly** *ad*. **~ness** *n*.

please /pliːz/ *vt*. ①使高興，使歡喜，使滿意②請 *vi*. ①歡喜，中意②討好，討人歡喜 **~d** *a*. 對…滿意(*with*) **pleasing** /pliːzɪŋ/ *a*. 舒適的，愉快的，滿意的，惹人喜歡的，可愛的 // ~*oneself* 使自己滿意.

pleasure /'pleʒə/ *n*. ①愉快，快樂，滿意②娛樂，享受，歡樂③欲求，希望 **pleasurable** /'pleʒərəbl/ *a*. 令人快樂的，舒適的，愉快的 **pleasurably** *ad*.

pleat /pliːt/ *n*. (衣服上的)褶 *v*. 打褶，編成辮.

plebeian /plɪ'biːən/ *a*. 鄙俗的，下賤的，庶民的，平民的 *n*. 平民，庶民，老百姓 (=pleb).

plebiscite /'plebɪsɪt, -saɪt/ *n*. 公民投票，全民表決.

plectrum /'plektrəm/ *n*. (*pl*. **~s**, **-tra** /-trə/) 弦樂器的撥子(亦稱 pick).

pledge /pledʒ/ *n*. ①誓約，公約；諾言②抵押權③保證 *v*. ①發誓；保證②典當，抵押 **~e** /pledʒ'iː/ *n*. 接受抵押的人 **~or** /pledʒ'ɔː(r)/ *n*. 抵押者，典當人.

plenary /'pliːnərɪ/ *a*. ①完全的；十足的②全體出席的；有全權的【律】正式的 **~indulgence**【宗】大赦.

plenipotentiary /ˌplenɪpə'tenʃərɪ/ *n*. 全權大使，全權委員 *a*. 有全權的；

(權力)絕對的.

plenitude /'plenɪtjuːd/ *n*. ①充分,完全②充實,充滿.

plenteous /'plentɪəs/ *a*. =plentiful.

plentiful /'plentɪfl/ *a*. 豐富的 **~ly** *ad*. **~ness** *n*.

plenty /'plentɪ/ *n*. 多;豐富;充分 *a*. [口]充裕的;足夠的.

pleonasm /'plɪənæzəm/ *n*.【語】冗言,贅語 **pleonastic** *a*.

plethora /'pleθərə/ *n*. 過多,過剩.

pleurisy /'plʊərəsɪ/ *n*. 肋膜炎,胸膜炎.

pliable /'plaɪəbl/ *a*. ①柔韌的,易彎的②柔順的 **pliability** *n*.

pliant /'plaɪənt/ *a*. (=pliable) 柔順的;易變通的;易控制的 **pliancy** *n*.

pliers /'plaɪəz/ *n*. 老虎鉗;手鉗.

plight /'plaɪt/ *n*. ①困境;苦境;險境②保證;誓約;婚約 *v*. 保證,發誓 **~ed lovers** *n*. 山盟海誓的一對情人 // *~ one's troth* (*promise*, *word*) 山盟海誓,說定.

Plimsoll line (mark) /'plɪmsəl laɪn/ *n*.【海】輪船載重綫標誌.

plimsolls /'plɪmsəlz/ *n*. 橡皮底帆布鞋.

plinth /plɪnθ/ *n*.【建】柱脚,底座.

PLO *abbr*. = Palestine Liberation Organization 巴勒斯坦解放組織.

plod /plɒd/ *vi*. (過去式及過去分詞 **plodded**) ①沉重地走②埋頭苦幹.

plonk /plɒŋk (=plunk)/ *v*. 砰地投擲;支持 *n*. 劣等酒.

plop /plɒp/ *v*. (過去式及過去分詞 **plopped**)撲通一聲掉下,砰一聲爆開 *n*. 撲通一聲,砰的一聲.

plot /plɒt/ *v*. (過去式及過去分詞 **plotted**)①密謀,圖謀,策劃②繪圖③標出(海圖,航空圖)綫路 *n*. 陰謀,策劃;情節;測算表;一小塊土地,地基.

plough /plaʊ/ *n*. (=[美]plow) ①犂②耕作 *v*. 耕地;開溝;破浪前進;刻苦前進 **~man** *n*. 莊稼漢;**~share** *n*. 犂頭,鏵.

plover /'plʌvə(r)/ *n*.【鳥】鴴.

ploy /plɔɪ/ *n*. (為謀利而使)花招;(挫敵)策略,手法.

pluck /plʌk/ *v*. ①拔,扯(毛),摘②拉,拖③振作(勇氣)④撥響(琴弦) *n*. [口]膽量,勇氣[俚]不及格 **~less** *a*. 沒勇氣 **~y** *a*. 有勇氣的 **~ily** *ad*. // *~ up* 振作,鼓足勇氣,根絕.

plug /plʌg/ *n*. ①塞子;填塞物②【電】插頭③[俚]反覆廣告(推銷商品) *v*. (過去式及過去分詞 **plugged**)④塞,堵住⑤接通電源 *~ away* 拼命地幹着 *~ for* 打氣,支持 *~ in* 將插銷插入插座通電.

plum /plʌm/ *n*.【植】李子,梅 *a*. 紫醬色,精華的.

plumage /'pluːmɪdʒ/ *n*. ①【動】羽毛②漂亮的衣服.

plumb /plʌm/ *n*. 鉛錘,測錘,綫砣 *v*. ①用鉛錘檢查,測量②查明,看出③鋪水管(煤氣管)④當管工 *ad*. 垂直地;恰恰正好;完全 **~er** *n*. ①管子工②堵防泄密人員 **~ing** *n*. 製鉛工業;鉛管鋪設;水暖工程 **~less** *a*. 深不可測的 **~-line** *n*. 鉛錘綫 // *~ the depths of* 經歷最難受的感情痛苦 *~ in* 接上口.

plume /pluːm/ *n*. ①(長而美的)羽毛,羽衣②羽毛飾 // *~ oneself on* 借衣裝扮,自誇其美.

plummet /'plʌmɪt/ *n*. 墜子,綫錘 *v*. 驟然跌落.

plump[1] /'plʌmp/ *a*. 肥胖的,豐滿的

v.使肥胖,使膨脹 **~ness** *n*. **~ly** *ad*. 鼓鼓地,脹滿地.

plump²/plʌmp/ *v*. ①撲通地掉落②突然跳進 *-a*. 直率的,莽撞的;唐突的(話); *-ad*. 沉重地;撲通地;突然地;直截了當地;坦白地 // ~ *for* (把全部選票)投選一人.

plunder /'plʌndə(r)/ *v*. & *n*. 掠奪,搶劫;偷;私吞;掠奪物.

plunge /plʌndʒ/ *vt*. ①投入;插進,扔進②使陷入,使投身 *vi*. ①跳進,掉進,鑽進,猛衝②[俚]盲目投資,借債 *n*. ①跳進;插進②猛衝;蠻幹;冒險[俚]投機;賭博 **~er** *n*. ①跳進水中的人②柱塞,活塞③盲目投機者 **~ing** *a*. 跳進的,向前猛衝的;俯射的;領口開低露胸的 **~(into)** 潛心投入 // *take the* ~ 冒險投資;蠻幹.

plunk /plʌŋk/ *vt*. ①砰地投擲②砰砰地彈(弦).

pluperfect /ˌplu:'pɜ:fɪkt/ *n*. & *a*. 【語】過去完成時(的).

plural /'plʊərəl/ *a*. 複數的 *n*.【語】複數,複數詞 **~ism** /'plʊərəlɪzəm/ *n*. 複數;多種;兼職;雙重投票 **~ist** *n*. [英]兼職者;多妻主義者 **~ity** *n*. 複數;多數;兼職;一夫多妻; **~ize** /'plʊərəlaɪz/ *v*. 使成複數;兼數職.

plus /plʌs/ *prep*. 加,加上;用"+"表示 *a*. 正,加的;【電】陽極;陽性的;[口]有增益的 *n*.【數】加號,正數 **~fours** *n*. 燈籠褲.

plush /plʌʃ/ *n*. 長毛絨 *a*. =**~y** 長毛絨的,豪華舒服的.

Pluto /'plu:təʊ/ *n*. 冥王 *the* ~ 冥王星.

plutocrat /'plu:təkræt/ *n*. 財閥,財政寡頭, **~ic** *a*.

plutonium /plu:'təʊnɪəm/ *n*.【化】鈈 ~*bomb* 鈈元素原子彈.

pluvial /'plu:vɪəl/ *a*. ①雨的;多雨的②洪水的.

ply /plaɪ/ *v*. (過去式及過去分詞. **plied**)努力從事,勤苦經營;勤用(工具);(船隻)往返於…之間 ~ **with** 死勸,硬要 *n*. (棉、毛紡織品的)股數;厚度.

plywood /'plaɪwʊd/ *n*. 膠合板,層板.

pm, PM *abbr*. = ①post meridien 下午,午後②postmortem 死後,事後.

PM *abbr*. = ①prime minister 首相②past master (行會)前任主持人.

PMS *abbr*. = premenstrual syndrome (月)經前綜合症.

PMT *abbr*. = premenstrual tension (月)經前緊張.

pneumatic /nju:'mætɪk/ *a*. ①空氣的,氣體的②汽動的,風動的.

pneumonia /nju:'məʊnɪə/ *n*.【醫】肺炎.

PO *abbr*. = ①post order 郵政匯票②post office 郵局.

poach /pəʊtʃ/ *v*. ①水煮②偷獵;偷捕;侵入;搶打(球) **~er** *n*. ①偷獵者②侵犯他人權限者.

pocket /'pɒkɪt/ *n*. ①衣袋,口袋,小袋②金錢,資力③球囊④穴;凹處;峽谷⑤【軍】袋形陣地 *v*.(過去式及過去分詞, **~ed**)①放進口袋;包藏②盜用;侵吞③忍受(侮辱)④阻撓,擱置⑤抑制 // *in*, *out of* ~ 已獲利潤或損失 ~ *money* 零花錢 *pick* ~ 扒手,小偷.

pockmark /'pɒkmɑ:k/ *n*. 痘痕;麻點 **~ed** *a*. 有麻點的.

pod /pɒd/ *n*. ①【植】豆莢②蠶繭 *v*. 成莢,結莢.

podgy /'pɒdʒɪ/ *a*.(**podgier**, **podgiest**) 矮胖的.

podium /'pəʊdɪəm/ *n*.(*pl*. **~diums**,

-dia /-dɪə/) [美]①樂隊指揮台②【建】墩座牆③演講壇.

poem /'pəʊɪm/ *n*. 詩,韻文.

poesy /'pəʊɪzɪ/ *n*. ①作詩(法);詩歌②詩才.

poet /'pəʊɪt/ *n*. 詩人 **~aster** /pəʊɪ'tæstə(r)/ *n*. 自封的詩人;蹩脚詩人 **~ic** /pəʊ'etɪk/ *a*. 詩(內容)的 **~ical** *a*. 詩(形式)的 **~ically** *ad*. 詩一般地 **poetry** /'pəʊɪtrɪ/ *n*. 詩;詩歌;韻文 // *~ic justice* 勸善懲惡 *~ic licence* 詩的破格.

po-faced /'pəʊ feɪst/ *n*. 鐵板着臉.

pogo stick /'pəʊgəʊ 'stɪk/ *n*. 彈簧單高蹺(遊戲).

pogrom /'pɒgrəm/ *n*. (尤指沙俄時代對猶太人)有組織的大屠殺,集體迫害.

poignant /'pɔɪnjənt/ *a*. 尖銳的,強烈的;辛辣的,刻薄的 **poignancy** /'pɔɪnjənsɪ/ *n*. ①辛辣;尖銳,刻薄②強烈.

poinsettia /pɔɪn'setɪə/ *n*. 【植】一品紅,大戟.

point /pɔɪnt/ *n*. ①尖頭,尖端;地角②小數點,標點③地點,位置④要點,論點⑤目的,目標⑥學分,分⑦轉軌閘,道岔板子 *v*. 指點(方向) **~ed** *a*. 帶尖頭的; **~edly** *ad*. 直截了當地,嚴厲地 **~er** *n*. 指針 **~less** *a*. 無力的,無意義的,不得要領的 **~-blank** *a*. ①近距平射的②干脆的 // *~ duty* (警察)值勤,站崗 *~ of view* 觀點,看法 *~ to ~*(賽馬)越過原野的;逐點的 *on the ~ of* 正要去(做)時 *~ to ~ race* 越野賽跑.

poise /pɔɪz/ *v*. 鎮靜,威嚴,自信的姿態 **~d** *a*.

poison /'pɔɪzn/ *n*. ①毒,毒藥②毒害 *v*. ①放毒於…毒害,使中毒②玷污,傷害,敗壞 **~er** *n*. 毒害者,放毒者 **~ous** /'pɔɪzənəs/ *a*. 有毒的;有害的 // *~-pen letter* 惡意中傷的匿名信.

poke /pəʊk/ *vt*. ①(用指,棍)戳,刺,捅;撥,添(火等)②伸出(指,頭等)③探聽,打探④摸索 *n*. 戳,刺,捅,[美俚]懶人討厭的傢伙 **~y** = poky /'pəʊkɪ/ *a*. 窄小的;骯髒的;無聊的 // *~ into* 干涉,刺探,挑剔 *~ one's nose into* … 管閒事;插手.

poker /'pəʊkə(r)/ *n*. ①火鉗,火筷子,撥火棍②撲克牌 **~-faced** *a*. 臉無表情的.

polar /'pəʊlə(r)/ *a*. ①(南、北)極的;地極的②磁極的;有磁性的 // *~ bear* 北極熊,白熊 *~ circle* 極圈.

polarize /'pəʊləraɪz/ *v*. ①使歸極②極化,兩極分化③使偏振④使(語言等)有特殊意義 **polarization** *n*.

Polaroid /'pəʊlərɔɪd/ *n*. 【物】①(人造)偏振片(防閃光用)②(帶自動快速沖卷的)相機.

polder /'pɒldə(r)/ *n*. 垸,圍海(築堤)造地.

pole /pəʊl/ *n*. ①棒,杆,竿,(撐船用)篙②極,極地 // *North ~* 北極 *South ~* 南極 *~ star* 北極星;指導人,目標.

poleax(e) /'pəʊlæks/ *n*. 鉞,戰斧 *v*. 砍倒.

polecat /'pəʊlkæt/ *n*. 【動】臭貓,鷄貂.

polemic /pə'lemɪk/ *n*. 論戰,爭論;攻擊;駁斥 **~al** *a*. **~ally** *ad*.

police /pə'liːs/ *n*. 警察,警務人員;治安,公安 *v*. 設置警察,維持…秩序;統治;管轄;校正;整頓 **~man** *n*. **~woman** *n*. 男警察,女警察 **~dog** *n*. 警犬 **~ state** *n*. 警察國家 // ~

station 警察局.

policy /'pɒləsɪ/ *n*. (*pl*. **policies**)①政策,方針②保險單③[美](抽籤)彩票 // ~ *maker* 政策制訂者 ~ *racket* 彩票 ~ *shop* 抽彩商店 ~ *holder* 保險客戶.

polio /'pəʊlɪəʊ/ *n*. (= poliomyelitis) 脊髓灰質炎.

Polish /'pɒlɪʃ/ *n*. & *a*. 波蘭(人)的;波蘭語(的).

polish /'pɒlɪʃ/ *vt*. ①磨光,拋光②潤飾;推敲 *n*. 光澤;上光劑;亮油;亮漆 **~ed** *a*. ①磨光的;圓滑的②優美的;精練的 // ~ *off* 很快做好,很快幹掉.

Politburo /pɒ'lɪtbjʊərəʊ/ *n*. ①政治局②決策控制機構.

polite /pə'laɪt/ *a*. ①有禮貌的;懇切的;斯文的②精練的;優美的 **~ly** *ad*. **~ness** *n*.

politic /'pɒlətɪk/ *a*. ①精明的;機敏的;狡猾的;有手腕的②適當的;巧妙的.

politics /'pɒlətɪks/ *n*. ①政治;政治學②政界;行政工作;政策;政見 **political** /pə'lɪtɪkl/ *a*. 政治上的,政策(上)的,國家的,政府的,行政上的 **politically** *ad*. **political prisoner** *n*. 政治犯 **politician** /ˌpɒlɪ'tɪʃn/ *n*. 政治家[蔑]政客[美]政治販子.

polka /'pɒlkə/ *n*. ①波爾卡舞,(19世紀盛行舞姿,活潑)②波爾卡舞之伴奏樂曲 //~*dots* (衣料上的)圓點花紋.

poll /pəʊl/ *n*. ① = opinion P~ 民意測驗②投票③選民登記數 *v*. ①(候選人)得票②(選民)投票③作民意調查④剪短;鋸下 **~ster** *n*. [美]民意測驗所 // ~*ing station* 投票站 ~ *tax* 人頭稅.

pollarded /'pɒlədɪd/ *a*. (為使樹長得更茂盛而)截去梢的.

pollen /'pɒlən/ *n*. 【植】花粉 **~ate** /'pɒləneɪt/ *vt*. 傳花粉給…,給…授粉 // ~ *count* 測空氣中花粉量的計數.

pollute /pə'luːt/ *vt*. 污染;弄髒 **pollutant** *n*. 污染物 **pollution** *n*. 污染(作用).

polo /'pəʊləʊ/ *n*. ①馬球②水球 //~ *neck* (小翻領)馬球衫 ~ *shirt* 短袖三扣馬球襯衫.

polonaise /ˌpɒlə'neɪz/ *n*. 波羅奈[波蘭慢步舞(曲)].

poltergeist /'pɒltəgaɪst/ *n*. [希臘]搗亂;搗蛋鬼;喧鬧鬼.

poltroon /pɒl'truːn/ *n*. 膽小鬼,懦夫.

poly /'pɒlɪ/ *n*. (*pl*. **polys**) = polytechnic 綜合性工藝學校 **poly-** 作前綴意為:"多";"複";"聚".

polyandry /'pɒlɪændrɪ/ *n*. 一妻多夫(制).

polyanthus /ˌpɒlɪ'ænθəs/ *n*. ①櫻草花②多花水仙.

polychromatic /ˌpɒlɪkrəʊ'mætɪk/ *a*. 多色的;色彩多變化的.

polyester /ˌpɒlɪ'estə(r)/ *n*. 聚酯 //~ *fibre* 聚酯纖維.

polygamy /pə'lɪgəmɪ/ *n*. ①多婚(制),一夫多妻或一妻多夫②雌雄同株;雜性式;多配性 **polygamous** *a*. **polygamist** *n*. 多配偶論者;多配偶的人.

polyglot /'pɒlɪglɒt/ *a*. & *n*. 懂數國語言的(人).

polygon /'pɒlɪgən/ *n*. 【數】多邊形;多角形 **~al** *a*.

polygraph /'pɒlɪgrɑːf/ *n*. 脉冲測謊器.

polygyny /pə'lɪdʒɪnɪ/ *n*. 一夫多妻制;

【植】雜性式.

polyhedron /ˌpɒlɪˈhiːdrən/ *n*. (*pl*. **-dra** /-drə/) 多面體.

polymath /ˈpɒlɪmæθ/ *n*. 學識淵博的人.

polymer /ˈpɒlɪmə(r)/ *n*. 【化】聚合物, 聚合體 **~ize** /ˈpɒlɪməraɪz/ *v*. 【化】(使)聚合 **~ization** *n*.

polyp /ˈpɒlɪp/ *n*. ①珊瑚蟲;水生小動物②粘膜息肉.

polyphonic /ˌpɒlɪˈfɒnɪk/ *a*. 多音的;複音的,複調的.

polystyrene /ˌpɒlɪˈstaɪriːn/ *n*. 【化】聚苯乙烯.

polytechnic /ˌpɒlɪˈteknɪk/ *a*. 多種工藝的;多種科技的 *n*. 綜合性工藝學校(院).

polytheism /ˈpɒlɪθiːɪzəm/ *n*. 多神論;多神主義 **polytheist** *n*. 多神論者 **polytheistic** *a*.

polythene /ˈpɒlɪθiːn/ *n*. 聚乙烯 (= polyethylene).

polyunsaturated /ˌpɒlɪʌnˈsætʃəreɪtɪd/ *a*. 【化】多未飽和的.

polyurethane /ˌpɒlɪˈjuərɪθeɪn/ *n*. 【化】聚氨基甲酸.

polyvinyl /ˌpɒlɪˈvaɪnɪl/ *n*. & *a*. 聚乙烯化合物 // ~ *chloride* (= PVC) 聚氯乙烯.

pomade /pəˈmɑːd/ *n*. 潤髮香脂(香油).

pomander /pəˈmændə(r)/ *n*. 香丸;香盒;香袋.

pomegranate /ˈpɒmɪɡrænɪt/ *n*. 【植】石榴(樹).

Pomeranian /ˌpɒməˈreɪnɪən/ *a*. (尖嘴長毛形似狐狸的)小狗.

pommel /ˈpɒml/ *n*. ①馬鞍前橋②球形裝飾.

pommy /ˈpɒmɪ/ *n*. (*pl*. **pommies**) [澳,新俚]英國佬.

pompom /ˈpɒmpɒm/ *n*. ①[俚]機關炮②布綢打結成的彩球(裝飾用),絨球.

pompous /ˈpɒmpəs/ *a*. ①豪華的②浮華的③自負的,傲慢的,擺架子的 **~ly** *ad*. **pomposity** /pɒmˈpɒsətɪ/ *n*.

ponce /pɒns/ *n*. ①帶女人氣的男人②[俚]男妓;老鴇 // ~ *around* 無所事事,消磨時光.

poncho /ˈpɒntʃəu/ *n*. (*pl*. **ponchos**) 鑽孔露頭大披風.

pond /pɒnd/ *n*. 池塘;魚塘 **~weed** 【植】角果藻.

ponder /ˈpɒndə(r)/ *v*. 沉思;仔細考慮;衡量.

ponderous /ˈpɒndərəs/ *a*. 冗長的;沉悶的;笨重的 **~ly** *ad*. **~ness** *n*.

pong /pɒŋ/ *n*. & *v*. [俚]發惡臭;名聲臭;壞透.

pontiff /ˈpɒntɪf/ *n*. 【宗】教皇;主教 **pontifical** /pɒnˈtɪfɪkl/ *a*. 教皇的,主教的;傲慢武斷的.

pontificate /pɒnˈtɪfɪˈkət/ *n*. ①發表武斷的意見②教皇任期.

pontoon /ˌpɒnˈtuːn/ *n*. ①平底船②(架浮橋用的)浮舟③浮橋;派二十一(點)牌戲.

pony /ˈpəunɪ/ *n*. 矮小的馬 **~-tail** 馬尾髮型 **~-trekking** 騎小種馬在鄉間旅遊.

poodle /ˈpuːdl/ *n*. (毛修剪成球的)長鬈毛狗.

poof /pʊf/ *n*. [蔑]同性戀男人.

pooh /puː/ [嘆]呸,啐,(表示輕蔑,焦急) **~-pooh** *vt*.

pool /puːl/ *n*. ①水坑②游泳池③水池子;沉澱池④合夥生產或使用⑤集中備用物資、資金 *v*. 合辦;入股;集中;共享~**room** 枱球房 **car** ~合夥用車,幾家的車輪流使用於上下班接送,可省油、可減輕交通流量.

poop /puːp/ *n*. ①【海】船尾,船尾樓②[俚]蠢貨,傻子 *vi* [俚]放屁【軍】開炮 *vt*.使筋疲力盡,使喘不過氣來.

poor /pɔː(r)/ *a*. ①貧窮的,窮困的②少;差;不夠③不健康的④貧瘠的⑤可憐的⑥不幸的 ~**ly** *ad*. ~**-mouth** *v*. 哭窮;說得一錢不值 ~**ness** *n*.

pop[1]/pɒp/ *v*. (過去式及過去分詞, **popped**) ①劈拍作響②爆裂③(眼珠)突出④開槍打⑤突然伸出(推動,放下)⑥炒爆 *n*. 嗶啪聲,開槍聲[口]汽水;香檳酒 [口]父親~**corn** 爆玉米花 ~**-eyed** *a*. 眼球突出的 ~**gun** 木塞槍,汽槍~**-off** 大聲講話的人.

pop[2]/pɒp/ *a*. [口]流行的,普及的 *n*. 流行音樂 ~**art** 大衆藝術.

Pope /pəup/ *n*. 羅馬教皇 **popish** *a*. [蔑]天主教的.

popinjay /'pɒpɪndʒeɪ/ *n*. ①愛漂亮的人②自負而健談的人.

poplar /'pɒplə(r)/ *n*. 【植】白楊;楊樹.

poplin /'pɒplɪn/ *n*. 府綢;毛葛.

poppadom/'pɒpədəm/*n*. (印度)脆的圓麵包片.

poppet /'pɒpɪt/ *n*. 玩偶,小寶寶(對孩子,愛人的昵稱).

poppy /'pɒpɪ/ *n*. 【植】罌粟,鴉片 ~**cock** *n*. [俚]胡說.

populace /'pɒpjʊləs/ *n*. 人民;老百姓;大衆.

popular /'pɒpjʊlə(r)/ *a*. ①人民的;民衆的;民間的②通俗的,普通的,平易的③得人心的,受歡迎的,流行的 ~**ly** *ad*. ~**ity** /ˌpɒpju'lærətɪ/ *n*. 名氣,聲望,大衆性;流行;得衆望 ~**ize** *v*. 通俗化,大衆化,普及,推廣.

populate /'pɒpjʊleɪt/ *vt*. 使人口聚居於…;移民於 *vi*. 繁殖(人口);增加 **population** /ˌpɒpju'leɪʃn/ *n*. ①人口,人口總數②全體居民 **populous** /'pɒpjʊləs/ *a*. 人口稠密的.

porbeagle /'pɔːˌbiːgl/ *n*. 【魚】青鮫,鼠鯊.

porcelain /'pɔːsəlɪn/ *n*. 瓷;瓷器.

porch /pɔːtʃ/ *n*. ①門廊,門口②走廊.

porcine /'pɔːsaɪn/ *a*. 猪的;像猪的.

porcupine /'pɔːkjʊpaɪn/ *n*. 【動】豪猪,箭猪.

pore /pɔː(r), pɒr/ *n*. 毛孔;細孔 *v*. ①注視,細看②用心閱讀;悉心研究③沉思,默想.

pork /pɔːk/ *n*. 猪肉 ~**er** *n*. 食用猪,肉猪.

porn, porno /pɔːn, 'pɔːnəʊ/ *n*. = pornography.

pornography /pɔː'nɒgrəfɪ/ *n*. 春宮;春畫;色情文學(電影) **pornographic** /ˌpɔːnə'græfɪk/ *a*. 色情品;誨淫的.

porous /'pɔːrəs/ *a*. ①多孔的;有氣孔的②能滲透的 **porosity** /pɔː'rɒsətɪ/ *n*. ①多孔性②隙度,滲透度.

porphyry /'pɔːfɪrɪ/ *n*. 【地】斑岩.

porpoise /'pɔːpəs/ *n*. 【動】海豚 // *a school of ~s* 一群海豚.

porridge /'pɒrɪdʒ/ *n*. [英]①粥;稀飯;麥片粥②服刑期.

porringer /'pɒrɪndʒə(r)/ *n*. 粥碗;湯鉢.

port /pɔːt/ *n*. ①港,港口,(喻)避難所②港市,通商口岸③船或飛機之右側④艙門⑤炮眼;射擊孔⑥(葡萄牙)紅葡萄酒 ~**side** *a*. 左邊的.

portable /'pɔːtəbl/ *a*. 可搬運的;手提式的;輕便的 **portability** /ˌpɔ'tə'bɪlətɪ/ *n*. 輕便;可攜帶性.

portage /'pɔːtɪdʒ/ *n*. ①搬運, 運輸②貨物③水陸聯運, 聯運路綫④運費.

portal /'pɔːtl/ *n*. 入口;正門;橋門.

portcullis /pɔːt'kʌlɪs/ *n*. (城堡的)吊閘, 吊門.

portend /pɔː'tend/ *vt*. 成…之前兆, 預示.

portent /'pɔːtent/ *n*. ①預兆;凶兆;不祥之兆②怪事;奇迹 **~ous** /pɔː'tentəs/ *a*. 不吉的, 可怕的[蔑]自命不凡的.

porter /'pɔːtə(r)/ *n*. ①門房②搬運工③服務員, 雜務工 **~age** *n*. 搬運業;搬運費.

portfolio /pɔːt'fəʊlɪəʊ/ *n*. ①文件夾, 公文包②部長(大臣)的職位③[美]有價證券一覽表④(保險, 投資公司)的業務量.

porthole /'pɔːthəʊl/ *n*. 輪船和飛機兩側舷窗;艙口.

portico /'pɔːtɪkəʊ/ *n*. (*pl*. **-(e)s**)【建】(有圓柱的)門廊.

portion /'pɔːʃn/ *n*. ①一部分②一份, 一盤(菜), 一客③命運 // ~ *out* 分成幾個份額.

portly /'pɔːtlɪ/ *a*. ①肥胖的;粗壯的;魁梧的②儀表堂堂的 **portliness** *n*.

portmanteau /pɔːt'mæntəʊ/ *n*. (*pl*. **~s, ~x** /-z/) 大的旅行皮包(皮箱) *a*. 多用途的;多性質的.

portrait /'pɔːtreɪt/ *n*. ①肖像(畫), 相片②半身像③生動的描繪.

portray /pɔː'treɪ/ *v*. ①畫(人物, 風景);畫(肖像)②描繪, 描述③扮演 **~al** *n*.

Portuguese /ˌpɔːtjʊ'giːz/ *a*. & *n*. 葡萄牙語(的), 葡萄牙人(的) // ~*man-of-war*【動】僧帽水母.

pose /pəʊz/ *n*. ①(擺的)姿勢, 姿態②心理狀態③矯揉造作, 裝腔作勢 *vi*. 採取某種姿態, 做作, 擺出樣子, 擺好姿態;盤問, 提出難題 **~r** *n*. 難題, 怪題 **~ur** /pəʊ'zɜː(r)/ *n*. [法]裝腔作勢的人;偽裝者 // ~ *as* 冒充, 充當.

posh /pɒʃ/ *a*. [俚]漂亮的;優雅的;時髦的;一流的.

posit /'pɒzɪt/ *vt*. ①安置, 佈置, 安排②假定, 論斷.

position /pə'zɪʃn/ *n*. ①位置, 方位;地點②處境, 局面③地位, 職位④立場, 觀點, 態度 *v*. 放置 **~al** *a*.

positive /'pɒzətɪv/ *a*. ①確切的;明確的②毫無疑問的③建設性的;積極的;肯定的④有自信的⑤【數】正的⑥【物】陽性的 **~ly** *ad*. **positivism** /'pɒzɪtɪvɪzəm/ *n*. 實證論 **positivist** /'pɒzɪtɪvɪst/ *n*. 實證論(的)者 // ~ *discrimination* 給受到不公正對待的一些人以優惠待遇.

positron /'pɒzɪtrɒn/ *n*.【物】正電子, 陽電子.

posse /'pɒsɪ/ *n*. ①(維持法律和秩序而組織的)民團, 民兵②[俚]烏合之衆, 暴徒.

possess /pə'zes/ *vt*. ①具有, 掌握;據有, 占有, 擁有②(鬼等)纏住, 迷住③抑制, 保持(鎮定)④任意擺佈(支配) **~ion** /pə'zeʃn/ *n*. ①有, 所有, 擁有②占有物, 所有物, 財產, 所有權 **~ive** *a*. 所有的;占有欲的【語】所有格 **~iveness** *n*. **~or** /pə'zesə/ *n*. 持有人, 占有人.

possible /'pɒsəbl/ *a*. ①可能會有(發生)的②做得到的;想得到的③可以接受的 *n*. 可能性, 可能的人(物) **possibility** /ˌpɒsə'bɪlətɪ/ *n*. **possibly** *ad*.

possum /'pɒsəm/ *n*. 負鼠(= opossum) // *play*~ 裝病;裝睡着了;裝

傻來哄騙對方.

post /pəust/ *n*. ①柱,樁;杆;標竿②崗位,職位③哨所,哨兵警戒區④郵政,郵寄,驛站⑤郵報,榜 *v*. ①張貼(佈告)②公開揭發③郵寄;急送④登帳⑤使瞭解⑥配置(哨兵) **~age** /'pəustɪdʒ/ *n*. 郵資,郵費 **~al** *a*. **~bag** *n*. 郵袋 **~box** *n*. 信箱,郵筒 **~card** *n*. 明信片 **~code** *n*. 郵政編碼 **~man** *n*. 郵遞員 **~mark** *n*. 郵戳 **~master** *n*. 郵政局長 **~mistress** *n*. 女郵政局長 // *~ office* 郵政局 *~al order* [英]郵政匯票 *keep someone ~ed* 定期通訊,告知情況.

post-[前綴]表示:之後,次,如:~**taxial** 完稅後,~**war** 戰後.

postdate /ˌpəust'deɪt/ *vt*. ①將日期填遲(若干天)②在…之後到來 -/'pəustdeɪt/ *n*. (證券的)事後日期.

poster /'pəustə(r)/ *n*. ①招貼畫,海報,標語②驛馬;送信者.

poste restante /'pəust 'restɑːnt/ [法](封注)留局待領郵件;郵局中的待領郵件科.

posterior /pɒs'tɪərɪə(r)/ *n*. 臀部;後部 *a*. 後面的;其次的;尾部的;背部的.

posterity /pɒs'terətɪ/ *n*. ①後裔,子孫②後世,後代.

postern /'pɒstən/ *n*. 後門,邊門,便門.

postgraduate /ˌpəust'grædʒuət/ *a*. 大學畢業後的;大學研究院的 *n*. 研究生.

posthaste /'pəust'heɪst/ *ad*. 以極快速度.

posthumous /'pɒstjuməs/ *a*. ①父死後生的;遺腹的②死後出版的; **~ly** *ad*. 身後,死後.

pos(t)til(l)ion /pɒs'tɪlɪən/ *n*. 前排左馬馭者.

post-mortem /'pəust 'mɔːtəm/ *a*. 死後的 *n*. 驗屍.

postnatal /pəust'neɪtl/ *a*. 初生嬰兒的;產後的.

postpone /ˌpə'spəun/ *vt*. ①延期,延緩,推遲②【語】後置 **~ment** *n*. **~r** *n*. 使延緩者.

postprandial /ˌpəust'prændɪəl/ *a*. 飯後的,餐後的.

postscript /'pəustskrɪpt/ *n*. (信的)附言,又及(略作 **PS**).

postulant /'pɒstjulənt/ *n*. ①聖職;神職申請人②申請者;請願者.

postulate /'pɒstjuleɪt/ *vt*. (認為自明而)假定,假設 **postulation** /ˌpɒstju'leɪʃn/ *n*. 假定;要求.

posture /'pɒstʃə(r)/ *n*. ①姿態,姿勢;態度②精神準備,心境 *v*. 取某種姿勢(態度),故作姿態.

posy /'pəuzɪ/ *n*. (*pl*. **posies**) 一小束花.

pot /pɒt/ *n*. ①罐;壺;鍋②茶壺③[俚]大麻④[口]巨款 *v*. (過去式及過去分詞, **potted**) 栽花盆中;裝入壺中;刪節;獵獲[口]得到,射擊,亂射 **~ted** *a*. 種在盆中的;存放在罐中的;刪減過的 **~belly** *n*. 大肚皮 **~luck** *n*. 便飯;有啥算啥 **~sherd** *n*. 破陶碎片 **~-shot** *v*. 亂射 // *~ting shed* 盆花棚子.

potable /'pəutəbl/ *a*. 適合飲用的 *n*. 飲料.

potash /'pɒtæʃ/ *n*. 碳酸鉀,鉀肥(= potass /pɒ'tæs/).

potassium /pə'tæsɪəm/ *n*. 【化】鉀.

potato /pə'teɪtəu/ *n*. (**~es**) 土豆,馬鈴薯,洋山芋 **~ box** *n*. [俚]嘴 **~-head** *n*. 笨蛋 // *~chip* 炸土豆片 *hot ~* 棘手問題 *sweet ~* 山芋,

甜薯.

poteen /pɒ'tiːn/ *n*. 愛爾蘭私造威士忌酒.

potent /'pəʊtnt/ *a*. ①有力的;有勢力的②有效力的;烈性的③(男性)有生殖力的 **potency** /'pəʊtnsɪ/ *n*.

potentate /'pəʊtnteɪt/ *n*. ①有權勢的人②當權者,君主.

potential /pə'tenʃl/ *a*. ①可能的②潛在的 *n*. 可能性,潛在力;潛勢【電】電位,電勢 **~ity** /pəˌtenʃɪ'ælətɪ/ *n*. 可能性,潛能 **~ly** *ad*.

pothole /'pɒthəʊl/ *n*. ①路面坑窪②地下洞穴 **potholing** *n*. 洞穴探險 **potholer** *n*. 洞穴探險者.

potion /'pəʊʃn/ *n*. 一服(藥);一劑.

potpourri /pəʊ'pʊərɪ/ *n*. [法]①百花香(乾花瓣加香料)②【樂】雜曲,集成曲.

pottage /'pɒtɪdʒ/ *n*. (菜肉)濃湯(=potage).

potter /'pɒtə(r)/ *n*. 製陶工 *v*. 稀里糊塗混日子.

pottery /'pɒtərɪ/ *n*. (*pl*. **potteries**) 陶器類;陶瓷廠.

potty /pɒtɪ/ *a*. (**pottier**, **pottiest**)[俚]傻的,瘋似的 *n*. (*pl*. **potties**) 尿盆,尿罐 **~chair** *n*. (小孩)便盆椅.

pouch /paʊtʃ/ *n*. ①小袋,囊②有袋動物之育兒袋,肚囊③[口]酒錢,小帳.

pouf /puːf/ *n*. 厚實的大座墊,蒲團(=pouffe).

poulterer /'pəʊltərə(r)/ *n*. 家禽販,野禽販.

poultice/'pəʊltɪs/*n*.【醫】泥敷劑;膏藥.

poultry /'pəʊltrɪ/ *n*. 家禽.

pounce /paʊns/ *n*. & *v*. 猛撲上去抓住;攻擊;吸墨粉;印花粉.

pound /paʊnd/ *n*. ①磅[英重量名,相當於 0.454 公斤,略作 1b.]②英鎊[英國貨幣名=100 便士,略作 £]③官設圍欄 *v*. ①搗碎②猛擊③亂彈(琴),亂奏④灌輸⑤沿着…行走⑥亂打⑦接連不斷地開炮⑧痙攣⑨沉重地走步⑩拼命幹(活).

pour /pɔː(r), pɒr/ *vt*. ①注,灌,瀉,傾瀉②大施(恩惠)③傾吐,雨傾盆而下;源源而來.

pout /paʊt/ *n*. ①噘嘴②生氣 *v*. 噘嘴,綳臉,發脾氣.

pouter /'paʊtə/ *n*.【動】凸胸鴿.

poverty /'pɒvətɪ/ *n*. ①貧窮②缺少,貧乏,貧瘠(地)③虛弱 // ~ *stricken* 貧困的 // ~ *trap* 陷入困境,無法解脫.

POW *abbr*. = prisoner of war 戰俘.

powder /'paʊdə(r)/ *n*. ①粉,粉末②香粉;牙粉 *v*. 使成粉末;搽粉,散粉於…; **~ed** *a*. 弄成粉的,[美俚]喝醉的 **~y** 粉的,粉狀的 **~-room** 女廁所. // ~*-puff* (擦粉用)粉撲;花花公子.

power /'paʊə(r)/ *n*. ①力;力量;能力;機能②勢力;權力;威力③有勢力的人;有影響的機構④兵力;強國⑤【機】動力;電力;功率;能量 **~ed** *a*. 以…為動力的;有動力推動的 **~ful** *a*. 有力的,強大的 **~less** *a*. 無力的;無能的;虛弱的 **~-point** 電門插座**~-station** (發)電站 // ~ *cut* 斷電,停電 ~ *steering* 電控方向盤 ~ *structure* 權力結構 ~ *transmission* 輸電.

powwow /'paʊwaʊ/ *n*. [美俚]會談,會議,商量.

pox /pɔks/ *n*. (*pl*. **~es**) ①【醫】痘;(皮)疹;天花②[俚]梅毒③【植】瘡痂病.

pp *abbr*. = ①pages 頁②per procurationem[拉]由…所代表③postpaid

郵費已付④prepaid 已預付.

p.p.i. *abbr*. = parcel post insured 挂號郵政包裹.

P.R. *abbr*. = ①payroll 工資發放名冊②Parliamentary Reports [英]議會議事録③public relations 公衆關係④prize ring 拳擊場⑤proportional representative (選舉的)比例代表制.

practicable /'præktɪkəbl/ *a*. 切實可行的 **practicability** /ˌpræktɪkə'bɪlətɪ/ *n*.

practical /'præktɪkl/ *a*. ①實地的;事實上的②實踐的;實地經驗過的③實用的;應用的④能幹的⑤實事求是的 **practicality** /ˌpræktɪ'kælətɪ/ *n*. **~ly** *ad*. // ~ *joke* 惡作劇.

practice /'præktɪs/ *n*. ①實踐;實行;實際②練習;實習③慣例,常規④(律師,醫生的)開業,業務,生意 // *in* ~ 事實上,在實踐中 *put into* ~ 實行,付諸實施.

practise /'præktɪs/ *vt*. ①搞,實行,實踐,實施②練習,實習③開業,從事④慣常進行.

practitioner /præk'tɪʃənə(r)/ *n*. 開業者,實習者;老手.

pragmatic /præg'mætɪk/ *a*.【哲】實用主義的;重實效的 **pragmatism** /'prægmətɪzəm/ *n*. **pragmatist** /'prægmətɪst/ *n*. ①實用主義者②講求實效者③愛管閑事的人.

prairie /'preərɪ/ *n*. ①(尤指中美)大草原②林中空地 **~dog** = ~ squirrel 草原犬鼠,土撥鼠.

praise /preɪz/ *v*. & *n*. ①表揚,稱讚②讚美;崇拜;歌頌 **~worthy** /'preɪzˌwɜːðɪ/ *a*. 值得讚頌的,可嘉許的 // *sing someone's ~s* 大唱讚歌,讚美,吹捧.

praline /'prɑːliːn/ *n*. 果仁糖,杏仁糖.

pram /præm/ *n*. ①童車;搖籃車②[俚]手推車.

prance /prɑːns/ *v*. ①騰躍②昂首闊步.

prang /præŋ/ *n*. & *v*. [俚]撞壞;墜毀.

prank /præŋk/ *n*. ①開玩笑,惡作劇②不正常的動作.

prat /præt/ *n*. 笨蛋;[美俚]屁股.

prattle /'prætl/ *n*. & *v*. ①小孩般顛三倒四說話②空談;廢話;嘮叨 **~r** *n*. 幼稚講話者,空談者,瞎聊的人.

prawn /prɔːn/ *n*. 對蝦,明蝦.

praxis /'præksɪs/ *n*. (*pl*. **praxes** /-siːz/ 實習;習慣,慣例,實踐.

pray /preɪ/ *vt*. ①請求,懇求②禱告,祈禱 **~er** *n*. 懇求者,禱告者 /preə/ *n*.祈禱,禱告.

pre-[前綴]表示"前","先","預先" 如:**prehistory** *n*. 史前 **preschool** *n*. 學前預備班 **preshrunk** *a*.【紡】已預縮的.

preach /priːtʃ/ *vi*. ①佈道,傳道②宣傳③諄諄勸誡④鼓吹 **~er** *n*. 傳教士,說教者,宣傳者,鼓吹者.

preamble /priː'æmbl/ *n*. ①緒言,序;前言②開端,端倪.

prearranged /priːə'reɪndʒɪd/ *a*. 預先安排好的.

prebendary /'prebəndrɪ/ *n*. ①受俸牧師②(不支薪的)榮譽受俸牧師.

precarious /prɪ'keərɪəs/ *a*. 不確定的;危險的;靠不住的;不安定的 **~ly** *ad*.

precaution /prɪ'kɔːʃn/ *n*. 預防措施;謹防 **~ary** = **~al** *a*. 預防的,有戒備的.

precede /prɪ'siːd/ *vt*. ①領先於②優於,居先 **~nce** /pre'sɪdəns/ *n*. **~nt** /'presɪdənt/ *a*. // *take precedence* *over* 在…之上,優於.

precentor /prɪ'sentə(r)/ *n*. (教堂歌詠班)指揮;領唱者.

precept /'pri:sept/ *n*. ①告誡;訓導;格言②規程.

precession /prɪ'seʃn/ *n*. 前行,先行 // ~ *of the equinoxes*【天】(分點)歲差.

precinct /'pri:sɪŋkt/ *n*. 圍地;境域内;管轄區;界限.

precious /'preʃəs/ *a*. ①貴重的,珍貴的②寶貝的③過份的;不自然的 // ~ *metal* 貴金屬 ~ *stone* 寶石.

precipice /'presɪpɪs/ *n*. ①懸崖,峭壁②危急處境 **precipitous** /prɪ'sɪpɪtəs/ *a*. 險峻的;陡峭的.

precipitant /prɪ'sɪpɪtənt/ *a*. 急躁的;突然的;輕率的.

precipitate /prɪ'sɪpɪteɪt/ *v*. ①使突然發生②猛然扔下③使沉澱 / prɪ'sɪpɪtət/ *a*. 慌張的;急躁的 **~ly** *ad*. **precipitation** /prɪˌsɪpɪ'teɪʃn/ *n*. ①猛然摔下②猛衝,急躁,輕率,魯莽【化】沉澱物;(雨,雪之)降落.

précis /'preɪsi:/ *n*. (*pl*. **précis** / 'preɪsi:z/) [法]摘要,梗概.

precise /prɪ'saɪs/ *a*. ①精確的;精密的②清晰的;明確的③絲毫不差的;恰好的 **~ly** *ad*. **precision** /prɪ'sɪʒn/ *n*.

preclude /prɪ'klu:d/ *v*. 排除;杜絕;阻止;使不可能.

precocious /prɪ'kəʊʃəs/ *a*. ①(人)早熟的,發育過早的②(花)早開的 **precocity** /prɪ'kɒsətɪ/ *n*. **precociousness** *n*.

precognition /ˌpri:kɒg'nɪʃn/ *n*. 預知,預見.

preconceived /ˌpri:kən'si:vd/ *a*. 先入之見的;偏見的 **preconception** /ˌpri:kən'sepʃn/ *n*.

precondition /ˌpri:kən'dɪʃn/ *n*. 前提,先决條件.

precursor /pri:'kɜ:sə(r)/ *n*. ①先驅;前任②預兆,先兆.

predate /pri:'deɪt/ *vt*. 填早於…的日期.

predatory /'predətrɪ/ *a*. ①掠奪成性的②食肉的 **predator** /'predətə(r)/ *n*. 掠奪為生者,捕食其他動物的動物,食肉動物.

predecease /ˌpri:dɪ'si:s/ *vt*. 先死,早死.

predecessor /'pri:dɪsesə(r)/ *n*. ①前任②前輩.

predestination /pri:destɪ'neɪʃn/ *n*. 注定;命運 **predestined** /pri:'destɪnd/ *a*. 命中注定的.

predetermined /ˌpri:dɪ'tɜ:mɪnd/ *a*. 預定的,注定的.

predicament /prɪ'dɪkəmənt/ *n*. 遭遇;窘境;苦境.

predicate /'predɪkət/ *n*. ①【語】謂語②本質 /'predɪkeɪt/ *v*. ①斷言,論斷②宣佈 **predicative** /prɪ'dɪkətɪv/ *a*. 謂語的.

predict /prɪ'dɪkt/ *v*. 預言,預告,預示 **~able** *a*. **~ion** /prɪ'dɪkʃn/ *n*. // *weather prediction* 天氣預報.

predilection /ˌpri:dɪ'lekʃn/ *n*. 嗜好,偏好,偏愛.

predispose /ˌpri:dɪs'pəʊz/ *vt*. ①預先處理(處置)②使傾向於…③使易感染 **predisposition** *n*.

predominate /prɪ'dɒmɪneɪt/ *vi*. 統治;居支配地位,占優勢 **predominance** /prɪ'dɒminəns/ *n*. 突出,卓越,優勢.

predominant /prɪ'dɒmɪnənt/ *a*. ①主要的,突出的,最顯著的②有力的,有

效的③占優勢的④流行的 ~**ly** *ad*.

pre-eminent /ˌpriːˈemɪnənt/ *a*. 杰出的,優秀的,卓越的 ~**ly** *ad*. **pre-eminence** *n*.

pre-empt /ˌpriːˈempt/ *v*. ①取得先買權②[喻]先占,先取,先發制人 ~**ion** *n*. ~**ive** *a*.

preen /priːn/ *v*. (鳥)用嘴理毛;(人)打扮(自己);誇耀 // ~ *oneself* 誇耀自己;自滿,自負.

prefab /ˈpriːfæb/ *n*. [口]預制房屋;活動房屋.

prefabricated /ˌpriːˈfæbrɪkeɪtɪd/ *a*. 預製的.

preface /ˈprefɪs/ *n*. 序,緒言,前言,引語 *vi*. 作序 **prefatory** /ˈprefətrɪ/ *a*. 序言的,在前面的.

prefect /ˈpriːfekt/ *n*. 學生班長,[法]省長;長官,司令官 **prefecture** /ˈpriːfektjʊə(r)/ *n*. 長官,法國省長,日本縣知事之職;(中國)專區;(日本)縣;(法國)省.

prefer /prɪˈfɜː(r)/ *v*. (-**ferred**) ①比較喜歡,更喜歡②提出控訴③【律】給(債權人)優先獲償付權 ~**able** /ˈprefrəbl/ *a*. 略勝一籌的 ~**ably** *ad*. ~**ence** /ˈprefrəns/ *n*. ~**ential** /ˌprefəˈrenʃl/ *a*. 優先的,差別制的【貿】特惠的 ~**ment** *n*. 升級,提升;優先權.

prefigure /ˈpriːˈfɪgə(r)/ *v*. ①預示,預兆②預想,預言.

prefix /ˈpriːfɪks/ *n*. 【語】前綴,前加成份; -/priːˈfɪks/ *v*. 把…放在前頭;加前綴;加標題於….

pregnant /ˈpregnənt/ *a*. ①懷孕的②含蓄的③意義深長的 **pregnancy** /ˈpregnənsɪ/ *n*. ①懷孕,妊娠②含蓄;充實.

prehensile /priːˈhensaɪl/ *a*. 善於抓拿的,有捕握力的;善於領悟的 **prehensility** /priːhenˈsɪlətɪ/ *n*.

prehistoric /ˌpriːhɪsˈtɒrɪk/ *a*. 史前的 **prehistory** *n*.

prejudge /ˌpriːˈdʒʌdʒ/ *v*. 預先判斷;過早判斷;【律】不審而判.

prejudice /ˈpredʒʊdɪs/ *n*. 偏見,成見;歧視;【律】損害,傷害,不利 *v*. ①抱成見,持偏見②侵害,損害 ~**d** *a*. 有偏見的 **prejudicial** /ˌpredʒʊˈdɪʃl/ *a*. 引起偏見的;不利的.

prelate /ˈprelət/ *n*. ①教長,主教②[美]教士,牧師 **prelacy** /ˈpreləsɪ/ *n*. ①[集合名詞]主教(團)②主教地位.

preliminary /prɪˈlɪmɪnərɪ/ *a*. 預備的;初步的;序言性的 *n*. (*pl*. -**ries**)①開端,準備②預考③【體】預賽,淘汰賽.

prelude /ˈpreljuːd/ *n*. ①【樂】前奏曲,序曲②前兆③序幕.

premarital /ˌpriːˈmærɪtl/ *a*. 婚前的.

premature /ˌpreməˈtjʊə(r)/ *a*. 早熟的;不成熟的;早產的 ~**ly** *ad*.

premedication /ˌpriːmedɪˈkeɪʃn/ *n*. 準備全身麻醉的用藥.

premeditated /priːˈmedɪteɪtɪd/ *a*. 預先想過的,預謀的 **premeditation** /ˌpriːmedɪˈteɪʃn/ *n*.

premenstrual /priːˈmenstruəl/ *a*. 月經提前的.

premier /ˈpremɪə(r)/ *n*. 總理,首相 *a*. 首要的,第一的;主要的 ~**ship** *n*. 總理(首相)的職務.

première /ˈpremɪeə(r)/ *n*. [法]①首次演出②初次展出.

premise /ˈpremɪs/ *n*. 前提[常作 **premiss**]【律】讓渡物件 **premises** *n*. 房屋及其附屬基地、建築 -/prɪˈmaɪz/ *v*. 預述;立前提.

premium /ˈpriːmɪəm/ *n*. ①溢價；加價；貼水；升水②保險費 // *at a* ~ (股票)以超過票面以上的價格，[喻]非常需要；*P* ~ *Bond* 溢價債券.

premonition /ˌpriːməˈnɪʃn/ *n*. ①預先警告，預先勸告②預兆 **premonitory** /prɪˈmɒnɪtərɪ/ *a*.

prenatal /ˌpriːˈneɪtl/ *a*. 出生前的；胎兒期的.

preoccupy /priːˈɒkjʊpaɪ/ *v*. (過去式及過去分詞皆, **-pied**)①先占領②吸引住，迷住，使出神 **preoccupation** *n*.

preordained /ˌpriːɔːˈdeɪnd/ *a*. 預定的；命該的.

prep /prep/ *n*. [俚]預備功課、家庭作業，[美]預科 = preparatory // ~ *school* 預備學校.

prepacked /ˌpriːˈpækt/ *a*. 賣前預先包裝好的.

prepaid /ˌpriːˈpeɪd/ *a*. 已預付的；付訖的.

prepare /prɪˈpeə(r)/ *v*. ①準備，預備；溫習 **~d** *a*. ①有準備的②特別處理過的 **preparation** /ˌprepəˈreɪʃn/ *n*. 準備，預備，準備工作；預修，預習；配製；備辦 **preparatory** /prɪˈpærətrɪ/ *a*. 準備的，預備的 // *preparatory school* 私立預科學校；[美]大學預科.

preponderant /prɪˈpɒndərənt/ *a*. (數量、重量、重要性上)占壓倒優勢的 **~ly** *ad*. **preponderance** *n*.

preposition /ˌprepəˈzɪʃn/ *n*. 【語】介詞，前置詞 **~al** *a*.

prepossessing /ˌpriːpəˈzesɪŋ/ *a*. 給人好感的；有吸引力的.

preposterous /prɪˈpɒstərəs/ *a*. 十分荒謬的，黑白顛倒的.

prepuce /ˈpriːpjuːs/ *n*. (陰莖或陰蒂)包皮.

prerecorded /ˌpriːrɪˈkɔːdɪd/ *a*. 預先錄製好的(節目).

prerequisite /ˌpriːˈrekwɪzɪt/ *n*. & *a*. 先决條件(的)，前提(的).

prerogative /prɪˈrɒgətɪv/ *n*. 特權；特性.

presage /ˈpresɪdʒ/ *n*. & *v*. ①預示；前兆②預感；預言.

presbyopia /ˌprezbɪˈəʊpɪə/ *n*. 【醫】老花眼，遠視.

Presbyterian /ˌprezbɪˈtɪərɪən/ *a*. 長老會的 *n*. 長老會教友 **Presbyterism** *n*. 長老制，長老派主張.

presbytery /ˈprezbɪtrɪ/ *n*. 【宗】①長老會②祭壇③(天主教神父)住宅④長老(總稱).

prescience /ˈpresɪəns/ *n*. 預知；先知先覺 **prescient** /ˈpresɪənt/ *a*.

prescribe /prɪˈskraɪb/ *vt*. ①命令；指揮；規定②處方，開藥方；**prescription** /prɪˈskrɪpʃn/ *n*. ①藥方②命令，指示 **prescriptive** *a*. ①命令的，規定的②約定俗成的.

presence /ˈprezns/ *n*. ①在，存在②出席，列席，到場③姿容，風采，風度 // ~ *of mind* 泰然處之.

present[1] /ˈpreznt/ *a*. ①在座的，出席的，在場的②現在的，當前的；目前的 **~ly** *ad*. 不久，馬上；[美]現在，目前.

present[2] /ˈpreznt/ *n*. 贈品，禮物；贈送 -/prɪˈzent/ *v*. ①贈送，呈獻②交出，呈交，出示，交給③陳述，介紹，披露 **presentation** /ˌpreznˈteɪʃn/ *n*. **presentable** /prɪˈzentəbl/ *a*. 拿得出去的，像樣的 **presenter** /prɪˈzentə/ *n*. 贈送者，呈獻者，推薦人.

presentiment /prɪˈzentɪmənt/ *n*. (不祥的)預感，預覺.

preserve /prɪ'zɜːv/ *vt*. ①保存,保藏,防腐;保管②保持,保護③腌(肉、魚等)④禁獵 *n*. ①蜜餞②禁獵③保護區 **preservation** /ˌprezə'veɪʃn/ *n*. **preservative** /prɪ'zɜːvətɪv/ *a*. 儲藏的;防腐的 *n*. 預防法;防腐劑;預防藥.

preshrunk /'priː'ʃrʌŋk/ *a*. (布料等)已經預縮的.

preside /prɪ'zaɪd/ *vi*. 主持(會議).

president /'prezɪdənt/ *n*. ①總統②總裁③會長(大學)校長 **presidential** /ˌprezɪ'denʃl/ *a*. **presidency** *n*. 總統(議長)的職位;統轄.

press[1]/pres/ *v*. ①壓,按;熨平②榨取;擰絞③逼,強迫④敦促,催促 *n*. 印刷機 **~ing** *a*. 急迫的,緊急的,迫切的// *pressed for* 短缺,催促 *the* ~ 報界,新聞記者 ~ *box* (體育)記者席 ~ *conference* 記者招待會 ~ *release* (發佈的)新聞稿,通訊稿 ~ *stud* 按鈕,按扣 ~ *up* 引體向上,俯卧撐鍛練.

press[2]/pres/ *n*. & *v*. 抓壯丁,強迫徵兵 **~-gang** *n*. 抓壯丁隊 // ~ *into service* 強迫服役;徵用.

pressure /'preʃə(r)/ *n*. ①壓;擠;榨②壓力;電壓③繁重;緊張④艱難困苦⑤大氣壓 **pressurize** /'preʃəraɪz/ *vt*. 加壓力;對…施加壓力;迫使 **~-cooker** 高壓鍋;壓力鍋 // ~ *group* 壓力集團 *bring* ~ *to bear on* 以勢壓服.

prestidigitation /ˌprestɪˌdɪdʒɪ'teɪʃn/ *n*. 變戲法;(魔術的)手法.

prestige /pre'stiːʒ/ *n*. 聲譽,威望,威信 **prestigious** *a*.

presto /'prestəʊ/ *a*. & *ad*. 【樂】快;急速(地).

prestressed /priː'strest/ *a*. (混凝土)預應力的.

presume /prɪ'zjuːm/ *vt*. ①假定,假設;推測;認為②敢於;膽敢 **presumably** *ad*. 推測起來;大概,可能 **presumption** /prɪ'zʌmpʃn/ *n*. ①專橫,自以為是,放肆②推測,臆斷 **presumptuous** /prɪ'zʌmptʃʊəs/ *a*. 放肆的,不客氣的,專橫拔扈的 **presumptuously** *ad*. **presumptive** /prɪ'zʌmptɪv/ *a*. 可據以推定的 // *heir presumptive* 假定繼承人.

presuppose /ˌpriːsə'pəʊz/ *vt*. ①預先假定;預料②以…為前提;含有 **presupposition** /ˌpriːsʌpə'zɪʃn/ *n*.

pretend /prɪ'tend/ *vt*. 假托,藉口;假裝 **~er** *n*. 冒充者,假冒者 **pretence** /prɪ'tens/ *n*. ①藉口,口實,托辭②假裝;虛偽③虛飾 **pretentious** /prɪ'tenʃəs/ *a*. ①自負的,狂妄的②虛偽的,做作的 **pretension** *n*. ①抱負;意圖;自命不凡②虛榮③托詞④預應力的.

preterit(e) /'pretərət/ *a*. 【語】過去的,已往的.

preternatural /ˌpriːtə'nætʃrəl/ *a*. 超自然的;不可思議的;異常的.

pretext /'priːtekst/ *n*. ①藉口,口實,托詞②假相.

pretty /'prɪtɪ/ *a*. (-tier, tiest) ①漂亮的,俊俏的②優美的 *ad*. 相當,頗;非常 **prettify** /'prɪtɪfaɪ/ *vt*. ①過份修飾②美化 **prettily** *ad*. **prettiness** *n*. // *sitting* ~ 處於極有利地位.

pretzel /'pretsl/ *n*. 椒鹽捲餅;麻花.

prevail /prɪ'veɪl/ *vi*. ①勝,壓倒,佔優勢②普遍;盛行③說服 **~ing** *a*. 盛行的,流行的 **prevalence** /'prevələns/ *n*. **prevalent** /'prevələnt/ *a*.

prevaricate /prɪ'værɪkeɪt/ *vi*. 支吾,搪塞;撒賴; **prevarication**

/prɪˌværɪˈkeɪʃn/ *n*.

prevent /prɪˈvent/ *vt*. ①阻止,制止②預防 **~able** *a*. **~ion** /prɪˈvenʃn/ *n*. **~ive** *a*. & *n*. 預防的,預防劑,(藥).

preview /ˈpriːvjuː/ *v*. & *n*. 預演;試映;預習.

previous /ˈpriːvɪəs/ *a*. 先前的;以前的 **~ly** *ad*.

prey /preɪ/ *n*. 捕獲物;犧牲品;戰利品 // *bird of* ~ 肉食鳥,猛禽 ~ *on* ①獵獲捕食②煩惱.

price /praɪs/ *n*. ①價格,價錢②報酬,懸賞;為取得某物而作的犧牲 *vt*. 定價,開價 **~less** *a*. 無價的;極荒謬的 **pricey** = **pricy** /ˈpraɪsɪ/ *a*. [英口]昂貴的,高價的 // ~ *control* 價格管制 ~ *current* (股票或物品的)行市表 ~ *cutting* 削價,減價 ~ *tag*/~*ticket* 價格標籤 ~ *war* 價格戰.

prick /prɪk/ *vt*. ①扎,刺,戳穿②刺傷,使痛心③豎(耳)④驅策⑤插(苗)⑥追踪 *n*. ①扎,刺②刺痛③刺痕④悔恨 // ~ *up one's ears* 豎耳細聽.

prickle /prɪkl/ *n*. ①刺,棘②刺痛 *v*. 感到刺痛 **~ly** *a*. // ~*ly heat* 痱子 ~ *pear* 【植】仙人球,霸王樹.

pride /praɪd/ *n*. ①驕傲,傲慢②自豪,自滿,得意③最優秀部分,精華④群獅⑤孔雀開屏 // ~ *of place* 占第一位,居榜首 ~ *oneself on* 引以自豪.

prie-dieu /ˈpriːdjɜː/ *n*. (*pl*. **prie-dieux** /-djɜːz/) [法]禱告台;禱告椅.

priest /priːst/ *n*. 祭司,教士,神父,牧師;僧人,術士; **priestess** /ˈpriːstes/ *n*. 尼姑,女祭司,女術士 **~hood** *n*. ①教士的職位(身份)②全體教士 **~ly** *a*.

prig /prɪg/ *n*. ①一本正經、自命不凡的人②小偷,扒手 **~gish** /ˈprɪgɪʃ/ *a*. **~gishness** *n*.

prim /prɪm/ *a*. (**primmer**, **primmest**) 整潔的;一本正經的;古板的 **~ly** *ad*. **~ness** *n*.

prima ballerina /ˌpriːmə ˌbæləˈriːnə/ *n*. 芭蕾舞主要女演員.

primacy /ˈpraɪməsɪ/ *n*. ①首位,第一位②大主教的職務.

prima donna /ˌpriːmə ˈdɒnə/ *n*. ①首席女歌手,女領唱②神經質的人(尤指女性);喜怒無常的人.

primaeval /praɪˈmiːvl/ = **primeval** *a*. 早期的,原始的.

prima facie /ˌpraɪmə ˈfeɪʃiː/ [拉] 乍看起來;初次印象.

primal /ˈpraɪml/ *a*. ①第一的,最初的②首位的,根本的.

primary /ˈpraɪmərɪ/ *a*. ①初級的,初等的②主要的③原始的;第一手的;原色的 **primarily** *ad*. // ~ *colours* 原色 ~ *school* 小學(校) ~ *shock* *n*. 【醫】原發性休克.

primate /ˈpraɪmeɪt/ *n*. ①大主教,首席主教②【動】靈長類.

prime /praɪm/ *a*. ①主要的,首要的②一流的,頭等的,[英俚]漂亮的③血氣旺盛的 -*v*. ①事先提供消息②為…裝火藥(雷管)③塗底子上油漆④填裝灌注⑤使準備好 // *P* ~ *Minister* 首相 ~ *number* 【數】質數,素數 ~ *time* (電視)黃金時間.

primer /ˈpraɪmə(r)/ *n*. ①初級讀本,入門(書)②裝填火藥者;裝雷管者;起動油泵者③底漆;首塗油.

primeval /praɪˈmiːvl/ *a*. 早期的;原始的;太古的.

primitive /ˈprɪmɪtɪv/ *a*. ①原始的,上

古的,早期的②老式的,粗糙的,未開化的.

primogeniture /ˌpraɪməʊ'dʒenɪtʃə(r)/ *n*.【律】長子身份;長子繼承權.

primordial /praɪ'mɔːdɪəl/ *a*. 原始的,初發的;基本的.

primrose /'prɪmrəʊz/ *n*.【植】淡黃報春花,櫻草花.

primula /'prɪmjʊlə/ *n*.【植】艷色報春花.

primus /'praɪməs/ *n*. 普利姆斯輕便汽化爐(煤油爐).

prince /prɪns/ *n*. ①王子;王孫;親王②…公;…侯 **~ly** *a*. ①王、侯般的,高貴的②堂皇的③王子的④豪華的 **princess** /prɪn'ses/ *n*. 公主,王妃,王族女性 // *P~ Consort* 女王的丈夫 *P~Regent* 攝政王 *P~ of Wales* 皇太子(= *P~Royal*) // *Princess of Wales* (英)太子妃 *Princes Royal* 大公主.

principal /'prɪnsəpl/ *a*. ①主要的,首要的,最重要的②首長的;領頭的③資本的,本金的 *n*. ①長官;首長;負責人;校長;社長②【商】資本,本金 **~ly** *ad*. // *~ boy* 女扮男(裝)主角.

principality /ˌprɪnsɪ'pælətɪ/ *n*. (*pl*. **-ties**) 公國,侯國,封邑.

principle /'prɪnsəpl/ *n*. ①原理,原則②主義,道義③本質,本能,本性 // *in ~* 原則上,大體上 *on ~* 根據原則.

print /prɪnt/ *vt*. ①印;刻;蓋上(印章)②印刷,出版,發行③寫成印刷字體④曬相;複製⑤版畫 *n*. ①印刷;印刷術②圖片,曬圖,相片③痕迹,印象④指紋⑤印花布 **printer** *n*. 印刷(業)者,印刷商,排字工人;印刷機 **~ed circuit** *n*. 印刷電路版 **~ing** *n*. 印染廠,印刷所,印刷版次,印數 **~out** *n*. (電腦)印刷輸出 // *out of ~* (書)已絕版 *put into ~* 付印,出版.

prior /'praɪə(r)/ *a*. 在前的;優先的 *n*. 小修道院院長 **prioress** /'praɪərɪs/ *n*. 小修女院院長,大修女院副院長 **priory** /'praɪərɪ/ *n*. 小修道院 // *~ to* (連)在…之前.

priority /praɪ'ɒrətɪ/ *n*. ①居先;在前②優先權.

prise /praɪz/ *vt*. 撬開(與 open, up 等連用).

prism /'prɪzəm/ *n*. ①棱柱②棱鏡,分光光譜 **~atic** /prɪz'mætɪk/ *a*. 棱柱的,用棱鏡分析的,七色光彩的.

prison /'prɪzn/ *n*. 監獄,拘留所,禁閉室 **~er** *n*. 囚犯,拘留犯 // *~er of war* 戰俘 *~ van* 囚車.

prissy /'prɪsɪ/ *a*. (**~sier**, **~siest**) ①嚴肅謹慎的,刻板的②講究的.

pristine /'prɪstiːn/ *a*. ①原始時代的②純樸的;未受腐蝕的.

private /'praɪvɪt/ *a*. ①私的,私人的;專用的②秘密的,非公開的③私營的,民間的,私立的④隱蔽的;幽僻的 *n*. 列兵 **~ly** *ad*. 私下,秘密地 **privacy** /'prɪvəsɪ/ *n*. 隱避;隱居;隱私;獨處 // *~ company* 不發售股票的私營公司 *~ detective* 私人偵探 *~ member's bill* 閣員以外議員所提議案 *~ parts* 陰部,私部 *~ sector* 不受政府控制和資助的經濟區域.

privateer /ˌpraɪvə'tɪə(r)/ *n*. ①私掠船(戰時的武裝民船)②私掠船船長 **~ing** *n*. 私掠巡航.

privation /praɪ'veɪʃn/ *n*. ①缺乏;窮困;艱難②剝奪.

privatize /'praɪvɪtaɪz/ *v*. 利己主義化,使只顧自己;私有化(將國有企業公司賣給個人經營管理) **privatization** *n*.

privet /'prɪvɪt/ *n*.【植】水蠟樹, 女貞.

privilege /'prɪvəlɪdʒ/ *n*. ①特權②特殊待遇 **~d** *a*. 享特權的.

privy /'prɪvɪ/ *a*. 秘密的, 暗中參與的; 有勾結的 *n*. (*pl*. **privies**) 廁所 // *P ~ Council* 樞密院 *p ~ purse* 司庫.

prize /praɪz/ *n*. 獎賞, 獎金, 獎品 *a*. 得獎的, 懸賞的, [口]了不起的 *v*. 珍視, 珍藏, 當寶貝 **~fighter** *n*. 職業拳擊手 // *~fight* 職業拳擊.

pro[1]/prəʊ/ *n*. 贊成者; ~s and cons 贊成(論)和反對(論).

pro[2]/prəʊ/ *n*. ①內行, 專家, [美]職業選手②妓女.

pro- 前綴①代, 副 **pronoun** 代名詞, **proconsul** 代理領事②親, 贊成 **Pro-American** 親美的③出, 向前, 在前: **produce** 出產 **propel** 推進④按照: **proportion** 按比例.

PRO *abbr*. = Public Relations Officer [美軍]對外聯絡官.

probable /'prɒbəbl/ *a*. 很可能的, 像確實的; 大概有希望的 **probably** *ad*. 大概, 或許, 很可能 **probability** /ˌprɒbə'bɪlətɪ/ *n*.

probate /'prəʊbeɪt/ *n*.【律】遺囑檢驗, 驗訖之遺囑 -/'prəʊbeɪt/ *vt*. [美]檢驗(遺囑), 予以緩刑.

probation /prə'beɪʃn/ *n*. ①檢定, 檢驗, 查證②考驗(期), 試用(期), 預備期③察看(以觀後效)【律】緩刑 **~al** = **~ary** *a*. **~er** *n*. 試用人員; 見習生; 候補會員.

probe /prəʊb/ *v*. 用探針探查, 刺探; 調查; 探索 *n*.【醫】探針; 探示器; 調查.

probity /'prəʊbətɪ/ *n*. 正直, 誠實.

problem /'prɒbləm/ *n*. ①問題; 難題②【數, 物】習題 **~atical** /ˌprɒblə'mætɪkl/ *a*. 有問題的, 可疑的.

proboscis /prə'bɒsɪs/ *n*. (象)鼻子; (人的)大鼻子; (昆蟲的)吻; 喙.

procedure /prə'siːdʒə(r)/ *n*. ①工序, 過程②程序, 手續, 方法.

proceed /prə'siːd/ *vi*. ①前進, 進行, 出發②動手, 着手③繼續進行④辦理手續⑤進行訴訟 **~s** /'prəusiːdz/ *n*. *pl*. 收入; 賣得金額; 收益 **~ings** *n*. *pl*. 彙編; 會報; 會議記録; 訴訟程序.

process /'prəuses/ *v*. & *n*. 後接 of 時讀/'prəusis/ ①進行, 經過, 作用, 歷程②處置, 步驟; 加工處理, 工藝程序, 工序 *v*. 加工; 處理; 貯藏; 訴訟 **~or** *n*. 農產品加工者; 信息處理機 // *~ plate* 套色板 *~ printing* 彩色套印.

procession /prə'seʃn/ *n*. ①(人、車等)行列, 隊伍②行進, 遊行, 前進 **~al** *a*. 列隊行進的.

proclaim /prə'kleɪm/ *v*. 宣佈, 宣告, 通告 **proclamation**/ˌprɒklə'meɪʃn/ *n*. 宣言, 公告.

proclivity /prə'klɪvətɪ/ *n*. 傾向; 性僻; 性向.

proconsul /ˌprəʊ'kɒnsəl/ *n*. 總督; 代理領事.

procrastinate /prəʊ'kræstɪneɪt/ *v*. 耽擱, 拖延 **procrastination** /prəʊˌkræstɪ'neɪʃn/ *n*. **procrastinator** *n*. 拖延者.

procreate /'prəʊkrɪeɪt/ *vt*. ①生(兒女), 生殖, 生育②產生, 製造 **procreation** /ˌprəʊkrɪ'eɪʃn/ *n*.

procrustean /prəʊ'krʌstɪən/ *a*. 強求一致的; 迫使就範的.

procurator fiscal /ˌprɒkjʊreɪtə 'fɪskl/ *n*.【律】財政代理;地方財政官.

procure /prə'kjʊə(r)/ *v*. ①獲得,取得;達成②介紹(妓女) **~ment** *n*. **~r** *n*. 獲得者;拉皮條者 **~ss** *n*. 娼妓介紹者,拉皮條者.

prod /prɒd/ *v*.(過去式及過去分詞皆 **prodded**) ①刺戳②刺激起,惹起,使苦惱③促使,激勵 *n*. 刺針;錐子;竹籤;刺激;推動 // *on the* ~ 大發雷霆.

prodigal /'prɒdɪgl/ *a*. 浪費的,揮霍,奢侈 *n*. 浪子 **~ity** /ˌprɒdɪ'gælətɪ/ *n*. **prodigalize** /'prɒdɪgəlaɪz/ *v*. 浪費,揮霍.

prodigy /'prɒdɪdʒɪ/ *n*. ①奇事;奇迹②非凡的人,奇人;神童;絕代美人 **prodigious** /prə'dɪdʒəs/ *a*. ①巨大的,龐大的②奇妙的;非常的 **prodigiously** *ad*.

produce /prə'djuːs/ *vt*. ①生,產生;生產②出示,拿出③製造④上演;演出;放映 -/'prɒdjuːs/ *n*. ①生產,出產;產量②物產,產品;農產品 **~r** *n*. 生產者;製造者;製片人 **~d** /prəʊ'djuːst/ *a*. 引長的;畸形伸長的.

product /'prɒdʌkt/ *n*. ①產物,產品②結果,成果 **~ion** /prə'dʌkʃn/ *n*. ①生產,產生;製造;演出②產品;作品 **productive** *a*. 生產的;多產的 **productivity** *n*.

profane /prə'feɪn/ *a*. ①褻瀆神聖的,不敬的②世俗的,粗俗的;污穢的 *v*. 褻瀆,玷污(神聖),濫用 **profanation** /ˌprɒfə'neɪʃn/ = **profanity** /prə'fænətɪ/ *n*.

profess /prə'fes/ *vt*. ①表示,明言;承認②假裝,佯裝③表明信仰 **~ed** *a*. 公開聲稱的;專業的;佯裝的.

profession /prə'feʃn/ *n*. ①職業②宣言,聲明(信仰等);自白,表白③同業,同行 **~al** *a*. 職業的,專職的 *n*. 職業選手,專門職業者,內行,專家 **professional** *ad*. **professionalism** *n*.

professor /prə'fesə(r)/ *n*. (大學)教授,[美口]先生,老師 **~ate** *n*. 教授的職務(任期),教授會 **~ial** *a*. /ˌprɒfɪ'sɔːrɪəl/ 教授的,學者氣的 **~ship** *n*. 教授的職務(地位) // ~ *extraordinary* 臨時教授 *associate* ~ 副教授.

proffer /'prɒfə(r)/ *vt*. ①提供,貢獻②奉送;自告奮勇.

proficient /prə'fɪʃnt/ *a*. 熟練的,精通的 *n*. 能手,老手;專家 **proficiency** /prə'fɪʃnsɪ/ *n*.

profile /'prəʊfaɪl/ *n*. ①側面②剖面,半面③外形.

profit /'prɒfɪt/ *n*. ①盈餘,利潤②紅利③得益 **~able** *a*. 有益的;有賺頭的;合算的 **~ably** *ad*. **~ability** /ˌprɒfɪtə'bɪlətɪ/ *n*. **~eer** /ˌprɒfɪ'tɪə(r)/ *n*. 奸商,發橫財的人,暴發戶 **~eering** *n*. 投機活動.

profligate /'prɒflɪgət/ *a*. 放蕩的,墮落的,荒淫的 *n*. 肆意揮霍的人 **profligacy** /'prɒflɪgəsɪ/ *n*.

pro forma /prəʊ 'fɔːmə/ *a*. [拉]形式上 // ~ *invoice* 形式發票.

profound /prə'faʊnd/ *a*. ①深的②深奧的;深遠的③學識淵博的;深謀遠慮的 **profundity** /prə'fʌndətɪ/ *n*. **~ly** *ad*. 深深地;懇切地;鄭重地.

profuse /prə'fjuːs/ *a*. (**-fuser**; **-fusest**) ①大方的,豪爽的②充沛的,極其豐富的③奢侈浪費的 **profusion** /prə'fjuːʒn/ *n*.

progeny /'prɒdʒənɪ/ *n*. ①子孫,後代

② 成果，結果 **progenitor** /prəʊ'dʒenɪtə(r)/ *n*. 祖先，前輩，先驅.

progesterone /prə'dʒestərəʊn/ *n*. 黃體酮(激素)，孕激素.

prognathous/prɒg'neɪθəs/ *n*.【解】凸顎.

prognosis /prɒg'nəʊsɪs/ *n*. (*pl*. **-ses** /-siːz/) ①預測②【醫】預後(根據病情預測能否治愈)；判病結局.

prognostication /prɒgˌnɒstɪ'keɪʃn/ *n*. ①預言，預測②前兆.

program /'prəʊgræm/ = [英] **programme**/ *n*. ①程序表；節目單；要目；大綱②綱領，方案③規劃，計劃 *v*. (過去式及過去分詞 **-grammed**) 安排(節目)，擬定(計劃)為…編製程序 **~mer** *n*. [美]訂計劃者，程序設計員 **~mable** *a*. 可編程序的.

progress /'prəʊgres/ *n*. ①前進，進行②上進，進步，進展，發展③發育，進化 -/prə'gres/ *vi* **~ion** /prə'greʃn/ *n*. 前進，進步，發展【數】等差級數 **~ive** /prə'gresɪv/ *a*. 漸進的，進步的，累進的；**~ively** *ad*. // *in* ~ 進行中，還沒有完的.

prohibit /prə'hɪbɪt/ *vt*. 不准，禁止；阻止； **~ion** /ˌprəʊhɪ'bɪʃn/ *n*. ①禁止，禁令②訴訟中止令③[美]禁酒 **~ive** *a*. ①禁止的②(價格)高得讓人買不起的 **~ively** *ad*.

project /prə'dʒekt/ *vt*. ①抛出，投擲，發射②使突出③設計，規劃④投影 -/'prɒdʒekt/ *n*. ①規劃，方案，計劃，設計②科研(建設)項目③工程，事業 **~or** *n*. 設計者，發射裝置，放映機 **~ion** /prə'dʒekʃn/ *n*. **~ionist** *n*. 放映員，播放師.

projectile /'prədʒektaɪl/ *n*. 發射體；導彈；火箭.

prolapse /'prəʊlæps/ *n*.【醫】= **prolapsus** /prəʊ'læpsəs/ 脫肛；下垂.

prole /prəʊl/ *n*. & *a*. [英口]無產階級(的) = proletarian.

proletariat /ˌprəʊlɪ'teərɪət/ *n*. 無產階級 **proletarian** /ˌprəʊlɪ'teərɪən/ *n*. & *a*. 無產階級(的).

proliferate /prə'lɪfəreɪt/ *vi*. ①分枝繁殖；增殖，增生；多育②激增；擴散 **proliferation** /prəˌlɪfə'reɪʃn/ *n*.

prolific /prə'lɪfɪk/ *a*. ①多產的；多育的②肥沃的 **~ally** *ad*.

prolix /'prəʊlɪks/ *a*. 冗長的；囉唆的 **~ity** *n*.

prologue /'prəʊlɒg/ *n*. 序，開場白，序幕.

prolong /prə'lɒŋ/ *vt*. 延長；拉長；引伸；拖延 **~ation** /ˌprəʊlɒŋ'geɪʃn/ *n*.

prom /prɒm/ *n*. ①[英口] = promenade concert 逍遙音樂會②[美](中學或大學舉辦的正式)舞會③ = promontory 海角，岬.

promenade /ˌprɒmə'nɑːd/ *n*. ①散步，兜風，閑逛②供散步的上層甲板；散步的場所；海濱的散步道.

prominent /'prɒmɪnənt/ *a*. ①突起的，凸出的②杰出的，卓越的；著名的 **~ly** *ad*. **prominence** /prɒmɪnəns/ *n*.

promiscuous /prə'mɪskjʊəs/ *a*. ①雜亂的②不加區別的；男女亂交的 **promiscuity** /ˌprɒmɪ'skjuːətɪ/ *n*.

promise /'prɒmɪs/ *n*. ①允諾，允許②諾言，約束③希望，指望 **promising** /'prɒmɪsɪŋ/ *a*. 有出息的，有前途的，有指望的 // *show* ~ 有希望，使抱有…的希望.

promissory /'prɒmɪsərɪ/ *a*. 應允的，承諾的 // ~ *note*【經】期票，本票.

promo /'prəʊməʊ/ *n*. (*pl*. **promos**)

推銷影片、唱片、出版物的剪輯宣傳預告(=promotion).

promontory /'prɒməntrɪ/ *n*. 海角,岬.

promote /prə'məʊt/ *vt*. ①促進;提倡②提升,晉級,升級③宣傳;推廣;推銷 **~r** *n*. 獎勵者;煽動者;發起者 **promotion** /prə'məʊʃn/ *n*. **promotional** *a*.

prompt /prɒmpt/ *a*. ①敏捷的,即刻的②及時的;即期付款的 *vt*. ①刺激;鼓勵;煽動,唆使②激起③提詞 **~ly** *ad*. **~ness** *n*. **~er** *n*. 給演員提詞者.

promulgate /'prɒmlgeɪt/ *vt*. ①頒佈,公佈(法令)②宣傳,發表 **promulgation** /ˌprɒml'geɪʃn/ *n*. **promulgator** *n*. 公佈者,發表者.

prone /prəʊn/ *a*. ①俯伏的②有…傾向的.

prong /prɒŋ/ *n*. ①尖頭;叉齒②(電子管)插脚 **~ed** *a*.

pronoun /'prəʊnaʊn/ *n*.【語】代名詞 **pronominal** /prʊn'ɒmɪnl/ *a*.【語】代名詞的.

pronounce /prə'naʊns/ *v*. ①發音②宣判;宣告 **~able** *a*. 讀得出聲的 **~d** *a*. 斷然的;決然的 **~ment** *n*. ①宣告②聲明;公告;判决 **pronunciation** /prəˌnʌnsɪ'eɪʃn/ *n*. 發音(法).

pronto /'prɒntəʊ/ *ad*. [美俚]馬上,立刻.

proof /pruːf/ *n*. ①證據,【律】證詞②校樣 *a*. ①試驗過的②校樣的③耐…的;防…的④合標準的;規定的 **~read** *v*. [美]校對 **~reader** *n*. 審校人 **~reading** *n*. 校對.

-proof [後綴] **acid** ~ *a*. 耐酸的 **air** ~ *a*. 密封的 **dust** ~ *a*. 防塵的 **fire** ~ *a*. 防火的 **radar** ~ *a*. 反雷達的 **sound** ~ *a*. 隔音的.

prop /prɒp/ *v*. (過去式及過去分詞 **propped**) 支持,撐住,靠着 *n*. ①支柱②支持者,擁護者,後盾,靠山③鑽石別針④【劇】道具⑤[口]【空】螺旋槳,推進器(=propeller).

propaganda /ˌprɒpə'gændə/ *n*. 宣傳,傳播 **propagandist** /ˌprɒpə'gændɪst/ *n*. 宣傳人員.

propagate /'prɒpəgeɪt/ *vt*. ①增殖,繁殖②宣傳,普及③傳達,波及 **propagation** *n*. **propagator** *n*. 宣傳者;增殖者.

propane /'prəʊpeɪn/ *n*.【化】丙烷.

propel /prə'pel/ *vt*. 推,推進,驅使 **propellant** *n*. 推進物,推進劑,噴氣燃料 **~ler** *n*. 螺旋槳 **propulsion** /prə'pʌlʃn/ *n*. 推進(力).

propensity /prə'pensətɪ/ *n*. 傾向,嗜好,脾性.

proper /'prɒpə(r)/ *a*. ①適當的;相當的;正當的;正常的②有禮貌的;規矩的③【語】專有的④本身的⑤[英口]完全的,純粹的 **~ly** *ad*. // ~ *noun* 專有名詞.

property /'prɒpətɪ/ *n*. (*pl*. **-ties**) ①財產;資產;所有物;所有權②性質;特徵③道具[英]服裝 // *real* ~ 不動產 *literary* ~ 版權.

prophecy /'prɒfəsɪ/ *n*. 預言 **prophesy** /'prɒfəsaɪ/ *v*. 預示,預言.

prophet /'prɒfɪt/ *n*. ①預言者,先知,預告者②預測者③提倡者 **~ic** /prə'fetɪk/ *a*. 預言(者)的 **prophetically** *ad*.

prophylactic /ˌprɒfɪ'læktɪk/ *a*.【醫】預防(性)的 *n*. 預防藥.

propinquity /prə'pɪŋkwətɪ/ *n*. 鄰近,相近,接近;迫切;近似.

propitiate /prə'pɪʃɪeɪt/ *vt*. ①勸解;撫

慰；調解②討好 **propitiation** /prəˌpɪʃɪ'eɪʃn/ *n*. **propitiatory** /prə'pɪʃɪətrɪ/ *a*. **propitious** /prə'pɪʃəs/ *a*. 順利的；有利於…的；吉利的；慈悲的.

proponent /prə'pəunənt/ *n*. ①提議者；主張者②支持者.

proportion /prə'pɔːʃn/ *n*. ①比；比率；【數】比例②相稱，平衡③部分，份④ *pl*. 大小；面積；容積 *vt*. 使相稱；攤派；分配 **~al** *a*. **~ate** *a*. 相稱的；成比例的 *vt*. 使相稱，使均衡；攤派；分配 **~ally** *ad*. // ~ *al representation* (選舉上的)比例代表制 *in* ~①按比例大小；長短合適的②在同等程度上③毫不誇張的.

propose /prə'pəuz/ *v*. ①申請；提議；建議；提出②提名③計劃，打算④求婚 **proposal** /prə'pəuzl/ *n*. **proposer** *n*. 申請者；提議者 **proposition** /ˌprɒpə'zɪʃn/ *n*. 提議，建議；主張；命題，主題；[口]事情；求愛.

propound /prə'paund/ *vt*. 提議；提出供考慮.

proprietary /prə'praɪətrɪ/ *n*. & *a*. 所有權(的)，專賣的；專有權的 // ~ *articles* 專利品 ~ *class* 資產階級 ~ *company* 控股公司，持股公司，土地興業公司.

proprietor /prə'praɪətə(r)/ *n*. 所有者；業主；地主 **proprietress** /prə'praɪətrɪs/ *n*. 女所有者(業主，地主).

propriety /prə'praɪətɪ/ *n*. (*pl*. **-ties**) 行為正當，恰當；禮節，規矩.

propulsion /prə'pʌlʃn/ *n*. 推進(力).

pro rata /prəu 'rɑːtə/ *a*. & *ad*. [拉] 按比例的(地).

prorogue /prə'rəug/ *v*. (議會)休會，閉會 **prorogation** *n*.

prosaic /prə'zeɪk/ *a*. 缺乏想象力的；枯燥乏味的.

proscenium /prə'siːnɪəm/ *n*. (*pl*. **-nia** /-nɪə/) 舞台；前台.

proscribe /prə'skraɪb/ *v*. 使失去法律保護；禁止；排斥；放逐 **proscription** /prə'skrɪpʃn/ *n*. **proscriptive** *a*.

prose /prəuz/ *n*. ①散文②平凡，單調，普通.

prosecute /'prɒsɪkjuːt/ *vt*. ①控告，對…提出公訴②執行，從事 **prosecution** /ˌprɒsɪ'kjuːʃn/ *n*. **prosecutor** *n*. 執行者，【律】起訴者，檢舉人 *Public prosecutor* 檢察官.

proselyte /'prɒsəlaɪt/ *n*. 新入教者，改入他黨者 **proselytize** /'prɒsəlɪtaɪz/ *vt*. 使改信；使改黨.

prosody /'prɒsədɪ/ *n*. 韻律學，詩體學 **prosodic** /prə'sɒdɪk/ *a*. **prosodist** /'prɒsədɪst/ *n*. 韻律學者；詩體學者.

prospect /'prɒspekt/ *n*. ①眼界，展望②希望，前途，遠見③形勢，情景 *v*. 勘探，找(金礦)，試掘，有希望 **prospective** /prə'spektɪv/ *a*. ①將來的②有希望的 **prospector** /prɒs'pektə/ *n*. 探礦者；投機家 **prospectus** /prə'spektəs/ *n*. (創辦大學，公司之)意見書；發起書.

prosper /'prɒspə(r)/ *v*. (使)興隆，(使)繁榮；(使)成功 **~ity** /prɒ'sperətɪ/ *n*. **~ous** *a*. 繁華的；繁榮的；興旺的.

prostate /'prɒsteɪt/ *n*. & *a*. 【解】前列腺(的).

prosthesis /'prɒsθɪsɪs/ *n*. (*pl*. **protheses** /-siːz/) ①【語】詞首增添字母②【醫】修復術，彌補術；假體(如假肢，假牙等) **prosthetic** /prɒs'θətɪk/ *a*.

prostitute /'prɒstɪtjuːt/ *n*. 妓女；賣身投靠者 *v*. (使)賣淫；賣身；濫用(才

能）**prostitution** /ˌprɒstɪ'tjuːʃn/ *n*. 賣淫.

prostrate /'prɒstreɪt/ *a*. ①拜到在地的②屈服的, 降伏的③筋疲力盡的 /ˌprɒs'treɪt/ *v*. 使屈服;拜倒;平伏;使筋疲力盡 **prostration** /prɒ'streɪʃn/ *n*.

protagonist /prə'tægənɪst/ *n*. ①(劇中)主角, 主人公②領導者;首創者;支持者.

protea /'prəʊtɪə/ *n*. (非洲)雙子葉灌木, 山龍眼.

protean /'prəʊ'tɪən/ *a*. 變化無常的;形狀多變的.

protect /prə'tekt/ *v*. 保衛, 保護, 守護;防禦;包庇 **~ion** *n*. **~ionism** *n*. 保護主義, 貿易保護主義 **~or** *n*. 保護人, 擁護者;保護裝置;攝政王 **~orate** /prə'tektərət/ *n*. ①保護領地;(強國對弱小國的)保護制度②攝政期間.

protective /prə'tektɪv/ *a*. ①保護的, 防護的②保護貿易的 // ~ *clothing* 防毒服 ~ *colouring* 保護色 ~ *system* 保護關稅制 ~ *tariff* 保護性關稅.

protégé /'prɒtɪʒeɪ/ *n*. 被保護人;門徒 **protégée** *n*. (女性).

protein /'prəʊtiːn/ *n*. 【化】朊, 蛋白質.

pro tempore /prəʊ 'tempərɪ/ *ad*. & *a*. [拉]暫時, 臨時(=pro tem).

protest /prə'test/ *v*. ①聲明, 堅决主張②抗議, 聲明反對, 提出異議【商】拒付(票據) -/'prəʊtest/ *n*. **~ation** /prɒˌte'steɪʃn/ *n*. **~er** *n*. 聲明者, 抗議者.

Protestant /'prɒtɪstənt/ *a*. ①新教徒的②提出抗議的 *n*. ①新教徒②抗議者 **Protestantism** *n*. 新教, 耶穌教.

proto-, prot- 前綴表示: 第一, 主要, 原始; 如: **~-Arabic** 原始阿拉伯人(的).

protocol /'prəʊtəkɒl/ *n*. ①議定書②草案, 草約③禮賓司.

proton /'prəʊtɒn/ *n*. 【物】(正)質子, 氕核 **~ic** *a*.

protoplasm /'prəʊtəplæzəm/ *n*. 【生】原生質;原漿, 細胞質.

prototype /'prəʊtətaɪp/ *n*. 原型;典型;樣板;樣品.

protozoan /ˌprəʊtə'zəʊən/ *n*. (*pl*. **-zoa** /-zəʊə/) 原生動物.

protract /prəʊ'trækt/ *vt*. ①延長, 拖長②伸出 **~ion** *n*. **protractor** *n*. 半圓規, 分度規, 量角器; **~ed test** *n*. 疲勞試驗 **~ed war** *n*. 持久戰.

protrude /prə'truːd/ *v*. (推)出, (使)突出, 伸出 **protrusion** /prə'truːʒn/ *n*.

protuberant /prə'tjuːbərənt/ *a*. 凸出的, 突出的;瘤的;疙瘩的 **protuberance** /prə'tjuːbərəns/ *n*.

proud /praʊd/ *a*. ①傲慢的, 驕傲的②自傲的;自豪的③得意的④光榮的⑤自高自大的⑥(馬等)活蹦亂跳的 **~ly** *ad*. // ~ *flesh* (傷口痊愈後的)疤 *as* ~ *as Punch* 揚揚得意 *be* ~ *of* 以…為豪 *do one* ~ [口]給面子;使歡喜 *do oneself* ~ 幹得漂亮;有面子.

prove /pruːv/ *vt*. (~, **proved**; **proved/proven**) ①證明, 證實②【律】檢定, 驗證③勘探, 探明 **~n** *a*. 被證明了的.

provenance /'prɒvənəns/ *n*. 起源, 出處, 原產地.

provender /'prɒvɪndə(r)/ *n*. 飼料, 糧草, 秣.

proverb /'prɒvɜːb/ *n*. 諺語,古話;俗話,箴言; **~ial** *a*. **~ially** *ad*. **~ialist** /prə'vɜːbɪəlɪst/ *n*. 善用諺語者.

provide /prə'vaɪd/ *vt*. ①提供,供應,供給②(法律,條約)規定 *vi*. 作準備,預防;贍養,提供生計 **~r** *n*. ①供給者;準備者②供養家庭的人 // *~d that* 倘若…;只要;在…條件下 *~ oneself* 自備,自辦.

providence /'prɒvɪdəns/ *n*. ①神意,天命;神,上帝②深謀遠慮③節約 **provident** /'prɒvɪdənt/ *a*. ①有先見之明的②精明的③節儉的 **providently** *ad*. **providential** /ˌprɒvɪ'denʃl/ *a*. 神意的;天祐的,幸運的 **providentially** *ad*. 靠天祐.

province /'prɒvɪns/ *n*. ①省;州;鄉下②本分;職責;範圍 **provincial** /prə'vɪnʃl/ *a*. 地方的;鄉下的;省的;鄉下氣的,土氣的 **provincialism** /prə'vɪnʃlɪzəm/ *n*. ①鄉下氣②土腔,方言③地區性;褊狹的,鄉土觀念.

provision /prə'vɪʒn/ *n*. ①預備,準備;設備;供應(品)②糧食,食品③【律】規定;條項,條款 *vt*. 供應糧食(必需品) **~al** *a*. 暫時的,臨時的;假定的 **~ally** *ad*. **~ality** /prəʊˌvɪʒən'ælətɪ/ *n*. 臨時性,暫時性.

proviso /prə'vaɪzəʊ/ *n*. (*pl*. **-s, -es**) 附帶條款;附文;但書.

provoke /prə'vəʊk/ *vt*. ①觸怒,使憤怒,激怒②引起③驅使,逼使 **provoking** *a*. 氣人的,叫人冒火的,叫人焦躁的 **provocation** /ˌprɒvə'keɪʃn/ *n*. **provocative** *a*.

provost /'prɒvəst/ *n*. ①[英]大學的學院院長②[美]教務長③[蘇]市長 // *~ marshal* 憲兵司令.

prow /praʊ/ *n*. 船首;飛機頭部.

prowess /'praʊɪs/ *n*. 英勇;威力;本事;威風.

prowl /praʊl/ *vi*. 賊頭賊腦地踱來踱去;徘徊, *n*. (野獸)到處尋食;(小偷)四處探頭探腦 **~er** *n*. 徘徊者;小偷;秘密警察.

proximity /prɒk'sɪmətɪ/ *a*. 最接近;鄰近;親近;即將到來;近似 **proximate** /'prɒksɪmət/ *a*. 最接近的;大致的;近似的.

proxy/'prɒksɪ/*n*.代理人;代表.

prude /pruːd/ *n*. 過分謙虛;過分拘謹的人 **prudish** *a*. **~ry** /'pru'dərɪ/ *n*. 過分拘謹;假正經,裝正經.

prudent /'pruːdnt/ *a*. ①小心的;慎重的;穩健的②世故的,精明的③節儉的,精打細算的 **prudence** /'pruːdns/ *n*. **prudential** /pru'denʃl/ *a*. ①謹慎的;考慮周到的②備諮詢的 // *prudential committee* 諮詢委員會.

prud'homme /prjuː'dɒm/ *n*. ①【律】勞資糾紛仲裁委員②正直的人.

prune /pruːn/ *n*. 杏脯,梅乾 *vt*. ①修剪(樹枝)②刪減,砍掉;省去(費用).

prurient /'prʊərɪənt/ *a*. 好色的,貪淫的 **prurience** *n*. 好色;渴望.

pry /praɪ/ *v*. (過去式及過去分詞 **pried**) 盯着看;窺探,刺探,愛打聽.

PS *abbr*. =①postscript 又及②passenger steamer 客輪③public school [美]公立中(小)學,[英]公學④police sergeant 巡官.

psalm /sɑːm/ *n*. 【宗】讚美詩,聖歌 **~ist** *n*. 讚美詩作者 **~ody** /'sɑːmədɪ, 'sælmədɪ/ *n*. 唱讚美詩;聖歌集.

psalter /'sɔːltə(r)/ *n*. [聖經]《詩篇》 **~y** *n*. 八弦琴.

PSBR *abbr*. = public sector borrowing requirement 公共部門租借要求.

psephology /se'fɒlədʒɪ/ *n*. 選舉學(對選舉結果的統計估價).

pseud /sjuːd/ *n*. [口]僞君子,弄虛作假的人.

pseudo-, **pseud-**前綴,表示"僞,假,擬,贋";如:~**classic** *a*. 擬古典,假古典 ~**archaic** *a*. 擬古的 ~**intellectual** *n*. 冒牌知識份子.

pseudonym /'sjuːdənɪm/ *n*. 假名;筆名 ~**ous** *a*. 用假名寫的.

psittacosis /sɪtə'kəusɪs/ *n*. 【醫】鸚鵡病.

psoriasis /sə'raɪəsɪs/ *n*. 牛皮癬.

psyche /'saɪkɪ/ *n*. ①**P-**【希神】愛神②靈魂,精神.

psychedelic /ˌsaɪkɪ'delɪk/ *a*. ①引起幻覺的②幻覺劑的.

psychiatry /saɪ'kaɪətrɪ/ *n*. 精神病學;精神病治療法 **psychiatric** /ˌsaɪkɪ'ætrɪk/ *a*. **psychiatrist** /saɪ'kaɪətrɪst/ *n*. 精神病學者;精神病醫生.

psychic, **psychical** /'saɪkɪk/ *a*. ①精神的;靈魂的;心理的②通靈的 *-n*. 巫師,巫婆,通靈者.

psycho /saɪkəu/ *n*. (*pl*. **-chos**) *n*. ①精神分析(學)②精神性神經病患者③精神變態者.

psychoanalysis /ˌsaɪkəuə'næləsɪs/ *n*. 精神分析(學) **psychoanalyse** /ˌsaɪkəu'ænəlaɪz/ *v*. **psychoanalyst** *n*. 精神分析學家 **psychoanalitic** *a*.

psychology /saɪ'kɒlədʒɪ/ *n*. ①心理學②心理 **psychological** /ˌsaɪkə'lɒdʒɪkl/ *a*. 心理(上)的;精神(現象)的 **psychologically** *ad*. **psychologist** *n*. 心理學者;心理學家.

psychopath /'saɪkəupæθ/ *n*. 精神變態者 ~**ic** /ˌsaɪkəu'pæθɪk/ *a*. 精神病態的,心理變態的.

psychosis /saɪ'kəusɪs/ *n*. (*pl*. **-ses** /-siːz/) 精神病,精神錯亂,精神變態 **psychotic** /saɪ'kɒtɪk/ *a*.

psychosomatic /ˌsaɪkəusə'mætɪk/ *a*. 心身的;心理與生理兩者俱有的.

psychotherapy /ˌsaɪkəu'θerəpɪ/ *n*. 【醫】精神療法,心理療法 **psychotherapeutic** /'saɪkəuˌθerə'pjuːtɪk/ *a*. **psychotherapist** *n*. 心理.

psych /saɪk/ *vt*. (過去式及過去分詞 **psyched**) 常與 up 連用作好思想準備.

pt *abbr*. = ①part 部分②point 點③port 港④pint 品脫.

Pt【化】*n*. 鉑.

P.T. *abbr*. = physical training 體育鍛練.

PTA *abbr*. = Parent-Teacher Association [美]學生家長和教師聯誼會.

ptarmigan /'tɑːmɪgən/ *n*. (*pl*. **-gan(s)**) 【鳥】雷鳥(冬天變白松鷄).

pterodactyl /ˌterə'dæktɪl/ *a*. 翼手龍;無尾飛機.

PTO *abbr*. = please turn over 見反面,見下頁.

ptomain(e) /'təumeɪn/ *n*. 【化】尸鹼,尸毒 // *P~ Domain* [美軍俚]食堂 ~ *poisoning* 尸鹼中毒;食物中毒.

Pu = plutonium【化】鈈.

pub /pʌb/ *n*. *abbr*. = public house 小酒館.

puberty /'pjuːbətɪ/ *n*. 青春期;發情期;妙齡 **pubertal** *a*.

pubescent /pjuː'besnt/ *a*. ①青春的,妙齡的②【動,植】長柔毛的.

pubic /'pjuːbɪk/ *a*. 陰毛的;陰阜的;陰部的.

pubis /'pjuːbɪs/ *n*. (*pl*. **-bes** /-biːz/) 【解】恥骨.

public /'pʌblɪk/ *a*. ①公共的,公衆

的,公用的②公開的,當衆的 *n*. 人民;國民;公衆;大衆,社會 **~ly** *ad*. **~an** *n*. 酒店老闆 // *~-address system* 有綫廣播系統 *~ affairs* 公衆事務 *~ assistance institution* 貧民收容所 *~ auction* 拍賣 *~ bidding* 投標 *~ comfort station* 公廁 *~ company* 股份有限公司 *~ house* 客棧,小酒館 *~ lending right* 作者可享有其著作租出報酬的權利 *~ offence* 政治犯 *~ officer* 公務員 *~ opinion* 民意,輿論 *~ orator* 代表人,秘書長 *~ relations* 公共關係,公衆關係,公關 *~ school* (英國私立的)公學 *~ sector* 由政府資助的國家經濟部分 *~ spirited* 熱心公益的.

publicity /pʌb'lɪsətɪ/ *n*. ①公開(性);傳開②宣傳③宣傳材料④引起公衆注意 **publicize** /'pʌblɪsaiz/ *vt*. 發表;宣傳;做廣告 **publicist** /'pʌblɪsɪst/ *n*. 國際法專家;宣傳人員.

publish /'pʌblɪʃ/ *vt*. ①公開發表,宣佈②公佈,頒佈③發行,出版 **~er** *n*. 出版者,發行人 **publication** /ˌpʌblɪ'keɪʃn/ *n*.

puce /pju:s/ *a*. & *n*. 深褐色(的).

puck /pʌk/ *n*. ①冰球(硬橡膠圓盤)②喜歡惡作劇的小妖精③頑童,淘氣小孩 **~ish** *a*..

pucker /'pʌkə(r)/ *vt*. 起皺紋,折摺,縮攏 *n*. 摺縫,皺紋.

pudding /'pʊdɪŋ/ *n*. ①布丁(西餐中甜點心),[喻]物質報酬②香腸 **~faced** *a*. 臉型偏圓而呆板的 **~headed** *a*. 愚蠢的 // *~ pie* 肉布丁.

puddle /'pʌdl/ *n*. ①(路面)水坑②膠土 [俚]混亂.

pudendum /pju:'dendəm/ *n*. (*pl*. -denda /-də/ 陰部;陰戶 **pudendal** *a*.

puerile /'pjʊəraɪl/ *a*. 孩子氣的;幼稚的.

puerperium /ˌpju:ə'pɪərɪəm/ *n*. 產後期 **puerperal** /pju:'ɜ:pərəl/ *a*.

puff /pʌf/ *n*. ①噗的一吹(噴)②一呼一吸③被子,鴨絨被④吹噓,誇獎⑤粉撲⑥吸烟噴霧⑦膨脹 **~ball**【植】馬勃(菌) **~y** *a*. 膨起的 // *~ adder* [非]膨身蛇 *~ pastry* 多層酥皮糕點 *out of ~* 氣喘吁吁的.

puffin /'pʌfɪn/ *n*. ①【鳥】善知鳥,海鸚②馬勃(菌).

pug /pʌg/ *n*. 巴兒狗,獅子狗 // *~ nose* 獅子鼻.

pugilism /'pju:dʒilizəm/ *n*. (空手)拳擊 **pugilist** *n*. 拳擊家,拳師 **pugilistic** /ˌpju:dʒi'listɪk/ *a*.

pugnacious /pʌg'neɪʃəs/ *a*. 愛吵架的;好鬥的 **pugnacity** *n*.

puissant /'pju:ɪsənt/ *a*. [詩]有力的,強大的 **puissance** *n*.

puke /pju:k/ *n*. ①嘔吐②嘔出物③催吐劑 *v*. 嘔,吐.

pukka(h) = **pucka** /'pʌkə/ *a*. [印第安]上等的;牢靠的;真的 // *~ gen* 可靠情報.

pulchritude/'pʌlkritju:d/ *n*. 美麗.

pule /pju:l/ *vi*. (小鷄等)唧唧地叫;(傷心地)抽噎哭泣.

pull /pʊl/ *vt*. ①拉,拖,牽,曳,拔②吸引,招徠 *n*. 拉,拉力,牽引力,吸引力;(喝)一杯;(烟吸)一口;勒住馬 // *~ in* ①將車倒退到道邊;路邊停車②(火車)到站,(船)靠岸③[俚]逮捕 *~ off* ①取勝,得獎;做好②[美]幹③開(船)④走開,逃走,釋放 *~ out* ①拔(牙等)②拖長(談話)③車駛向一邊以便超越④(火車)離站 *~ over* ①從頭上套下來穿(衣)②車靠路邊③把(桌子等)推翻 ~ *through* ①使渡過難關②脫離危險期 ~ *up* ①(連根)拔出,根絕,勒住(馬)②吃力攀登③停車,剎住④制止;責駡.

pullet /'pʊlɪt/ *n*. ①小母雞②毛蛤.

pulley /'pʊlɪ/ *n*.【機】滑輪,皮帶輪.

Pullman /'pʊlmən/ *n*. (*pl*. **~mans**) (普爾曼設計的設備特別舒適的)火車卧車廂.

pullover /'pʊləʊvə(r)/ *n*. 套頭衫,套頭毛衣.

pulmonary /'pʌlmənərɪ/ *a*. 肺的;似肺的;有肺的.

pulp /pʌlp/ *n*. ①果肉②牙髓③紙漿④[美俚]庸俗的雜誌 *v*. 搗成(紙)漿狀,累得癱軟.

pulpit /'pʊlpɪt/ *n*. ①講道壇②機器操縱台.

pulsar /'pʌlsɑː(r)/ *n*.【天】脉冲星.

pulse /pʌls/ *n*. ①脉搏②脉冲③意向,傾向④豆類 **pulsate** /pʌl'seɪt/ *v*. 搏動,悸動 **pulsation** *n*.

pulverize /'pʌlvəraɪz/ *vt*. ①弄成粉狀②噴成霧③粉碎 **pulverization** /ˌpʌlvəraɪ'zeɪʃn/ *n*.

puma /'pjuːmə/ *n*.【動】美洲獅.

pumice /'pʌmɪs/ *n*. 浮石;輕石;泡沫岩.

pump /pʌmp/ *n*. ①輕便舞鞋②泵 *v*. ①用泵抽(水);抽乾(井等);絞盡(腦筋)②[俚]把(秘密)盤問出來③用氣筒打氣④注入 **~ed** *a*. [俚]喘得上氣不接下氣的 **~er** *n*. 用泵的人;司泵員 **~ship** *n*. [卑]撒尿,小便 // ~ *priming* 經濟刺激開支.

pumpernickel /'pʌmpənɪkl/ *n*. 裸麥粗麵包.

pumpkin /'pʌmpkɪn/ *n*. ①南瓜②[口]夜郎自大的蠢貨③[俚]腦袋瓜.

pun /pʌn/ *n*. 雙關語,雙關俏皮話 *v*. (過去式及過去分詞 **punned**)①用雙關語②把(土,碎石等)搗結實 **~ningly** *ad*. 一語雙關地 **~ster** *n*. 善用雙關語者.

punch /pʌntʃ/ *vt*. ①用拳打;用棍刺;捅②用力擊,用力按③穿孔,(打印機)打印,(票挾)剪票 *n*. ①拳打②[俚]力量;效果;魄力③冲床④打印機⑤大鋼針⑥票挾⑦矮胖子⑧香甜混合飲料 **~er** *n*. ①穿孔的人②穿孔機,打印器 **-~drunk** *a*. ①[美俚]被打得頭昏眼花的②夜郎自大的 **~-up** *n*. 吵鬧;毆鬥;打群架.

punctilious /pʌŋk'tɪlɪəs/ *a*. 禮儀太煩瑣的;規矩太多的;拘泥形式的;死板的.

punctual /'pʌŋktʃʊəl/ *a*. 準時的;如期的;準確的 **~ly** *ad*. ①按時,如期②鄭重其事地 **~ity** /ˌpʌŋktʃʊ'ælətɪ/ *n*. 嚴守時間;恪守信用.

punctuate /'pʌŋktʃʊeɪt/ *vt*. ①加標點於…②強調③間斷,不時打斷 **punctuation** /ˌpʌŋktʃʊ'eɪʃn/ *n*. 標點法.

puncture /'pʌŋktʃə(r)/ *n*. & *v*. ①刺,扎,戳②穿孔,扎傷,刺破.

pundit /'pʌndɪt/ *n*. ①梵學者②[謔]博學的人;空談家.

pungent /'pʌndʒənt/ *a*. ①辛辣的,刺鼻的②尖酸刻薄的,潑辣的 **pungency** /'pʌndʒənsɪ/ *n*.

punish /'pʌnɪʃ/ *v*. *t*. ①罰,處罰,懲罰②使大敗 **~ing** *a*. 處罰的,懲罰的 **~ment** *n*. 刑罰;罰 [口]給吃苦頭 **punitive** /'pjuːnətɪv/ *a*. 刑罰的,懲罰的.

punk/pʌŋk/*n*. ①70 年代後期起流行的一種搖滾樂②搖滾樂師及其追隨者.

punkah /'pʌŋkə/ *n*. ①(印度)布風扇②(棕櫚做的)扇子.

punnet /'pʌnɪt/ *n*. (闊而淺的)扁籃.

punt[1]/pʌnt/ *v*. 踢懸空球(足球) *n*. 方頭平底船.

punt[2]/pʌnt/ *n*. 愛爾蘭錢幣單位.

punter /'pʌntə/ *n*. ①下賭注的人②公衆之一員.

puny /'pju:nɪ/ *a*. (**punier**, **puniest**) ①弱小的, 矮小的②不足道的.

pup /pʌp/ *n*. ①小狗;小海豹等小動物②[俚]小伙子.

pupa /'pju:pə/ *n*. (*pl*. **-pae** /-pi:/ **-pas** 蛹 **~l** *a*.

pupil /'pju:pl/ *n*. ①中、小學生②【解】眼的瞳孔.

puppet /'pʌpɪt/ *n*. ①木偶②傀儡;[喻]受人擺佈的人 **puppeteer** /ˌpʌpɪ'tɪə(r)/ *n*. 操縱傀儡的人.

puppy /'pʌpɪ/ *n*. (*pl*. **-pies**) = **~dog** *n*. 小狗 **~dom**, **~hood** *n*. 小狗的狀態;逞能時代 **~ish** *a*. 小狗似的;愛打扮, 愛俏的;逞能的 **~ism** *n*. 小狗一般的行為;逞能 // ~ *fat* (孩時的)肥胖.

purblind /'pɜ:blaɪnd/ *a*. ①半瞎的, 近視眼的②遲鈍的.

purchase /'pɜ:tʃəs/ *n*. & *vt*. ①購買, 買②贏得③購置(物) **~r** /'pɜ:tʃəsə/ *n*. 買主, 購買者.

purdah /'pɜ:də/ *n*. ①印度及穆斯林婦女的閨房帷幔②婦女隔幔的習慣(制度).

pure /pjʊə(r)/ *a*. ①純的, 純粹的;清一色的;地道的②天真的, 純真的③清潔無垢的;清廉的④純理論的 **~ly** *ad*. **purify** /'pjʊərɪfaɪ/ *v*. 淨化, 使純淨 **purist** /'pjʊərɪst/ *n*. 恪守清規戒律者 **purity** /'pjʊərətɪ/ *n*. 純潔;清白;清廉.

purification /ˌpjʊərɪfɪ'keɪʃn/ *n*. 清洗;淨化;提純.

purée /'pjʊəreɪ/ *n*. [法]①菜泥, 果泥;肉泥;醬②純汁, 濃湯 *v*. (**~d**) 把…做成濃湯(醬).

purgatory /'pɜ:gətrɪ/ *a*. ①洗淨的②滌罪的 *n*. ①臨時懲罰所(滌罪所);暫時的苦難②煉獄 **purgatorial** /ˌpɜ:gə'tɔ:rɪəl/ *a*. 煉獄的, 滌罪的.

purge /pɜ:dʒ/ *vt*. ①使(身、心)潔淨;清洗, 肅清, 掃除②通便③【律】雪(冤) *n*. ①淨心②肅整(政黨)③瀉藥 **purgation** /pɜ:'geɪʃn/ *n*. **purgative** /'pɜ:gətiv/ *a*.

Puritan /'pjʊərɪtən/ *n*. ①【宗】清教徒②**p-**信仰、道德方面極端拘謹的人 **~ical** /ˌpjʊərɪ'tænɪkl/ *a*. **~ism** *n*. 清教主義.

purl /pɜ:l/ *n*. ①(綉邊)金銀絲②綉邊;流蘇 *vi*. & *n*. ①(編織物的)反編, 倒編②潺潺流水(聲).

purlieus /'pɜ:lju:z/ (*pl*.) *n*. ①森林邊緣②近郊、郊外.

purloin /pɜ:'lɔɪn/ *v*. 偷竊, 竊取.

purple /'pɜ:pl/ *a*. 紫紅色的, 深紅色的.

purport /'pɜ:pət, pə'pɔ:t/ *n*. 意義;要旨;涵義 *vt*. 聲稱;意欲;意味着.

purpose /'pɜ:pəs/ *n*. ①目的, 宗旨②决意③用途, 效果 *vi*. 想, 企圖;打算(做) **~ly** (= on purpose) *ad*. **~ful** *a*. ①有目的的, 故意的②果斷的.

purr /pɜ:(r)/ *vi*. & *n*. (貓等)得意地咕嚕咕嚕叫.

purse /pɜ:s/ *n*. ①錢包, 錢袋②資財, 金錢③獎金 *v*. 噘嘴 **~r** /pɜ:sə(r)/ *n*. (輪船、班機上的)事務長.

pursue /pə'sju:/ *v*. ①追, 追趕, 追踪②追求③繼續;④實行, 奉行, 推行, 從事 **~r** *n*. 追趕者;追求者;追隨者 **prusuit** /pə'sju:t/ *n*. 追趕;追求;追擊;職業, 工作, 研究 **pursuance**

/pə'sjuːəns/ *n*.

purulent /'pjʊərələnt/ *a*. 化膿的;膿性的 **purulence** /'pjʊərələns/ *n*. ①化膿②膿,膿液.

purvey /pə'veɪ/ *vt*. (伙食)供給,供應 **~ance** /pə'veɪəns/ *n*. 承辦伙食 **~or** /pə'veɪə(r)/ *n*. 伙食承辦者.

purview /'pɜːvjuː/ *n*. ①範圍;權限②視界.

pus /pʌs/ *n*. 膿,膿液 **~sy** /'pusɪ/ *a*. 膿樣的,多膿的.

push /pʊʃ/ *vt*. & *n*. ①推,推進;推行②促進,催促③驅使,逼迫④推銷⑤販賣(毒品等) **~er** *n*. 推、擠者;販毒者 **~y** /'pʊʃɪ/ *a*. [美]有進取精神的,有幹勁的 **~bike** *n*. [英]自行車,脚踏車 **~chair** *n*. 可摺叠的嬰孩四輪車 **~over** *n*. ①[美俚]極簡單的工作;閑差②不堪一擊之對手 **~up** *n*. [體]俯卧撑 // *come to the* ~ 臨到緊要關頭;陷入絕境 *get the* ~ [俚]被解僱 *make a* ~ 加油,奮發 ~ *and go* [口]精力充沛的,肯幹的.

pusillanimous /ˌpjuːsɪ'lænɪməs/ *a*. 膽小的;無力氣的;懦弱的 **pusillanimity** /ˌpjuːsɪlə'nɪmətɪ/ *n*.

puss, pussy /pus, 'pusɪ/ *n*. (*pl*. **pusses, pussies**) ①小貓咪(愛稱)②小姑娘③兔子,老虎.

pussyfoot /'pusɪfʊt/ *vi*. [美俚]偷偷地走;悄悄地行動;抱騎牆態度.

pustule /'pʌstjuːl/ *n*. 【醫】小膿疱 **pustular** *a*.

put /pʌt/ *vt*. (過去式及過去分詞 **put**) ①擱,放,擺②加入,攙進③敍述;說明④估計⑤扔,推(鉛球)⑥提出,建議 *n*. 推,刺;投,擲,扔【股】按限價賣出 **~down** *n*. ①貶低(的話)②平定③(飛機)降落; **~off** *n*. 推諉,辯解 **~upon** *a*. ①被愚弄的②受虐待的 // ~ *about* 宣佈,散佈 ~ *across* [美俚]加以說明以使人接受;弄得很成功 ~ *down*①記下,寫下②放下③削減④鎮壓;制止;使沉默 ~ *forward* 建議,提出,推舉 ~ *off*①推遲,延期②推脫,避開③脫掉④排斥,丢棄⑤使為難,窘困 ~ *out* 拿出;遷移;逐出;解僱;滅火;表現;發揮;貸出(款項) ~ *over*①[美俚]順利完成②(使戲劇,演講)大獲成功 ~ *through*①完成,做好(工作)②戳穿③使(議案)得以通過④(電話)接通 ~ *up*①掛,升,舉②蓋,造(房)③提出,提名④上演(劇)⑤留宿 ~ *up with* 忍住;熬過;遷就;將就.

putative /'pjuːtətɪv/ *a*. 推斷的;假定的 **~ly** *ad*.

putrid /'pjuːtrɪd/ *a*. ①已腐爛的;惡臭的,墮落的②討人嫌的 **putrefaction** /ˌpjuːtrɪ'fækʃn/ *n*. 腐敗;腐敗物 **putrescent** /pjuː'tresnt/ *a*. ①將腐爛的②關於腐敗的 **putrefy** /'pjuːtrɪfaɪ/ *v*. 使化膿;化膿;腐敗.

putsch /putʃ/ *n*. 倉促起義(暴動);民變.

putt /pʌt/ *v*. & *n*. 【高爾夫】輕擊球進洞 **~er** /pʌtə/ *n*. 輕擊者;輕擊棒.

puttee /'pʌtɪ/ *n*. 綁腿.

putty /'pʌtɪ/ *n*. ①油灰②去污粉 **~-head** *n*. [美口]蠢貨 // ~*face* [美俚]*n*. 白痴.

putz /pʊts/ *n*. [美俚]傻瓜,笨蛋.

puzzle /'pʌzl/ *v*. 為難,迷惑;傷腦筋 *n*. 難題,謎,為難 **~ment** *n*. **puzzling** *a*. 費解的,莫名其妙的.

P. V. C. *abbr*. = polyvinyl chloride 【化】聚氯乙烯(塑料).

PX *abbr*. = ①please exchange 請交換

②post exchange 美陸軍消費合作社.

pyaemia, pyemia /paɪ'iːmɪə/ *n*.【醫】膿血症 **~mic** *a*.

Pygmy /'pɪgmɪ/ *n*. (非洲)俾格米人, 矮小黑人 *a*.(**p-**)矮小的;不足道的;小規模的.

pyjamas /pə'dʒɑːməz/ *n*. (*pl*.) [英] 睡衣褲, [印度]寬鬆褲.

pylon /'paɪlən/ *n*. (高壓綫)架綫橋塔;標杆;路標燈.

pyorrhoea /ˌpaɪə'rɪə/ *n*.【醫】膿溢;齒槽膿漏.

pyramid /'pɪrəmɪd/ *n*. ①金字塔②【數】角錐 **~la** *a*. 金字塔狀的, 錐體的.

pyre /'paɪə(r)/ *n*. 火葬柴堆, 火葬燃料.

Pyrex /'paɪreks/ *n*. 派熱克斯耐熱耐酸玻璃(商標名).

pyrites /paɪ'raɪtiːz/ *n*. 黃鐵礦;硫化礦類.

pyrograph /'paɪərəgrɑːf/ *n*. ①烙畫②熱譜 **~y** *n*. 烙畫法, 熱譜法.

pyromania /ˌpaɪrəʊ'meɪnɪə/ *n*. 放火狂 **~c** *a*. & *n*.

pyrotechnics /ˌpaɪrə'teknɪks/ *n*. ①烟火製造術②焰火施放 **pyrotechnic** *a*. 烟火一般的;輝煌燦爛的.

Pyrrhic victory /ˌpɪrɪk 'vɪktərɪ/ *n*. 以極大犧牲換取的勝利.

python /'paɪθn/ *n*. 巨蟒, 蟒蛇.

Q

Q, q /kjuː/ 可表示:①cue 提示②quality 質量③queen 王后,撲克牌之一④Quebec 魁北克(加拿大的一省;該省的首府)⑤question 問題⑥quarter 1/4.

QB *abbr*. = Queen's Bench 英國高等法院.

QC *abbr*. = ①Queen's Counsel [英] 王室法律顧問②quality control 質量管理.

QED /kjuːiːdiː/ *abbr*. = which was to be proved. ([拉]quod erat demonstrandum)業已證明.

ql. *abbr*. = [1] quantum libel (藥劑) 隨意量(=as much as desired).

QM *abbr*. = quartermaster①軍需官②舵手.

Qoran /kəu'rɑːn/ *n*. 古蘭經(=Koran).

qr. *abbr*. = quarter; quire.

qs. *abbr*. = ①quantum sufficit[拉](藥劑)足量,適量(=sufficient quantity)② quarter section 1/4 平方英里(=160 英畝).

qt *abbr*. = ① quart 1/4② quantity 數量.

QT. q. t. *abbr*. = quiet // *on the* ~ [俚]私下地.

qua /kweɪ/ *conj*. 以…的身份(資格);作為.

quack /kwæk/ *n*. & *vi* ①嘎嘎(鴨叫)②大聲閑談,吵鬧聲③庸醫,江湖郎中④騙子 **~ery** /'kwækərɪ/ *n*. 江湖郎中行醫之騙術.

quad /kwɒd/ *n*. ①四方院子;[俚]監獄②象限③無字空鉛④四倍⑤四邊形⑥四胞胎.

quadrangle /kwɒ'dræŋgl/ *n*. 四角形、四邊形 **quadranglar** *a*.

quadrant /'kwɒdrənt/ *n*.【數】①象限,圓周的四分之一②扇形體③【天,海】象限儀.

quadraphonic /ˌkwɒdrə'fəʊnɪk/ *a*. (唱片,錄音帶)四軌放錄音的.

quadratic /kwɒ'drætɪk/ *a*.【數】正方形的,方形的;【動,解】方骨的 *n*.二次方程式.

quadrennial /kwɒ'drenɪəl/ *a*. ①每四年一次的②連續四年的 **~ly** *ad*.

quadrennium /kwɒ'drenɪəm/ *n*.

quadri-前綴表示"四""第四" 如**~lateral** *a*. 四邊(形)的;四方面的 *n*.【數】四邊形;方形地.

quadrille /kw'drɪl/ *n*. 四對舞;方舞;四對舞曲.

quadriplegia /ˌkwɒdrɪ'pliːdʒɪə/ *n*.【醫】四肢麻痹 **quadriplegic** /ˌkwɒdrɪ'pledʒɪk/ *n*. 四肢麻痹症患者.

quadroon /kwɒ'druːn/ *n*. (黑白)混血兒.

quadruped /'kwɒdrʊped/ *n*.【動】四足動物 **~al** /kwɒ'druːpɪdəl/ *a*.

quadruple /'kwɒdrʊpl/ *a*. ①四倍的②四重的③【樂】四節拍的 *n*. 四倍,四倍量.

quadruplet /'kwɒdruːplet/ *n*. 四件一套;四胞胎中之一個孩子.

quadruplex /'kwɒdrʊpleks/ *a*. 四倍的;四式的.

quaff /'kwɒf/ *v*. [詩]一口喝乾(酒);咕咚咕咚喝.

quagmire /ˈkwægmaɪə(r)/ *n*. = quag 沼澤地;[喻]困境.

quail /kweɪl/ *n*.(*pl*. ~(**s**)) ①【動】鵪鶉②[美俚]女大學生 *vi*. 畏縮, 沮喪.

quaint /kweɪnt/ *a*. 離奇有趣的;古雅的;靈巧的 ~**ly** *ad*. ~**ness** *n*.

quake /kweɪk/ *vi*. ①搖動, 震動②顫抖 *n*.震動;地震.

Quaker /ˈkweɪkə(r)/ *n*. (基督教一派別)貴格會教徒;公誼會 ~**ism** *n*. 教友派 // ~ *city* 費城別名.

qualify /ˈkwɒlɪfaɪ/ *vt*. ①使有資格;准予②斟酌;限制;緩和 **qualified** *a*. 有資格的;合格的 **qualifier** *n*. ①合格者②限定者 **qualification** /ˌkwɒlɪfɪˈkeɪʃn/ *n*. ①授權;批准;資格;職權②條件;限制;斟酌③身份證明, 執照.

quality /ˈkwɒlətɪ/ *n*.(*pl*. ~**ties**) ①質, 質量, 品質②優質, 優點③才能, 技能, 素養 **qualitative** *a*. // ~ *control* 質量管理, 質量控制.

qualm /kwɑːm, kwam/ *n*. ①一陣頭暈眼花, 噁心②不安;(良心)責備.

quandary /ˈkwɒndərɪ/ *n*.(*pl*. -**ries**) 窘迫, 左右為難.

quango /ˈkwæŋgəʊ/ *n*.(*pl*. ~**s**)(政府出資任命的)自治機構.

quanta /ˈkwɒntə/ *n*.(**quantum** 之複數)量, 額;定量, 份.

quantify /ˈkwɒntɪfaɪ/ *vt*.(過去式及過去分詞 **quantified**) ①確定…的數量②用數量表示 **quantifiable** *a*. **quantification** /ˌkwɒntɪfɪˈkeɪʃn/ *n*. 定量, 量化.

quantity /ˈkwɒntətɪ/ *n*.(*pl*. **quantities**) ①量, 數量, 額②大宗, 大量, 大批③定量, 定額 **quantitative** /ˈkwɒntɪtətɪv/ *a*. // ~ *surveyer* 估算師;估料師.

quantum /ˈkwɒntəm/ *n*.(*pl*. -**ta**) 量, 額;定量;份, 總量 // ~ *jump*/*leap* [口]突然大變, 驟變 ~ *theory*【物】量子論.

quarantine /ˈkwɒrəntiːn/ *n*. ①停船檢疫;隔離②停船檢疫期間③檢疫所 *vt*. ①對…進行檢疫②封鎖;隔離;使孤立③命令停船留驗.

quark /kwɑːk/ *n*. ①夸克(假設為構成物質基礎之粒子)②低脂肪乳酪.

quarrel /ˈkwɒrəl/ *n*. ①爭吵, 口角, 吵架②吵鬧之原由 *vi* 爭吵, 爭論;不和;責備;抱怨 ~**some** *a*. 好爭吵的.

quarry /ˈkwɒrɪ/ *n*.(*pl*. **quarries**) ①採石場②知識泉源;消息(資料)出處③獵獲物, 追求物④菱形玻璃, 機製花磚 **quarrier** *n*. 採石工人, ~ **tile** 機製無釉花磚.

quart[1]/kwɔːt/ *n*. 夸脫(液量單位 = 1/2 加侖或 2 品脫) // *try to put a quart into a pint pot* 想把一夸脫倒入一品脫的瓶子(做辦不到的事).

quart[2]/kɑːt/ *n*. 右胸開脫手掌向上;劍尖指向對手右胸 // *a* ~ *major* 最大的四張同花順子.

quarter /ˈkwɔːtə(r)/ *n*. ①四分之一②一季度③一刻鐘④*pl*. 寓所;住處⑤¼ dollar 或 25 美分硬幣⑥饒命;寬恕 ~**ly** *a*. 按季的;分四部分的 *ad*. 一年四次;一季一次 *n*.季刊 ~**ed** /ˈkwɔːtəd/ *a*. ①四分的;四等分的②提供往處的 ~**back** *n*.(橄欖球)四分衛;進攻時指揮本隊的選手 ~**deck** *n*. 【海】後甲板 ~**final** /ˌkwɔːtəˈfaɪnl/ *a*. [運]複賽的 *n*. 四分之一決賽;複賽 ~ **light** *n*.(車輛的)邊窗 ~**master** *n*. ①舵手②軍需官(略 **Q. M.**) // ~ *day* 四季結帳日[美國一、四、七、十月之一日;英

國乃3月25日(*Lady Day*);6月24日(*Midsummer Day*; 9月29日(*Michaelmas*);12月25日(*Christmas*)].

quartet, quartette /kwɔːˈtet/ *n*. ①四重奏;四重唱;四部合奏(唱)者(曲)②四件一組.

quarto /ˈkwɔːtəʊ/ *n*. (*pl*. **~s**) (低等的)四開,四開本書.

quartz /kwɔːts/ *n*.【礦】石英,水晶 // ~ *clock* (*watch*) 石英鐘(石英錶) ~*lamp* 石英燈.

quasar /ˈkweɪzɑː(r)/ *n*.【天】類星射電源.

quash /kwɒʃ/ *vt*. ①取消,廢除,使無效②搗碎③壓制,鎮壓;平息.

quasi- /ˈkweɪzaɪ-/ 前綴,意為"類似,准,擬"如: **~-cholera** *n*. 擬似霍亂 **~-judicial** *a*. 准司法的 **~-official** *a*. 半官方的 **~-religious** *a*. 類宗教的 **~-shawl** *n*. 類似圍巾的東西 **~-sovereign** *a*. 半獨立的;半主權的.

quatrain /ˈkwɒtreɪn/ *n*. [詩]四行詩,四行一節的詩.

quaver /ˈkweɪvə(r)/ *vi*. & *n*. ①震動,顫動②顫音.

quay /kiː/ *n*. 碼頭,埠頭 **~side** *n*. 碼頭區 **~age** /ˈkiːɪdʒ/ *n*. ①碼頭使用(稅)費②碼頭空位③一組碼頭.

quean /kwiːn/ *n*. (未婚)婦女;少女;輕佻女人.

queasy, queazy /ˈkwiːzɪ/ *a*. (**~ier, ~iest**) ①令人作嘔的;使人眩暈欲吐的②易反胃的③顧慮重重的;不安的 **queasily** *ad*. **queasiness** *n*.

queen /kwiːn/ *n*. ①皇后,王后②女王,女首腦③(因地位,相貌,權力等而被尊崇的)出衆的婦女;愛神;情人;(社交)名媛;尤物;"美女比賽"頭名④[美俚]亂搞同性戀之男子⑤紙牌中Q,即后⑥(蟻,蜂之)女王 **~ly** *a*. (象)女王的;有威嚴的 **~-size** *n*. 大號 **~ing** *n*. ①立為女王(王后)②[英]王后蘋果(一品種) // ~ *bee* 蜂王,(喻)社交女王 ~ *consort* 皇后,王妃 ~ *dowager* (皇)太后,(已故君主之妻) ~ *mother* 太后(在位君主之母) ~ *post*【建】雙柱架 ~ *regent* 攝政王 ~ *it* 象女王一般的行動 ~ *it over girls* 在女孩子中稱王稱霸 *Q~'s Counsel* 英王室法律顧問.

Queensberry-rules /ˈkwiːnzbərɪ ruːl/ *n*. 標準拳擊規則.

queer /kwɪə(r)/ *a*. ①奇妙的②[口]可疑的,費解的③眩暈的,眼花的④[美俚]搞同性戀的 **~ish** *a*. 有點古怪的 **~ly** *ad*. // *in* ~ *street* [俚]背負重債,陷入困境 *on the* ~ 犯偽鈔製造罪 *vt*. 破壞 ~ *someone's pitch* [英口]暗中破壞某人計劃.

quell /kwel/ *vt*. ①鎮壓,平息②鎮定;減緩;消除.

quench /kwentʃ/ *vt*. ①解(渴)②抑制③撲滅,熄滅.

quern /kwɜːn/ *n*. 手推磨 // ~ *stone* 磨石.

querulous /ˈkwerʊləs/ *a*. 愛抱怨的,愛發牢騷的 **~ly** *ad*.

query /ˈkwɪərɪ/ *n*. (*pl*. **~ies**) ①質問,詢問,疑問②請問 *v*. (**-ied**)問,詢問,質問;作為問題提出,對…表示懷疑.

quest /kwest/ *n*. ①尋找;搜索;追求②追求物③審問 *v*. 跟踪搜尋,四處找(常跟 about, after 和 for) // *in* ~ *of* 為…而尋求.

question /ˈkwestʃən/ *n*. ①詢問,提問,發問②疑問③問題,議題④懸案⑤審問 *v*. 詢問,訊問,審問 **~able**

a. 可疑的,靠不住的 **~ably** *ad*. **~(n)aire** /kwestʃə'neə/ *n*. [法](調查情况的)一組問題;調查表,徵求意見表 // *in* ~①議論中的②被爭論的,成問題的 *out of the* ~ 根本不可能 *out of* ~ 毫無疑問 ~ *mark* 問號"?" ~ *master* 答問節目主持人 ~ *time* (讓議員提出問題的)質詢時間.

queue /kjuː/ *n*. ①髮辮,辮子②長隊,車隊 *v*.(**~d**)梳成辮子,排成隊,排隊等候.

quibble /'kwɪbl/ *n*. & *v*. ①狡辯;支吾,遁詞②推托③(說)雙關語.

quiche /kiːʃ/ *n*.(*pl*. **~s** /kiːʃ/) 加乾酪,腌肉之奶蛋糕.

quick /kwɪk/ *a*. ①快的,迅速的②敏捷的,機敏的③性急的;易發怒的 *n*. 指甲肉;感情中樞 *ad*. 快速地 **~ly** *ad*. **~en** /'kwɪkən/ *vt*. ①加快,加速②使復活,使蘇醒;使有生命 **~ie** /'kwɪkɪ/ *n*. [美俚]①匆匆做成的事②粗製濫造的影片(作品) **~lime** *n*. 生石灰 **~sand** *n*. 流沙 **~-sighted** *a*. 眼尖的,眼快的 **~-silver** *n*. 水銀,汞 **~step** *n*. ①齊步(走)②快速進行曲;輕快舞步 // *cut someone to the* ~ 觸到痛處.

quid /kwɪd/ *n*.(*pl*. **quid** 不變)[英俚]一鎊,咀嚼物,一塊烟草 // ~ *pro quo* /'kwɪd prəʊ 'kwəʊ/ [拉]補償物,交換物,賠償,報酬.

quiescent /kwaɪ'esnt/ *a*. ①靜的,寂靜的,沉默的②不動的③休眠的 **quiescence, quiescency** /kwaɪ'ensəns(ɪ)/ *n*.

quiet /'kwaɪət/ *a*. ①靜的,恬靜的,平靜的②不動的,安靜的③肅靜的,寂靜的④太平的 *n*. 寂靜;肅靜;平穩;沉着;安定 **~ly** *ad*. **~ness** *n*. **~en** /'kwaɪətn/ *v*. **~er** *n*. 防音裝置 **~ude** /'kwaɪətjuːd/ *n*. 寂靜,平靜,寧靜;沉着 // *on the* ~ 私下,暗地裏,秘密地.

quietism /'kwaɪətɪzəm/ *n*. 無為主義 **quietist** *n*. & *a*. 主張清凈無為者(的).

quietus /kwaɪ'iːtəs/ *n*. ①死亡,滅亡;解脱②償清(債務).

quiff /kwɪf/ *n*. [英俚]劉海捲髮;[美俚]一陣風;一口烟.

quill /kwɪl/ *n*. 羽毛管;鵝毛筆;豪猪刺.

quilt /kwɪlt/ *n*. 被子 **~ed** *a*. 縫成被的,東拼西凑做成的.

quin /kwɪn/ *n*. = quintuplet.

quince /kwɪns/ *n*.【植】苦味榅桲,榅桲樹.

quinine /kwɪ'niːn/ *n*.【藥】奎寧,金鷄納霜.

quinquennial /kwɪŋ'kwenɪəl/ *a*. ①每五年一次的②持續五年的.

quinsy /'kwɪnzɪ/ *n*.【醫】扁桃體周炎.

quintessence /kwɪn'tesns/ *n*. ①第五原質②精華,典範,精髓 **quintessential** /ˌkwɪntɪ'senʃl/ *a*.

quintet /kwɪn'tet/ *n*. ①【樂】五部曲,五重奏②五人一組.

quintuple /'kwɪntjʊpl/ *a*. 五的;五倍的;五重的 *n*.五倍量 *v*. 以五乘之,成為五倍 **~t** *n*. 五胞胎,五人一組,五件一套.

quip /kwɪp/ *n*. ①譏諷,挖苦諷刺②妙語,好笑的言語 *v*.(過去式及過去分詞**~ped**)譏諷,講妙語.

quire /'kwaɪə(r)/ *n*. [紙]一刀(=24或25大張紙).

quirk /kwɜːk/ *n*. ①雙關語;口實②奇想,不定心③書寫花體④突然的急轉彎,扭曲⑤[美俚]見習空軍飛行員

v. 嘲諷, 彎曲, 扭曲, **~y** *a*. 詭詐的;離奇古怪的.

quisling /'kwɪzlɪŋ/ *n*. 賣國賊;叛國分子;傀儡政府頭子.

quit /kwɪt/ *v*. (過去式及過去分詞 **quitted**) ①放棄, 停止②退出, 離開;告別(親友)③償清, 還清④免除⑤辭職 **~ter** *n*. [美口]輕易中止(放棄)的人;半途而廢者 **~s** *a*. (僅作表語)成平局, 兩相抵銷了的, 恢復原狀的.

quitch /kwɪtʃ/ *n*. 【植】匍匐根草(= couch-grass).

quite /kwaɪt/ *ad*. ①完全、十分②事實上;差不多③頗, 相當④[口]很, 極 // *not* ~ 有點不 ~ *a few* [美]相當(多)的;很不少 ~ *other* 完全不同的 ~ *some* [美]不尋常的 ~ *the thing* 時髦, 時新.

quiver /'kwɪvə(r)/ *v*. 震顫, 抖動 *n*. ①顫動;顫音②箭袋, 箭筒;一箭筒的箭③大群, 大隊 **~ing** *a*.

quixotic /kwɪk'sɒtɪk/ *a*. ①唐·吉訶德式的②騎士氣派的;空想的 **~cally** *ad*.

quiz /kwɪz/ *n*. (*pl*. **~zes**) ①[英]戲弄, 惡作劇②淘氣鬼;嘲弄者③[美]考問, 提問;小型考試, 測驗;猜謎 *vt*. (過去式及過去分詞**~zed**)盤問;給…出難題 **~zical** *a*. ①愛挖苦人的②問詢的;困惑的③古怪的;滑稽的 **~zically** *ad*.

quod /kwɒd/ *n*. [英俚]牢獄 *in*(*out of*) ~ 入(出)獄.

quoin /kwɔɪn/ *n*. 【建】①(房屋之)突角, 外角, 隅石②楔子.

quoit /kwɔɪt/ *n*. ①套環, 圈②扔套圈遊戲.

quondam /'kwɒndæm/ *a*. 以前的, 過去的, 曾經是的.

quorum /'kwɔːrəm/ *n*. 法定人數 **quorate** /'kwɔːreɪt/ *a*.

quota /'kwəʊtə/ *n*. ①份, 分得部分②定額, 配額, 限額.

quote /kwəʊt/ *vt*. ①引用;引述②把…放入引號③【經】報(價), 開(價) *n*. 引文, 引號;報價 **quotable** *a*. 可引用的 **quotation** /kwəʊ'teɪʃn/ *n*. ①引用語, 語錄②【商】行市, 時價, 行情③估價單, (賣方)報價單 **quotation marks** 引號.

quoth /kwəʊθ/ *v*. [古, 謔]說(= said).

quotidian /kwəʊ'tɪdɪən/ *a*. ①每天發生的;日常的②平凡的;司空見慣的 *n*. 每日發的瘧疾.

quotient /'kwəʊʃənt/ *n*. ①【數】商②份額 // *intelligence* ~(*IQ*) 智商 ~ *group* 【數】商群.

q.v. *abbr*. = ①quod vide[拉]參看, 另見, 見②as much as you wish (處方用語)多少隨便;聽便.

qwerty /'kwɜːtɪ/ *n*. 標準英語打字機或計算機的鍵盤.

R

r *abbr*. = radius; ratios; right.

rabbi /'ræbaɪ/ *n*. ①猶太教教士(的頭銜);法師②猶太法學專家(博士).

rabbit /'ræbɪt/ *n*. ①(家)兔②兔毛,兔肉③[英國]蹩脚(或技術差)的運動員 *vi*. ①打兔子②[俗]信口開河 **~-hutch** 兔棚 **~-warren** 養兔場.

rabble /'ræbl/ *n*. ①烏合之衆;群氓②[the ~]下層民衆;下等人③(動物或昆蟲的)一群;(東西)混亂的一堆; **~-rouser** *n*. 煽動暴亂的人.

rabid /'ræbɪd/ *a*. ①狂暴的;狂怒的;②偏激的,狂熱的;固執的③(患)狂犬病的;瘋狂的.

rabies /'reɪbiːz/ *n*. 【醫】狂犬病;恐水症(= hydrophobia).

raccoon /rə'kuːn/ *n*. = racoon.

race /reɪs/ *n*. ①(速度上的)比賽;競賽;競爭②(*pl*.)賽跑會(尤指賽馬會)③歷程;經歷④急流;水道⑤種族;家系;種類⑥祖先;祖籍;世系 *vi*. 參加比賽;賽跑 *vt*. 和…比速度(或競賽);使(馬等)參加比賽 **~-course** *n*. 賽馬場;跑道;賽船水道 **~-cup** *n*. 優勝杯 **~ meeting** *n*. 賽馬會;賽跑會 **~-track** *n*. 跑道 // *a straight ~* 全力以赴的競賽.

raceme /'ræsiːm; rə'siːm/ *n*. 【植】串狀花;總狀花序.

racer /'reɪsə(r)/ *n*. 參加(速度)比賽者;比賽用的馬(或快艇;自行車;汽車;飛機等).

racial /'reɪʃl/ *a*. ①種族的;人種的②由種族引起的;種族間的 **~ism** 或 **racism** *n*. 種族偏見;種族歧視;種族主義 **~ist** 或 **racist** *n*. 種族主義者 *a*. 種族主義的;種族歧視的.

rack /ræk/ *n*. ①架子;支架②行李架③飼草架④【機】齒條;齒軌⑤拉肢刑架;拷問台⑥巨大痛苦⑦破壞 *vt*. ①[主英]在飼草架中裝滿草料喂(馬等);把…放在架子上②把(牲畜)繫在飼草架前③對…施肢刑④使(在肉體或精神上)受劇烈痛苦;折磨⑤榨取 // *in a high ~* [英方]居高位 *off the ~* (衣服等)現成做好的 (*be*) *on the ~* 受酷型;受極大折磨 *~ one's brains* 絞盡腦汁 *~ up* [俚]獲(勝);得(分);徹底擊敗.

racket /'rækɪt/ *n*. ①(網球;羽毛球;乒乓球等的)球拍②(*pl*.)(在四面有圍牆的球場玩的一種)回力網球③吵鬧聲④繁忙的社交;歡宴⑤敲詐勒索;騙局 *vt*. 用球拍打 *vi*. ①喧嚷;大吵大鬧②忙於社交應酬;尋歡作樂.

racketeer /ˌrækɪ'tɪə(r)/ *n*. 敲詐勒索者;詐騙者 *vt*. 對…敲詐勒索;詐騙 *vi*. 敲詐勒索;詐騙錢財 **~ing** *n*. 詐騙活動.

raconteur /ˌrækɒn'tɜː(r)/ *n*. ①善於講故事的人;故事大王②健談者.

racoon /rə'kuːn/ *n*. 【動】浣熊;浣熊毛皮.

racy /'reɪsɪ/ *a*. ①充滿活力的;活潑的;精力充沛的②保持原有美味(或芳香)的;具特色的;新鮮的;純正的③辛辣的;尖鋭潑辣的④粗俗的;下流的⑤為競賽設計的;流綫型的⑥(動物)體長而瘦的⑦(體形)適於賽跑的.

rad /ræd/ *a*. [美俚]很好的.

radar /'reɪdɑː/ *n*. ①雷達;雷達設備;無綫電探測器;無綫電定位裝置②雷達技術 **~man** /'reɪdɑːmæn/ *n*. 雷達操縱員;雷達兵 **~scope** /'reɪdɑːskəʊp/ *n*. 雷達顯示器;雷達屏.

radial /'reɪdɪəl/ *a*. ①光綫的;射綫的②放射的;輻射狀的③半徑的;徑向的.

radiance /'reɪdɪəns/ *n*. ①發光;明亮;光輝燦爛②容光煥發;喜色③【物】輻射;輻射率 **radiant** /'reɪdɪənt/ *a*.

radiate /'reɪdɪeɪt/ *vi*. ①發光;照耀;放熱;發射電磁波②(光、熱等)輻射;發散;傳播③呈輻射狀發出;從中心發散④流露;顯示 *vt*. ①發射(光、熱等)②使呈輻射狀發出;使從中心發散③流露;顯示④播送;播放⑤使發光;照亮;照射 **radiation** /ˌreɪdɪ'eɪʃn/ *n*.

radiator /'reɪdɪeɪtə(r)/ *n*. ①輻射體;輻射器②暖氣裝置;散熱器③【無】發射天綫④(汽車的)水箱;冷却器.

radical /'rædɪkl/ *a*. ①基本的;根本的;徹底的②原本的;固有的③根治的;切除的④極端的;過激的⑤【數】根式的;根號的;【植】根生的;【化】基的;原子團的;【語】詞根的⑥[俚]頂刮刮的 *n*. ①根部;基礎;基本原理②極端分子;激進分子③【數】根式;根號;根基;【化】基;根;原子團;【語】詞根④(漢字的)偏旁;部首 **~ism** *n*. 激進主義 **~ly** *ad*. ①根本地;本質上;徹底地;完全地②極端地;激進地.

radicle /'rædɪkl/ *n*. ①【植】胚根;小根②【解】(神經、血管等的)小根;根狀部③【化】基;根;原子團.

radii /'reɪdɪaɪ/ radius 的複數.

radio /'reɪdɪəʊ/ *n*. (*pl*. **radios**) ①無綫電;射電;無綫電傳送(或廣播)②無綫電台;無綫電廣播台;無綫電廣播事業③收音機;無綫電設備 *vt*. ①向…發無綫電報(或電話)②用無綫電發送(或廣播) *vi*. 用無綫電通訊;用無綫電傳送;用無綫電廣播 ~ **communication** 無綫電通訊 **~-controlled** 無綫電操縱的 // ~ *frequency* 射頻;無綫電頻率 ~ *receiver* 無綫電接收機 ~ *set* 收音機;無綫電台 ~ *station* 無綫電台 ~ *telescope* 無綫電望遠鏡.

radio-[構詞成份]可表示"放射"、"輻射"、"鐳"、"X 射綫"、"光綫"等義.

radioactive /ˌreɪdɪəʊ'æktɪv/ *a*. 放射性的;放射引起的 **radioactivity** /ˌ-'tɪvətɪ/ *n*. 放射性;放射(現象).

radiocarbon /ˌreɪdɪəʊ'kɑːbən/ *n*. 【化】放射性碳;碳-14.

radiography/ˌreɪdɪ'ɒgrəfɪ/*n*. 射綫照相術.

radioisotope /ˌreɪdɪəʊ'aɪsətəʊp/ *n*. 放射性同位素.

radiology /ˌreɪdɪ'ɒlədʒɪ/ *n*. 輻射學;放射學 **radiologic(al)** /ˌreɪdɪəʊ'lɒdʒɪk(əl)/ *a*. **radiologist** *n*. 放射學家.

radiotherapy /ˌreɪdɪəʊ'θerəpɪ/ *n*. 放射療法 **radiotherapist** *n*. 放射療法專家.

radish /'rædɪʃ/ *n*. 蘿蔔;野生蘿蔔;(常作生菜食用的)小蘿蔔.

radium /'reɪdɪəm/ *n*. 【化】鐳 // ~ *therapy* 鐳射療法.

radius /'reɪdɪəs/ *n*. (*pl*. **radii** /'reɪdɪaɪ/ 或 **radiuses**) ①半徑②周圍;範圍③輻射狀部分;(車輪的)輻條④【解】橈骨.

radon /'reɪdɒn/ *n*. 【化】氡(一種惰氣).

RAF *abbr*. = Royal Air Force.

raffia /'ræfɪə/ *n*. 【紡】酒椰葉纖維.

raffish /'ræfɪʃ/ *a*. ①俗艷的;粗俗的;趣味低下的②(行為等)大膽脫俗的;落拓不羈的;放蕩的.

raffle /'ræfl/ *n*. ①(尤指為慈善目的舉辦的)對獎售物②垃圾;廢物 *vt*. 抽彩出售 *vi*. 參加(或舉辦)對獎售物活動.

raft /rɑːft/ *n*. ①木排;木筏②救生筏;浮台③[美俗]大量,許多 *vt*. ①用筏子運送;筏流(木材)②將…扎成筏子③乘筏子渡(河) *vi*. 乘筏;划筏;放筏.

rafter /'rɑːftə(r)/ *n*. ①椽;椽子②木材筏流工;扎筏人③乘筏人;放筏運動員.

rag[1] /ræg/ *n*. ①破布;碎布;抹布②用作造紙原料的破布料③(*pl*.)破舊衣服④小片布;小風帆⑤碎片;殘餘⑥[俗]報刊.

rag[2] /ræg/ *n*. [英]①玩笑②學生舉行的慈善募捐聯歡會 *vt*. 戲弄;拿某人取樂.

ragamuffin /'rægəˌmʌfɪn/ *n*. 衣衫襤褸的人(尤指流浪兒童).

rage /reɪdʒ/ *n*. ①憤怒;狂怒②(風浪、火勢等的)狂暴;凶猛;(疾病等的)猖獗③強烈的欲望;激情;狂熱④(the ~)風靡一時的事物;時尚.

ragged /'rægɪd/ *a*. ①破爛的;撕破的;衣衫襤褸的②不整潔的;蓬亂的③參差不齊的;凹凸不平的④刺耳的;粗嘎的⑤不完善的;不協調的;粗劣的 **~ly** *ad*. **~ness** *n*.

raglan /'ræglən/ *n*. 插肩袖,套袖;插肩袖大衣 *a*. 套式的;插肩式的;套袖的.

ragout /'rægu:; ræ'gu:/ *n*. 蔬菜炖肉片;五香雜燴.

raid /reɪd/ *n*. ①突然襲擊;侵襲②突入查抄;突入搜捕③(公款等的)侵吞;盜用④劫掠;劫奪;挖取 *vt*. ①襲擊;突入…查抄②侵吞③劫掠;攫取;劫奪;挖取 *vi*. 發動(突然)襲擊 **~er** *n*. ①襲擊者;侵入者;查抄警員;劫掠者②(進行襲擊的)艦艇;飛機.

rail /reɪl/ *n*. ①橫檔;欄杆;(挂物用的)橫欄②鐵軌(或路);鋼軌;軌道③(*pl*.)鐵路股票④[俚]鐵路職工 *vt*. ①給…裝橫檔;用欄杆圍②鋪鐵軌於…;給…鋪設軌道③[主英]由鐵路運送 *vi*. ①乘火車旅行②責罵;抱怨.

railing /'reɪlɪŋ/ *n*. ①欄杆②做欄杆用的材料③柵欄;籬垣④責罵;抱怨 *a*. 責罵的;抱怨的.

raiment /'reɪmənt/ *n*. (總稱)衣服;服裝;衣飾.

rain /reɪn/ *n*. ①雨;雨水;雨天②(the ~s)雨季;季節雨 *vi*. ①下雨;降雨②如雨般降下;大量降下;傾瀉 **~iness** /'reɪnɪnɪs/ *n*. 下雨;多雨 **~less** *a*. 無雨的;少雨的 **~lessness** *n*. 無雨;少雨 **~y** *a*. ①下雨的;多雨的②含雨的;帶雨的 **~band** *n*. 【氣】雨帶 **~belt** *n*. 【氣】雨帶;多雨地帶 **~coat** *n*. 雨衣 **~forest** *n*. (熱帶)雨林 // ~ *glass* 氣壓表,晴雨計 = barometer.

rainbow /'reɪnbəʊ/ *n*. ①彩虹;月虹;霧虹②五彩繽紛的排列;五花八門的聚合③幻想;虛無縹緲的希望 *a*. 彩虹的;五彩繽紛的 *v*. (使)呈彩虹狀 // ~ *coalition* 彩虹聯盟(由少數民族等結合勢力組成的政治聯盟).

raise /reɪz/ *vt*. ①舉起;把…往上提;使升高②豎起;扶直;建起③種植;喂養;養育④喚起;引起;激起;揚起⑤提出;發出;表露⑥招募;召集;徵集;籌集⑦鼓起(勇氣等);提高;增大;提

拔⑧使復活;使(鬼魂等)出現⑨使(麵糰、麵包等)醱酵;使發泡 *n*. ①提高;舉;升②[美口](工資、薪金的)提升,增加③高崗;高處.

raisin /'reɪzn/ *n*. 葡萄乾.

raison d'être/re'zʊŋ 'detrə/[法]*n*.(人或事物)存在的理由.

raj /rɑːdʒ/ *n*. [印地]統治;主權;(the R-)【史】(1858-1947)英國(對印度的)統治.

raja(h) /'rɑːdʒə/ *n*. [印地](印度等的)王公;首領.

rake[1]/reɪk/ *n*. ①(長柄)耙;摟耙;草耙;釘齒耙,耙機②耙狀物;錢耙;(火爐用的)火鈎③耙集;摟草;耙平;耙鬆④骨瘦如柴的人(或馬) *vt*. ①(用耙)耙(集);在…用耙清掃;耙平;耙鬆②大量搜集;匆匆搜羅③搔;抓;刮;擦過④搜遍;在…中徹底翻檢 *vi*. ①(用耙)耙②搜索;搜尋;翻檢;核查③刮過;擦過;削過.

rake[2]/reɪk/ *n*. ①斜度;傾角;傾斜部②【機】前刀面;前傾面③【礦】傾伏;斜脈④浪蕩子 *vi*. 傾斜;(船桅,烟囱)成傾角 *vt*. 使傾斜.

rakish /'reɪkɪʃ/ *a*. ①瀟灑的;漂亮的②(船)流綫型的;輕捷靈巧的③放蕩的;驕奢淫逸的;浪蕩子的.

rally /'rælɪ/ *vt*. ①重新集合;重整②召集;集合;團結③重新振作;恢復④使(股票價格等)止跌回升 *vi*. ①重新集合;重整②集合;團結;扶助;支持③(在精力、健康等方面)重新振作;恢復④(股票市場等)止跌回升;降後復漲 *n*. ①重新集合;重整②重新振作;復元③群衆集會;群衆大會;聯誼會;交誼會.

ram /ræm/ *n*. ①公羊②(the R-)【天】白羊星座③【機】衝頭;壓頭;各種撞擊機具④撞;錘;搗;夯 *vt*. ①夯實(土等);搗實;埋實②猛壓;用力推;硬塞;填;給(槍,炮)裝彈③猛撞;撞擊④反覆灌輸;迫使接受⑤高速駕駛 *vi*. ①夯;搗;撞擊②衝;闖;迅速移動;疾行.

RAM *abbr*. ①【計】隨機存取存儲器②Royal Academy of Music[英國]皇家音樂學院.

Ramadan/ˌræmə'dæn/*n*. 伊斯蘭教曆的九月;萊麥丹月;齋月.

ramble /'ræmbl/ *vi*. ①閑逛;漫遊;漫步②漫談;聊天;信筆寫③(小路;溪流等)蜿蜒伸展④(植物)蔓生;蔓延 *n*. ①閑逛;漫步②隨筆;信手寫的東西 **~r** *n*. 漫步者;漫談者;蔓生植物 **rambling** *a*. ①漫遊的;漫步的②(言辭、文字)散漫蕪雜的③蔓生的;蔓延的.

ramekin /'ræməkɪn/ *n*. (供一人食用的)小烤盤;一烤盤食品.

ramify /'ræmɪfaɪ/ *vi*. (植物)分枝;分支;成為枝岔狀 *vt*. (常用被動語態)使分枝;使成分支;使成枝岔狀 **ramification** /ˌræmɪfɪ'keɪʃn/ *n*. ①分枝;分支;枝狀物②分枝(分支)形成;分枝(分支)排列③衍生結果;派生影響.

ramp /ræmp/ *n*. ①斜面;斜坡;坡道②(飛機)活動舷梯;輕便梯;(船隻的)下水滑道;滑軌③停機坪④横衝直撞;暴跳⑤(紋章圖案中獅子等的)揚起前爪的躍立姿勢⑥詐騙;敲詐勒索 *vt*. 使(牆)成斜面;把…做成斜面 *vi*. ①(獅等)用後脚立起;躍立②作恫嚇的姿勢;横衝直撞;暴跳③敲詐勒索.

rampage /ræm'peɪdʒ/ *vi*. 横衝直撞;暴跳 /'ræmpeɪdʒ/ *n*. 横衝直撞;暴跳如雷 **rampageous** /ræm'peɪdʒəs/ *a*.

rampant /'ræmpənt/ *a*. ①(植物)蔓生的;繁茂的②狂暴的;不受管束的;猖獗的;極端的③(獅子等)用後脚立起的;躍立的 **~ly** *ad*.

rampart /'ræmpɑːt/ *n*. (城堡周圍的)防護牆;壁壘;防禦物;保護物 *vt*. 築壘圍住;防禦;保護.

ramrod /'ræmrɒd/ *n*. ①(前裝式槍的)送彈棍;輸彈機②(槍的)通條③死板的人;僵直的東西 *a*. 僵直的;死板的;不變通的;嚴厲的.

ramshackle /'ræmʃækl/ *a*. ①(房屋等)搖搖欲墜的;東倒西歪的②快要解體的.

ran /ræn/ run 的過去式.

ranch /rɑːntʃ/ *n*. ①(尤指美國、加拿大的)大牧場;飼養場;農場②牧場(或飼養場、農場的)員工和住戶 **~er** *n*. ①大牧場(或農場)主(或經理)②大牧場(或農場)工人③騎馬牛仔.

rancid /'rænsɪd/ *a*. ①(脂肪類食物)腐敗變質的;惡臭的②令人作嘔的;討厭的.

ranco(u)r /'ræŋkə(r)/ *n*. 深仇;積怨;敵意 **~ous** *a*.

rand/rænd/*n*. 蘭特(南非的貨幣單位, 1 蘭特 = 100cents).

random /'rændəm/ *n*. 任意行動;【計】隨機過程 *a*. ①胡亂的;任意的;任意選取的②不受管束的③隨機的 **~ly** *ad*. // *at* ~ 胡亂地;任意地.

rang /ræŋ/ ring 的過去式.

range /reɪndʒ/ *n*. ①排;行;一系列②山脉③級別;等級;階層;類別④(變化)幅度;(聽、視、活動、影響等的)範圍;知識面;領域⑤音域⑥射程;航程⑦靶場;發射場;生長區;狩獵區 *vt*. 排列;把…排成行 *vi*. ①(成行或成排)綿亘;延伸②漫遊;四處搜索③(在一定幅度或範圍内)變動;變化 **~r** *n*. ①護林官;護林員;國家公園管理員②[美](騎兵)巡邏隊員③漫遊者.

rank /ræŋk/ *n*. ①排;行;列;系列②【軍】行列;橫列;序列;隊形③社會地位;階級④高級地位;高貴;顯貴⑤軍階;官銜;學銜;職銜⑥等級;品類;流 *vt*. ①將…排成行;排列②把…分等;給…評定等級③級別高於 *vi*. 加入序列;列入④排成隊伍 *a*. ①繁茂的;長滿(雜草)的;(土壤)極度肥沃的②惡臭難聞的;腐爛的③粗鄙的;污穢的;極壞的 **rankly** *ad*.

rankle /'ræŋkl/ *vi*. ①(傷口等)激起疼痛;發痛②激起怨恨 *vt*. 使疼痛;使痛苦;使怨恨.

ransack /'rænsæk/ *vt*. ①徹底搜索;仔細搜查②搶劫;掠奪.

ransom /'rænsəm/ *n*. (釋放俘虜等的)贖金;贖身;贖救 *vt*. 贖;贖回;向…勒索贖金.

rant /rænt/ *v*. 大聲地說;誇張(強烈)地說;大聲責罵;痛罵.

rap /ræp/ *n*. ①叩擊(聲),敲擊(聲)②快板歌(由電子樂器伴奏的快節拍吟唱,亦稱 **rap music**)③急拍(聲);責罵;嚴厲批評 *vt*. ①叩擊;敲擊;急拍②突然說出;嚴厲批評.

rapacious /rəpeɪʃəs/ *a*. ①貪婪的②掠奪的;搶劫的 **~ly** *ad*. **~ness** *n*. **rapacity** /rə'pæsətɪ/ *n*. 強奪;貪婪;貪吃.

rape /reɪp/ *vt*. ①強姦②強奪③洗劫 *n*. ①強姦(案);強姦罪②強奪;洗劫③葡萄渣④油菜.

rapid /'ræpɪd/ *a*. ①快的;迅速的②陡的;險峻的③【攝】快速的 **~ly** *ad*. **~ness** *n*.

rapidity /rə'pɪdətɪ/ *n*. ①快速;快②

陡;險峻.

rapier /'reɪpɪə(r)/ *n*. (決鬥或劍術中用的)輕劍;雙刃長劍.

rapine /'ræpaɪn/ *n*. 搶劫;強奪.

rapport /ræ'pɔː(r)/ *n*. ①關係;聯繫;融洽關係②融洽;和諧.

rapprochement /ræ'prɒʃmɒŋ/ *n*. [法](尤指兩國間)友好關係的建立(或恢復);和睦;友好(狀態).

rapscallion /ræp'skæljən/ *n*. 流氓;無賴;惡棍.

rapt /ræpt/ *a*. ①着迷的;(神情)痴迷的;狂喜的②全神貫注的;出神的 **~ly** *ad*. **~ness** *n*.

rapture /'ræptʃə(r)/ *n*. ①着迷;痴迷②狂喜;喜愛若狂 **rapturous** /'ræptʃərəs/ *a*.

rare /reə(r)/ *a*. ①稀薄的;稀疏的;稀鬆的②稀有的;稀少的;難得的③稀罕的;稀奇的;杰出的④[口]非常好的;極有趣的;極度的⑤(肉)煎得嫩的;(蛋)半熟的 **~ly** *ad*. **~ness** *n*.

rarefy /'reərɪfaɪ/ *vt*. ①使稀薄;使稀疏②精煉;使純化 *vi*. ①變稀薄;變稀疏②變得精煉;變得純化 **rarefied** *a*. **rarefication** /ˌreərɪfɪ'keɪʃən/ *n*.

raring/'reərɪŋ/*a*.渴望的 ~ to go 巴不得馬上就開始.

rarity /'reərətɪ/ *n*. ①稀有;珍奇;優異②稀罕的東西;珍品;罕見的人.

rascal /'rɑːskəl/ *n*. ①流氓;無賴,惡棍②[謔]淘氣鬼;搗蛋鬼 **~ly** *a*. & *ad*.

rash /ræʃ/ *a*. ①魯莽的;輕率莽撞的;急躁的②倉促作出的;輕率說出的 *n*. ①疹;疹子②(短時期內)爆發的一連串(多指始料不及的壞事) **~ly** *ad*. 魯莽地;急躁地;倉促地 **~ness** *n*. 魯莽;急躁.

rasher /'ræʃə(r)/ *n*. 熏肉薄片.

rasp /rɑːsp/ *vi*. ①發出刺耳聲;發出擦刮聲②刺激 *vt*. ①用粗嘎嗓門說;厲聲說②用粗銼刀銼;粗銼;擦刮 *n*. ①刺耳聲(或感);擦刮聲②粗銼刀;木銼③[俚]刮臉.

raspberry /'rɑːzbrɪ/ *n*. ①【植】懸鈎子,覆盆子,樹莓;糙莓②(產漿果的)懸鈎子屬植物③[俚](表示輕蔑的)咂舌聲.

rat /ræt/ *n*. ①鼠;似鼠的嚙目動物②[口][喻]耗子;鼠輩;卑鄙小人;變節小人 *vi*. ①捕鼠②[口]做卑鄙壞事;變節;背叛③告發.

ratafia /ˌrætə'fɪə/ *n*. ①杏仁甜酒;果仁甜酒②杏仁味甜餅乾③(調味用)杏油精.

ratchet /'rætʃɪt/ *n*. 【機】棘輪(機構);棘爪.

rate /reɪt/ *n*. ①比率;率②速率;速度③費率;保險費率;運費率④價格;費用⑤等級;類別⑥計時工資⑦(常作 *pl*.)[英]不動產稅;地方稅⑧估計值 *vt*. ①對…估價;評價②給…定級;把…列為;把…看作;認為③定…的速率;定…的費率;定…的幣值④[口]值得;應得 *vi*. 被評價;被列入特定級別 **~able** *a*. 應徵地方稅的 // *at all* ~*s* 無論如何 *at an easy* ~ 廉價地;很容易地 *at any* ~ 無論如何;至少 *at that* ~ 那樣的話 *at this* ~這樣的話 ~ *with sb* 受某人好評.

rather /'rɑːðə(r)/ *ad*. ①寧可;寧願;最好②更確切些;更恰當③有幾分;有點兒④相當;頗⑤恰恰相反⑥/'rɑː'ðɜː(r)/ [英舊]當然;的確 // ~ … *than otherwise* 不是別的而是 ~ *too* 稍微…一點 *the* ~ *that* 何況;因為…所以更加.

ratify /'rætɪfaɪ/ *vt*. 正式批准;認可

ratification /ˌrætɪfɪ'keɪʃn/ *n*. 正式批准;簽署認可 **ratifier** *n*. 批准者;認可者.

rating /'reɪtɪŋ/ *n*. ①等級;品級;(陸、海軍的)士兵級別②[主英]水兵;普通海員③收聽率;收視率④評分;評定結果;測試得分⑤地位;聲譽.

ratio /'reɪʃɪəʊ/ *n*. ①比,比率;比例②金銀比價③【律】判决理由.

ratiocinate /ˌrætɪ'ɒsɪneɪt/ *vt*. 推理;推斷 **ratiocination** *n*.

ration /'ræʃn, 'ræʃən/ *n*. ①(食物等的)定量;定額②(*pl*.)口糧;食物③(常作 *pl*.)【軍】給養;(日需)口糧④一份配給物品⑤應得份額;必須的一份;足夠的一份 *vt*. ①配給供應;定量供應②對…實行配給;向…提供給養.

rational /'ræʃnəl/ *a*. ①理性的;推理的;基於理性的;合理的②神智健全的③【數】有理(數)的 **~ity** /ˌræʃə'nælətɪ/ *n*. **~ism** *n*. 理性主義;唯理論 **~ist** *n*. 理性主義者;唯理論者 **~ly** *ad*.

rationalize /'ræʃnəlaɪz/ *vt*. ①使合乎理性;使合理②合理地解釋;就…作自我辯解③[主英]對…作合理化改革④【數】給…消根;使有理化 *vi*. ①作自我辯解;文過飾非②作理性思考;按理性行事 **rationalization** /ˌ-'zaɪʃn/ *n*. 合理化.

rattan /rə'tæn/ *n*. ①【植】白藤;藤;白藤莖②藤條;藤杖.

rattle /'rætl/ *vt*. ①使發出格格聲②[俗]使緊張;使驚恐③急促地講;匆忙地做 *vi*. ①發出格格的聲響②嘎啦嘎啦地行進;嘎吱吱地顫動③喋喋不休 *n*. ①哐啷聲,嘎啦嘎啦聲②嘎嘎響的玩具等③響尾蛇的響環 **~r** *n*. [美、俗]響尾蛇 **~snake** *n*. 響尾蛇 **rattling** *a*. [舊、俗]快速的;輕快的 *ad*. 很;非常.

raucous /'rɔːkəs/ *a*. 嘶啞的;沙嗄的;粗聲的.

raunchy /'rɔːntʃɪ/ *a*. 下流的;粗俗的;淫穢的.

ravage /'rævɪdʒ/ *vt*. ①使荒蕪;毀壞②(軍隊等)搶劫,掠奪 *n*. ①大破壞,毀滅;蹂躪;劫掠②(*pl*.)破壞的痕迹;災害.

rave /reɪv/ *vi*. ①說胡話;痛罵②熱情地贊揚,極力誇獎③(風等)呼嘯;咆哮 *n*. ①[俗]熱情的贊美②(亦作~-up)[英、俗]喧鬧的聚會 **~r** *n*. [俗]放蕩不羈的人 **ravings** *pl*. *n*. 瘋話;狂言.

ravel /'rævl/ *vi*. ①(綫、纖維等)糾結在一起,纏在一起②(編織物)綻綫,散開;鬆散 *vt*. ①使(綫等)糾纏在一起②拆開;拆散 *n*. 錯綜;糾結之物.

raven /'reɪvn/ *n*.【動】渡鴉 *a*. (指毛髮)黑亮的;烏油油的.

ravening /'rævənɪŋ/ *a*. (尤指狼)急於覓食充饑的,餓紅了眼的.

ravenous /'rævənəs/ *a*. ①狼吞虎咽的②貪婪的;貪求的③餓極了的 **~ly** *ad*. **~ness** *n*.

ravine /rə'viːn/ *n*. 溝壑;深谷.

ravioli /ˌrævɪ'əʊlɪ/ (單複數同形) *n*. 意大利式小餛飩;小包子.

ravish /'rævɪʃ/ *vt*. ①(常用被動語態)使狂喜;使陶醉;使入迷②強奸 **~ment** *n*.

ravishing /'rævɪʃɪŋ/ *a*. 令人陶醉(或銷魂)的;迷人的 **~ly** *ad*.

raw /rɔː/ *a*. ①生的②未經加工(或製造)的;處於自然狀態的③(數據等)未經分析(或修正)的;第一手的④(作品等)未經潤飾的⑤生疏無知的;

無經驗的⑥(布邊等)毛的;未精縫的⑦光禿的;赤裸的⑧(天氣;空氣等)濕冷的 **~ly** *ad*. **~ness** *n*. **~-boned** *a*. 骨瘦如柴的 **~hide** *n*. 生(牛)皮;生牛皮鞭 // ~ *material* 原料 ~ *milk* 生牛乳 ~ *silk* 生絲 ~ *water* 原水;未經淨化的水 *in the* ~①處於自然狀態的;樸實自然的②裸體的 *touch sb on the* ~ 觸到某人的痛處.

ray /reɪ/ *n*. ①光綫;亮光;(常作 *pl*.)射綫;輻射綫②[喻]一絲微光;(智慧等的)閃光,閃現③【數】半直綫.

rayon /ˈreɪɒn/ *n*. 人造絲;人造纖維;人造絲織物 *a*. 人造絲的;人造纖維的.

raze, rase /reɪz/ *vt*. ①拆毀;夷平②刮去;擦去;抹掉;勾銷.

razor /ˈreɪzə(r)/ *n*. 剃刀;電動剃鬚刀 **~-blade** *n*. 剃刀片 **~-edge** *n*. 鮮明的界綫 **~-sharp** *a*. 非常鋒利的;極其敏銳的.

razzle-dazzle/ˈræzlˈdæzl/**razzmatazz**/ˈræzmətæz/*n*. ①騷動;歡鬧②大哄大嗡.

R.C., RC *abbr*. = ①Red Cross 紅十字②Roman Catholic 羅馬天主教的;羅馬天主教徒.

Rd. *abbr*. = Road.

re-[前綴]表示①"互相","回復","回報"②"又","再","重新"③"反復","反對","對立"④"在後","往後","退隱"⑤"(離)開","(放)掉","去","下"⑥"否定","非".

reach /riːtʃ/ *vt*. ①到達;抵達②伸出;伸手(臂、足、杆等)及到,夠得到;獲得③把…遞來④(炮火等)擊中;射及⑤與…建立聯繫⑥影響;打動 *vi*. ①達到;及到;延伸;傳到②合計③(肢體等)伸出;伸出去拿;努力爭取 *n*. ①(手、足等的)伸出;伸出的能力;伸出的距離②(智力;影響等的)所及範圍;理解力③區域;河段;(路程,過程的)一段.

reach-me-down /ˈriːtʃmiːˌdaʊn/ *a*. [英俚]現成的;用舊的 *n*. (常用 *pl*.)現成(或穿舊)的衣服;舊事物.

react /riːˈækt/ *vt*. ①重做;重演②使起(化學)反應;使發生相互作用 *vi*. ①作出反應;反應②影響;起作用③起化學作用;【物】反應④反動;朝反方向移動;起反作用⑤【軍】反攻;反擊 **~ion** *n*. 反動;反作用;反應 **~ionary** *a*. 反動的;反動派的 *n*. 反動分子.

reactive /rɪˈæktɪv/ *a*. ①易起化學反應的;化學性質活潑的;活性的;化學反應的②反作用的;反動的;電抗性的.

reactor /rɪˈæktə(r)/ *n*. ①核反應堆②起反應的人(或物)③電抗器.

read /riːd/ *v*. (過去式及過去分詞 **read** /red/)①讀;閱讀②朗讀;宣讀③讀懂;理解;解釋④讀到;獲悉⑤攻讀;學習⑥指示;顯示;標明⑦預卜;預言 *n*. 閱讀;讀物;一段閱讀時間 // ~*down* 從頭至尾細讀 ~*off* 迅速讀出(或讀完) ~ *out* 朗聲讀出;【計】讀出;宣佈開除 ~*over* 重讀(或再看)一遍;從頭至尾讀(或看)一遍 ~ *sb a lesson*(或 *lecture*)教訓某人;告誡某人 ~ *through* 從頭至尾讀(或看)一遍 ~ *untrue* (儀表、量具等)讀數不準確 ~ *up* (*on*) 研究;攻讀.

read /red/ read 的過去式和過去分詞 *a*. (常用以構成複合詞)書讀得很多的;有學問的;通達的.

readable /ˈriːdəbl/ *a*. ①易讀的;可讀的②易辯認的;清晰的 **~ness** *n*.

~**readably** *ad*.

readdress /ˌriːəˈdres/ *vt*. ①更改(郵件上的)姓名、地址②再對…講話;重新招呼③(~ oneself)使重新着手;使重新致力於.

reader /ˈriːdə(r)/ *n*. ①讀者②教科書;課本;選集③審稿人;校對人;文摘員④(水、電等的)抄表員;讀數員⑤朗讀者;廣播員;【宗】讀經師⑥[美國]閱卷助教;[英國]高級講師⑦釋疑者;解答者.

readily /ˈredɪlɪ/ *ad*. ①迅速地②容易地③樂意地.

readiness /ˈredɪnɪs/ *n*. ①準備就緒②迅速;敏捷③不費力;容易④願意;樂意.

reading /ˈriːdɪŋ/ *n*. ①讀;閱讀(能力)②朗讀;朗誦(會)③宣讀;(文件的)正式宣讀④讀物;文選⑤讀數;度數;指示數⑥闡釋;看法;評價 // ~ *lamp* 台燈 ~ *room* 閱覽室;(印刷所)校對室.

readjust /ˌriːəˈdʒʌst/ *vt*. 重新調節;使重新適應 *vi*. 重新調整;重新適應 ~**ment** *n*.

ready /ˈredɪ/ *a*. ①(用作表語)準備好的②(用作表語)思想有準備的;願意的③(用作表語)快要…的;易於…的④預先準備好的;手頭現成的⑤快的;立即的⑥靈敏的;靈便的 *ad*. ①預先準備好②迅速 *n*. ①射擊準備姿勢;準備就緒②[俚]現錢;現金 *vt*. 使準備好 ~**-made** *a*. 現成的,預先製成的 // *get* ~ (使)準備好 *make* ~ 準備好 *Ready all*! 【軍】各就各位! *Ready, present, fire*! 【軍】預備;瞄準,放!.

reaffirm /ˌriːəˈfɜːm/ *vt*. 再一次斷言;重申;再確認.

reagent /riːˈeɪdʒənt/ *n*. ①【化】試劑②反應物;反應力.

real /rɪəl/ *a*. ①真的;真正的;天然的②現實的;實際的③逼真的④認真的;誠摯的⑤講究實際的;實在的⑥【律】不動(產)的 *ad*. [主美口]很;真正地;確實地 *n*.(the ~) 真實;現實 ~**ly** *ad*. ~**ness** *n*.

realism /ˈrɪəlɪzəm/ *n*. ①現實(性);真實性②現實主義;寫實主義③唯實論;實在論.

realist /ˈrɪəlɪst/ *n*. ①現實主義者;現實主義作家②實在論者;唯實論者 ~**ic** /rɪəˈlɪstɪk/ *a*.

reality /rɪˈælətɪ/ *n*. ①真實;實在②現實;實際③真實感;逼真性.

realize /ˈrɪəlaɪz/ *vt*. ①實現;使變為事實②使(設計、構想)有形化;使有真實感③體會;認識;明白④把(證券等)變現金;變賣⑤獲得;賺取;售得 **realizable** *a*. 可實現的;可實行的 **realization** /ˌrɪəlaɪˈzeɪʃn/ *n*.

realm /relm/ *n*. ①王國;國度②國土;領土;③領域;範圍④界.

realtor /ˈrɪəltə(r)/ *n*. [美]房地產經紀人.

realty /ˈrɪəltɪ/ *n*. 【律】不動產;房地產.

ream /riːm/ *n*. ①令(紙張的計量單位,以前為 480 張,現為 500 或 516 張)②(*pl*.)[俗]大量.

reanimate /riːˈænɪmeɪt/ *vt*. ①使復活;使復蘇;救活②使重有活力;使重振精神③鼓舞;激勵.

reap /riːp/ *vt*. 收割(莊稼);收穫;獲得 *vi*. ①收割;收穫②遭到報應;得到報償.

reaping-hook /ˈriːpɪŋ-hʊk/ *n*. (= reaphook) 鐮刀 **reaping-machine** *n*. 收割機.

reappear /ˌriːəˈpɪə(r)/ *vi*. 再(出)現;

重新顯形.

ear /rɪə/ *n*. ①後部;後邊;背部②後方;【軍】後衛;後尾部隊③[口]臀部;屁股 *a*. ①後部的;後面的;背部的②後方的;【軍】後尾(部隊)的;殿後的 *vt*. ①撫養;培養②栽種;飼養③豎起;舉起;抬高④樹立;建造 *vi*. 高聳;(馬)用後腿站起 **~-admiral** *n*. 海軍少將 **~-guard** *n*. 【軍】後衛部隊.

earm /riːˈɑːm/ *vt*. ①重新以武器裝備;使(國家)重整軍備②改進…的裝備 *vi*. 重新武裝;重整軍隊 **~ament** *n*.

earrange /ˌriːəˈreɪndʒ/ *vt*. 重新整理;再分類;再安排;再佈置 **~ment** *n*.

earward /ˈrɪəwəd/ *a*. 近後部的;在後面的;向後面的 *n*. 後部;後面 **rearwards** *ad*.

eason /ˈriːzn/ *n*. ①理由;原因②理智;理性;判斷力;推理力③道理;情理;明智④【邏】理由;前提 *vi*. ①推論;推理;作邏輯思維②理喻;勸告 *vt*. ①推斷;分析②勸喻;說服③討論;論述 **~able** *a*. ①通情達理的②正當的;合理的;適當的③公平的;公道的④有理智的;明智的 **~ableness** *n*. **~ably** *ad*. **~ing** *n*. ①推理;評理②論證;論據 // *as ~ was* 根據情理 *beyond* (或 *out of*, *past*) *all ~* 毫無道理 *bring to ~* 使服理;使明事理 *by ~ of* 由於;因為 *by ~ that* 由於,因為 *for ~s best known to oneself* 出於唯有自己知道的原因 *in*(*all*) *~* 合情合理的;正當的 *~*(*s*) *of State* 國家利益的理由 *stand to ~* 合情理;是當然的.

eassemble /ˌriːəˈsembl/ *vt*. ①再集合;重新聚合②重新裝配 *vi*. 再集合;重新聚集 **reassembly** *n*. 重新集合;重新裝配.

reassert /ˌriːəˈsɜːt/ *vt*. 再斷言;重申;再堅持 **~ion** *n*.

reassume /ˌriːəˈsjuːm/ *vt*. 再假定;再假設;再擔任;再採用 **reassumption** /ˌriːəˈsʌmpʃən/ *n*.

reassure /ˌriːəˈʃɔː(r)/ *vt*. ①向…再保證;再安慰;使放心②[英]給…再保險 **reassurance** *n*.

rebate /ˈriːbeɪt; rɪˈbeɪt/ *n*. (作為減免或折扣的)部分退款;折扣 *vt*. ①退還(部分付款);向…退還部分付款②打…的折扣.

rebel /ˈrebl/ *n*. 反叛分子;造反者;反抗者 *a*. 反叛(者)的;反抗(者)的 /rɪˈbel/ *vi*. ①反叛;造反;武力反抗②反對;不服從;抗命③嫌惡;生反感;不接受.

rebellion /rɪˈbelɪən/ *n*. ①反叛;叛亂;造反②反對;反抗.

rebellious /rɪˈbelɪəs/ *a*. ①反叛的;造反的;公然蔑視的②難處理的;桀驁不馴的③(疾病)難治的 **~ly** *ad*. **~ness** *n*.

rebind /riːˈbaɪnd/ *vt*. (過去式及過去分詞 **rebound** /riːˈbaʊnd/) 重新捆綁;重新捆扎;重新裝訂 /ˈrɪːbaʊnd/ *n*. 重新裝訂的書;重裝本.

rebirth /ˌriːˈbɜːθ/ *n*. ①再生;重生;新生②【宗】轉世;輪生③復活;復興.

reborn /ˌriːˈbɔːn/ *a*. ①再生的;重生的;新生的②復活的;復興的.

rebound[1]/rɪˈbaʊnd/ rebind 的過去式及過去分詞.

rebound[2]/rɪˈbaʊnd/ *vi*. ①彈回, 跳回②產生事與願違的結果③重新振作④返回, 報應 /ˈriːbaʊnd/ *n*. ①彈回, 跳回;回復;回升②彈回的球;接彈回的球(主要指籃球)③回跳 // *on the ~*①彈回時②失望(沮喪)之際.

rebuff /rɪ'bʌf/ *n*. ①斷然拒絕;回絕;冷遇②制止;抵制 *vt*. ①斷然拒絕;回絕;冷落②制止;抵制.

rebuild /ri:'bɪld/ *vt*.(過去式及過去分詞 **rebuilt** /ri:'bɪlt/) ①重建;改建;重新組裝②重新組織;改造;使重新形成.

rebuke /rɪ'bju:k/ *vt*. ①指責;訓斥②使相形見絀;作為對…的鞭策③制止;遏制 *n*. 指責;訓斥.

rebus /'ri:bəs/ *n*. ①(猜字的)畫謎②(紋章上)代表人名的圖案.

rebut /rɪ'bʌt/ *vt*. ①【律】反駁;駁斥②揭露;揭穿③擊退;制止 **~tal** *n*. 反駁;反證.

recalcitrance /rɪ'kælsɪtrəns/ *n*. 拒不服從;頑抗;桀驁不馴 **recalcitrant** *a*.

recall /rɪ'kɔ:l/ *vt*. ①記得;回想起②提醒;使人想起③叫回;召回④使(思想、注意力)重新集中⑤收回;撤銷,罷免⑥使復蘇;使恢復 *n*. ①回想;回憶②叫回;召回③收回;撤銷;取消④【軍】歸隊號聲;【海】召回信號 **~able** *a*. ①可回憶的;記得起的②可召回的;可撤銷的.

recant /rɪ'kænt/ *vt*. (正式並公開地)撤回(聲明等);放棄(信仰、誓言、主張等) *vi*. ①(正式並公開地)撤回聲明;放棄信仰(或主張等)②公開認錯 **~ation** /ˌrɪkæn'teɪʃn/ *n*.

recap/'ri:kæp/*n*. = ricapitulation.

recapitulate /ˌri:kə'pɪtʃʊleɪt/ *v*. 扼要重述;概述;總結;概括 **recapitulation** *n*.

recapture /ˌri:'kæptʃə/ *vt*. ①再俘虜;再捕獲②奪回;重占;收復③使再現;重溫;重新經歷④[美](政府)依法徵收 *n*. ①再俘虜;再捕獲②奪回;收復③依法徵收④重獲物;奪回物;收復物.

recast /ˌri:'kɑ:st/ *vt*.(過去式及過去分詞 **recast**) ①重新澆鑄;改鑄;重新塑造②重訂(計劃等);改寫;重算③更換(演員);改變(角色) /'ri:kɑ:st/ *n*. ①重鑄(物);改鑄(物);重新塑造(物)②改寫;重做③重算;重計④更換演員.

recce/'rekɪ/ = recco *n*. [軍俚]偵察;搜索.

recede /rɪ'si:d/ *vi*. ①退;後退;遠去②變得渺茫;變得模糊;變得淡漠③向後傾斜;縮進;(男子)從前額向後開始脫髮④縮回;撤回;背離⑤減少;(價格等)降低;縮減.

receipt /rɪ'si:t/ *n*. ①收到;接到②發票;收據③收到物④(常作 *pl*.)收入;進款 *vt*. ①[主美]出具…的收據;承認收到②在…上注明收訖(貼Received)字樣 *vi*. [美]出具收據.

receivable /rɪ'si:vəbl/ *a*. ①可收到的;可接收的②(尤指法律上)可接受的;認可的③【會計】應收的 *n*. (**~s**)應收票據;應收款項.

receive /rɪ'si:v/ *vt*. ①收到;接到②得到;遭受;經受③被授予;被起名為④接受;採納⑤(同意)聽取;受理⑥接待;接見⑦容納;承接;承受 *vi*. ①收到;得到;接受②接見;會客③(無綫電、電視)接收 **~d** *a*. 被普遍接受的;公認的;標準的;普通的.

receiver /rɪ'si:və(r)/ *n*. ①收受者;接待者②聽筒;耳機③收音機;收報機;(電視)接收機;接收器④(液體)承受器;儲氣罐⑤(公用電話)硬幣投入口⑥【律】破產事務官;破產管理人.

recent /'ri:sənt/ *a*. 最近的;新近的;近代的 **~ly** *ad*.

receptacle /rɪ'septəkl/ *n*. ①容器;儲

藏器(所)②【植】花托;花床③(電源)插座.

reception /rɪ'sepʃn/ *n*. ①接待;迎接;歡迎②招待會;歡迎會③接受;容納④【無】接收;接收(保真)質量;接收情況⑤(旅館等的)接待處.

receptive /rɪ'septɪv/ *a*. ①能容納的;可以接受的②接受能力強的;能迅速接受的③願接受的;易接受的④【生理】接受的;感受的 **~ness, receptivity** /ˌriːsep'tɪvətɪ/ *n*.

recess /rɪ'ses/ *n*. ①暫停;休息②假期;課間休息;(法庭)休庭③(山脉、海岸、牆等)凹處;凹室;壁龕④(常作 *pl*.)深處;隱秘處;【解】隱窩 *vt*. ①把…放在凹室(或壁龕)内;把…設置在遠離處②使凹進去;使成凹室③使(會議、審判)暫停;宣佈…休會(或休庭) *vi*. ①[主美]暫停②休假③休會④休庭.

recession /rɪ'seʃən/ *n*. ①後退;撤回②凹處;縮進處;隱藏處③(經濟的)衰退;衰退期 **~ary** *a*. (經濟活動)疲軟的;可能造成疲軟的.

recessive /rɪ'sesɪv/ *a*. ①後退的;退回的;有倒退傾向的②【生】隱性的③(人)退隱的.

recharge /rɪ'tʃɑːdʒ/ *vt*. ①給(電池)重新充電②再裝(彈藥等).

recherché/rə'ʃeəʃeɪ/*a*. 矯揉造作的;太講究的;煞費苦心的.

recidivist /rɪ'sɪdɪvɪst/ *n*. 經常犯罪的人;慣犯.

recipe /'resɪpɪ/ *n*. ①【醫】處方(符號R)②烹飪法;食譜;(飲食等的)調製法③訣竅;方法;祕方.

recipient /rɪ'sɪpɪənt/ *n*. ①接受者;收受者②容器.

reciprocal /rɪ'sɪprəkəl/ *a*. ①相互的;有來有往的②互惠的;對等的③回報的;報答的;答謝的④【數】倒數的;互逆的.

reciprocate /rɪ'sɪprəkeɪt/ *vt*. ①回報;酬答,報答②互換;交換③使往復運動 *vi*. ①回報;報答;還禮②互給;互換③(機件)往復運動 **reciprocation** /rɪˌsɪprə'keɪʃn/ *n*.

reciprocity /ˌresɪ'prɒsətɪ/ *n*. ①相互關係;相互作用;相互依存;相互性②互換;互惠;對等.

recital /rɪ'saɪtəl/ *n*. ①背誦;朗誦②詳述;敘述;列舉③獨奏會;獨唱會;獨舞表演會.

recitation /ˌresɪ'teɪʃn/ *n*. ①背誦;朗誦②背誦的詩文③詳述;敘述;列舉④[美]背課文.

recite /rɪ'saɪt/ *vt*. ①背誦;朗誦②詳述;敘述③歷數;列舉④背出(記熟的課文);回答(記熟的課文中的問題) *vi*. ①背誦;朗誦②[美]背課文;回答老師提問.

reckless /'reklɪs/ *a*. 不顧慮的;不考慮後果(或危險)的;魯莽的;易衝動的 **~ly** *ad*. **~ness** *n*.

reckon /'rekən/ *vt*. ①計算;數②歷數③測算;測量④認為;把…看作(或算入)⑤估計;判斷 *vi*. ①計算;數②估計;判斷③[口]以為;認為④[口]指望;盼望 **~er** *n*. 計算器;計算表 // ~ *in* 把…計算(考慮)在内 ~ *up* 計算;結算;估計;品評 ~ *with* 向…結算;賠償;估計到;考慮到;處理;解決 ~ *without* 不考慮;忽略;未料到;盼望不要有.

reckoning /'rekənɪŋ/ *n*. ①計算;測算;估計②帳單;結帳③[喻]算帳;懲罰④(船或飛機等的)航迹推算;推算定位.

reclaim /rɪ'kleɪm/ *vt*. ①使改過;使改正;改造;感化②開墾;開拓③回收利

用;再生產④要求歸還, 收回 *n*. ①改造;感化②廢物回收利用;再生物品(尤指再生膠) **~able** *a*. 可開墾的;可改造的;可回收的.

reclamation /ˌrekləˈmeɪʃn/ *n*. ①開墾;開拓②改造;感化③廢物回收利用.

recline /rɪˈklaɪn/ *vi*. ①斜倚;靠;躺②依靠;依賴③(座椅)靠背可活動後仰 *vt*. 使斜倚;使躺下;使後仰.

recluse /rɪˈkluːs/ *n*. 隱士;隱居者;出家人.

recognition /ˌrekəgˈnɪʃn/ *n*. ①認出;識別②承認;確認③賞識;表彰④招呼;致意⑤發言准許;發言權.

recognize /ˈrekəgnaɪz/ *vt*. ①認出;識別②承認;確認③明白;認識到④准許…發言⑤招呼;向…致意⑥賞識;表彰⑦【律】使具結;使立保證書 *vi*. 【律】具結;立保證書 **recognizable** *a*. **recognizance** /rɪˈkɒgnɪzəns/ *n*. 具結;保證書;保證金.

recoil /rɪˈkɔɪl/ *vi*. ①彈回;跳回②退却;後退;畏縮③報應;回報 *n*. ①彈回;跳回;(槍炮等的)後座(力);【物】反衝②後退;畏縮.

recollect /ˌrekəˈlekt/ *vt*. ①回憶;追憶;記起②(~ oneself)使自己鎮定下來 *vi*. 回憶;記憶.

recolletion /ˌrekəˈlekʃn/ *n*. ①回憶;記憶(力)②(常作 *pl*.)回憶起的事物;往事;回憶錄.

recommend /ˌrekəˈmend/ *vt*. ①推薦;稱贊②勸告;建議③使成為可取;使受歡迎 **~able** *a*. 可推薦的;值得推薦的;可取的.

recommendation /ˌrekəmenˈdeɪʃn/ *n*. ①推薦;推薦信;口頭推薦②勸告;建議③優點;長處.

recompense /ˈrekəmpens/ *vt*. ①酬報;回報;懲罰②賠償;補償 *n*. 酬勞;報答;報酬;賠償;補償.

reconcile /ˈrekənsaɪl/ *vt*. ①使和解;使和好;把…爭取過來②調停;調解;調和;使符合③(常用被動語態或 ~ oneself)使順從(於);使安心(於)④【會計】調節;核對 **reconcilable** *a*.

reconcilliation /ˌrekənsɪlɪˈeɪʃn/ *n*. ①和解;修好②調停;調解③調和;一致④順從⑤【會計】調節.

recondite /ˈrekɒndaɪt/ *a*. ①深奥的;(文體)艱澀難懂的②鮮為人知的;無名的③隱祕的④研究冷門課題的.

recondition /ˌriːkənˈdɪʃn/ *vt*. ①修理;修復;修整②改革;改善;糾正.

reconnaissance /riˈkɒnɪsəns/ *n*. ①偵察②勘察;考察;草測③預先調查④偵察隊.

reconnoitre /ˌrekəˈnɒɪtə(r)/ *v*. 偵察;勘察;踏勘;察看 *n*. 偵察;踏勘.

reconsider /ˌriːkənˈsɪdə(r)/ *v*. 重新考慮 **~ation** *n*.

reconstruct /ˌriːkənˈstrʌkt/ *vt*. ①重建;改建;改組;重新構成②修復③(根據若干迹象)重新描述;使再現④使(脫水或濃縮食品)復原 **~ed** *a*. **~ion** *n*.

record /reˈkɔːd/ *vt*. ①記録;記載②登録;登記;提交…備案③將(聲音、圖像等)録下④自動記録;標明;標示⑤標志;顯示;表明 *vi*. 録音;録像;記録 /ˈrekɔːd/ *n*. ①記録;記載②履歷;歷史;成績③唱片;録製品④最高紀録;最佳成績;前科記録⑤案卷;檔案;審判記録;議事録 **~-breaker** *n*. 破記録者 **~-breaking** *a*. 破記録的 **~-holder** *n*. 記録保持者.

recorder /rɪˈkɔːdə(r)/ *n*. ①記録者;記録員;書記員;録音師;文檔員②記録裝置;記錄儀;磁帶録音機③[英

國]刑事法院法官④八孔長笛.

recording /rɪ'kɔ:dɪŋ/ *n*. ①記録;録製②唱片;録製品③録音;録像.

recount /rɪ'kaʊnt/ *vt*. ①重新計數;再清點②詳細敍述;説明 /'rɪ:kaʊnt/ *n*.

recoup /rɪ'ku:p/ *vt*. ①補償;彌補②償還;向…償付.

recourse /rɪ'kɔ:s/ *n*. ①依靠;依賴;求助②求助對象;(賴以得救的)手段、辦法③【律】追索權;求償權;償還請求.

recover /rɪ'kʌvə(r)/ *vt*. ①恢復;使復原;使康復②重新獲得;重新找到;再次發現③挽回;彌補;補償 *vi*. ①痊愈;康復;恢復原狀(或正常)②(擊劍、拳擊、游泳、划艇等比賽中)還原至防禦或預備姿勢③【律】勝訴;獲得有利判決 **~able** *a*. 可恢復的;可復原的;可痊愈的;可重獲的;可找回的;可補償的.

recovery /rɪ'kʌvərɪ/ *n*. ①恢復;康復;痊愈②追回;尋回;收復③【律】收回;重新獲得④提取;回收;再生;回收率⑤補償.

recreant /'rekrɪənt/ *a*. ①求饒的②怯懦的;缺乏勇氣的③不忠的;叛逆的;變節的 *n*. ①懦夫;膽小鬼②背叛者;變節者.

recreate[1]/'rekrɪeɪt/ *vt*. (消遣等)調劑…的身心;使恢復精力 *vi*. 消遣;娛樂;遊戲 **recreation** /ˌrekrɪ'eɪʃn/ *n*. **recreational** *a*.

recreate[2]/ˌri:krɪ'eɪt/ *vt*. 再創造;再創建;再創作;再現 **recreatable** *a*. **recreation** /ˌrɪ:krɪ'eɪʃn/ *n*.

recriminate /rɪ'krɪmɪneɪt/ *vi*. 反控;反訴 **recrimination** /rɪˌkrɪmɪ'neɪʃn/ *n*. **recriminatory** *a*.

recrudesce /ˌri:kru:'des/ *vi*. (病痛等)復發;(内亂等)再爆發 **~nce** /ˌri:kru:'desəns/ *n*. **~nt** *a*.

recruit /rɪ'kru:t/ *vt*. ①招募;徵募(新兵);招收;招聘;吸收(新成員)②補充(或加強)…的兵力;增加…的人數 *vi*. 招募新兵;招收新成員 *n*. ①新兵;[美]復員士兵②新手;新成員;新擁護者 **~ment** *n*.

rectangle /'rektæŋgl/ *n*. 長方形;矩形;長方形物.

rectangular /rek'tæŋgjʊlə/ *a*. ①長方形的;矩形的②有直角的;成直角的.

rectification /ˌrektɪfɪ'keɪʃn/ *n*. ①糾正;改正;矯正;校正②【化】精餾③【電】整流④【數】求長(法).

rectify /'rektɪfaɪ/ *vt*. ①糾正;改正;矯正;整頓;修復②調正;校正③【化】精餾④【電】整(流)⑤【數】求(曲綫等的)長度.

rectilinear /ˌrektɪ'lɪnɪə(r)/ *a*. =rectilineal ①直綫的;沿直綫的;形成直綫的②(透鏡)無畸變的;直綫性的.

rectitude /'rektɪtju:d/ *n*. ①操行端正;正直;純正②(判斷、方法、步驟等的)正確.

recto/'rektəʊ/ *n*. (書的)右邊的一頁.

rector /'rektə(r)/ *n*. ①(英、美聖公會的)教區長;(英國)教區首席教父②神學院院長;修道院院長③(某些學校、學院、大學的)校長;院長.

rectum /'rektəm/ *n*. (*pl*. **recta** /'rektə/或 **rectums**)【解】直腸.

recumbent /rɪ'kʌmbənt/ *a*. ①躺着的;斜靠的②休息的;不活動的③【植】横卧的;平卧的.

recuperate /rɪ'kju:pəreɪt/ *vi*. ①復原;恢復;休養②挽回損失 *vt*. ①使(健康;元氣等)恢復②挽回;復得;回收 **recuperation** /rɪˌku:pə'reɪʃn/ *n*. **recuperative** /rɪ'kʊpərətɪv/ *a*.

recur /rɪˈkɜː(r)/ *vi*. ①再發生;重新產生;反覆出現②再現;重新浮上心頭③(問題等)被重新提出;被反覆提及④(在談話、思考等時的)回歸;回想⑤【數】遞歸;循環 **~rence** /rɪˈkʌrəns/ *n*. **~rent** *a*. 一再發生的;復發的;周期性的 // *recurring decimal* 無限循環小數.

recusant /ˈrekjʊzənt/ *n*. ①不屈從權威或規章的人②[英]【史】不服從國教者.

recycle /riːˈsaɪkl/ *vt*. ①使再循環(指舊材料)②回收利用(廢物等);重新處理並利用 *n*. 再循環.

red /red/ *a*. ①紅色的;鮮紅的②(指眼睛)發紅的;充血的;發炎的③(指面孔)(由於羞愧、生氣而)通紅的④(指毛髮)紅褐色的;茶色的;薑黃色的⑤赤化的;赤色的;革命的;共產主義的 *n*. ①紅色②紅衣服③赤色分子④負債;虧損;赤字 **~-blooded** *a*. ①充滿活力的;有陽剛之氣的;有強烈性欲的②(小說等)情節緊張的 **~cap** *n*. [主美](機場或車站的)搬運工,紅帽子;[英]憲兵 **red-carpet** *a*. 隆重的;上賓待遇的 **~-eye** *n*. 深夜班機 **~-handed** *a*. 正在作案的;雙手沾滿鮮血的;殘忍的 **~ tape** *n*. 官樣文章;官僚習氣 **~-wood** *n*. 紅杉 // *Red Cross* 紅十字會.

redden /ˈredn/ *vt*. 使變紅;染紅 *vi*. 變紅;臉紅.

reddish /ˈredɪʃ/ *a*. 帶紅色的;微紅的.

reddle /ˈredl/ *n*. 【礦】代赭石;紅鐵礦;土赤鐵礦.

redeem /rɪˈdiːm/ *vt*. ①贖回(抵押或抵押品);買回②償還;付清③將(紙幣)兌換硬幣(或金塊、銀塊);將(股票、債券)兌取現金④履行⑤彌補;抵銷⑥解救;使擺脫⑦維護.

redeemable /rɪˈdiːməbl/ *a*. ①可贖回的②可償還的③可兌現的;可兌換現金的④能改善的;能挽救的;能改過自新的.

redeemer /rɪˈdiːmə(r)/ *n*. ①贖主;贖買者②償還者;補償者③(諾言等的)履行者;踐約人④挽救者;救星;(the R-)救世主,耶穌基督.

redemption /rɪˈdempʃn/ *n*. ①贖回;買回②償還;清償③兌換硬幣④(義務等的)履行;實踐⑤挽救;改造 **redemptive** *a*.

redeploy /ˌriːdɪˈplɔɪ/ *vt*. 調遣;調配;重新部署.

redevelop /ˌriːdɪˈveləp/ *vt*. ①重新規劃(開發);重建②重新發展.

redirect /ˌriːdɪˈrekt/ *vt*. ①使改變方向;使改變路綫②更改(信件上的)地址.

redo /ˌriːˈduː/ *vt*. (**redid** /ˌriːˈdɪd/; **redone** /ˌriːˈdʌn/) ①重做;重寫;重演②重新裝飾;重新油漆(或粉刷).

redolent /ˈredəulənt/ *a*. ①香的;芬芳的②有(或散發出)強烈氣味的③使人聯想起…的;充滿…氣氛的.

redouble /riːˈdʌbl/ *vt*. ①使再加倍;進一步加強②使翻兩番 *vi*. ①再加倍;倍增;進一步加強②翻兩番;增加至四倍.

redoubt /rɪˈdaʊt/ *n*. ①棱堡;多面堡②防禦工事③安全藏身處;[喻]據點;堡壘.

redoubtable /rɪˈdaʊtəbl/ *a*. ①可怕的;厲害的;難對付的②令人敬畏的;可敬的.

redound /rɪˈdaʊnd/ *vi*. ①起作用;有助於②增加(利益、信譽、恥辱等)③回報;報應.

redress /rɪˈdres/ *vt*. ①糾正;矯正;平反;洗雪;革除②補償;補救③賠償

(損失)④恢復(平衡);使平衡 *n*. ①糾正;矯正;調節②平反;洗雪;革除③補償;補救.

reduce /rɪ'djuːs/ *vt*. ①減少;縮小;裁減②削減…的價格;降低;減輕③把…降級;使淪落④使(視力、聽力等)衰退;使變瘦弱⑤迫使;約束;限制⑥歸納;簡化⑦把…分解⑧【化】使還原;【醫】使…復位;使…恢復原狀⑨換算;【數】約化;簡化 *vi*. ①減少;縮小;降低②(節食)減輕體重;減肥③換算;折合 **reducible** *a*.

reduction /rɪ'dʌkʃn/ *n*. ①減少(量);削減(數);裁減(數)②縮小;縮圖③下降;降低;降級④轉換;變化⑤歸納;總結;簡化⑥濃縮;變稠⑦稀釋⑧換算;折合;【數】簡化;約化⑨還原⑩復位(術).

redundance, **redundancy** /rɪ'dʌndəns; -dənsɪ/ *n*. ①多餘(量);剩餘(量)②累贅;冗長;贅詞③[主英]裁員;被解僱的工人④【腦】【機】重複;冗餘 **redundant** *a*.

reduplicate /rɪ'djuːplɪkeɪt/ *vt*. ①使加倍;重複②複製③【語】重叠;用重叠法構詞 **reduplication** *n*.

reecho /rɪ'ekəʊ/ *vi*. 反覆回響;回蕩 *n*. 回聲之回響.

reed /riːd/ *n*. ①蘆葦;蘆叢②蘆杆③蘆笛;牧笛④【樂】簧舌,簧片.

reeducate /riː'edʒʊkeɪt/ *vt*. 再教育;重新教育 **reeducation** *n*.

reedy /'riːdɪ/ *a*. ①多蘆葦的;蘆葦叢生的②(指聲音)又高又尖的;刺耳的 **reediness** *n*. 刺耳的聲音;又高又尖的聲音.

reef[1]/riːf/ *n*. 礁;暗礁.

reef[2]/riːf/ *n*. (帆船上的)縮帆部;叠帆部 *vt*. 收帆;縮帆 **~-knot** *n*. 平結;方結;縮帆結.

reefer /'riːfə/ *n*. ①對襟短上衣②[俚]大麻烟捲③[美][口]冰箱;冷藏室;冷藏車④縮帆人.

reek /riːk/ *n*. ①濃烈的臭味②臭氣;臭烟味③[蘇格蘭]濃烟 *v*. ①有臭味;發出臭味②有某種可疑或可厭的味道③冒出濃烟;冒氣.

reel[1]/riːl/ *n*. ①捲軸;捲筒;絞車;(釣杆上的)繞綫輪②【紡】筒管;綫軸③(電影膠片、磁帶等)卷盤;(綫等的)捲④搖紗機;手紡車 *vt*. ①捲,繞②(從捲軸等上)放出;抽出③滔滔不絕地講或背誦.

reel[2]/riːl/ *vi*. ①站立不穩;打趔趄;受到震撼②踉蹌;跌跌撞撞③搖動;搖晃;動搖④旋轉;回旋;眩暈;似在旋轉.

reel[3]/riːl/ *n*. (蘇格蘭)里爾舞(曲);(美國)弗吉尼亞舞(曲) *vi*. 跳里爾舞;跳弗吉尼亞舞.

reenforce /ˌriːɪn'fɔːs/ *vt*. *vi*. & *n*. = reinforce.

reenter /ˌriː'entə(r)/ *vt*. ①再進入;重返②重新加入(團體、政黨等)③重新登(記)入 *vi*. ①重新入內;重新登場;重返;再入②重新報名 **reentry** *n*.

reestablish /ˌriːɪ'stæblɪʃ/ *vt*. 重建;恢復;另建;重新安置 **~ment** *n*.

reeve /riːv/ *n*. [英]【史】城鎮(或地區)長官;地方官;[加拿大]鄉鎮議會的議長;地方執行官.

reexamine /ˌriːɪg'zæmɪn/ *vt*. ①再檢查;重新審查②再考;對…進行復試 **reexamination** *n*.

reexport /ˌriːeks'pɔːt/ *vt*. 把…再輸出 /ˌriː'ekspɔːt/ *n*. 再輸出;再出口;再出口商品.

ref /ref/ *n*., *vt*. & *vi*. = referee.

refectory /rɪ'fektərɪ/ *n*. (修道院、學

校等的)食堂;餐廳 // ~ *table* 長餐桌.

refer /rɪ'fɜː(r)/ *vt*. ①引…去參考(或查詢);指點②叫…求助於;使向…請教③提交…仲裁(或處理)④把…歸因於;認為…屬於;認為…起源於 *vi*. ①談到;提到;涉及;有關②查閱;參考;查詢③指稱,適用(to) **~able** *a*. 可歸因於…的;與…有關的.

referee /ˌrefə'riː/ *n*. ①(球類等體育運動的)裁判(員);主裁判②仲裁人;調停人③證明人;介紹人;推薦人④審閱人;專家⑤【律】鑒定人 *vt*. ①為…擔任裁判;仲裁;調停②審閱;鑒定 *vi*. ①擔任裁判;仲裁;調停②審閱;鑒定.

reference /'refrəns/ *n*. ①參照;參考;查閱②引文(出處);參考文獻;參考書③參考符號(如星號、劍號等)④提交(仲裁);委託處理;委託權限⑤提到;涉及;關係;關聯⑥證明文件;介紹信;推薦信;證明人;推薦人;介紹人 // ~ *book* 參考工具書(如詞典、百科全書等) ~*library* 參考書閱覽室(不供外借) ~ *marks* 參照符號,參照標記(如星號等) ~ *room* = ~ library.

referendum /ˌrefə'rendəm/ *n*. (*pl*. **referendums** 或 **-da** /-də/) ①公民投票(權);公民所投的票②復決投票;復決權③(外交使節致本國政府的)請示書.

refill /ˌriː'fɪl/ *vt*. 再裝滿;重新注滿;再填滿 *n*. ①再裝填物(及其容器)②置換物;替換筆芯.

refine /rɪ'faɪn/ *vt*. ①提煉;精煉;精製②提去;煉去③淨化;減少[喻]使升華④使…的道德完善,使優美;使文雅 *vi*. ①被提煉;被提純;被淨化②變得優雅精美 **~ment** *n*. **~r** *n*. 精煉者;精煉商;精煉機 **~ry** *n*. 提煉廠;精煉廠;精製廠.

refined /rɪ'faɪnd/ *a*. ①精煉的;精製的②優雅的;高雅的;有教養的;過份考究的③精妙的;精細的.

refit /rɪ'fɪt/ *v*. (船等)改裝;修整 /'riːfɪt/ *n*.

reflate /ˌriː'fleɪt/ *vt*. 使(通貨)再膨脹 *vi*. (通貨緊縮後)採取通貨再膨脹政策 **reflation** *n*. 通貨再膨脹.

reflect /rɪ'flekt/ *vt*. ①反射(光、熱、聲音等)②照出;映出;反映;表現③帶來;招致④深思;考慮;想到;反省 *vi*. ①(光等)被反射;發出反射②映現;照出影像③深思;考慮;反省④招致非議;帶來恥辱;帶來影響 **~ible** /rɪ'flektəbl/ *a*. 可反射的;可映出的 **~ive** *a*. ①沉思的②反射的;反光的 **~or** *n*. 反射器(鏡);反射物;反射器;反光罩;反射式望遠鏡;反映者;反映物.

reflection; reflexion /rɪ'flekʃn/ *n*. ①反射;反映;反照;反射光(熱等)②映象;倒映;(言行、思想等)酷似的人(或物)③思考;沉思;反省④見解;想法.

reflex /'riːfleks/ *n*. ①【生】反射,反射作用②(對刺激的)本能反應;習慣性思維(或行為)方式③(光、熱等的)反射;反射光(熱) *a*. ①反射(作用)的;反射(性)的;本能反映的;反應敏捷的②(光、熱等)反射的.

reflexive /rɪ'fleksɪv/ *a*. ①【語】反身的②反射的;能反射的;能折回的③(本能)反應的 *n*.反身代詞;反身動詞.

reflexology/ˌriːflek'sɒlədʒɪ/*n*.(足部按摩的)反射療法.

reflux /'riːflʌks/ *n*. 倒流;逆流;回流;退潮 *vt*. 使回流.

reforest /ˌriː'fɒrɪst/ *v*. 重新植樹(造

林).

reform[1]/rɪ'fɔːm/ *vt*. ①改革;革新;改良②革除(弊端、陋習等);改造③[主美]修訂(法律) *vi*. 改正;改過自新 *n*. ①(政治、社會等方面的)改革;改良;改過;自新②(弊病、陋習等的)革除;廢除③[主美]法律的修訂 **~atory** *n*. 少年感化院.

reform[2]/'riː'fɔːm/ *vt*. 重新形成;重新塑造 *vi*. 重新形成;重新組成;重新編隊.

reformation /ˌrefə'meɪʃn/ *n*. ①改革;改良;革新②改過自新③重新形成;重新組成.

reformer /rɪ'fɔːmə(r)/ *n*. 改革者;革新者;改良者.

reformism /rɪ'fɔːmɪzəm/ *n*. 改良主義.

reformist /rɪ'fɔːmɪst/ *n*. 改良主義者 *a*. 改良主義的;改革者的;改革運動的.

refract /rɪ'frækt/ *vt*. ①使折射②測定(眼睛、透鏡)的屈光度 **~ion** *n*. **~ive** *a*.

refractor /rɪ'fræktə(r)/ *n*. 折射器;折射物體;折射望遠鏡.

refractory /rɪ'fræktərɪ/ *a*. ①倔強的;難駕馭的②(疾病)難治的;頑固的③耐火的;耐高溫的;難熔(煉)的.

refrain /rɪ'freɪn/ *vi*. 忍住;節制;自制以避免 *n*. ①疊句②疊歌;副歌③疊歌樂曲④一再重複的話(或聲音).

refrangible /rɪ'frændʒɪbl/ *a*. 【物】可折射的;屈折(性)的.

refresh /rɪ'freʃ/ *vt*. ①使清新;使清涼②使變得新鮮③使精神恢復;使精神振作④使更新;使得到補充;使恢復 **~ing** *a*.

refresher /rɪ'freʃə(r)/ *n*. ①提神物;[口]提神清涼飲料②使恢復記憶的事物③復習(進修)課程.

refreshment /rɪ'freʃmənt/ *n*. ①(精神或身體上的)活力恢復;爽快②(食品、休息等)起提神作用的事物③(~s)茶點;點心;飲料.

refrigerant /rɪ'frɪdʒərənt/ *n*. ①致冷劑;冷凍劑;致冷物質②清涼劑;退熱藥 *a*. ①致冷的;冷却的②使清涼的;退熱的;解熱的.

refrigerate /rɪ'frɪdʒəreɪt/ *vt*. 使冷却;使保持清涼;冷藏 **~ed** *a*. 冷藏的,有冷藏設備的 **refrigeration** /rɪˌfrɪdʒə'reɪʃn/ *n*.

refrigerator /rɪ'frɪdʒəreɪtə(r)/ *n*. 電冰箱;雪櫃;冷藏室;冷凍庫.

refuel /riː'fjuːəl/ *v*. (給飛機、汽車等)加油.

refuge /'refjuːdʒ/ *n*. ①避難;庇護;躲避②收容所;避難所;庇護所③庇護人④[英](街道中央的)避車島;安全島.

refugee /ˌrefjʊ'dʒiː/ *n*. 避難人;流亡者;難民.

refulgent /rɪ'fʌldʒənt/ *a*. 光輝的;燦爛的 **refulgence** *n*.

refund /rɪ'fʌnd/ *vt*. 退還;付還;償還 *n*. ①退還;償還②退款;償還金額.

refurbish /ˌriː'fɜːbɪʃ/ *vt*. ①重新磨光;重新擦亮②整修;把…翻新;刷新 **~ment** *n*.

refurnish /ˌriː'fɜːnɪʃ/ *vt*. ①再供給;重新裝備②給…添置新傢具(或新設備).

refusal /rɪ'fjuːzl/ *n*. ①拒絕;回絕②優先購買權;優先取捨權.

refuse /rɪ'fjuːs/ *vt*. ①拒絕;回絕;拒絕接受;拒絕服從②拒絕給予;不肯;不願③(馬)不肯躍過 *vi*. ①拒絕;不接受;不允;不同意②(馬)不肯跳越 /'refjuːs/ *n*. 廢物;廢料;垃圾;渣

滓.

refutation /ˌrefjuːˈteɪʃn/ *n*. ①駁斥;反駁②可供反駁用的證據.

refute /rɪˈfjuːt/ *vt*. 駁斥;反駁;駁倒;辯駁 **refutable** /ˈrefjutəbl/ *a*. 可駁斥的;可駁倒的.

regain /rɪˈgeɪn/ *vt*. ①取回;領回;收回;收復;恢復②返回;回到.

regal /ˈriːgl/ *a*. ①國王的;帝王的;帝后的;王室的②適合帝王身份的;帝王似的③莊嚴的;威嚴的;豪華的 ~**ly** *ad*.

regale /rɪˈgeɪl/ *vt*. ①宴請;款待②使喜悅;使樂不可支.

regalia /rɪˈgeɪlɪə/ *pl*. *n*. (有時用作單數)①王權;君主特權②王位(或王權)標誌③(表明官階等的)禮服;徽章;標記④盛裝;華服⑤上等大雪茄烟.

regard /rɪˈgɑːd/ *vt*. ①看待;把…看作;認為②敬愛;尊敬;尊重;器重③(常用於否定句)注意;聽從④考慮;思考⑤注視;打量;凝視⑥與…有關;涉及 *n*. ①敬愛;尊敬;尊重,器重②(*pl*.)問候;致意③關係;方面④注重;注意;考慮;關心⑤注視;凝視⑥緣由;原委 // *as* ~*s* 關於;就…而論;在…方面 *in* ~ *to*(或 *of*) 關於;至於;就…而論;在…方面 *with* ~ *to* = *in* ~ *to* 關於,至於 *without* ~ *to* 不考慮;不顧到.

regarding /rɪˈgɑːdɪŋ/ *prep*. 關於;至於;就…而論;在…方面.

regardless /rɪˈgɑːdlɪs/ *a*. 毫不在意的;毫不顧及的 *ad*. [口]不顧後果地;不管怎樣;無論如何 // ~ *of* 不顧,不管.

regatta /rɪˈgætə/ *n*. ①(源出意大利威尼斯的)鳳尾船比賽②帆船比賽;賽船大會.

regency /ˈriːdʒənsɪ/ *n*. ①攝政;攝政職位;攝政權②攝政團;攝政政府③(the R-)[英]【史】攝政時期 *a*. 攝政的; [R-](英國或法國)攝政時期的.

regenerate /rɪˈdʒenəret/ *vt*. ①使恢復;使新生出②使(在精神上)重生;新生;(道德上)使提高③革新;重建;復興 *vi*. ①恢復;復興②再生;被重新生長物所取代③(精神上)重生;獲得新生 *a*. 恢復的;(精神上)重生的;新生的;再生的;經革新的.

regeneration /rɪˌdʒenəˈreɪʃn/ *n*. 新生;再生;更新.

regent /ˈriːdʒənt/ *n*. ①攝政者;攝政王②[美](州立大學的)校務委員;(董事會)董事 *a*. (用在名詞後)攝政的.

reggae/ˈregeɪ/*n*. 雷蓋(起源於牙買加的民間音樂,後與搖滾樂等相結合;雷蓋配樂歌曲).

regicide /ˈredʒɪsaɪd/ *n*. 弒君;弒君者.

regime /reɪˈʒiːm; ˈreʒiːm/ *n*. ①政治制度;政體;政權②管理制度;體制;體系③統治時期④養生法;攝生法.

regimen /ˈredʒɪmən/ *n*. 攝生法;養生之道.

regiment /ˈredʒɪmənt/ *n*. ①【軍】團②(一)大批;(一)大群;大量 /ˈredʒɪment/ *vt*. ①【軍】把…編成團;把…編成組②嚴密地組織;管轄.

regimental /ˌredʒɪˈmentl/ *a*. 【軍】團的 *n*. (*pl*.)①團隊制服②軍裝.

regimentation /ˌredʒɪmenˈteɪʃn/ *n*. ①【軍】編團;團隊編成②標準化;系統化.

region /ˈriːdʒən/ *n*. ①地區;地帶;區域②行政區③(身體的)部位④領域;界;範圍;幅度⑤(大氣;海水等的)層 ~**al** /ˈriːdʒənl/ *a*. // *in the* ~ *of* 在…左右;接近.

register /ˈredʒɪstə(r)/ *n*. ①登記;記録;註冊;(郵件等的)掛號②登記簿;註冊簿;掛號簿;名單③自動記録器;計數器;【計】寄存器④【音】音區;聲區⑤【語】語域(特定範圍内使用的詞彙、語法範疇) *vt*. ①登記;註冊;[喻]記住②(儀表等)指示;自動記録③把(郵件)掛號;把(行李)托運④(面容等)流露;顯出⑤表示;表達 *vi*. ①登記;註冊;掛號②【印】套準;對齊 **~ed** *a*. ①已登記的;已註冊的;已掛號的②牢記心上的.

registrar /ˌredʒɪˈstrɑː(r)/ *n*. ①登記員;戶籍員;掛號員②(學校的)教務主任;註冊主任③[英]專科住院醫生.

registration /ˌredʒɪˈstreɪʃn/ *n*. ①登記;註冊;掛號②登記項目;記録事項③登記(或註冊、掛號)人數④登記(或註冊)證 // ~ *number* 汽車登記號碼.

registry /ˈredʒɪstrɪ/ *n*. ①登記處;註冊處;掛號處②登記簿;註冊簿;掛號簿③船籍(登記).

regius /ˈriːdʒɪəs/ *a*. [英]皇家的;欽定的.

regnant /ˈregnənt/ *a*. ①(常置於所修飾名詞之後)在位的;統治的②強大的;占優勢的;占支配地位的③流行的;普遍的.

regress /rɪˈgres/ *vi*. ①退回;回歸②後退;倒退;退化③【心】回歸;倒退④【天】退行 **~ion** /rɪˈgreʃn/ *n*. **~ive** *a*.

regret /rɪˈgret/ *vt*. ①因…懊悔;因…後悔;因…而遺憾②痛惜;惋惜;惆悵③為…抱歉 *vi*. 感到懊悔;感到遺憾;感到惋惜 *n*. ①懊悔;遺憾②痛惜;惋惜;惆悵;失望③道歉;歉意 **~ful** *a*. **~fully** *ad*. **~table** *a*. 可惜的,令人遺憾的.

regular /ˈregjulə(r)/ *a*. ①固定的;有規律的②整齊的;匀稱的;有系統的③【數】等邊(或等角、等面)的;正則的④定期的⑤經常的;習慣性的;[美]普通的⑥正式的;正規的⑦徹底的,完全的⑧【軍】常備軍的;由常備軍組成的⑨【語】按規則變化的 *n*. ①[口]常客;經常投稿人②正式成員;固定成員③【軍】正規兵;常備兵④主力隊員;正式隊員 **~ly** *ad*. **~ity** /ˌ-ˈlærətɪ/ *n*.

regularize /ˈregjuləraɪz/ *vt*. ①使有規律;使規律化;使成系統;使條理化②使符合法律;使合法化;使符合規範 **regularization** /ˌ-ˈzeɪʃn/ *n*.

regulate /ˈregjuleɪt/ *vt*. ①管理;指揮;控制;為…製訂規章②校準;對準;調整;調節③整治;調理④使規則化;使規律化;使條理化 **regulation** *n*. **regulator** *n*. ①管理者;校準者②調節器;調節閥;校準器③標準時鐘 **regulatory** /ˈregjulətəri/ *n*.

regurgitate /rɪˈgɜːdʒɪteɪt/ *vi*. ①(液體;氣體等)回流;回涌②反胃;【動】反芻③(感情等)重新泛起 *vt*. ①使回流;使回涌;(因反胃等)吐出②機械刻板地重複 **regurgitation** /rɪˌgɜːdʒɪˈteɪʃn/ *n*.

rehabilitate /ˌriːəˈbɪlɪteɪt/ *vt*. ①修復;把…翻新;復興②平反;恢復…的職位(或權利、財產、名譽等)③使(身體)康復;使(殘廢者等)恢復正常生活 **rehabilitation** /ˌriːəˌbɪlɪˈteɪʃn/ *n*.

rehash /ˌriːˈhæʃ/ *vt*. ①重複談論;重複②將(舊材料等)略加修改後再予發表(或使用) *n*. 一味的重複;(舊作品的)改作;改寫品;故事新編.

rehearse /rɪhɜːs/ *vt*. ①排練;排演;練習;演習②訓練;使熟練掌握③敍述;

詳述;反覆講④高聲朗讀 *vi*. 參加排練(或排演、練習、演習) **rehearsal** /-əl/ *n*.

rehouse/ˌriːˈhaʊz/ *v*. 給…提供新住房.

reign /reɪn/ *n*. ①(君主的)統治②(君主的)統治時期;在位期 *vi*. ①為王;當國家元首;統治②當主管;主宰;起支配作用③盛行;流行.

reimburse /ˌriːɪmˈbɜːs/ *vt*. 償還;付還(款項);賠償;補償 **~ment** *n*.

rein /reɪn/ *n*. ①(常用 *pl*.)(駕馭馬的)繮繩;(一端縛住幼兒身體另一端由成人牽執的)安全繩套②控制;管束③(*pl*.)控制權;支配權;控制手段;支配手段 *vt*. ①用繮繩勒住;勒(馬等)轉向②駕馭;控制;約束③給…配繮繩.

reincarnate /riːˈɪnkɑːneɪt/ *vt*. (常用被動語態)賦予(靈魂)以新形體;使轉世化身;使重新體現 /ˌriːɪnˈkɑːnɪt/ *a*. **reincarnation** /ˌriːɪnkɑːˈneɪʃn/ *n*.

reindeer /ˈreɪndɪə(r)/ (單複數同形) *n*.【動】馴鹿.

reinforce /ˌriːɪnˈfɔːs/ *vt*. ①增援;增強;加強②補充;充實;增進③加固;強化;使更有力;進一步證實 **~ment** *n*. // *~d concrete* 鋼筋混凝土.

reinstate /ˌriːɪnˈsteɪt/ *vt*. ①使恢復原職;使復得原有權利②使恢復原狀 **~ment** *n*.

reinsure /ˌriːɪnˈʃʊə(r)/ *vt*. ①給…再保險;分保;轉保②[美]再次保證;重新確保 *vi*. [美]再次保證;重新確保 **reinsurance** /ˌriːɪnˈʃʊərəns/ *n*.

reissue /ˌriːˈɪsjuː/ *vt*. ①再發給;重新發給②重新發行;再次出版 *n*. (書籍、唱片等的)重新發行;重新發行物;再版.

reiterate /riːˈɪtəreɪt/ *vt*. 反覆做;反覆講;反覆重申 **reiteration** /riːˌɪtəˈreɪʃn/ *n*.

reject /rɪˈdʒekt/ *vt*. ①拒絕②拋弃,丢弃③不同意;不録用④剔除;厭弃⑤吐出;嘔吐 /ˈriːdʒekt/ *n*. ①被拒絕的人;(徵兵考核中的)不合格者②被拒貨品;不合格品;等外品 **~ion** *n*.

rejig /ˌriːˈdʒɪg/ *vt*. ①重新裝備(工廠等)②[口]調整;重新安排;檢修③[口]更改;篡改 /ˈriːdʒɪg/ *n*. [口]調整;重組;重新安排.

rejoice /rɪˈdʒɔɪs/ *vi*. ①感到高興;充滿喜悦②歡樂;慶祝③[謔]因…而自豪;享有 **rejoicing** *n*.

rejoin[1]/ˌriːˈdʒɔɪn/ *vt*. ①使再結合;使再聚合②重返(隊伍等);再加入③再連接.

rejoin[2]/rɪˈdʒɔɪn/ *vt*. 回答;反駁.

rejoinder /rɪˈdʒɔɪndə(r)/ *n*. ①回答;反駁②【律】作第二次答辯;再答辯.

rejuvenate /rɪˈdʒuːvəneɪt/ *vt*. ①使返老還童;使變得年輕;使恢復青春活力;【生】使復壯②更新;使改觀③【地】使回春;使更生 **rejuvenation** /rɪˌdʒuːvəˈneɪʃn/ *n*.

rekindle /ˌriˈkɪndl/ *v*. 重新燃起;重新燃燒;重新激起.

relapse /rɪˈlæps/ *vi*. ①重新陷入;回復;故態復萌;重新墮落②舊病復發 *n*. ①舊病復發②故態復萌;惡化;沉陷.

relate /rɪˈleɪt/ *vt*. ①敍述;講②使聯繫;顯示出與…的關係 *vi*. ①有關聯;涉及②符合;適用③理解;和睦相處 **~d** *a*. 有關的;有親戚關係的.

relation /rɪleɪʃn/ *n*. ①關係;聯繫②(*pl*.)交往;事務③家屬;親屬;親屬關係④敍述;敍述的事;故事⑤(*pl*.)性關係;性交 **~ship** *n*. // *be out of all ~ to = bear no (little,* *some*) ~ *to* 和…毫不(不大,有些)相稱;和…毫無(不大有,有些)關係 *in*(或 *with*) ~ *to*①關於;涉及②與…相比.

relative /'relətɪv/ *n*. ①親戚;親屬②親緣動物(或植物)③【語】關係詞④相對物 *a*. ①有關係的;相關的②比較的;相對的③【樂】關係的;記號相同的 **~ly** *ad*. **relativity** /ˌrelə'tɪvətɪ/ *n*. 相關性;【物】相對論.

relativism /'relətɪvɪzəm/ *n*. 相對主義;相對論.

relax /rɪ'læks/ *vt*. ①使鬆弛;使鬆懈;放鬆②放寬;緩和;減輕;削弱③使輕鬆;使休息 *vi*. ①鬆弛;鬆懈;放鬆②放寬;緩和;減輕③變得隨和;變得和藹;變得寬鬆④休息;娛樂⑤通便 **~ation** /ˌriːlæk'seɪʃn/ *n*. **~ed** *a*.

relay /'riːleɪ/ *n*. ①驛馬;驛站②接替人員;替班③【機】繼動器;【電】繼電器;【自】替續器④【電訊】轉播;中繼;轉播的無綫電節目⑤接力賽跑;接力傳球 /riː'leɪ/ *vt*. ①接力傳送;分程傳送;傳遞②轉述;轉達③中繼轉發;轉播④用繼電器控制(或操作).

release /rɪ'liːs/ *vt*. ①放開;鬆開;放鬆②排放;發放;使逸出③發泄;發揮④釋放;解放⑤解除;解脫;豁免⑥放棄;讓與⑦發佈(新聞等);公開發行 *n*. ①放鬆;排放;發放;釋放②發泄;發揮③解除;解脫;豁免④【機】釋放裝置;排氣裝置⑤放棄;讓與⑥發佈;發行;發佈的新聞(或聲明、文件等);發行的影片(或唱片等).

relegate /'relɪgeɪt/ *vt*. 把…降級;把…置於次要地位 **relegation** /ˌrelɪ'geɪʃn/ *n*.

relent /rɪ'lent/ *vi*. ①變溫和;變寬容;發慈悲;憐憫②減弱;緩和 **~less** *a*. ①殘酷的;無情的②不間斷的;持續的③不屈不撓的.

relevant /'reləvənt/ *a*. ①有關的;切題的②適宜的;恰當的 **relevance**; **relevancy** *n*.

reliable /rɪ'laɪəbl/ *a*. 可靠的;可信賴的;確實的 **reliability** *n*. **reliably** *ad*.

reliance /rɪ'laɪəns/ *n*. ①信賴;信心②依靠③受信賴的人(或物);可依靠的人(或物).

reliant /rɪ'laɪənt/ *a*. ①信賴的②依靠的.

relic /'relɪk/ *n*. ①遺物;遺迹;遺俗;遺風②聖徒遺物;聖物③紀念物④(*pl*.)殘留物;殘片;廢墟⑤(*pl*.)遺體;尸骸.

relief /rɪ'liːf/ *n*. ①(痛苦、緊張、捐稅、壓迫等的)減輕;寬慰;解除;免除②救濟(品);補助③解救;解圍④換班;代替;換班的人⑤調劑;娛樂⑥浮雕;浮雕品⑦輪廓鮮明;凸現⑧(地勢的)起伏;高低;凹凸.

relieve /rɪ'liːv/ *vt*. ①緩解;解除;使得到解脫②幫助…擺脫③使寬心;使寬慰④發泄⑤救濟;解救;救援⑥接替;替下;解除…的職務⑦使得到調劑;使不單調⑧(~ oneself)解大(小)便⑨[諱]幫助拿(東西);偷.

religion /rɪ'lɪdʒən/ *n*. ①教;宗教;宗教信仰②個人生活中重要的事;自己一心要做的事 **religious** /rɪ'lɪdʒəs/ *a*.

relinquish /rɪ'lɪŋkwɪʃ/ *vt*. ①放弃;停止②交出;讓與③鬆開;放開 **~ment** *n*.

relish /'relɪʃ/ *n*. ①滋味;美味;風味②調味品;佐料;開胃品;拼盤③胃口;興趣;愛好;有趣的事物 *vt*. ①從…得到樂趣;喜愛;愛好②津津有味地

吃(或喝);欣賞;品味.
relive /riːˈlɪv/ *vt*. (尤指在想象中)重新過…的生活;再經歷.
relocate /ˌriːləʊˈkeɪt/ *vi*. 遷移至新地點;重新安置 *vt*. 重新確定…的位置;使安置於新地點;【軍】調動 **relocation** *n*.
reluctance, reluctancy /rɪˈlʌktəns; -sɪ/ *n*. 不情願;勉強 **reluctant** *a*. **reluctantly** *ad*.
rely /rɪˈlaɪ/ *vt*. ①依賴;依靠②信賴;相信③指望;期望.
remain /rɪˈmeɪn/ *vi*. ①留下;逗留;停留;被遺留②(作連繫動詞,多後接補足語)保持不變③剩餘;餘留④(後接不定式)留待;尚待.
remainder /rɪˈmeɪndə(r)/ *n*. ①剩餘物;殘餘部分;遺迹②剩下的人③【數】差數;餘數;餘項④【律】繼承權⑤因滯銷而減價出售的書;剩書 *a*. 剩餘的;吃剩的;剩書的;出售削價剩書的 *vt*. 廉價賣剩書.
remains /rɪˈmeɪnz/ *pl*. *n*. ①剩餘物;殘餘;剩餘②遺體;遺骸;殘骸;孑遺③(尤指未經發表的)遺稿;遺墨④遺迹;遺風.
remake /ˌriːˈmeɪk/ *vt*. (過去式及過去分詞 **remade** /ˌriːˈmeɪd/) 重製;翻新;改造;修改;重新攝製(或錄製) /ˈriːmeɪk/ *n*. ①重製;翻新;改造;修改②重製物;翻新產品;(尤指)重新拍攝的影片.
remand /rɪˈmɑːnd/ *vt*. & *n*. 【律】還押(被控告人);押候;在押.
remark /rɪˈmɑːk/ *vt*. ①談論;評論;說;談到②注意;看到;覺察 *vi*. 評論;談論;議論 *n*. ①談論;評論;議論;話語②注意;覺察.
remarkable /rɪˈmɑːkəbl/ *a*. ①值得注意的;引人注目的②非凡的;異常的;出色的;卓越的 **~ness** *n*. **remarkably** *ad*.
remarry /ˌriːˈmærɪ/ *v*. ①(使)再婚②復婚.
remediable /riːmiːdɪəbl/ *a*. ①可治療的②可補救的;可糾正的;可矯正的;可挽回的.
remedy /ˈremɪdɪ/ *n*. ①治療(法);藥品②[喻]藥方;補救(辦法);糾正(法);矯正(法)③【律】補償;賠償 *vt*. ①醫治;醫療②補救;糾正;矯正;使恢復正常 **remedial** /riːˈmiːdɪəl/ *a*. 治療的;糾正的;(教育)補習的.
remember /rɪˈmembə(r)/ *vt*. ①記得;回想起②牢記;記住;不忘③代…問候;代…致意④給…小費;給…謝禮;向…送禮⑤(~ oneself)停止壞表現 *vi*. 記住;記得;回憶;有記憶力 **~ance** *n*. ①記憶;回想;記憶力②紀念品.
remind /rɪˈmaɪnd/ *vt*. ①提醒;使記起;使想起②使發生聯想.
reminder /rɪˈmaɪndə(r)/ *n*. ①提醒者②催單;催還單;催繳單③提示;幫助記憶的記號.
reminisce /ˌremɪˈnɪs/ *vi*. 追憶往事;緬懷往事;話舊 **~nce** *n*. **~nt** *a*. ①令人聯想起的②懷舊的.
remiss /rɪˈmɪs/ *a*. ①疏忽的;粗心的②不負責任的;懈怠的 **~ly** *ad*. **~ness** *n*.
remission /rɪˈmɪʃn/ *n*. ①寬恕;赦免;饒恕②(債務、捐稅等的)免除;豁免③(痛苦、勞役等的)緩和;減輕.
remit /rɪˈmɪt/ *vt*. ①匯(款);匯寄;寄運②寬恕;赦免;豁免③緩解;減弱;減輕④將…提交;【律】把(案件)發回原審法院重審.
remittance /rɪˈmɪtəns/ *n*. 匯款;匯款

額;匯款憑據.

remnant /'remnənt/ *n*. ①殘餘;剩餘;殘迹;殘餘物②(常作 *pl*.)殘存部分;殘餘分子③零料;邊角剩料;零布頭.

remonstrate /re'mənstreɪt, [美] ri'mɒnstreɪt/ *vi*. ①抗議;反對②進諫;告誡 **remonstrance** /rɪ'mɒnstrəns/ *n*.

remorse /rɪ'mɔːs/ *n*. ①懊悔;悔恨;自責②同情(心) **~ful** *a*.

remorseless /rɪ'mɔːslɪs/ *a*. ①不痛悔的;不悔恨的;不知自責的②無憐憫之心的;無情的;殘忍的 **~ly** *ad*.

remote /rɪ'məʊt/ *a*. ①遥遠的;偏僻的②很長遠的;很久的③關係遠的;(親戚)遠房的④很少的;微乎其微的⑤疏遠的;冷淡的 **~ly** *ad*. **~ness** *n*. // ~ *control* 遥控 ~ *damages* 【律】間接損害 ~ *sensor* 遥感器.

remo(u)ld /ˌriː'məʊld/ *vt*. 重新塑造;改鑄;改造;翻新;翻修.

remount /ˌriː'maʊnt/ *vt*. ①重新登上②重新騎上③重新鑲嵌;重新裱貼;重新架置 *vi*. 重登;再騎上.

remove /rɪ'muːv/ *vt*. ①移開;挪走;拿去②調動;搬遷③脱下;摘下④去除;消除;取消⑤把…免職;開除;逐出 *vi*. 移動;遷移;移居 **removable** /rɪ'muːvəbl/ *a*. **removal** /rɪ'muːvəl/ *n*.

remover /rɪ'muːvə(r)/ *n*. ①脱塗劑;洗淨劑;去漆劑②(案件的)移轉審理③[英](代客搬家的)搬運工;搬運商;搬運公司.

removed /rɪ'muːvd/ *a*. ①遠離的;無關的②隔代的;隔輩的.

remunerate /rɪ'mjuːnəreɪt/ *vt*. 酬報;給…酬勞.

remuneration /rɪˌmjuːnə'reɪʃn/ *n*. 酬報;酬勞;酬金 **remunerative** /rɪ'mjuːnərətɪv/ *a*.

renaissance /rə'neɪsns/ *n*. ①新生;再生;復活;復興②(文藝、學術等的)復興運動;復興運動時期③(the R-)(歐洲的)文藝復興;文藝復興時期(風格).

renal /'riːnl/ *a*. 【醫】腎臟的;腎的;(位於)腎臟區的.

rename /ˌriː'neɪm/ *vt*. 給…重新起名;給…改名.

renascence /rɪ'næsəns/ = renaissance.

renascent /ri'næsnt/ *a*. 新生的;再生的;復活的;復興的.

rend /rend/ *vt*. (過去式及過去分詞 **rent** /rent/)①撕碎;扯破②因憤怒(或憂慮、失望)而揪扯(頭髮或衣服等)③割裂;分裂④奪去;(用力)摘下,撕下⑤(聲音等)刺破;劃破.

render /'rendə(r)/ *vt*. ①提出(理由等);呈遞;彙報②給予;提供③放弃;讓與④使得;使成為⑤翻譯⑥報答;補償⑦表達;描繪⑧(藝術上)表演;扮演;朗誦;演奏;處理(繪畫等的主題).

rendezvous /'rɒndɪvuː/ *n*. (*pl*. **-vous** /-vuːz/) ①約會;會面;(部隊、船集、宇宙飛船等的)會合②約會地點;會面地點;集結地點③經常出沒的場所;(罪犯等的)麇集處;大本營 *vi*. 約會;會面;在指定地點會合.

rendition /ren'dɪʃn/ *n*. ①表演;演奏;演唱②翻譯;譯文.

renegade /'renɪgeɪd/ *n*. ①變節者;叛徒;改變信仰者;脱黨分子②歹徒;罪犯;叛亂者.

renege, renegue /rɪ'niːg/ *vi*. ①(紙牌戲中)藏牌;有牌不跟②食言;背信;違約.

renew /rɪ'njuː/ *vt*. ①使獲得新生;使

更生;更新;使恢復新鮮②更換;把…換新③補充;加固;加強;再裝滿④重新開始⑤重申;使得以重申⑥重訂;續借;續訂;延長…的期限 **~al** /ri'njuːəl/ *n*.

renewable /rɪ'njuəbl/ *a*. ①可更新的;可恢復新鮮的②可重新開始的;可繼續的③能再生的.

rennet /'renɪt/ *n*. (製乾酪等用的幼小反芻動物的)乾胃膜,凝乳素.

renounce /rɪ'naʊns/ *vt*. ①放棄;拋棄;棄絕②拒絕接受;宣佈與…斷絕關係;拒絕承認.

renovate /'renəveɪt/ *vt*. 修復;整修…如新;把…擦洗一新 **renovation** /ˌrenə'veɪʃn/ *n*.

renown /rɪ'naʊn/ *n*. 名望;聲望 *vt*. 使出名;使享有聲譽 *vi*. 吹牛;說大話;自誇 **~ed** *a*. 著名的.

rent[1]/rent/ *n*. 地租;房租;租金;租費 *vt*. ①租借;租用②租出 *vi*. 出租;出借.

rent[2]/rent/ *n*. ①(布、衣服等上的)破洞;裂處;裂縫②(政黨、組織等的)分裂;破裂③撕裂.

rent[3]/rent/ rend 的過去式及過去分詞.

rentable /'rentəbl/ *a*. 可出租的;可得租金的.

rental /'rentl/ *n*. ①租費;租金收入②租賃;出租(業)③出租的財產(指房屋、套房、汽車等).

renter /'rentə(r)/ *n*. ①承租人;佃戶②出租人;房東;地主③[主英]影片經租商.

renunciation /rɪˌnʌnsɪ'eɪʃn/ *n*. ①(權利、要求、稱號等的)放棄;拋棄②宣佈中止;宣佈斷絕關係;拒絕承認③自我克制.

reopen /ˌriː'əupen/ *vt*. ①再開;重新打開;重新開放②再開始;重新進行;繼續③再討論;重新審議 *vi*. 再開;重開.

reorganization /ˌriːˌɔːgənaɪ'zeɪʃn/ *n*. 改組;改造;改編;整頓.

reorganize /ˌriː'ɔːgənaɪz/ *v*. ①改組;改編;重新制定②整頓;改革.

rep /rep/ *n*. ①棱紋平布②[口]定期換演劇目的劇場;定期換演劇目的劇團③[口]代表.

repair[1]/rɪ'peə(r)/ *vt*. ①修理;修復;修補;整修②恢復;糾正③彌補;補救;補償;賠償 *n*. ①修理;修補;整修②(常用 *pl*.)修理工作;修補工作;整修工程③(*pl*.)修理費;維修費④彌補;補救;修復;恢復 **~able** *a*. 可修理的;可補償的;可補救的 **~er** *n*..

repair[2]/rɪ'peə(r)/ *vi*. ①去;赴②(成群地)常去;聚衆而去.

reparation /ˌrepə'reɪʃn/ *n*. ①補償;賠償;補救②(*pl*.)戰敗者的賠償,賠款.

repartee /ˌrepɑː'tɪ/ *n*. ①巧妙的回答;妙語回答;機智的反駁②機敏應答的才能.

repast /rɪ'pɑːst/ *n*. (書面語)餐;飲食;佳肴美食.

repatriate /riː'pætrɪeɪt/ *vt*. 把…遣返回國 /riː'pætrɪɪt, -trɪeɪt/ *n*. 被遣返回國者 **repatriation** *n*.

repay /riː'peɪ/ *vt*.(過去式及過去分詞 **repaid** /riː'peɪd/) ①償還;付還;還錢給②報答;回報;報復;回敬 **~able** /riː'peɪəbl/ *a*. 可償還的;應償還的;可報答的;應予報復的 **~ment** *n*.

repeal /rɪ'piːl/ *vt*. 撤銷(决議等);廢除(法令等).

repeat /rɪ'piːt/ *vt*. ①重複;重做②複述;背誦③照着說;照着寫④把…講

出去;把…對人說⑤重演;重播;使再現;再經歷 *vi*. ①重複;重做;重說②[美](在選舉中違法)重複投票③(食物)在口中留下餘味④(時鐘)連打;(武器)連發 *n*. ①重複;重做;重說②重複的行動(或言詞);重演的事物;重播節目③複寫;複製(品);副本④【音】反覆部分;反覆記號 **~able** *a*. **~ed** *a*.

repeatedly /rɪ'piːtɪdlɪ/ *ad*. 一再地;再三地;多次地.

repel /rɪ'pel/ *vt*. ①擊退;逐回;驅除②抵制;抗禦;排斥;拒絕③使厭惡;使反感 *vi*. ①使人厭惡;使人反感②相互排斥;不相融合.

repellent /rɪ'pelənt/ *a*. ①排斥的;討厭的②【化】相斥的;防水的 *n*. 防水劑;驅除藥;驅蟲劑.

repent /rɪ'pent/ *vi*. 悔悟;悔改;後悔;懊悔 *vt*. 悔悟;悔改;懺悔;後悔 **~ance** *n*. **~ant** *a*.

repercussion /ˌriːpə'kʌʃn/ *n*. ①擊回;彈回;反衝②(聲音的)回響;回聲;(光的)反射③(常作 *pl*.)(尤指間接、深遠且多在意料之外的)反響;影響;後果.

repertoire /'repətwɑː(r)/ *n*. (準備好能演出的)全部劇目;全部節目;保留劇目.

repertory /'repətrɪ/ *n*. ①(準備好能演出的)常備劇目;全部節目②一個劇團短期内演出的各種劇目.

repetition /ˌrepɪ'tɪʃn/ *n*. ①重複;重說;重做②反覆講;背誦;指定背誦的材料③複製品;副本.

rephrase /riː'freɪz/ *vt*. 重新措辭;改用別的措辭表達.

repine /rɪ'paɪn/ *vi*. 感到不滿;埋怨;發牢騷.

replace /riː'pleɪs/ *vt*. ①代替;取代②接替;更換;調換③歸還;放回原處 **~able** *a*. 可代替的;可更換的;可歸還的;可復歸原處的 **~ment** *n*.

replay /ˌriː'pleɪ/ *vt*. ①重新舉行(比賽)②重放;重演;重播 /'riːpleɪ/ *n*. 重新舉行的比賽;重播(的録音);重放(的録像).

replenish /rɪ'plenɪʃ/ *vt*. 把…再裝滿;把…再備足;補充 **~ment** *n*.

replete /rɪ'pliːt/ *a*. ①充滿的;裝滿的;充斥的②充實的;詳盡的;完備的 **repletion** *n*.

replica /'replɪkə/ *n*. ①(尤指出於原作者之手或在其指導下製成的)藝術複製品②(尤指縮小比例的)模型③【音】反覆(記號) **~te** /'replɪkeɪt/ *vt*. 複製 **~tion** /ˌ-'keɪʃn/ *n*.

reply /rɪ'plaɪ/ *vi*. ①回答;答覆②(以動作)作答 *vt*. 回答;答覆 *n*. ①回答;答覆②反應;反響.

report /rɪ'pɔːt/ *n*. ①報告;報告書②[主英](學生的)成績報告單③報導;記録;傳聞④【律】案情報告⑤爆炸聲;噼啪聲⑥名譽;名聲 *vi*. ①報告;彙報②說;敍述;傳說③報導;宣告;記述;描述④告訴;告發 *vi*. ①報告;彙報②說;敍述③報導;當記者④報到 **~age** *n*. 報導 **~er** *n*. ①報告者;彙報人②記者;新聞廣播員③(法庭的)書記員;筆録員.

repose /rɪ'pəʊs/ *n*. ①憩息;休息;睡眠②安詳;從容③安靜;靜謐;平靜 *vi*. ①躺;靠;休息②長眠;安息③呈靜止狀態;靜卧;蘊藏④安放;安置 *vt*. ①使倚靠;使靜卧;使休息②把(信賴、希望等)寄托於.

repository /rɪ'pɒzɪtrɪ/ *n*. ①倉庫;棧房;儲藏室②博物館;陳列室③資源豐富地區④親信;知己⑤富於知識的圖書.

repossess /ˌriːpəˈzes/ *vt*. (使)重新擁有;(使)重新佔有;使恢復 **~ion** *n*.

reprehend /ˌreprɪˈhend/ *vt*. 斥責;指責.

reprehensible /ˌreprɪˈhensəbl/ *a*. 應受斥責的;應受指責的.

represent /ˌreprɪˈzent/ *vt*. ①代表;表示;象徵②作為…的代表(或代理人);作為…的代表人物③提出異議(或抗議);發出呼籲④相當於⑤表述;描繪⑥集中地體現;典型地反映⑦是…的結果.

representation /ˌreprɪzenˈteɪʃn/ *n*. ①代表;代理;代表權;(一個選區的)全體代表②表示;表述;表現③圖畫;圖像④(*pl*.)説明;陳述;抗議⑤演出;扮演.

representative /ˌreprɪˈzentətɪv/ *n*. ①代表;代理人;代理商;【律】繼承人②議員;(常作 R-)[美]衆議院議員;州議員③有代表性的事物;典型事例 *a*. 代表的;代理的;代表制的;代議制的;有代表性的;典型的.

repress /rɪˈpres/ *vt*. ①抑制;壓制;約束②鎮壓;平息 **~ed** /rɪˈprest/ *a*. **~ion** *n*.

reprieve /rɪˈpriːv/ *vt*. ①緩期執行(…刑罰,尤指死刑)②暫時解救;暫時緩解 *n*. 緩刑(令);暫緩;暫止.

reprimand /ˈreprɪmɑːnd/ *n*. (當權者所作的)訓斥;斥責;譴責 *vt*. 訓斥;斥責;譴責.

reprint /ˌriːˈprɪnt/ *v*. 重印;再版 *n*. 重印(本);再版(本);翻印(件);翻版書.

reprisal /rɪˈpraɪzl/ *n*. 報復(行動);以牙還牙.

reproach /rɪˈprəʊtʃ/ *n*. ①責備;指摘;責備話②引起指摘的緣由;丢人現眼的人(或事);恥辱 *vt*. ①責備;指摘;斥責②引起對…的指摘;使蒙受恥辱 **~ful** *a*.

reprobate /ˈreprəbeɪt/ *n*. 墮落者;道德敗壞的人;惡棍 *a*. 墮落的;道德敗壞的;邪惡的.

reproduce /ˈriːprəˈdjuːs/ *vt*. ①再生產;再製造②生殖;繁殖;繁育③複製;翻版;(録音等的)播放;複寫;模擬④(在腦海中)再現;重溫 *vi*. ①繁殖;生殖②進行再生產;被複製 **reproduction** /ˌ-ˈdʌkʃn/ *n*.

reproducible /ˌriːprəˈdjuːsəbl/ *a*. ①能再製造的②能繁殖的;能再生的③可複製的④能再現的 **reproductive** /ˌ-ˈdʌktɪv/ *a*. 再生的;生殖的.

reproof /rɪˈpruːf/ *n*. 責備;指摘;責備之詞.

reprove /rɪˈpruːv/ *vt*. 責備;指摘;非難 **reprovingly** *ad*.

reptile /ˈreptaɪl/ *n*. ①爬行動物;[口]爬蟲;兩栖動物②可憐蟲;可鄙的人;卑躬屈節的人 **reptilian** /repˈtɪlɪən/ *a*.

republic /rɪˈpʌblɪk/ *n*. 共和國;共和政體.

republican /rɪˈpʌblɪkən/ *a*. ①共和國的;共和政體的②擁護共和政黨的;共和主義的;共和國公民的③(R-)[美]共和黨的;[美]【史】民主共和黨的 *n*. ①共和主義者;擁護共和政體者②(R-)[美]共和黨黨員;(美史)民主共和黨黨員.

repudiate /rɪˈpjuːdɪeɪt/ *vt*. ①拒絕;拒絕接受(或履行);(尤指政府當局)拒絕清償(公債等)②否認;否定;駁斥③聲明與…脱離關係;聲明與…斷絕往來;聲明與(妻)離婚 **repudiation** /rɪˌpjuːdɪˈeɪʃn/ *n*.

repugnance; repugnancy /rɪˈpʌgnəns;-si/ *n*. ①厭惡;強烈的反感②抵觸

repugnant *a*.

repulse /rɪˈpʌls/ *vt*. ①擊退;驅逐②拒絕(接受);排斥 *n*. 擊退;擊敗;拒絕.

repulsion /rɪˈpʌlʃn/ *n*. 厭惡;反感;【物】互相排斥 **repulsive** *a*.

reputable /ˈrepjʊtəbl/ *a*. ①聲譽好的;享有聲譽的;應受尊重的②(語言)規範的;標準的.

reputation /ˌrepjʊˈteɪʃn/ *n*. 名聲,名譽.

repute /rɪˈpjuːt/ *n*. 名譽;名聲;好名聲;聲譽;美名 *vt*.(常用被動語態)稱為;認為.

request /rɪˈkwest/ *vt*. 請求;要求;懇求 *n*. ①請求;要求;需要;需求②要求(或請求)的內容.

requiem /ˈrekwɪəm/ *n*. (常作 R-)【宗】(天主教)安魂彌撒(儀式);追思彌撒(儀式);安魂曲;追思曲;挽歌;挽詩.

require /rɪˈkwaɪə/ *vt*. ①需要;有賴於②要求;堅持須有;命令;規定③[主英]想要;感到要 **~ment** *n*.

requisite /ˈrekwɪzɪt/ *a*. 需要的;必不可少的 *n*.必需品;必要條件.

requisition /ˌrekwɪˈzɪʃn/ *n*. ①需要;需求;要求②正式請求;正式要求;申請;【律】引渡犯人的要求③徵用;徵用令;申請領取單 *vt*. ①徵用;徵發②(書面)申請領取③命令…做.

requital /rɪˈkwaɪtl/ *n*. ①報答;回報;報復;補償②報答之事;酬謝(物);報償行動;報復行動;補償物;賠償金.

requite /rɪˈkwaɪt/ *vt*. ①報答;回報;補償②向(某人)報仇;向(某人)報復.

rerun /ˌriːˈrʌn/ *vt*. (**reran** /ˌrɪːˈræn/; **rerun**) 重播;重放(電影等);重跑.

rescind /rɪˈsɪnd/ *vt*. ①廢除;取消②撤回;撤銷.

rescue /ˈreskjuː/ *vt*. ①營救;救援;搭救;挽救②【律】非法劫回(被扣押的人犯或財物) *n*. ①營救;搭救;救援②(被扣押人犯或財物的)非法劫回 **~r** *n*. 援救者;營救者;救星.

research /rɪˈsɜːtʃ/ *n*. ①調查;研究②(常作 *pl*.)研究工作;調查工作;研究才能 *vi*. 研究;探究 **~er** *n*. 調查者;探究者;學術研究者.

resemblance /rɪˈzembləns/ *n*. ①相似;形似;相貌相似②相似之處;相似程度③形似物.

resemble /rɪˈzembl/ *vt*. 像;與…相似;類似.

resent /rɪˈzent/ *vt*. 對…表示忿恨;對…懷恨;怨恨;因…而怨恨 **~ful** *a*. **~ment** *n*.

reserve /rɪˈzɜːv/ *vt*. ①保留;留出;留給②儲備;保存③推遲;延遲④預定;定 *n*. ①儲備(物);儲備量;儲備金;準備金;公積金②(常作 *pl*.)(礦)藏量;儲量③(常作 *pl*.)【軍】後備隊;預備隊;預備役;預備役軍人;【體】預備隊員;替補隊員④(公共)專用地;禁獵區;自然保護區⑤保留⑥(言語、行動的)自我克制;沉默寡言;含蓄⑦冷淡⑧(文藝作品的)謹嚴;嚴肅;節制 *a*. ①保留的;留出的;儲備的②後備的;預備的 **reservation** /ˌrezəˈveɪʃn/ *n*. **reservist** *n*. 預備隊軍人;後備役軍人.

reserved /rɪˈzɜːvd/ *a*. 緘默的;保留的.

reservoir /ˈrezəvwɑː(r)/ *n*. ①水庫;蓄水池②[喻](知識、精力等的)儲藏;蓄積;寶庫.

reset /ˌriːˈset/ *vt*.(過去式及過去分詞 **reset**) ①重新安放;重新安置;重新調整②重撥(鐘、錶);重撥(鬧鐘)於特定時刻③重新設計(考試題)④

【印】重排；重鑲；重嵌.

reshuffle/ˌriːˈʃʌfl/ *v*. 重新組織；改組.

reside /rɪˈzaɪd/ *vi*. (正式用語)①居住；定居；(官員、工作人員等)駐在②(性質等)存在；在於③(權力、權利等)屬於歸於 **~nce** /ˈrezɪdəns/ *n*.

resident /ˈrezɪdənt/ *n*. ①居民；定居者②(旅館等的)住客；寄宿者③常駐外交代表；駐外公使；駐外特工④留鳥；無遷徙習性的動物 *a*. ①居住的；定居的；常駐的②住校的；住院的；住在任所的③(鳥類等)無遷徙習性的④固有的；內在的；存在於…的.

residential /ˌrezɪˈdenʃl/ *a*. 居住的，住宅區的.

residual /rɪˈzɪdjʊəl/ *a*. ①剩餘的；殘留的②【數】殘數的；餘數的③使用後留有一定效應的；有後效的.

residue /ˈrezɪdjuː/ *n*. 剩餘，殘餘；【律】剩餘財產 **residuary** *a*.

residuum /rɪˈzɪdjʊəm/ *n*. (*pl*. **residua** /rɪˈzɪdjʊə/ 或 **residuums**) [拉] = residue.

resign[1]/rɪˈzaɪn/ *vi*. ①辭職；引退②聽任；順從③【棋】認輸④投降 *vt*. ①辭，辭去②使順從，使聽從 **~ation** /ˌrezɪgˈneɪʃn/ *n*. **~ed** *a*. 已辭職的；已放棄的；服從的.

resign[2]/ˌriːˈsaɪn/ *v*. 再簽署；再簽字(於).

resilience, resiliency /rɪˈzɪlɪəns; -sɪ/ *n*. ①彈回；彈性；回彈能；復原力②(指人)迅速恢復的愉快心情 **resilient** *a*.

resin /ˈrezɪn/ *n*. 樹脂；合成樹脂；松香；樹脂製品 **~ous** *a*.

resist /rɪˈzɪst/ *vt*. ①抵抗；反抗；抵制；抗拒；抵擋；擋開②抗；耐③按捺；忍住 *vi*. 抵抗；反抗；抵制；抗拒 **~er** *n*. 抵抗者；反抗者 **~ible** *a*. 可抵抗的；可抗拒的 **~or** *n*. 電阻器.

resistance /rɪˈzɪstəns/ *n*. ①抵抗；反抗②抵抗性；抵抗力③抗性；耐性④阻力；【電】電阻；阻抗⑤反對 **resistant** *a*.

resolute /ˈrezəljuːt/ *a*. ①堅决的；堅定的；有决心的；堅毅的②顯示堅定的；表示出决心的 **~ly** *ad*.

resolution /ˌrezəˈluːʃn/ *n*. ①决心；决意；决定②决定做的事；正式决定；决議③(法院的)判决；裁决④分解；解析；(光學儀器的)分辨率；(電視圖像的)清晰度⑤【醫】(炎症等的)消散；消退⑥解决；解答；消除.

resolve /rɪˈzɒlv/ *vt*. ①决定；决意；使决定②正式决定；作出…的决議③解决；解答；解除；消除④使(炎症等)消散；使消退⑤分解；解析；使解體⑥(光學儀器等)分辨；辨析 *vi*. 决定；决意，决心 *n*. ①决心；已决定的事②堅决，剛毅 **resolvable** *a*. 可解决的；可溶解的；可解析的.

resolved /rɪˈzɒlvd/ *a*. 决心的；堅决的；堅定的.

resonance /ˈrezənəns/ *n*. ①回聲；反響；響亮，洪亮②【物】共振；諧振；共鳴 **resonant** *a*.

resort /rɪˈzɔːt/ *vi*. ①(尤指成群結隊地)前往；常去②求助；憑借；訴諸；採用 *n*. ①度假勝地；(美)度假旅館②常去之地；聖地③求助；憑借；採用；訴諸④求助(或憑借的)對象；採用的手段(或辦法).

resound /rɪˈzaʊnd/ *vi*. ①引起回聲；激起回響；回蕩②(物體)發出持續巨響；發出回響③(名聲、事件等)被傳揚；被傳頌.

resource /rɪˈsɔːs/ *n*. ①(常作 *pl*.)資源；儲備力量；資財；財力②辦法；對策；智謀；應變的能力③(信息、知識等的)來源④消遣;娛樂⑤受援的可能;得救的希望;(精神上的)慰藉 **~ful** *a*. 機智的,善於隨機應變的.

respect /rɪ'spekt/ *n*. ①尊敬;敬重②敬意;問候③尊重;考慮;重視④關係;方面;着眼點 *vt*. ①尊敬;敬重②尊重;重視;注重;遵守;考慮 **~ful** *a*. **~fully** *ad*. **~fulness** *n*. // *in all ~s* (或 *in every ~*) 無論從哪一方面;從各方面 *in one* (*some*, *this*, *any*) ~在一(某、這、任何)方面 *in ~ of* (或 *wih ~ to*)①關於;至於;在…方面②涉及,談到 *in ~ that* 因為;考慮到… *pay last ~s to* 向(死者)告別.

respectable /rɪ'spektəbl/ *a*. ①可尊敬的;值得尊敬的;應受尊敬的②名聲好的;正派的;體面的③(質量等)過得去的;不錯的;(數量等)不少的;相當大的;可觀的 **respectably** *ad*.

respecting /rɪ'spektɪŋ/ *prep*. 關於;至於;就…而言.

respective /rɪ'spektɪv/ *a*. 各自的;各個的;各別的 **~ly** *ad*.

respiration /ˌrespə'reɪʃn/ *n*. 呼吸;一次呼吸;呼吸作用.

respirator /'respɪreɪtə(r)/ *n*. 口罩;[英]防毒面具;(人工)呼吸器(或機).

respire /rɪ'spaɪə(r)/ *v*. 呼吸 **respiratory** *a*.

respite /'respaɪt/ *n*. ①暫停;小憩②延期;緩刑.

resplendent /rɪ'splendənt/ *a*. 燦爛的;光輝的;輝煌的;華麗的 **resplendence** *n*.

respond /rɪ'spɒnd/ *vi*. ①作答;回答②【宗】應答;唱和③作出反應;響應④【律】承擔責任⑤(橋牌中對同伴叫牌)作應叫 **response** *n*.

responsibility /rɪˌspɒnsə'bɪlətɪ/ *n*. ①責任;責任感;責任心②職責;任務;義務;負擔③(尤指智力或財力上的)責任能力;償付能力④可靠性.

responsible /rɪ'spɒnsəbl/ *a*. ①需負責任的;承擔責任的②有責任感的;負責可靠的;能履行義務的③責任重大的;重要的④有責任能力的;能明辨是非的;有鑒別能力的.

responsive /rɪ'spɒnsɪv/ *a*. ①回答的;應答的;響應的②易動感情的;敏感的;反應熱烈的;富有同情心的③靈敏的.

rest[1] /rest/ *n*. ①休息;睡眠②長眠;安息③平靜;安寧;安定④暫停;停止;靜止⑤(朗誦中的)停頓;【音】休止;休止符⑥撐架;支座;托;墊⑦(口令用語)稍息 *vi*. ①休息;睡;安息;長眠;(農田)休閒②安心;安寧③暫停;停止④支撐(在);擱(在);停留(在)⑤依靠;依賴;信賴 *vt*. ①使休息;使安歇;讓(農田)休耕②使輕鬆;使舒適③使躺下;使斜倚;把…靠(或擱);使得到支承 **~ful** *a*.

rest[2] /rest/ *n*. (the ~) 剩餘部分;其餘的人;其餘 // *for the ~* 至於其他;除此之外.

restaurant /'restrɒnt;'restərənt/ *n*. 餐館;飯店;菜館;酒家.

restitution /ˌrestɪ'tju:ʃn/ *n*. ①補償;賠償②恢復;恢復原狀③復職;復位④【物】(彈性體的)復原⑤歸還;物歸原主.

restive /'restɪv/ *a*. ①焦躁不安的;不穩定的;不耐煩的②(馬等)難駕馭的;不肯前進的③倔強的;難以控制的.

restless /'restlɪs/ *a*. ①得不到休息的②焦躁不安的③靜不下來的;不安寧的 **~ly** *ad*.

restore /rɪ'stɔː(r)/ *vt*. ①(使)恢復;(使)回復;使(帝王等)復位;(使)康復②歸還;交還③修補(受損文物等);修復;重建 **restoration** /ˌrestə'reɪʃn/ *n*. **restorative** *a*.

restrain /rɪ'streɪn/ *vt*. ①抑制;遏制②控制;限制;約束;阻止③管束;監禁 **~ed** *a*. **~t** *n*.

restrict /rɪ'strɪkt/ *vt*. 限制;約束;限定 **~ion** *n*. **~ive** *a*.

result /rɪ'zʌlt/ *n*. ①結果;成果;效果②比賽結果;比分;成績③【數】(計算)結果;答案;答數④(美議院的)决議;决定 *vi*. ①(作為結果)發生;產生②結果;終於,導致③【律】(財產)被歸還.

resultant /rɪ'zʌltənt/ *a*. ①作為結果發生的;從而發生的②【物】組合的;合成的 *n*. ①結果②【物】合量;合力③【數】結式④【化】生成物;反應產物.

resume /rɪ'zjuːm/ *vt*. ①重新開始;繼續②恢復;重返;重新得到;重新使用③取回;收回④接着說;繼續說 *vi*. 重新開始;繼續;言歸正傳.

résumé /'rezjuːmeɪ/ *n*. [法]①摘要;概要②(謀職者等所寫的)個人簡歷.

resumption /rɪ'zʌmpʃn/ *n*. ①重新開始;繼續②恢復;重返;重獲;收回.

resurgence/rɪ'sɜːdʒəns/*n*. 蘇醒;復活;恢復活力.

resurrect /ˌrezə'rekt/ *vt*. ①使死而復生;使復蘇②使重新流行;恢復使用;重新喚醒對…的記憶 **~ion** *n*.

resuscitate /rɪ'sʌsɪteɪt/ *vt*. 使復活;使復生;使蘇醒.

retail /'riːteɪl/ *n*. 零售;零賣 *a*. 零售的;零批的 *ad*. 以零售方式;以零售價格 *v*. 零售;零賣 **~er** *n*. 零售商.

retain /rɪ'teɪn/ *vt*. ①保留;保持②擋住;攔住③保存;留住④能記住⑤付定金聘定(律師、騎師等);付定金保留 **~er** *n*. 定金;保留房租;[古]老僕人.

retake /ˌriː'teɪk/ *vt*.(**retook** /riː'tʊk/; **retaken** /riː'teɪkən/) ①再拿;再取;再拿走;再取走;奪回②重攝;重拍;重録③重考;補考 /'riːteɪk/ *n*. ①再拿(走);再取(走);奪回②重攝(鏡頭);重録(的聲音);重拍照片③重考,補考④補考者.

retaliate /rɪ'tælɪeɪt/ *vi*. 報復;回報;以牙還牙 **retaliation** /rɪˌtælɪ'eɪʃn/ *n*.

retard /rɪ'tɑːd/ *vt*. ①使減速;阻滯;妨礙;阻止②推遲;延遲 **~ation** /ˌriːtɑː'deɪʃn/ *n*.

retch /retʃ; retʃ/ *vi*. 乾嘔;作嘔;噁心.

retell /ˌriː'tel/ (過去式及過去分詞 **retold** /ˌriː'təʊld/) *vt*. 再講;重述;以不同方式復述.

retention /rɪ'tenʃn/ *n*. ①保留;留置;保持②攔住;容納③保持力;記憶(力)④【醫】停滯;瀦留 **retentive** *a*. 有記憶能力的;能保持液體的.

rethink /ˌriː'θiŋk/ *v*.(過去式及過去分詞 **rethought** /ˌriː'θɔːt/) 再想;重新思考 /'riːθɪŋk/ *n*. 再想;重新思考;反思.

reticence; **reticency** /'retɪsns; 'retɪsnsɪ/ *n*. ①沉默寡言;緘默②(藝術風格、表達形式的)節制;嚴謹 **reticent** *a*.

reticulate /rɪ'tɪkjʊleɪt/ *a*. 網狀的;網狀組織的 **~d** /rɪ'tɪkjʊleɪtɪd/ *a*. = reticulate.

reticule /'retɪkjuːl/ *n*. 可收口的女用網格拎包;手提網兜.

retina /'retɪnə/ *n*.(*pl*. **retinas** 或 **retinae** /'retɪniː/)【解】視網膜.

retinue /'retɪnjuː/ *n*. (要員的)一批隨員;隨從們;侍從們.

retire /rɪ'taɪə(r)/ *vi*. ①退休;退職;退役②退出;離開;退却;引退;撤退③就寢;上床睡眠④遠去;隱沒 *vt*. 使退休;使退職;令…退役;辭退 **~d** *a*. **~ment** *n*..

retiring /rɪ'taɪərɪŋ/ *a*. 腼腆的;孤僻的;羞怯的.

retort[1]/rɪ'tɔːt/ *vt*. 反駁;回嘴反擊 *n*. 反駁;回嘴;駁斥性的答覆.

retort[2]/rɪ'tɔːt/ *n*. ①曲頸甑;蒸餾甑②(冶金、製煤氣等用的)蒸餾罐;(提純水銀等用的)乾餾釜 *vt*. 提純;蒸餾.

retouch /riː'tʌtʃ/ *vt*. ①潤飾;潤色(畫作、文章、化妝等)②【攝】修整(負片、相片) *n*. ①潤飾;潤色②【攝】修片;修版.

retrace /rɪ'treɪs/ *vt*. ①折回;折返②回憶;回顧;追述③追溯;探究…的源流④再描摹.

retract /rɪ'trækt/ *v*. ①縮回;縮進(爪、觸角等);(飛機)收起(起落架等)②撤回,收回(聲明,諾言,意見等);食言;變卦③【語】收舌發(音) **~able** *a*. 可縮回的 **~ion** *n*.

retread /ˌriː'tred/ *vt*. 給(舊車胎)裝新胎面;翻(胎) *n*. /'riːtred/ ①翻新的舊輪胎;(舊輪胎的)新胎面②[美俚]再服兵役的人.

retreat /rɪ'triːt/ *vi*. ①退却;撤退;後退②退避;躲避;退縮;規避 *n*. ①退却;撤退;退却信號②(兵營中日暮時的)降旗號③後退;隱退;退避;休養;【宗】靜修;靜思④隱退處;靜居處;休養所.

retrench /rɪ'trentʃ/ *v*. 減少;緊縮;節省(開支) **~ment** *n*.

retrial/ˌriː'traɪəl/*n*.復審;重新審理.

retribution /ˌretrɪ'bjuːʃn/ *n*. ①懲罰;【宗】(來世)報應;果報②善報;報酬;報答 **retributive** /rɪ'trɪbjʊtɪv/ *a*.

retrieve /rɪ'triːv/ *vt*. ①重新得到;收回;取回②檢索③使恢復;使再生④挽回;補救;挽救;糾正 *vi*. ①(獵犬等)啣回獵物②收回釣魚綫 **retrieval** *n*.

retro /'retrəʊ/ *n*. & *a*. (早年流行服裝款式等的)再流行的.

retroact /ˌretrəʊ'ækt/ *vi*. ①倒行;反動;起反動作用②(法律等)溯及既往;有追溯效力 **~ive** *a*.

retroflex /'retrəfleks/ *a*. ①翻轉的;反曲的②【語】捲舌的;捲舌音的.

retrograde /'retrəgreɪd/ *a*. ①後退的;向後的;逆行的②退步的;衰退的;惡化的;【生】退化的.

retrogression /ˌretrə'greʃn/ *n*. 後移;倒退;衰退;惡化.

retrorocket /'retrəʊrɒkɪt/ *n*. 制動火箭;減速火箭.

retrospect /'retrəspekt/ *n*. 回顧;回想;追溯 **~ion** /ˌretrə'spekʃn/ *n*. **~ive** *a*.

return /rɪ'tɜːn/ *vi*. ①回;返回②復歸;回復;恢復③退回;送還 *vt*. ①把…送回;歸還②回報;報答③使回復;使恢復④(選民)選出(或重新選出)…為議員⑤回答說;回嘴說⑥獲得;產生(利潤)⑦(板球、網球)回球⑧報告;滙報;申報;正式宣佈 *n*. ①回來;返回;回程;來回票②歸還;償還;送回;放回③回復;恢復;再現④回答;報答⑤(*pl*.)退貨⑥(常作 *pl*.)收益;利潤;成果⑦報告;申報;(統計)報表⑧(劇場的)退票.

reunion /ˌriː'juːnɪən/ *n*. ①再聯合;再會合②(家人等的)團聚;團圓;(校友等的)重聚;重聚聯歡會.

reunite /ˌriːjuːˈnaɪt/ *v*. (使)再聯合;(使)重新結合;(使)重聚.

reuse/ˌriːˈjuːz/ *v*. 重新使用;再用;再利用(某物).

rev/rev/ *n*. [口](發動機的)旋轉 **~s** 轉速.

revalue/riːˈvæljuː/ *vt*. ①對…重新估價②調整貨幣的價值(使升值).

revamp /ˌriːˈvæmp/ *vt*. ①修補;把(舊物)翻新②改組;改建③修改;改進.

reveal /rɪˈviːl/ *vt*. ①揭示;暴露;泄露;透露②使顯露;展現;顯示③【宗】(上帝)啓示;默示 **~ing** *a*. 揭示性的;啓發性的;暴露的;展現的.

reveille /rɪˈvælɪ/ *n*. 【軍】起床號;晨操列隊號;起床鼓.

revel /ˈrevl/ *vi*. ①陶醉;着迷②作樂;狂歡;歡宴;痛飲 *n*. 作樂;狂歡;歡宴;(常作 *pl*.)喜慶狂歡活動 **~ry** *n*. 狂歡;歡宴.

revelation /ˌrevəˈleɪʃn/ *n*. ①揭示;暴露;透露;展現②(尤指出人意料的)被揭示的真相;被揭露的內情;(驚人的)新發現③【宗】啓示;默示;神示內容.

revenge /rɪˈvendʒ/ *n*. ①復仇;報復②復仇心;報復欲望③(比賽失敗一方的)雪耻機會;雪耻賽 *vt*. 報…之仇;洗雪(耻辱);為…報仇 **~ful** *a*.

revenue /ˈrevənjuː/ *n*. ①(尤指大宗的)收入;總收入②(國家的)歲入;稅收.

reverberate /rɪˈvɜːbəreɪt/ *v*. (使)反響;回響;回蕩 **reverberant** *a*. **reverberation** /riˌvɜːbəˈreɪʃn/ *n*.

revere /rɪˈvɪə(r)/ *vt*. 尊敬;崇敬;敬畏.

reverence /ˈrevərəns/ *n*. ①尊敬;崇敬;敬畏②(過去對教士的尊稱,現為詼諧用語)尊敬的…閣下 *vt*. 尊敬.

reverend /ˈrevərənd/ *a*. ①可尊敬的;應受尊敬的②(the Reverend, 縮為 Rev 或 Revd)對神父的尊稱.

reverent /ˈrevərənt/ *a*. 恭敬的.

reverie /ˈrevərɪ/ *n*. ①夢想;幻想;白日夢②沉思;出神③【樂】幻想曲;夢想曲.

reversal /rɪˈvɜːsl/ *n*. 顛倒;反轉;轉變.

reverse /rɪˈvɜːs/ *a*. ①反向的;相反的;倒轉的;顛倒的;【機】回動的;倒退的②背面朝前的;背面的;反面的 *n*. ①(the ~)相反情況;對立面②反面;背部;後部③失敗;厄運;挫折④【機】回動;倒退;回動裝置;回動齒輪;倒擋位置 *vt*. ①使倒轉;【機】使回動;使倒退②顛倒;翻轉;徹底改變;倒轉調換③【律】撤銷 *vi*. ①反向;倒轉②(尤指跳華爾茲舞時)往反方向旋轉.

reversible /rɪˈvɜːsəbl/ *a*. ①可反向的;可翻轉的②(衣料等)雙面可用的;(衣服等)正反可穿的③【化】【物】可逆(性)的;(電池)可逆式的④可逆轉的.

reversion /rɪˈvɜːʃn/ *n*. ①(局面、習慣、信仰等的)回復;恢復;復原②反向;反轉;逆轉③【生】回復變異;返祖遺傳(體);【化】返原④【律】繼承權;(地產等讓予期滿後的)歸還;歸屬;歸還的地產⑤恤金(尤指壽險賠款).

revert /rɪˈvɜːt/ *vi*. ①回復;回返;復舊②重提;重想③【生】回復變異;返祖遺傳④【律】(地產、權利等的)歸還;歸屬.

revery /ˈrevərɪ/ =reverie.

revet /rɪˈvet/ *vt*. 用碑石(或混凝土)護(牆、堤等);用碑石(或混凝土)鋪蓋(牆、堤)的面 **~ment** *n*. 護牆;護岸;碑石或混凝土的面.

eview /rɪ'vjuː/ *vt*. ①復習;溫習②細察;縱覽;詳檢;審核③再考察;重新勘察④回顧;檢討;復查;【律】復審⑤檢閱;評閱 *vi*. ①復習功課;溫習功課②評論;寫評論文章 *n*. ①復習;溫習②細察;縱覽;審核③回顧;檢討;復審④(軍事)檢閱;閱兵(式)⑤評論(文章);書評.

evile /rɪ'vaɪl/ *v*. 辱罵;謾罵;痛斥.

evise /rɪ'vaɪz/ *vt*. ①修訂;訂正;校訂②修改;改正③【生】對…重新分類④[主英]復習;溫習(= review) *vi*. [主英]復習功課;溫習功課 *n*.【印】二校樣;再校樣 **revision** /rɪ'vɪʒn/ *n*.

evisionism /rɪ'vɪʒənɪzəm/ *n*. 修正主義.

evisionist /rɪ'vɪʒənɪst/ *n*. 修正主義者 *a*.修正主義的;主張修正的.

evival /rɪ'vaɪvl/ *n*. ①蘇醒;復活;再生;復興②恢復;復原.

evive /rɪ'vaɪv/ *vi*. ①蘇醒;復蘇②恢復精力;復原③復興;重新流行④【化】還原 *vt*. ①使蘇醒;使復蘇②使恢復精力;使復原;使振奮精神③使復興;使重新流行④重演(映、播)⑤【化】使還原.

evivify /riː'vɪvɪfaɪ/ *vt*. ①使再生;使復活;重振…的活力②【化】還原.

evocation /ˌrevə'keɪʃn/ *n*. 撤回;撤銷;取消;廢除.

evoke /rɪ'vəʊk/ *vt*. 撤回;撤銷;取消;廢除 *vi*. (牌戲中)有牌不跟.

evolt /rɪ'vəʊlt/ *n*. ①反叛;叛亂②造反;起義③違抗 *vi*. ①反叛;叛亂②造反;起義③反抗;違抗;背叛④厭惡;生反感 *vt*. 使厭惡;使生反感.

revolution /ˌrevə'luːʃn/ *n*. ①革命;革命活動;革命運動;革命力量②劇變;大變革③旋轉;繞轉;【天】公轉④循環;周期 **~ary** /ˌrevə'luːʃənərɪ/ *a*. 革命的,大變革的 *n*. 革命黨員;革命者.

revolutionize /ˌrevə'luːʃənaɪz/ *vt*. ①在…發動革命②向…灌輸革命思想;使革命化③使發生劇變;在…方面引起突破性大變革.

revolve /rɪ'vɒlv/ *vi*. ①轉動;旋轉;(天體)自轉②繞轉;(天體)公轉③環繞;圍繞④循環往復⑤盤桓於腦海;一再浮現 *vt*. ①使轉動;使旋轉;使繞轉②使循環往復③反復思考 **revolving** *a*. 旋轉的.

revolver /rɪ'vɒlvə/ *n*. 左輪手槍.

revue /rɪ'vjuː/ *n*. [法](有小型歌舞的)時俗諷刺劇;滑稽歌舞串演.

revulsion /rɪ'vʌlʃn/ *n*. ①(感情等的)突變;劇變;急劇反應②厭惡;強烈反感③恐懼.

reward /rɪ'wɔːd/ *n*. ①報答;報償;報應②酬金;獎品 *vt*. ①報答;給…應有報應②酬謝;獎勵.

rewind/riː'waɪnd/ *v*.①再繞;重繞②繞回;倒回(使錄音帶、影片等倒回).

rewire/ˌriː'waɪə(r)/ *v*.給…更換電綫.

reword /ˌriː'wɜːd/ *vt*. ①再說;重述②改變…的措辭;改說;改寫.

rewrite /ˌriː'raɪt/ *vt*. (**rewrote** /ˌriː'rəʊt/; **rewritten** /ˌriː'rɪtən/) ①重寫;改寫;修改②[美]加工編寫(新聞稿;來稿等)③擴展重寫 /'riːraɪt/ *n*. 重寫或改寫(的文稿);[美]加工編寫的新聞稿.

rhapsody /'ræpsədɪ/ *n*. ①【樂】狂想曲②狂熱贊詞 **rhapsodic** /ræp'sɒdɪk/ *a*. 狂喜的.

rheostat /'riːəstæt/ *n*.【電】變阻器.

rhetoric /'retərɪk/ *n*. ①修辭;修辭學②辯才;辯術;巧辯③花言巧語④言談;講話 **~al** /ri'tɒrɪkl/ *a*. 修辭的;

誇誇其談的.

rhetorician /ˌretəˈrɪʃən/ *n*. ①修辭學家;修辭學教師②演説家;雄辯家③説話浮誇的人;詞藻華麗的作者.

rheumatic /ruːˈmætɪk/ *a*. ①(患)風濕病的;風濕病引起的②易致風濕病的;(有關)風濕病治療的 *n*. 風濕病患者;(*pl*.)[口]風濕病 **rheumatism** /ˈruːmətɪzm/ *n*.【醫】風濕症.

Rh factor【醫】Rh 因子,又名獮因子.

rhinestone/ˈraɪnstəun/ *n*. 萊茵石(鑽石仿製品).

rhinitis /raɪˈnaɪtɪs/ *n*.【醫】鼻炎.

rhino = rhinoceros.

rhinoceros /raɪˈnɒsərəs/ *n*. (*pl*. ~(es)或 **rhinoceri** /raɪˈnɒsəraɪ/)【動】犀牛 **rhino** /ˈraɪnəu/ *n*. [口]犀牛.

rhizome/ˈraɪzəum/ *n*.【植】根莖;根狀莖.

rhodium /ˈrəudɪəm/ *n*.【化】銠.

rhododendron /ˌrəudəˈdendrən/ *n*. (*pl*. ~(s)或 **rhododendra** /ˌrədəˈdendrə/)【植】杜鵑(花).

rhomboid /ˈrɒmbɔɪd/ *n*. 長菱形 *a*. (亦作 **rhomboidal**)菱形的.

rhombus /ˈrɒmbəs/ *n*. = rhomb 菱形;斜方形.

rhubarb/ˈruːbɑːb/ *n*.【植】大黄;大黄莖.

rhyme; rime /raɪm/ *n*. ①韻;韻脚;同韻的詞②押韻;押韻的詞;韻文 *v*. (使)押韻.

rhythm /ˈrɪðəm/ *n*. ①律動;節律②【樂】節奏;拍子③(言語、作文等的)抑揚節奏;輕重規則變化④(事件或過程)有規律的重複 // ~ *method*【醫】周期避孕法.

rhythmic(al) /ˈrɪðmɪk(l)/ *a*. 有韻律的;有節奏的 // ~ *gymnastics* 韻律體操.

rib[1]/rɪb/ *n*. ①(人體、動物、船體等的)肋骨;排骨;肋②(傘、扇等的)骨③【建】(圓拱的)肋;拱肋③【空】翼肋④(葉的)主脉;(昆蟲的)翅脉④(礦區)側壁;礦柱⑤【紡】棱紋 **ribbed** *a*. 有棱紋的,有羅紋的.

rib[2]/rɪb/ *vt*. 戲弄;取笑.

ribald /ˈrɪbld/ *a*. 開下流玩笑的;下流的 **~ry** *n*.

ribbon /ˈrɪbən/ *n*. ①(尤指捆扎、裝飾用的)緞帶;絲帶;絨帶;彩紙帶②(打字機的)色帶;帶狀物;條狀物③(*pl*.)破碎條兒;碎片④(勛章的)綬帶;飾帶;(尤指授予軍人、勝者的)勛帶;勛表.

riboflavin/ˌraɪbəuˈfleɪvɪn/ *n*.【生化】核黄素.

rice /raɪs/ *n*. 稻;米;米飯.

rich /rɪtʃ/ *a*. ①富的;有錢的②富饒的;豐富的③盛產的;肥沃的④寶貴的;昂貴的;精緻華麗的⑤(食物)油膩的;味濃的;(酒)醇的⑥(聲音)深沉的;圓潤而洪亮的⑦(色彩)濃艷的;富麗的 *n*. (the ~) (總稱,用作複數)富人;有錢人 **~ness** *n*.

riches /ˈrɪtʃɪz/ *pl*. *n*. ①財富;財產②富有;豐饒;豐富.

rick[1]/rɪk/ *n*. 草堆;禾堆;[美]柴垛.

rick[2]/rɪk/ *vt*. & *n*. [英]輕微扭傷;扭筋(= wrick).

rickets /ˈrɪkɪts/ *pl*. *n*. (用作單或複數)【醫】佝僂病.

rickety /ˈrɪkətɪ/ *a*. ①(患)佝僂病的;似佝僂病的②(腿脚)虛弱的;走路搖晃的;連接處不牢固的;東倒西歪的;不牢靠的.

rickshaw /ˈrɪkʃɔː/; **ricksha** /ˈrɪkʃə/ *n* [日]人力車;東洋車;黄包車.

ricochet /ˈrɪkəʃeɪ, ˌrɪkəˈʃeɪ/ *n*. ①(石片、子彈等接觸物面、水面後的)跳

飛;回跳;漂飛②跳彈;跳飛的石片 *vi*. 漂飛;跳飛;彈回.

d /rɪd/ *vt*.(過去式及過去分詞 **rid**) ①使擺脱;解除…的負擔;從…清除 ②[古]廢除;驅逐;趕走;消滅③[古]拯救;救出 // *be ~ of* 擺脱;去掉 *get ~ of* 擺脱;去掉;除去.

ddance /'rɪdns/ *n*. 擺脱 // *good ~ (to sb/sth)* 表示擺脱後之喜悦的説法.

dden /'rɪdn/ *v*. ride 的過去分詞 *a*. (常用以構成複合詞)受…控制或支配的.

ddle[1] /'rɪdl/ *n*. ①謎(語)②[喻]謎;謎一般的人物;猜不透的難題.

ddle[2] /'rɪdl/ *n*. (篩穀物、泥土、砂石等的)粗篩;格篩 *vt*. ①用粗篩篩(穀物、泥土、沙石等);搖動…使灰落下②把…打得滿是窟窿;把…弄得處處穿孔③(常用被動語態)使完全敗壞.

de /raɪd/ (**rode** /rəud/; **ridden** /'rɪdn/)*vi*. ①騎馬(牲口、自行車等);乘騎旅行;乘坐;搭乘②(馬、車等)適於乘騎;(道路等)適於騎馬(或行車)通過③漂行;飄遊;【體】直立滑水 *vt*. ①騎(馬等);乘(車等)②騎馬(或乘車)通過;騎馬(或乘車)進行(比賽等)③讓…騎(或乘);搭載④乘(風、浪等);在…上航進;【體】直立駕(浪)滑水⑤經受住、渡過(難關等) *n*. ①騎;乘騎;搭乘;乘騎旅行(的路程)②(尤指林中的)騎馬道③供乘騎的馬(或其他牲口)④(遊樂場所供人玩樂的)乘坐裝置⑤交通工具;車輛 **~r** *n*. ①騎馬(或自行車)的人;乘車的人;滑水(或衝浪)運動員②(聲明、判决書後面的)附文.

idge /rɪdʒ/ *n*. ①(人、動物的)脊;(山、屋、堤等的)脊;嶺;山脉;分水嶺②(狹長的)隆起部③壟;埂④(氣象圖上)狹長的高壓帶 *vt*. ①使成脊突;使起皺②裝(屋)脊;在…上開脊棱③翻(地)作壟.

ridicule /'rɪdɪkju:l/ *vt*. & *n*. 嘲笑;嘲弄;戲弄.

ridiculous /rɪ'dɪkjʊləs/ *a*. 引人嘲笑的;可笑的;荒謬的;荒唐的.

riding /'raɪdɪŋ/ *n*. ①騎;騎馬的運動或娛樂②(構成複合詞)與騎馬有關的,騎馬用的:**~-boots** 馬靴.

rife /raɪf/ *a*. (一般作表語)流行的;普遍的;充滿的;充斥的(多指壞事).

riffle /'rɪfl/ *vt*. (紙牌戲)洗牌;迅速翻(書頁).

riff-raff /'rɪfræf/ *n*. (常作 the ~)烏合之衆;下等人;群氓;地痞流氓.

rifle /'raɪfl/ *n*. ①來復槍;步槍②來復綫;膛綫 *vt*. ①(在槍膛内)製來復綫②搜查;搶劫 **~man** *n*. 步槍射手;步兵 **~-range** *n*. ①步槍靶場;②步槍射程.

rift /rɪft/ *n*. ①裂縫;裂口;【地】斷裂;斷陷谷;長狹谷②(人際關係等的)裂痕.

rig[1] /rɪg/ *vt*. ①裝配;裝置②給(船隻桅杆)裝配帆及索具;給(飛機等)裝配構件③[口]草草構築;臨時架起④[口]裝束;打扮;為…提供衣服 *n*. ①【海】帆裝(指一艘帆船特有的帆桅型式)②[口]服裝款式;奇裝異服③裝置;設備;器械④鑽井架;鑽塔.

rig[2] /rɪg/ *vt*. ①操縱;壟斷②對…預先做手脚;偽造③對…作出不利安排 *n*. [主英]①詭計;騙局②惡作劇.

right /raɪt/ *a*. ①正確的;對的;準確的②恰當的;符合要求的③正當的;理所當然的;公正的④右邊的;右面的;向右的⑤最有利的;方便宜人的⑥健康的;正常的;健全的⑦正面的;

主要一面的⑧(常作 R-)右翼的;右派的⑨(綫)直的;(角)垂直的;(有)直角的 *ad*. ①正確地②合適地;符合要求地③正當地;理所當然地;公正地④往右地;在右面⑤正好地;毫厘不差地⑥立即;馬上⑦非常;十分⑧以有利結果地;方便宜人地⑨筆直地;徑直地⑩完全地;徹底地 *n*. ①正確;對②(the ~s)(事件等的)實況;真情;正常狀態③正當;合法;公正④正當要求;權利;有權;授權;(常作 *pl*.)產權⑤(*pl*.)[美口]公民權;黑人民權⑥右邊;右部;右翼⑦右轉彎⑧(拳擊中的)右手;右手拳 *vt*. ①糾正;改正;糾正…的錯誤②把…整得井井有條;使恢復正常;把…扶正③補救;補償;為…(伸冤) *int*. 好;行;對 **~eous** /'raɪtʃəs/ *a*. 正直的;正當的 **~ful** *a*. 正義的;正當的;合法的 **~ist** *n*. & *a*. [舊]右翼團體(的);右翼分子(的) **~ly** *ad*. 公正地;適當地;正確地 **~ness** *n*. 正義;正確;正當 **~-angled** *a*. 直角的 **~-minded** *a*. 正直的;有正義感的 **~-wing** *a*. 右翼的 **~-winger** *n*. 右翼分子 // *all* ~ (表示贊同)行,好 *get sth* ~ 使某事恢復正常;把某事了解清楚 ~ *away*, ~ *now* 立即 *the* ~*s and wrongs of sth* 事實,真相.

right-to-life /'raɪt tə 'laɪf/ *a*. 反對墮胎的.

rigid /'rɪdʒɪd/ *a*. ①剛硬的;剛性的;堅固的;僵硬的②嚴格死板的;苛嚴的;固執僵化的 **~ity** /rɪ'dʒɪdətɪ/ *n*.

rigmarole /'rɪgmərəʊl/ *n*. 胡言亂語;冗長的廢話;繁瑣費時的手續.

rigor /'rɪgɔː(r)/ *n*. (發燒前突然的)寒戰;發冷;僵直.

rigor mortis/raɪgɔː 'mɔːtɪs/*n*.【醫】屍僵;死後僵直.

rigo(u)r /'rɪgə(r)/ *n*. ①(性格等)嚴峻;嚴厲;苛刻 ②(常作~**s**)(生活艱苦;(氣候)嚴酷③嚴密;精確 **ri**g**orous** /'rɪgərəs/ *a*.

rile /raɪl/ *vt*. ①使惱火;惹…生氣②[美]攪渾(水等).

rill /rɪl/ *n*. 小河;細流 *vi*. 潺潺地流;涓涓流淌.

rim /rɪm/ *n*. ①(尤指圓形物的)邊緣②(車輪的)輪輞;輪胎輞圈③圓圈;(籃球架上的)籃圈 *vt*. 裝邊於;裝輪輞於;作…的邊.

rime /raɪm/ *n*. ①霜;白霜;②【氣】霧凇③(凝結的一層)外皮;殼 *vt*. 使蒙霜;使蒙上白霜似的一層.

rind /raɪnd/ *n*. ①果(或蔬菜)皮②(乾酪,鹹肉等的)外皮.

ring[1]/rɪŋ/ *n*. ①戒指;指環②環形物;環圈;圓圈;(天體的)光環;(樹木的)年輪③圓形場地(如馬戲場;賽馬場等)④拳擊場;摔角場⑤(尤指祕密的)集團 *vt*. ①以圓圈環繞;把…圍出;包圍②給…裝環;給(牲口)套鼻圈③圍趕(牲口).

ring[2]/rɪŋ/ (**rang** /ræŋ/; **rung** /rʌŋ/) *vi*. ①鳴;響;發出清脆響亮的聲音②鳴鈴;按鈴,敲鐘③聽起來④響徹;響起;響個不停 *vt*. ①按(鈴);搖(鈴);敲(鐘等)②敲響鐘聲報(時、喪等)③[英]打電話給 *n*. ①鈴聲;鐘聲;洪亮的聲音②按鈴;打電話③(表示特定感情的)口氣;語氣④一套鐘 **~er** /'rɪŋə(r)/ *n*. 按(或搖)鈴的人;敲鐘人;鳴鐘裝置;冒名頂替者.

ringster /'rɪŋstə(r)/ *n*. [美口](尤指壟斷市場、操縱毒品或古董等非法買賣的)團夥分子;幫派分子;小集團成員.

rink /rɪŋk/ *n*. ①(室內)溜冰場;滑冰

場②滾球草場;冰球場 **~er** *n*. 溜冰者.

ıse /rɪns/ *vt*. ①用清水漂淨(衣服等)上的肥皂(或髒物等);漂洗掉(肥皂、髒物等)②輕洗(頭髮等);用清水冲洗③(用水或液體)呑下食物 *n*. ①漂洗;冲洗②(漂洗等用)清水(或其它液體)③染髮(劑);護髮液.

ıt /'raɪət/ *n*. ①暴亂;騷亂;大混亂②喧鬧;狂歡;(感情等的)盡情發泄;放縱③極度豐富;衆多④極有趣的人(或事) *vi*. 參與暴亂(或鬧事).

ı /rɪp/ *vt*. ①撕;扯;剥;劃破②劈;鋸(木材等);鑿開③拆(衣、屋等) *vi*. ①被撕開;裂開②(車、船等)猛開;猛衝;飛速行進 *n*. ①裂口;裂縫;破洞②[美俚]偷竊③(由相反方面的風和海流造成的)裂流(激浪)水域;激流;巨浪 **~-off** *n*. 欺騙;偷盜;要高價 **~-roaring** *a*. 喧鬧的;巨大的.

ɔe /raɪp/ *a*. ①熟的;成熟的②(儲存後)適於食用的③成年的;年高的;老練的④(癤等)已化膿的.

ıen /'raɪpən/ *vi*. ①(穀物、果實等)成熟;(感情等)變得成熟②(癤子等)成熟可去膿 *vt*. ①使(穀物、果實等)成熟;使(感情等)成熟②使(癤子等)成熟去膿③(經加工儲存後)使成熟可食(或可飲).

ıoste /rɪ'pɒst/ *n*. ①迅速的回擊;尖銳的反駁②【體】敏捷的回劍 *vi*. 尖銳地反駁;敏捷地回劍.

ıple /'rɪpl/ *n*. ①漣漪;細浪②波紋;波動;微小反響③輕柔而起伏的聲音 *v*. (使)起細浪.

e /raɪz/ *vi*. (**rose** /rəuz/; **risen** /'rɪzn/) ①起立;起床;起身;直立②升起;上升;地位升高;興起③上漲;增長;增強④高聳;隆起⑤起義;起來反抗⑥浮起;浮現⑦發源;起因⑧閉會;休會⑨(生麵)發起來 *n*. ①升起;上升②上漲;增長③高地;崗;斜坡④(地位、權力、價值、音調等的)升高;興起.

risen /'rɪzn/ rise 的過去分詞.

risible /'rɪzɪbl/ *a*. 令人發笑的;可笑的;滑稽的;荒謬的.

rising /'raɪzɪŋ/ *a*. ①上升的;升起的②上漲的;增長的③漸高的;向上斜的④正在發展中的 *n*. ①起立;起床②上升;升起③上漲;增長④高地;突出部分⑤起義;造反;叛亂.

risk /rɪsk/ *n*. ①危險;風險②引起危險的事物;危險人物③(保險業用語)保險對象(包括人和物) *vt*. ①使(生命、財產等)遭受危險②冒…的危險;冒險幹;大膽做③把…作賭注 **~y** *a*.

risotto /rɪ'zɒtəu/ *n*. (用洋葱、鷄雜燴炒的)意大利調味飯.

risqué /'rɪskeɪ/ *a*. [法]有傷風化的;近乎淫猥的.

rissole/'rɪsəul/*n*. 炸魚(肉)餅;炸魚(肉)丸.

rite /raɪt/ *n*. 【宗】儀式;典禮;禮拜式.

ritual /'rɪtʃuəl/ *a*. ①(宗教)儀式的;典禮的②例行的;慣常的 *n*. ①儀式;典禮②(宗教)儀式的程序③例行公事;習慣;固定的程序.

ritzy /'rɪtsɪ/ *a*. [美俚]豪華的;高雅的.

rival /'raɪvl/ *n*. 競爭者;對手;可與匹敵的人(或物) *a*. 競爭的;對抗的;對立的 *vt*. ①與…競爭②努力趕上(或超過)③與…匹敵;比得上 **~ry**; **~ship** *n*.

riven /'rɪvn/ *a*. 分裂的;被劈開的.

river /'rɪvə(r)/ *n*. 江;河;水道;巨流.

rivet /'rɪvɪt/ *n*. 鉚釘 *vt*. ①鉚;鉚接②使(眼光等)一動不動地停住③吸引住…的注意力④使不動;使固定.

rivulet /'rɪvjʊlɪt/ *n*. 小河;小溪;細流.

RN *abbr*. = Royal Navy.

RNA *abbr*. = ribonucleic acid.

roach /rəʊtʃ/ *n*. (*pl*. **roach(es)**) ①【魚】(歐洲產)斜齒鯿;(美國產類似斜齒鯿的)淡水鯿②蟑螂③[美俚]大麻製成的烟捲烟蒂.

road /rəʊd/ *n*. ①路;道路;公路②街道;馬路;(R-)(用於街道名)街,路,道(略作 Rd.)③(去目的地的)路綫;[喻]路;途徑.

roam /rəʊm/ *vi*. ①(漫無目標地)隨便走;漫步;漫遊;流浪②漫無邊際地談論 *vt*. 在…隨便走;漫步於,漫遊;*n*. 隨便走;漫步;漫遊;閒逛.

roan /rəʊn/ *a*. 皮毛紅棕色夾雜着白(或灰)色的;花毛的 *n*. 紅白間色的馬(或其他動物);花毛(的馬或其他動物).

roar /rɔː(r)/ *vi*. ①(獅、虎等)吼叫;(海、風等)怒號;呼嘯;(雷、炮等)轟鳴②呼喊;大喊大叫;狂笑;高聲歌唱③喧嘩;喧鬧 *vt*. ①呼喊;高唱②因大聲叫喊(或轟鳴)而使得③使轟鳴 *n*. ①吼聲;怒號;轟鳴②大笑聲;號叫聲;咆哮聲;喧鬧聲.

roaring /'rɔːrɪŋ/ *n*. ①吼叫(聲);怒號(聲);呼嘯(聲);咆哮(聲);轟鳴(聲)②(馬的)吼喘症 *a*. ①吼叫的;呼嘯的;咆哮的;轟鳴的②有暴風雨的③喧鬧的④(火)旺的⑤[口]活躍的;成功的;興旺的;極健康的.

roast /rəʊst/ *vt*. ①烤;炙;烘②【冶】焙燒;烘焙;烘乾;將…烘成褐色③使受熱發燙;使取暖④[口]取笑;嘲弄;嚴厲批評 *vi*. ①烤;炙;烘②被烘焙;被烘乾;被烘成褐色③受熱發燙;感到極熱;取暖 *n*. ①烤;炙;烘②烤過的東西;(一塊或一盆)烤肉;烤的肉③烤食野餐會④【冶】焙燒取笑;嘲弄;嚴厲批評 *a*. 烤過的;過的 **~er** *n*. 可烤炙的食品 **~i** *a*. 熾熱的.

rob /rɒb/ *vt*. ①搶;盜竊…的財物;詐;向…漫天要價②非法剥奪;使失**~ber** *n*. 強盜,盜賊.

robbery /'rɒbərɪ/ *n*. ①搶劫罪;搶案②敲詐勒索.

robe /rəʊb/ *n*. ①長袍;罩袍;(嬰孩的)罩衣;[美]晨衣;浴衣②(常 *pl*.)禮服;官服;制服;法衣 *vt*. …穿上長袍(或晨衣、浴衣、禮服等給…穿衣.

robin /'rɒbɪn/ *n*. 知更鳥.

robot /'rəʊbɒt/ *n*. ①機器人;自動機自動控制裝置②[南非]自動交通號③機器般的人.

robust /rəʊ'bʌst/ *a*. ①強壯的;粗的;健全的②堅定的;堅強的;結的;堅固耐用的③需要體力(或耐的)④(酒)醇厚的;(味)濃的⑤粗的;粗野的.

rock[1] /rɒk/ *n*. ①岩,岩石,大石②石③[英]棒棒糖.

rock[2] /rɒk/ *vt*. ①搖;輕搖;[喻]撫②搖晃;使震動;使震驚③【礦】用礦箱搖洗(礦砂) *vi*. 搖;擺動;震 *n*. 搖動;搖擺;搖滾樂;搖滾舞 ~ *n*. 搖椅;搖具.

rockery /'rɒkəri/ *n*. 假山;岩石園;山庭園.

rocket /'rɒkɪt/ *n*. ①火箭;火箭式投器;火箭彈;由火箭推進的導彈②種烟火;火箭信號③[英俚]斥責;辭強硬的信 *vi*. ①迅速上升;猛②快速移動,飛速變化.

rocking /'rɒkɪŋ/ *a*. ①搖擺的;搖

的;作搖動用的②【樂】搖滾型的;按搖滾式演奏的 ~-**chair** *n*. 搖椅 ~-**horse** *n*. 搖動木馬.

ocky /'rɒkɪ/ *n*. ①岩石的;多岩石的;岩石構成的②岩石似的;堅定不移的;鐵石般的;無情的③障礙(或困難)重重的④搖動的;不穩的⑤動搖不定的;不牢靠的⑥[口](因病)身體搖搖晃晃的;頭暈目眩的.

ococo /rə'kəʊkəʊ/ *a*. 洛可可式的(歐洲十八世紀建築、藝術等的一種風格,強調精巧).

od /rɒd/ *n*. ①杆;竿;棒條②樹枝條;柳條③(責打用的)笞鞭;棍棒;枝條把④杆狀物;牧羊杖;手杖;避雷針;【機】連杆;手柄⑤釣竿⑥(君王等手執的)權杖;權威;專制統治⑦【測】標尺;標杆;平方杆(面積單位)⑧[美俚](左輪)手槍.

ode /rəʊd/ ride 的過去式.

odent /'rəʊdənt/ *n*. ①嚙齒目動物(如鼠;松鼠;兔等)②獐頭鼠目的人.

odeo /rəʊ'deɪəʊ/ *n*. (*pl*. **rodeos**) ①牧馬騎術表演;放牧人競技會;(摩托車等的)競技表演②(美國西部為打烙印等的)趕攏牛群.

oe /rəʊ/ *n*. (*pl*. **roe(s)**) 魚(或甲殼動物等的)卵;魚白.

oentgen /'rɒntjən/ 【核】*n*. 倫琴(一種X射綫或γ輻射的照射劑量單位) *a*. (亦作 **R-**)倫琴射綫的; X射綫的.

oger; Roger /'rɒdʒə(r)/ *int*. ①(無綫電話通訊用語)已收到;已獲悉②[俚]對! 好! 行!.

ogue /rəʊg/ *n*. ①無賴;流氓;惡棍;[古]流浪漢②調皮鬼;小淘氣③凶野的離群獸(尤指象).

oguery /'rəʊgərɪ/ *n*. ①無懶行為;欺詐②調皮搗蛋;淘氣.

roguish /'rəʊgɪʃ/ *a*. 調皮的;搗蛋的;淘氣的.

roister /'rɒɪstə(r)/ *vi*. ①大搖大擺;擺架子②喧鬧作樂;鬧飲 ~**er** /'rɒɪstərə/ *n*. 喧鬧者;鬧飲者 ~**ing** *a*. & *n*.

role /rəʊl/ *n*. ①角色②作用;任務;職責.

roll /rəʊl/ *vi*. ①滾動;打滾;(汽車)翻車;(泪珠等)滾落②被捲起;被繞起;被裹住③被滾壓;被輾;被滾平④(車輛)行駛⑤搖搖擺擺⑥綿延起伏;波動⑦[俗]攝影機開動⑧發出隆隆聲 *vt*. ①使滾動;使打滾②捲;繞;滾搓③把…裹(或包)起來④[美俗]搶劫(喝醉或睡着的人)⑤壓滾;輾;軋;擀;滾平⑥使左右搖擺⑦使開始運轉;開動 *n*. ①一捲;卷軸;捲狀物;麵包卷;卷餅;做成鬈曲狀的頭髮②滾動;打滾;(波浪等的)翻滾③(土地等的)綿延起伏④左右搖晃⑤輥軋機;捲筒;(打字機等的)滾筒⑥案卷;名單;花名冊;登記表⑦[美口]一捲鈔票;錢.

roller /'rəʊlə(r)/ *n*. ①滾動物;滾子;滾筒;軋棍;滾輪;捲髮筒②滾軋機;輾壓機;壓路機③巨浪④捲軸 ~-**coaster** *n*. (遊樂場的)環滑車道;環滑車;過山車 ~-**skate** *n*. 旱冰鞋.

rollick /'rɒlɪk/ *vi*. & *n*. 嬉耍;歡鬧. ~**ing** *a*.

rolling /'rəʊlɪŋ/ *a*. ①滾的;可滾動的②周而復始的③(眼睛等)轉動的;(衣領等)翻轉的④搖擺的;搖晃的 *n*. ①滾;滾動;轉動;翻滾②軋製;滾壓③隆隆聲.

rolypoly /'rəʊlɪ'pəʊlɪ/ *n*. ①矮胖子;胖孩子;圓滾滾的東西(或動物);[美]不倒翁(玩具)②[英]果醬布丁卷 *a*.

矮胖的;圓胖的.

ROM /rɒm/ *abbr*. = read-only memory【計】只讀存儲器.

Roman /'rəʊmən/ *n*. ①古羅馬人;羅馬人②(the ~s)古羅馬帝國成員③羅馬天主教徒④(r-)【印】羅馬體;正體字;羅馬體鉛字 *a*. ①(古)羅馬的;(古)羅馬人的②羅馬天主教的;羅馬教廷的③(r-)【印】羅馬體的;正體的④古羅馬人風格的;羅馬式建築的;半圓拱的.

Romance /rəʊ'mæns/ *n*. 羅曼語;拉丁語系 *a*. 羅曼語的;拉丁系語言的.

romance /rəʊ'mæns/ *n*. ①浪漫故事;浪漫文學;傳奇文學②(歐洲)中世紀傳奇故事;騎士故事③浪漫事迹;離奇事件;風流韻事④浪漫性;傳奇性;浪漫的想望⑤浪漫曲 *vi*. ①誇大;歪曲(或捏造)事實②使浪漫化.

Romania /ruː'meɪnɪə/ *n*. (歐洲)羅馬尼亞.

Romanian /ruː'meɪnɪən/ *a*. & *n*. 羅馬尼亞的;羅馬尼亞人或語(的).

romantic /rəʊ'mæntɪk/ *a*. ①浪漫的;富於浪漫色彩的;傳奇(式)的;風流的②有浪漫思想(或)感情的;愛空想的;喜傳奇的③(常作 R-)(文學、音樂等)浪漫派的 *n*. 浪漫的人;(常作 R-)浪漫主義作家(或藝術家等) **~ally** *ad*. **~ism** /rəʊ'mæntɪsɪzəm/ *n*. 浪漫主義;浪漫精神 **~ist** /rəʊ'mæntɪsɪst/ *n*. 浪漫主義作家(或藝術家) **~ize** *v*. ①誇大;虛構②(使)浪漫化.

Romany/'rɒmənɪ/*n*.吉卜賽人;吉卜賽語.

romp /rɒmp/ *n*. ①嬉耍喧鬧②輕易取得的勝利 *vi*. ①(兒童等)喧鬧地玩耍;嬉耍地追逐(扭打)②[口]輕易取勝;不費力地完成 **~ers** *pl*. *n*. (= ~er-suit)(兒童穿的寬鬆的)褲外衣,連衫褲 // ~ home 或~ 輕易取勝.

rondo /'rɒndəʊ/ *n*.(*pl*. ~s)【樂】旋曲.

rood/ruːd/*n*.【宗】十字架;有耶酥受像的十字架.

roof /ruːf/ *n*. ①屋頂②[喻]住處;③頂;頂部;車頂 *vt*. ①給…蓋上頂;做…的屋頂②遮蔽;庇護.

rook /rʊk/ *n*. ①禿鼻烏鴉;白嘴鴉(以賭博營生的)賭棍;騙子 *vt*. (賭博)騙(某人)錢;敲詐;詐取.

rookery /'rʊkərɪ/ *n*. ①白嘴鴉結處;白嘴鴉群②(海豹、企鵝等的)群棲處.

rookie/'rʊkɪ/*n*.[口]無工作經驗的手;生手;新兵.

room /ruːm/ *n*. ①房間;室②(*pl*.)套房間;寓所③地方;空間④餘地;會 *vi*. 寄宿;佔用住房;住宿 ~ *n*. [美]房客,寄宿者 **~ful** *n*. ①房間②全屋的人(或物) **~-mate** 室友.

roomy /'rʊmɪ/ *a*. 寬敞的;寬大的.

roost /ruːst/ *n*. 鳥的棲息地 *vi*. 息;進窩 **~er** *n*. 雄禽;[主美]公雞

root[1]/ruːt/ *n*. ①根;根莖;根部;根物②底部;基部;根本;基礎;核心根源;原因④祖籍;故土⑤【數】根【語】詞根 *vt*. ①使生根;栽種;使根;使固定②根除;鏟除;肅清 *vi* ①生根;固定②起源於;起因於 ~ *a*. 生了根的;根深的.

root[2]/ruːt/ *vi*. ①(豬等)用鼻(或嘴拱土(覓食)②翻找;搜尋;發掘③(參賽者)鼓氣;捧場;歡呼④聲援;持 *vt*. ①(豬等)用鼻(或嘴)拱(翻②搜尋;發掘.

rope /rəʊp/ *n*. ①粗繩;索;纜繩(

(the ～)絞索;絞刑;[美](套捕牛、馬的)套索③(繩狀的)(一)串;(一)條④(the ～s)(處理工作、問題等的)訣竅、規則 *vt*. ①用繩捆(或扎、繫等)②用繩圍起(或隔開;分隔)③勸說…參加;說服.

rosary /'rəuzərɪ/ *n*. ①(尤指天主教徒念玫瑰經時用的)一串念珠②(常作 R-)玫瑰經.

rose[1]/rəuz/ rise 的過去式.

rose[2]/rəuz/ *n*. ①薔薇科植物;薔薇;玫瑰花②玫瑰色;玫瑰紅③形似玫瑰的東西;玫瑰花飾④(灑水壺、水管等的)蓮蓬式噴嘴.

rosé /'rəuzeɪ/ *n*. 桃紅色葡萄酒.

roseate /'rəuzɪət/ *a*. ①玫瑰色的②美好的③樂觀的.

rosehip/'rəuzhɪp/*n*.玫瑰果;薔薇果.

rosemary /'rəuzmərɪ/ *n*. 【植】迷迭香.

rosette /rəu'zet/ *n*. ①玫瑰花形物(如徽章等);玫瑰花形飾物(如玫瑰花結等)②石造物上的玫瑰花形雕飾.

rosin /'rɒzɪn/ *n*. 松香;松脂.

roster /'rɒstə(r)/ *n*. ①(軍隊等的)值勤人員表;花名冊②登記表;項目單 *vt*. 把…列入名單(或登記表)中.

rostrum /'rɒstrəm/ *n*. (*pl*. **rostrums** 或 **rostra** /'rɒstrə/) 演講台;講台.

rosy /'rəuzi/ *a*. ①玫瑰色的;玫瑰紅的;紅潤的;(因害羞等)漲紅臉的②美好的;光明的;樂觀的,大有希望的.

rot /rɒt/ *vi*. ①腐爛;腐壞;腐敗;墮落②(社會、制度等)逐漸衰敗;消瘦;憔悴③[英俚]開玩笑 *vt*. ①使腐爛;使腐壞;使腐敗;使墮落②[俚]搞糟③[英俚]取笑 *n*. 腐爛;腐壞;腐敗;墮落 *int*. (表示厭惡、蔑視、煩惱等)胡說!.

rota/'rəutə/*n*.勤務輪值表.

rotary /'rəutərɪ/ *a*. 旋轉的;輪轉的;轉動的 *n*. [美](道路的)環形交叉.

rotate /rəu'teɪt/ *vi*. ①旋轉;轉動②循環;交替;輪流;輪換③【軍】輪換調防 *vt*. ①使旋轉;使轉動②使輪流;使交替③【軍】把(人員;部隊)輪換調防 **rotation** *n*. **rotatory** *a*.

rote /rəut/ *n*. 死記硬背 // *by* ～ 靠死記硬背.

rotisserie/rəu'tɪsərɪ/*n*.電熱轉動烤肉器.

rotor/'rəutə(r)/*n*.(機器的)旋轉部分;【空】(直升機的)旋翼.

rotten /'rɒtn/ *a*. ①腐爛的;發臭的;腐敗的;腐朽的;墮落的②[俚]蹩脚的;討厭的;糟糕的.

rotter /'rɒtə(r)/ *n*. [英俚]無賴;下流坯;壞蛋;討厭的傢伙;無用的人.

rottweiler/'rɒtˌwaɪlə(r)/*n*.羅特韋爾狗(德國種猛犬).

rotund /rəu'tʌnd/ *a*. (指人)圓而胖的;矮胖的.

rotunda /rəu'tʌndə/ *n*. ①(有圓頂的)圓形建築物②圓形大廳.

rouble /'ruːbl/ *n*. ＝buble 盧布(俄羅斯貨幣).

roué /'ruːeɪ/ *n*. 放蕩的人;老色鬼;酒色之徒.

rouge /ruːʒ/ *n*. ①胭脂②紅鐵粉,鐵丹 *vt*. 搽胭脂.

rough /rʌf/ *a*. ①表面不平的;毛糙的;粗糙的②(路面)高低不平的;崎嶇的;難行的③毛茸茸的;蓬亂的④未加工的;粗製的;未經琢磨的⑤未完成的;初步的;粗略的⑥粗陋的;簡陋的;不講究的⑦粗暴的;粗野的⑧暴風雨的;狂暴的;(海浪等)洶涌的⑨笨重的;艱難的⑩(聲音等)粗糙刺耳的;(酒等)烈性的 *n*. ①高低不平之地;(高爾夫球場的)深草區②[主

英]粗人;莽漢;暴徒③粗糙的東西;毛坯④梗概;要略;草樣;草圖 *vt*. (主要用於下述搭配)①~ *it* 過艱苦生活②~ *sth out* 粗略地安排(或設計、草擬)③~ *sb up* (俗)粗暴對待;毆打④~ *sth up* 弄亂,使不平整 *ad*. 粗糙地;粗魯地 **~ly** *ad*. **~ness** *n*.

roughcast/'rʌfkɑːst/ *n*. (用小卵石,沙石等混合塗在建築物外牆的)粗灰泥.

roughen /'rʌfn/ *vt*. 使粗糙;使(路面)不平 *vi*. 變糙;變毛糙;(路面)變得不平;(天氣)起風暴.

roughshod/'rʌfʃɒd/*ad*. 無情地;殘暴地;殘忍地.

roulette /ruː'let/ *n*. 輪盤賭.

round /raʊnd/ *a*. ①圓的;球形的;環形的②弧形的;半圓的;半球形的③豐滿的;圓而胖的④環行的;成圓狀的⑤完整的;十足的⑥用十(或百、千等)一類整數表示的;大概的;約略的⑦大量的;可觀的⑧坦率的;明確的⑨(文體、風格等)完美流暢的;十分生動的⑩(聲音)圓潤洪亮的;(字體)圓潤的 *n*. ①圓形物;球狀物;圓柱狀物②循環往復性的事物③(掌聲、歡呼的)突然爆發④(槍、炮的)射擊;子彈,炮彈⑤輪唱曲⑥一套,一系列(或其中的一個、一份、一次)⑦(比賽、談判等的)一輪,一回合,一場 *ad*. ①成圓圈地;圍繞地;旋轉地②在四處;在各處;從各方面③繞道地;循環地;從頭至尾地④在附近;在周圍⑤逐一;遍及⑥在反方向;轉過來 *prep*. ①圍繞;繞過;環繞②向…各處;在…各處③在…周圍;在…附近④在…整個期間⑤以…為軸心;以…為中心⑥大約 *v*. ①(使)成圓形;用圓唇發(音)②環繞…而行;拐過③完成;使圓滿結束;使完美④(~on/upon sb)突然生氣而責罵⑤(~ sth out)詳細說明⑥(~ sb/sth up)使聚攏⑦(sth up/down)把…提高或降低到整數 **~about** *a*. 迂迴的;委婉的 *n*. 遊樂場中的圓形旋轉台;(道路的)環形交叉 **~-shouldered** *a*. 曲背塌肩的 **~-table** *a*. (會議)圓桌的 **~-trip** *a*. 往返的 *n*. [美]往返車票.

Roundhead/'raʊndhed/*n*.【史】(1642-1652 英國內戰期間支持國會反對英王查理一世的)圓顱黨人.

roundly /'raʊndlɪ/ *ad*. ①嚴厲地;尖刻地②直率地;坦率地③完全地;徹底地.

roundsman /'raʊndzmən/ *n*. (*pl*. **roundsmen**) ①巡邏者;巡視者;[美]巡邏警官②[英]商業推銷員;跑街;送貨員.

rouse /raʊz/ *vt*. ①喚醒;喚起;使覺醒②激起;激怒③驚起;嚇出(獵物等)④攪動 *vi*. 被喚醒;醒來;起來 **rousing** *a*. 精力充沛的;令人鼓舞的.

roustabout /'raʊstəbaʊt/ *n*. [英]石油工人;[美]碼頭工人.

rout /raʊt/ *n*. 潰敗;潰退 *vt*. ①擊潰;打垮;使大敗②強拉,硬拽;拖出.

route /ruːt/ *n*. ①路;道路;路綫;航綫②(郵遞員、送奶人等的)遞送路綫(或地區);(商品推銷員的)固定推銷路綫③途徑;渠道 *vt*. ①為…安排路綫;給…定路綫②按特定路綫送(或寄發).

routine /ruː'tiːn/ ①例行公事;例行手續;慣例②固定節目③【計】例行程序;程序 *a*. 日常的;例行的;常規的;一般的 **~er** *n*. 墨守成規者;拘泥的人 **~ly** *ad*.

routinism /ruː'tiːnɪzm/ *n*. 墨守成規;

事務主義.

roux/ru:/ *n*. (能使湯、漿等增稠, 並可製沙司的)油脂麵糊.

rove /rəʊv/ *vi*. ①流浪;漫遊②環顧;(思想、感情)轉移不定③[口](尤指男子)愛情不專一 *vt*. 流浪於;漫遊於 **~r** *n*. 流浪者.

row[1]/rəʊ/ *n*. ①一排;一列;一行②成排座位;成行植物 // *in a ~* 成一排;一連串;連續.

row[2]/rəʊ/ *vt*. ①划(船等);划運;划渡②擔任…號划手③參加(賽船);與…進行划船比賽 *vi*. ①划船;蕩槳②參加賽船;當賽船划手 *n*. 划船;划船遊覽;划程.

row[3]/rəʊ/ *n*. ①[口]吵嚷;騷動;吵架②受斥責③爭辯;吼叫 *vi*. [口]爭吵;吵鬧.

rowan/'raʊən/ *n*. 花楸;花楸漿果(鮮紅色).

rowdy /'raʊdɪ/ *n*. 粗暴而又好爭吵的人;喧鬧者;小流氓;暴徒 *a*. 好爭吵的;喧鬧的;粗暴的.

rowen /'raʊən/ *n*. ①冬前茬地(用於放牧)②再萌草.

rowlock /'rɒlək; 'rəʊlɒk/ *n*. [主英](船的)槳叉;槳架.

royal /'rɔɪəl/ *a*. ①國王的;女王的;王室的②王國(政府)的;(R-)(用於組織、學會等名稱)(英國)皇家的;皇家學會的③似君王的;高貴的;莊嚴的④盛大的;大規模的⑤極好的;第一流的 *n*. [口]王室成員.

royalist /'rɔɪəlɪst/ *n*. 保皇主義者;保皇黨人;(R-)保皇黨黨員 *a*. 保皇主義的;保皇主義者的;保皇黨人的.

royally /'rɔɪəlɪ/ *ad*. 莊嚴地;高貴地;盛大的.

royalty /'rɔɪəltɪ/ *n*. ①王族成員;(總稱)王族②王位;王權;王威③(專利權的)使用費;(著作的)版稅;特許使用費;開採權使用費;礦區使用費.

rpm *abbr*. = revolutions per minute.

RSI *abbr*. = repetitive strain injury.

RSVP *abbr*. = please reply.

rub /rʌb/ *vt*. ①擦;摩擦;使相擦②用…擦;擦上;把…擦得③觸怒;惹惱 *vi*. 摩擦 *n*. ①摩擦②磨損處;擦痛處③阻難;疑難.

rubber[1]/'rʌbə(r)/ *n*. ①橡膠;合成橡膠②橡皮;橡皮擦子;黑板擦③[俗]避孕套④(*pl*.)橡皮套靴 **~y** *a*. 似橡膠的 **~ize** *vt*. 用橡膠處理;塗上橡膠 **~-neck** *vi*. 好奇地伸長脖子看 *n*. 好奇的觀光者 **~-stamp** *n*. 橡皮圖章 *vt*. 漫不經心地同意.

rubber[2]/'rʌbə(r)/ *n*. 【體】(板球、草地網球等的)勝局比賽(如三局兩勝、五局三勝);(橋牌等)一盤勝局;一盤比賽.

rubbish /'rʌbɪʃ/ *n*. ①垃圾;廢物②廢話;無聊的思想.

rubble /'rʌbl/ *n*. 碎石;破瓦;瓦礫.

rube /ru:b/ *n*. [美口]莊稼漢;鄉下人.

rubella /ru:'belə/ *n*. 【醫】風疹.

rubicund /'ru:bɪkənd/ *a*. (臉色、膚色等)紅潤的;(人)血色好的;氣色好的.

Rubik's /'ru:bɪk(s)/ **cube** 魔術方塊,魔方.

rubric /'ru:brɪk/ *n*. ①(舊時書本等中的)紅字標題(或句、段)②特殊字體的標題(或首字母等)③(章、節等的)標題.

ruby /'ru:bɪ/ *n*. ①紅寶石;紅寶石製品②紅寶石色;紅玉色;深紅色 *a*. 紅寶石色的;紅玉色的;深紅色的.

ruche /ru:ʃ/ *n*. 褶裥飾邊 **~d** *a*.

ruck[1]/rʌk/ *n*. ①[英](橄欖球)亂陣

②散亂的一群運動員③(the ～)普通人;一般性事物.

ruck²/rʌk/ *n*. 皺;褶 *vi*. 變皺;起皺(up).

rucksack /'rʌksæk/ *n*. 帆布背包.

ruction /'rʌkʃn/ *n*. (常作 *pl*.)[口]吵鬧;爭吵;抗議.

rudder /'rʌdə(r)/ *n*. (船的)舵;(飛機的)方向舵,舵.

ruddy /'rʌdɪ/ *a*. ①紅潤的;血色好的②淺紅色的③[英俚]討厭的;可惡的 *ad*.[英口]非常;極其.

rude /ru:d/ *a*. ①粗魯的;無禮的②簡單的;粗劣的;未加工的③狂暴的;嚴重的④(聲音)刺耳的;難聽的⑤原始的;未開化的⑥崎嶇不平的;荒涼的⑦粗略地;大略的⑧(故事等)下流的.

rudiment /'ru:dɪmənt/ *n*. ①(常作 *pl*.)基礎;基本原理②(常作 *pl*.)雛形;萌芽③【生】未成熟的器官(或部分);退化器官.

rue /ru:/ *vt*. 對…感到懊悔;對…感到悔恨 *n*.【植】芸香 **～ful** *a*. 後悔的;(表示)悲哀的;遺憾的.

ruff /rʌf/ *n*. ①(16-17 世紀流行的高而硬的)輪狀皺領②(鳥、獸的)頸部彩羽,頸毛(指有特色的).

ruffian /'rʌfɪən/ *n*. 流氓;暴徒;惡棍.

ruffle /'rʌfl/ *vt*. ①弄皺;弄毛糙②弄亂(頭髮等),(鳥受驚或發怒時)豎起(羽毛)③把(布等)打褶裥;給…裝褶邊④觸怒;使生氣 *n*. (衣服上的)褶裥飾邊.

rug /rʌg/ *n*. 小地毯;厚毛毯.

Rugby /'rʌgbɪ/ *n*. (亦作 r-)英式橄欖球(運動).

rugged /'rʌgɪd/ *a*. ①高低不平的;多岩石的;多森林的②粗壯的;強健的③堅固耐用的④粗魯的;不文雅的.

rugger /'rʌgə(r)/ *n*. [俗]橄欖球.

ruin /'ru:ɪn/ *n*. ①毀滅;滅亡;沒落②傾家蕩產;重大損失③破產④傾圮(或破敗)的建築物(或城市等);(常作 *pl*.)廢墟;遺迹⑤毀滅(或毀損等)的原因;禍根 *vt*. ①使毀滅;使覆滅;毀壞②使成廢墟;使破產③誘奸(女子)④弄髒;寵壞 **～ous** *a*. **～ously** *ad*.

rule /ru:l/ *n*. ①規則;法則;規章②(教會的)教規;教條③【律】裁決;法律原則④統治(期);管轄(期)⑤習慣;慣例;規定⑥準則;標準;刻度尺 *vt*. ①統治;管理;控制②裁決;裁定③(用尺等)劃(直綫);在…上劃(平行)綫 *vi*. ①統治;管理;控制②作出裁決;作出裁定.

ruler /'ru:lə(r)/ *n*. ①統治者;管理者;支配者②尺,直尺.

ruling /'ru:lɪŋ/ *n*. 裁決;裁定;判決 *a*. ①統治的;管理的②主要的;居支配地位的③普遍的;流行的.

rum /rʌm/ *n*. 朗姆酒;(甘蔗汁製的)烈酒;[美]酒 *a*. [英俚]古怪的;離奇的.

Rumania /ru:'meɪnɪə/ *n*. = Romania.

Rumanian /ru:'meɪnɪən/ *a*. & *n*. = Romanian.

rumba /'ru:mbə/ *n*. 倫巴舞.

rumble¹/'rʌmbl/ *vi*. ①(雷、炮等)隆隆響②(車輛)轆轆行駛 *n*. ①隆隆聲;轆轆聲②[美俚]暴徒之間的巷戰.

rumble²/'rʌmbl/ *vt*. [英俚]察覺;識破.

rumbustious /rʌm'bʌstɪəs/ *a*. [俗]歡鬧的,喧鬧的.

ruminant /'ru:mɪnənt/ *n*. 反芻動物 *a*. 反芻的;反芻動物的.

ruminate /'ru:mɪneɪt/ *vi*. ①反芻②沉

思;反覆思考 **rumination** /ˌ-ˈneɪʃn/ *n*. **ruminative** *a*.

rummage /ˈrʌmɪdʒ/ *vi*. & *n*. 翻找;搜查;仔細檢查.

rummy /ˈrʌmɪ/ *n*. 拉米紙牌戲.

rumo(u)r /ˈruːmə(r)/ *n*. 謠言;謠傳;傳聞;傳說 *vt*. (常用被動語態)謠傳;傳說.

rump /rʌmp/ *n*. ①(獸的)臀部;(鳥的)尾部;牛臀肉②低劣部分;殘餘部分③(政黨等的)殘餘組織.

rumple /ˈrʌmpl/ *vt*. 弄皺;使凌亂.

rumpus /ˈrʌmpəs/ *n*. 喧鬧;騷亂.

run /rʌn/ (**ran** /ræn/; **run**) *vi*. ①跑;奔;(馬等)奔馳②逃跑;逃避③跑步鍛煉④趕緊;趕去⑤伸展;持續⑥寫着,說着⑦褪色⑧參加賽跑;競賽;競選⑨(車、船)行駛;快速行進⑩快速游動;洄游 ⑪(球;車輪;機器等)滾動;轉動;運轉;捲動 ⑫(液體等)流動;流出;滴;滲開 ⑬變得;變成 ⑭蔓生;蔓延;傳播 *vt*. ①使跑;在…上跑來跑去;穿過②參加(賽跑;競賽);同…比賽③提出(候選人);提出(某人)參加競選④追捕(獵物等);追查;探究⑤駕駛;運載;開動(機器)⑥辦;管理;經營;指揮⑦使流;倒注;澆鑄;提煉⑧使通過;使穿過⑨使移動⑩走私 ⑪開車送 ⑫刊載 *n*. ①跑步;奔跑;賽跑;奔跑的能力(或氣力)②奔跑的路程(或時間);(車、船等的)路綫;航綫;班次③趨勢;動向;(礦脈;木紋等的)走向④小徑⑤一段時間⑥(棒球、板球)得分⑦洄游的魚群;魚群的洄游⑧流動;流量;水槽;水管⑨連續;連續的演出(或展出;刊登)⑩(機器的)運轉;運轉期 ⑪擠提存款;擠兌;爭購;暢銷.

runabout /ˈrʌnəbaʊt/ *n*. ①輕型小汽車;微型汽車②輕便汽艇③輕便飛機.

runaway /ˈrʌnəweɪ/ *n*. 逃跑者;逃亡者 *a*. ①逃走的,離家出走的②(動物或車輛)失控的③迅速的;輕易得到的.

rune/ruːn/*n*.最古老的日耳曼語系的字母;如尼字母.

rung[1]/rʌŋ/ ring 的過去分詞.

rung[2]/rʌŋ/ *n*. ①梯子的橫檔;梯級;(凳、椅等的)橫檔②(喻)等級;地位;梯級.

runin /ˈrʌnɪn/ *n*. ①[美]激烈的爭執;吵架;衝突②(事件的)醞釀時期,籌備期.

runlet /ˈrʌnlɪt/ *n*. 溪;小河.

runnel /ˈrʌnl/ *n*. ①溪;小河②溝;水溝.

runner /ˈrʌnə(r)/ *n*. ①跑動的人;賽跑的人(或馬等);【棒】跑壘者②外勤人員;跑街;推銷員;(旅館等的)接客員;收帳員;送信人;通訊員③走私者④滑行裝置⑤蔓藤植物的蔓.

running /ˈrʌnɪŋ/ *a*. ①奔跑的;賽跑的②運轉着的;流動的;連續的③(傷口)流膿水的 *n*. ①跑;賽跑②流動;運轉③管理;照管.

runny /ˈrʌnɪ/ *a*. ①(果醬等)太稀的②流粘液的.

runoff /ˈrʌnɒf/ *n*. ①[美](雨、雪)徑流量;流量②(比賽的)加時賽.

runt /rʌnt/ *n*. ①(一窩之中)最弱小的動物②微不足道的小人物.

runway /ˈrʌnweɪ/ *n*. (機場)跑道.

rupee /ruːˈpiː/ *n*. 盧比(印度、尼泊爾、巴基斯坦、毛里求斯、斯里蘭卡等國的貨幣單位).

rupture /ˈrʌptʃə(r)/ *n*. ①破裂;裂開②(關係的)破裂;絕交③【醫】(組織的)破裂;疝 *vt*. ①使破裂;使裂開②斷絕(關係);破壞(團結等) *vi*. 破裂;裂開;絕交.

rural /'rʊərəl/ *a*. ①(在)農村的;鄉下的;鄉村生活的;鄉民的②生活於農村的③農業的.

ruse /ruːz/ *n*. 詭計;計策;欺詐.

rush[1]/rʌʃ/ *vi*. ①衝;奔;猛攻②急速流動;涌;急瀉③快走;趕緊;倉促行動④突然出現;涌現 *vt*. ①使衝;使急行;急送②敲詐③趕緊做;倉促完成④催促;使趕緊⑤(向…)猛攻;攻佔 *n*. ①衝;奔;急速行進(或流動)②匆忙;繁忙;緊張③猛攻;突然襲擊④蜂擁前往;蜂擁的搶購⑤大量;激增 *a*. 急需的;匆忙的;繁忙的.

rush[2]/rʌʃ/ *n*. ①燈芯草;類似燈芯草的植物②無價值的東西.

rusk /rʌsk/ *n*. (甜)麵包乾;脆(甜)餅乾.

russet /'rʌsɪt/ *n*. 黃褐色;赤褐色;黃(赤)褐色土布;赤褐色粗皮蘋果 *a*. 黃(赤)褐色的;黃(赤)褐色土布製的.

Russian /'rʌʃn/ *a*. 俄羅斯的;俄羅斯人的;俄羅斯族的;俄語的 *n*. 俄羅斯人;俄羅斯族;俄語.

Russo- /'rʌsəʊ/ [構詞成份]表示"俄羅斯","俄羅斯人".

rust /rʌst/ *n*. ①鐵銹;銹②鐵銹色;赭色③(腦子等的)發銹;衰退;惰性④【植】銹病;銹菌 *vi*. ①生銹;氧化②(腦子等)發銹;衰退③成鐵銹色④【植】患銹病 *vt*. 使(金屬)生銹;使(腦子等)發銹;使成鐵銹色 *a*. 鐵銹色的;赭色的.

rustic /'rʌstɪk/ *a*. ①鄉村的;農村風味的;鄉居的;適於農村的;樸素的②像鄉下人的;質樸的;土氣的;粗魯的③鄉間土製的;粗製的 *n*. 鄉下人;莊稼人;鄉巴佬;土包子.

rustle[1]/'rʌsl/ *vi*. 沙沙作響;發出窸窣聲 *vt*. 使沙沙作響 *n*. 沙沙聲;窸窣聲.

rustle[2]/'rʌsl/ [美]*vt*. 偷牲口 **~r** *n*. 偷牲口賊,盜馬賊.

rusty /'rʌstɪ/ *a*. ①(生)銹的②鐵銹色的;赭紅色的③褪了色的;破舊的;陳舊的④(腦子等)發銹的;衰退的;遲鈍的⑤(知識、能力等)荒廢的;生疏的.

rut /rʌt/ *n*. ①車轍;槽;溝②常規;慣例 *vt*. 在…形成車轍.

ruthless /'ruːθlɪs/ *a*. ①無情的;冷酷的②堅決的;永不鬆懈的;不間斷的 **~ly** *ad*. **~ness** *n*.

rye /raɪ/ *n*. ①黑麥;黑麥粒;黑麥粉②黑麥威士忌酒.

S

s *abbr*. = second(s); singular.
S *abbr*. = saint; south(ern);【化】硫.
Sabbatarian /ˌsæbəˈteərɪən/ *n*. 嚴守安息日的人(尤指基督教徒).
Sabbath /ˈsæbəθ/ *n*. 安息日.
sabbatical /səˈbætɪkl/ *a*. 安息日的;休假的.
saber /ˈseɪbə/ *n*. [美] = sabre.
sable /ˈseɪbl/ *n*. 黑貂;黑貂皮 *a*. 黑色的;陰暗的.
sabot /ˈsæbəʊ/ *n*. 木鞋;木底鞋.
sabotage /ˈsæbətɑːʒ/ *n*. 故意毀壞;破壞活動 *vt*. 破壞;暗中破壞.
saboteur /ˌsæbəˈtɜː(r)/ *n*. 破壞者;怠工者.
sabre /ˈseɪbə(r)/ *n*. ①馬刀,軍刀②長劍;佩劍.
sac /sæk/ *n*.【生】囊;液囊.
saccharin /ˈsækərɪn/ *n*. 糖精.
saccharine /ˈsækəriːn/ *a*. 含糖的;非常甜的;過份甜的.
sacerdotal/ˌsæsəˈdəʊtəl/*a*. 牧師的;司鐸的.
sachet /ˈsæʃeɪ/ *n*. 小袋子;香囊.
sack /sæk/ *n*. ①袋,包②寬大上衣③劫掠④解僱⑤[美俚]床,睡袋⑥睡覺 *vt*. ①將…裝進袋裏②[口]解僱③劫掠 **-cloth** *n*. 粗麻布;喪服 // *give sb the* ~ 解僱某人 *hit the* ~ 上床睡覺.
sacrament /ˈsækrəmənt/ *n*. 聖禮;聖事;[the ~] 聖餐 **sacramental** /ˌsækrəˈmentl/ *a*. 聖禮的;聖餐的.
sacred /ˈseɪkrɪd/ *a*. ①神聖的;宗教的②不可冒犯的③鄭重的.
sacrifice /ˈsækrɪfaɪs/ *n*. ①【宗】祭祀;犧牲;獻身②賤賣 *v*. ①獻祭;犧牲②賤賣 **sacrificial** /ˌsækrɪˈfɪʃl/ *a*. 犧牲的;獻祭的.
sacrilege /ˈsækrɪlɪdʒ/ *n*. 褻瀆神聖;瀆神罪; **sacrilegious** /ˌsækrɪˈlɪdʒəs/ *a*. 褻瀆神聖的.
sacristan /ˈsækrɪstən/ *n*. 教堂司事.
sacrosanct /ˈsækrəʊsæŋkt/ *a*. 神聖不可侵犯的 **~ity** *n*.
sad /sæd/ *a*. 可悲的;凄慘的;[口]糟透的 *ad*. 悲慘地 **~ness** *n*. 悲傷,令人憂傷的事.
sadden /ˈsædn/ *v*. (使)悲哀.
saddle /ˈsædl/ *n*. 鞍;鞍座;鞍形物 *vt*. 給(馬等)加鞍;使負擔.
sadism /ˈseɪdɪzəm/ *n*. 虐待狂,性虐待狂 **sadist** /ˈseɪdɪst/ *n*. 有虐待狂的人 **sadistic** /səˈdɪstɪk/ *a*. 虐待狂的;殘忍的.
sadomasochism/ˌseɪdəʊˈmæsəʊkɪzem/ *n*.【心】施虐受虐狂;性施虐受虐狂.
sae /ˌes eɪ ˈiː/ *abbr*. = stamped addressed envelope 貼上郵票寫好地址的信封.
safari /səˈfɑːrɪ/ *n*. (尤指在非洲的)狩獵或科學研究性質的遠征 // ~ *park* 野生動物園.
safe /seɪf/ *a*. 安全的;可靠的;平安的 *n*. 保險箱;冷藏箱 **~ly** *ad*. 安全地;平安地;可靠地 **~ness** *n*. 安全感 **~-deposit** *n*. 保險倉庫.
safeguard /ˈseɪfgɑːd/ *n*. 保護,防衛措施,安全裝置 *vt*. 保護.
safety /ˈseɪftɪ/ *n*. 安全,平安,保險 **~-belt** 救生帶;安全帶 ~ **valve** 安全閥,[喻]使怒氣、不滿等得以安全發

泄的方式.

saffron /'sæfrən/ *n*. ①【植】藏紅花;番紅花②橘黃色 *a*. 藏紅色的;橘黃色的.

sag /sæg/ *vi*. (尤指中間)下陷;下彎,下垂 *n*. 下陷、下沉.

saga /'sɑːgə/ *n*. 北歐英雄傳說;長篇故事;(描寫某一家族的)家世小說.

sagacious /sə'geɪʃəs/ *a*. 敏銳的;聰明的.

sagacity /sə'gæsɪtɪ/ *n*. 聰明,機敏.

sage /seɪdʒ/ *n*. 聖人,賢人;【植】鼠尾草 *a*. 賢明的;道貌岸然的.

sago/'seɪgəʊ/*n*. 西穀米;西米(由西穀椰子莖髓製成的白色硬粒狀的澱粉質食物).

said /sed/ say 的過去式和過去分詞 *a*. (文件用語)該;上述的.

sail /seɪl/ *n*. ①帆②航行;航程 *v*. 航行;啓航;駕駛 **~er** /'seɪlə/ *n*. 帆船 **~ing** /'seɪlɪŋ/ *n*. 航行,航海 **~or** /'seɪlə/ *n*. 水手,海員;水兵 **~-cloth** *n*. 帆布 // *plain ~ing* 一帆風順 *~ close to* (*or near*) *the wind* 搶風駛船;冒風險 *~ through* (*sth*) 順利通過(考試等).

saint /seɪnt/ *n*. ①聖者,聖徒②[**S-**](放在聖賢的姓名前,可縮寫作 **St.**)聖.

sake /seɪk/ *n*. 緣故,關係;目的 // *for God's ~* 看在上帝面上;千萬;務必 *for the ~ of* 為了;因為.

salacious /sə'leɪʃəs/ *a*. 好色的,淫蕩的;黃色的.

salad /'sæləd/ *n*. 色拉,凉拌菜 // *~ dressing* 拌色拉的調味汁.

salamander /'sæləmændə(r)/ *n*. ①【動】蠑螈;火蛇②能耐高溫的人或物.

salami /sə'lɑːmɪ/ *n*. 意大利香腸.

salary /'sælərɪ/ *n*. 薪金 **salaried** *a*. 有薪金的;靠薪水生活的.

sale /seɪl/ *n*. 出售;(尤指存貨的)賤賣 // *for ~* 待售;出售 *on ~* 出售;上市.

sal(e)able /'seɪləbl/ *a*. 可銷售的;有銷路的.

salesman /'seɪlzmən/ *n*. (*pl*. **-men**)店員;[美]推銷員.

salience /'seɪlɪəns/ *n*. 凸起;突出;特徵 **salient** /'seɪlɪənt/ *a*. (角等)突出的;顯著的 *n*. 凸角;突出部.

saline /'seɪlaɪn/ *a*. 有鹽分的;鹽的;鹹的 *n*. 生理鹽水;鹽鹼灘;鹽井,鹽田 **salinity** /sə'lɪnətɪ/ *n*. 鹽濃度,鹹度,含鹽量.

saliva /sə'laɪvə/ *n*. 口水,唾液 **salivary** /'sælɪvərɪ/ *a*. 唾液的.

sallow /'sæləʊ/ *a*. (膚色)灰黃色的;菜色的 *n*. 【植】闊葉柳.

sally /'sælɪ/ *n*. ①突圍;出擊②俏皮話③漫遊 *vi*. 突圍;出擊.

salmon /'sæmən/ *n*. 鮭;大馬哈魚;鮭肉.

salon /'sælɒŋ/ *n*. [法]①沙龍;大客廳②畫廊.

saloon /sə'luːn/ *n*. ①大廳②交誼室③(作特定用途的)…廳;室④(美)酒館.

salt /sɔːlt/ *n*. ①鹽;【化】鹽類②趣味,風趣 *a*. 鹹味的;有鹽的,腌製的 **~ed** /'sɔːltɪd/ *a*. ①腌的②(人)老練的 **~ish** /'sɔːltɪʃ/ *a*. 有點鹹的 **~cellar** *n*. (餐桌上的)鹽碟,鹽瓶 **~-junk** *n*. 腌肉 **~works** *n*. 製鹽場 // *worth one's ~* 稱職;值得僱用.

saltpetre /sɔːlt'piːtə(r)/*n*. 【化】硝酸鉀;硝石.

salty /'sɔːltɪ/ *a*. ①含鹽的,有點鹹的

②潑辣的③機智的④風趣的.
salubrious /sə'lu:brɪəs/ *a*. (氣候、空氣等)有益健康的.
salutary /'sæljʊtrɪ/ *a*. 有益的;有益健康的.
salute /sə'lu:t/ *v*. 行禮;打招呼;致敬;迎接;頌揚 *n*. ①行禮;招呼②禮炮 **salutation** /ˌsælju'teɪʃn/ *n*. 致意,問候,寒暄.
salvage /'sælvɪdʒ/ *n*. ①海上救援②被救的船隻③救援的費用 *vt*. 救助,搶救,打撈.
salvation /sæl'veɪʃn/ *n*. ①救援;救濟②【宗】超度;救世.
salve /sælv/ *vt*. ①安慰②緩和;減輕 *n*. ①油膏,藥膏②安慰.
salver /sælvə(r)/ *n*. 托盤,盤子.
salvo /'sælvəʊ/ *n*. ①【律】保留條款②遁詞③緩和的方法④槍炮齊鳴,齊射;齊聲歡呼.
Samaritan /sə'mærɪtən/ *n*. 助人為樂的人;撒馬利亞會(英國的一個慈善組織)的成員.
samba /'sæmbə/ *n*. (源自巴西的)桑巴舞.
same /seɪm/ *a*. ①相同的;同樣的②上述的 *pro*. 同樣的人(或事物) // *all the* ~ 或 *just the* ~ (雖然…)還是;仍然.
samovar /'sæməʊvɑ:(r)/ *n*. (尤指俄國式的)茶炊.
sampan /'sæmpæn/ *n*. [漢]舢板.
sample /'sɑ:mpl/ *n*. 樣品,貨樣;標本;實例 *vt*. 對…取樣檢驗;初次體驗.
sampler /'sɑ:mplə(r)/ *n*. 樣品檢驗員;綉花樣本.
samurai /'sæmjʊraɪ/【史】日本歷史上的武士階層;武士.
sanatorium /ˌsænə'tɔ:rɪəm/ (*pl*. **-ria** /-rɪə/, 或 **-riums**) *n*. 療養院;休養地.
sanatory /'sænətərɪ/ 或 **sanative** /'sænətɪv/ *a*. 有療效的;有益於健康的.
sanctify /'sæŋktɪfaɪ/ *vt*. 使神聖;使聖潔;尊崇;認可.
sanctimonious /ˌsæŋktɪ'məʊnɪəs/ *a*. 假裝神聖的;偽裝虔誠的;偽善的 **sanctimony** /'sæŋktɪmənɪ/ *n*. 假裝神聖;偽裝虔誠.
sanction /'sæŋkʃn/ *n*. ①批准,認可②制裁 *vt*. 認可;批准;授權.
sanctity /'sæŋktətɪ/ *n*. ①聖潔,神聖;尊嚴②(*pl*.)神聖的義務(權利等).
sanctuary /'sæŋktʃʊərɪ/ *n*. ①聖所,聖殿②避難所;庇護所.
sanctum /'sæŋktəm/ *n*. 聖所;私室;書房.
sand /sænd/ *n*. 沙;(*pl*.)沙地,沙洲 *vt*. 撒上沙,摻上沙;用沙磨(或擦) **~y** /'sændɪ/ *a*. ①沙質的;多沙的②流動似的③(毛髮等)沙色的;黃棕色的 // ~ *bag* 沙袋 ~ *bank* 沙洲,沙灘 ~ *hil* 沙丘 ~ *paper* 沙紙 ~ *storm* 沙暴.
sandal /'sændl/ *n*. 涼鞋;草鞋;拖鞋.
sandalwood /'sændlwʊd/ *n*. 檀香木.
sandwich /'sænwɪdʒ, -wɪtʃ/ *n*. 三明治;夾心麵包 *vt*. 夾在中間 **~-man** 身前身後挂着廣告牌的人.
sane /seɪn/ *a*. ①神志清醒的;健全的②穩健的.
sang /sæŋ/ sing 的過去式.
sangfroid /ˌsɒŋ'frwɑ:/ *n*. [法]鎮定;沉着.
sanguinary /'sæŋgwɪnərɪ/ *a*. 血腥的;流血的;血淋淋的;殘忍的.
sanguine /'sæŋgwɪn/ *a*. ①樂觀的②紅潤的;多血質的.
sanitarium /ˌsænɪ'teərɪəm/ *n*. [美]=

sanatorium.

sanitary /'sænɪtrɪ/ *a*. 有關衛生的;清潔的.

sanitation /ˌsænɪ'teɪʃn/ *n*. (環境)衛生;衛生設備.

sanity /'sænɪtɪ/ *n*. ①神智正常;明智 ②穩健.

sank /sæŋk/ sink 的過去式.

Sanskrit /'sænskrɪt/ *n*. 梵文,梵語 *a*. 梵文的.

Santa Claus /'sæntə ˌklɔːz/ 聖誕老人.

sap /sæp/ *n*. ①樹液②活力;元氣③【軍】坑道④暗中破壞⑤[美俚]笨蛋 *vt*. 使衰弱 **~less** *a*. 枯萎的;乏味的 **~py** *a*. 多汁的;精力充沛的.

sapience /'seɪpɪəns/ *n*. 精明;聰明(常含諷刺的味道) **sapient** /'seɪpɪənt/ *a*. 精明的.

sapling /'sæplɪŋ/ *n*. 樹苗;幼樹.

sapper /'sæpə(r)/ *n*. 坑道工兵;地雷工兵.

sapphire /'sæfaɪə(r)/ *n*. 藍寶石;寶石藍(色).

sarcasm /'sɑːkæzəm/ *n*. 諷刺;挖苦 **sarcastic** /sɑː'kæstɪk/ *a*. 諷刺的;挖苦的.

sarcode /'sɑːkəʊd/ *n*. 原生質.

sarcophagus /sɑː'kɒfəgəs/ *n*. (雕刻精美的)石棺.

sardine /sɑː'diːn/ *n*. 沙丁魚.

sardonic /sɑː'dɒnɪk/ *a*. 挖苦的;嘲笑的.

sargasso /sɑː'gæsəʊ/ *n*.【植】馬尾藻.

sarggassum /sɑː'gæsəm/ *n*.【植】馬尾藻(一種在海上漂浮的海藻).

sari; **saree** /'sɑːrɪ/ *n*. (印度婦女穿的)莎麗服.

sarong /sə'rɒŋ/ *n*. 莎籠(馬來人及印尼人的服裝,用長條布料或綢緞製成;圍裙).

sarsaparilla /ˌsɑːsəpə'rɪlə/ *n*.【植】菝葜;由菝葜根製成的軟性飲料、汽水.

sarsenet, **sarcenet** /'sɑːsnɪt/ *n*. 薄綢,薄絹.

sartorial /sɑː'tɔːrɪəl/ *a*. 裁縫的;(男式)服裝的.

SAS *abbr*. = Special Air Service.

sash /sæʃ/ *n*. ①帶子,飾帶②腰帶③框格 **~-window** *n*. 上下拉動開關的窗子.

sassafras /'sæsəfræs/ *n*. 美洲檫木(樹皮有香味,可供製藥用).

Sassenach /'sæsənæk/ *n*. [蘇格蘭][貶]英格蘭人.

sassy /'sæsɪ/ *a*. [美俗]莽撞的;冒昧的;有生氣的;時髦的.

sat /sæt/ sit 的過去式及過去分詞.

Sat. *abbr*. = Saturday; Saturn.

Satan /'seɪtn/ *n*. 撒旦,惡魔,魔王 **Satanic, satanic** /sə'tænɪk/ *a*. 魔鬼的;惡魔似的,邪惡的.

satchel /'sætʃəl/ *n*. 書包,小背包,小皮包.

sate /seɪt/ *v*. 滿足(胃口、欲望).

satellite /'sætəlaɪt/ *n*. ①衛星②附庸國③僕從④(= sattellite broadcasting) 衛星轉播⑤(= sattellite television) 衛星電視 // ~ *dish* 衛星碟;碟型天綫.

satiate /'seɪʃɪeɪt/ *vt*. 使充分滿足;使飽享;使厭膩 **satiation** /ˌseɪʃɪ'eɪʃn/ *n*. 充分滿足;飽享 // *be satiated with sth* 對某物生膩.

satiety /sə'taɪətɪ/ *n*. 充分滿足;過飽.

satin /'sætɪn/ *n*. 緞子 *a*. 緞子的,緞子似的.

satire /'sætaɪə(r)/ *n*. 諷刺;諷刺作品 **satiric** /sə'tɪrɪk/ *a*. 諷刺的;寫諷刺作品的 **satirical** /sə'tɪrɪkl/ *a*. 諷刺的;喜歡諷刺的 **satirist** /'sætərɪst/

n. 諷刺作家;諷刺家 **satirize** /'sætəraɪz/ *v*. 諷刺,諷刺地描繪.

satisfy /'sætɪsfaɪ/ *vt*. ①滿足,使滿意②符合③償還④賠償⑤解决 **satisfaction** /ˌsætɪs'fækʃn/ *n*. ①滿足,滿意②賠償③報復;决鬥 **satisfactory** /ˌsætɪs'fæktərɪ/ *a*. ①令人滿意的;良好的②符合要求的.

saturate /'sætʃəreɪt/ *vt*. ①浸透,滲透②使充滿;【化】使飽和 **saturation** /ˌsætʃə'reɪʃn/ *n*. 浸透;飽和(狀態).

Saturday /'sætədɪ/ *n*. 星期六.

Saturn /'sætən/ 【羅神】農神;【天】土星.

saturnine /'sætənaɪn/ *a*. ①(表情等)陰沉的②譏諷的③鉛中毒的.

satyr /'sætə(r)/ *n*. ①【希神】半人半獸的森林之神②色鬼,色狼.

sauce /sɔːs/ *n*. ①調味汁;醬油②[美]果醬③[喻]增加趣味的東西④[口]冒失無禮 **saucy** *a*. ①冒失無禮的②(衣服等)時髦的;漂亮的 **sauce-box** *a*. [口]冒失鬼 **saucepan** *n*. 有柄有蓋的深平底鍋.

saucer /'sɔːsə(r)/ *n*. 淺碟;茶托;淺碟形物 **~-eyed** *a*. 眼睛又大又圓的.

sauerkraut /'saʊəkraʊt/ *n*. [德]酸泡菜.

sauna /'sɔːnə/ *n*. (芬蘭式)蒸汽浴,桑拿浴.

saunter /'sɔːntə(r)/ *vi*. & *n*. 閑逛;漫步.

sausage /'sɒsɪdʒ/ *n*. 香腸;臘腸.

sauté /'səʊteɪ/ *a*. [法]嫩煎(炸)的 *vt*. 嫩煎(炸).

savage /'sævɪdʒ/ *a*. ①兇猛的;野蠻的;未開化的②粗魯的;[口]狂怒的 *n*. 野人;殘酷的人 *vt*. 兇猛地攻擊;傷害 **savagery** /'sævɪdʒərɪ/ *n*. 野性;兇殘行為;未開化狀態.

savanna(h) /sə'vænə/ *n*. (熱帶的)大草原.

savant /'sævənt,[美]sæ'vɑːnt/ *n*. 博學的人;學者.

save /seɪv/ *v*. ①救,拯救②節省③儲蓄;貯存 *prep*. 除…之外 *conj*. 只是;除去 **saver** /'seɪvə(r)/ *n*. ①救助者②儲蓄者;節省的人 **saving** /'seɪvɪŋ/ *a*. ①救助的②節儉的③保存的;儲蓄的④保留的 *n*. 救濟;節省;貯存;(*pl*.)儲蓄金;存款.

saviour /'seɪvjə(r)/ *n*. 救助者;救星 **the Saviour** 救世主,基督.

savoir faire /'sævwɑː feə(r)/ [法]處世的能力.

savo(u)r /'seɪvə(r)/ *n*. 滋味,風味,趣味 *vt*. 品嘗;給…加調味品 *vi*. // (~ *of sth*)帶…的意味.

savo(u)ry /'seɪvərɪ/ *a*. 味道可口的;香辣的;宜人的 *n*.(餐後的)消食小菜.

savoy /sə'vɔɪ/ *n*.【植】皺葉甘藍.

savvy /'sævɪ/ *v*.懂得;知曉 *n*.理解;智慧.

saw[1] /sɔː/ *n*. ①鋸子②格言 *v*. (**sawed**; **sawn** /sɔːn/) 鋸;鋸開 **~-blade** *n*. 鋸條 **~dust** *n*. 鋸木屑 **~mill** *n*. 鋸木廠;鋸床.

saw[2] /sɔː/ see 的過去式.

sawyer /'sɔːjə(r)/ *n*. 鋸木人;鋸工.

saxhorn /'sækshɔːn/ *n*. 【樂】薩克斯號.

saxifrage /'sæksɪfrɪdʒ/ *n*. 【植】虎耳草.

Saxon /'sæksn/ *n*.【史】撒克遜人;英格蘭人;撒克遜語 *a*. 撒克遜人的;英格蘭人的;撒克遜語的.

saxophone /'sæksəfəʊn/ *n*. 【樂】薩克斯管.

say /seɪ/ *v*. (**said** /sed/) ①說;講②說

明;表明③報導④譬如說 *n*. 發言權;意見.

saying /'seɪɪŋ/ *n*. ①話;言語②俗話;諺語.

say-so /'seɪ-səʊ/ *n*. ①[美俗]無證據的斷言②同意③决定權.

scab /skæb/ *n*.【醫】①痂②(尤指羊的)疥癬;(植物的)斑點病③工賊.

scabbard /'skæbəd/ *n*. 劍鞘,鞘.

scabies /'skeɪbiːz/ *n*.【醫】疥瘡,疥癬.

scabrous /'skeɪbrəs/ *a*. ①(指動植物)表面粗糙的②猥褻的;下流的.

scaffold /'skæfəʊld/ *n*. ①【建】脚手架②絞刑架;斷頭台 **~ing** *n*.【建】脚手架;搭脚手架的材料.

scalawag[美], **scallywag** /'skæləwæg, 'skælɪwæg/ *n*. 無賴;調皮鬼.

scald /skɔːld/ *vt*. 燙傷;用沸水清洗;燙 *n*. 燙傷;燙洗.

scale /skeɪl/ *n*. ①鱗;介殼②天平盤;(*pl*.)天平③標度,尺度④比例尺,比例⑤等級,級別⑥大小;規模⑦【樂】音列,音階⑧水垢,齒垢 *vt*. ①刮…的鱗;剥…的介殼②除去…的積垢③攀登④(按比例)繪製,(按比例)增減 **scaled** *a*. 瓦片叠蓋的;剥去鱗的 **scaly** *a*. ①有鱗的②有水垢的③[俚]卑鄙的 // ~ *up* (*down*) 按比例上升(下降).

scalene /'skeɪliːn/ *a*. (指三角形)不等邊的.

scallion /'skælɪən/ *n*. 青葱;細葱.

scallop /'skɔləp/ *n*.【動】扇貝;扇貝肉;扇貝殼;扇形飾邊 *vt*. 用扇貝殼烹製;用扇形飾邊裝飾.

scallywag /'skæləwæg/ *n* = scalawag. [口]流氓;無賴.

scalp /skælp/ *n*. 頭皮;(昔日印地安人的戰利品)帶髮頭皮 *vt*. ①剥頭皮②投機倒賣.

scalpel /'skælpəl/ *n*. 解剖刀,外科小手術刀.

scamp /skæmp/ *n*. ①流氓,無賴②[謔]小淘氣 *vt*. 草率地做.

scamper /'skæmpə(r)/ *vi*. 跳跳蹦蹦;奔逃 *n*. 蹦跳;奔跑.

scampi /'skæmpɪ/ *pl*. *n*. 蝦;大蝦.

scan /skæn/ *vt*. ①(用雷達等)掃描;瀏覽;審視②按節奏吟誦③標出(詩的)韻律 *vi*. (詩)符合格律;掃描 *n*. 掃描;審視;瀏覽 **~ner** /'skænə/ *n*. 掃描器.

scandal /'skændl/ *n*. ①醜事;醜聞②誹謗③憤慨 **~ize** /-dəlaɪz/ *vt*. 使感憤慨;誹謗 **~ous** /-dələs/ *a*. 惡意中傷的;可耻的;令人反感的 **~monger** /-ˌmʌŋgə/ *n*. 惡意中傷的人.

Scandinavian /ˌskændɪ'neɪvɪən/ *n*. 斯堪的納維亞人(語) *a*. 斯堪的納維亞的;斯堪的納維亞人(語)的.

scant /skænt/ *a*. 不足的;缺乏的;剛剛夠的 **~y** /-ɪ/ *a*. 缺乏的;剛剛夠(大)的.

scapegoat /'skeɪpgəʊt/ *n*. 替罪羊;犧牲品.

scapula /'skæpjulə/ *n*.【解】肩胛骨.

scar /skɑː(r)/ *n*. 傷疤;傷痕;(精神上的)創傷 *v*. 使留下傷疤;結疤.

scarab /'skærəb/ *n*. ①全龜子科甲蟲,聖甲蟲②甲蟲形雕像飾物(古埃及人視為護身符).

scarce /skeəs/ *a*. ①缺乏的;不充足的②珍貴的,稀有的 **~ly** *ad*. 僅僅;幾乎沒有;决不 **scarcity** /'skeəsɪtɪ/ *n*. 缺乏;不足;稀有.

scare /skeə(r)/ *v*. 驚嚇;受驚 *n*. 驚恐,大恐慌 **~crow** *n*. ①(放在田裏嚇鳥的)稻草人;嚇唬人的東西②骨瘦如柴的人 **~monger** *n*. 散播恐怖

消息的人 // ~ *buying* 搶購.

scarf /skɑːf/ *n*. ①圍巾;披巾;頭巾;領巾②嵌接;(嵌接的)截面 **~-pin** *n*. 領帶別針.

scarify /ˈskeərɪfaɪ/ *vt*. ①【農】鬆土②【醫】劃破③嚴厲批評;苛責④[俗]嚇唬.

scarlet /ˈskɑːlət/ *n*. 猩紅色,鮮紅,緋紅;紅衣 *a*. 猩紅色的,鮮紅的 // ~ *fever* 【醫】猩紅熱 ~ *runner* 紅花菜豆 ~ *woman* 淫婦;妓女.

scarp /skɑːp/ *n*. 陡坡;崖岸;(外壕的)內壁.

scarper /ˈskɑːpə(r)/ *vi*. [英俚]逃跑;溜走.

scat /skæt/ *vi*. [口](常用於祈使句)走開 *n*. (爵士樂歌唱中反覆作)無詞無意義的喊叫.

scathing /ˈskeɪðɪŋ/ *a*. 嚴厲的;尖刻的.

scatology /skæˈtɒlədʒɪ/ *n*. ①糞(石)學,糞粒研究②誨淫的作品,淫書的研究.

scatter /ˈskætə(r)/ *vt*. 驅散;散播;撒播;撒 *vi*. 消散;分散;潰散 **~brain** *n*. 浮躁的人;注意力不集中的人 **~brained** *a*. 浮躁的;不專注的.

scatty /ˈskætɪ/ *a*. [俗]浮躁輕率的;瘋瘋顛顛的.

scavenge /ˈskævɪndʒ/ *v*. 清掃;吃腐肉 **~r** *n*. ①清道夫②拾破爛者③吃腐肉的動物.

SCE *abbr*. = Scottish Certificate of Education 蘇格蘭教育證書.

scenario /sɪˈnɑːrɪəʊ/ *n*. [意]劇情說明;電影劇本.

scene /siːn/ *n*. ①事情發生的地點②(戲劇或電影的)一場;場景;布景;風景③吵鬧 // *behind the ~s* 在幕後;暗中.

scenery /ˈsiːnərɪ/ *n*. (總稱)舞台布景;風景,景色.

scenic /ˈsiːnɪk/ *a*. ①舞台的②景色優美的③布景的④戲劇性的.

scent /sent/ *n*. ①氣味;香味,香水②(獵物的)臭迹;踪迹;綫索.

sceptic /ˈskeptɪk/ *n*. 【哲】懷疑論者;持懷疑態度的人;無神論者 **~al** *a*. 懷疑論的;懷疑的 **~ism** *n*. 懷疑主義;懷疑論;懷疑態度.

sceptre, -ter /ˈseptə(r)/ *n*. (君王的)權杖,王權,王位.

schedule /ˈʃedjuːl, [美]ˈskedʒʊl/ *n*. 一覽表;程序表;時間表 *vt*. 將…列表;將…列入計劃表;排定,安排.

schema /ˈskiːmə/ *n*. (*pl*. **schemata** /ˈskiːmətə/) ①圖表,圖解②綱要,要略,摘要 **~tic** /skɪˈmætɪk/ *a*. 綱要的;圖解的.

scheme /skiːm/ *n*. ①計劃;方案②陰謀③安排,配置 *v*. 計劃,策劃,謀劃 **~r** /skiːmə/ *n*. 計劃者;陰謀者.

scherzo /ˈskeətsəʊ/ *n*. [意]【樂】諧謔曲.

schism /ˈsɪzəm/ *n*. (政治組織等的)分裂;分派;(宗教的)宗派分立 **~atic** /sɪzˈmætɪk/ *n*. 分裂論者;宗派分立論者 *a*. 分裂的;宗派分立(論)的.

schist /ʃɪst/ *n*. 【地】頁岩;片麻岩.

schizo /ˈskɪtsəʊ/ *n*. [口]精神分裂症患者.

schizoid /ˈskɪtsɔɪd/ *a*. (像)患精神分裂症的 *n*. 精神分裂症患者.

schizophrenia /ˌskɪtsəʊˈfriːnɪə/ *n*. 【醫】精神分裂症 **schizophrenic** /ˌskɪtsəʊˈfrenɪk/ *a*. 患精神分裂症的;神魂顛倒的 *n*. 精神分裂症患者.

schmaltz /ʃmɔːlts/ *n*. [美俚]傷感的柔情;誇張渲染的情感;過份傷感.

schnapps /ʃnæps/ (單複數同形)*n*. 烈酒;(荷蘭)烈性杜松子酒.

schnitzel /'ʃnɪtsəl/*n*.炸小牛肉片.

scholar /'skɒlə(r)/ *n*. 學者;領獎學金的學生 **~ly** *a*. 學者風度的;博學的;與學問有關的 **~ship** *n*. ①獎學金②學識.

scholastic /skə'læstɪk/ *a*. 學校的;學術的;學究的;煩瑣哲學的 **~ism** /-'læstɪsɪzəm/ *n*.煩瑣哲學.

school /sku:l/ *n*. ①學校②功課;上課③(大學裏的)學院;學派④全校師生;全校學生⑤(魚)群 *vt*. 送進學校培養;教導;訓練 **~ing** *n*. 學校教育;學費;訓練 **~boy** *n*. 男學生 **~girl** *n*. 女學生 **~master** *n*. 男老師;(中、小學)校長 **~mate** *n*. 同學 **~mistress** *n*. 女教員;女校長 **~room** *n*. 教室.

schooner /'sku:nə(r)/ *n*. ①縱帆船②大酒杯.

sciatic /saɪ'ætɪk/ *a*. 【解】髖部的;坐骨的 **~a** /-kə/ *n*. 坐骨神經痛.

science /'saɪəns/ *n*. ①科學;(一門)科學;學科②自然科學③專門技術 **~-fiction** 科幻小說.

scientific /ˌsaɪən'tɪfɪk/ *a*. ①科學(上)的;符合科學規律的②系統的③有技術的.

scientist /'saɪəntɪst/ *n*. 科學家.

sci-fi /'saɪfaɪ/*n*. [口] = science fiction 科學幻想小說.

scimitar, scimiter /'sɪmɪtə(r)/ *n*. 彎刀.

scintillate /'sɪntɪleɪt/ *v*. 發火花;閃鑠 **scintillation** /ˌ-'leɪʃn/ *n*. 發火花;閃光,火花;煥發.

scintillating /'sɪntɪleɪtɪŋ/*a*. ①生氣勃勃的②機智聰明的.

scion /'saɪən/ *n*. ①後裔,子孫②【植】接穗;(嫁接或栽種用的)幼枝,幼芽.

scissors /'sɪzəz/ *pl*. *n*. 剪刀.

sclerosis /sklɪə'rəusɪs/ *n*. (*pl*. **-ses** /-si:z/) 【醫】硬化症 **sclerotic** /sklɪə'rɒtɪk/ *a*.【醫】硬化的;【解】鞏膜的.

scobs /skɒbz/ *pl*. *n*. 鋸屑,鋸末;銼屑;刨花.

scoff /skɒf/ *n*. ①嘲弄,嘲笑②笑柄 *v*. ①嘲弄,嘲笑②[俚]狼吞虎咽 // *~at sb*(*sth*) 嘲弄某人(某事).

scold /skəuld/ *v*. 責罵;申斥 *n*. 好罵街的潑婦;愛罵人的人 **~ing** *n*. 責罵;申斥.

sconce /skɒns/ *n*. 裝在牆上的燭台(或燈座).

scone /skɒn/ *n*. 烤餅;鬆軟圓餅.

scoop /sku:p/ *n*. ①杓子;鏟斗;一杓;一鏟②穴;凹③特稿 *vt*. 舀;挖;[口]收集,刊出特快消息.

scoot /sku:t/ *vi*. [口]迅速跑開;溜走.

scooter /'skutə(r)/ *n*. (兒童遊戲用)踏板車;小型摩托車.

scope /skəup/ *n*. ①範圍,餘地②視界;眼界③機會.

scorch /skɔ:tʃ/ *v*. ①燒焦;烤焦;焦化②使枯萎 *n*. ①燒焦;焦痕②(草木等的)枯黃 **~er** *n*. [口]極熱的大熱天.

score /skɔ:(r)/ *n*. ①刻痕;傷痕;劃綫②【運】得分;二十③(*pl*.)大量④帳目,欠帳⑤【樂】總譜,樂譜⑥宿怨⑦方面,理由 *v*. ①打記號;劃綫②得分③記帳④寫成總譜 // *~ off sb* [口]駁倒某人;佔某人便宜;羞辱某人 *~ out* 劃掉;刪去(字句等) *~ up* 把…記入帳內,記下.

scorn /skɔ:n/ *n*. & *vt*. 藐視;嘲弄;奚落 **~ful** *a*. 藐視的;嘲笑的 // *be*

~ *ful of sth* 藐視某事.

scorpion /'skɔːpiən/ *n*. 【動】蝎子; 刻毒的人.

Scot /skɒt/ *n*. 蘇格蘭人 **Scotch** /skɒtʃ/ *a*. 蘇格蘭的; 蘇格蘭人的 *n*. 威士忌酒 **Scottish** /'skɒtɪʃ/ *a*. 蘇格蘭的; 蘇格蘭人(方言)的 **Scots** /skɒts/ *a*. 蘇格蘭(人)的 *n*. 蘇格蘭方言 **Scotsman, Scotswoman** *n*. 蘇格蘭男人(婦女).

scotch /skɒtʃ/ *vt*. 消除(謠言); 阻止; 破壞.

scot-free /'skɒt'friː/ *a*. & *ad*. 未受損害的(地); 未受處罰的(地).

Scotland Yard 倫敦警察廳, 蘇格蘭場.

scoundrel /'skaundrəl/ *n*. 壞蛋, 惡棍.

scour /'skauə(r)/ *v*. ①擦洗; 洗滌; 冲洗; 擦亮②【冶】腐蝕③徹底搜尋, 追尋 **~er** /'-rə/ *n*. 洗刷炊具用的尼龍布塊; 去污粉.

scourge /skɜːdʒ/ *n*. ①帶來災難的人或事物②(刑具)鞭 *vt*. 嚴懲; 折磨; 鞭打.

scout /'skaut/ *n*. 偵察兵; 偵察機(艦); (S-)童子軍 *v*. ①偵察; 搜尋②蔑視.

scow /skəu/ *n*. 無動力裝置的駁船, 大型平底船.

scowl /skaul/ *n*. 愁眉苦臉; 怒容 *vi*. 怒視(at, on); 皺眉頭.

scrabble /'skræbl/ *v*. ①亂扒, 亂摸索②奮鬥; 掙扎.

scrag /skræg/ *n*. ①羊頸肉②皮包骨的瘦人(或動物) **scraggy** /'skrægɪ/ *a*. ①瘦的, 皮包骨的②凹凸不平的.

scram /skræm/ *vi*. 走開, 滾開.

scramble /'skræmbl/ *v*. ①爬行; 攀登; (植物)攀緣; 雜亂蔓延②爭奪③勉強湊和④炒蛋⑤【軍】緊急起飛 *n*. ①攀登; 爬②爭奪③(摩托車)越野賽.

scrap /skræp/ *n*. ①碎片; 零屑; 廢料②少許③[俚]打架; 爭吵④(*pl*.)殘羹剩飯 *vt*. ①廢棄②打架, 吵架 **scrappy** *a*. ①零碎的; 剩餘的②[俚]好鬥的 **scrapbook** *n*. 剪貼簿.

scrape /skreɪp/ *v*. ①刮; 刮落; 擦; 擦去(off, away, out)②擦傷③艱難地湊集④勉強度日 *n*. ①刮; 擦, 擦傷; 擦痕②刮擦聲③困境 **~r** *n*. 刮刀; 削刮器.

scratch /skrætʃ/ *v*. ①搔, 抓; 抓傷②亂塗亂寫, 勾劃掉(out)③(用爪子等)挖出④撤出比賽⑤湊集(金錢) *n*. ①搔, 抓; 抓痕, 刮傷②亂塗③起跑綫 *a*. 匆匆湊成的 **~y** /'-tʃɪ/ *a*. 潦草的; 發刮擦聲的; 使人發癢的 **~back** *n*. (抓癢用的)麻姑爪, 癢癢撓兒 **~cat** *n*. 狠毒的女人 // ~ *line* 起跑綫 ~ *pad* 便箋簿 *from* ~ 白手起家; 從零開始 *up to* ~ [口]達到標準, 合乎規格.

scrawl /skrɔːl/ *n*. & *v*. ①潦草地寫(畫)②潦草模糊的筆迹③潦草寫(畫)就的東西.

scrawny /'skrɔːnɪ/ *a*. 骨瘦如柴的.

scream /scriːm/ *n*. ①尖叫; 尖銳刺耳的聲音②令人捧腹大笑的人(事物) *v*. 尖叫; 拚命喊叫(哭喊); (風)呼嘯 **~ing** *a*. 發出尖叫聲的; 令人發笑的; 驚人的.

scree /skriː/ *n*. 山麓碎石; 有碎石的山坡.

screech /skriːtʃ/ *n*. 尖叫; 尖銳刺耳的聲音 *v*. 尖叫, 喊叫 // ~ *owl* 【動】叫梟.

screed /skriːd/ *n*. 冗長的文章(議論、書信).

screen /skriːn/ *n*. ①屏, 幕; 簾; 帳②掩蔽物③銀幕; 屏幕④掩護部隊⑤粗

眼篩子,過濾器 *vt*. ①遮蔽;包庇②放映(電影、幻燈片)③【電】屏蔽;篩 **~play** *n*. 電影劇本 **~writer** *n*. 電影劇本作者.

screw /skruː/ *n*. ①螺旋;螺絲;螺絲釘②[英俚]薪水,工資③[英俚]吝嗇鬼 *vt*. ①用螺旋操縱,用螺絲擰緊,旋,擰②勒索 **~y** *a*. [俚]古怪的人;瘋瘋顛顛的 **~ball** *n*. [美俚]古怪的人;瘋瘋顛顛的人 **~driver** *n*. 螺絲起子.

scribble /'skrɪbl/ *v*. 潦草地寫;亂塗 *n*. 潦草的筆迹;亂塗的東西.

scribe /skraɪb/ *n*. ①(印刷術發明之前的)抄寫員②古時猶太法律學家③[謔]作家.

scrimmage /'skrɪmɪdʒ/ *n*. & *vi*. 混戰;扭打.

scrimp /skrɪmp/ *v*. 過度縮減;節儉;吝嗇.

scrip /skrɪp/ *n*. 股份的臨時憑證.

script /skrɪpt/ *n*. ①手稿;打字原稿;劇本原稿②草書體鉛字;筆迹.

scripture /'skrɪptʃə(r)/ *n*. (S-)聖經;(~s),經文;經典 **scriptural** /'-tʃərəl/ *a*. 聖經的.

scrofula /'skrɒfjʊlə/ *n*. 【醫】瘰癧;淋巴結核 **scrofulous** /'-ləs/ *a*.

scroll /skrəʊl/ *n*. ①紙卷;羊皮紙卷軸;卷狀物②(石刻上的)漩渦飾③花押 *v*. (計算機屏幕上的文字等材料)上下移動,使文字等材料(在屏幕上)上下移動.

scrotum /'skrəʊtəm/ *n*. (*pl*. **scrota** /'skəʊtə/ or **scrotums**)【解】陰囊.

scrounge /skraʊndʒ/ *v*. ①以非法手段獲得;騙(偷)取②乞討③借而不還④搜尋.

scrub /skrʌb/ *v*. ①擦洗;擦掉②[俚]取消 *n*. ①擦洗②矮樹;灌木③長滿灌叢的地方;灌木林 **scrubby** /'skrʌbɪ/ *a*. ①長滿矮樹的;灌木叢的②矮小的③襤褸的;骯髒的.

scruff /skrʌf/ *n*. 頸背.

scruffy /'skrʌfɪ/ *a*. 襤褸的;邋遢的.

scrum, scrummage /scrʌm, 'scrʌmɪdʒ/ *n*. (橄欖球賽中)並列爭球;扭奪;混戰.

scrumptious /'skrʌmpʃəs/ *a*. 美味的;頭等的;極好的.

scrunch /skrʌntʃ/ *v*. 嘎吱吱地咬嚼;發出碎裂聲 *n*. 咀嚼聲;咬碎,碾碎.

scruple /'skruːpl/ *n*. & *vi*. 良心不安;躊躇;顧忌.

scrupulous /'skruːpjʊləs/ *a*. ①顧慮重重的②認真的;謹慎的.

scrutineer /ˌskruːtɪ'nɪə(r)/ *n*. (選票)檢票人.

scrutiny /'skruːtɪnɪ/ *n*. 仔細檢查,評審,細看,細閱 **scrutinize** /'-naɪz/ *v*. 細看,細閱,仔細檢查.

scuba /'skuːbə/ *n*. 水下呼吸器,水肺.

scud /skʌd/ *vi*. & *n*. ①飛奔;疾行②掠過③**Scud**【軍】(= Scud missile)飛毛腿導彈.

scuff /skʌf/ *v*. ①拖着脚走②磨損.

scuffle /'skʌfl/ *vi*. & *n*. ①扭打;混戰②拖脚行走.

scull /skʌl/ *n*. (比賽用的)小划艇;(雙槳船上的)短槳.

scullery /'skʌlərɪ/ *n*. 碗碟洗滌室.

sculptural /'skʌlptʃərəl/ *a*. 雕刻(塑)的.

sculpture /'skʌlptʃə(r)/ *n*. 雕刻(術);雕塑(術);雕刻(塑)品 *v*. 雕刻(塑) **sculpt** *n*. & *v*. [口] = sculpture **sculptor** /'skʌlptə(r)/ *n*. 雕刻(塑)師;雕刻(塑)家 **sculptress** /'skʌlptrɪs/ *n*. 女雕刻(塑)師.

scum /skʌm/ *n*. ①沫子;浮渣,渣滓;

糟粕②下賤的人 **scummy** *a*. 滿是浮垢的;卑劣的.

scupper /'skʌpə(r)/ *n*. 【海】排水孔 *vt*. [俚]打敗;摧毀.

scurf /skɜːf/ *n*. 頭皮屑;頭垢 **~y** *a*.

scurrilous /'skʌrələs/ *a*. 庸俗下流的;謾罵的.

scurry /'skʌrɪ/ *v*. 急匆匆地跑;急趕 *n*. 急跑;急促的奔跑聲;(雪、雨等的)飛灑.

scurvy /'skɜːvɪ/ *n*. 【醫】壞血病.

scut /skʌt/ *n*. (兔、鹿等的)短尾巴.

scuttle /'skʌtl/ *n*. ①煤桶②急促的奔跑③【建】天窗;【船】舷窗 *vt*. (將船)鑿沉.

scythe /saið/ *n*. 長柄大鐮刀.

SDI *abbr*. = Strategic Defence Initiative【軍】美國戰略防禦計畫.

SE *abbr*. = southeast(ern).

sea /siː/ *n*. ①海;海洋②海浪;波濤③大量 **~-anemone** *n*. 【動】海葵 **~board** *n*. 沿海地區;海濱 **~-calf** *n*. 【動】斑海豹 **~-cucumber** *n*. 【動】海參 **~-dog** *n*. 【動】海豹;星鯊;海盜;老水手 **~-ear** *n*. 【動】鮑魚 **~faring** *a*. 航海的 **~food** *n*. 海味 **~-front** *n*. 濱海區;海濱馬路 **~-gull** *n*. 【鳥】海鷗 **~-maid(en)** *n*. 美人魚;海中女神 **~port** *n*. 海港 **~scape** *n*. 海景(畫) **~shore** *n*. 海岸,海濱 **~sick** *a*. 暈船的 **~sickness** *n*. 暈船 **~side** *a*. & *n*. 海邊(的);海濱(的) **~-wall** *n*. 防波堤 **~ward** *a*., *n*. & *ad*. 朝海(的);海那一邊(的) **~weed** *n*. 【植】海草;海藻.

seal /siːl/ *n*. ①【動】海豹②封蠟;封鉛③封印;封條④璽⑤標誌 *vt*. ①蓋印②封,密封③保證 **sealing wax** 火漆;封蠟 // ~ *off* 將…密封(封鎖、封閉)起來.

seam /siːm/ *n*. ①綫縫;縫口;接縫②【地】層;礦層 *vt*. 縫合;接合 *vi*. 生裂縫 **~less** *a*. 無縫的 **~y** *a*. 有縫的;露出綫縫的;醜惡的;骯髒的 **~stress** /'semstrɪs, [美]'siːmstrɪs/, **sempstress** /sem(p)strɪs/ *n*. 縫紉女工,女裁縫.

seaman /'siːmən/ *n*. (*pl*. **seamen**) ①水兵②水手,海員 **~ship** *n*. 駕船術;航海術.

seance /'seɪɑːns/ *n*. [法]集合;降神會.

sear /sɪə(r)/ *vt*. ①使乾枯;使凋萎②燒焦③使感情上麻木.

search /sɜːtʃ/ *v*. & *n*. 搜查;仔細檢查;探究 **~ing** *a*. 銳利的;洞察的;徹底的 **~light** *n*. 探照燈 **~-warrant** *n*. 搜查證.

season /'siːzn/ *n*. ①季,季節②旺季,好時機③[口]月票,季度車票 *v*. ①調味②(使)適應③(木材)變乾④使(變得)合用;使有經驗 **~able** *a*. 合時令的;合時宜的 **~al** *a*. 季節(性)的 **~ing** *n*. 調味品,佐料;助興的東西.

seat /siːt/ *n*. ①座位;座部②所在地;位置③屁股;褲襠④會員資格 *vt*. ①(使)就座②設座位③修補座部 **~belt** (車,飛機上的安全帶).

SEATO /'siːtəʊ/ *abbr*. = Southeast Asia Treaty Organization 東南亞條約組織.

sebaceous /sɪ'beɪʃəs/ *a*. 油脂的;皮脂的.

sec. *abbr*. = second(s), secretary.

secateurs /'sekətɜːz/ *pl*. *n*. [英]整枝大剪刀.

secede /sɪ'siːd/ *v*. 退出;脫離.

secession /sɪ'seʃn/ *n*. 退出;脫離 **~ist** *n*. 脫離主義者.

seclude /sɪ'klu:d/ *vt*. ①隔離,隔開②使孤立③使隱退 **seclusion** /sɪ'klu:ʒn/ *n*. 隔離;孤立;隱退.

second /'sekənd/ *num*. 第二的 *a*. ①二等的,次等的②副的;輔助的③另一個,額外的 *n*. & *pron*. ①第二個(人或物)②(月的)第二日③另一人(或物)④第二名,第二位⑤次品⑥秒;片刻 *vt*. 支持;輔助;贊成 **~ary** /'-dərɪ/ *a*. 第二位的;中級的;次要的,從屬的,輔助的 **~ly** *ad*. 第二,其次 **~-best** *a*. 僅次於最好的 **~-class** *a*. 第二流的;二等的;平庸的 **~-hand** *a*. 舊的,用過的;經營舊貨的;間接的 **~-rate** *a*. 二流的,二等的 // ~ *fiddle* 次要角色;次要作用 ~ *nature* 第二天性 ~ *sight* 預見力 ~ *thought*(*s*) 再三考慮(後的決定).

secrecy /'si:krəsɪ/ *n*. ①秘密狀態②保密③保密功能.

secret /'si:krɪt/ *a*. ①秘密的;機密的;神秘的②偏僻的 *n*. ①秘密;機密②秘訣③神秘 **~ly** *ad*. // *in* ~ 暗地裏,秘密地 *keep a* ~ 保守秘密 ~ *agent* 特務,間諜.

secretariat /ˌsekrə'teərɪət/ *n*. ①書記處;秘書處②書記(或秘書、部長、大臣)的職務.

secretary /'sekrətrɪ/ *n*. ①秘書;書記②大臣,部長 **secretarial** /ˌsekrə'teərɪəl/ *a*. **~-general** *n*. 秘書長.

secrete /sɪ'kri:t/ *vt*. ①隱藏②分泌 **secretion** /-ʃn/ *n*. ①藏匿②分泌;分泌物 **secretory** /-tərɪ/ *a*. 分泌的;促進分泌的 **secretive** /-tɪv/ *a*. 遮遮掩掩的;守口如瓶的.

sect /sekt/ *n*. ①派別;宗派;學派②(文件的)款.

sectarian /sek'teərɪən/ *a*. 宗派的;教派的;學派的;鬧宗派的 **~ism** *n*. 宗派主義.

section /'sekʃn/ *n*. ①部分;片斷②部門,處,科,股,組③切除,剖面④工段;區域⑤(文章、條文等的)節、項、款 *vt*. ①把…分成段(部分、章節等)②切除 **~al** *a*. 部分的;段落的;截面的;地方的 **~alism** *n*. 分裂主義;地方主義.

sector /'sektə(r)/ *n*. ①部分,部門②【軍】防區③【數】扇形④兩脚規;函數尺.

secular /'sekjulə(r)/ *a*. 世俗的;非宗教的 **~ize** *vt*. 使世俗化;使還俗.

secure /sɪ'kjʊə(r)/ *a*. ①安心的②有保障的;可靠的;牢固的 *vt*. ①使安全,保護②獲得③弄牢.

security /sɪ'kjʊərɪtɪ/ *n*. 安全;安全感;保安;保障.

sedan /sɪ'dæn/ *n*. 轎子;[美]轎車 // ~ *chair* 轎子.

sedate /sɪ'deɪt/ *a*. 安靜的;鎮靜的 *vt*. 給…服鎮靜藥 **sedation** /-ʃn/ *n*. 【醫】鎮靜(作用) **sedative** /'sedətiv/ *a*. 有鎮靜作用的;止痛的 *n*. 鎮靜劑;止痛藥.

sedentary /'sedntrɪ/ *a*. 坐着的;需要(慣於)坐着的;定居的.

sedge /sedʒ/ *n*. 【植】薹,莎草;菅茅;蓑衣草.

sediment /'sedɪmənt/ *n*. 沉渣;沉澱物;沉積物 **~ary** /-trɪ/ *a*.

sedition /sɪ'dɪʃn/ *n*. 煽動叛亂的言論(行動);暴動 **seditious** /-ʃəs/ *a*. 煽動性的;犯煽動罪的.

seduce /sɪ'dju:s/ *vt*. 勾引;誘姦;誘惑;以魅力吸引.

seduction /sɪ'dʌkʃn/ *n*. 引誘,誘姦;(*pl*.)誘惑力.

seductive /sɪ'dʌktɪv/ *a*. 誘惑的;有誘惑力的.

sedulous /'sedjuləs/ *a*. 勤勉的;小心仔細的.

see /siː/ *v*.(**saw** /sɔː/; **seen** /siːn/) ①看見②察看③明白④會見;看望⑤陪送⑥參觀⑦思考⑧經歷⑨照料⑩注意 ⑪一定設法 ⑫接見,接待 **seeing** *conj*. 鑒於,因為 // ~ *sb off* 為某人送行 ~ *through* 看穿,識破 ~ *to it that . . .* 務必使.

seed /siːd/ *n*. ①種子②起因③精液④子孫 *v*. ①播種②結子③去掉…的種子(核、籽) ~ **less** *a*. 無核的 ~ **ling** *n*. 剛出芽的幼苗 ~**-bed** 苗床;溫床 ~**-pearl** *n*. 小粒珍珠 // *go* (*or run*) *to* ~ 花謝結子;變得衰弱無用.

seedy /'siːdɪ/ *a*. ①破舊的;破爛的②[口]不舒服的③名聲不好的④低級的;下流的.

seek /siːk/ *v*. (過去式及過去分詞 **sought** /sɔːt/) ①找,搜索②尋求③試圖;企圖 // ~ *after* (*or for*) 尋找,探求 ~ *out* 搜尋出.

seem /siːm/ *vi*. 似乎;看來;好像 ~**ing** *a*. 表面上的,似乎真實的 ~**ly** *a*. 合適的,適宜的.

seen /siːn/ see 的過去分詞.

seep /siːp/ *vi*. 滲出 ~**age** /-pidʒ/ *n*.

seer /siːə(r)/ *n*. 觀看者;預言家.

seersucker /'sɪəsʌkə(r)/ *n*. 皺條紋織物;泡泡紗.

seesaw /'siːsɔː/ *n*. 蹺蹺板;上下或來回的移動 *vi*. 玩蹺蹺板;上下或來回移動;交替,起伏.

seethe /siːð/ *vi*. ①(液體)沸騰似的冒泡②激昂;激動③混亂;騷動.

segment /'segmənt/ *n*. ①部分②【數】弧,圓缺③切片④(水果等的)瓣 *v*. 分割;分裂 ~**ation** /ˌ-'teɪʃn/ *n*. 分割;分裂.

segregate /'segrɪgeɪt/ *v*. 分離;隔離 **segregation** /ˌsegrɪ'geɪʃn/ *n*. // *racial* ~*tion* 種族隔離.

seine /seɪn/ *n*. (捕魚用的)拖地大圍網.

seismic /'saɪzmɪk/ *a*. 地震(引起)的 **seismograph** /'saɪzməgrɑːf/ *n*. 地震儀 **seismology** /saɪz'mɒlədʒɪ/ *n*. 地震學.

seize /siːz/ *v*. ①抓住;奪取②沒收③捕獲④乘機 **seizure** /'siːʒə(r)/ *n*.

seldom /'seldəm/ *ad*. 很少;不常;難得.

select /sɪ'lekt/ *vt*. 選擇,挑選; *a*. 精選的~**ion**/-kʃn/ *n*. 選擇;可供挑選的物品;精選出來的東西(人) ~**ive** /-ktɪv/ *a*. 選擇的;有選擇的 ~**or** /-ktə/ *n*. 挑選者;調諧旋鈕.

selenium /sɪ'liːnɪəm/ *n*.【化】硒.

self /self/ *n*. (*pl*. **selves** /selvz/) ①自己,本人②本性;本質③私心;私利 ~**ish** *a*. 自私自利的 ~**less** *a*. 忘我的,無私的.

self- /self/ (構詞成分)自己的 ~**-abuse** *n*. 手淫;自責 ~**-addressed** *a*. (指給對方用來回信的信封)寫明自己姓名、地址的 ~**-criticism** *n*. 自我批評 ~**-defence** *n*. 自衛 ~**-determination** *n*. 自決;自主;民族自決權 ~**-educated** *a*. 自學的;自修的~**-employed** *a*. 個體獨立經營的~**-esteem** *n*. 自尊~**-evident** *a*. 自明的;不言而喻的 ~**-important** *a*. 自視過高的;妄自尊大的 ~**-imposed** *a*. 自己施加的;自願承擔的 ~**-indulgent** *a*. 放縱自己的,縱欲的 ~**-interest** *n*. 自身利益,私利 ~**-made** *a*. 靠個人奮鬥成功的,白

手起家的 ~**-possessed** *a*. 有自制力的;沉着的 ~**-possession** *n*. 冷靜,沉着 ~**-raising** ([美] ~-rising) *a*. (指麵粉)自行醱酵的 ~**-reliant** *a*. 依靠自己的;獨立的 ~**-reliance** *n*. 信賴自己,自力更生 ~**-respect** *n*. 自尊,自重 ~**-sacrifice** *n*. 自我犧牲 ~**-service** *a*. & *n*. 顧客自助(式的);無人售貨(的) ~**-sufficient** *a*. 自給自足的;傲慢的 ~**-support** *n*. 自立,自給 ~**-winding** *a*. (鐘等)自動上發條的.

sell /sel/ (過去式和過去分詞 **sold** /səuld/) *v*. ①賣,銷售;推銷②出賣,背叛③[俚]欺騙④宣傳 *n*. ①欺騙②失望③推銷方式 ~**er** *n*. 賣主;售出的商品 // *sell-by date* (易腐食品上標明的)銷售期限 ~ *off* 廉價出清 ~ *out* 賣光,售完;出賣,背叛 ~ *up* 變賣(全部)家產.

Sellotape /'seləuteɪp/ *n*. 透明粘膠帶 *vt*. 用透明粘膠帶粘貼.

selvage, selvedge /'selvɪdʒ/ *n*. 【紡】織邊;布邊.

selves /selvz/ self 的複數.

semantic /sɪ'mæntɪk/ *a*. 語義學的 ~**s** *n*. (*pl*. 但通常作單數處理)語義學.

semaphore /'seməfɔ:(r)/ *n*. (鐵路的)信號裝置;旗語;旗語通信法.

semblance /'sembləns/ *n*. 外貌;外表;相似.

semen /'si:mən/ *n*. 精液;種子.

semester /sɪ'mestə(r)/ *n*. [美]半學年,一學期.

semi- /'semɪ/ [前綴] 表示"半","部分的"如: ~**annual** *a*. 每半年一次的 ~**automatic** *a*. 半自動的 ~**circle** *n*. 半圓 ~**colon** *n*. 分號(即;) ~**-colony** *n*. 半殖民地 ~**-conductor** *n*. 半導體 ~**-detached** *a*. (房屋)一側與他屋相連的;半獨立的 ~**final** *a*. 半決賽的 *n*. 半決賽 ~**monthly** *a*. 每半月的 *n*. 半月刊 ~**-official** *a*. 半官方的.

semibreve /'semɪbri:v/ *n*. 【音】全音符.

seminal /'semɪnl/ *a*. ①精液的②種子的,生殖的③有啓發性的④創新的;有創意的.

seminar /'semɪnɑ:(r)/ *n*. ①(大學的)研究班(課程)②研討會;[美]專家討論會.

seminary /'semɪnərɪ/ *n*. 神學院;學校.

semiprecious /semɪ'preʃəs/ *a*. (寶石)次貴重的;半寶石的.

semiquaver /'semɪˌkweɪvə(r)/ *n*. 【樂】十六分音符.

Semite /'si:maɪt, 'semaɪt/ *n*. 閃米特人(主要指猶太人和阿拉伯人) **Semitic** /sɪ'mɪtɪc/ *a*. 閃米特人(或語)的.

semitone /semɪtəun/ *n*. 【音】半音.

semolina /ˌsemə'li:nə/ *n*. 粗麵粉(用於製作意大利麵製品、布丁等).

sempstress /'semstrɪs/ *n*. [英] = seamstress.

SEN /es i:' en/ *abbr*. = State Enrolled Nurse[英]註冊護士.

senate /'senɪt/ *n*. ①(S-)[美]參議院②(古羅馬)元老院③[英](某些大學的)評議會 **senator** /'senətə/ *n*. 參議員;元老院議員;(大學)評議員 **senatorial** /ˌsenə'tɔrɪəl/ *a*. 參議員的.

send /send/ *v*. (過去式及過去分詞 **sent** /sent/) ①寄;送;派遣②打發③發射④使陷入⑤使變成 ~**-off** *n*. [口]送行,歡送 // ~*along* 發送;派遣 ~*back* 送還 ~ *down* [英](大學)開除,勒令退學;[俚]關進大牢 ~ *off* 寄出,發出 ~ *out* 發出;放

出;長出.

senescent /sɪ'nesnt/ *a*. 變老的;開始衰老的.

senile /'siːnaɪl/ *a*. 高齡的;老朽的 **senility** /sɪ'nɪlətɪ/ *n*. 老朽;衰老.

senior /'siːnɪə(r)/ *a*. ①年長的;地位高的;資格老的②(常略作 **Sen** 或 **Sr.** 放在姓名後,以區別父子、兄弟等)老,大, *n*. ①長者;前輩;上級②[美](大學裏)四年級學生 **~ity** /ˌsiːnɪ'ɒrətɪ/ *n*. ①年長②資歷深;職位高.

senna /'senə/ *n*. 【植】番瀉樹;番瀉葉(用作瀉藥).

señor /se'njɔː(r)/ *n*. (*pl*. **~ores** /se'njɔːreɪz/) [西] 先生 **señora** /se'njɔːrə/ *n*. [西] 夫人, 太太 **señorita** /ˌsenjɔː'riːtə/ *n*. [西]小姐, 女士.

sensation /sen'seɪʃn/ *n*. ①感覺;意識;知覺②轟動;激動;震驚 **~al** *a*. 感覺的;轟動一時的;驚人的;聳人聽聞的 **~alism** *n*. 危言聳聽.

sense /sens/ *n*. ①感官, 感覺②意識;意義③(*pl*.)知覺;理性 *vt*. 感覺;意識到;領悟;檢測 **~less** *a*. 無感覺的;無意義的;愚蠢的.

sensibility /ˌsensɪ'bɪlətɪ/ *n*. ①敏感(性);感受力②(*pl*.)情感.

sensible /'sensɪbl/ *a*. ①明事理的②合理的③實用的④覺察到的⑤明顯的.

sensitive /'sensətɪv/ *a*. ①敏感的;靈敏的②容易動怒的 **sensitivity** /ˌsensə'tɪvətɪ/ *n*. 敏感(性);靈敏(度).

sensitize /'sensɪtaɪz/ *v*. 使敏感;變敏感;易於感光.

sensor /'sensə(r)/ *n*. 傳感器;感受器.

sensory /'sensərɪ/ *a*. 感覺的;傳遞感覺的.

sensual /'senʃʊəl/ *a*. 肉欲的;肉感的;淫蕩的 **~ist** *n*. 耽於聲色的人 **~ity** /ˌsensʃʊ'ælətɪ/ *n*. 縱欲;好色;淫蕩.

sensuous /'senʃʊəs/ *n*. 感官上的;給人以美的感受的;引起快感的.

sent /sent/ send 的過去式及過去分詞.

sentence /'sentəns/ *n*. 判决;【語】句子 *vt*. 宣判;判决;處罰.

sententious /sen'tenʃəs/ *a*. 好說教的;說教的;好用格言警句的.

sentient /'senʃnt/ *a*. 有感覺(能力)的;有知覺的 **sentience, -cy** *n*. 感覺(能力);知覺(能力).

sentiment /'sentɪmənt/ *n*. ①感情②情操, 情趣, 情緒③多愁善感④意見;觀點.

sentimental /ˌsentɪmentl/ *a*. 情感上的;感傷的;多愁善感的 **~ism** *n*. 感傷主義 **~ist** *n*. 感傷主義者.

sentimentality /ˌsentɪmen'tælətɪ/ *n*. 感傷情緒;多愁善感;感傷的表現.

sentinel /'sentɪnl/ *n*. 哨兵.

sentry /'sentrɪ/ *n*. 崗哨, 哨兵 **~-box** *n*. 崗亭 **~-go** *n*. 步哨勤務.

sepal /'sepəl/ *n*. 【植】(花的)萼片.

separable /'sepərəbl/ *a*. 可分離的;可區分的 **seperability** /-'bɪlətɪ/ *n*. 可分性.

separate /'sepəreɪt/ *v*. ①分離;隔開;分別, 分手②分居③區分 /'seprɪt/ *a*. 分離的;各別的;單獨的 **separation** /ˌsepə'reɪʃn/ *n*.

separatist /'sepərətɪst/ *n*. 分離主義者.

separator /'sepəreɪtə(r)/ *n*. 分離器;脫脂器.

sepia /'siːpɪə/ *n*. 深褐色;深褐色顏料.

sepsis /'sepsɪs/ *n*. (*pl*. **sepses** /'sepsiːz/)【醫】膿毒病;敗血症.

September /sep'tembə(r)/ (略作 **Sept.**) *n*. 九月.

septet /sep'tet/ *n*. 七重奏;七重唱;七人一組.

septic /'septɪk/ *a*. 引起腐爛的;敗血病的 // ~ *tank* 化糞池.

septicaemia /ˌseptɪ'siːmɪə/ *n*. 敗血症.

septuagenarian /ˌseptjuədʒɪ'neərɪən/ *n*. & *a*. 70 至 79 歲之間的(人).

sepulchre, sepulcher /'seplkə(r)/ *n*. 墳墓;墓穴 **sepulchral** /sɪ'pʌlkrəl/ *a*. 墳墓的;埋葬的;陰森森的;陰沉沉的.

sequel /'siːkwəl/ *n*. ①繼續②後果③(作品的)續集.

sequence /'siːkwəns/ *n*. ①連續,順序②結果③影片中的一個場景或情節 **sequent** *a*. 連續的;結果的 **sequential** /sɪ'kwenʃl/ *a*. 相繼的;結果的.

sequester /sɪ'kwestə(r)/ *vt*. ①分隔;使隔絕②使隱退③【律】假扣押④查封.

sequestrate /sɪ'kwestreɪt/ *vt*.【律】假扣押;查封 **sequestration** /ˌ-'treɪʃn/ *n*.

sequin /'siːkwɪn/ *n*. (服裝上作裝飾用的)金屬小圓片.

sequoia /sɪ'kwɔɪə/ *n*.【植】紅杉;加里福尼亞巨杉.

seraglio /se'rɑːlɪəʊ/ *n*. (伊斯蘭國家中)閨房;後宮;皇宮.

seraph /'serəf/ *n*. (*pl*. **~s** 或 **-im**) (九級天使中地位最高的)六翼天使.

serenade /ˌserə'neɪd/ *n*. 小夜曲 *v*. 唱(奏)小夜曲.

serendipity /ˌserən'dɪpətɪ/ *n*. 易遇奇緣的好運氣.

serene /sɪ'riːn/ *a*. ①安詳的②晴朗的;平靜的 **serenity** /sə'renətɪ/ *n*.

serf /sɜːf/ *n*. 農奴;受奴役的人.

serge /sɜːdʒ/ *n*. 斜紋毛嗶嘰.

sergeant /'sɑːdʒənt/ *n*. 軍士;中士警官,巡佐 **~-major** 軍士長.

serial /'sɪərɪəl/ *a*. 連續的;一系列的;連載的 *n*. 系列劇;連載小說 **~ize** *vt*. 使連續;連載;使系列化.

seriatim /ˌsɪərɪ'eɪtɪm/ *ad*. 依次;逐一.

series /'sɪəriːz/ (單複數同形) *n*. ①連續;系列;套②叢書;輯;(電視、廣播)系列節目③【化】系④【數】級數⑤【動】族⑥【電】串聯.

serious /'sɪərɪəs/ *a*. ①嚴肅的;莊重的②認真的 **~ly** *ad*. **~ness** *n*.

sermon /'sɜːmən/ *n*. 說教;訓戒;【宗】佈道.

serous /'sɪərəs/ *a*. ①【醫】血清的;血漿的②水分多的.

serpent /'sɜːpənt/ *n*. (大)蛇;陰險的人;魔鬼 **~ine** /-taɪn/ *a*. 蜿蜒的;蛇狀的.

serrated /se'reɪtɪd/ *a*. 鋸齒形的;鋸齒狀的.

serried /'serɪd/ *a*. (行列)密集的;排緊的.

serum /'sɪərəm/ *n*. 血清;血漿.

servant /'sɜːvənt/ *n*. ①僕人;傭人;僱員②公務員 **~-girl, ~-maid** *n*. 女僕;保姆.

serve /sɜːv/ *v*. ①為…服務(效勞);接待(顧客)②供職;(在軍隊裏)服役③擺出(飯菜等)④適合,適用⑤送交⑥發球 **server** *n*. 彌撒助祭人;發球人;托盤 **serving** *n*. 一客食物.

service /'sɜːvɪs/ *n*. ①服務,供職②招待;上菜③行政部門,服務機構④軍種⑤公共服務設施⑥儀式⑦用處⑧一套餐具⑨發球 **~able** *a*. 有用的;耐用的;便利的 **~man** *n*. 現役軍人 **~-station** *n*. 加油站;服務站 // ~ *area* 高速公路旁供應汽油及小吃的

地方 ~ *charge* 服務費 ~ *flat* 房費中包含服務費的公寓房間.

serviette /ˌsɜːvɪ'et/ *n*. [英]餐巾.

servile /'sɜːvaɪl, [美]'sɜːvɪl/ *a*. 奴隸的;奴性的;低三下四的 **servility** /sə:'vɪlətɪ/ *n*.

servitude /'sɜːvɪtjuːd/ *n*. 奴役;勞役;苦役.

sesame /'sesəmɪ/ *n*. 芝麻.

session /'seʃn/ *n*. ①(議會的)會議;(法庭的)開庭②會期;[美]上課時間;學期.

set /set/ (過去式及過去分詞 **set**) *vt*. ①放;安置②安裝;安排③播種④樹立(榜樣);創造(記録)⑤提出,分配(任務)⑥調整、校正(儀器等)⑦為…譜曲⑧使孵卵 *vi*. ①(太陽等)落下②凝結③着手④結果實⑤合適⑥出發⑦(風)吹⑧(潮水)流 *a*. ①决心的②規定的③預先準備好的;固定的 *n*. ①日落②副;套③舞台布景④一夥人⑤姿勢⑥凝結 **~back** *n*. 挫折;倒退;逆流 // ~ *off* 出發;使開始;使…爆炸;引起 ~ *out* 出發;開始;陳列;陳述;安排 ~ *to* 開始精神抖擻地幹起來;開始打鬥(爭執) ~ *up* 建立,創立;豎立;樹立;(使)開始從事某種職業;供給;準備 ~ *square* 三角板.

settee /se'tiː/ *n*. 長靠椅;小沙發.

setter /'setə(r)/ *n*. ①塞特狗(一種獵狗)②(構成複合詞)安裝或處理…的人.

setting /'setɪŋ/ *n*. ①環境;背景;布景②配曲③鑲嵌底座④安裝;調整⑤日落;月落.

settle /'setl/ *vt*. ①安排;料理;解决②使定居;使移居③安放④使平靜⑤把(財產)傳給 *vi*. ①停息②下陷,下沉③安定下來④結算⑤安家;定居 *n*. 高背長椅 **~ment** *n*. ①解决②清算;清帳③沉降④殖民⑤財產授與⑥新住宅區;村落 **settler** *n*. 移民;開拓者;【化】澄清器 // ~ *down* 開始過安定生活;定居;安靜下來;專心於.

seven /'sevn/ *num*. & *n*. 七;七個 **~teen** /-'tiːn/ *num*. & *n*. 十七;十七個 **~teenth** /ˌ-'tiːnθ/ *num*. & *n*. ①第十七(個)②十七分之一③(每月的)第十七日 **~tieth** /-tɪɪθ/ *num*. & *n*. ①第七十(個)②七十分之一 **~ty** /tɪ/ *num*. & *n*. 七十;七十個.

sever /'sevə(r)/ *vt*. 切斷,使分離;分隔;斷絕 *vi*. 斷;裂開.

several /'sevrəl/ *a*. 幾個的;各個的;種種的 *pro*. 幾個;數個(人) **~ly** *ad*. 分別地;各自地.

severe /sɪ'vɪə(r)/ *a*. ①嚴肅的;嚴格的;嚴厲的②尖銳的;劇烈的③純樸的 **~ly** *ad*. **severity** /sɪ'verətɪ/ *n*.

sew /səʊ/ *v*.(**~ed**; **~ed**, **~n**) 縫;縫製;縫合;縫紉 **~ing-machine** 縫紉機.

sewage /'suːɪdʒ/ *n*. 陰溝裏的污水;污物.

sewer /'sjuːə(r), [美]'suːə(r)/ *n*. 陰溝;下水道 **~age** /'-ɪdʒ/ *n*. 排水系統;溝渠系統.

sewn /səʊn/ sew 的過去分詞.

sex /seks/ *n*. ①性;性別②性感③性交 **~ism** /'-ɪsm/ *n*. 性別歧視 **~ist** /'-ɪst/ *n*. & *a*. 性別歧視者;性歧視的 **~less** /'-lɪs/ *a*. 無性(別的);缺乏性欲的;缺少性感的 **~ual** /'seksjʊəl/ *a*. 性(別)的;男女的;有性的 **~y** /'seksɪ/ [口]性感的;色情的 // ~ *appeal* 性魅力;性感 ~ *pot* [美]性感的女人.

sexagenarian /ˌseksədʒɪ'neərɪən/ *a*.

& *n*. 60 歲至 69 歲的(人).

sextant /'sekstənt/ *n*. (航海等用的)六分儀.

sextet(te) /seks'tet/ *n*. 【樂】六重唱(曲).

sexton /'sekstən/ *n*. 教堂司事;挖墓人.

SF *abbr*. = science fiction 科學幻想小說.

shabby /'ʃæbɪ/ *a*. ①(指物)破爛的;(指人)衣著寒酸的②(指行為)卑鄙的③不公平的.

shack /ʃæk/ *n*. 簡陋的小屋;棚屋.

shackle /'ʃækl/ *n*. ①(常用複數)手銬;脚鐐②束縛;桎梏 *vt*. 給…帶上鐐銬;束縛.

shad /ʃæd/ *n*. (美洲)鯡魚.

shade /ʃeɪd/ *n*. ①蔭;陰涼處②遮光物③(*pl*.)黑暗,陰暗④色彩的濃淡⑤陰魂⑥少許,少量⑦[俚]太陽鏡 *v*. 遮蔽,使陰暗;(色彩等)漸變 **shady** *a*. 遮陰的;成蔭的;陰涼的;[口]可疑的;靠不住的;有問題的 // *in the* ~ 在背陰處;遜色.

shadow /'ʃædəʊ/ *n*. ①影子;陰影;蔭②黑斑;(繪畫的)陰暗部份③盯梢者④絲毫⑤強烈的影響 *vt*. ①遮蔽;投陰影於②盯梢 **~y** /'ʃædəʊɪ/ *a*. 有影的;多蔭的;朦朧的;虛幻的 // ~ *cabinet* 影子內閣.

shaft /ʃɑːft/ *n*. ①箭杆;矛杆②柱身③機械的軸;工具的柄④井穴.

shag /ʃæg/ *n*. 粗毛;絨毛,粗烟絲 **shaggy** *a*. 長滿粗毛的;粗濃蓬亂的.

Shah /ʃɑː/ *n*. 沙(舊時伊朗國王或其稱號).

shake /ʃeɪk/ (**shook** /ʃʊk/, **shaken** /'ʃeɪkən/) *v*. ①搖;搖動;抖動②使震動;動搖③揮舞 *n*. ①搖動;震動;顫慄②握手③[口]瞬間 **shaker** /'ʃeɪkə(r)/ *n*. 混合器;攪拌器 **shaky** /'ʃeɪkɪ/ *a*. 搖動的;搖晃的;發抖的;不穩定的;靠不住的;衰弱的 **shakedown** *n*. 地鋪;[美俚]敲詐;勒索;徹底搜查 // ~ *off* 擺脫;抖落;抖掉.

Shakespearian /ʃeɪk'spɪərɪən/ *a*. 莎士比亞的;莎士比亞風格的.

shale /ʃeɪl/ *n*. 【地】頁岩.

shall /ʃæl; 弱 ʃəl, ʃl/ (過去式 **should** /ʃʊd/) *v. aux*. 將;要;應;可.

shallot /ʃə'lɒt/ *n*. 青葱;冬葱.

shallow /'ʃæləʊ/ *a*. 淺的;淺薄的;膚淺的.

sham /ʃæm/ *n*. 假冒;騙子;贋品;哄騙 *v*. 假裝 *a*. 假的;虛偽的.

shamble /'ʃæmbl/ *vi*. & *n*. 蹣跚;踉蹌.

shambles /'ʃæmblz/ *pl. n*. (動詞用單數)①混亂;一團糟②屠宰場;屠殺場所.

shame /ʃeɪm/ *n*. ①羞愧(感);耻辱②可惜的事;可耻的人 **~ful** *a*. 耻辱的;丟臉的 **~less** *a*. 無耻的;不要臉的.

shammy /'ʃæmɪ/ *n*. 羚羊皮;麂皮;油鞣革.

shampoo /ʃæm'puː/ *n*. 洗髮劑;(洗地毯、汽車等的)洗滌劑 *vt*. 洗(髮、地毯等).

shamrock /'ʃæmrɒk/ *n*. 【植】酢槳草;三葉苜蓿.

shandy /'ʃændɪ/ *n*. 啤酒和檸檬水或汽水混合成的飲料.

shanghai /ʃæŋ'haɪ/ *vt*. [口]誘騙;脅迫去當水手.

shank /ʃæŋk/ *n*. ①脛,小腿②軸③(植物的)柄,梗④(工具的)柄,杆.

shan't /ʃɑːnt/ = shall not.

shantung /ʃæn'tʌŋ/ *n*. 【紡】山東綢.

shanty /'ʃæntɪ/ *n*. ①簡陋小屋,棚屋②水手的勞動號子 // ~ *town* 棚戶區;貧民窟.

shape /ʃeɪp/ *n*. ①形狀,樣式;外型②情況 *v*. ①形成,使成形;製造②進展③影響④設計 **~less** *a*. 無形的;不像樣子的;無定形的 **~ly** *a*. (尤指女子身體)美的;樣子好的.

shard /ʃɑːd/ *n*. (陶瓷、玻璃)碎片.

share /ʃeə(r)/ *n*. 一份;股;股份 *v*. ①均分;分擔;分配②同享;合用 **~holder** *n*. 股東 **~-out** *n*. 均分;分攤.

shark /ʃɑːk/ *n*. ①鯊魚②敲詐勒索者;貪得無厭的人;騙子 **~-skin** *n*. 【紡】席紋織物,鯊皮布.

sharp /ʃɑːp/ *a*. ①鋒利的;尖銳的②敏銳的;機警的;精明的③突然的;急轉的④激烈的⑤輪廓鮮明的⑥強烈的⑦[俚]時髦的;漂亮的 *n*. ①【樂】升音,嬰音;升號②[口]騙子③[美俚]內行 *ad*. ①整(指時刻)②準時地③突然地④【樂】調子偏高地 **~en** *vt*. 磨鋒利;削尖;加強;加重;使劇烈;使敏銳 *vi*. 變鋒利,變尖;尖銳化;急劇化 **~ly** *ad*. **~shooter** *n*. 神槍手.

shatter /'ʃætə(r)/ *v*. ①粉碎;砸碎;破壞;摧毀②使震驚;使極度不安③使非常疲勞.

shave /ʃeɪv/ (**shaved**; **shaved**, **shaven** /'ʃeɪvn/) *v*. ①剃;刮(鬍子等);削②掠過;擦過③[口]削減 *n*. ①剃鬚;修面②掠過;擦過 **shaver** *n*. 電動剃鬚刀;[俚]小伙子 **shavings** (*pl*.) *n*. 刨花;削片 **shaving-brush** *n*. 修面刷 **shaving-cream**, **shaving-foam** *n*. 剃鬚膏 // *a close* ~ 僥幸脫險.

shawl /ʃɔːl/ *n*. 圍巾;披巾.

she /ʃiː(弱)ʃɪ/ *pro*. 她.

sheaf /ʃiːf/ *n*. (*pl*. **sheaves**) 束,捆,扎.

shear /ʃɪə(r)/ *v*. (**sheared**; **sheared**, **shorn** /ʃɔːn/) ①剪(羊毛等);修剪②切斷③剝奪 **shearer** *n*. 剪羊毛的人 **shears** *pl*. *n*. 大剪刀.

sheath /ʃiːθ/ *n*. ①鞘;套;鞘狀物②避孕套 **sheathe** /ʃiːð/ *vt*. ①插…入鞘②包;覆蓋.

shebeen /ʃɪ'biːn/ *n*. (愛爾蘭、非洲)無執照的酒館;黑酒店.

shed /ʃed/ (過去式和過去分詞 **shed**) *vt*. ①流出;流下②脫落;蛻換③擺脫④散發 *n*. 小屋;棚;庫房.

sheen /ʃiːn/ *n*. 光輝;光澤 **sheeny** *a*.

sheep /ʃiːp/ (單複數同形)*n*. ①羊,綿羊②膽小的人③蠢人④教徒 **~ish** *a*. 靦腆的;忸怩的;羞愧的 **~-dip** *n*. 洗羊藥水 **~-dog** *n*. 牧羊犬 **~-fold** *n*. 羊圈 **~skin** *n*. 羊皮毯;羊皮革;羊皮紙;[美]畢業證書;文件.

sheer /ʃɪə(r)/ *a*. ①徹底的②絕對的③純淨的④極薄的⑤陡峭的 *ad*. 陡峭地;垂直地 *vi*. 突然轉換方向;突然改變話題 // ~ *off* (*or away*)避開;轉變方向(話題等).

sheet /ʃiːt/ *n*. ①被單②任何平展成張的東西③紙張;大片④【航】帆脚索.

sheik, sheikh /'ʃeɪk, [美]ʃiːk/ *n*. ①酋長;族長;(伊斯蘭教)教長②[美]美少年.

sheila /'ʃiːlə/ *n*. [澳新俚]少女;女郎;少婦.

shekel /'ʃekl/ *n*. ①謝克爾(古時猶太人使用的銀幣)②以色列的貨幣單位③(~s)[口]錢;財富;硬幣.

shelf /ʃelf/ *n*. (*pl*. **shelves**) ①架子;

擱板②【地】陸架;陸棚③沙洲;暗礁 // *on the* ～ 被撇在一邊,束之高閣;(女子)無結婚希望的.

shell /ʃel/ *n*. ①殼;果殼;貝殼;甲殼②外表③炮彈④輕型賽艇 *vt*. 剥去…的皮(殼);炮轟 **~fish** *a*. 貝殼類動物 **~proof** *a*. 防彈的 **~-shock** *n*. 彈震症;炮彈休克 **~-work** *n*. 貝殼工藝品.

shellac /ʃə'læk/ *n*. 蟲膠;蟲膠清漆 *vt*. (**-lacked, -lacking,**)塗以蟲漆;[美俚]徹底打敗.

shelter /'ʃeltə(r)/ *n*. ①隱蔽處;掩護物②保護③隱蔽 *v*. 隱蔽;保護;掩護;躲避.

shelve /ʃelv/ *vt*. ①裝擱板(或架子)於…;把…放在架子上②擱置,推遲 *vi*. 逐漸傾斜 **shelving** *n*. 擱板材料.

shenanigans /ʃɪ'nænɪgenz/ *n*. ①惡作劇;胡鬧②詭計;欺詐.

shepherd /'ʃepəd/ *n*. 牧羊人;領導人 *v*. 牧羊;引導;帶領 **~ess** /-ɪs/ *n*. 牧羊女 // ～*'s pie* 肉餡馬鈴薯餅.

sherbet /'ʃɜːbət/ *n*. 果子露;果汁粉;果汁汽水.

sheriff /'ʃerɪf/ *n*. 郡長,[美]縣的執法官.

Sherpa /'ʃɜːpə/ *n*. 夏爾巴人(居住在尼泊爾和我國邊界喜馬拉雅山南坡的一個部族,常為珠峰探險隊作嚮導及搬運物資).

sherry /'ʃerɪ/ *n*. 白葡萄酒;雪利酒.

shiatsu /ʃiːɑːtsuː/ *n*. 【醫】(亦稱 **acupressure**)指壓(療法).

shibboleth /'ʃɪbəleθ/ *n*. 過時的口號或原則;口令;標語.

shield /ʃiːld/ *n*. 盾;防護物;盾形獎品;盾形徽章 *vt*. 防護;保護;包庇.

shift /ʃɪft/ *v*. ①移動;改變;轉移②推卸③換擋;變速④自謀生計 *n*. ①移動;變更②輪班③手段;計謀④(女)內衣;襯衫 **~less** *a*. 無能的;得過且過的 **~y** *a*. 詭詐的,不值得信任的.

shillelagh /ʃɪ'leɪlə/ *n*. (愛爾蘭)粗短的棍棒;橡樹棍.

shilling /'ʃɪlɪŋ/ *n*. (英國舊貨幣單位)先令(一鎊的二十分之一).

shilly-shally /'ʃɪlɪˌʃælɪ/ *n*. & *vi*. 猶豫不決,躊躇;遊手好閑.

shimmer /'ʃɪmə(r)/ *n*. 微光;閃光 *vi*. 發微光;閃爍.

shin /ʃɪn/ *n*. 【解】外脛;脛 *vi*. 攀;爬.

shindig /'ʃɪndɪg/ *n*. [俚]狂歡會;慶祝會;喧鬧.

shindy /'ʃɪndɪ/ *n*. 喧鬧;騷動.

shine /ʃaɪn/ (過去式及過去分詞 **shone** /ʃɒn, [美] ʃəʊn/) *vi*. ①照耀;發亮;發光②出色;卓越 *vt*. 使照射;(過去式與過去分詞用 **shined**) 擦亮 *n*. 光輝;光彩;(擦)光 **shiny** *a*. 晴朗的;發光的;閃耀的.

shingle /'ʃɪŋgl/ *n*. ①木瓦;蓋屋板②小招牌③(海灘)卵石 *vt*. 用木瓦蓋.

shingles /'ʃɪnglz/ *pl*. *n*. 【醫】帶狀疱疹.

Shinto /'ʃɪntəʊ/ *n*. (日本的)神道教;神道教信徒.

shinty /'ʃɪntɪ/ *n*. 一種類乎打曲棍球的運動.

ship /ʃɪp/ *n*. ①船;艦②[美口]飛船;飛機 *vt*. ①裝上船;裝運②僱…為船員③撵走 *vi*. 作水手 **~ment** *n*. 裝貨;裝運;裝載的貨物 **~per** *n*. 貨主;發貨人 **~ping** *n*. 裝運;海運;(總稱)(一國或一港的)船舶 **~wreck** *n*. 船隻失事 **~yard** *n*. 造船廠;船塢.

shire /'ʃaɪə(r)/ *n*. (英國的)郡 // ～ *horse*(拉車用的)大種馬.

shirk /ʃɜːk/ *v*. 逃避(責任、工作等) **~er** *n*.

shir(r) /ʃɜː/ *n*. [美]鬆緊帶;橡皮筋;帶彈力的織物 **shirring** /ˈʃɜːrɪŋ/ *n*. 鬆緊帶(=shirr).

shirt /ʃɜːt/ *n*. 襯衫;恤衫// *keep one's ~on* [俚]耐着性子;不發脾氣 *put one's ~on* [俚]把全部家當押在…上.

shirty /ˈʃɜːtɪ/ *a*. 惱怒的;煩惱的.

shish kebab /ʃɪʃ kəˈbæb/ *n*. = kebab 烤肉串.

shit /ʃɪt/ *n*. ①糞便;大便②廢話, 胡說八道③卑鄙小人 *v*. 解大便 *int*. (表示厭惡、惱怒等)呸! 放屁!

shiver /ˈʃɪvə(r)/ *vi*. 發抖 *v*. (被)打碎 *n*. ①戰慄②碎片,碎塊.

shoal /ʃəʊl/ *n*. ①魚群;大群②淺灘;沙洲③(*pl*.)潛伏的危機.

shock /ʃɒk/ *n*. ①衝擊;震動;震驚②突擊;電擊③休克④亂蓬蓬的一堆;[美]乾草堆 *v*. ①(使)震動;(使)感到震驚②使休克 **~er** *n*. 令人震驚(厭惡、憤怒)的東西;低劣的東西;[美]聳人聽聞的電影(小說) **~ing** *a*. 可怕的;令人震驚的;駭人聽聞的;十分醜惡的;[口]很糟的 // *~ absorber* 減震器 *~ therapy* 電休克療法 *~ wave* 衝擊波.

shod /ʃɒd/ shoe 的過去式及過去分詞.

shoddy /ˈʃɒdɪ/ *a*. 質量差的;劣等的 *n*. 回紡纖維;再生織物.

shoe /ʃuː/ *n*. 鞋;蹄鐵 *vt*. (過去式及過去分詞 **shod** /ʃɒd/)給…穿鞋;給(馬)釘蹄鐵 **~black, ~-boy** *n*. 擦鞋的人 **~-blacking, ~-polish** *n*. 鞋油 **~horn, ~-lift** *n*. 鞋拔 **~maker** *n*. 鞋匠 **~shine** *n*. 擦皮鞋;擦皮鞋的人 **~-tree** *n*. 鞋楦.

shone /ʃɒn/ shine 的過去式及過去分詞.

shoo /ʃuː/ *int*. 噓! (驅趕鳥禽等的聲音) *v*. "噓噓"地趕(走);發噓噓聲.

shook /ʃʊk/ shake 的過去式.

shoot /ʃuːt/ *v*. (過去式及過去分詞 **shot** /ʃɒt/) ①開(槍);放(炮);發射;射出(光綫等)②射中;射獵③(使)飛馳④刺痛⑤發(芽);長(枝葉);突出;長出⑥[美俚]把話講出來⑦拍電影 *n*. ①芽;苗;嫩枝②射擊;狩獵③狩獵隊;獵場 **~-out** *n*. 槍戰 **shooting-range, shooting-gallery** *n*. 打靶場;射擊場 **shooting-star** *n*. 流星.

shop /ʃɒp/ *n*. ①[英]商店②車間;工廠;工場③[俚]辦事處;機構 *v*. 選購(商品);去(商店)購物;[俚]告發 **~girl** *n*. 女店員 **~keeper** *n*. 店主 **~lifter** *n*. 在商店行竊的賊 **~ping** *n*. 購買;買東西 // *shopping centre* 購物中心 *shopping mall* [美](車輛禁入的)步行商業區.

shore /ʃɔː(r)/ *n*. ①濱, 岸②支柱 *vt*. 以支柱支撐;支持.

shorn /ʃɔːn/ shear 的過去分詞.

short /ʃɔːt/ *a*. ①短的;矮的②簡短的③欠缺的④(烈性酒)不攙水的⑤簡慢的⑥易裂的;脆的 *ad*. ①簡短地②突然地;唐突地③缺乏;不足 *n*. ①概略②電影短片③【電】[俚]短路④(*pl*.)短褲;[美]男襯褲⑤少量烈酒 **~age** *n*. 不足,不足額,缺少 **~en** *vt*. 弄短;減少 *vi*. 變短;縮小 **~ly** *ad*. 立刻, 突然地;唐突地;簡慢地 **~bread, ~cake** *n*. [美]脆餅;鬆餅 **~-circuit** *v*. 【電】短路;使短路;避開;簡化 **~coming** *n*. 不足;缺點 **~hand** *n*. 速記 **~-handed** *a*. 人手不足的 **~-lived** *a*. 短命的;短暫的;短程的 **~-range** *a*. 短期的 **~-sighted**

a.近視的;眼光淺的 ～**-tempered** *a*.急性子的;脾氣暴躁的 ～**-wave** *n*.【無】短波.

shot /ʃɒt/ shoot 的過去式及過去分詞 *n*. ①發射;射擊②子彈;炮彈③射程④槍手⑤拍攝⑥試圖⑦鉛球⑧[俗]烈酒的一口 *a*.①閃色的;雜色的②筋疲力盡的;用壞的 ～**gun** *n*.獵槍,散彈槍 ～**proof** *a*.防彈的 ～**-put** *n*.擲鉛球.

should /ʃʊd; 弱 ʃəd, ʃd/ shall 的過去式; *v. aux*. 應該;萬一;就;可能;竟然;必須.

shoulder /ˈʃəʊldə(r)/ *n*. 肩,肩部 *vt*.肩負;挑起;承擔;用肩推擠 ～**-blade** *n*.肩胛骨 ～**-strap** *n*.肩章.

shouldn't/ˈʃʊdnt/=should not.

shout /ʃaʊt/ *n*. 呼喊,呼叫聲 *v*.叫喊 // ～ *down* 大聲喊叫以阻止…講話;以喊叫聲壓倒.

shove /ʃʌv/ *v*. ①使勁推,擠②隨便亂放③塞入 *n*.猛推.

shovel /ˈʃʌvl/ *n*. ①鏟子;鐵鍬②挖土機 *v*.鏟起.

show /ʃəʊ/ *v*.(**showed;showed, shown** /ʃəʊn/) ①給…看;出示;陳列②放映;演出③表明;炫耀④帶引;帶領⑤給與⑥露面;顯現 *n*. ①表示②演出;展覽③炫耀④外觀;景象⑤機會 ～**y** *a*.華美的;惹眼的～**-bill** *n*.海報;招貼;廣告 ～**-case** *n*.陳列櫥 ～**-down** *n*.攤牌;一決雌雄～**man** *n*.演藝會主持人 ～**-off** *n*.炫耀;[美]愛炫耀的人 ～**-room** *n*.陳列室 ～**-window** *n*. 櫥窗.

shower /ˈʃaʊə(r)/ *n*. ①陣雨;淋浴;陣雨一樣地涌來的東西②[美](為新娘舉行的)送禮會 *v*. ①下陣雨;陣雨般落下②淋浴;淋濕③大量地給與 ～**y** *a*.多陣雨的.

shown /ʃəʊn/ show 的過去分詞.

shrank /ʃræŋk/ shrink 的過去式.

shrapnel /ˈʃræpnəl/ *n*. 榴散彈;彈片.

shred /ʃred/ *n*. 碎片;碎條;少量 *v*.撕碎;切碎.

shrew /ʃruː/ *n*. ①地鼠②潑婦 ～**ish** *a*.潑婦似的;愛罵人的.

shrewd /ʃruːd/ *a*. 精明的;敏銳的;伶俐的.

shriek /ʃriːk/ *n*. 尖叫聲;尖厲的聲響 *v*.尖聲喊叫;尖聲發出(說出);發出尖厲的聲響.

shrike /ʃraɪk/ *n*.【鳥】伯勞鳥.

shrill /ʃrɪl/ *a*. ①(聲音)尖銳的;刺耳的;(抱怨、要求等)強烈的②哀切的③辛辣的.

shrimp /ʃrɪmp/ *n*. ①小蝦②矮小的人.

shrine /ʃraɪn/ *n*. 神龕;聖祠;聖陵;聖地.

shrink /ʃrɪŋk/ *v*. (**shrank** /ʃræŋk/, **shrunk** /ʃrʌŋk/; **shrunk, shrunken** /ˈʃrʌŋkən/) (使)收縮;退縮,畏縮;躲避 ～**age** *n*.收縮;變小;低落;收縮量.

shrivel /ˈʃrɪvl/ *v*. (使)皺縮;(使)枯萎.

shroud /ʃraʊd/ *n*. ①裹屍布;壽衣;覆蓋物②(船的)支桅索 *vt*.用裹屍布裹;覆蓋;包;掩蔽.

Shrovetide /ˈʃrəʊvtaɪd/ *n*. 懺悔節.

shrub /ʃrʌb/ *n*. 灌木 ～**bery** /ˈʃrʌbərɪ/ *n*.(總稱)灌木;灌木叢.

shrug /ʃrʌg/ *v*. & *n*. 聳(肩).

shrunk /ʃrʌŋk/ shrink 的過去式和過去分詞.

shrunken /ˈʃrʌŋkən/ shrink 的過去分詞 *a*.縮攏的.

shudder /ˈʃʌdə(r)/ *vi*. & *n*. 發抖;戰慄.

shuffle /'ʃʌfl/ *v*. ①拖着脚走②(站立或坐着時)把(脚)在地上滑來滑去③洗牌④弄亂;攪亂⑤搪塞;支吾 *n*. 曳行;洗牌;重新安排.

shun /ʃʌn/ *vt*. 回避;避免.

shunt /ʃʌnt/ *v*. (使火車)轉軌;轉移;改變…的方向(路徑).

shush /'ʃʌʃ/ *int*. 噓! (示意別人靜下來)*vt*. 讓…安靜下來.

shut /ʃʌt/ *v*. (過去式及過去分詞 **shut**) 關閉;關上;合上;停止營業;封閉 **shutter** /'ʃʌtə/ *n*. 百葉窗;(照相機)快門;(光)閘 // ~*down*(使)停工;(使)關閉;(夜等)降臨 ~*off* 關掉(煤氣等);切斷,隔離 ~*out* 將…關在外面;排除;遮住 ~*up* 關閉;監禁;[口](使)住口.

shuttle /'ʃʌtl/ *n*. ①(織機的)梭;穿梭般的來回②(=space~)太空穿梭機③來回於兩地間的民航飛機、公共汽車 *v*.(使)來回移動;穿梭般運送 // ~*diplomacy*【政】穿梭外交.

shuttlecock /'ʃʌtlkɒk/ *n*. 羽毛球.

shy /ʃaɪ/ *a*. 膽小的;害羞的;遲疑的;謹慎的;缺少的 *v*. ①驚逸;退避②投;擲 *n*. 投擲;[口]嘲弄.

SI /ˌes 'aɪ/ *abbr*. = International System of Units 國際單位制;公制.

Siamese /ˌsaɪə'miːz/ *a*. 暹羅人(語)的 *n*.(單複數同形)暹羅人;暹羅語 // ~*cat* 暹羅貓 ~*twins* 連體雙胞胎.

Siberian /saɪ'bɪərɪən/ *a*. 西伯利亞的.

sibilant /'sɪbɪlənt/ *a*. 發嗞嗞聲的 *n*. 嗞嗞聲,(語)嗞音.

sibling /'sɪblɪŋ/ *n*. 兄弟(或姐妹).

sibyl /'sɪbl/ *n*. 古代的女預言家;女巫.

sic /sɪk/ *ad*. [拉]原文如此(對引文錯誤所作的附注).

sick /sɪk/ *a*. ①有病的②(通常作表語)噁心的;要嘔吐的;(作表語)厭惡的③不愉快的,懊喪的;令人討厭的④渴望的 *vt*. [口]嘔吐(up) **~ly** *a*. 有病的;多病的;令人作嘔的 **~ness** *n*. 疾病;嘔吐 **~-bed** *n*. 病床 **~-leave** *n*. 病假.

sicken /'sɪkən/ *v*. (使)生病;(使)噁心;(使)厭倦.

sickle /'sɪkl/ *n*. 鐮刀.

side /saɪd/ *n*. ①邊;旁邊②面;側面;(身體的)側邊,脅③(比賽的)隊;一方④[英俚]傲慢 *vi*. 袒護;支持 **~board** *n*. 餐具櫃 **~burns** *pl*. *n*. [美]絡腮鬍子 **~-effect** *n*.(藥物)副作用 **~light** *n*. 側光;偶然啓示;側面消息 **~-line** *n*. 旁綫;側道;兼職;副業 **~-long** *a*. & *ad*. 橫向的(地);斜向的(地) **~-road** *n*. 旁路;小道 **~track** *n*.(鐵路的)側綫 *vt*. 使轉變話題 **~-view** *n*. 側面圖;側面形狀 **~walk** *n*.[美]人行道 **~ways** *a*. & *ad*. 斜着(的);斜向一邊(的);自一邊的(地) // *on the* ~作為兼職;另外;秘密地 ~*by* ~並肩地;互相支持地.

sidereal /saɪ'dɪərɪəl/ *a*. 【天】星的;恆星的;星座的.

sidle /'saɪdl/ *vi*. 側身而行;羞怯地走.

siege /siːdʒ/ *n*. 圍攻;包圍 // *lay*~*to* 包圍;圍攻 *raise the* ~*of*…解圍.

sienna /sɪ'enə/ *n*. 濃黃土(一種油畫及水彩顏料);赭色.

sierra /'sɪərə/ *n*. 峰巒起伏的山嶺.

siesta /sɪ'estə/ *n*. 午睡.

sieve /sɪv/ *n*. (細眼)篩;濾器 *vt*. 篩,濾.

sift /sɪft/ *v*. ①篩;精選;篩分②篩撒③細查.

sigh /saɪ/ *n*. & *v*. ①嘆氣②(風等)哀鳴③熱望(for).

sight /saɪt/ *n*. ①視力;視覺②瞥見③視野④情景;奇觀;(*pl*.)名勝⑤(槍的)瞄準器;準星 *vt*.看;觀測 **~less** *a*.盲的;瞎的 **~seeing** *n*.遊覽;觀光 **~seer** *n*.觀光客 // *at first*~乍一看;乍看起來;一見(就) *in*~被看到 *out of*~在視綫之外.

sign /saɪn/ *n*. ①符號;記號②招牌;標記③徵兆;迹象④手勢⑤踪迹 *v*. ①簽名;畫押②以手勢表示;用信號表示 **~board** *n*.招牌 **~post** *n*.路標.

signal /ˈsɪgnəl/ *n*. ①信號;暗號②近因;徵象③電波訊號;信號器 *v*. 發信號;用信號告知;表示,表明 **~-book** *n*. 旗語通信手冊 **~-box** *n*.(鐵路的)信號房 **~-fire** *n*.烽火 **~-flag** *n*. 信號旗 **~-generator** *n*. 信號發生器 **~man** *n*.信號員.

signatory /ˈsɪgnətrɪ/ *a*. 簽署的;簽約的 *n*.簽署者;簽約國.

signature /ˈsɪgnətʃə(r)/ *n*. ①簽名;蓋章②【樂】拍號;調號.

signet /ˈsɪgnɪt/ *n*. 圖章, 私章 // ~*ring* 圖章戒指.

significance /sɪgˈnɪfɪkəns/ *n*. 意義;重要性;意味;重要 **significant** /sɪgˈnɪfɪkənt/ *a*.有意義的;重要的;意味深長的 **signification** /ˌsɪgnɪfɪˈkeɪʃn/ *n*.正確含意;詞義;字義.

signify /ˈsɪgnɪfaɪ/ *vt*. 表示,表明,意味 *vi*.有重要性;有關係.

Signor /ˈsiːnjɔː(r)/ *n*. [意](稱呼)先生;君.

Signora /siːˈnjɔːrə/ *n*. [意](稱呼)太太,夫人.

Signorina /ˌsiːnjəˈriːnə/ *n*. [意](稱呼)小姐.

Sikh /siːk/ *n*.錫克教信徒.

silage /ˈsaɪlɪdʒ/ *n*. 青貯飼料 *vt*.青貯.

silence /ˈsaɪləns/ *n*. 沉默;寂靜;湮沒;無音信 *vt*.使沉默;使緘口;壓制;平息 **silencer** /ˈsaɪlənsə/ *n*.使沉默的人;消音器.

silent /ˈsaɪlənt/ *a*. 沉默的;寂靜的;未明言的;未被記住的;無聲的;靜止的.

silhouette /ˌsɪluːˈet/ *n*. 側面影像;剪影;黑色輪廓 *vt*.使現出黑色側影;使現出輪廓.

silica /ˈsɪlɪkə/ *n*.【化】二氧化硅;硅石 **silicon** /ˈsɪlɪkən/ *n*.【化】硅.

silicosis /ˌsɪlɪˈkəusɪs/ *n*.【醫】矽肺;硅肺.

silk /sɪlk/ *n*. 絲;蠶絲;絲織品;綢緞 **~en** /ˈsɪlkən/ *a*.絲一般的;柔軟的;有光澤的 **~y** /ˈsɪlkɪ/ *a*.絲一樣的;柔滑的;優雅的 **~worm** *n*.蠶.

sill /sɪl/ *n*. ①窗台;門檻②【建】基石;基木.

silly /ˈsɪlɪ/ *a*. 傻的;愚蠢的;可笑的;無聊的 *n*.[口]傻瓜 **~-billy** *n*.[口]傻瓜.

silo /ˈsaɪləu/ *n*. ①(貯存青飼料的)地窖②導彈發射井.

silt /sɪlt/ *n*. 淤泥;淤沙 *v*.(使)淤塞.

silvan, sylvan /ˈsɪlvən/ *a*. 林木的;鄉村的.

silver /ˈsɪlvə(r)/ *n*. ①銀;銀幣②銀器③銀白色 *vt*.鍍銀於…;使成銀白色 *vi*.變成銀白色 **~y** /ˈsɪlvərɪ/ *a*.似銀的;有銀色光澤的;(聲音)清脆的 **~-haired** *a*.白髮蒼蒼的 **~-plated** *a*. 鍍銀的 **~smith** *n*. 銀匠 **~-tongued** *a*.雄辯的 **~ware** *n*.(總稱)銀器;銀製品 // ~*birch* 白樺 ~*jubilee* 25周年慶祝 ~*wedding* 銀婚;結婚25周年紀念.

simian /ˈsɪmɪən/ *a*. 猿猴的;像猿猴的

n.猿;猴.

similar /'sɪmɪlə(r)/ *a*. 相似的;類似的 **~ity** /ˌ-'lærətɪ/ *n*.相似;相似之處 **~ly** *ad*.

simile /'sɪmɪlɪ/ *n*.【修】直喻;明喻.

similitude /sɪ'mɪlɪtjuːd/ *n*. 類似;相似;比喻;直喻.

simmer /'sɪmə(r)/ *vi*. ①煨;炖②強壓住心中的怒氣等 // ~*down* 平靜下來 ~*with* 內心充滿難以壓下的….

simoom /sɪ'muːm/, **simoon** /sɪ'muːn/ *n*.(阿拉伯沙漠的)西蒙風;沙漠乾熱風.

simper /'sɪmpə(r)/ *n*. & *vi*. 傻笑;假笑.

simple /'sɪmpl/ *a*. ①簡單的;簡樸的②單純的③直率的④(出身等)低微的⑤蠢笨的 **simplicity** /sɪm'plɪsətɪ/ *n*. **simplify** /'sɪmplɪfaɪ/ *vt*.簡化;使單純 **simply** /'sɪmplɪ/ *ad*. **~ton** /'sɪmpltən/ *n*.笨人;傻瓜 **~-minded** *a*.頭腦簡單的;純樸的;笨的.

simulate /'sɪmjuleɪt/ *vt*. ①假裝;冒充②模仿,模擬③看上去像 **simulation** /ˌ-'leɪʃn/ *n*. **simulator** /'sɪmuleɪtə(r)/ *n*.模仿者;模擬裝置.

simultaneous /ˌsɪml'teɪnɪəs/ *a*. 同時的;同時發生的 **simultaneity** /ˌsɪməltə'nɪətɪ/ *n*.同時性 **simultaneously** *ad*.

sin /sɪn/ *n*. 罪;罪孽;罪惡;過失;過錯 *vi*.犯罪;犯過失 **~ful** /*a*.有罪的;邪惡的 **~ner** /'sɪnə(r)/ *n*.罪人.

since /sɪns/ *conj*. ①自從…以來;從…以後②因為;既然 *prep*.自從;…以來 *ad*.從那時以後;後來;以前.

sincere /sɪn'sɪə(r)/ *a*. ①真誠的;真摯的;真實的②直率的③純淨的 **~ly** *ad*. **sincerity** /sɪn'serətɪ/ *n*.

sine /saɪn/ *n*.【數】正弦.

sinecure /'saɪnɪkjuə(r)/ *n*. 挂名職務;閒差事;乾俸職.

sine die /ˌsaɪnɪ 'daiiː/ [拉]無限期地.

sine qua non /ˌsɪneɪ kwɑː 'nəʊn/ [拉]必須的條件(資格).

sinew /'sɪnjuː/ *n*. 腱;(*pl*.)肌肉;體力;精力;力量的源泉 **~y** *a*.肌肉發達的,強壯的;剛勁的.

sing /sɪŋ/ *v*.(**sang** /sæŋ/;**snug** /sʌŋ/)①唱(歌);(鳥等)啼,囀②發嘘嘘聲,作響③讚頌④[美俚]告密 **~er** /'siŋə/ *n*. 歌手;歌唱家 **~song** /'sɪŋsɒŋ/ *n*.即席演唱會;單調的節奏;單調的歌.

singe /sɪndʒ/(現在分詞 **singeing**)/ *v*. 燒焦;烤焦;損傷;損害.

single /'sɪŋgl/ *a*. ①單一的;單身的②個別的;單人用的③單純的④獨一無二的 *v*.挑選;選拔(out) *n*.單程車票;(*pl*.)(網球等的)單打;(*pl*.)未婚者 **~-breasted** *a*.單排鈕的 **~-eyed** *a*.獨眼的;單純的 **~-handed** *a*.獨力的;單槍匹馬的 **~-minded** *a*.真誠的 // ~*parent* 單獨撫養孩子的父親或母親.

singlet /'siŋglɪt/ *n*. 男式無袖汗衫,背心.

singleton /'sɪŋgltən/ *n*. 單張牌;獨個的東西.

singular /'sɪŋgjulə(r)/ *a*. ①單一的②[語法]單數的③奇特的;卓越的 **~ity** /ˌ-'lærətɪ/ *n*.奇特;異常;非凡 **~ly** *ad*. 非凡地;奇特地;卓越地.

sinister /'sɪnɪstə(r)/ *a*. 不吉利的;兇惡的;陰險的.

sink /sɪŋk/ (**sank** /sæŋk/; **sunk** /sʌŋk/) *vi*. ①下沉;沉沒;(日,月)落下②凹陷;下垂③墮落;消沉④滲入⑤降低 *vt*. ①弄沉②使陷入③插

入④使下垂;降低⑤搞垮⑥隱匿 *n*. ①陰溝②洗滌槽③巢窟 **~er** *n*.(釣絲等的)錘;墜子 **sinking-fund** *n*. 還債基金.

Sino [前綴]表示"中國(的)".

Sinology /saɪnɒlədʒɪ/ *n*. 漢學 **sinologist** /saɪnɒlədʒɪst/ *n* 漢學家.

sinuous /'sɪnjʊəs/ *a*. 蜿蜒的;彎曲的;曲折的;起伏的.

sinus /'saɪnəs/ *n*. 【解】竇 **sinusitis** /ˌsaɪnə'saɪtɪs/ *n*. 竇炎.

sip /sɪp/ *v*. 啜;呷;吸飲 *n*. 啜;一口.

siphon /'saɪfn/ *n*. 虹吸管;彎管.

sir /sɜː(r)/ *n*. 先生;閣下;(**S-**)爵士.

sire /'saɪə(r)/ *n*. ①父獸;種馬②[古]陛下;大人 *vt*. 為…的雄親.

siren /'saɪərən/ *n*. ①汽笛;警報器②【希神】海妖;迷人而危險的美女.

sirloin /'sɜːlɔɪn/ *n*. 牛腰肉.

sirocco /sɪ'rɒkəʊ/ *n*. (吹向南歐洲的)非洲熱風.

sisal /'saɪsl/ *n*. (製繩用的)西沙爾麻.

siskin /'sɪskɪn/ *n*. 【鳥】金翅雀.

sissy /'sɪsɪ/ *n*. & *a*. 女人氣的(男人).

sister /'sɪstə(r)/ *n*. 姐;妹;修女;尼姑 **~hood** *n*. 姐妹關係;婦女團體 **~-in-law** *n*. 嫂;弟媳;姑子;姨 **~ly** *a*. 姐妹般的.

sit /sɪt/ (過去式及過去分詞 **sat** /sæt/) *vi*. ①坐;就坐;坐落②(鳥)棲息;(雞等)伏窩③占議席;開會;開庭④參加考試⑤(衣服)合身 *vt*. 使就坐;騎 **~-in** *n*. 靜坐示威 **sitting-room** / *n*. 起居室 // ~*back* 放鬆;休息 ~*in on* 出席;參加 ~*on* 為(委員會、陪審團)的成員;[俚]疏於處理 ~*tight* [俚]穩坐不動;耐心等待;固執己見.

sitcom /'sɪtkɒm/ *n*. =situation comedy [口]場景喜劇.

site /saɪt/ *n*. ①場所;位置②地基③遺址.

situate /'sɪtjʊeɪt/ *vt*. 使位於;使處於;定…的位置 **situated** *a*. 位於…的;坐落在…的;處於…境地的.

situation /ˌsɪtjʊ'eɪʃn/ *n*. 位置;場所;形勢;狀況;職業.

six /sɪks/ *num*. & *n*. 六;六個 **~teen** /-'tiːn/ *num*. & *n*. 十六;十六個 **~teenth** /-'tiːnθ/ *num*. & *n*. ①第十六(個)②十六分之一③(每月的)第十六日 **~th** /sɪksθ/ *num*. & *n*. ①第六(個)②六分之一③(每月的)第六日 **-tieth** /'sɪkstɪɪθ/ *num*. & *n*. ①第六十(個)②六十分之一 **~ty** /'sɪkstɪ/ *num*. & *n*. 六十;六十個.

sixpack /'sɪkspæk/ *n*. (尤指啤酒)六瓶(或聽)裝的一箱;六件裝.

size /saɪz/ *n*. ①大小;尺寸②體積③身材④[俗]真相⑤(使紙張光滑,布片堅挺的)膠料;漿糊 *vt*. ①依大小排列(分類)②[俗]判斷;品評③給…上漿.

sizzle /'sɪzl/ *vi*. & *n*. [俗]發嗞嗞聲;唧唧響.

skate /skeɪt/ *n*. 溜冰鞋 *vi*. 溜冰 **~r** *n*. 溜冰者 **skating** *n*. 溜冰 **skating-rink** *n*. 溜冰場 **~board** *n*. 滑板 **~boarding** *n*. 滑板運動.

skedaddle /skɪ'dædl/ *vi*. [俗](通常用於祈使句)快走開;趕快逃;倉惶逃竄 **~r** *n*.

skein /skeɪn/ *n*. (紗、綫等的)一束,一絞;(飛行中的大雁的)一群.

skeleton /'skelɪtn/ *n*. ①骨骼;骷髏②骨架;大綱;輪廓③脉絡 **~ic** *a*. 最基本的;最起碼的.

skeptic(al) =sceptic(al).

skerry /'skerɪ/ *n*. (岩)島;(岩)礁.

sketch /sketʃ/ *n*. ①素描；速寫②草圖；草稿；梗概③(滑稽的)短劇(或短文)；小品 *v*. 繪草圖；作速寫；草擬；概述 **~-book** *n*. 寫生簿；見聞録；小品集.

skew /skju:/ *a*. 斜的；歪的；偏的 *n*. 歪斜.

skewbald /'skju:bɔ:ld/ *a*. (馬等)花斑色的；有花斑的.

skewer /skʒʊə(r)/ *n*. 烤肉叉；串肉扦.

ski /ski:/ *n*. 滑雪板；雪橇 *vi*. 滑雪 **~er** /'ski:ə/ *n*. 滑雪者 **~ing** /'ski:ɪŋ/ *n*. 滑雪；滑雪運動.

skid /skɪd/ *n*. ①(車輪的)打滑；滑動枕木②剎車，制動器；墊板 *vt*. ①用剎車剎住②用滑動枕木滾滑；使打滑 *vi*. (汽車等)打滑.

skiff /skɪf/ *n*. 輕舟；小艇.

skill /skɪl/ *n*. 技能；技巧；熟練 **skil(l)ful** *a*. 靈巧的；熟練的 **skil(l)fully** *ad*.

skillet /'skɪlɪt/ *n*. [英]長柄煮鍋；[美]煎鍋；平底鍋.

skim /skɪm/ *v*. 撇去浮沫；撇取乳皮；掠過；擦過 **~mer** /'skɪmə/ *n*. 撇沫器；漏杓 // *skimmed* (或 *skim*) *milk* 脱脂乳.

skimp /skɪmp/ *v*. 節儉；少給；吝嗇.

skin /skɪn/ *n*. ①皮；皮膚②獸皮；皮革③果皮；植物的外皮④[美俚]騙子；小氣鬼 *vt*. ①剥皮②擦傷③[俚]詐騙 **~ner** *n*. 皮革商；剥皮者；[俚]騙子 **~ny** *a*. 皮包骨的 **~-deep** *a*. 膚淺的；不長久的 **~-tight** *a*. 緊身的 *n*. 緊身衣.

skint /skɪnt/ *a*. [英俚]身無分文的.

skip /skɪp/ *v*. ①跳；蹦；跳繩(運動)②略過；遺漏③急轉④[口]悄悄離開；故意不參加 *n*. ①跳；跳躍；略過②(運工地廢料、垃圾的)大鐵箱、箕斗.

skipper /'skɪpə(r)/ *n*. ①船長②(足球、板球)球隊隊長③飛魚④跳躍者.

skirl /skɜ:l/ *n*. 風笛吹出的尖鋭聲.

skirmish /'skɜ:mɪʃ/ *n*. 小戰鬥；小衝突；小爭執.

skirt /skɜ:t/ *n*. ①裙子；裙子似的防護罩②女人；姑娘③邊緣；(*pl*.)郊外 *v*. ①位於(…)邊緣②沿着(…的)邊緣走③迴避 **skirting-board** *n*. [英]【建】踢脚板；壁脚板.

skit /skɪt/ *n*. 諷刺短文；滑稽短劇.

skittish /'skɪtɪʃ/ *a*. ①(馬)易受驚的②(人)愛調情的③輕浮的④膽小的.

skittle /'skɪtl/ *n*. (*pl*.) 九柱戲；撞柱戲.

skive /skaɪv/ *vi*. ①[英俚]偷懶；躲清閒②輕輕離去.

skivvy /'skɪvɪ/ *n*. [英俗]女僕.

skua /'skju:ə/ *n*. 【鳥】賊鷗；大海鳥.

skulduggery /skʌl'dʌgərɪ/ *n*. 詭計；欺詐.

skulk /skʌlk/ *vi*. ①躲躲閃閃；躲避②偷偷摸摸地走③偷懶 *n*. 躲藏者；逃避職責者.

skull /skʌl/ *n*. 顱骨；頭蓋骨；頭 **~-cap** *n*. 便帽.

skunk /skʌŋk/ *n*. ①【動】臭鼬②卑鄙的人；下流坯.

sky /skaɪ/ *n*. ①天，天空②(*pl*.)天氣③天堂，天國 **~-blue** *a*. 蔚藍的 **~-diving** *n*. 緩張傘跳傘 **~lark** *n*. 雲雀 **~light** *n*. 天窗 **~line** *n*. (建築物、山等)以天空為背景映出的輪廓 **~-scraper** *n*. 摩天大樓.

slab /slæb/ *n*. 平板；厚板；厚片.

slack /slæk/ *a*. ①鬆弛的；不緊的②疏忽的；懶散的；馬虎的 *n*. ①(繩索等)鬆垂的部分②(*pl*.)寬鬆的褲

子;便褲③煤屑 *v*.使鬆弛;偷懶;懶散 ~**en** /'slækən/ *v*.放鬆,鬆懈;(使)變緩慢 ~**er** /'slækə/ *n*.逃避兵役的人;懶漢.

slag /slæg/ *n*. ①礦渣;熔渣;煤屑②[英俚]蕩婦.

slain /sleɪn/ slay 的過去分詞.

slake /sleɪk/ *vt*. ①清除;平息②滿足③使(石灰)熟化.

slalom /'slɑːləm/ *n*. 障礙滑雪;彎道滑雪比賽.

slam /slæm/ *v*. ①砰地關上(門等);砰地放下;用力投;猛擊②[口]猛烈抨擊;辱罵 *n*.砰的一聲;猛烈抨擊.

slander /'slɑːndə(r)/ *n*. & *vt*. 誹謗;污衊 ~**ous** /'slɑːndərəs/ *a*.

slang /slæŋ/ *n*. 俚語;行話;黑話 ~**y** /'slæŋɪ/ *a*. // ~*ing match* 互相吵罵.

slant /slɑːnt/ *a*. 傾斜的;歪的 *n*. ①斜面;斜綫(號)②偏見③歪曲 *v*. ①(使)傾斜;歪曲②[美俚]走開.

slap /slæp/ *vt*. 拍擊;摑;啪的一聲放下 *n*.拍擊;一巴掌;拍的聲響 *ad*.[口]直接地;正好;恰恰 ~**dash** *a*.草率的;粗心大意的~**-happy** *a*.嘻嘻哈哈漫不經心的 ~**stick** *n*.粗俗的滑稽劇 ~**-up** *a*.[英][口](飯)極好的;一流的.

slash /slæʃ/ *v*. ①猛砍;砍傷;鞭打②大幅度削減③(在衣服上)開叉④嚴厲批評 *n*. ①揮砍;鞭打②長傷痕(刀口);長縫③[英]斜綫號(/).

slat /slæt/ *n*. (木或金屬的)窄板條.

slate /sleɪt/ *n*. ①石板;石板瓦②[美]候選人名單③板岩 *vt*. ①用石板瓦蓋②[口]嚴厲批評;責罵③提名擔任(某職位) **slaty** /'sleɪtɪ/ *a*.板岩的;石板(狀)的 **slate-club** *n*.(英)互助會 **slate-pencil** *n*.石筆.

slattern /'slætən/ *n*. 邋遢女人 ~**ly** *a*.邋遢的.

slaughter /'slɔːtə(r)/ *n*. & *vt*. 屠殺;屠宰;殘殺 ~**-house** *n*.屠宰場.

Slav /slɑːv/ *n*. 斯拉夫人 *a*.斯拉夫人(或語)的.

slave /sleɪv/ *n*. 奴隸;耽迷於…的人(of/to) *vi*.拚命工作 ~**-driver** *n*.監管奴隸的人.

slaver[1]/'sleɪvə(r)/ *n*. 奴隸販子;販奴船.

slaver[2]/'slævə(r)/ *n*. 口水 *v*.淌口水;垂涎.

slavery /'sleɪvərɪ/ *n*. 奴隸身份;奴隸制度;苦役.

Slavic /'slævɪk/, **Slavonic** /slə'vɒnɪk/ *a*. 斯拉夫人(或語)的 *n*.斯拉夫語.

slavish /'sleɪvɪʃ/ *a*. 奴隸(般)的;無獨創性的.

slay /sleɪ/ *vt*. (**slew** /sluː/; **slain** /sleɪn/) 殺死;殺害.

sleazy /'sliːzɪ/ *a*. ①(尤指地方)骯髒的;污穢的②質量差的.

sledge /sledʒ/, [美]**sled** /sled/ *n*. (運動用的)雪橇;(運載用的)雪車 *vi*.乘雪橇 *vt*.用雪橇運送 ~**hammer** *n*. 大鐵錘.

sleek /sliːk/ *a*. ①光滑的;光亮的②雅緻的③時髦的;(人)健壯的 *vt*.使(毛髮)柔滑發亮.

sleep /sliːp/(過去式及過去分詞 **slept** /slept/)/ *vi*. ①睡覺;睡着;過夜②長眠 *vt*.睡;供…住宿;以睡眠消除(或度過) *n*.睡眠 ~**er** *n*.(與形容詞連用)睡眠(好,不好等)的人;[英]枕木;卧車;卧鋪 ~**less** *a*.不睡的;失眠的;警覺的 ~**y** *a*.想睡的;睏乏的;(指地方)寂靜的 **sleeping-bag** *n*.睡袋 **sleeping-car** *n*.(鐵路的)卧車 **sleeping - draught** *n* . 安眠藥

sleeping-partner *n*. 不參與經營的隱名合夥人 **sleeping-pill** *n*. 安眠藥片 **sleeping-sickness** *n*. (熱帶)昏睡病; 嗜眠病.

sleet /sliːt/ *n*. 雨夾雪; 凍雨; 霰 *vi*. 下凍雨.

sleeve /sliːv/ *n*. ①袖子②【機】套; 套管(筒).

sleigh /sleɪ/ *n*. (尤指馬拉的)雪橇, 雪車.

sleight /slaɪt/ *n*. ①奸詐; 花招②靈巧; 熟練 // ~*of hand* 手法巧妙; 花招.

slender /ˈslendə(r)/ *a*. ①細長的; 纖細的; (人)苗條的②微薄的; 微小的; 微弱的.

slept /slept/ sleep 的過去式及過去分詞.

sleuth /sluːθ/ *n*. [俗]偵探 **~-hound** *n*. 警犬.

slew /sluː/ ①slay 的過去式②*v*. (使)旋轉; (使)轉向.

slice /slaɪs/ *n*. ①薄片; 一片②一份兒③餐刀; 鍋鏟④(高爾夫球)右曲球 *v*. 割; 切; 切成薄片; 打右曲球.

slick /slɪk/ *a*. ①熟練的; 靈巧的②圓滑的; 伶俐的 *n*. 水面上的浮油; 油膜 *v*. 弄光滑; 打扮整齊.

slide /slaɪd/(**slid** /slɪd/; **slid, slidden** /ˈslɪdn/) *vi*. ①滑; 滑行(動); 滑落②不知不覺地陷入③偷偷地走 *vt*. 使滑動; 把…偷偷放入 *n*. 滑(動); 滑坡; 滑道; 滑面; 幻燈片 **~-rule** *n*. 計算尺 // ~ *fastener* 拉鏈 *sliding board* 滑梯 *sliding door* 滑動門.

slight /slaɪt/ *a*. ①輕微的; 微小的②纖弱的; 脆弱的③苗條的 *n*. & *vt*. 輕蔑, 怠慢 **~ly** *ad*.

slim /slɪm/ *a*. ①苗條的; 纖細的; 微小的②[口]狡猾的 *v*. 減肥; 減少(小).

slime /slaɪm/ *n*. 軟泥, 粘液; 粘質物 **slimy** /ˈslaɪmɪ/ *a*. ①黏滑的; 泥濘的②[俗]諂媚的; 奸詐的.

sling /slɪŋ/ *n*. ①投石器②吊帶; 【醫】懸帶 *vt*. (過去式及過去分詞 **slung** /slʌŋ/)用力投, 扔; 吊起.

slink /slɪŋk/ *vi*. (過去式及過去分詞 **slunk** /slʌŋk/) 溜走; 翩翩地走 **~y** /ˈslɪnkɪ/ *a*. ①步履翩翩的②(衣服)顯出身體綫條的.

slip /slɪp/ *vi*. ①滑; 滑倒; 滑移②悄悄走掉; 滑脫; 滑出③弄錯④匆忙地穿(或脫)⑤遺漏 *vt*. ①使滑動②悄悄放入③被忽略④匆忙地穿(脫)⑤擺脫⑥打開 *n*. ①滑倒②遺漏③小錯誤④女套裙; 襯裙⑤紙條⑥接枝, 插條⑦枕套 **~pery** /ˈslɪpərɪ/, [俗] **~py** /ˈslɪpɪ/ *a*. 滑的; 狡猾的; 棘手的 **~-knot** *n*. (繩索的)滑結 **~-road** *n*. (高速公路側旁的)側道; 岔道 **~shod** *a*. 散漫的; 粗心的; 懶散的.

slipper /ˈslɪpə(r)/ *n*. 拖鞋.

slippery /ˈslɪpərɪ/ *a*. ①(指物體表面)滑的; 光滑的; ②(指人)油滑的; 不老實的.

slit /slɪt/ *n*. 狹長切口; 裂縫 *v*. 切開; 縱切; 撕裂.

slither /ˈslɪðə(r)/ *vi*. 晃晃悠悠地滑動; 蜿蜒滑行.

sliver /ˈslɪvə(r)/ *n*. 薄片; 碎片; 長條 *vt*. 把…切成薄片; 把…弄成碎片 *vi*. 碎裂成片.

slob /slɒb/ *n*. 邋遢懶惰的人; 粗魯的人.

slobber /ˈslɒbə(r)/ *v*. ①流涎; 淌口水②過份地愛慕; 過於傷感 *n*. 口水.

sloe /sləʊ/ *n*. 【植】黑刺李; 野李(樹); [美]野梅.

slog /slɒɡ/ *v*. ①猛擊②苦幹③吃力地

走 *n*.猛擊;跋涉;苦幹.

slogan /'sləugən/ *n*. 口號;標語.

sloop /slu:p/ *n*. 單桅小帆船.

slop /slɒp/ *n*. ①(常用 *pl*.)髒水;污水②人體排泄物③泔水④[英]流質食物 *v*. ①潑出;濺出;溢出②踏濺着泥漿走 **sloppy** /'slɒpɪ/ *a*.衣冠邋遢的;(工作)草率的;粗心大意的;傷感的;滿是污水的;非常稀的.

slope /sləup/ *n*. 傾斜;斜坡;斜面;坡度 *vt*. ①(使)傾斜,(使)成斜坡②悄悄避開(off);離去.

slosh /slɒʃ/*v*.①在水或泥漿中濺潑着行走②使液體在容器內晃動作響 *n*. ①濺潑聲②泥濘.

slot /slɒt/ *n*. ①窄孔;縫;口;窄槽②(在組織、程序單等中所占的)位置;職位 *v*.開孔、開槽;放(插入孔、槽) **~-machine** *n*.投幣機,角子機.

sloth /sləuθ/ *n*. 懶惰;【動】樹懶.

slouch /slautʃ/ *vi*. ①懶洋洋地站(或坐、走動)②下垂 *n*.懶洋洋的姿態.

slough[1]/slau/ *n*. 泥沼;沼澤地;[喻]泥坑.

slough[2]/slʌf/ *v*. (蛇等的)脫皮;脫落;脫殼;拋棄 *n*.蛇蛻.

sloven /'slʌvn/ *n*. 不修邊幅的人 **~ly** *a*.邋遢的,不整潔的.

slow /sləu/ *a*. ①慢的,緩慢的;遲鈍的②猶豫的;不活躍的 *v*.(使)慢下來;(使)鬆弛 **~ly** *ad*.慢慢地;漸漸地 **~ness** *n*.緩慢;遲鈍; **~coach** *n*. [英]慢性子的人;遲鈍的人 **~-witted** *a*. 遲鈍的;笨的 // ~ *motion* 慢動作;(影片)慢鏡頭.

slowworm /'sləuwɜ:m/*n*.【動】蛇蜥蜴;慢缺肢蜥(無足、無毒).

sludge /slʌdʒ/ *n*. ①淤泥;軟泥②油垢;污物③[俚]敷衍話 **sludgy** /'slʌdʒɪ/*a*.淤泥的;泥濘的.

slug /slʌg/ *n*. ①【動】蛞蝓;鼻涕蟲②子彈③一口酒④[美]冒充硬幣投入售貨機的金屬塊.

sluggard /'slʌgəd/ *n*. 懶漢.

sluggish /'slʌgiʃ/ *a*. 懶惰的;緩慢的;無生氣的.

sluice /slu:s/ *n*. ①水閘;人工水道,水槽②水閘內的水 *v*.(用水流)淘洗,冲洗;(水)奔流.

slum /slʌm/ *n*. 貧民區;貧民窟 *vi*. (尤指為了獵奇)探訪貧民區.

slumber /'slʌmbə(r)/ *vi*. & *n*. 睡眠.

slump /slʌmp/ *v*. 沉重地倒下;(指物價等)暴跌 *n*.不景氣,商業蕭條.

slung /slʌŋ/ sling 的過去式及過去分詞.

slunk /slʌŋk/slink 的過去式及過去分詞.

slur /slɜ:(r)/ *v*. ①含混不清地講(或寫)②【樂】流暢地演奏;略過 *n*.誹謗;污點;【樂】連接綫.

slurp /slɜ:p/ *vt*. 咂咂地吃,咕嘟咕嘟地喝.

slurry /'slʌrɪ/*n*.泥漿;水泥漿;灰漿.

slush /slʌʃ/ *n*. ①爛泥②雪水③無端傷感的言語(或文字)④[美]賄賂.

slut /slʌt/ *n*. 邋遢女人;放蕩女人 **sluttish** *a*.邋遢的;放蕩的.

sly /slaɪ/ *a*. ①狡猾的;躲躲閃閃的②會意的;頑皮的 **~ly** *ad*.

smack /smæk/ *n*. ①滋味;風味②少量③拍擊;摑掌④咂嘴聲;接吻聲⑤嘗試 *vi*.有味;帶有…風味;咂嘴 *vi*.拍擊;摑,使作響 *ad*.猛然;恰好.

small /smɔ:l/ *a*. ①小的;少的;細小的②微不足道的③卑鄙的④氣量小的 *ad*.些微地;細小地;小規模地 *n*.狹小部分;小件衣物 ~ **hours** *n*.凌晨

時分 **-minded** *a*. 小心眼的；氣量小的 **~pox** *n*. 天花 **-talk** *n*. 閒談.

smarmy /ˈsmɑːmɪ/ *a*. 一味討好的；奉承的.

smart /smɑːt/ *a*. ①精明的；聰敏的②敏捷的③瀟灑的；衣冠楚楚的；時髦的④嚴厲的；劇烈的；厲害的 *vi*. 劇痛；刺痛，苦痛 *n*. 傷心，劇痛；痛苦 // ~ *bomb* 激光制導炸彈 ~ *card* (內藏微型處理機的)智慧卡.

smash /smæʃ/ *v*. ①打碎；打破；搗毀②猛擊；(網球)猛烈扣殺③撞毀；擊敗 *n*. 撞擊(聲)；車輛相撞；(網球)扣球 **~ing** *a*. 非常出色的；極好的.

smattering /ˈsmætərɪŋ/ *n*. 一知半解；半瓶子醋.

smear /smɪə(r)/ *vt*. ①塗；搽；弄髒②誹謗③打垮 *n*. 污點；污迹；誹謗.

smell /smel/ (過去式及過去分詞~**de** 或 **smelt** /smelt/) *vt*. ①聞；聞到；察覺②發出…的氣味；有…的氣味 *vi*. ①有嗅覺；嗅②散發氣味；發臭氣 *n*. 嗅覺；氣味；臭味；嗅；聞 **~y** *a*. (俗)有臭味的 **~ing-salts** *pl*. *n*. 嗅鹽.

smelt /smelt/ *n*. 【動】胡瓜魚；香魚 *vt*. 【冶】熔煉；精煉.

smile /smaɪl/ *vi*. ①微笑；冷笑②贊同；鼓勵(on) *vt*. 以微笑表示；發出某種微笑 *n*. 微笑，笑容.

smirch /smɜːtʃ/ *vt*. 弄髒；玷污(名譽等) *n*. 污迹；污點.

smirk /smɜːk/ *n*. & *vi*. 傻笑；洋洋自得的(地)笑.

smite /smaɪt/ *vt*. (**smote** /sməʊt/; **smitten** /ˈsmɪtn/) 重擊；打；敲擊.

smith /smɪθ/ *n*. 鐵匠，鍛工；(用在複合詞中)…匠，製造者 **~y** *n*. 鐵匠鋪；鍛工車間.

smithereens /ˌsmɪðəˈriːnz/ *pl*. *n*. 碎片.

smitten /ˈsmɪtn/ smite 的過去分詞 *a*. 極為不安的；突然迷戀上…的(with).

smock /smɒk/ *n*. 工作服；(兒童)罩衫；(孕婦)寬鬆的女罩衫.

smog /smɒg/ *n*. 烟霧 **~gy** *a*.

smoke /sməʊk/ *n*. 烟；吸烟；(泛指)香烟或雪茄 *vi*. 冒烟；抽烟 *vt*. 抽烟；用烟熏；熏製；熏髒 **~-bomb** *n*. 烟幕彈 **~-screen** *n*. 【軍】烟幕 **~-stack** *n*. (工廠等的)大烟囱 **~-stone** *n*. 烟水晶 **smoking-car, smoking-carriage** *n*. 可吸烟車廂 **smoking-room** *n*. 吸烟室.

smoker /ˈsməʊkə(r)/ *n*. 吸烟者；(火車上的)可吸烟車廂.

smoky /ˈsməʊkɪ/ *a*. ①冒烟的；烟霧瀰漫的②帶烟熏味道的③烟霧狀的；烟色的.

smooch /smuːtʃ/ *vi*. & *n*. 擁抱接吻.

smooth /smuːð/ *a*. ①平滑的；平坦的；平穩的②平均的③平順的④醇美的⑤流暢的⑥[美俚]絕妙的 *vt*. ①使平滑；弄平②消除(障礙，困難等)③緩和(矛盾等) **~ly** *ad*. **~-tongued, ~-spoken** *a*. 油嘴滑舌的.

smorgasbord /ˈsmɔːgəsbɔːd/ *n*. [瑞典]斯堪的納維亞式自助餐；食物精美豐盛的自助餐.

smote /sməʊt/ smite 的過去式.

smother /ˈsmʌðə(r)/ *v*. ①(使)窒息；悶熄；悶住(火)，使透不過氣來②覆蓋③忍住(笑，呵欠等).

smo(u)lder /ˈsməʊldə(r)/ *vi*. ①用文火悶燒；無火焰地慢慢燃燒②(仇恨等)悶在心中.

smudge /smʌdʒ/ *n*. 污迹；污點 *v*. (被)弄髒，形成污迹.

smug /smʌg/ *a*. ①自滿的;沾沾自喜的②整潔的 **~ly** *ad*.

smuggle /ˈsmʌgl/ *v*. 走私;偷帶;偷送 **smuggler** *n*. 走私犯 **smuggling** *n*. 走私.

smut /smʌt/ *n*. ①污迹;煤塵②淫穢的話(故事、圖片等)③黑穗病.

smutty /ˈsmʌtɪ/ *a*. 有污迹的;淫穢的.

snack /snæk/ *n*. ①小吃;快餐②點心 *vi*. 吃快餐 **~-bar** *n*. 快餐櫃;快餐部.

snaffle /ˈsnæfl/ *v*. [英俗]用不正當手段將…據為己有;偷,盜.

snag /snæg/ *n*. ①隱伏的困難;意外的障礙②可造成損傷的尖銳或粗糙之物③衣服上被刺破的洞 *vt*. 劃破;刺破.

snail /sneɪl/ *n*. 【動】蝸牛.

snake /sneɪk/ *n*. 蛇;陰險的人 **snaky** *a*. 像蛇的;蜿蜒的 **~-charmer** *n*. 弄蛇的人.

snap /snæp/ *v*. ①突然折斷;拉斷②啪地一聲關上或打開③使發出噼啪聲④厲聲地説⑤拍快照⑥(棒球)急傳⑦猛咬;猛撲 *n*. ①突然折斷;快照;噼啪聲②猛咬③突變的天氣④輕鬆的事(工作)⑤小脆餅 **~pish** /ˈsnæpiʃ/ *a*. 愛咬人的;脾氣大的 **~py** /ˈsnæpi/ *a*. 活潑的;急躁的;[俚]飛快的;[俗]漂亮的;時髦的 **~-lock** *n*. 彈簧鎖 **~shot** *n*. 快相.

snare /sneə(r)/ *n*. 羅網;圈套;陷阱 *vt*. (用羅網、陷阱等)捕捉;(用計謀等)誘惑;陷害.

snarl /snɑːl/ *v*. ①【動】嗥叫,咆哮;吠②(人)怒吼;厲聲説③(使)糾結;使混亂 *n*. ①咆哮;怒吼;嗥叫②纏結;混亂;糾結.

snatch /snætʃ/ *v*. ①搶;奪;乘機獲取②[美俚]拐走;綁架 *n*. ①搶奪;抓取②片斷;片刻.

snazzy /ˈsnæzɪ/ *a*. (尤指衣物)漂亮的;時髦的.

sneak /sniːk/ *v*. ①偷偷地走;偷竊②(兒童語)告密,告發 *n*. 怯弱而詭詐的人;告密者 **~y** *a*. 鬼鬼祟祟的.

sneakers /ˈsniːkəz/ *pl*. *n*. 膠底帆布鞋;軟底鞋;旅游鞋.

sneer /snɪə(r)/ *v*. 嘲笑;輕蔑地笑;嘲笑地説出 *n*. 嘲笑;譏笑的表情(言詞等).

sneeze /sniːz/ *n*. & *vi*. 噴嚏;打噴嚏 // *not to be ~d at* 不可輕視.

snick /snɪk/ *vt*. 刻痕於;在…上割小口 *n*. 刻痕;小割口.

snicker /ˈsnɪkə(r)/ *vi*. & *n*. = snigger.

snide /snaɪd/ *a*. ①冷嘲熱諷的;嘲弄的②虛偽的;假的.

sniff /snɪf/ *v*. ①出聲地以鼻子吸氣;出聲地聞②嗅出;覺察出(out)③蔑視(at) *n*. 吸氣(聲);嗅.

sniffle /ˈsnɪfl/ *vi*. & *n*. = snuffle.

snifter /ˈsnɪftə(r)/ *n*. ①[俗]少量烈性酒;少量麻醉劑②小口大肚酒杯.

snigger /ˈsnɪgə(r)/ *vi*. & *n*. 竊笑;暗笑.

snip /snɪp/ *v*. 剪,剪斷 *n*. 剪;剪口(痕);剪下的碎片;[英俚]便宜貨.

snipe /snaɪp/ *n*. (單、複數同形);【鳥】鷸;沙錐鳥 *vi*. ①狙擊②誹謗 **sniper** *n*. 狙擊手.

snitch /snɪtʃ/ *v*. ①偷;扒竊②告密(on) *n*. 告密者.

snivel /ˈsnɪvl/ *vi*. & *n*. ①流鼻涕②哭泣;哭訴.

snob /snɒb/ *n*. 勢利小人;自大的人.

snobbery /ˈsnɒbərɪ/ *n*. 諂上欺下(的言行).

snobbish /ˈsnɒbɪʃ/ *a*. 諂上欺下的,勢

利的.

snook /snuːk/ *n*. [俚]一種表示輕蔑的動作 // *cock a* ~ *at* 以拇指頂着鼻尖對某人搖動其餘四指以示輕蔑.

snooker /ˈsnuːkə(r)/ *n*. 彩色枱球遊戲(枱球的一種).

snoop /snuːp/ *vi*. [俗]打探;窺探(about, around; into).

snooty /ˈsnuːtɪ/ *a*. 目中無人的;傲慢的.

snooze /snuːz/ *vi*. & *n*. (打)瞌睡;小睡.

snore /snɔː(r)/ *v*. 打鼾 *n*. 鼾聲.

snorkel /ˈsnɔːkl/ *n*. (潛水者用的)通氣管;(潛艇用的)通氣裝置.

snort /snɔːt/ *v*. ①(馬等)噴鼻子;發哼聲(以示輕蔑、厭惡等)②[俚]吸毒 *n*. 噴鼻(聲);[俗]一口酒.

snot /snɒt/ *n*. [俗]鼻涕 **snotty** /ˈsnɒti/ *a*. [俗]①流鼻涕的;沾滿鼻涕的②傲慢的;勢利的.

snout /snaʊt/ *n*. ①(動物的)口鼻部;豬嘴②噴嘴;突出的嘴狀物③[英俚]人的鼻子.

snow /snəʊ/ *n*. ①雪;降雪②似雪的東西;[俚]粉末可卡因 *vi*. 下雪;雪一般地落下 *vt*. [美俗]①花言巧語地蒙騙②用雪困住 **~y** *a*. 下雪的;多雪的;積雪的;雪白的 **~-blind** *a*. 雪盲的 **~-bound** *a*. 被雪困阻的 **~-drift** *n*. 雪堆 **~flake** *n*. 雪花 **~-plough** *n*. 清雪機 **~slide, ~slip** *n*. 雪崩 **~storm** *n*. 暴風雪.

snub /snʌb/ *n*. & *vt*. 慢待;冷落;無禮地對待 *a*. (指鼻子)(獅鼻子似的)低扁的.

snuff /snʌf/ *n*. 鼻烟;燭花 *vt*. 剪(燭)花 **~-box** *n*. 鼻烟盒 // ~ *film* 殺人實況影片 ~ *it* [俚]死去 ~ *out* [俗]使完結;熄滅(燭光).

snuffle /ˈsnʌfl/ *n*. ①抽鼻子②鼻音;鼻塞聲 *vi*. 抽鼻子;出聲地嗅;鼻塞時出聲地呼吸.

snug /snʌg/ *a*. ①溫暖舒適的②(衣服)合身的;緊身的③[俗]尚可的.

snuggle /ˈsnʌgl/ *vi*. 依偎;挨近(以求溫暖).

so /səʊ(弱), so, sə/ *ad*. 那麼,那樣;這麼;如此地;(代替上文中的形容詞、名詞或動詞)也,同樣 *conj*. 因而,所以;為的是;那麼 *pro*. 如此;左右,上下,約 *int*. 哦,啊;就這樣;好;停住 **~-and-~** *n*. ①某某人;某某事②討厭的人 **~-called** *a*. 所謂的;號稱的 // *or* ~ 大約,左右 ~ *as to* 以便;以致 ~ *long* 再見 ~ *that* 為的是;結果是.

soak /səʊk/ *v*. ①浸泡;浸濕;吸收②[俗]向…敲竹槓;向…徵重稅③[美口]痛飲.

soap /səʊp/ *n*. ①肥皂②[俗]電視連續劇③[美俚]賄賂 *vt*. 用肥皂擦洗;塗肥皂於… **~y** *a*. (似)肥皂的;盡是肥皂的;諂媚的 **~-box** *n*. 臨時演說台 **~-bubble** *n*. 肥皂泡 **~stone** *n*. 皂石(一種用作桌面或飾物的材料) // ~ *opera*(描繪家庭生活的)電視連續劇 ~ *powder* 肥皂粉.

soar /sɔː(r)/ *vi*. ①高飛;翱翔;【空】滑翔;高聳;屹立②(物價等)劇增③(思想等)向上;昂揚.

sob /sɒb/ *n*. & *vi*. 啜泣,哽咽 *vt*. 哭訴;嗚咽着說 **~-story** *n*. [俗]非常悲傷的故事 **~-stuff** *n*. [俗]傷感的文章(話語).

sober /ˈsəʊbə(r)/ *a*. ①清醒的,沒醉的②嚴肅的;冷靜的③(指顏色)樸素的;素淨的 *v*. (使)清醒;(使)嚴肅;(使)冷靜 **~ly** *ad*.

sobriety /səˈbraɪətɪ/ *n*. ①清醒;冷靜

②節制;禁酒.

sobriquet /ˈsəʊbrɪkeɪ/ *n*. [法]綽號, 諢名.

soccer /ˈsɒkə(r)/ *n*. 英式足球.

sociable /ˈsəʊʃəbl/ *a*. 好交際的;友善的;和藹的 **sociability** /ˌ-ˈbɪlətɪ/ *n*. **sociably** *ad*.

social /ˈsəʊʃl/ *a*. ①社會的;社交的;交際的;愛交際的②(動物)群居的③交誼的 *n*. [俗]交誼會, 聯歡會 **~ly** *ad*. 在社會上;在社交上;善交際地 **~ism** *n*. 社會主義 **~ist** *n*. 社會主義者, *a*. 社會主義的 **~ite** /ˈsəʊʃəlaɪt/ *n*. 社會名流 **~ize** *vt*. 使社會化;使適合社會需要;參加社交活動.

society /səˈsaɪətɪ/ *n*. ①社會;會, 社, 團體, 協會;學會②交往;友誼③(一個地方的)社會名流④群體生活.

sociology /ˌsəʊsɪˈɒlədʒɪ/ *n*. 社會學 **sociological** /ˌsəʊsɪəˈlɒdʒɪkl/ *a*. **sociologist** *n*. 社會學家.

sock /sɒk/ *n*. ①短襪②[俗](用拳)猛擊③[英](學俚)零食 *vt*. 拳打;毆打 // ~ *it to sb* [俚]猛烈攻擊;給某人留下深刻印象.

socket /ˈsɒkɪt/ *n*. ①窩, 穴, 孔②【機】承窩, 套節③【電】插口;管座.

sod /sɒd/ *n*. ①草皮;方塊草皮②[粗俗](罵人語)畜生③棘手之事 *v*. [粗卑]他媽的 // ~ *it* 他媽的 ~ *off* 滾開.

soda /ˈsəʊdə/ *n*. 鹼, 小蘇打;蘇打水;汽水 **~-fountain** *n*. ①散裝蘇打水容器②冷飲處 **~-water** *n*. 蘇打水.

sodden /ˈsɒdn/ *a*. ①浸濕的;濕透的②(因飲酒過多而)遲鈍的.

sodium /ˈsəʊdɪəm/ *n*. 【化】鈉 // ~ *carbonate* 純鹼 ~ *hydroxide* 燒鹼.

sodomy /ˈsɒdəmɪ/ *n*. 雞姦 **sodomite** /ˈsɒdəmaɪt/ *n*. 雞姦者.

sofa /ˈsəʊfə/ *n*. 沙發.

soft /sɒft/ *a*. ①軟的, 柔軟的②柔滑的;柔和的③溫柔的;溫和的④心腸軟的 **~en** /ˈsɒfn/ *vt*. 弄軟;使柔和;削弱 *vi*. 變軟, 軟化 **~ly** *ad*. **~ie, ~y** *n*. 柔弱的人;多愁善感的人 **~-headed** *a*. 笨的 **~-hearted** *a*. 心腸軟的 **~ware** *n*. (電腦)軟件.

soggy /ˈsɒgɪ/ *a*. 濕透的;因潮濕而沉甸甸的.

soigné /ˈswɑːnjeɪ/ *a*. [法]整潔的;衣著考究的;高雅的.

soil /sɔɪl/ *n*. ①土壤;泥土;土地②[俗]國家;國土 *v*. ①變髒;弄髒②弄污;污辱 **~-pipe** *n*. 污水管.

soiree /ˈswɑːreɪ/ *n*. 社交晚會.

sojourn /ˈsɒdʒən/ *vi*. & *n*. 逗留, 寄居.

solace /ˈsɒlɪs/ *vt*. & *n*. 慰藉, 安慰(物).

solar /ˈsəʊlə(r)/ *a*. 太陽的;利用太陽光的.

solarium /səʊˈleərɪəm/ *n*. (*pl*. **~ria** /-rɪə/) 日光浴室;日光浴床.

sold /səʊld/ sell 的過去式及過去分詞.

solder /ˈsɒldə(r)/ *n*. 焊料;焊錫;接合物 *vt*. 焊接.

soldier /ˈsəʊldʒə/ *n*. 士兵;軍人;戰士 *vi*. 從軍 **~ly** *a*. 軍人似的;英勇的 // ~ *on* 不屈不撓地堅持下去.

sole /səʊl/ *n*. ①脚掌;鞋底;襪底②比目魚 *a*. 唯一的;單獨的;獨身的 *vt*. 給鞋鞘底 **~ly** *ad*. 單獨;僅僅;唯一.

solecism /ˈsɒlɪsɪzəm/ *n*. ①語法錯誤;文理不通②失禮, 舉止不當.

solemn /ˈsɒləm/ *a*. 嚴肅的;莊重的;正式的;一本正經的 **~ity** /səˈlemnətɪ/ *n*. **~ize** /-naiz/ *vt*. 隆重舉行;隆重紀念;使莊重 **~ly** *ad*.

solenoid /'səulənɔɪd/ *n*.【電】螺形綫圈.

sol-fa /ˌsɒl'fɑː/ *n*.【音】階名唱法; 首調唱法.

solicit /sə'lɪsɪt/ *v*. ①請求, 懇求②徵求③(妓女)拉客 **~ation** /səˌlɪsɪ'teɪʃn/ *n*.

solicitor /sə'lɪsɪtə(r)/ *n*. ①律師②[美]跑街; 推銷者.

solicitous /sə'lɪsɪtəs/ *a*. 焦慮的, 關心的; 渴望的 **solicitude** /sə'lɪsɪtjuːd/ *n*.

solid /'sɒlid/ *a*. ①固體的; 堅牢的; 結實的②實心的; 無空隙的③純的; 可靠的④不間斷的⑤沒分歧的; 立體的 **~ify** /-dɪfaɪ/ *v*. (使)變堅固; (使)凝固; 充實 **~ity** /-'lɪdətɪ/ *n*. 固體性; 固態; 堅固.

solidarity /ˌsɒlɪ'dærətɪ/ *n*. 團結一致; 休戚相關.

soliloquy /sə'lɪləkwɪ/ *n*. 自言自語;【劇】獨白.

solipsism /'sɒlɪpsizəm/ *n*.【哲】唯我論.

solitaire /ˌsɒlɪ'teə(r)/ *n*. ①單人紙牌遊戲②(耳環、戒指上的)獨立寶石③鑲單顆寶石的首飾.

solitary /'sɒlɪtrɪ/ *a*. 獨居的; 孤獨的; 孤僻的; 唯一的; 偏僻的.

solitude /'sɒlɪtjuːd/ *n*. 孤獨; 隱居; 寂寞; 偏僻的地方.

solo /'səuləu/ *n*. ①獨唱(曲); 獨奏(曲)②(空軍)單飛 **~ist** /-ist/ *n*. 獨唱(奏)者; 單飛者.

solstice /'sɒlstɪs/ *n*.【天】至, 至點; 至日(一年中冬天白天最短或夏天白天最長的一天) // *the summer* (*winter*)~ 夏(冬)至.

soluble /'sɒljubl/ *a*. 可溶解的; 可解決的; 可解釋的 **solubility** /ˌsɒljʊ'bɪlətɪ/ *n*.

solution /sə'ljuːʃn/ *n*. 溶解; 溶液; 解決; 解答; 解決辦法.

solvable /'sɒlvəbl/ *a*. 可解答的; 可解決的; 可解釋的.

solve /sɒlv/ *vt*. 解答; 解決; 解釋.

solvency /'sɒlvənsɪ/ *n*. ①償付能力②溶解力 **solvent** /'sɒlvənt/ *a*. 有償付能力的; 有溶解力的 *n*. 溶劑; 溶媒.

sombre, somber /'sɒmbə(r)/ *a*. 昏暗的; 陰沉的; 憂鬱的; 暗淡的.

sombrero /sɒm'breərəu/ *n*. (拉美各國流行的)闊邊帽.

some /sʌm; (弱)səm, sm/ *a*. ①若干的; 一些; 有些②某一③[美俗]極好的; 了不起的 *pro*. 一些; 若干; 有些人; 有些東西 *ad*. 大約; 幾分; 稍微.

somebody /'sʌmbədɪ/ *pro*. ①某人; 有人②重要人物.

somehow /'sʌmhau/ *ad*. 設法; 不知怎麼地.

someone /'sʌmwʌn/ *pro*. 某人; 有人.

somersault /'sʌməsɔːlt/ *n*. & *vi*. (翻)觔斗.

something /'sʌmθɪŋ/ *pro*. ①某事; 某物②重要的東西(事) *ad*. 幾分, 稍微, 有點 // ~ *like* 有點兒像; 大約.

sometime /'sʌmtaɪm/ *ad*. 在某一時候; 某日 *a*. 以前的.

sometimes /'sʌmtaɪmz/ *ad*. 不時; 有時候; 間或.

somewhat /'sʌmwɒt/ *ad*. & *pro*. 有幾分; 有點兒.

somewhere /'sʌmweə(r)/ *ad*. 在某處; 到某處 *pro*. 某處.

somnambulism /sɒm'næmbjulizəm/ *n*. 夢遊(症) **somnambulist** /-lɪst/ *n*. 夢遊(症患)者.

somnolent /'sɒmnələnt/ *a*. ①想睡的; 睏倦的②催眠的 **somnolence, som-**

nolency *n*. 欲睡;嗜眠.

son /sʌn/ *n*. 兒子;(*pl*.) (男性)子孫後代;(老年人對男孩或年輕男子的稱呼)孩子.

sonar /ˈsəʊnɑː(r)/ *n*. 聲納;探測儀器.

sonata /səˈnɑːtə/ *n*. [意]奏鳴曲.

son et lumière /ˌsuŋ eɪ luːˈmjeər/ [法]實地歷史回顧晚會(以講述或歌舞表現形式配合燈光、音響和錄音效果在名勝古迹或名建築物前,再現該處在歷史各階段的情況,使人感覺仿佛置身於當時的環境中).

song /sɒŋ/ *n*. 歌,歌曲;唱歌;聲樂 **~ster** *n*. 歌手,歌唱家;鳴禽 **~stress** *n*. 女歌手,女歌唱家.

sonic /ˈsɒnɪk/ *a*. 【物】聲音的;音速的;利用音波的.

sonnet /ˈsɒnɪt/ *n*. 十四行詩.

sonny /ˈsʌnɪ/ *n*. (作稱呼用)孩子,小寶貝.

sonorous /səˈnɔːrəs/ *a*. 響亮的;洪亮的;(語言、文字)莊重的 **sonority** /səˈnɒrətɪ/ *n*. 響亮;宏亮.

soon /suːn/ *ad*. 立刻;不久;早;快 // *as ~ as possible* 盡早(或快) *~er or later* 遲早.

soot /sʊt/ *n*. 煤烟;黑烟灰 **~y** *a*. 沾滿烟灰的;讓烟灰弄黑的;黑色的.

soothe /suːð/ *vt*. ①安慰,撫慰②使平靜③緩和,減輕 **soothing** *a*. **soothingly** *ad*.

soothsayer /ˈsuːθseɪə(r)/ *n*. 算命先生,占卜者;預言者.

sop /sɒp/ *n*. ①吃之前浸在牛奶或湯中的麵包片②賄賂③安慰品 *vt*. 浸泡;(用海綿等)把液體吸乾.

sophism /ˈsɒfɪzm/ *n*. 詭辯 **sophist** /ˈsɒfɪst/ *n*. 詭辯家 **sophistic(al)** /səˈfɪstɪk(əl)/ *a*. 詭辯的 **sophistry** /ˈsɒfɪstrɪ/ *n*. 詭辯法.

sophisticated /səˈfɪstɪkeɪtɪd/ *a*. ①久經世故的,老練的②高雅的③尖端的④複雜的⑤精細的 **sophisticate** *n*. 久經世故的人 **sophistication** /səˌfɪstɪˈkeɪʃn/ *n*.

sophomore /ˈsɒfəmɔː(r)/ *n*. [美]高中或大學二年級學生.

soporific /ˌsɒpəˈrɪfɪk/ *a*. 催眠的 *n*. 催眠劑,安眠藥.

soppy /ˈsɒpɪ/ *a*. [英俗]過於傷感的;感情脆弱的.

soprano /səˈprɑːnəʊ/ *n*. ①女高音;高音部②女高音歌手.

sorbet /ˈsɔːbet/ *n*. 果汁冰水飲料;冰糕.

sorcerer /ˈsɔːsərə(r)/ *n*. 男巫,術士.

sordid /ˈsɔːdɪd/ *a*. ①(指地方等)骯髒的;破爛的②(指人、行為等)卑鄙的;自私的;下賤的.

sore /sɔː(r)/ *a*. ①疼痛的②使人惱火的③厲害的,嚴重的 *n*. (身體上的)痛處;傷處 **~ly** *ad*. 非常,很;嚴重地;劇烈地 **~ness** *n*. 疼痛.

sorghum /ˈsɔːgəm/ *n*. 【植】高粱.

sorority /səˈrɒrətɪ/ *n*. [美](大學中的)女生聯誼會,女生聯誼會成員.

sorrel /ˈsɒrəl/ *n*. ①【植】酸模②紅褐色,栗色;栗色馬.

sorrow /ˈsɒrəʊ/ *n*. ①悲傷,悲哀②悔恨③不幸;悲傷的原因 *vi*. 悲傷;悔恨 **~ful** *a*.

sorry /ˈsɒrɪ/ *a*. 抱歉的;惋惜的,難過的;慚愧的;對不起的.

sort /sɔːt/ *n*. ①種類,類別②品質;本性③人 *vt*. 分類;整理;劃分;挑選 // *out of ~s* 身體不適;情緒不佳 *~ of* [俗]有幾分地 *~ out* 整理;揀出;解决;[俚]懲治.

sortie /ˈsɔːtiː/ *n*. ①【軍】(由城内)突圍;出擊②(作戰飛機)出動的架次③

臨時出門(去不熟悉或不友好之處).

SOS /ˌes əʊ 'es/ *n*. 【無】呼救信號, 求救電碼;緊急求救呼籲.

so-so /'səʊsəʊ/ *a*. & *ad*. [俗]平平常常;一般;還過得去.

sot /sɒt/ *n*. 酒鬼.

sotto voce /ˌsɒtəʊ 'vəʊtʃɪ/ *a*. & *ad*. [意]低聲的(地).

sou /suː/ *n*. (法國昔日一種低值硬幣)蘇;[俗]極少的錢.

soufflé /'suːfleɪ, [美]suː'fleɪ/ *n*. [法](一種食品)蛋奶酥.

sough /sʌf, [美]saʊ/ *n*. (風的)颯颯聲 *vi*.(風)颯颯作響.

sought /sɔːt/ seek 的過去式及過去分詞.

soul /səʊl/ *n*. ①靈魂;幽靈②高尚氣魄;精神力量③典型;化身④精髓⑤[美](黑人的一種當代流行音樂)靈魂音樂⑥人 **~ful** *a*.感情上的;深情的 **~less** *a*.沒有深情的;麻木不仁的 **~-destroying** *a*.枯燥無味的;折磨人的 **~-searching** *n*.自我反省**~-stirring** *a*.令人振奮的.

sound /saʊnd/ *n*. ①聲音②語氣;含意③可聽到的範圍 *vi*.響;發出聲音;聽起來;測探深度 *vt*.使發出聲音,發出;發佈;【醫】聽診;測探 *a*. ①完好的;健全的②正確的;合理的③穩妥的;可靠的④牢固的;徹底的⑤嚴厲的⑥(睡眠)深沉的 **~ings** *n*. 探詢;試探;測出的水的深度 **~less** *a*. 無聲的;寂靜的 **~ly** *ad*. 健全地;完好地;徹底地;可靠地;穩健地;正確地 **~-barrier** *n*.音障 **~-proof** *a*.隔音的 **~-wave** *n*.聲波.

soup /suːp/ *n*. 湯;羹.

soupçon /'suːpsɒŋ/ *n*. [法]少量(的攙加物).

sour /'saʊə(r)/ *a*. ①酸的;酸味的;酸腐的②脾氣壞的;乖戾的;討厭的;拙劣的 *v*.(使)變酸;(使)變乖戾 **~puss**, [美] **~top** *n*.[俚]脾氣壞的人.

source /sɔːs/ *n*. 源頭;源泉;來源;出處.

souse /saʊs/ *vt*. 將…投入水中;將水倒在…上;腌漬 *n*.腌漬用的汁;[美]醃漬品 **~d** *a*.[俚]喝醉酒的.

south /saʊθ/ *n*. 南;南方;南部 *a*.南方的;在(或向)南方的 *ad*.向(或朝)南 **~erly** /'sʌðəlɪ/ *a*. & *ad*.(指風)自南方(的);向南方(的) **~ern** /'sʌðən/ *a*.南方的;在南方的 **~east** *n*., *a*. & *ad*.東南;在(向,自)東南(的) **~eastern** *a*.東南方的;在(自)東南方的 **~ward(s)** *ad*. & *a*.(旅行)向(朝)南(的) **~west** *n*., *a*. & *ad*.西南;在(向,自)西南(的) **~western** *a*.西南方的;在(自)西南方(的) // *South Pole* 南極.

souvenir /ˌsuːvə'nɪə(r)/ *n*. 紀念品;紀念性禮品.

sou'wester /ˌsaʊ'westə(r)/ *n*.(海員用的)防水帽.

sovereign /'sɒvrɪn/ *a*. ①(指權力)最高的;(指國家、統治者等)有主權的②有絕對權力的;非常有效的③極好的 *n*. ①君主;元首②舊時英國的一鎊金幣 **~ty** /-tɪ/ *n*.主權;君權;主權國家的地位.

soviet /'səʊvɪet/ *n*. (前蘇聯的)蘇維埃;代表會議.

sow[1]/səʊ/ *v*. (**sowed**; **sowed**, **sown** /səʊn/)①播種;播種於…②散佈;傳播③引起.

sow[2]/saʊ/ *n*. 母豬.

sown /səʊn/ sow 的過去分詞.

soya bean, soy bean /'sɔɪə biːn/ *n*. 大豆;黃豆.

soy sauce /'sɔɪ 'sɔːs/ *n*. 醬油.

sozzled /'sɒzld/ *a*. [俚]爛醉的;喝醉的.

spa /spɑː/ *n*. 礦泉;礦泉療養地 ~**water** 礦泉水.

space /speɪs/ *n*. ①空間;太空;間隔;空地②空曠處;餘地 ~**craft**, ~**ship** *n*. 太空船,宇宙飛船 ~**man** *n*. 宇航員 ~**suit** *n*. 宇航服,太空服 // ~ *shuttle* 航天飛機 ~*station* 太空站,航天站.

spacious /'speɪʃəs/ *a*. 寬敞的;廣闊的.

spade /speɪd/ *n*. 鏟;鍬;(紙牌)黑桃 // *call a* ~ *a* ~ 直言不諱.

spaghetti /spə'getɪ/ *n*. 意大利實心麵條.

span /spæn/ *n*. ①(拱門或橋樑的)跨度,架徑②一段時間,期間③[舊]一拃,指距 *vt*. ①(橋)橫跨;跨越②架;延伸③用拃量.

spangle /'spæŋgl/ *n*. (用於服裝的)亮晶晶的小飾片 *vt*. 用亮晶晶的小飾片裝飾.

Spaniard /'spænjəd/ *n*. 西班牙人 **Spanish** /'spænɪʃ/ *n*. 西班牙語 *a*. 西班牙的;西班牙人(或語)的.

spaniel /'spænjəl/ *n*. 一種長毛垂耳狗.

spank /spæŋk/ *vt*. 打(小孩)屁股,拍打 *vi*. [舊、俗](馬、船、車)飛跑;疾駛 *n*. 一巴掌;拍打.

spanner /'spænə(r)/ *n*. [英]扳鉗;扳手;螺絲扳子.

spar /spɑː/ *n*. 【船】檣,桁,桅;【礦】晶石 *vi*. (常為友好地)爭論.

spare /speə(r)/ *v*. ①饒恕;饒命;赦免;不傷害②節省;吝惜;省掉③抽出(時間)④讓給 *a*. ①多餘的;空閒的;備用的②少量的;貧乏的③(指人)瘦的 *n*. (機器、汽車等的)備用件;備用車輪 **sparing** *a*. 節省的 **sparingly** *ad*. 節省地 // (*and*) *to* ~ 有餘;大量.

sparerib /'speərɪb/ *n*. 排骨;猪肋骨.

spark /spɑːk/ *n*. 火花;火星;一點點 *vi*. 發出火花;冒火星 *vt*. [俗]引起,激發.

sparkle /'spɑːkl/ *vi*. ①閃耀;閃光②充滿活力和機智;精神煥發 *n*. 閃耀;閃光;生氣;活力 **sparkler** *n*. (一種能拿在手,發小火花的)烟花;[俚](*pl*.)金剛鑽 **sparkling** *a*. (酒等)起泡的;才華橫溢的.

sparrow /'spærəʊ/ *n*. ①麻雀②[美]個子矮小的人.

sparse /spɑːs/ *a*. 稀疏的;稀少的.

spartan /'spɑːtn/ *a*. ①(指條件)艱苦的;簡樸的②剛毅的.

spasm /'spæzəm/ *n*. 痙攣;抽搐;(動作、感情等)一陣發作 **spasmodic** /spæz'mɒdɪk/ *a*. 痙攣(性)的;由痙攣引起的;間歇的;一陣陣的.

spastic /'spæstɪk/ *a*. 痙攣的;患大腦麻痹症的 *n*. 腦麻痹症患者.

spat /spæt/ ①spit 的過去式及過去分詞 ② *n*. ①(常用 *pl*.)鞋罩②[美]鬥嘴.

spate /speɪt/ *n*. ①突然泛濫;洪水②大量;突然增多.

spathe /speɪð/ *n*. 【植】佛焰苞.

spatial /'speɪʃl/ *a*. 空間的;有關空間的;存在於空間的 .

spatter /'spætə(r)/ *vt*. 濺;灑;潑 *vi*. 滴落;紛落 *n*. ①濺;潑;滴落②淅瀝聲;濺落聲.

spatula /'spætjʊlə/ *n*. ①(尤指用於畫油畫或烹飪用的)刮鏟;抹刀,刮刀②【醫】壓舌板.

spawn /spɔːn/ *n*. (魚、青蛙、貝類等的)卵,子;【生】菌絲 *v*. (魚等)產

(卵);大量涌現,大量產生.

spay /speɪ/ *vt*. 切除(動物)的卵巢,劁.

speak /spiːk/(**spoke** /spəuk/; **spoken** /'spəukən/) *vi*. 說話;講話;談話;講演;發言,表明含義 *vt*. 說,講(某種語言);說出,顯示,表達,宣告 **~er** *n*. 說話者;講演者;發言人;說某種語言的人;(**S-**)議長;[俗]揚聲器 // *not to ~ of* 不值得一提;更不用說 *~ ill* (*well*) *of sb* 說某人壞(好)話 *~ out* 大膽說出自己的看法,明確說出自己的意見 *~ out against sth* 大膽抗議 *~ up* 大聲點說,聲音洪亮地說.

spear /spɪə(r)/ *n*. ①矛;槍;梭鏢②(草的)嫩葉,幼芽 *vt*. 用矛刺,刺傷(死).

spearmint /'spɪəmɪnt/ *n*.【植】薄荷;留蘭香.

spec /spek/ *n*.(用於成語) *on ~* 冒險地;碰運氣地.

special /'speʃl/ *a*. ①特別的;專門的;特設的②例外的;格外的 *n*. 臨時警察;臨時列車;臨時增刊;(降價出售時的)特價(商品) **~ist** *n*. 專家 **~ity** /ˌspeʃɪ'ælətɪ/ *n*. 專業,專長;特產;特級產品;特別優秀的服務 **~ize** *vi*. 成為專家;專門研究;專攻;因…而聞名 *vt*. ①使專門化②特加指明 **~ization** /ˌ-'zeɪʃn/ *n*. 特殊化;專門化 **~ty** *n*. [美]=speciality.

specie /'spiːʃiː/ *n*. 硬幣.

species /'spiːʃiːz/ *n*. (單、複數同形)種類;【生】種,物種.

specific /spɪ'sɪfɪk/ *a*. ①具體的;明確的②特定的;特殊的③(藥)特效的 *n*. ①特效藥②具體細節③特性 **~ally** *ad*. **~ation** /ˌspesɪfɪ'keɪʃn/ *n*. 詳細說明;明細單;計劃書;載明;詳述;說明書 // *~ gravity* 比重.

specify /'spesɪfaɪ/ *vt*. 規定;指定;載明;詳細說明.

specimen /'specɪmən/ *n*. 標本;樣本;樣品;範例;抽樣;取樣;[俗]怪人.

specious /'spiːʃəs/ *a*. 表裏不一的;華而不實的;似是而非的.

speck /spek/ *n*. ①微粒;斑點;污點②一點點.

speckle /'spekl/ *n*. (皮膚、羽毛、蛋殼等上的)小斑點.

specs /speks/ *pl*. *n*. [俗]眼鏡.

spectacle /'spektəkl/ *n*. ①盛大的公開展示(或遊行、表演);大場面②奇觀;壯觀;景象;③(*pl*.)眼鏡 **~d** *a*. 戴眼鏡的.

spectacular /spek'tækjulə(r)/ *a*. 壯觀的;引人注目的;驚人的.

spectate /'spekteɪt/ *v*. 觀看;觀看(比賽等).

spectator /spek'teɪtə(r)/ *n*. 觀衆;旁觀者;目擊者.

spectre, [美] **specter** /'spektə(r)/ *n*. 鬼;鬼魂;心中可怕的陰影 **spectral** *a*. 鬼怪(似)的,幽靈(似)的.

spectroscope /'spektrəskəup/ *n*.【理】分光鏡.

spectrum /'spektrəm/ *n*. (*pl*. **-tra**) ①【理】光譜;頻譜②廣闊的範圍.

speculate /'spekjuleɪt/ *v*. ①揣測,推測②投機;做投機生意 **speculation** /ˌ-'leɪʃn/ *n*. **speculative** *a*. **speculator** *n*. 投機商.

sped /sped/ speed 的過去式及過去分詞.

speech /spiːtʃ/ *n*. 說話;談話;說話的能力(或方式);演說;發言 **~less** *a*. 說不出話來的;難以用語言表達的 // *~ therapy* 語言障礙療法.

speed /spiːd/ *n*. ①速度;快捷;速率②

膠片的感光度 *vi*. (過去式及過去分詞 **sped** /sped/ 或 **speeded**)快速前進;超速行駛;加速(up) *vt*. 使快速前進;使加快速度 **~er** *n*. 違章超速駕駛者 **~ing** *n*. 違章超速行駛 **~y** *a*. [俗]動作迅速的, 快的 **~boat** 快艇 **~ometer** /spi:'dɒmɪtə(r)/ *n*. 示速器;里程計.

speleology /ˌspi:lɪ'ɒlədʒɪ/ *n*. 洞穴學;洞穴探險運動.

spell /spel/ (過去式及過去分詞 **spelt** /spelt/ 或 **spelled**) *vt*. ①拼寫;拼作②招致③意味着④使…清楚易懂;詳細解釋(out) *vi*. 拼寫 *n*. ①(活動或工作進行的)一段時間;(某事物持續的)時期②輪班③符咒;咒語④誘惑力;吸引力 **~ing** *n*. 拼詞;拼詞能力;(詞的)拼法 **~bound** *a*. 着迷的;被符咒鎮住(似)的.

spelt /spelt/ spell 的過去式及過去分詞.

spend /spend/ *v*. (過去式及過去分詞 **spent** /spent/) ①花(錢);花費(時間) ②用盡, 耗盡 ③度過;消磨 **~thrift** *n*. 揮霍的人;浪費金錢的人.

spent /spent/ ①spend 的過去式及過去分詞 ② *a*. 失去效能的;已被使用過的;精疲力竭的.

sperm /spɜ:m/ *n*. 精液, 精子 // ~ *whale*【動】巨頭鯨, 抹香鯨.

spermaceti /ˌspɜ:mə'setɪ/ *n*. 鯨腦油;鯨蠟.

spermatozoon /ˌspɜ:mətə'zəʊən/ *n*. (*pl*. **-zoa** /-'zəʊə/) *n*.【生】精子;精蟲.

spew /spju:/ *v*. 嘔吐, 吐;涌出, 噴出.

sphagnum /'sfægnəm/ *n*. (*pl*. **~s** or **sphagna** /-nə/)【植】水蘚, 水苔.

sphere /sfɪə(r)/ *n*. ①球體;球形之物②範圍;領域③社會團體;社會地位

spherical /'sferɪkəl/ *a*. 球形的;球的.

sphincter /'sfɪŋktə(r)/ *n*.【解】括約肌.

sphinx /sfɪŋks/ *n*. ①(**S-**)【希神】斯芬克斯(帶翼獅身女怪)②(**the S-**)(古埃及)獅身人面像③神秘的人;謎一樣的人.

spice /spaɪs/ *n*. ①香料;調味品, 佐料②趣味, 情趣 *vt*. ①用香料提味②使增添趣味.

spick /spɪk/ *a*. (用於成語) // ~ *and span* 極整潔的.

spicy /'spaɪsɪ/ *a*. 加香料的;(故事等)有刺激性的;下流的.

spider /'spaɪdə(r)/ *n*. 蜘蛛.

spiel /ʃpi:l, [美]spɪ:l/ *n*. [俚]滔滔不絕的話語.

spigot /'spɪgət/ *n*. (木桶上開口處的)塞子, 木塞.

spike /spaɪk/ *n*. ①長釘;尖釘;尖頭② (*pl*.)(賽跑穿的)釘鞋③(植物的)穗;穗狀花 *vt*. 加尖釘於…;用尖釘刺傷 **spiky** *a*. ①尖的;銳利的②(人)尖刻的;易怒的;難以相處的.

spill /spɪl/ *v*. (過去式或過去分詞 **~ed** 或 **spilt** /spɪlt/)(使)溢出;灑出;潑出;泄露 *n*. (從馬、自行車等上)摔下;(點火用的)紙捻兒 **~way** *n*. 溢洪道;泄水道 // ~ *the beens* [俗]泄露消息;泄露秘密.

spilt /spɪlt/ spill 的過去式及過去分詞.

spin /spɪn/ *v*. (**spun** /spʌn/, **span** /spæn/;**spun**) ①紡;紡紗②(蜘蛛等)吐絲結(網)③(使)迅速旋轉 *n*. ①旋轉②(乘車等)兜一圈, 兜風 **~ner** *n*. 紡紗工 **~-drier** *n*. (衣服的)甩乾機.

spina bifida /spaɪnə ˈbɪfɪdə/【醫】脊柱裂.

spinach /ˈspɪnɪdʒ/ *n*. 菠菜.

spinal /ˈspaɪnl/ *a*. 【解】脊椎(骨)的;脊柱的.

spindle /ˈspɪndl/ *n*. 紡錘;錠子;心軸;軸.

spindrift /ˈspɪndrɪft/ *n*. 浪花;海浪飛沫.

spine /spaɪn/ *n*. ①【解】脊柱,脊椎(骨)②書脊,書背③(仙人掌,刺猬等的)針刺 **~less** *a*. (動物)無脊椎的;(人)懦弱的;無骨氣的 **spiny** *a*. 有刺的;多刺的.

spinet /spɪˈnet/ *n*. 古鋼琴(小型撥弦或立式).

spinnaker /ˈspɪnəkə(r)/ *n*. (賽艇的)大三角帆.

spinney /ˈspɪnɪ/ *n*. [英]樹叢;小灌木林.

spinster /ˈspɪnstə(r)/ *n*. 未婚婦女;老處女.

spiral /ˈspaɪərəl/ *a*. 螺旋形的;螺綫的 *n*. 螺旋綫;螺旋形物體;螺旋性的增或減 *vi*. 呈螺旋狀移動;盤旋運動;不斷增加或減少.

spire /spaɪə(r)/ *n*. (尤指教堂的)塔尖;尖頂.

spirit /ˈspɪrɪt/ *n*. ①精神;心靈;靈魂②鬼魂;精靈,妖精③人④勇氣;活力⑤心境,態度⑥本質;真義⑦(*pl*.)烈性酒;酒精 *vt*. 迅速而秘密地帶走;拐走 **~ed** *a*. 活潑的;猛烈的 **~ual** *a*. ①精神(上)的;心靈上的②宗教的;上帝的;神聖的 **~ualism** *n*. 唯靈論;招魂論;招魂術 **~ualist** *n*. 唯靈論者;招魂術巫師 **~uous** /-tjʊəs/ *a*. 含酒精的.

spit /spɪt/ (過去式及過去分詞 **spat** /spæt/) *vt*. 從口中吐(唾沫等);激烈地說 *vi*. ①吐口水;吐痰②(火等)發出突突聲③[俗]下小雨 *n*. ①口水,唾液;吐口水;啐②烤肉鐵叉③岬 **~toon** /spɪˈtuːn/ *n*. 痰盂.

spite /spaɪt/ *n*. 惡意;怨恨 *vt*. 刁難;欺負;仇視 **~ful** *a*. // *in ~ of* 儘管;不管,不顧.

spitfire /ˈspɪtfaɪə(r)/ *n*. 烈性子人.

spittle /ˈspɪtl/ *n*. 唾沫;痰.

spiv /spɪv/ *n*. [俚]不務正業而衣著講究的人;騙子.

splash /splæʃ/ *v*. ①濺;潑;濺濕(污);飛濺;濺落②揮霍③以顯眼的位置展示(發表)④飾以不規則的彩色斑圖案 **~-board** *n*. (車的)擋泥板 **~-down** *n*. (宇宙飛船的)海上濺落.

splatter /ˈsplætə(r)/ *v*. (使)不斷發出潑濺聲;濺濕(污).

splay /spleɪ/ *v*. (使)一端張開(擴大);(使)呈八字形.

spleen /spliːn/ *n*. 【解】①脾;脾臟②怒氣;壞脾氣.

splendid /ˈsplendɪd/ *a*. 華麗的;輝煌的;壯麗的;[俗]極好的.

splendour /ˈsplendə(r)/ *n*. 華麗;輝煌;壯麗;光輝.

splenetic /splɪˈnetɪk/ *a*. ①脾氣暴躁的②脾臟的.

splice /splaɪs/ *vt*. 捻接;編結(繩頭);疊接(録音帶等).

splint /splɪnt/ *n*. (醫用)夾板.

splinter /ˈsplɪntə(r)/ *n*. (木頭、玻璃等的)碎片;裂片;尖片 *v*. (使)成碎片;碎裂;(從某組織中)分裂出來.

split /splɪt/ *v*. (過去式及過去分詞 **split**)①(使)裂開;劈開;(使)分裂;分開②分擔;分享③[俚]離開 *n*. ①裂開,裂口;裂縫②分歧,不和.

splotch /splɒtʃ/; **splodge** /splɒdʒ/ *n*.

污痕;污漬.

splurge /splɜːdʒ/ *v*. 揮霍 *n*. 揮霍,浪費;炫耀;賣弄.

splutter /ˈsplʌtə(r)/, **sputter** /ˈspʌtə(r)/ *v*. 氣急敗壞地說;發噗噗聲 *n*. 爆裂聲;劈啪聲.

spoil /spɔɪl/ *v*. (過去式及過去分詞 **spoilt** /spɔɪlt/或 **spoiled**)①損壞;破壞②寵壞;縱容;嬌養 **~s** *n*. 贓物;戰利品;政治利益 **~-sport** *n*. 掃興的人 // *be ~ ing for* 渴望.

spoke /spəʊk/ ①speak 的過去式 ② *n*. 輪輻;輻條 **~sman** *n*. 發言人;代言人.

spoken /ˈspəʊkən/ ①speak 的過去分詞 ② *a*. 口頭的;口語的.

spoliation /ˌspəʊlɪˈeɪʃn/ *n*. 掠奪;搶劫.

sponge /spʌndʒ/ *n*. 海綿;海綿狀物;(醫用)棉球 *vt*. ①用海綿擦洗乾淨②(用騙取手段)白吃,白得;詐騙 **~r** *n*. 食客;騙吃騙喝的人 **spongy** /ˈspʌndʒɪ/ *a*. 海綿狀的;有吸水性的;柔軟有彈性的.

sponsor /ˈspɒnsə(r)/ *n*. ①負責人(如教練員)②教父(母)③發起人;保證人;贊助人 *vt*. 發起,主辦;贊助;資助.

spontaneous /spɒnˈteɪnɪəs/ *a*. 自發的;自願的;自然的 **~ly** *ad*. **~ness, spontaneity** /ˌspɒntəˈneɪətɪ/ *n*. 自發.

spoof /spuːf/ *n*. & *vt*. [俗]戲弄;嘲弄;愚弄.

spook /spuːk/ *n*. [俗]鬼.

spool /spuːl/ *n*. 綫軸;(膠片等的)卷軸.

spoon /spuːn/ *n*. 匙;調羹;一匙(的量) *vt*. 用匙舀取;朝上輕擊(球) **~ful** *n*. 一匙的量;滿匙 **~feed** *vt*. 用匙喂;填鴨式灌輸.

spoonerism /ˈspuːnərɪzəm/ *n*.【語】斯本內現象;首音誤置,如將 well-oiled bicycle 說成 well-boiled icicle.

spoor /spɔː(r)/ *n*. (野獸的)足迹;嗅迹.

sporadic /spəˈrædɪk/ *a*. ①偶爾發生的;偶然見到的;零星的②分散的.

spore /spɔː(r)/ *n*.【生】芽胞,孢子.

sporran /ˈspɒrən/ *n*. (蘇格蘭男子穿正式服裝時繫在短裙前的)毛皮袋.

sport /spɔːt/ *n*. ①體育活動;娛樂活動;體育運動;運動項目②玩笑;(*pl*.)運動會 *vi* 遊戲;玩耍 *vt*. 炫耀 **~sman** /-smən/ *n*. ①運動員②有運動家品格的人,胸襟光明磊落的人 **~swoman** *n*. 女運動員 **~swriter** *n*. [美]體育記者 // *~ing chance* 公平的機會;有希望的機會

spot /spɒt/ *n*. ①小點,圓斑點;污點②(皮膚上的)小紅斑,丘疹③地點;場所④[俚]少量 *v*. ①弄污;變污②點綴③看出;認出,發現④[英俗]下小雨 **~less** *a*. 沒有污點的;純潔的;非常乾淨的 **~ty** *a*. 盡是斑點(污點)的;有雀斑的 **~-cash** *n*.【商】交貨即付的現金 **~-check** *n*. & *v*. 抽樣檢查,突擊調查 **~-light** *n*. 聚光燈;公衆注意的焦點(中心) // *on the ~* 立即,當場,在(到)現場 *put sb on the ~* 置某人於困境;迫使某人採取行動或辯解.

spouse /spaʊz/ *n*. 配偶;丈夫;妻子.

spout /spaʊt/ *n*. ①(液體流出或流過的)水落管;流出槽②噴水口;水嘴③水柱;噴流 *v*. ①噴出;噴射;涌出②滔滔不絕地朗讀或大聲講.

sprain /spreɪn/ *n*. & *vt*. (關節等的)扭傷.

sprang /spræŋ/ spring 的過去式.

sprat /spræt/ *n*. 【魚】小鰻.

sprawl /sprɔːl/ *v*. ①四肢攤開坐或躺;伸展着四肢倒下②潦草地書寫③蔓延;散亂地延伸 *n*.四肢攤開的躺或坐;雜亂的大片地方.

spray /spreɪ/ *n*. ①(帶花、葉的)小枝;小花枝②浪花;水花③噴霧劑 *v*.噴向;噴塗,噴濺,噴灑.

spread /spred/ *v*. (過去式及過去分詞 **spread**)①伸開,展開,攤開②傳播,散佈③塗敷④安排(飯桌) *n*. ①範圍;寬度②傳播;伸展③一桌飯菜④鋪展的布單⑤(塗麵包等的)醬.

spree /sprɪː/ *n*. [俗]外出歡鬧;縱歡.

sprig /sprɪg/ *n*. 嫩枝,小枝.

sprightly /'spraɪtlɪ/ *a*. 活潑的;精力旺盛的.

spring[1] /sprɪŋ/ *n*. ①春天;青春②泉③跳躍④彈簧;發條;彈性,彈力⑤健康的活力 **~y** /'sprɪŋɪ/ *a*. ①有彈性的;有生氣的②多泉水的 **~-balace** *n*. 彈簧秤 **~-bed** *n*. 彈簧床 **~-board** *n*. 跳板,彈板 **~-bok** *n*. 【動】(南非洲的)小瞪羚 **~-lock** *n*. 彈簧鎖 **~tide** *n*. 子午潮;春季 **~time** *n*.春天,春季 // *~chicken* (食用)童子鷄;[謔]年輕人 *~ onion* 葱;青葱.

spring[2] /sprɪŋ/ *v*. (**sprang** /spræŋ/; **sprung** /sprʌŋ/)①跳②(借機械作用)使動作③[俗]幫助逃走④使(動物)離開躲藏處⑤源於⑥突然出現⑦長出.

sprinkle /'sprɪŋkl/ *v*. 撒,灑;噴淋 *n*. 少量;少數 **sprinkler** *n*.灑水器;灑水滅火裝置.

sprint /sprɪnt/ *v*. 短距離全速跑;衝刺 *n*.短跑;衝刺.

sprite /spraɪt/ *n*. 妖精.

sprocket /'sprɒkɪt/ *n*. 【機】鏈輪齒;鏈輪(盤).

sprout /spaʊt/ *v*. 發芽;萌芽;開始生長;長出 *n*. 芽;苗.

spruce /spruːs/ *n*. 【植】雲杉;雲杉木 *a*.外表整潔的;漂亮的 *v*.打扮整齊(up).

sprung /sprʌŋ/ spring 的過去分詞.

spry /spraɪ/ *a*. 活潑的,活躍的,輕快的.

spud /spʌd/ *n*. [俗]①馬鈴薯②草鋤;小鏟.

spume /spjuːm/ *n*. & *v*. 泡;起泡沫.

spun /spʌn/ spin 的過去式及過去分詞.

spunk /spʌŋk/ *n*. [舊俚]勇氣;精神;[英俚]精液 **~y** *a*.[舊俚]有勇氣的;有精神的.

spur /spɜː(r)/ *n*. ①踢馬刺;馬靴刺②刺激物③激勵;鼓舞④山的支脉⑤橫嶺⑥(公路或鐵路的)支綫 *v*.用靴刺踢刺;刺激;激勵;疾馳.

spurious /'spjʊərɪəs/ *a*. ①假的;偽造的②私生的.

spurn /spɜːn/ *v*. 輕蔑地拒絕;摒棄;踢開.

spurt /spɜːt/ *v*. ①(液體、火焰等)噴出;迸出;涌出②猛然加快速度;衝刺 *n*.噴出;迸出;涌出;(精力等)迸發;突然增速.

sputter /'spʌtə(r)/ *v*. & *n*. =splutter.

sputum /'spjuːtəm/ *n*. (*pl*. **sputa** /'spjuːtə/)【醫】唾液,痰.

spy /spaɪ/ *n*. 間諜;偵探;特務 *v*. ①暗中監視;窺探;偵察②作間諜;搜集情報③觀察;發現,看到 **~glass** *n*. 小望遠鏡.

Sq. *abbr*. =Square(用於街道名稱)廣場.

squab /skwɒb/ *n*. ①(供食用的)雛鴿

②(轎車等的)軟座，軟座墊.
squabble /'skwɒbl/ *vi*. & *n*.(因瑣事)口角；爭吵.
squad /skwɒd/ *n*.【軍】班；小組；小隊.
squadron /'skwɒdrən/ *n*. 英國皇家空軍中隊；騎兵中隊；分遣艦隊，裝甲團.
squalid /'skwɒlɪd/ *a*. ①骯髒的②令人厭惡的③墮落的；卑鄙的.
squall /skwɔːl/ *n*. 狂風；暴風(常夾有雨或雪)；(因痛苦或恐懼而發出的)哭叫 *vi*.大聲哭叫 **~y** *a*. 颳暴風的；帶有狂風的.
squalor /'skwɒlə(r)/ *n*. 污穢；骯髒.
squander /'skwɒndə(r)/ *vt*. 浪費；揮霍.
square /skweə(r)/ *n*. ①正方形；方形物②廣場；(地址中)廣場四周的建築和街道③平方；二次冪④曲尺；丁字尺；矩尺⑤[舊、俗]守舊的人，老古板 *a*. ①正方形的；方的②平方的；自乘的③寬闊結實的④平行的⑤結清的；兩訖的⑥坦誠的⑦堅決的⑧公正的；誠實的⑨[舊、俗]古板守舊的 **~-root** *n*.平方根 // *be* (*all*) ~ *with sb* (比賽中)與…積分相等；兩不欠帳 ~*dance* 四對方舞 ~*meal* 豐盛的飯菜.
squash /skwɒʃ/ *v*. ①壓碎；壓平(扁)②擠進；將…塞進③[俗](粗魯地)使緘默④以斥責反駁⑤鎮壓；打垮⑥拒絕接受(意見等) *n*. ①擁擠不堪的人群②[英]果汁飲料③壁球(遊戲)④南瓜；倭瓜；西葫蘆 // ~ *hat* 軟氈帽；扁帽 ~*rackets* 壁球(遊戲).
squat /skwɒt/ *vi*. ①蹲；跪坐；蹲伏；(動物)蜷伏②擅自住進空屋；擅自在空地定居 *n*. ①蹲；跪坐②被擅自佔據的空屋(空地) *a*.粗矮的；矮胖的 **~ter** /'-tə/ *n*.蹲着的人；擅自佔用房屋和土地者.
squaw /skwɔː/ *n*.(北美印地安人的)女人；老婆.
squawk /skwɔːk/ *vi*. & *n*. (鳥等)嘎嘎叫(聲)；[俚]大聲抱怨；高聲抗議.
squeak /skwiːk/ *n*. (鼠等)嘰嘰的叫聲；尖細的吱吱聲 *v*. ①發吱吱聲；嘰嘰叫②用尖銳的聲音說③[俚]供出秘密；當告密者.
squeal /skwiːl/ *vi*. & *n*. 尖聲叫；哇哇叫喊；號叫着說；[俚]揭發(同案犯).
squeamish /'skwiːmɪʃ/ *a*. ①易嘔吐的②易受驚的③易生氣的；神經質的④(在原則、道德上)太拘謹的.
squeeze /skwiːz/ *v*. ①壓榨；擠壓；緊握；壓榨出；壓成②擠入；擠過；塞入③榨取；勒索 *n*. ①榨；壓；擠②緊緊的擁抱(或握手)③擁擠④擠壓出的少量的東西⑤拮据；困境⑥[美俚]勒索.
squelch /skweltʃ/ *vi*. 咯吱咯吱作響；(在泥地裏)咯吱咯吱地走 *n*.咯吱聲.
squib /skwɪb/ *n*. ①小爆竹②諷刺短文.
squid /skwɪd/ *n*.【動】魷魚；烏賊.
squiffy /'skwɪfɪ/ *a*. [英俗]微醉的.
squiggle /'skwɪgl/ *n*. 彎曲的短綫；潦草的字迹.
squint /skwɪnt/ *vi*. 斜視；斜着眼看；眯着眼瞟；窺視 *n*.斜視眼；斜視；[英口]瞧；瞅 *a*. & *ad*.斜的；不正的.
squire /'skwaɪə(r)/ *n*. ①(英國昔日的)鄉紳；地主②(昔日)騎士的年輕扈從③[英俗或謔](用於稱呼)客官，大老爺.
squirm /skwɜːm/ *vi*. ①蠕動；扭動身

軀;翻滾②坐立不安.

squirrel /'skwɪrəl/ *n*. ①松鼠②松鼠的毛皮.

squirt /skwɜːt/ *v*. (液體,粉末等)噴出;噴濕;使流出;朝…噴 *n*.噴出的液體、粉末等;夜郎自大的人.

squish /skwɪʃ/ *n*. 輕微的咯吱聲 *vi*. 咯吱咯吱地走.

Sr. *abbr*. = ①Senior; Señor ②Sister【宗】修女.

SRC /es ɑː 'siː/ *abbr*. = Science Research Council[英]科學研究委員會; SRC-funded projects 科學研究委員會提供資金的項目.

SRN /es ɑːr 'en/ *abbr*. = State Registered Nurse[英]註冊護士(經過三年培訓的合格護士).

St. *abbr*. = Saint; Street.

stab /stæb/ *v*. 刺;刺入;刺傷;戳 *n*. 刺;戳;刺出的傷口;刺痛 // *a ~ in the back* 背後中傷 *~ sb in the back* 背叛;背後中傷.

stabilize /'steɪbəlaɪz/ *v*. (使)穩定;安定 **stabilization** /ˌ-'zeɪʃn/ *n*. 穩定;安定(作用).

stable /'steɪbl/ *a*. ①穩定的②堅固的;堅定的③可靠的 *n*.馬房;馬厩 **stability** /stə'bɪlətɪ/ *n*. 穩定(性),堅固(性),牢固(性)**stably** *ad*.

staccato /stə'kɑːtəu/ *a*. & *ad*.【樂】斷奏的(地);不連貫的(地).

stack /stæk/ *n*. ①乾草堆;穀囤②垛,堆;大量③高大的烟囱④書庫;書架 *vt*.堆放,堆置,堆集.

stadium /'steɪdɪəm/ *n*. *pl*. **~s** 或 **~dia**/dɪə/(四周有看台的)體育場;運動場.

staff /stɑːf/ *n*. ①杖;棒②權杖③(全體)工作人員;(全體)職員④【軍】參謀人員⑤【樂】五綫譜(*pl*.用**staves**).

stag /stæg/ *n*. ①雄鹿②[英]購買新發行的股票以期出手後獲利的人 **~-party** *n*. 只有男人的聚會.

stage /steɪdʒ/ *n*. ①台;舞台②舞台生涯③活動的場所;事情發生的地點④(進展的)時期,階段⑤站;驛站;(兩站間的)一段旅程⑥(火箭的)級 *vt*. ①上演(戲劇)②舉行③實現.

stagger /'stægə(r)/ *vi*. & *n*. 蹣跚;搖晃 *vt*. ①(指消息等)使吃驚(擔心、不知所措)②錯開(時間等).

staging /'steɪdʒɪŋ/ *n*. ①【建】脚手架;工作架②(戲劇)上演③(多級火箭中)一節火箭的脫離.

stagnant /'stægnənt/ *a*. ①(水)不流動的②污濁的③蕭條的;不景氣的 **stagnancy** *n*. **stagnate** /'stægneɪt/ *vi*. ①停滯;不流②變遲鈍③蕭條 **stagnation** /-'neɪʃn/ *n*.

stagy /'steɪdʒɪ/ *a*. 矯揉造作的;不自然的.

staid /steɪd/ *a*. ①嚴肅呆板的;保守的②穩重的.

stain /steɪn/ *v*. ①染上其他顏色②弄髒;變髒③着色,染色④玷污;敗壞 *n*.着色劑;染料;污點;瑕疵 // *~ed glass* 彩色玻璃.

stainless /'steɪnlɪs/ *a*. 沒有污點的;純潔的;不銹的 // *~ steel* 不銹鋼.

stair /steə(r)/ *n*. (*pl*.)樓梯;梯級 **~case, ~way** *n*. (常指帶護欄的)樓梯.

stake /steɪk/ *n*. ①樁;樁標②柱;(昔日的)火刑柱③賭金④投資⑤(*pl*.)(尤指賽馬的)獎金 *vt*. ①以樁支撐②打賭③[美俗]資助④宣稱欲佔有… // *at ~* 面臨危險;存亡攸關 *go to the ~ over (sth)* 不惜代價堅持 *~ a claim to (sb/sth)*宣稱對…有

權.

stalactite /'stæləktaɪt/ *n*. 【地】鍾乳石.

stalagmite /'stæləgmaɪt/ *n*. 【地】石筍.

stale /steɪl/ *a*. ①走了味的;不新鮮的②乾癟的③腐敗了的④過時的⑤(運動員,演員等)疲憊了的.

stalemate /'steɪlmeɪt/ *n*. ①(國際象棋中)僵局,王棋受困②僵侍;對峙 *vt*. 使成僵局;使僵持.

stalk /stɔːk/ *n*. (草本植物的)莖;葉柄,花梗 *v*. ①昂首闊步②偷偷接近③(疾病等)蔓延 **~ing-horse** *n*. 口實;假托.

stall /stɔːl/ *n*. ①厩②分隔欄③售貨台;攤位④[美]汽車間⑤[英](*pl*.)正廳頭等座位;牧師座位;小隔間⑥(飛機等)失速 *v*. ①把(牲畜)關在厩中②(使引擎)熄火③(使飛機)因失速而墜落④拖延;推托.

stallion /'stælɪən/ *n*. 公馬;種馬.

stalwart /'stɔːlwət/ *a*. (指人)高大健壯的;忠實可靠的;堅定的 *n*.(政黨等的)忠實的擁護者.

stamen /'steɪmən/ *n*.【植】雄蕊.

stamina /'stæmɪnə/ *n*. 精力;耐力;毅力.

stammer /'stæmə(r)/ *v*. 結巴;結巴着說 *n*. 口吃.

stamp /stæmp/ *n*. ①郵票;印花②(購物時附帶的)贈券③圖章;印記④跺脚⑤特徵⑥種類 *v*. ①跺②邁着沉重的步子走③印(圖案),蓋章;貼郵票④用印模衝壓;銘刻⑤顯示出 // ~ *ing ground* 常到的地方;經常落脚的地方.

stampede /stæm'piːd/ *n*. (受驚動物)驚跑;亂竄;(人群)蜂擁 *v*.(使)驚逃;(使)潰散;使衝動行事.

stance /stæns/ *n*. 站立的姿勢;姿態.

stanch /stɑːntʃ/ *vt*. =staunch.

stanchion /'stænʃən/ *n*. 柱子;支柱.

stand /stænd/ (過去式及過去分詞 **stood** /stud/) *vi*. ①站,立②坐落,位於③停滯④堅持;維持⑤停住⑥處於(某種狀態或情形)⑦作競選候選人⑧取某一航向 *vt*. ①使直立;豎起②放置③忍受;經受④請客(吃飯) *n*. ①停頓;停止②立場③抵抗;抗擊④架;攤;攤位⑤停車候客處⑥看台⑦證人席⑧停留演出 **~ing** *n*. ①地位;名望;身份②持續;期間 *a*. ①常備的;永久的;固定的;長期有效的②停滯的③直立的 **~-by** *n*. 備用人員;備用物 **~-in** *n*. 替身;替身演員 **~-messenger** *n*.[美]活人廣告 **~-off** *n*. 對峙,對抗 **~-offish** *a*. 冷淡的;矜持的 **~-patter** *n*.[美]頑固分子,死硬派 **~pipe** *n*. 豎管(向建築物之外供水用);管體式水塔 **~-point** *n*. 立場,觀點 **~-still** *n*. 停止;停頓.

standard /'stændəd/ *n*. ①標準;規格②質量水平③旗幟;軍隊旗標④支柱 *a*. ①標準的;合規格的;一般的②公認優秀的③權威的 **~-bearer** *n*. 旗手;杰出的領導人.

standardize /'stændədaɪz/ *vt*. 使標準化;使合乎規格 **standardization** /ˌ-'zeɪʃn/ *n*.

stank /stæŋk/ stink 的過去式.

stanza /'stænzə/ *n*. ①(詩的)節,段②[美俚](運動、比賽的)局、盤、場.

staple /'steɪpl/ *n*. ①訂書釘;U 字釘②主要產品(或商品)③主要的東西(尤指食物) *a*.主要的;首要的;一般性的 *vt*.用訂書釘(或 U 字釘)釘住 **stapler** *n*.訂書器.

star /stɑː(r)/ *n*. ①星;恆星②星號(★)③(表示優等級別的)星;星章;

星標④(著名演員等)明星;名家⑤(占星術)司命星 *v*. ①用星狀物裝飾或標出②(在電影等中)(使,由)主演 **~ry** /'stɑːrɪ/ *a*. 星光燦爛的;明亮的 **~-fish** *n*.【動】海星 **~lit** *a*. 星光照耀的 // *Star Wars* 星球大戰計劃(美國戰略防禦計劃的別稱).

starboard /'stɑːbəd/ *n*.【海、空】(船、飛機的)右舷.

starch /stɑːtʃ/ *n*. 澱粉;粉漿 *vt*. 給(衣服等)上漿 **~y** *a*. (似)澱粉的;含許多澱粉的;[俗]拘謹的;古板的;[美]高傲的 // *~ blocker* 澱粉遮斷劑(防止體重增加的錠劑).

stare /steə(r)/ *vi*. 盯,凝視;目不轉睛地看 *vt*. 瞪得使(處於某種狀態) *n*. 盯視;凝視.

stark /stɑːk/ *a*. ①荒涼的;慘淡的②嚴厲的③赤裸裸的;無裝飾的④明顯的⑤十足的 *ad*. 完全地.

starling /'stɑːlɪŋ/ *n*.【鳥】燕八哥;歐椋鳥.

start /stɑːt/ *vi*. ①起程,出發②開始,開動③驚起;驚跳④突然出現⑤突出⑥鬆動 *vt*. ①使開始;着手做;使起動②創辦③打擾④弄鬆 *n*. ①起程;動身②開始;着手③驚起;驚跳④機會⑤優先的地位;(**the ~**)起跑綫 **~er** *n*. 起跑者;起跑發令員;起動裝置 // *starting point* 起點.

startle /'stɑːtl/ *v*. (使)吃驚;(使)驚跳;(使)驚起.

starve /stɑːv/ *v*. (使)挨餓,餓死;渴望;急需 **starvation** /-'veiʃn/ *n*. 饑餓,餓死.

stash /stæʃ/ *vt*. [俗]藏匿;貯藏.

state /steɪt/ *n*. ①國家;政府②州;邦③狀態;情形④隆重禮儀;盛况;壯觀 *vt*. ①說明,陳述②安排;規定 *a*. ①政府的;國家的②禮儀的;儀式的 **~ly** *a*. 莊嚴的;雄壯的;高貴的 **~ment** *n*. 聲明;表述;供述;說明;銀行的結單 **~-of -the -art** *a*. 採用最新技術的,最新型的 **~room** *n*. (要人用的)特別套房;(輪船上的)特別客艙 **~sman** *n*. 政治家;國務活動家;政府要員 **~sperson** /'steɪtspɜːsən/ *n*. 政治家.

statecraft /'steɪtkrɑːft/ *n*. 管理國家事務的才能.

static /'stætɪk/ *a*. ①靜止的②【理】靜力的;【無】靜電的 *n*. (無綫電、電視等)靜電干擾;天電;靜電 **~s** *n*.【理】靜力學.

station /'steɪʃn/ *n*. ①站;所;局②車站③電台;電視台④地位;職位;身份;位置⑤[澳]牧場⑥小型軍事基地 *vt*. 安置;駐扎 **~-house** *n*. [美]警察局 **~-master** *n*. 火車站站長.

stationary /'steɪʃənrɪ/ *a*. 靜止的;不動的.

stationery /'steɪʃənrɪ/ *n*. (總稱)文具 **stationer** /'steɪʃnə/ *n*. 文具商.

statistic /stə'tɪstɪk/ *n*. 一項統計資料 **~al** *a*. 統計的;統計學的 **~ian** /ˌstætɪ'stɪʃn/ *n*. 統計學家;統計員 **~s** *pl*. *n*. 統計資料,統計數字;統計學.

statuary /'stætʃuərɪ/ *n*. (總稱)雕像;塑像;雕塑藝術.

statue /'stætʃuː/ *n*. 雕像;塑像;鑄像.

statuesque /ˌstætʃʊ'esk/ *a*. 雕像般的;(常指女子)端莊美麗的.

statuette /ˌstætʃʊ'et/ *n*. 小雕像;小塑像.

stature /'stætʃə(r)/ *n*. ①身材②聲望;地位.

status /'steɪtəs/ *n*. 地位,身份;重要地位,要人身份 // *~ quo* 現狀 *~ symbol* 地位(或財富)的象徵.

statute /'stætʃuːt/ *n*. 法令,法規;成文法;(公共機構的)章程,條例 **statutory** /'stætjʊtrɪ/ *a*.法令的;法定的.

staunch /stɔːntʃ/ *a*. 堅定的;忠實的;可靠的 *vt*. (=stanch)止血.

stave /steɪv/ *n*. ①桶板②【樂】五綫譜表 *v*.(過去式及過去分詞 **staved** or **stove** /stəʊv/)敲破;穿孔 // ~ *sth in* 撞破;擊穿;穿孔 ~*sth off* 避開;延緩.

staves /steɪvz/ staff 的複數形式之一.

stay /steɪ/ *vi*. ①停留;逗留;保持下去②等一會兒,暫停 *vt*.停止;延緩;制止 *n*. ①逗留;停留②作客③延緩④(支持桅、杆等的)繩索,鋼索⑤支持物;依靠⑥(*pl*.)緊身褡;束腹;緊身胸衣 // ~ *put* [俗]待在原處不動 ~ *up* 不睡覺;仍是原狀.

STD *abbr*. = sexually transmitted disease 性傳播的疾病;subscriber trunk dialling(英國)用戶直通長途電話.

stead /sted/ *n*. ①代替②有用處;好處 // *in sb's/sth's* ~ 代替某人(某物) *stand sb in good* ~ 對某人有用處(益處).

steadfast /'stedfɑːst/ *a*. 堅决的;堅定的;不變的.

steady /'stedɪ/ *a*. 堅固的;牢靠的;穩定的;可靠的;不變的 *v*.(使)牢靠;(使)穩固;(使)穩定 **steadily** *ad*.

steak /steɪk/ *n*. 大塊肉片(魚片);牛排.

steal /stiːl/(**stole** /stəʊl/; **stolen** /'stəʊlən/) *v*. ①偷,盜竊②偷偷地獲取;巧取③偷偷地做(行動)④溜進(出,走).

stealth /stelθ/ *n*. 偷偷摸摸的行動;暗中的行動 **~y** *a*.偷偷進行的;隱秘的 **~ily** *ad*. // ~ *aircraft* 【軍】隱密飛機,隱形飛機 ~*bomber* 【軍】隱密轟炸機,隱形轟炸機 ~ *technology* 【軍】隱密技術.

steam /stiːm/ *n*. 汽;蒸汽;汽霧 *vi*. ①冒汽,蒸發②靠蒸汽為動力前進 *vt*.蒸;用蒸汽薰開 **~er** *n*. ①輪船②蒸籠 **~y** *a*. 蒸汽(似)的;充滿蒸汽的;[俗]色情的 **~boat**; **~ship** *n*. 輪船 **~-engine** *n*. 蒸汽機 // *run out of* ~ [俗]精疲力竭 *be/get* ~*ed up* (*about/over sth*)對…非常激動、憤怒.

steed /stiːd/ *n*. [古、謔]馬.

steel /stiːl/ *n*. ①鋼②鋼銼刀;刀劍③(性格、態度上的)強硬 *vt*.使堅強 **~y** *a*. 像鋼一樣的;鋼鐵般的 **~works** *n*.煉鋼廠 **~yard** *n*.秤;提秤 // ~*wool* (用以擦拭、磨光的)鋼絲絨.

steep /stiːp/ *a*. ①陡峭的②[俗](價格、要求)不合理的;過份的 *vt*. ①浸,泡②使埋頭於,沉湎於③充滿 **~en** *v*.(使)變得(更)陡峭.

steeple /'stiːpl/ *n*. (教堂頂部的)尖頂;尖塔 **~chase** *n*.越野賽馬(或賽跑);障礙賽馬(或賽跑) **~jack** *n*.尖塔(或烟囱)修理工.

steer /stɪə(r)/ *v*. ①駕駛;掌舵;被駕駛;(沿某方向)行駛②指導,帶領 *n*. ①關於駕駛的指示②[美俚]建議,忠告③小公牛 **~age** /'stɪərɪdʒ/ *n*. 駕駛;掌舵;統艙 **~sman** *n*.舵手 **~ing-wheel** *n*.方向盤;舵輪 // ~*ing committee* 指導委員會 ~*ing lock* 汽車防盜鎖.

stellar /'stelə(r)/ *a*. 星的;星球的;星似的,星形的.

stem /stem/ *n*. ①【植】莖,幹,花梗;果柄②【語】詞幹;詞根③家族的主系;正支 *vi*.起源於;來自 *vt*.堵住;塞住;遏止.

stench /stentʃ/ *n*. 臭,臭氣.
stencil /'stensl/ *n*. ①模板;型板;漏字板②蠟紙③(以漏字的方法製成的)圖案;文字 *vt*.(用模板等)印製;漏印.
stenography /ste'nɒgrəfɪ/ *n*. 速記(法) **stenographer** *n*.速記員 **stenographic** /ˌstenə'græfɪk/ *a*.速記(法)的.
stentorian /sten'tɔːrɪən/ *a*.(指嗓音)洪亮的.
step /step/ *n*. ①步;一步;步態②腳步聲③舞步④步驟⑤進展⑥台階、階梯;(*sing*.)短距離 *vi*.踏,邁步,行走 // *in*(*out of*) ~ *with* 與…步調一致(不一致) *mind*/*watch one's* ~ 當心;謹慎行事 ~ *by* ~ 逐步地 *take* ~ *s*(*to do sth*)採取行動以期… ~ *in* 介入;干預 ~ *up* 走向前來;增加.
step- [前綴]表示"繼","異" **~brother** *n*. 異父(或母)兄弟 **~child** *n*. 晚(繼)子(女)(妻或丈夫與前夫或前妻所生之子女) **~father** *n*. 繼父 **~mother** *n*. 繼母 **~sister** *n*. 異父(或母)姐妹.
steppe /step/ *n*. 常用 *pl*.大草原.
stereo /'sterɪəu/ *n*. ①立體聲;立體聲録音②立體聲録音機(或收音機) **~phonic** /-'fɒnɪk/ *a*. 立體聲的 **~scope** /'sterɪəskəup/ *n*.立體鏡 **~scopic** /ˌsterɪə'skəupɪk/ *a*.有立體感的 **~type** /'sterɪətaɪp/ *n*. ①陳規;陳套;舊框框②(印刷用的)鉛板 **~typed** *a*.老一套的.
sterile /'steraɪl[美]'sterəl/ *a*. ①無生殖力的;不結果實的②(土地)不毛的,貧瘠的③(討論等)無結果的④無菌的, **sterility** /ste'rɪlətɪ/ *n*.
sterilize /'sterəlaɪz/ *vt*. ①消毒;殺菌②使絕育 **sterilization** /ˌ-'zeɪʃn/ *n*. ①消毒②絕育.
sterling /'stɜːlɪŋ/ *a*. ①(貴金屬等)標準成分的②純真的③(人或人品)極佳的;優秀的 *n*.英國貨幣.
stern /stɜːn/ *a*. ①嚴厲的;苛刻的②冷峻的;嚴肅的 *n*.船尾;[俗]任何東西的尾部;後部;屁股 **~ly** *ad*.
sternum /'stɜːnəm/ *n*.【解】胸骨;【動】(甲殼類動物的)胸板.
steroid /'sterɔɪd/ *n*.【生化】類固醇.
stertorous /'stɜːtərəs/ *a*. 鼾聲如雷的.
stet /stet/ *v*. [拉](校對文字材料時,在錯刪、錯改處註明不作改動的用詞)不刪;保持原樣.
stethoscope /'steθəskəup/ *n*. 聽診器.
Stetson /'stetsən/ *n*.(男用)高頂闊邊帽;斯泰森氈帽(美國西部牛仔戴的高頂闊邊氈帽).
stevedore /'stiːvədɔː(r)/ *n*. (碼頭)裝卸工;搬運工人.
stew /stjuː/ *v*. ①用文火煮;炖;煨;燜②感到悶熱難捱 *n*.炖肉;炖好的菜 // *let sb* ~ 讓某人自作自受 ~ *in one's own juice* 自食其果,自作自受 *be in a* ~ *about*/*over sth* 為某事坐立不安.
steward /stjuəd,[美]'stuːəd/ *n*. ①(飛機、火車、輪船上的)乘務員;管家;管事②(大學、俱樂部等的)膳務員③(賽馬、演出、集會等的)籌備人 **~ess** *n*. 女乘務員;空中小姐.
stick /stɪk/ *n*. ①棒,棍;柴枝;手杖②球杆;指揮棒③細長的棒狀物④[俗]不善交際的人 *v*.(過去式及過去分詞 **stuck** /stʌk/)①刺;戳;插;刺入②粘合;附着③陷住;卡住④[俗]容忍⑤[俗]確立 **~er** *n*.粘貼標籤;[俗]堅毅的人 **~ler** *n*.固執己見的人 **~y** *a*. 粘(性)的;[俗](天氣)悶熱潮濕的;[俗]不愉快的;困難的;

[俗]持異議的;不肯幫忙的.

stickler /'stɪklə(r)/ *n*. 固執己見的人;墨守陳規的人;為瑣事爭吵不休的人.

stiff /stif/ *a*. ①僵硬的;僵直的②濃稠的③困難的;嚴峻的④拘謹的⑤不友善的⑥[俗](價格)太高的⑦(風)強勁的 *n*.(俚)死屍 **~en** *vt*.(使)發僵;發呆;硬化 **~-necked** *a*.頑固的;倔強的;傲慢的.

stifle /'staɪfl/ *v*. ①(使)窒息;(使)感到呼吸困難②熄滅;撲滅③鎮壓;抑制 **stifling** *a*.令人窒息的;憋悶的;沉悶的.

stigma /'stɪgmə/ *n*. ①污名;恥辱②[舊](犯人身上的)烙印,金印③【植】花的柱頭 **~tize** *vt*.誣衊;責難.

stile /staɪl/ *n*. 梯磴;踏板;階梯.

stiletto /stɪ'letəʊ/ *n*.①短劍;匕首②細高跟女皮鞋.

still /stɪl/ *a*. ①靜止的;寂靜的②無風的;(飲料)不起泡沫的 *ad*. ①仍;尚;還②然而;即使③更加;愈發④此外 *n*. ①安靜;寂靜②圖片;劇照③蒸餾器 *v*.(使)靜止;(使)平靜下來 **~ness** *n*.寧靜 **~born** *a*.死後生下來的;(想法或計劃)夭折的 // *~ birth* 死胎,死產 *~ life* 靜物寫生(畫).

stilt /stɪlt/ *n*. 高蹺;支撐物;支架 **~ed** *a*.(談話、文章、舉止等)生硬的;不自然的.

stimulant /'stɪmjʊlənt/ *n*. 興奮劑;激勵;激發.

stimulate /'stɪmjʊleɪt/ *vt*. 刺激;激勵;激發;促進.

stimulation /ˌstɪmjʊ'leɪʃn/ *n*. 刺激;鼓勵;興奮(作用).

stimulus /'stɪmjʊləs/ *n*. (*pl*. **~ li** /-laɪ/) 刺激物;促進因素;激勵.

sting /stɪŋ/ *v*. (過去式及過去分詞 **stung** /stʌŋ/)①刺;螫;刺傷;感到刺痛②激怒;刺痛③[俗]敲竹杠,騙錢 *n*. ①(黃蜂等的)毒刺,螫針,螫鉤②(植物的)刺毛③螫痛;刺傷④(身心方面的)刺痛,傷痛 **~ing-nettle** *n*. 蕁麻.

stinger /'stɪŋə(r)/ *n*. ①有刺的東西;使人疼痛的一擊②【軍】(= stinger missile)毒刺導彈(美國手提式地對空導彈).

stingy /'stɪndʒɪ/ *a*. ①[俗]吝嗇的,小氣的②缺乏的;不足的.

stink /stɪŋk/ *vi*. (**stank** /stæŋk/或 **stunk**; **stunk** /stʌŋk/)發惡臭;很糟 *n*.惡臭;臭氣;[俚]麻煩;大驚小怪 **~er** *n*.[俗]令人討厭的人(或事);難辦的事 **~ing** *a*. [俗]令人討厭的;糟透的 // *~ sth out* 使充滿臭氣.

stint /stɪnt/ *v*. (尤指對食物的)限制;節省;節制 *n*.分派的工作;定額.

stipend /'staɪpend/ *n*. (尤指神職人員的)薪水,薪金 **~iary** /staɪ'pendɪərɪ/ *a*.有薪金的;領取俸給的.

stipple /'stɪpl/ *vt*. (繪畫、雕刻)點畫;點描;點刻.

stipulate /'stɪpjʊleɪt/ *vt*. 規定;約定 **stipulation** /ˌ-'leɪʃn/ *n*.規定;約定;合同;契約.

stir /stɜː(r)/ *vt*. ①攪拌;搖動②激發;惹起 *vi*. ①動;被激起②[俗]搬弄是非 *n*.攪拌;激動,大驚小怪;騷動.

stirrup /'stɪrəp/ *n*. ①馬蹬②蹬形物.

stitch /stɪtʃ/ *n*. ①(縫紉、編織的)一針;針脚②(外科手術)傷口縫綫;針法③肋部劇痛 *v*.縫;縫合 // *in ~ es* [俗]忍不住大笑 *have not a ~ on* 赤身露體.

stoat /stəʊt/ *n*. 【動】鼬.

stock /stɒk/ *n*. ①儲積品;存貨②家

畜③國債④公司資本⑤股票;股份⑥家系,世系⑦原料,材料⑧湯料,原湯⑨(器具的)基部⑩把手⑪樹幹;母株⑫(*pl*.)造船台⑬(*pl*.)足枷(刑具)⑭聲譽 *v*.貯存;備貨;供應,供貨;儲備 **~broker** *n*. 股票經紀人 **~broking** *n*. 證券交易 **~-exchange** *n*.證券交易所 **~holder** *n*.股東 **~-market** *n*.股票交易;股票交易所 **~-taking** *n*. 清點存貨;盤點.

stockade /stɒ'keɪd/ *n*. 圍樁;柵欄.

stockinet /ˌstɒkɪ'net/ *n*. 彈力織物.

stocking /'stɒkɪŋ/ *n*. 長襪.

stocky /'stɒkɪ/ *a*. 矮壯的;粗壯的.

stodge /stɒdʒ/ *n*. 油膩的食物 **stodgy** *a*.油膩難消化的;(書等)枯燥乏味的;(人)老氣橫秋的.

stoic /'stəʊɪk/ *n*. 能忍受艱難困苦的人;能高度自制的人;禁欲的人 **~al** *a*. 能忍受艱難困苦的;極能自制的 **~ism** *n*. 堅忍精神;自持精神.

stoke /stəʊk/ *v*. ①給(火或爐子)加燃料②[俗](使)大吃 **stoker** *n*.火伕;司爐;自動加煤機.

stole /stəʊl/ ①steal 的過去式 ② *n*.女人的披肩;(某些基督教牧師在禮拜式上所圍的)聖帶 .

stolen /'stəʊlən/ steal 的過去分詞.

stolid /'stɒlɪd/ *a*. 感情遲鈍的;麻木不仁的 **~ity** /-'lɪdətɪ/ *n*.

stomach /'stʌmək/ *n*. ①胃;胃口②[俗]肚子③【喻】愛好;欲望 *vt*.吃得下;忍耐;忍受 **~-ache** *n*.胃痛;肚子痛.

stomp /stɒmp/ *vi*. 跺脚;跺着脚走.

stone /stəʊn/ *n*. ①石,岩石;石頭;石塊②石碑③寶石;玉石④果核⑤【醫】結石 *vt*.拿石頭打;取出果核 **stony** *a*. ①多石的;鋪滿石塊的②冷酷無情的;[俚]手無分文的 **~-blind** *a*. 全瞎的 **~-deaf** *a*. 全聾的 **~-fruit** *n*.核果 **~mason** *n*. 石匠.

stood /stuːd/ stand 的過去式及過去分詞.

stooge /stuːdʒ/ *n*. & *vi*. ①[劇、俚](作)丑角的搭檔②[俗](當)替身③[俚](當)傀儡.

stool /stuːl/ *n*. ①凳子;脚凳②【醫】糞便 **~-pigeon** *n*.[俗]囮子;引誘(罪犯)入圈套的人.

stoop /stuːp/ *vi*. & *n*. 俯身;彎腰;曲背 *vt*.低(頭);彎(背).

stop /stɒp/ *v*. ①(使)停止②阻止③停頓④堵塞;封上⑤補牙⑥逗留 *n*. ①中止,停止②停頓③停車;車站④句號⑤(攝影)光圈快門 **~page** /'stɒpɪdʒ/ *n*. ①(尤指因罷工造成的)停工②堵塞;阻止③扣除;取消(假期等) **~per** *n*.塞子 **~ping** *n*. 補牙的填充物 **~gap** *n*.臨時代替者(或物);權宜之計**~over** *n*. 中途停留(一夜),中途停留處.

store /stɔː(r)/ *n*. ①貯藏;儲備②(*pl*.)貨物,物品③[美]商店;[英]大百貨店,堆棧,倉庫④【計】信息庫 *vt*. ①積蓄;貯藏②寄存③供給④容納 **storage** /'stɔːrɪdʒ/ *n*.貯藏;貨棧;儲存費 **~house** *n*. 倉庫;貨棧 **~keeper** *n*.[美]店主;倉庫管理員 **~room** *n*.貯藏室.

storey, story /'stɔːrɪ/ *n*. 樓層;樓的一層.

stork /stɔːk/ *n*. 【鳥】鸛.

storm /stɔːm/ *n*. ①風暴;暴風雨;暴風雪②感情的猛烈爆發③(*pl*.)[美俗]禦寒或禦風暴的外重門窗④【軍】猛攻 *v*. ①狂怒;咆哮②猛衝;突襲;攻占 **~y** *a*. (多)暴風雨的;激烈的 **~-troops** *pl*. *n*. 突擊隊.

story /'stɔːrɪ/ *n*. ①故事,小說;傳奇②

(小說等的)情節;(報紙上的)記事③[俗]謠言;假話④經歷.

stoup /stuːp/ *n*. 聖水鉢.

stout /staʊt/ *a*. ①強壯的;結實的②[俗]堅决的;果敢的③(人)有點肥胖的;矮胖的 *n*. 烈性黑啤酒.

stove /stəʊv/ *n*. 火爐;爐竈.

stow /stəʊ/ *vt*. 收藏,裝;裝載 *vi*. 偷渡 (away) **~age** *n*. 裝載,收藏;裝載處 **~away** *n*. (藏在船或飛機上)逃票旅行者或偷渡者.

straddle /'strædl/ *v*. 跨立;跨坐;騎【軍】交叉射擊(或轟炸).

strafe /strɑːf/ *vt*. 掃射;炮轟.

straggle /'strægl/ *vi*. ①蔓延;散亂②掉隊;落後.

straight /streɪt/ *a*. ①直的②整齊的,井然的;端正的③誠實的;真實可靠的④接連的⑤(酒類)未冲淡的 *ad*. 直;直接地;正直地;坦率地;立即 *n*. ①[俚]保守的人②異性戀者③平直的部分 **~en** /'streɪtn/ *v*. ①變直;弄直②清理;解决;整頓 **~forward** *a*. 直爽的;坦白的;誠實的;簡單的;明確的 **~-out** *a*. [美俗]坦白的;露骨的.

strain /streɪn/ *v*. ①拉緊②竭力使用,竭盡全力(去做某事)③扭傷;損傷④濫用,曲解⑤濾,過濾 *n*. ①拉緊;緊張②拉力;應力③苛求④疲憊⑤扭傷⑥(通常 *pl*.)曲調;歌⑦風格;筆調;語氣⑧氣質,性情⑨(動植物的)品種;家系 **~ed** *a*. 緊張的;不自然的;牽強的;心力交瘁的 **~er** *n*. 過濾器.

strait /streɪt/ *n*. ①海峽;峽②(*pl*.)艱難,窘迫,困難 **~-jacket** *n*. (約束瘋子等用的)緊衣;束縛衣;[喻]束縛 **~-laced** *a*. 過份拘謹的;非常古板的 // *in ~ened circumstances* 在艱難(或窮困)的處境下.

straitened /'streɪtənd/ *a*. 勉強糊口的;窮苦的.

stramonium /strə'məʊnɪəm/ *n*. 【植】曼陀羅花.

strand /strænd/ *v*. (使)擱淺;(使)困在岸上,(使)陷於困境 *n*. ①(繩子等的)股;一股繩(或綫);一綹頭髮②[喻]故事的綫索,情節③[詩]濱;岸.

strange /streɪndʒ/ *a*. ①奇怪的;奇特的②陌生的;生疏的 **stranger** *n*. ①陌生人;異鄉人②外行,生手.

strangle /'stræŋgl/ *vt*. ①勒死;掐死②壓制;束縛;悶住 **~hold** *n*. 緊扼;壓制;束縛.

strangulation /ˌstræŋgjʊ'leɪʃn/ *n*. 勒死;扼殺;勒束.

strap /stræp/ *n*. 吊帶;皮帶;肩帶;背帶 *vt*. 用帶子捆扎;包扎(傷口等);綁住;鞭打 **~ping** *a*. 高大健壯的.

strata /'strɑːtə, [美]'streɪtə/ stratum 的複數.

stratagem /'strætədʒəm/ *n*. 計謀,詭計;計策.

strategy /'strætədʒɪ/ *n*. 戰略(學);兵法;謀略,計謀;方針,政策 **strategic** /strə'tiːdʒɪk/ *a*. 戰略(上)的;有戰略意義的 **strategist** /'strætɪdʒɪst/ *n*. 戰略家.

stratify /'strætɪfaɪ/ *vt*. 使成層;使分層.

stratosphere /'strætəsfɪə(r)/ *n*. 【氣象】同溫層;平流層.

stratum /'strɑːtəm, [美]'streɪtəm/ *n*. (*pl*. **strata** /-tə/) ①層;地層;岩層②社會階層;階級.

straw /strɔː/ *n*. ①稻草;麥秸;(喝飲料的)吸管②無價值的東西,無意義的東西③一點點 // *~ vote*, *~ poll* 非官方民意測驗.

strawberry /'strɔːbərɪ/ *n*. 草莓.

stray /streɪ/ *vi* ①走失;走離;迷路②漂泊;遊蕩③偏離;離題 *a*. ①迷失的;離群的②零落的;偶然可見的 *n*.迷失的家畜;迷路的人;漂泊者;散失的東西.

streak /striːk/ *n*. ①條紋;紋理;條痕;色綫②(性格中的)特色③一連串;一系列 *vt*.在…上加條紋 *vi*.[俗]飛跑;當衆裸體奔跑 **~y** *a*.有條紋的;多條紋的.

stream /striːm/ *n*. ①小河,溪流②流,流出,流動③趨勢,流向 *v*. ①流,涌;流出②飄揚;招展 **~er** *n*.橫幅;長旗;彩帶;飄帶;彩紙帶 **~line** *vt*. ①使成流綫型②使更有效(率) **~lined** *a*.流綫型的.

street /striːt/ *n*. ①街道,馬路②生活工作在一條街上的人們 **~car** *n*. [美]市内電車 **~-girl, ~-walker** *n*. 妓女.

strength /streŋθ/ *n*. ①力量,力氣②強度③依持物④長處,優點⑤人力;兵力;實力 **~en** *v*.(使)強壯起來;增強;加強;鞏固.

strenuous /'strenjʊəs/ *a*. ①努力奮鬥的;勤勉的②精力旺盛的③需竭盡全力的;艱難的 **~ly** *ad*.

streptococcus /ˌstreptə'kɒkəs/ *n*.【微】鏈球菌.

streptomycin /ˌstreptəʊ'maɪsɪn/ *n*.【藥】鏈霉素.

stress /stres/ *n*. ①壓力;憂患;緊張②強調;重視③重音;重讀④應力;拉力 *vt*.強調;重讀 **~ful** *a*.充滿壓力的;緊張的.

stretch /stretʃ/ *v*. ①拉長;拉直;伸展;鋪開②(可)延伸③有彈性④連綿⑤濫用⑥曲解 *n*. ①伸展;擴展②伸縮性;彈性③連續的一段時間④[俚]服役期;服刑期 **~y** *a*.[口]可伸長的;有彈性的 **~er** *n*.擔架.

strew /struːl/ *vt*. (**strewed**; **strewed** or **strewn**) 撒;散播;散落.

striated /straɪ'eɪtɪd, [美]'straɪeɪtɪd/ *a*. 有條紋的;有溝痕的 **striation** /straɪ'eɪʃn/ *n*.條紋;溝痕.

stricken /'strɪkən/ *a*. 受害的;疾病纏身的;受磨難的;受災的.

strict /strɪkt/ *a*. ①嚴格的;嚴厲的②確切的;嚴密的③完全的;絕對的 **~ly** *ad*.

stricture /'strɪktʃə(r)/ *n*. ①限制物;約束物②(通常 *pl*.)苛評;責難.

stride /straɪd/ *vi*. (**strode** /strəʊd/; **stridden** /'strɪdn/)大步地走;跨過 *n*.一大步的距離;跨幅;步態.

strident /'straɪdnt/ *a*. (聲音等)粗嘎的;刺耳的 **stridency** *n*. **stridently** *ad*.

strife /straɪf/ *n*. 衝突;爭吵;鬥爭.

strike /straɪk/ (**struck** /strʌk/; **struck, striken** /'strɪkən/) *vt*. ①打;擊;撞;觸②侵襲③劃(火柴)④(鐘)敲響⑤鑄造;冲壓⑥突然變作;使突然想起;給以印象⑦計算出⑧碰到⑨取下 *vi*. ①突然降臨②打擊;攻擊;侵襲③點燃④(鐘)敲響;報時⑤罷工⑥觸礁 *n*. ①罷工②襲擊③突然發現(金礦、石油等)**striker** *n*. ①罷工者②足球前鋒;(板球)擊球手 **striking** *a*.顯著的;引人注目的;有魅力的;美麗動人的;(時鐘)打點的 // *go/be on* ~ 進行罷工 ~ *home* (評論等)擊中要害.

string /strɪŋ/ *n*. ①細繩②琴弦③(**the ~s**)弦樂器,弦樂師④串在一起的東西,一連串的事物;一行人⑤[俗]限制條件 *v*.(過去式及過去分詞 **strung** /strʌŋ/)①給(弓、提琴等)裝弦②用細繩穿起繫起；扎起；綁③懸挂④剝菜豆角的筋 **~y** *a*. 似繩的；(豆角、肉等)多筋的 **~-band** *n*. 弦樂隊 // *pull* ~ *s* [俗]拉關係；走後門 ~ *along* (*with sb*)陪伴；跟隨.

stringent /'strɪndʒənt/ *a*. ①(指法規等)必須遵守的；嚴格的；苛刻的②銀根緊的；資金不足的 **stringency** *n*.

strip /strɪp/ *vt*. ①剝；剝去；剝光；剝奪②損壞(螺紋等)③拆開 *vi*. 脫去衣服 *n*. 窄長的一條(紙、土地等)；脫衣舞表演 **~per** *n*. ①脫衣舞女②刮漆器；去漆液 **~-tease** *n*. 脫衣舞.

stripe /straɪp/ *n*. ①條紋②【軍】臂章③[美]種類；類別④(*pl*.)鞭打 **~d** *a*. 有條紋的.

stripling /'strɪplɪŋ/ *n*. 年輕人，小伙子.

strive /straɪv/ *vi*. (**strove** /strəʊv/; **striven** /'strɪvn/) 奮力；努力；力爭；抗爭；鬥爭；反抗.

strobe /strəʊb/ = ~light 頻閃燈光.

strode /strəʊd/ stride 的過去式.

stroke /strəʊk/ *n*. ①打擊；一擊②(游泳、划船等的)一划；泳式；(賽艇的)尾槳手③筆畫，一筆，一畫④鐘聲⑤【醫】中風⑥一舉；一次努力 *vt*. 撫摸；捋.

stroll /strəʊl/ *n*. & *vi*. 散步；閒逛.

strong /strɒŋ/ *a*. ①堅固的；強壯的；有力的；堅強的②濃烈的；強大的；強烈的③(人)得力的；能幹的④【商】穩定上漲的 **~ly** *ad*. **~-arm** *a*. 用暴力的 **~-box** *n*. 保險箱 **~hold** *n*. 保壘，要塞 **~-minded** *a*. 意志堅強的 **~-room** *n*. 保險庫.

strontium /'strɒntɪəm/ *n*. 【化】鍶 ~ **90** 鍶 90(鍶的一種放射性同位素).

strop /strɒp/ *n*. (磨剃刀的)皮帶；蕩刀皮；革砥 *vt*. 在蕩刀皮上磨.

stroppy/'strɒpɪ/ *a*. 脾氣壞的；好爭吵的；難對付的.

strove /strəʊv/ strive 的過去式.

struck /strʌk/ ①strike 的過去式及過去分詞 ② *a*. [美]因罷工而關閉的.

structure /'strʌktʃə(r)/ *n*. ①結構；構造；構造法②結構物；建築物 **structural** /-rəl/ *a*.

strudel /'stru:dl/ *n*. 水果乾酪卷(一種水果餡餅).

struggle /'strʌgl/ *vi*. & *n*. ①鬥爭；掙扎；搏鬥②奮鬥；努力.

strum /strʌm/ *v*. 亂彈奏(弦樂).

strumpet /'strʌmpɪt/ *n*. 妓女.

strung /strʌŋ/ string 的過去式及過去分詞.

strut /strʌt/ *vi*. 趾高氣揚地走 *n*. ①高視闊步②【建】支柱；抗壓構件.

strychnine /'strɪkni:n/ *n*. 【藥】馬錢子鹼；士的寧(烈性毒劑).

stub /stʌb/ *n*. ①鉛筆頭②烟蒂③殘餘部分；殘端④(支票的)存根；票根⑤樹樁 *vt*. ①絆(脚)②捻熄，踩熄(香烟) **stubby** *a*. 短粗的.

stubble /'stʌbl/ *n*. (莊稼割剩的)殘茬；鬍鬚楂 **stubbly** *a*. 滿是鬍鬚楂的；有殘梗的，殘梗狀的.

stubborn /'stʌbən/ *a*. ①頑固的；倔強的②難對付的；棘手的.

stucco /'stʌkəʊ/ *n*. 灰泥；拉毛水泥.

stuck /stʌk/ stick 的過去式及過去分詞.

stuck-up /ˌstʌk 'ʌp/ *a*. [俗]高傲自大的；勢利的.

stud /stʌd/ *n*. ①飾釘；(衣服上的)飾鈕②鑲寶石的耳環③大頭釘④(足球鞋上的)鞋釘⑤馬群；種馬；*vt*. ①點綴；用飾釘(寶石)裝飾②散佈；密佈.

student /'stju:dnt/ *n*. 大學生；[俗]學

者;[美]中小學學生.

studio /'stjuːdɪəʊ/ *n*. ①畫室;雕塑室②照相室;播音室;演播室;攝影棚③電影公司～ **flat**, [美]～ **appartment** 一室小公寓.

studious /'stjuːdɪəs/ *a*. ①好學的;用功的②細心的③故意的.

study /'stʌdɪ/ *n*. ①學習;研究②專著;論文③研究項目④書房⑤習作;試作⑥【樂】練習曲;(**a** ～)值得觀察的事物;不尋常的景象 *v*. 學習;研究;詳細察看 **studied** *a*. 深思熟慮的;故意的.

stuff /stʌf/ *n*. 材料;原料;[俚]東西;玩意兒 *vt*. ①填塞;隨手亂放②暴食③[俚]處理 **～ing** *n*. 填料;餡.

stuffy /'stʌfɪ/ *a*. ①悶熱的;不通風的②[俗](鼻子)不通氣的;[俗]呆板乏味的.

stultify /'stʌltɪfaɪ/ *vt*. 使無效;使顯得荒唐可笑;使感到沉悶或心煩.

stumble /'stʌmbl/ *vi*. ①絆倒,幾乎摔倒②結結巴巴地說③不斷出錯地演奏④搖搖晃晃地走 *n*. 絆倒;結巴;差錯 **stumbling-block** *n*. 障礙(物) // ～*across* 偶然發現.

stump /stʌmp/ *n*. 樹樁;殘餘部分;殘端 *v*. ①沉重地行走②難倒;使困惑③[美]作巡迴政治演說 **～y** *a*. 粗短的;矮胖的 // ～*up* [俗]不情願的付出所需的錢.

stun /stʌn/ *vt*. ①打昏;使茫然;使發愣②給予深刻印象 **stunner** *n*. (尤指女人)極有吸引力的人 **stunning** *a*. [俗]給人深刻印象的;極好的;令人驚訝的.

stung /stʌŋ/ sting 的過去式及過去分詞.

stunk /stʌŋk/ stink 的過去式及過去分詞.

stunt /stʌnt/ *vt*. 阻礙生長 *n*. ①[俗]特技;絕技;引人注意的舉動②花招;手腕 // ～ *man*(*woman*)特技演員(女演員).

stupefy /'stjuːpɪfaɪ/ *vt*. 使麻木;使恍惚;使驚呆 **stupefaction** /ˌ-'fækʃn/ *n*. 麻木狀態;恍惚.

stupendous /stjuː'pendəs/ *a*. ①巨大的;偉大的②了不起的;極好的;驚人的.

stupid /'stjuːpɪd/ *a*. ①愚蠢的;笨的;傻的②不省人事的;昏迷的 **～ity** /-'pɪdətɪ/ *n*. **～ly** *ad*.

stupor /'stjuːpə(r)/ *n*. 恍惚;神志不清;麻木.

sturdy /'stɜːdɪ/ *a*. 牢固的;健壯的;堅定的;堅強的;健全的.

sturgeon /'stɜːdʒən/ *n*. 【魚】鱘魚;鱣魚.

stutter /'stʌtə(r)/ *v*. & *n*. 口吃;結巴;結結巴巴地說出.

sty /staɪ/ *n*. 猪圈,猪欄.

sty(e) /staɪ/ *n*. ①【醫】瞼膜炎②麥粒腫.

style /staɪl/ *n*. ①風格;作風②文體;文風③方式;時尚④風度⑤造型⑥頭銜;稱呼 *vt*. ①使符合時尚②使具某一種風格③稱呼 **stylish** /'staɪlɪʃ/ *a*. 時髦的;式樣新穎的 **stylist** /'staɪlɪst/ *n*. (服裝髮型等)設計師;(追求)文筆優美的作家 **stylistic** /staɪ'lɪstɪk/ *a*, 文體的;藝術風格上的 // *styling mousse* 髮型固定劑,摩絲.

stylus /'staɪləs/ *n*. (唱機的)唱針;鐵筆.

stymie /'staɪmɪ/ *vt*. 阻撓;妨礙 .

styptic /'stɪptɪk/ *a*. 止血的; *n*. 止血藥.

suave /swɑːv/ *a*. 自信而圓通的;老練

的 **~ly** *ad*. **suavity** /'swævətɪ/ *n*.

sub /sʌb/ *n*. ①[俗]潛水艇②副編輯,助理編輯③(球隊)候補隊員; *v*. 代理;代替;任副編輯.

sub- [前綴]表示"在…下面;副、次,亞;近於".

subaltern /'sʌbltən/ *n*. [英]陸軍中尉.

subatomic /ˌsʌbə'tɒmɪk/ *a*. 遜原子的;原子內部的.

subcommittee /'sʌbkəˌmɪtɪ/ *n*. 小組委員會.

subconscious /ˌsʌb'kɒnʃəs/ *a*. 潛意識的;下意識的.

subcontinent /ˌsʌb'kɒntɪnənt/ *n*. 次大陸.

subcontract /ˌsʌb'kɒntrækt/ *n*. 轉訂的契約(合同);分包合同 **~or** *n*. 轉訂契約的承約人.

subcutaneous /ˌsʌbkjuː'teiniəs/ *a*. 【解】皮下的;寄生於皮下的.

subdivide /ˌsʌbdɪ'vaɪd/ *v*. 再分;細分 **subdivision** /ˌ-'vɪʒn/ *n*. ①再分;細分②細分而成的事物.

subdue /səb'djuː/ *vt*. 征服;壓制;克制;抑制.

subeditor /ˌsʌb'edɪtə(r)/ *n*. 副編輯,助理編輯.

subheading /'sʌbˌhedɪŋ/ *n*. 小標題;副標題.

subject /'sʌbdʒɪkt/ *n*. ①題目;主題②學科③對象;被實驗者(或物)④起因,原因⑤【語】主語⑥庶民,人民 *a*. ①受人支配的;政治上不獨立的;受制於…的②易患…的;常會…的③以…為條件的 /ˌsəb'dʒekt/ *vt*. 征服;使服從;使遭受;使經受 **~ion** /səb'dʒekʃn/ *n*. 征服;服從;隸屬 **~ive** /səb'dʒektɪv/ *a*. 主觀的;【語】主格的 **~-matter** *n*. 題材;論題.

subjoin /sʌb'dʒɔɪn/ *vt*. 增補;附加;添加.

sub judice /ˌsʌb 'dʒuːdɪsɪ/ [拉]在審理中(的);尚未裁決(的);在考慮中(的).

subjugate /'sʌbdʒʊgeɪt/ *vt*. 使屈服;征服;鎮壓;抑制 **subjugation** /ˌ-'geiʃn/ *n*.

subjunctive /səb'dʒʌŋktɪv/ *n*. 【語】虛擬語氣;虛擬語氣動詞 *a*. 【語】虛擬語氣的.

sublease /sʌb'liːs/ *vt*. & *n*. 轉租,分租(土地,房屋等).

sublet /sʌb'let/ *v*. (過去式及過去分詞 **sublet**) 轉租,分租(房屋、公寓等).

sublieutenant /ˌsʌbləf'tenənt; [美] sʌbluː'tenənt/ *n*. 海軍中尉.

sublimate /'sʌblɪmeɪt/ *vt*. 【化】使升華;使淨化 /'sʌblɪmɪt/ *n*. 升華物.

sublime /sə'blaɪm/ *a*. ①崇高的;令人崇敬的②極端的,異常的 **~ly** *ad*. **sublimity** /sə'blɪmətɪ/ *n*. 崇高;絕頂;莊嚴.

subliminal /səb'lɪmɪnl/ *a*. 潛意識的;下意識的.

submachine-gun /ˌsʌbmə'ʃiːngʌn/ *n*. 輕機槍;手提機關槍.

submarine /ˌsʌbmə'riːn; [美] 'sʌbməriːn/ *n*. ①潛水艇②[美]法式三明治 *a*. 海中的;海生的;海下的;置於海底的.

submerge /sʌb'mɜːdʒ/ *v*. (使)浸在水中,(使)潛入水中;淹沒 **submersible** *a*. 有潛水功能的;可潛水的 **submersion** /-ʃn/ *n*.

submit /səb'mɪt/ *vt*. ①呈送;提交②【律】建議;主張;申辯 *vi*. 屈服;服從 **submission** /-'miʃn/ *n*. **submissive** /-'mɪsɪv/ *a*. 服從的;降服的;順服的.

subnormal /sʌb'nɔːməl/ *a*. 正常以下的;智力不正常的.

subordinate /sə'bɔːdɪnət/ *a*. 下級的;從屬的;次要的 *n*. 下屬 *vt*. /sə'bɔːdɪneɪt/ 使居次要地位;輕視 **subordination** /səˌbɔːdɪ'neɪʃn/ *n*. // ~ *clause*【語】從句.

suborn /sə'bɒːn/ *vt*. 使作偽證;唆使(某人)犯法;買通.

subpoena /sə'piːnə/ *n*.【律】傳票 *vt*. 傳訊.

sub rosa /ˌsʌb 'rəuzə/ [拉]秘密地;私下裏;偷偷地.

subscribe /səb'skraɪb/ *v*. 捐助;訂閱;簽署;贊同 **subscriber** *n*. 捐助者;訂閱者;電話用戶 **subscription** /səb'skrɪpʃn/ *n*. 捐助;訂閱;簽署;捐助金;(俱樂部等的)會費.

subsection /'sʌbsekʃn/ *n*. ①分部;分區;分支②小節;分項.

subsequent /'sʌbsɪkwənt/ *a*. 後來的;隨後的 **~ly** *ad*.

subservient /səb'sɜːvɪənt/ *a*. 曲意奉承的;諂媚的;恭順的 **subservience** *n*.

subside /səb'saɪd/ *vi*. ①下沉;下陷②降到正常水平③平息,平靜下來④[俗謔]坐下.

subsidiary /səb'sɪdɪərɪ/ *a*. 輔助的;次要的;附屬的.

subsidy /'sʌbsɪdɪ/ *n*. 補助金;津貼;資助 **subsidize** /'sʌbsɪdaɪz/ *vt*. 給…補助金.

subsist /səb'sɪst/ *vi*. 生存;存在;維持生活 **subsistence** /-əns/ *n*.

subsoil /'sʌbsɔɪl/ *n*. 下層土;底土.

subsonic /sʌb'sɒnɪk/ *a*.【物】亞音速的,亞聲速的.

substance /'sʌbstəns/ *n*. ①物質;實質;本質②主旨;要義③資產;財產④堅實 **substantial** /səb'stænʃl/ *a*. ①相當的;牢固的;堅實的②富有的③大體上的④真實的;實實在在的 **substantially** *ad*. **substantiality** /səbˌstænʃɪ'ælətɪ/ *n*.

substantiate /səb'stænʃɪeɪt/ *vt*. 證實;證明 **substantiation**/səbˌstænʃɪ'eɪʃn/ *n*. **substantive** /'substəntɪv/ *a*. 真正的;實際的.

substation /'sʌbˌsteɪʃn/ *n*. 變電站;變電所.

substitute /'sʌbstɪtjuːt/ *n*. 代替者(物);代理人;代用品 *v*. 代替;代用 **substitution** /ˌ-'tjuːʃn/ *n*.

subsume /sʌb'sjuːm/ *vt*. 將…歸為(某種類).

subterfuge /'sʌbtəfjuːdʒ/ *n*. 遁辭;詭計;欺騙.

subterranean /ˌsʌbtə'reɪnɪən/ *a*. 地下的;隱蔽的.

subtitle /'sʌbˌtaɪtl/ *n*. 小標題;副標題;【影】字幕 *vt*. 給…加副標題(或字幕).

subtle /'sʌtl/ *a*. ①微妙的②精巧的;巧妙的;靈巧的③機敏的;敏銳的;精明的④難以捉摸的 **subtlety** /-tɪ/ *n*.

subtract /səb'trækt/ *vt*. 減去;去掉 **~ion** /-ʃn/ *n*. 減法(運算).

subtropical /sʌb'trɒpɪkl/ *a*. 亞熱帶的,副熱帶的.

suburb /'sʌbɜːb/ *n*. 郊外;近郊;市郊 **~an** /sə'bɜːbən/ *a*. ①市郊的②偏狹的;見識短淺的.

subvention /səb'venʃn/ *n*. 補助金;津貼.

subvert /sʌb'vɜːt/ *vt*. ①推翻;顛覆②破壞;敗壞;腐蝕 **subversion** /-'vɜːʃn/ *n*. **subversive** /-'vɜːsɪv/ *a*. & *n*. 顛覆性的;顛覆分子.

subway /'sʌbweɪ/ *n*. 地下通道;[美]地下鐵道.

succeed /sək'siːd/ *v*. ①成功, 取得成果②繼任;接續③繼承, 承襲.

success /sək'ses/ *n*. ①成功;成就②成功者 **~ful** *a*.

succession /sək'seʃn/ *n*. ①繼續;連續;接續②繼承 **successive** /-'sesɪv/ *a*. **successively** *ad*.

successor /sək'sesə(r)/ *n*. 繼任者;繼承人.

succinct /sək'sɪŋkt/ *a*. 簡明的;簡潔的.

succour /'sʌkə(r)/ *n*. & *vt*. 救助;援助.

succulent /'sʌkjʊlənt/ *a*. 多汁的;味美的;(植物)莖葉肥厚汁液豐富的 **succulence** *n*.

succumb /sə'kʌm/ *vi*. ①屈服;屈從②喪命;死.

such /sʌtʃ;(弱)sətʃ/ *a*. ①這樣的, 這種的;如此的②這樣;那樣③上述的;該;某某④如此這般的 *pro*. 這樣的人(或物);上述的人(或物) **~-and-~***a*. & *pro*. 如此這般的;某某 **~like** *a*. [口]這種的;這類的 *pro*. [口]這一類的人(或事物).

suck /sʌk/ *vt*. & *n*. 吸吮;咂;抽(氣體或液體等) **~er** *n*. 吸盤;吸管;容易受騙的人;入迷者;(植物的)吸根;[口]棒糖.

suckle /'sʌkl/ *vt*. 哺乳, 喂奶.

sucrose /'suːkrəʊz/ *n*. 【化】蔗糖;甜菜糖.

suction /'sʌkʃn/ *n*. ①吸;吸引②吸力.

sudden /'sʌdn/ *a*. 忽然的;突然的;疾速的;出乎意料的 *n*. (只用於成語) **~ly** *ad*. // *all of a ~* 突然;出乎意料地.

sudorific /ˌsjuːdə'rɪfɪk/ *a*. 發汗的 *n*. 發汗藥.

suds /sʌdz/ *pl*. *n*. 肥皂水泡沫;[美俚]啤酒.

sue /sjuː/ *v*. 起訴;控告;正式請求.

suede /sweɪd/ *n*. 小山羊皮, 軟羔皮.

suet /'suːɪt/ *n*. (牛、羊等的)板油.

suffer /'sʌfə(r)/ *vt*. ①經歷②遭受③忍受;忍耐 *vi*. ①受痛苦;患病②受損失;變糟 **~er** *n*. ①受難者;遭受痛苦的人②患病者 **~ing** *n*. ①苦難;苦惱;痛苦;折磨②受苦, 遭難.

sufferance /'sʌfərəns/ *n*. ①忍受, 忍耐;忍耐力②默許;寬容 // *on ~* 被容忍.

suffice /sə'faɪs/ *v*. ①足夠;滿足②能夠// *~ it to say that* 只要說…就夠了.

sufficient /sə'fɪʃənt/ *a*. 足夠的;充分的 **sufficiency** *n*.

suffix /'sʌfɪks/ *n*. 【語】後綴;詞尾.

suffocate /'sʌfəkeɪt/ *v*. (使)窒息致死;悶得難受 **suffocating** *a*. **suffocation** /ˌ-'keɪʃn/ *n*.

suffragan /'sʌfrəgən/ *n*. 大主教助手;副主教.

suffrage /'sʌfrɪdʒ/ *n*. ①選舉權②投票;投票贊成.

suffuse /sə'fjuːz/ *vt*. (顏色、水汽等)佈滿;充滿 **suffusion** /-ʒn/ *n*.

sugar /'ʃʊgə(r)/ *n*. ①糖;方糖;一羹匙糖②[主美口](稱呼)親愛的 *vt*. 加糖;包糖衣 **~y** *a*. 甜的;甜蜜的 **~-beet** *n*. 甜菜 **~-cane** *n*. 甘蔗 **~-daddy** *n*. 老色鬼 **~-loaf** *n*. 棒糖 **~-lamp** *n*. 方糖.

suggest /sə'dʒest/ *vt*. ①建議, 提議②暗示③使聯想起;使想到 **~ible** *a*. 易受影響的 **~ion** *n*. ①建議②細微的迹象, 稍帶有一點③聯想;暗示, 啓發 **~ive** *a*. ①引起聯想的;提醒的②含有猥褻意味的.

suicide /'suːɪsaɪd/ *n*. 自殺;自取滅亡 **suicidal** /sʊɪ'saɪdl/ *a*.

suit /sjuːt, ˌsuːt/ *n*. ①訴訟;請求②套裝;套裙;一套衣服③(紙牌中同花色的)一組牌 *v*. 適合;中意;相配 ~**case** *n*. 小提箱,手提箱.

suitable /'s(j)uːtəbl/ *a*. 合適的;適宜的 **suitability** /ˌ-'bɪlətɪ/ *n*.

suite /swiːt/ *n*. ①一套傢具;套房,一套東西(物品)②一組隨從人員③【樂】組曲.

suitor /'s(j)uːtə(r)/ *n*. [舊]向女子求婚的人.

sulk /sʌlk/ *vi*. 惱怒;生悶氣 *n*.(**the** ~**s**)惱怒,生悶氣 ~**y** *a*.

sullen /'sʌlən/ *a*. 悶悶不樂的;惱怒的;陰沉的.

sully /'sʌlɪ/ *vt*. 弄髒;玷污.

sulphate /'sʌlfeɪt/ *n*.【化】硫酸鹽.

sulphide /'sʌlfaɪd/ *n*. 硫化物.

sulphonamide /sʌl'fɒnəmaɪd/ *n*.【藥】磺胺;磺胺類藥物.

sulphur /'sʌlfə(r)/ *n*.【化】硫;硫磺 ~**ic** /sʌl'fjʊərɪk/ *a*. 含硫的 ~**ous** /'sʌlfərəs/ *a*. 硫磺的;含硫的.

sultan /'sʌltən/ *n*. 蘇丹(某些伊斯蘭國家的君主)~**a** /sʌl'tɑːnə/ *n*. ①無籽小葡萄(乾)②蘇丹的妻子(或母親、女兒)~**ate** /'sʌltənɪt/ *n*. 蘇丹統治下的疆土;蘇丹的地位.

sultry /'sʌltrɪ/ *a*. ①悶熱的②(女子)皮膚黝黑却美麗性感的;能引起性欲的.

sum /sʌm/ *n*. ①算術運算②金額;總數;【數】和 *v*. 概括;總結 // ~ *up* 總結;估量;判斷.

summary /'sʌmərɪ/ *a*. ①概括的;扼要的②即决的;立即的 *n*. 摘要;概略 // *in* ~概括起來.

summarize /'sʌməraɪz/ *v*. 概括;總結.

summation /sʌ'meɪʃn/ *n*. 總結;積累;【數】加法.

summer /'sʌmə(r)/ *n*. ①夏;夏季②(*pl*.)年,歲數.

summit /'sʌmɪt/ *n*. ①最高點;頂;絕頂②最高級會談.

summon /'sʌmən/ *vt*. ①召喚②【律】傳訊,傳喚③召集④鼓起、振作(勇氣、精神等);喚起.

summons /'sʌmənz/ *n*. (*pl*. **-es**)①召喚;命令②傳喚出庭;傳票 *vt*. 傳喚出庭.

sumo /'suːməʊ/ *n*.(*pl*. ~**s**)(日本的摔跤競技)相撲.

sump /sʌmp/ *n*. 潤滑油槽;污水坑.

sumptuous /'sʌmptjʊəs/ *a*. 豪華的;奢侈的;華麗的.

sun /sʌn/ *n*. ①太陽;日②日光③恆星 *vt*. 曬(太陽)~**less** *a*. 無陽光的;曬不到太陽的 ~**ny** *a*. 向陽的;陽光充足的;歡快的 ~**bath** *n*. 日光浴 ~**bathe** *vi*. 作日光浴 ~**beam** *n*. 日光 ~**burn** *n*. 曬黑;日炙 ~**burnt** *a*. 曬黑的;曬紅並且起泡的 ~**down** *n*. [主美]日落 ~**flower** *n*. 向日葵 ~**-glasses** (*pl*.) *n*. 太陽鏡 ~**-hat** *n*. 遮陽帽 ~**light** *n*. 日光 ~**lit** *a*. 陽光照耀的 ~**rise** *n*. 日出;黎明 ~**set** *n*. 日落;黃昏 ~**shine** *n*. 陽光 ~**stroke** *n*. 中暑 ~**-tan** *n*. 曬黑 ~**-tanned** *a*. 曬黑的.

Sun. *abbr*. = Sunday.

sundae /'sʌndeɪ/ *n*. 新地,聖代(一種加有水果、果汁等的冰淇淋).

Sunday /'sʌndɪ/ *n*. 星期日 // *a month of* ~*s* 很長的時間 ~*school* 主日學校.

sunder /'sʌndə(r)/ *vt*. 分開;切斷;分裂.

sundry /ˈsʌndrɪ/ *a*. 各種各樣的 *n*. (用 *pl*. **sundries**)雜貨;雜物;雜項.

sung /sʌŋ/ sing 的過去分詞.

sunk /sʌŋk/ sink 的過去式及過去分詞.

sunken /ˈsʌŋkən/ *a*. 沉入海底的;沉沒的;(臉頰等)下陷的;凹陷的;低窪的.

sup /sʌp/ *v*. 啜飲;[古]吃晚飯 *n*. [英]少量;一啜.

super /ˈsju:pə(r), su:pə/ *a*. [俗]極好的;超級的;特棒的 *n*. [英俗]警察局長.

super-[前綴]表示"在…之上"、"非常地"、"極端地"、"超級的".

superannuation /ˌsju:pəˌrænjʊˈeɪʃn/ *n*. 退休;退職;退休金 **superannuated** /ˌsju:pəˈrænjʊeɪtɪd/ *a*. [俗]老朽的;舊得不宜再用的.

superb /sju:ˈpɜ:b/ *a*. ①極好的;超等的②壯麗的;宏偉的**~ly** *ad*.

supercharged /ˈsju:pətʃɑ:dʒd/ *a*. (發動機)加大了功率的.

supercilious /ˌsju:pəˈsɪlɪəs/ *a*. 自高自大的,傲慢的;目空一切的.

superconductor /ˌsju:pəkənˈdʌktə(r)/ *n*.【物】超導(電)體 **superconductivity** /ˈsju:pəˌkɒndʌkˈtɪvətɪ/ *n*. 超導(電)性.

superficial /ˌsju:pəˈfɪʃl/ *a*. ①表面的;外觀的;外貌的②膚淺的;淺薄的.

superfine /ˌsju:pəˈfaɪn/ *a*.【商】極精細的;上等的;頂級的.

superfluous /sju:ˈpɜ:fluəs/ *a*. 多餘的;過剩的;不必要的 **superfluity** /ˌsju:pəˈfluətɪ/ *n*. 太多;過剩;多餘;多餘物.

supergrass /ˈsju:pəgrɑ:s/ *n*. [俚]為警方廣泛活動的告密者.

superhuman /ˌsju:pəˈhju:mən/ *a*. 超人的;非凡的.

superimpose /ˌsju:pərɪmˈpəʊz/ *vt*. 把…放在另一物的上面;疊加.

superintend /ˌsju:pərɪnˈtend/ *vt*. 管理;監督;主管 **superintendence** *n* **superintendent** *n*. 管理人;監督人部門主管.

superior /sju:ˈpɪərɪə(r)/ *a*. ①優良的上等的②優於…的③(職位,地位,等級等)較高的,上級的;在上的④自以為高於他人的,有優越感的 *n*. ①上司;優越者②質量更好的東西③修道院院長 **~ity** /sju:ˌpɪərɪˈɒrətɪ/ *n*. 優越;優勢.

superlative /sju:ˈpɜ:lətɪv/ *a*. 最高的最佳的;【語】最高級的 *n*.【語】最高級形容詞(或副詞).

superman /ˈsju:pəmæn/ *n*. 超人;具有非凡能力的人.

supermarket /ˈsju:pəˌmɑ:kɪt/ *n*. 超級市場;自選商場.

supernatural /ˌsju:pəˈnætʃrəl/ *a*. 超自然的;神奇的 // *the* ~超自然現象超自然的存在物.

supernova /ˌsju:pəˈnəʊvə/ *n*.【天】超新星.

supernumerary /ˌsju:pəˈnju:mərərɪ/ *a* 額外的;多餘的 *n*. 多餘的人(或物).

superphosphate /ˌsju:pəˈfɒsfeɪt/ *n*.【化】過磷酸鹽(肥料).

superpower /ˈsju:pəˌpaʊə(r)/ *n*. 超級大國.

superscript /ˈsju:pəskrɪpt/ *a*. 寫在(或標在)某字(或某數字、某符號)上方的.

supersede /ˌsju:pəˈsi:d/ *vt*. 代替;更換;取代.

supersonic /ˌsju:pəˈsɒnɪk/ *a*. 超音速的;超聲波的.

superstar /sju:pəstɑ:(r)/ *n*. 超級明

星.

uperstition /ˌsju:pəˈstɪʃn/ *n*. 迷信(行為)**superstitious** /ˌ-ˈstɪʃəs/ *a*.

uperstructure /ˈsju:pəstrʌktʃə(r)/ *n*. 上部建築物;上層建築.

upertanker /ˈsju:pəˌtæŋkə(r)/ *n*. 超級油輪.

upertax /ˈsju:pətæks/ *n*. 附加稅.

upervene /ˌsju:pəˈvi:n/ *vi*. 突然發生;意外變故 **supervention** /ˌ-ˈvenʃn/ *n*.

upervise /ˈsju:pəvaɪz/ *v*. 監督;管理 **supervision** /ˌ-ˈvɪʒn/ *n*. **supervisor** /ˈsju:pəvaɪzə(r)/ *n*. 管理人;督學;導師.

supine /sju:ˈpaɪn/ *a*. ①仰卧的②勉強的;不情願的.

supper /ˈsʌpə(r)/ *n*. 晚餐;晚飯.

supplant /səˈplɑ:nt/ *vt*. 取代;代替.

supple /ˈsʌpl/ *a*. ①易彎的;柔軟的②靈活的;反應快的.

supplement /ˈsʌplɪmənt/ *n*. ①增補;補充;(書的)補編②額外收費 *vt*. /-ment/補充, 增補 ~ **ary** /ˌ-ˈmentərɪ/ *a*.

suppliant /ˈsʌplɪənt/ *a*. 懇求的;哀求的 *n*.懇求者.

supplicate /ˈsʌplɪkeɪt/ *v*. 懇求;哀求 **supplicant** /ˈsʌplɪkənt/ *n*. 懇求者 **supplication** /ˌ-ˈkeɪʃn/ *n*.

supply /səˈplaɪ/ *vt*. ①供給;供應②滿足 *n*. ①供給;供應;給養②(常用 *pl*.)物資;供應品.

support /səˈpɔ:t/ *vt*. ①支持;援助;支撐;擁護②證實③資助;養活 *n*. 支持(人);支撐物 ~**able** *a*. 可幫助的;可容忍的~**er** *n*. 支持者~**ive** *a*. 給予幫助的;給予鼓勵的;給予同情的.

suppose /səˈpəuz/ *vt*. ①想像;認為②假定③必須先以…為條件④(用於祈使句)請考慮 ~**dly** *ad*. 大概;想來;據推測 **supposition** /ˌsʌpəˈzɪʃn/ *n*. 想像;推測;假定 // *be supposed to* (*do sth*)應該;(用於否定時)被允許;獲准.

suppository /səˈpɒzɪtrɪ/ *n*. 【藥】栓劑;塞藥.

suppress /səˈpres/ *vt*. ①鎮壓;制止②隱瞞③查禁④抑制(感情) ~**ion** /səˈpreʃn/ *n*.

suppurate /ˈsʌpjʊreɪt/ *v*. 化膿 **suppuration** /ˌ-ˈreɪʃn/ *n*.

supreme /sju:ˈpri:m/ *a*. (地位等)最高的;最重要的;最偉大的 **supremacy** /-ˈpreməsɪ/ *n*.

surcharge /ˈsɜ:tʃɑ:dʒ/ *n*. ①額外加價②超載;負荷過重③郵票上的變值印記 /sɜ:ˈtʃɑ:dʒ/ *vt*. 額外加價;使超載.

surd /ˈsɜ:d/ *n*. & *a*.【數】不盡根(的).

sure /ʃɔ:(r), [美]ʃʊər/ *a*. 確實的;無疑的;可靠的;肯定的 *ad*.[俗]確實地;當然;的確 ~**ly** *ad*. 確實;無疑;當然 ~**ty** *n*. 保證人;擔保人;保證(金) ~**-fire** *a*.[口]必然的;一定會成功的 ~**-footed** *a*. 脚步穩的 // *make* ~ (*of sth*/*that*...)查明;證實;設法落實 *to be* ~ 誠然;的確.

surf /sɜ:f/ *n*. 拍岸浪;拍岸浪花 *vi* 玩冲浪 ~**ing** *n*. 冲浪運動 ~**er** *n*. 冲浪者 ~**board** *n*. 冲浪板.

surface /ˈsɜ:fɪs/ *n*. ①表面②水面③外表;皮毛 *v*. ①裝面②[俗]重新出現③醒來④浮出水面.

surfeit /ˈsɜ:fɪt/ *n*. ①過量;過度②過食;過飲 *vt*. ①使飲食過度②使沉溺於.

surge /sɜ:dʒ/ *n*. ①大浪;波濤②突發;陡增 *vi*. ①澎湃洶涌;洶涌向前②突然涌起.

surgeon /'sɜːdʒən/ *n*. 外科醫生;軍醫.

surgery /'sɜːdʒərɪ/ *n*. ①外科;外科手術②[英]診所;應診時間③[英俗]議員接待選民的時間 **surgical** /'sɜːdʒɪkəl/ *a*. 外科的;外科手術上的 // *surgical spirit* (=[美]rubbing alcohol)醫用酒精.

surly /'sɜːlɪ/ *a*. 脾氣暴躁的;不友好的;無禮的.

surmise /sə'maɪz/ *n*. & *vi* 推測;猜測.

surmount /sə'maʊnt/ *vt*. 克服;置於…頂上 **~able** *a*. (困難等)可克服的.

surname /'sɜːneɪm/ *n*. ①姓②別名;外號.

surpass /sə'pɑːs/ *vt*. 優於;勝過;超過 **~ing** *a*. 卓越的;無雙的;超群的.

surplice /'sɜːplɪs/ *n*. 【宗】寬大白色法衣.

surplus /'sɜːpləs/ *n*. & *a*. 剩餘的;過剩的;盈餘的;餘額.

surprise /sə'praɪz/ *vt*. ①使驚奇;突然襲擊②意外地發現;出其不意地使(做) *n*. ①驚奇;吃驚②令人感到意外的事物 **surprising** *a*. 令人驚奇的;出人意料的 // *take by* ~ ①奇襲攻占;冷不防地捉住②使吃驚.

surrealism /sə'rɪəlɪzəm/ *n*. 超現實主義 **surreal, surrealistic** /səˌrɪə'lɪstɪk/ *a*. **surrealist** *n*. 超現實主義者 *a*. 超現實主義的.

surrender /sə'rendə(r)/ *v*. ①投降;屈服②交出;放棄③聽任…的擺佈 *n*. 屈服;投降;交出;放棄.

surreptitious /ˌsʌrəp'tɪʃəs/ *a*. 秘密的;偷偷的.

surrogacy /'sʌrəgəsɪ/ *n*. 【醫】(亦作 **surrogate mothering**)代孕生子.

surrogate /'sʌrəgɪt/ *n*. 代理人;代用品;代理.

surround /sə'raʊnd/ *vt*. 圍繞;包圍環繞 **surrounding** *a*. 周圍的 **surroundings** *pl*. *n*. 環境.

surtax /'sɜːtæks/ *n*. 附加稅.

surveilance /sɜː'veɪləns/ *n*. 監視.

survey /sə'veɪ/ *vt*. ①眺望②打量③概括地評述④測量;勘測;調查 /'sɜːve/ *n*. **~or** *n*. 房屋鑒定人;土地測量員;檢查官員.

survive /sə'vaɪv/ *v*. 活下來;幸存;生存;幸免於…;比…長命 **surviva** /sə'vaɪvəl/ *n*. 幸存;仍存在者;殘存的事物 **survivor** *n*. 幸存者.

susceptible /sə'septəbl/ *a*. ①易受影響的;易受傷害的②易動感情的;多情的③能夠…的(of) **susceptibility** /səˌseptə'bɪlətɪ/ *n*. ①敏感性②【物】磁化率③(*pl*.)感情.

suspect /səs'pekt/ *vt*. ①懷疑;猜想②覺得;認為 /'sʌspekt/ *n*. 嫌疑犯 *a*. 可疑的;靠不住的.

suspend /səs'pend/ *vt*. ①懸掛;吊;懸浮②中止;暫停③延期;推遲④暫時停(某人的)職 **~er** *n*. 束襪帶;(*pl*.)[美]吊褲帶;背帶.

suspense /səs'pens/ *n*. 焦慮;不安;懸念.

suspension /səs'penʃn/ *n*. ①懸掛;②中止;暫時停職③緩衝裝置;懸浮液 **~bridge** 吊橋.

suspicion /səs'pɪʃn/ *n*. ①懷疑;嫌疑②一點兒;些微 **suspicious** /-ʃəs/ *a*. 懷疑的;可疑的.

suss out /'sʌs aʊt/推算出;推斷出;調查;發現…的真相.

sustain /səs'teɪn/ *vt*. ①支撐;支持;承受②維持;持續③遭受④【律】確認為正當.

sustenance /'sʌstɪnəns/ *n*. ①食物;飲

料;營養②維持;支持.

suture /'sjuːtʃə(r)/ *n*. & *vt*.【醫】縫合.

suzerain /'suːzəreɪn/ *n*. 宗主國(君主);宗主(政府)**~ty** *n*. 宗主權.

svelte /svelt/ *a*. [法](身材)苗條娟秀的.

SW *abbr*. = ①South-West(ern) ② short wave

swab /swɒb/ *n*.【醫】藥籤;棉籤;用藥籤取下的化驗標本 *vt*. 擦抹;擦洗.

swaddle /'swɒdl/ *vt*. ①包;裹;用襁褓包裹②限制;束縛.

swag /swæg/ *n*. ①【建】垂花飾②[舊俚]贓物③[澳]流浪漢的包袱.

swagger /'swægə(r)/ *vi*. 昂首闊步地走;擺架子 *n*. 昂首闊步;擺架子.

swain /sweɪn/ *n*. [詼]情人;求婚的男子;[古]鄉下年輕人.

swallow /'swɒləu/ *n*. ①燕子②吞咽 *v*. ①吞咽;②[俗]忍受③輕信④吞沒⑤耗盡⑥抑制.

swam /swæm/ swim 的過去式.

swamp /swɒmp/ *n*. 沼澤;沼澤地 *vt*. ①淹沒;吞沒②使應接不暇;使忙得不可開交**~y** *a*. (多)沼澤的;潮濕鬆軟的.

swan /swɒn/ *n*. 天鵝**~-song** *n*. 一個人最後的演出(功業或作品).

swank /swæŋk/ *vi*. & *n*. [俗]吹牛;擺臭架子;炫耀(者)**~y** *a*. 時髦的;炫耀的;愛出風頭的.

swap; swop /swɒp/ *v*. & *n*. ①[俗]交換(物);交流②(做)交易.

sward /swɔːd/ *n*. [舊、書面語]草地;草皮.

swarm /swɔːm/ *n*. (昆蟲、鳥等)一群;蜂群;(常用 *pl*.)一大群人 *vi*. ①(蜜蜂)成群行動;涌向②密集;雲集③(指地方)充滿(with)④攀緣(up).

swarthy /'swɔːðɪ/ *a*. 黑黝黝的.

swashbuckling /'swɒʃˌbʌklɪŋ/ *a*. 虛張聲勢的;浪漫冒險的.

swastika /'swɒstɪkə/ *n*. ①"卍"萬字符號(象徵吉祥)②卐(德國納粹黨黨徽).

swat /swɒt/ *vt*. & *n*. 重拍;狠擊.

swatch /swɒtʃ/ *n*. 樣品;小塊布樣;樣片.

swath /swɒθ/; **swathe** /sweɪð/ *n*. 刈幅;割下的一行草(或麥等);長而寬的一片地.

swathe /sweɪθ/ *vt*. 纏;裹;綁.

sway /sweɪ/ *v*. (使)搖動;(使)歪斜;影響;改變 *n*. ①搖擺②統治;支配.

swear /sweə(r)/ *v*. (**swore** /swɔː/ **sworn** /swɔːn/)①發誓;(使)宣誓②咒罵③鄭重地證實;斷言.

sweat /swet/ *n*. ①汗;汗水;發汗②水珠;濕氣③艱苦的努力;艱巨的任務 *vi*. 出汗;流汗;[俗]焦躁不安;艱苦努力**~band** *n*. 擊在頭上或腕上的(防)汗帶,吸汗帶**~ shirt** *n*. 長袖棉織運動衫**~-shop** *n*. 血汗工廠(工資低、勞動條件惡劣的工廠) // *~ed labour* 血汗勞工.

sweater /'swetə(r)/ *n*. 絨綫衣;毛綫衣.

Swede /swiːd/ *n*. 瑞典人 **Swedish** /'swiːdɪʃ/ *a*. 瑞典(人)的;瑞典語的 *n*. 瑞典語.

swede /swiːd/ *n*.【植】蕪菁甘藍.

sweep /swiːp (過去式及過去分詞 **swept** /swept)/ *vt*. ①掃;掃淨②冲走;捲走③環視;掠過 *vi*. ①掠過;擦過②莊嚴地走③延伸;連綿 *n*. ①打掃②擺動;揮動③搜索④掃蕩⑤範圍;區域;逶迤(指海岸、河流、公路等)**~ing** *a*. 影響深遠的;廣泛的;完全的;决定性的;籠統的～**-stake** *n*. 抽彩賭博方式.

sweet /swiːt/ *a*. ①甜的;甜蜜的②芳香的③悦耳的④清純的⑤令人心滿意足的⑥[俗]迷人的;誘人的;可愛的 *n*.[英]①(常用 *pl*.)糖果;甜食②(*pl*.)樂趣③(用作愛稱)親愛的～**en** /ˈswiːtn/ *v*. ①(使)變甜②(使)變得可愛;(使)溫和;(使)悦耳～**ener** /ˈswiːtnə/ *n*. 增甜劑;[俗]賄賂～**ie**/ˈswiːtɪ/ *n*. [俗]①糖果;甜食②善良可愛的人;(稱呼語)親愛的～**ness** *n*. ～**heart** *n*. [舊]戀人,情人,愛人～ **shop** *n*. [英]糖果店.

swell /swel/ (**swelled**; **swollen** /ˈswəʊlən/, **swelled**) *v*. ①(使)增大;(使)膨脹;(使)腫起;(使)臌脹②(使)增加;(使)增強③(使)充滿④(使)激動興奮 *n*. 浪濤;【樂】聲音漸強 *a*. [美俗]時髦的;漂亮的;非常好的;第一流的～**ing** *n*. 膨脹;隆起;腫脹;腫塊.

swelter /ˈswelte(r)/ *vi*. [俗]酷熱;熱得發昏;中暑.

swept /swept/ sweep 的過去式及過去分詞.

swerve /swɜːv/ *vi*. & *n*. 突然改變方向;突然轉彎.

swift /swɪft/ *a*. 迅速的;敏捷的 *n*. 【鳥】雨燕～**ly** *ad*.

swig /swɪɡ/ *v*. [俗]痛飲;大口喝.

swill /swɪl/ *vt*. ①冲洗;冲刷②大口喝;痛飲 *vi*. (液體)流淌 *n*. ①暴飲;冲洗②泔脚(飼料),猪食.

swim /swɪm/(**swam** /swæm/; **swum** /swʌm/) *vi*. ①游泳②浸,泡;充溢③漂浮④旋轉,搖晃;眩暈 *vt*. 用…姿勢游泳;游過;使(馬等)游過 *n*. 游泳～**mer** *n*. 游泳者～**-suit** *n*. 女泳裝.

swimming /ˈswɪmɪŋ/ *n*. 游泳;眩暈 *a*. 適於游泳的;游泳用的～**ly** *ad*. 舒適愉快地;順利地～**-bath** *n*. [英]室內游泳池～**-costume** *n*. [主英]泳裝～**-pool** *n*. 游泳池～**-trunks** *n*. 男游泳短褲.

swindle /ˈswɪndl/ *vt*. 欺騙;詐取 *n*. 欺騙;騙局;騙人的東西～**r** *n*. 騙子.

swine /swaɪn/ *n*. (單複數同形)①[俗]下流坯;惡棍②[古]猪～**-fever** *n*. [英]猪瘟.

swing /swɪŋ/ *v*. (過去式及過去分詞 **swung** /swʌŋ/) ①(使)搖擺;(使)搖蕩②輕快而有節奏地走(或跑)③(使)轉彎;突然轉向反方向;(使)突然改變意見等④(使)動搖⑤有節奏感⑥[俗]完成;獲得 *n*. ①揮舞;擺動②擺程,振幅③鞦韆④節奏感⑤(觀點)轉變～**-bridge** *n*. 旋開橋～**-door** *n*. 轉門.

swingeing /ˈswɪndʒɪŋ/ *a*. ①[主英](指打擊)沉重的②兇猛的③大量的;大範圍的.

swipe /swaɪp/ *v*. 猛打;猛擊;[謔]偷 *n*. 猛擊.

swirl /swɜːl/ *n*. 渦漩;渦流;漩渦;渦漩狀 *v*. (使)打漩.

swish /swɪʃ/ *v*. 嗖嗖地揮動;(使)刷刷地擺動;刷刷(或嗖嗖)作響;刷刷作響地移動 *n*. 嗖嗖聲;颯颯聲 *a*. [英俗]豪華的;時髦的;漂亮的.

Swiss /swɪs/ *a*. 瑞士的;瑞士人的 *n*. 瑞士人.

switch /swɪtʃ/ *n*. ①(電路的)開關;電閘②(鐵路的)道岔,轉轍器,軌閘③突然的轉變④枝條;嫩枝⑤女人的長假髮 *v*. ①(使)轉變;突然改變②(使)互換位置;交換③抽打④(使列車)轉軌⑤切斷(電流等);關掉～**-back** *n*. (陡坡上鐵路或公路的)

之字形爬坡路綫～**board** *n*.(電話)交換台;配電盤～**-yard** *n*.[美](鐵路)調車場 // ～*off* 關掉(收音機等) ～*on* (電源、電器等的)接通,合閘,打開.

swivel /ˈswɪvl/ *n*. (尤用於複合詞)轉軸;旋轉軸承 *v*.(使)轉動;旋轉 ～**-chair** *n*. 轉椅.

swizzle stick /ˈswɪzl stɪk/ 攪酒棒.

swollen /ˈswəʊlən/ ①swell 的過去分詞 ② *a*.腫起的;膨脹的.

swoon /swuːn/ *n*. [舊]昏厥,昏倒 *vi*. [舊]昏倒;神魂顛倒(over sb/sth).

swoop /swuːp/ *v*. ①突然撲下;猛撲 ②[俗]出其不意地抓起;一下子全搶走(away) *n*. 猛撲;猝然攻擊.

swop /swɒp/ =swap.

sword /sɔːd/ *n*. 劍;刀～**sman** *n*.劍手;劍客～**smanship** *n*.劍術 // *a* ～ *of Damocles* 迫在眉睫的危險.

swore /swɔː/ swear 的過去式.

sworn /swɔːn/ 1.swear 的過去分詞 2. *a*. ①發誓之後作出的②莫逆的③不共戴天的.

swot /swɒt/ *v*. [英俗]苦讀;用功學習(以準備考試) *n*.苦讀的人;下功夫學習的學生.

swum /swʌm/ swim 的過去分詞.

swung /swʌŋ/ swing 的過去式及過去分詞.

sybarite /ˈsɪbəraɪt/ *n*. 喜好奢侈享樂的人 **sybaritic** /ˌsɪbəˈrɪtɪk/ *a*. 愛奢侈的;好享樂的.

sycamore /ˈsɪkəmɔː(r)/ *n*. [主英]大楓樹;[主美]梧桐樹;楓木;梧桐木;(地中海地區的)無花果樹.

sycophant /ˈsɪkəfænt/ *n*. 拍馬屁的人 ～**ic** /ˌ-ˈfæntɪk /*a*.

syllable /ˈsɪləbl/ *n*. 音節 **syllabic** /sɪˈlæbɪk/ *a*.

syllabub /ˈsɪləbʌb/ *n*. = sillabub.

syllabus /ˈsɪləbəs/ *n*. (*pl*. **-buses** /-bəsɪz/)課程大綱;教學大綱.

syllogism /ˈsɪlədʒɪzm/ *n*. 【邏】三段論法;推論法 **syllogistic** /ˌsɪləˈdʒɪstɪk/ *a*.

sylph /sɪlf/ *n*. 窈窕的女子;苗條的女郎.

sylvan /ˈsɪlvən/ =silvan.

symbiosis /ˌsɪmbaɪˈəʊsɪs/ *n*. 【生】共生;共棲;共生現象.

symbol /ˈsɪmbl/ *n*. 符號;記號;象徵;標志 **symbolic** (**al**) /sɪmˈbɒlɪk, -ˈbɒlɪkl / *a*. **symbolism** *n*.用符號表示;象徵主義 **symbolist** *n*.象徵派藝術家(或作家) **symbolize** *vt*.用符號表示;象徵;代表.

symmetry /ˈsɪmətrɪ/ *n*. 對稱;勻稱;均等 **symmetric**(**al**) /sɪˈmetrɪk(l)/ *a*.

sympathy /ˈsɪmpəθɪ/ *n*. ①同情;憐憫;同感;支持②協調;【理】共振;共鳴 **sympathetic** /ˌsɪmpəˈθetɪk/ *a*. 同情的;有好感的;贊同的 **sympathize** *vi*.

symphony /ˈsɪmfənɪ/ *n*. 交響樂;交響曲 **symphonic** /sɪmˈfɒnɪk/ *a*.

symposium /sɪmˈpəʊzɪəm/ *n*. (*pl*. **-sia**/-zɪə/) (專題)討論會;專題論文集.

symptom /ˈsɪmptəm/ *n*. 【醫】①症狀;症候②徵兆;徵候.

synagogue /ˈsɪnəgɒg/ *n*. 猶太教會教堂.

sync, synch /sɪŋk/ [俗]= synchronization.

synchromesh /ˌsɪŋkrəʊˈmeʃ/ *n*. 同步齒輪裝置.

synchronize /sɪŋkrənaɪz/ *v*. (使)同時發生;同步;(使)在時間上一致 **synchronization** /ˌ-ˈzeɪʃn/ *n*. **synchronous**

/'sɪŋkrənəs/; **synchronic** /sɪŋ'krɒnɪk/ *a*.

syncopate /'siŋkəpeɪt/ *vt*.【樂】切分.

syncope /'siŋkəpɪ/ *n*.【醫】暈厥;【語】詞中省略,中略.

syndicalism /'sɪndɪkəlɪzəm/ *n*. 工團主義.

syndicate /'sɪndɪkət/ *n*. 辛迪加(企業聯合組織);委員會 /'sɪndɪkeɪt/ *vt*. 通過報業辛迪加在各報同時發表 **syndication** /ˌ-'keɪʃn/ *n*.

syndrome /'sɪndrəʊm/ *n*.【醫】症候簇;綜合病徵;[喻]全部特徵;全部症狀.

synod /'sɪnəd/ *n*. ①會議;討論會②宗教會議.

synonym /'sɪnənɪm/ *n*. 同義詞 **~ous** /sɪ'nɒnɪməs/ *a*.

synopsis /sɪ'nɒpsɪs/ *n*. (*pl*. **-ses**/-sɪz/) (書、劇本等的)梗概;大意;摘要 **synoptic**/sɪnɒptɪk/ *a*.

syntax /'sɪntæks/ *n*.【語】句法;句子結構 **syntactic** /sɪn'tæktɪk/ *a*.

synthesis /'sɪnθəsɪs/ *n*. (*pl*. **-ses**/-siːz/) 綜合;綜合後的產物;【化】合成 **synthesize** /'sɪnθəsaɪz/ *vt*. 用合成法製作;【化】合成;綜合 **synthesizer** *n*. 電子綜合音樂演奏器 **synthetic** /sɪn'θetɪk/ *a*. ①綜合的;合成的;人造的②虛假的 *n*. 合成物;合成纖維.

syphilis /'sɪfɪlɪs/ *n*.【醫】梅毒.

Syrian /'sɪrɪən/ *a*. 敍利亞(人、語)的 *n*. 敍利亞人.

syringa /sɪ'rɪŋgə/ *n*.【植】丁香;山梅花.

syringe /sɪ'rɪndʒ/ *n*. ①注射器②噴水器③水槍.

syrup /'sɪrəp/ *n*. 糖漿;蜜糖;果汁.

system /'sɪstəm/ *n*. ①組織;系統;體系②裝置;(人或動物的)機體③體制;制度④方法⑤秩序;條理 **~atic**/ˌ-'mætɪk/ *a*. 有系統的;有計劃的;有方法的;有條不紊的;有預謀的;經過周密策劃的 // *systems analyst* 系統分析員(通過電腦研究問題並提供解決辦法的電腦從業員).

systematize /'sɪstəmətaɪz/ *vt*. 使系統化;使成體系;使制度化;使組織化 **systematization**/ˌ-'zeɪʃn/ *n*. **systemic**/si'stemɪk/ *a*.【醫】全身的;影響全身的;(殺蟲劑等)內吸(性)的.

T

T, t /tiː/ (*pl*. **T's, t's**/tiːz/)用於成語或複合詞: T-shirt T 恤衫; 圓領衫 T-squire T 形尺; 丁字尺// *to a T* 恰好地; 絲毫不差地.

ta /tɑː/ *int*. [口]謝謝.

TA *abbr*. = Territorial Army.

tab /tæb/ *n*. (供手拉、挂物、查認等的)小懸垂物; (衣服等的)襻; (卡片的)凸舌; (易拉罐的)拉環; [美]帳單, 借據.

Tabasco /təˈbæskəʊ/ *n*. 塔巴斯科辣沙司(商標名).

tabby /ˈtæbɪ/ *n*. 【動】虎斑貓.

tabernacle /ˈtæbənækl/ *n*. (聖經)聖龕; (羅馬天主教)盛聖餐的容器; (新教的)禮拜堂.

table /ˈteɪbl/ *n*. ①桌子; 枱②同桌就餐的人③桌上擺好的菜肴④(一覽)表; 表格 *vt*. [英]提出(議案); [美]擱置(提案) ~**cloth** *n*. 桌布 ~**-land** *n*. 台地; 高原 ~**-talk** *n*. 席間敍談 ~**-tennis** *n*. 乒乓球運動(或遊戲) ~**ware** *n*. 餐具.

tableau /ˈtæbləʊ/ *n*. (*pl*. ~**x**/-z/)①舞台造型; 戲劇性的生動場面②形象化的描寫.

table d'hôte /ˈtɑːbl ˈdəʊt/ [法]客飯; 份飯.

tablet /ˈtæblɪt/ *n*. ①(銘刻文字的)匾; 牌②便箋簿③藥片; 藥丸④小塊的東西.

tabloid /ˈtæblɔɪd/ *n*. ①小報②文摘③(用於商標名)藥片.

taboo /təˈbuː, [美]tæˈbuː/ *n*. (某些文化中的)禁忌; 禁止 *a*. 禁忌的; 忌諱的.

tabular /ˈtæbjʊlə(r)/ *a*. 列成表的; 表格式的.

tabulate /ˈtæbjʊleɪt/ *vt*. 把…列成表 **tabulation** /ˌ-ˈleɪʃn/ *n*. **tabulator** *n*. 製表人; 製表機; (打字機上的)製表鍵.

tachograph /ˈtækəgrɑːf/ *n*. (汽車的)記速器.

tachometer /tæˈkɒmɪtə(r)/ *n*. 轉速表; 流速器.

tacit /ˈtæsɪt/ *a*. ①緘默的②心照不宣的; 不言而喻的.

taciturn /ˈtæsɪtɜːn/ *a*. 沉默寡言的.

tack /tæk/ *n*. ①平頭釘②粗縫; 假縫③方針; 策略④【航】搶風行駛 *vt*. 釘住; 用粗針脚縫; [俗]附加 *vi*. 【航】搶風行駛; 呈"之"字形航綫行駛.

tackle /ˈtækl/ *n*. ①滑車, 轆轤②用具; 器械裝備③(美式足球)擒抱 *v*. ①處理; 解决②與…交涉③(橄欖球等球賽中的)攔截搶球; 擒抱.

tacky /ˈtækɪ/ *a*. ①(油漆、膠水等)還有點粘的; 尚未乾透的②[美俗]俗氣的; 不雅觀的; 趣味低級的.

tact /tækt/ *n*. 機智; 老練; 圓滑 ~**ful** *a*. ~**less** *a*.

tactics /ˈtæktɪks/ *pl*. *n*. 戰術; 策略; 手段 **tactical**/ˈtæktɪkəl/ *a*.

tactile /ˈtæktaɪl, [美] -təl/ *a*. (有)觸覺的; 可觸知的.

tadpole /ˈtædpəʊl/ *n*. 【動】蝌蚪.

taffeta /ˈtæfɪtə/ *n*. 塔夫綢; 府綢.

taffrail /ˈtæfreɪl/ *n*. 船尾欄杆.

tag /tæg/ *n*. ①標籤②鬆散的末端; 末端的垂吊物③附加在句子後面以示強調的詞或短語; 常被引用的語錄等

v. 加標籤於;尾隨;附加.

tagliatelle /ˌtæljəˈtelɪ/ *n*. 麵粉加鷄蛋、牛乳和鹽等製成的乾製麵條.

tail /teɪl/ *n*. ①尾;尾巴;尾部②[俗]跟踪者③(*pl*.)燕尾服④(*pl*.)硬幣的背面 *vt*. ①尾隨跟踪②摘除(水果等的柄)**~-coat** *n*.燕尾服**~-light** *n*. (車的)尾燈.

tailor /ˈteɪlə(r)/ *n*. 裁縫 *vt*.製做(衣服);使適合**~-made** *a*.定做的;十分適合的;特製的.

taint /teɪnt/ *vt*. 污染;玷污;使感染;使腐爛;腐蝕 *n*.污點;玷污;腐壞;感染.

take /teɪk/ *v*. (**took**/tʊk/; **taken** /ˈteɪkən/)①攜帶;帶(走);拿;握;抱;取②捕捉③取自;摘録④減去⑤占領⑥接受;容納;容忍;承受⑦反應;理解⑧看待;認為⑨租用⑩選擇⑪購買⑫吃;喝;服用⑬需要⑭穿⑮參加⑯攻讀⑰授課⑱記録⑲檢查;測量⑳乘坐㉑採用㉒越過㉓以…為例㉔就座㉕拍照㉖主持 *n*. ①捕獲量;交易的金額②(影片)一次連續拍得的場景(或情節)**~-away** *n*. 外賣餐館**~-off** *n*.(飛機的)起飛;起跳點;幽默的模仿**~-over** *n*. 接收;接管,接任 // ~*after* 像(父、母);學…的樣 ~*away* 消除;帶走 ~*off* 脱掉(衣服);(飛機)起飛;[俗]匆忙走掉;[俗]突然受歡迎 ~*on*①呈現;表現②接納;承擔;僱用 ~*over* 接管;接收;接任 ~*up* 繼續;佔據;幫助;反駁;拿起;吸收;從事;採取;接受.

taking /ˈteɪkɪŋ/ *a*. 迷人的;有魅力的.

takings /teɪkɪŋz/ *pl*.*n*. (商店、劇院等的)收入的金額,營業收入.

talc /tælk/ *n*.【礦】滑石;滑石粉.

talcum powder /ˈtælkəm ˈpaʊdə(r)/ 爽身粉.

tale /teɪl/ *n*. 故事;流言;事件的報導.

talent /ˈtælənt/ *n*. ①天才,天賦;才華②有才幹的人;人才③[俚](統稱)尤物,十分性感的人**~ed** *a*.有才氣的;有才華的.

talisman /ˈtælɪzmən/ *n*.(*pl*.~**s**)護符;避邪物.

talk /tɔːk/ *v*. ①說;談;講;談論;講話;說閑話②供認③討論 *n*. ①談話;商談;會談②空談;流言③演講**~ative** /ˈtɔːkətɪv/ *a*.健談的;多嘴的 **talking-to** *n*. (*pl*.**-tos**)訓斥;斥責 // ~*show*(電視等的)訪談節目.

tall /tɔːl/ *a*. 高的;身材高的;一定高度的 // *a*~*order*[俗]艱巨的任務;過份的要求 *a*~*story*[俗]難以置信的故事.

tallboy /ˈtɔːlbɔɪ/ *n*. 高脚五斗櫥;帶抽屜的高低櫃.

tallow /ˈtæləʊ/ *n*. (可做蠟燭、肥皂等的)動物脂.

tally /ˈtælɪ/ *n*. ①記帳;(英)賒帳②(比賽)分數③票據④標籤 *vi*.(指敍述、數量)相符;吻合.

Talmud /ˈtælmʊd/ *n*. 猶太教法典.

talon /ˈtælən/ *n*. (常 *pl*.)(尤指猛禽的)爪.

tamarind /ˈtæmərɪnd/ *n*.【植】羅望子樹;羅望子果.

tamarisk /ˈtæmərɪsk/ *n*.【植】檉柳.

tambour /ˈtæmbʊə(r)/ *n*. (刺綉用的)綉架;繃圈.

tambourine /ˌtæmbəˈriːn/ *n*. (帶小鈴的)小手鼓.

tame /teɪm/ *a*. ①溫順的;馴服的;聽話的②乏味的;平淡的 *vt*.馴服;馴養;制服**~ly** *ad*.

tam-o'-shanter /ˌtæməˈʃæntə(r)/*n*. (蘇格蘭人戴的帽子中央飾一絨球

的)寬頂無沿圓帽;蘇格蘭式便帽.

tamp /tæmp/ *vt*. 拍實;砸牢;搗實.

tamper /'tæmpə(r)/ *vi*. ①干涉;竄改②賄賂③亂弄.

tamper-evident /ˌtæmpə'revɪdənt/ *a*. (包裝等)能顯示拆封的.

tamper-resistant /ˌtæmpərɪ'zɪstənt/ *a*. (包裝等)防止非法拆封的.

tampon /'tæmpɒn/ *n*. 【醫】(塞傷口用的)棉塞;婦女經期棉塞.

tan /tæn/ *v*. ①鞣(皮);硝(皮)②曬成褐色③鞭打 *n*. 黃褐色;曬黑的膚色 *a*. 黃褐色的 ~**ner** *n*. 製革工人 ~**nery** *n*. 製革廠 // ~ *sb's hide* 痛打某人.

tandem /'tændəm/ *n*. 前後座雙人(或多人)自行車 // *in* ~一前一後地;合作地;協力地.

tandoor /ˌtæn'dʊə(r)/ *n*. (印度的)唐杜里泥爐.

Tandoori, tandoori /tæn'dʊərɪ/ *n*. 印度烤製食品;一種印度烹飪法.

tang /tæŋ/ *n*. 強烈的味道(或氣味);特有的氣味~**y** *a*.

tangent /'tændʒənt/ *n*. 【數】切綫;正切 // *go* / *fly off at a* ~突然變卦;突然改變思路.

tangerine /tændʒə'riːn/ *n*. ①紅橘;柑橘樹②橘紅色.

tangible /'tændʒəbl/ *a*. ①可觸知的②確實的;明確的 **tangibility** /ˌ-'bɪlətɪ/ *n*.

tangle /'tæŋgl/ *n*. (繩子、毛髮等)纏結;糾纏;混亂狀況 *v*. (使)纏結;(使)變混亂;捲入爭論(打鬥等).

tango /'tæŋgəʊ/ *n*. (*pl*. ~**s**) 探戈舞(曲).

tank /tæŋk/ *n*. ①大容器;大箱;大罐②槽;水櫃③油桶④坦克車~**er** *n*. 油輪;運油飛機;運油(或牛奶)汽車.

tankard /'tæŋkəd/ *n*. 大啤酒杯;大酒杯的容量.

tannin /'tænɪn/ *n*. 【化】鞣酸 **tannic** /'tænɪk/ *a*.

tannoy /'tænɔɪ/ *n*. 塔坦諾伊擴音器材系統(商標名).

tansy /'tænzɪ/ *n*. 【植】艾菊.

tantalize /'tæntəlaɪz/ *vt*. ①逗弄;逗惹②使乾着急地折磨.

tantalus /'tæntələs/ *n*. 加鎖的透明瓶酒櫃(看得見而取不到,想飲酒而飲不到).

tantamount /'tæntəmaʊnt/ *a*. 效果等於…的(to);相當於…(to).

tantrum /'tæntrəm/ *n*. (尤指小孩)發脾氣;動怒.

Taoism /'taʊɪzəm/ *n*. (中國的)道教 **Taoist** *n*. 道教信徒;道士.

tap /tæp/ *n*. ①龍頭;閥門;(酒桶等上的)栓塞,嘴子②(在電話綫路上搭綫)竊聽③輕輕拍打(聲)④(*pl*.)(軍隊中的)熄燈號 *v*. ①從…取(酒、水等),開龍頭取(水等)②獲取③開發④安裝竊聽裝置⑤輕拍;輕敲 ~**-dance**, ~**-dancing** *n*. 踢躂舞 ~**-water** *n*. 自來水.

tape /teɪp/ *n*. ①狹帶;透明膠帶;膠布(帶)②電報用紙帶③録像帶;録音帶④帶尺⑤【運】(賽跑終點的)終點繩 *vt*. 用帶子捆扎;用磁帶録音~**-measure**; **measuring-tape** *n*. 帶尺;捲尺 ~**-recorder** *n*. 録音機 ~**worm** *n*. 【蟲】絛蟲.

taper /'teɪpə(r)/ *n*. ①小蠟燭;燭心②逐漸變細 *v*. (使)逐漸變細;(使)逐漸減少(或停止)(*off*).

tapestry /'tæpɪstrɪ/ *n*. ①掛毯;花氈②織錦畫.

tapioca /tæpɪ'əʊkə/ *n*. (食用)木薯澱粉.

tapir /'teɪpə(r)/ *n*.【動】貘(產於美洲及南亞).

tappet /'tæpɪt/ *n*.【機】挺杆;推杆.

taproot /'tæpru:t/ *n*.【植】主根;直根.

tar /tɑ:(r)/ *n*. 柏油;瀝青;焦油 *vt*. 鋪以柏油;塗瀝青.

taradiddle /'tærədɪdl;[美]ˌtærə'dɪdl/ *n*.[舊俗](無關緊要的)謊言;廢話.

taramasalata /ˌtærəməsə'lɑ:tə/ *n*. 鯔魚(或鱈魚)魚子醬.

tarantella /ˌtærən'telə/ *n*.[意]塔蘭台拉舞(曲).

tarantula /tə'ræntjulə/ *n*. 長毛的大毒蜘蛛.

tarboosh /tɑ:'bu:ʃ/ *n*.(穆斯林男子戴的)無沿氈帽.

tardy /'tɑ:dɪ/ *a*. 緩慢的;遲的;不準時的.

tare /teə(r)/ *n*. ①(貨物的)皮重②皮重的扣除③【植】野豌豆.

target /'tɑ:gɪt/ *n*. ①靶子②目標;指標③(批評等的)對象.

tariff /'tærɪf/ *n*. ①關稅,稅率②(尤指旅館中的)價目表.

Tarmac /'tɑ:mæk/ *n*. 柏油碎石;(**t-**)柏油(**t-**)碎石鋪的機場跑道.

tarn /tɑ:n/ *n*. 山中小湖.

tarnish /'tɑ:nɪʃ/ *v*.(使)失去光澤;玷污;敗壞(名聲等) *n*.失去光澤;污斑;污點.

taro /'tɑ:rəu/ *n*.(*pl*.**-s**)芋頭.

tarot /'tærəu/ *n*.(算命用的一種)紙牌.

tarpaulin /tɑ:'pɔ:lɪn/ *n*. 柏油帆布;防水油布.

tarragon /'tærəgən/ *n*.【植】龍蒿.

tarry /'tærɪ/ *vt*.[雅]逗留;耽擱;[美俗]躊躇 *a*. /'tɑ:rɪ/ 似柏油的;塗有柏油的.

tarsus /'tɑ:səs/ *n*.(*pl*. **tarsi** /-saɪ/)【解】跗骨,踝.

tart /tɑ:t/ *a*. 酸的;尖酸刻薄的 *n*. ①果餡餅(常指餡露在外面的)②淫蕩的女子;[俚]妓女.

tartan /'tɑ:tn/ *n*. ①方格子圖案②(尤指蘇格蘭的)格子花呢.

tartar /'tɑ:tə(r)/ *n*. ①牙垢②【化】酒石③脾氣暴躁的人;難對付的人 // ~*sauce* 塔塔調味醬(用蛋黃醬加碎洋葱,小黃瓜、香料等拌成).

tartaric /tɑ:'tærɪk/ *a*. 酒石的 // ~*acid* 酒石酸.

task /tɑ:sk/ *n*. 任務;功課;工作 *vt*. 交給…任務;派給…工作 ~**master** *n*. 工頭;監工 // ~*force* 特遣部隊 *take sb to* ~ 斥責;批評.

tassel /'tæsl/ *n*. 流蘇;纓;穗.

taste /teɪst/ *n*. ①味;味道;味覺②體驗;愛好③鑒賞力④得體的舉止風度 *v*. ①嘗(味),品嘗②有某種味道③吃;喝④感受;體驗 ~**ful** *a*.有審美能力的;趣味高雅的~**less** *a*.沒味道的;庸俗的;無鑒賞力的~**r** *n*.(酒、茶等的)嘗味者,鑒賞員~**-bud** *n*.(舌上的)味蕾.

tasty /'teɪstɪ/ *a*. 美味的;可口的.

tat /tæt/ *n*.[英俗]衣衫襤褸(的人);破爛(的東西);粗製濫造的貨物.

tattered /'tætəd/ *a*. 破爛的;襤褸的.

tatters /'tætəz/ *pl*.*n*. 破布;碎布片;碎紙片 // *in*~ 遭破壞;遭毀壞.

tattle /'tætl/ *vi*. ①閒聊②談論他人私事③泄露他人秘密 *n*.閒聊;空話;饒舌.

tattoo /tæ'tu:/ *n*. ①【軍】歸營號②敲擊③文身(花紋) *vt*. 文身.

tatty /'tætɪ/ *a*. ①破爛的;襤褸的②低劣的;粗俗的.

taught /tɔ:t/ teach 的過去式及過去分

詞.

taunt /tɔːnt/ *n*. & *vt*. 奚落;嘲弄.

taupe /təʊp/ *a*. 灰褐色的.

taut /tɔːt/ *a*. (指繩、布等)繃緊的;(指肌肉、神經)緊張的 **~en** /'tɔːtn/ *v*.

tautology /tɔː'tɒlədʒɪ/ *n*. 無用的重複;贅述;贅言 **tautological** /ˌtɔːtə'lɪdʒɪkl/ *a*.

tavern /'tævən/ *n*. [古]小旅店;小酒店;客棧.

tawdry /'tɔːdrɪ/ *a*. 俗麗的;華而不實的.

tawny /'tɔːnɪ/ *a*. 黃褐色的;茶色的.

tax /tæks/ *n*. 稅;稅額;負擔 *vt*. ①抽稅;付稅②使受沉重壓力③責備 **~able** *a*. 應徵稅的 **~ation** /tæk'seɪʃn/ *n*. 徵稅;稅制 **~-dodger** *n*. 偷稅者 **~-free** *a*. 免稅的 **~man** *n*. 收稅員 **~payer** *n*. 納稅人.

taxi /'tæksɪ/ *n*. 出租汽車 *vi*. (指飛機在地面或水面)向前滑行 // **~** *rank* 出租車待租處;出租汽車停車行列.

taxidermy /'tæksɪˌdɜːmɪ/ *n*. (動物標本)剝製術.

taxonomy /'tæk'sɒnəmɪ/ *n*. (指涉及生物的)分類學;分類(系統).

t.b. *abbr*. = tuberculosis.

tbs., tbsp. *abbr*. = tablespoon.

tea /tiː/ *n*. 茶;茶葉;茶水;一杯茶;茶點 **~-party** *n*. 茶會;茶話會 **~-pot** *n*. 茶壺 **~-service, ~-set** *n*. 一套茶具 **~-shop** *n*. 茶室 **~-urn** *n*. (燒或泡大量茶水的)茶壺.

teach /tiːtʃ/ *v*. (過去式及過去分詞 **taught** /tɔːt/) ①教;教授;教書(為業)②教導;[俗]告誡;懲戒;教訓 **~er** *n*. 教員;老師 **~ing** *n*. 教學(工作);教導.

teak /tiːk/ *n*.【植】柚樹;柚木(木材).

teal /tiːl/ *n*. (單複數同形)小野鴨;水鴨.

team /tiːm/ *n*. 隊;組;群;【體】隊 **~ster** *n*. [美]卡車司機 **~work** *n*. 合作;協力.

tear[1] /tɪə(r)/ *n*. 淚;淚水;淚珠 **~ful** *a*. 哭泣的;眼淚汪汪的 **~-bomb, ~-shell** *n*. 催淚彈 **~gas** *a*. 催淚性毒氣 **~-jerker** *n*. [俗]催人淚下的故事(戲劇、電影等).

tear[2] /teə/ (**tore** /tɔː/; **torn** /tɔːn/) *v*. ①撕(破);扯(碎);奪走;被撕破②擾亂③飛奔;疾駛.

tease /tiːz/ *v*. ①取笑;戲弄;逗弄②梳理(羊毛等);使(布的)表面起毛 *n*. 好喜弄別人的人 **~r** *n*. [口]棘手的問題;難題 **teasingly** *ad*. 嘲弄地.

teasel, teazel, teazle /'tiːzəl/ *n*.【植】川續斷(舊時用於使布等表面起毛的植物).

teat /tiːt/ *n*. 動物的乳頭;(奶瓶上的)橡皮奶頭.

tech /tek/ *n*. [俗]工藝學院;技術學校.

technical /'teknɪkl/ *a*. ①技術(性)的;工藝的②專門性的;使用術語的③嚴格按照法律意義的 **~ity** /ˌ-'kælətɪ/ *n*. 專門術語;技術細節;細枝末節 **technician** /tek'nɪʃn/ *n*. 技術員;技師;精於技巧者;技工.

technicolor /'teknɪˌkʌlə(r)/ *n*. ①彩色印片法②人工的鮮艷色彩;鮮艷的顏色.

technique /tek'niːk/ *n*. 技術;技巧.

technocracy /tek'nɒkrəsɪ/ *n*. 專家治國;實行專家治國的國家 **technocrat** /'teknəkræt/ *n*. 主張專家治國的專家.

technology /tek'nɒlədʒɪ/ *n*. 技術(學);工藝(學);工業技術 **technological** /ˌteknə'lɒdʒɪkl/ *a*. **technolo-**

gist /-ˈnɒlədʒɪst/ *n*. ①(工程)技術專家;工藝學家②[美]技術員;技師.

techno-stress /ˈteknəustres/ *n*.【醫】科技壓力(不適應高科技社會而產生的症狀).

teddy bear /ˈtedɪ beə(r)/ 玩具熊.

tedious /ˈtiːdɪəs/ *a*. 冗長乏味的;沉悶的;使人厭煩的 **tedium**/ˈtiːdɪəm/ *n*.

tee /tiː/ *n*. (高爾夫球的)發球區;球座.

teem /tiːm/ *vi*. ①充滿;富於;大量存在②(雨、水)傾注.

teenage /ˈtiːneɪdʒ/ *a*. 青少年的;十幾歲的~**r** *n*.(13至19歲的)青少年.

teens /tiːnz/ *pl*.*n*. (13至19歲)十多歲 **teenster** [美]=teenager.

teeny /ˈtiːnɪ/ *a*. [俗]=tiny 極小的;微小的~**-bopper** *n*.衣著趕時髦又喜好流行歌曲的少女;新潮少女.

teepee /ˈtiːpiː/ *n*. = tepee.

tee-shirt = T-shirt.

teeter /ˈtiːtə(r)/ *vi*. 搖晃;踉蹌.

teeth /tiːθ/ tooth 的複數.

teethe /tiːð/ *vi*. (嬰兒)生乳牙 // *teething troubles* 創業階段的困難;開頭難.

teetotal /tiːˈtəutl/ *a*. (贊成)絕對戒酒的;戒酒主義的~**ler** *n*.滴酒不沾的人.

TEFL /ˈtefl/ *abbr*. = Teaching English as a Foreign Language 作為外語的英語教學.

Teflon presidency /ˈteflɒn ˈprezɪdənsɪ/【政】不管受到政敵多大的攻擊也不會受到傷害的總統職位.

tele [前綴]表示①"遠","遠距離"②"電報","電視","電信".

telecommunications /ˌtelɪkəˌmjuːnɪˈkeɪʃnz/ (*pl*.) *n*. 電信;電信學.

telecommute /ˌtelɪkəˈmjuːt/ *vi*. 利用電腦終端機在家上班.

teleconference /ˈtelɪˌkɒnfrəns/ *n*. 電信會議(利用電信系統舉行的會議).

telegram /ˈtelɪgræm/ *n*. 電報.

telegraph /ˈtelɪgrɑːf/ *n*. 電報通訊;電報機 *v*.用電報發送;發電報;用電報向…發指示~**ic** /ˌ-ˈgræfɪk/ *a*.電報通訊的;用電報發送的~**ist**, [美]~**er** /tɪˈlegrəfɪst /*n*. 報務員 ~**y** /tɪˈlegrəfɪ/ *n*.電報(技術).

telekinesis /ˌtelɪkɪˈniːsɪs/*n*. 心靈遙感(心靈學用語).

telemeter /ˈtɪlemɪtə(r)/ *n*. 遙測儀;測距儀.

teleology /ˌtelɪˈɒlədʒɪ/ *n*.【哲】目的論.

telepathy /tɪˈlepəθɪ/ *n*. 心靈感應(術);[俗]洞察他人心理活動的能力.

telephone /ˈtelɪfəun/ *n*. 電話(機) *v*. 打電話;用電話告知 **telephonic**/ ˌ-ˈfɔnɪk/ *a*. **telephonist** /tɪˈlefənɪst/ *n*.話務員,電話接綫員 **telephony**/ tɪˈlefənɪ/ *n*. ①電話技術②通話 **telephone-box, telephone-booth** *n*. (公用)電話亭 // ~*book*, ~*directory* 電話簿 ~*exchange* 電話局;電話交換台 ~*operator* 話務員.

telephotography /ˌtelɪfəˈtɒgrəfɪ/ *n*. 遠距離攝影(術) **telephotographic** /ˈtelɪˌfəutəˈgræfɪk/ 或 **telephoto** /ˌtelɪˈfəutəu /*a*.

telephoto lens 望遠鏡頭.

teleprinter /ˈtelɪprɪntə(r)/ [美] **teletypewriter** *n*.電傳打字電報機.

teleprompter /ˈtelɪˌprɒmptə (r)/ *n*. (電視台的)講詞提示器.

telesale /ˈtelɪseɪl/*n*.電話售貨或提供服務.

telescope /'telɪskəʊp/ *n*. 望遠鏡 *v*. ①(使)套疊後變短②嵌進;疊縮;壓縮.

teletext /'telɪtekst/ *n*. 能顯示於電視上的信息服務項目.

television /'telɪvɪʒn/ *n*. 電視;電視節目;電視機 **televise** /'telɪvaɪz/ *vt*. 用電視播出 **televisual** /ˌ-'vɪzjʊəl/ *a*. 電視的;適於上電視鏡頭的.

teleworking /'telɪwɜːkɪŋ/ *n*. (亦稱 **telecommuting**)利用電腦在家上班.

telex /'teleks/ *n*. 電傳打字電報系統;電傳打字電報;[俗]電傳打字機.

tell /tel/ *v*. (過去式及過去分詞 **told** /təʊld/)①講述;告訴;說②確知③泄露秘密④辨別⑤產生明顯的影響⑥吩咐;命令⑦數 **~er** *n*. (銀行的)出納員;(投票的)檢票員;講故事的人 **~ing** *a*. 有效的;顯著的 **~tale** *n*. 揭別人隱私的人;指示器 *a*. 暴露隱情的 // *~ sb off* [俗]責備某人 *~ tales* (*about sb*)揭某人隱私.

telly /'telɪ/ *n*. [主英口] = television.

temerity /tɪ'merətɪ/ *n*. [俗]魯莽;放肆;輕率.

temp /temp/ *n*. 臨時僱員(尤指臨時秘書) *vi*. [俗]作臨時僱員;作臨時秘書.

temper /'tempə(r)/ *n*. ①性情;情緒;脾氣②(金屬回火後的)硬度和彈性 *vt*. 將(金屬)回火;使緩和;使減輕.

tempera /'tempərə/ *n*. 蛋彩畫顏料;蛋彩畫法.

temperament /'temprəmənt/ *n*. 氣質;性情;性格 **~al** /ˌ-'mentl/ *a*. 氣質上的;性格所造成的;易激動的;變幻無常的.

temperance /'tempərəns/ *n*. 自制;節制;戒酒 **temperate** /'tempərət/ *a*. 有節制的, 自我克制的;(氣候)溫和的.

temperature /'temprətʃə(r)/ *n*. 溫度;氣溫;體溫.

tempest /'tempɪst/ *n*. 大風暴;暴風雨;暴風雪 **~uous-** /-'pestjʊəs/ *a*. // *a ~ in a teapot* [美]小事引起的風波;大驚小怪.

template /'templeɪt/ *n*. (切割、鑽孔、裁剪時所用的)模板;樣板;型板.

temple /'templ/ *n*. 廟;寺;神殿;太陽穴.

tempo /'tempəʊ/ *n*. (*pl*. **-pos** 或 **-pi** /-piː/)【樂】拍子;節奏;[喻]步調;發展速度.

temporal /'tempərəl/ *a*. ①世間的;世俗的②【語】時間的③太陽穴的.

temporary /'temprərɪ/ *a*. 暫時的;臨時的 **temporarily** *ad*.

temporize /'tempəraɪz/ *vi*. (為爭取時間)拖延;應付.

tempt /tempt/ *vt*. 勸誘;引誘;引起欲望;吸引;慫恿 **~ation** /-'teɪʃn/ *n*. **~ing** *a*. 誘惑人的;迷人的.

ten /ten/ *num*. & *n*. 十;十個 **~th** *num*. & *n*. ①第十(個)②十分之一③(每月的)第十日 **~fold** *a*. & *ad*. 十倍的(地).

tenable /'tenəbl/ *a*. ①可防守的;守得住的②站得住脚的③(職務、職位)可保持的.

tenacious /tɪ'neɪʃəs/ *a*. 抓住不放的;緊握的;堅持的;頑強的;(記憶力)強的 **tenacity** /tɪ'næsətɪ/ *n*.

tenant /'tenənt/ *n*. 房客;租戶;佃戶;【律】不動產所有人 **tenancy**/-sɪ/ *n*. 租賃;租賃期.

tench /tentʃ/ *n*. (*pl*. **tench(es)**) (歐洲淡水)鯉魚.

tend /tend/ *vt*. 照管;看護;[美](商店等)招待顧客 *vi*. 傾向;趨向;走向 **~ency** *n*. 趨勢;傾向;動向 **~entious**

/ten'denʃəs/ *a*. 有傾向性的;有偏見的.

tender /'tendə(r)/ *a*. ①脆弱的;柔弱的②一觸即痛的;敏感的③心腸軟的;仁慈的;溫柔的④(肉)嫩的 *v*. ①提出;提供②投標 *n*. ①(尤用於複合詞)照管者②小船③投標 **~ly** *ad*. **~ness** *n*. **~foot**(*pl*. **-s**) *n*. 新手;生手 **~hearted** *a*. 溫厚的;慈善的.

tendon /'tendən/ *n*. 【解】腱.

tendril /'tendrəl/ *n*. ①【植】卷鬚;蔓②卷鬚狀之物.

tenement /'tenəmənt/ *n*. (租用的)住宅或房間;廉價公寓大樓;【律】享有物;保有物 **~-house**. *n*. [美]廉價公寓大樓.

tenet /'tenɪt/ *n*. 原則;教義;信條;主義.

tenner /'tenə(r)/ *n*. [英俗]十英鎊(鈔票);[美]十美元(鈔票).

tennis /'tenɪs/ *n*. 網球(運動) **~-ball** *n*. 網球 **~-court** *n*. 網球場.

tenon /'tenən/ *n*. 榫頭;凸榫.

tenor /'tenə(r)/ *n*. ①常規;進程②大意;要旨③【樂】男高音;男高音歌手.

tenpin bowling /'tenpɪn 'bəʊlɪŋ/ *n*. 十柱保齡球(遊戲)

tense /tens /*n*. 【語】動詞的時態;時;式 *a*. 緊張的;令人緊張的;拉緊的 *v*. (使)緊張.

tensile /'tensaɪl/ *a*. 張力的;能伸長的;拉力的.

tension /'tenʃn/ *n*. ①【物】拉力;張力;拉緊的狀態(或程度)②緊張(不安);(關係上的)緊張③電壓;高壓電纜.

tent /tent/ *n*. 帳篷.

tentacle /'tentəkl/ *n*. (章魚等的)觸鬚;觸角;觸手.

tentative /'tentətɪv/ *a*. 試驗性的;嘗試性的;暫時的 **~ly** *ad*.

tenterhooks /'tentəhʊks/ *pl*. *n*. (用於成語)(**on** ~)如坐針氈;焦慮不安.

tenuous /'tenjʊəs/ *a*. 纖細的;單薄的;(空氣、流體)稀薄的;空洞的;微弱的 **tenuity** /te'njʊɪtɪ/; **tenuousness** *n*.

tenure /'tenjʊə(r)/ *n*. ①佔有;保有②佔有期;任期③[主美](在大學等中)教師的終身職位.

tepee /'tiːpiː/ *n*. (北美印第安人的)圓錐形帳篷.

tepid /'tepɪd/ *a*. 不冷不熱的;溫熱的;[喻]不太熱烈的, 不太熱情的.

tequila /tə'kiːlə/ *n*. ①【植】墨西哥龍舌蘭②龍舌蘭酒(一種墨西哥烈酒).

tercentenary /ˌtɜːsen'tiːnərɪ/ *n*. 三百周年紀念.

term /tɜːm/ *n*. ①期限;期間;限期;學期②【律】開庭期③(一般的)詞, 名稱, (專門)術語④【數】項;(*pl*.)條款;條件⑤費用;價錢; *vt*. 措詞;把…稱為.

termagant /'tɜːməgənt/ *n*. 潑婦;悍婦 *a*. 凶悍的.

terminal /'tɜːmɪnl/ *a*. ①(重病)末期的;晚期的②每期的;每學期的③末端的;終點的;界限的 *n*. ①(鐵路、公共汽車等的)終點站②班機乘客集散站③【電】電極④接綫柱⑤(計算機)終端機.

terminate /'tɜːmɪneɪt/ *v*. 終止;結束;終結 **termination** /ˌ-'neɪʃn/ *n*. ①終止;終點②終止妊娠, 墮胎③【語】詞尾.

terminology /ˌtɜːmɪ'nɒlədʒɪ/ *n*. 專門名詞;術語(學) **terminological** /ˌtɜːmɪnə'lɒdʒɪkl/ *a*.

terminus /'tɜːmɪnəs/ *n*. (*pl*. **-ni** /-naɪ/)鐵路(或公共汽車)終點站.

termite /'tɜːmaɪt/ *n*.【蟲】白蟻.
tern /tɜːn/ *n*.【鳥】燕鷗.
ternary /tɜːnərɪ/ *a*. 三個一套的,三個一組的;三重的;【化】三元的;【數】三元的,三進制的.
terrace /'terəs/ *n*. ①台地;坪;梯田②看台;(房屋旁的)露台③式樣相同的一排房屋.
terracotta /ˌterə'kɒtə/ *n*. 赤陶(土);赤褐色.
terra firma /ˌterə 'fɜːmə/ *n*. (與海洋或天空相對而言的)陸地.
terrain /'tereɪn/ *n*. ①地形;地貌②地帶;地區.
terrapin /'terəpɪn/ *n*. (北美淡水產的)鱉;甲魚.
terrarium /te'reərɪəm/ *n*. ①小動物飼養箱②小植物栽培盒.
terrestrial /tə'restrɪəl/ *a*. ①地球的;組成地球的②陸地的;陸地上的;陸棲的.
terrible /'terəbl/ *a*. ①可怕的;駭人的②令人無法忍受的;極度的;嚴重的③[俗]極壞的;很糟的 **terribly** *ad*. 糟透地;[俗]非常;十分.
terrier /'terɪə(r)/ *n*. 小狗.
terrific /tə'rɪfɪk/ *a*. ①可怕的,嚇人的②[俗]極大的;極度的;非常的③極好的;了不起的.
terrify /'terɪfaɪ/ *vt*. 嚇唬;使極為驚恐.
terrine /'teriːn/ *n*. 肉餡;熟肉醬.
territory /'terətrɪ/ *n*. ①領土;版圖;領地②區域;領域;勢力範圍 **territorial** /ˌterə'tɔːrɪəl/ *a*. 領土的;地區性的.
terror /'terə(r)/ *n*. 驚恐;恐怖;令人恐懼的人(或物);[俗]可怕(或令人討厭)的人(或物) **~ism**/-rɪzm/ *n*. 恐怖主義;恐怖行為 **~ist**/-rɪst/ *n*. 恐怖主義者;恐怖分子 **~ize**/-rəɪz/ *vt*. 恐嚇;脅迫.
terry /'terɪ/ *n*. (製作毛巾等的)毛圈織物.
terse /tɜːs/ *a*. 精練的;簡潔的;簡明的.
tertiary /'tɜːʃərɪ/ *a*. 第三的;第三位的;第三等級的.
Terylene /'terəliːn/ *n*. [英]【紡】滌綸(商標名).
tessellated /'tesɪleɪtɪd/ *a*. 鑲嵌有圖案花紋的;用小塊大理石或地磚鑲嵌成的.
test /test/ *n*. ①試驗;測驗;考驗②【醫】化驗;檢查③考試 *v*. 試驗;檢驗;對…進行考試;測驗 **~-tube** *n*. 試管 // *~case*【律】判例 *~drive* 試車 *~-tube baby* 試管嬰兒.
testament /'testəmənt/ *n*. ①確實的證明;遺囑②(**T-**)(基督教)聖約書: The New/Old Testament 新(舊)約全書.
testamentary /ˌtestə'mentrɪ/ *a*. 遺囑的;遺囑中寫明的.
testate /'testet/ *a*.【律】留有遺囑的 **testator** /tes'teɪtə/(女 **testatrix** /tes'teɪtrɪks) /*n*. 立遺囑人.
testicle /'testɪkl/ *n*.【解】睾丸.
testify /'testɪfaɪ/ *v*. 證明;證實;(出庭)作證;表明.
testimonial /testɪməʊnɪəl/ *n*. ①(能力、資格、品德等的)證明書;鑒定書;推薦信②獎狀;紀念品;感謝信.
testimony /'testɪmənɪ/ *n*. ①證明;證據;【律】證詞②表明;表示③聲明;陳述.
testis /'testɪs/ *n*. (*pl*. **-tes**/ -tiːz/)【解】睾丸.
testy /'testɪ/ *a*. 易怒的;暴躁的;不耐煩的.

tetanus /'tetənəs/ *n*.【醫】破傷風.

tetchy /'tetʃɪ/ *a*. 易怒的;暴躁的;突然發脾氣的.

tête-à-tête /ˌteɪt ɑː 'teɪt/ *n*. [法]促膝談心;密談 *a*. & *ad*. 面對面的(地);私下的(地).

tether /'teðə(r)/ *n*. ①(拴牲口的)繫繩;繫鏈②(能力、行動、辦法的)限度 *vt*.①拴;繫②約束,限制 // *at the end of one's*～山窮水盡;束手無策;智竭才盡;忍受不住.

Teutonic /tjuː'tɒnɪk/ *n*. ①日耳曼人的;日耳曼語的;②條頓民族的;條頓語的.

text /tekst/ *n*. ①正文;本文;原文②(引自聖經等的)引文;句子③課文;課本～**ual**/'tekstjʊəl/ *a*.原文的;本文的;正文的～**book** *n*.教科書;課本.

textile /'tekstaɪl/ *n*. 紡織品;紡織原料 *a*. 紡織的.

texture /'tekstʃə(r)/ *n*. ①(物質、織物等的)質地;紋理②肌理;結構③外觀;特徵.

Thalidomide /θə'lɪdəmaɪd/ *n*.【藥】薩立多胺;酞胺哌啶酮;酞咪哌啶酮等.

than /ðæn;(弱)ðən/ *conj*. 比;比較;除…(外) *prep*. 比.

thane /θeɪn/ *n*.①[英]【史】大鄉紳(盎格魯－撒克遜時代受賜封地的貴族)②[蘇格蘭史]受賜封地的領主.

thank /θæŋk/ *vt*. 謝;感謝～**s** *pl*. *n*. 感謝;謝意～**ful** *a*.感謝的;欣慰的～**less** *a*.忘恩負義的;不感激的;(指行動)徒勞無益的;吃力不討好的 // ～*s to* 由於 *no*～*s to* 並非由於.

thanksgiving /θæŋks'gɪvɪŋ/ *n*. 感恩;(**T-**)感恩節(＝Thanksgiving Day).

that /ðæt/ *a*. 那;那個;那種 *pro*.那;那個人;那件東西 *ad*.那樣;那麼 *conj*.(用於名詞性從句的開頭,本身無意義);(引導狀語從句)因為;由於;為了;以至於.

thatch /θætʃ/ *n*. ①稻草;乾蘆葦②茅草屋頂③[俗]厚密的頭髮.

thaw /θɔː/ *v*. ①(使)融化;(使)解凍②(使人及態度等)變得隨和;變緩和.

the /ðiː(弱)ðɪ, ðə/ *art*. 這(些);那(些);這種;那種 *ad*. 更;越發.

theatre, [美]**theater** /'θɪətə(r)/ *n*. ①戲院;劇場;②階梯式講堂(或教室)③手術室④戰場;(發生重大事件的)場所⑤戲劇 **theatrical**/ θɪ'ætrɪkl/ *a*. ①戲劇的;劇場的②(指行為)誇張的;不自然的 **theatrically** *ad*.

thee /ðiː,(弱)ðɪ/ *pro*. [古或方言](thou 的賓格)你;汝.

theft /θeft/ *n*. 偷竊,盜竊.

their /ðeə(r)/ *pro*. 他們的～**s**/ ðeəz/ *pro*. 他們的(東西、親屬等).

theism /'θiːɪzm/ *n*. 有神論;一神論.

them /ðem,(弱)ðəm/ *pro*. (**they** 的賓格)他們.

theme /θiːm/ *n*. ①題目,主題②【樂】主題;主旋律③[美]作文題,練習題 **thematic**/θɪ'mætɪk/ *a*. // *theme park* /(陳設佈置圍繞一個主題的)主題遊樂園～*song*(歌劇、電影等的)主題曲.

themselves /ðəm'selvz/ *pro*. 他們自己;他們親自.

then /ðen/ *ad*. 那時;然後;而且;此外;那麼.

thence /ðens/ *ad*. ①[古或書]從那裏②因此③以後.

theocracy /θɪ'ɒkrəsɪ/ *n*. 神權政治;神權政體(國家)**theocratic**/θɪə'krætɪk/ *a*.

theodolite /θɪ'ɒdəlaɪt/ *n*. 經緯儀.
theology /θɪ'ɒlədʒɪ/ *n*. 神學 **theologian** /θɪə'ləʊdʒən/ *n*. 神學家 **theological**/ˌθɪə'lɒdʒɪkl/ *a*. 神學的.
theorem /'θɪərəm/ *n*.【數】定理;定律;(一般的)原理.
theory /'θɪərɪ/ *n*. 理論;學說;見解;推測;原理 **theoretical** /θɪə'retɪkl /*a*. 理論(上)的;推理的 **theorist** /'θɪərɪst/ *n*. 理論家 **theorize**/'θɪəraɪz/ *vi*. 創立理論;推理.
therapy /'θerəpɪ/ *n*. 治療;療法 **therapeutic** /ˌθerə'pjuːtɪk/ *a*. **therapeutics** *n*. 治療學 **therapist** /'θerəpɪst/ *n*. 治療專家.
there /ðeə(r)/ *ad*. 在那裏;到那裏 *n*. 那裏 *int*. 你瞧! 哎呀! 好啦! 唷! **~abouts,** [美]**~-about** *ad*. 常用於 or 的後面①在那附近②(表示數量、程度等)大約,左右**~after** *ad*. 此後;其後**~by** *ad*. 因此;從而**~fore** *ad*. 因此;所以**~in** *ad*.【律】在那裏面;在其中;在那方面**~upon** *ad*. 因此;由於;隨即.
therm /θɜːm/ *n*. 瑟姆(煤氣熱量單位;在英國等於 100, 000Btu;在美國等於 1,000 千卡).
thermal / 'θɜːml/ *a*. ①熱的;熱量的;溫的②溫泉的③(指衣服)保暖的.
thermionic /ˌθɜːmɪ'ɒnɪk/ *a*.【物】熱離子(學)的// *~valve* 熱離子管.
thermodynamics /ˌθɜːməʊdaɪ'næmɪks/ *n*.【物】熱力學.
thermometer /θə'mɒmɪtə(r)/ *n*. 溫度計;寒暑表.
thermonuclear /ˌθɜːməʊ'njuːklɪə/ *a*. 熱核的.
thermoplastic /ˌθɜːməʊ'plæstɪk/ *a*. 熱塑的 *n*. 熱塑性塑料.
thermos /'θɜːməs/ *n*. 熱水保溫瓶;熱水瓶.
thermosetting /ˌθɜːməʊ'setɪŋ/ *a*. (指塑料)熱固(性)的.
thermostat /'θɜːməʊstæt/ *n*. ①恆溫器②(自動火警報警器等的)溫變自動啓閉裝置.
thesaurus /θɪ'sɔːrəs/ *n*. (*pl*. ~ **es** /-rəsɪz/或 **thesauri**/-raɪ/)同義詞詞典;詞彙集.
these /ðiːz/ this 的複數.
thesis /'θiːsɪs/ *n*. (*pl*. **theses** /'θiːsiːz/) ①論點;論題②論文;學位論文.
thespian /'θespɪən/*n*. 演員;悲劇演員 *a*. 戲劇藝術的;悲劇的.
they /ðeɪ/ *pro*. 他們;人們.
thiamin /'θaɪəmɪn/*n*.【生化】硫胺素;維生素 B_1.
thick /θɪk/ *a*. ①厚的;粗大的②茂密的③(液體)濃的;稠的④(氣體)混濁的⑤(口音)重的;(聲音)不清的⑥[俗]笨的;遲鈍的⑦[俗]親密的 *ad*. 厚;濃;密;深 *n*. (用於成語 *in the~of* 等)(在…)最激烈處;(在…)最緊張時 **~en** *v*. (使)變得更厚(濃、密、粗等) **~ness** *n*. **~-headed** *a*. 愚笨的**~-set** *a*. 矮胖的;稠密的 **~-skinned** *a*. 臉皮厚的;麻木不仁的// *in the ~ of sth* 在…的最繁忙(擁擠)之處在…最緊張(激烈)之時 *through ~ and thin* 不顧艱難險阻.
thicket /'θɪkɪt/ *n*. 灌木叢;矮樹叢.
thief /θiːf/ *n*. 小偷;賊.
thigh /θaɪ/ *n*. 大腿;股.
thimble /'θɪmbl/ *n*. (縫紉時用的)頂針;【機】套筒**~ful** *n*. (尤指酒)一點點;極少量.
thin /θɪn/ *a*. ①薄的;細的;瘦的②稀薄的;稀少的③淺薄的;薄弱的④[俚]不舒適的⑤[美俚]手頭沒錢的 *ad*. 薄;細;稀;疏 *v*. (使)變薄(細、

瘦、淡、稀疏等)**~ly** *ad*.

thine /ðaɪn/ *pro*. [古](thou 的所有格及物主代詞)你的(東西).

thing /θɪŋ/ *n*. ①東西;物;事物②事,事情,事件③(*pl*.)情況④(表示喜愛、輕蔑等)人;傢伙⑤(*pl*.)【律】財產.

think /θɪŋk/ *v*. (過去式及過去分詞 **thought** /θɔːt/)①想,思索,思考②以為③想要,打算④料想;料到 **~er** *n*. 思考的人;思想家 **~ing** *a*. 有思想的 *n*. 思想;思考;考慮 **~tank** *n*. 智囊團.

third /θɜːd/ *num*. & *n*. ①第三(個)②三分之一③(每月的)第三日 // *the Third World* 第三世界.

thirst /θɜːst/ *n*. ①渴;口渴②[喻]渴望 *vi* 渴望;[古]感到口渴 **~y** *a*. ①渴的②渴望的③乾旱的.

thirteen /θɜːtiːn/ *num*. & *n*. 十三;十三個 **~th** *num*. & *n*. ①第十三(個)②十三分之一③(每月的)第十三日.

thirty /ˈθɜːtɪ/ *num*. & *n*. 三十;三十個 **thirtieth** /ˈθɜːtɪəθ/ *num*. & *n*. ①第三十(個)②三十分之一③(每月的)第三十日.

this /ðɪs/ *pro*. & *a*. 這;這個;今;本;這件事;[俗]某一(個).

thistle /ˈθɪsl/ *n*. 【植】薊.

thither /ˈðɪðə(r)/ *ad*. [古]到(或向)那裏.

tho;tho' /ðəʊ/ = though.

thole /θəʊl/ *n*. (船邊的)槳架;槳座.

thong /θɒŋ/ *n*. ①皮條;皮帶②鞭(梢);[美]人字帶涼鞋.

thorax /ˈθɔːræks/ *n*. (*pl*. **-es** 或 **thoraces**)【解】胸;胸廓.

thorn /θɔːn/ *n*. (植物的)刺;荊棘;帶刺的灌木 **~y** *a*. 有刺的;[喻]棘手的 // *a ~ in one's side/flesh* 令人氣惱的人(或事物).

thorough /ˈθʌrə/ *a*. 完全的;徹底的;充分的;十足的;細緻周到的 **~ly** *ad*. **~bred** *n*. & *a*. (動物)純種的;純種馬 **~fare** *n*. 大街;大道;通衢 **~going** 徹底的;完全的;十足的 // *No thoroughfare*! 禁止通行!.

those /ðəʊz/ *pro*. & *a*. 那些(that 的複數形式).

thou /ðaʊ/ *pro*. [古]你;汝.

though /ðəʊ/ *conj*. 雖然;儘管 *ad*. 然而;不過;可是.

thought /θɔːt/ *n*. ①思考;思想;思潮②關懷;掛慮③想法;心思④打算;意圖⑤少許;一點 *v*. think 的過去式及過去分詞 **~ful** *a*. ①深思的;有思想深度的②體貼的;關心的;考慮周到的 **~less** 欠考慮的;輕率的;不體貼人的;自私的.

thousand /ˈθaʊznd/ *num*. & *n*. 一千;一千個 **~th** *num* & *n*. ①第一千(個)②千分之一.

thrall /θrɔːl/ *n*. 奴隸;奴役;束縛.

thrash /θræʃ/ *vt*. ①棒打;鞭打②(在競賽中)徹底打敗③猛烈扭擺④打穀 **~ing** *n*. 痛打;慘敗,大敗 // *~ sth out* 通過充分討論產生;坦誠徹底地討論.

thread /θred/ *n*. ①綫;似綫的細長之物②螺紋③綫索;思路④(*pl*.)[美俚]衣服 *vt*. 穿綫於;擠過;穿過;把(磁帶等)裝好待用 **~bare** *a*. (衣服等)磨薄的;破舊的;[喻]陳舊的;陳腐的.

threat /θret/ *n*. 恐嚇;威脅 **~en** *v*. 威脅;恐嚇;有徵兆要…,似將發生.

three /θriː/ *num*. & *n*. 三;三個 **~-piece** *a*. 三件一套的.

threnody /ˈθrenədɪ/ *n*. 挽歌;哀歌.

thresh /θreʃ/ *v*. 打穀;(使)脫粒.

threshold /ˈθreʃhəuld/ *n*. 門檻;入口;門口;[喻]入門;開端.

threw /θruː/ throw 的過去式.

thrice /θraɪs/ *ad*. ①(詩)三次地;三倍②非常.

thrift /θrɪft/ *n*. 節儉,節約 **~y** *a*.

thrill /θrɪl/ *v*.(使)感到激動,(使)緊張戰慄 *n*. 激動;戰慄;令人激動(或戰慄)的經歷 **~er** 驚險作品(小說、電影等).

thrive /θraɪv/ *vi*. (**thrived**, **throve** /θrəuv/; **thrived** [古] **thriven** /ˈθrɪvn/)茁壯成長;興旺;繁榮.

throat /θrəut/ *n*. 喉嚨 **~y** *a*. 喉音的;沙啞的;嘎聲的.

throb /θrɒb/ *vi*. (心臟等)悸動;跳動;有規律地顫動 *n*. 搏動;跳動.

throes /θrəuz/ *pl*. *n*. 劇痛;(分娩時的)陣痛// *in the~ of* [俗]不辭辛勞地忙於.

thrombosis /θrɒmˈbəusis/ *n*. (*pl*. **-ses** /-siːz/)【醫】血栓形成;栓塞.

throne /θrəun/ *n*. 寶座;御座;(the ~)王位;王權.

throng /θrɒŋ/ *n*. 一大群(人);一大堆(東西) *v*.(使)群集;擠滿;蜂擁.

throstle /ˈθrɒsl/ *n*. 【鳥】畫眉.

throttle /ˈθrɒtl/ *v*. ①掐死;勒死②(使)窒息③(使)節流;節制;減速 *n*.(發動機的)節流閥(杆);風門(杆).

through /θruː/ *prep*. ①通過;穿過;貫通;[美]直到②由於 *ad*. 穿過;從頭至尾;越過 *a*. 直通的;直達的;可以通行的;過境的;完成的,完結的;[英](電話)接通的;[美](電話)打完的 **~put** *n*. 生產量 **~-ticket** *n*. 通票;全程票 **~-train** *n*. 直達列車// *~and~*完全地;徹底地.

throughout /θruːˈaut/ *ad*. 到處;全部;始終;從頭至尾 *prep*. 貫穿;遍及;自始至終.

throve /θrəuv/ thrive 的過去式.

throw /θrəu/ *v*. (**threw**/θruː/; **thrown**/θrəun/)①扔;投②(匆忙或漫不經心地)穿上或脫下③摔倒④使陷於⑤使延伸⑥[俗]使受驚擾⑦發(脾氣) *n*. 投;拋;擲;投擲的距離 **~-away** *a*. ①用後即扔掉的;一次性的②隨隨便便的;故意裝作隨便一說的 **~-back** *n*. 具有返祖現象的動物(或人).

thru /θruː/ [美]=through.

thrush /θrʌʃ/ *n*. ①【鳥】畫眉②(小兒患的)鵝口瘡;③念珠菌陰道炎.

thrust /θrʌst/ *vt*. (過去式及過去分詞 **thrust**)①(猛)推;塞②刺;戳③強加 *n*. ①猛推;刺;衝;衝鋒②突擊③(火箭等的)推動力④(言談的)攻擊⑤(談話等的)要點;主題.

thud /θʌd/ *n*. 砰,轟(等重擊聲) *vi*. 砰地落下(一擊等);發出嘭聲.

thug /θʌg/ *n*. 暴徒;惡棍;凶手;刺客.

thumb /θʌm/ *n*. 拇指 *v*. 翻閱;翻查;翻髒;弄舊 **~-index** *n*. 某些書的缺口指標索引// *be all ~s* 笨手笨脚 *~a lift* 豎起拇指請求搭車.

thump /θʌmp/ *v*. 捶擊;砰砰地打 *n*. 重擊;捶擊;重擊聲 **~ing** *a*. [俗]巨大的 *ad*. [俗]非常;極端地.

thunder /ˈθʌndə(r)/ *n*. 雷;雷聲;(似雷的)轟隆聲 *v*. 打雷,發出雷鳴般的響音;大聲威脅;隆隆地行駛 **~ing** *a*. = thumping **~ous** /-dərəs/ *a*. 雷鳴般的;聲音巨大的 **~y** /-dərɪ/ *a*. (天氣)要打雷似的 **~bolt** *n*. 雷電;霹靂;晴天霹靂似的事件(聲明等) **~clap** *n*. 雷鳴;晴天霹靂似的事件(消息等) **~storm** *n*. 雷雨 **~struck**

a. 大吃一驚的.
Thur(s). *abbr*. = Thursday.
Thursday /'θɜːzdɪ/ *n*. 星期四.
thus /ðʌs/ *ad*. 這樣;像這樣;因此;從而;於是.
thwack /θwæk/ = whack.
thwart /θwɔːt/ *vt*. 阻撓, 反對, 挫敗 *n*. 划艇上的座板.
thy /ðaɪ/ *pro*. [古]你的(thou 的所有格).
thyme /taɪm/ *n*. 【植】百里香;麝香草.
thyroid /'θaɪrɔɪd/ *n*. 【解】甲狀腺.
tiara /tɪ'ɑːrə/ *n*. 女人的冕狀頭飾;羅馬教皇的三重冕.
tibia /'tibiə/ *n*. 【解】脛骨.
tic /tɪk/ *n*. (尤指面部的)痙攣.
tick /tɪk/ *n*. ①滴嗒聲②[俗]一瞬間③表示已查對的符號(✓)④【蟲】扁虱⑤被套;枕套⑥[俗]信用;賒欠 *v*. ①滴嗒滴嗒響②打勾號(✓) // ~ *away*(時間)過去 ~*sb off*[俗]責備 ~*over* 照常進行;(發動機)空檔慢轉.
ticket /'tɪkɪt/ *n*. ①票;入場券②標籤;價目籤③候選人名單④(交通違章)通知單 *vt*. (給商品)加上標籤.
ticking /'tɪkɪŋ/ *n*. (做墊, 套等用的)堅質棉布.
tickle /'tɪkl/ *v*. ①發癢;搔;弄癢②滿足;使高興 *n*. 癢;弄癢 **ticklish** *a*. ①怕癢的②(問題等)棘手的;需小心應付的.
tiddler /'tɪdlə(r)/ *n*. [口]非常小的魚.
tiddlywinks /'tɪdlɪwɪŋks/ *n*. 挑圓片(比賽誰把小圓片先挑進杯內的一種遊戲).
tide /taɪd/ *n*. 潮汐;潮水;浪潮;趨勢[古]季節 *vt*. (~ *sb over*)(幫某人)渡過難關;克服(困難) **tidal** /'taɪdl/ *a*.
tidings /'taɪdɪŋz/ *pl*. *n*. 消息.
tidy /'taɪdɪ/ *a*. 整潔的;[俗]相當大的;可觀的 *v*. 弄整潔;收拾好 **tidily** *ad*. **tidiness** *n*.
tie /taɪ/ *n*. ①領帶;帶子;(起連接作用的)繫條②[喻]關係;紐帶③束縛④牽累⑤(比賽等的)平局⑥【樂】連結綫⑦[美]枕木 *v*. ①扎;捆;繫;打結②(比賽等)打成平局~**-pin** *n*. 領帶別針.
tier /tɪə(r)/ *n*. (漸升看台等的)一排;一層.
tiff /tɪf/ *n*. 小爭執;口角.
tiger /'taɪgə(r)/ *n*. 虎 **tigress** /'taɪgrɪs/ *n*. 母老虎.
tight /taɪt/ *a*. ①緊的;牢固的②密封的;不漏的③拉緊的;繃緊的④[俗]醉醺醺的⑤緊湊的;擠滿的⑥(比賽)勢均力敵的⑦(指錢)難借到的;抽緊銀根的⑧[俗]吝嗇的 *ad*. 緊緊地;牢牢地 *n*. (*pl*.)緊身連襪褲~**en** *v*. 變緊;拉緊;收緊;(使)變得更嚴格~**ly** *ad*. 緊緊地~**-fisted** *a*. 吝嗇的~**-rope** *n*. (雜技中用的)綳索, 綳緊的鋼絲.
tike, tyke /taɪk/ *n*. ①[俗](罵人語)沒用的傢伙;②[主美]小淘氣鬼③雜種狗;劣種狗.
tilde /'tildə/ *n*. 【語】腭化符號(即~, 西班牙語字母 n 讀作/nj/時上面所加符號).
tile /taɪl/ *n*. ①瓦;花磚;瓷磚②(一張)麻將牌 *vt*. 鋪瓦於…;貼瓷磚於….
till /tɪl/ *prep*. & *conj*. (通常不用於句首) = until *n*. (商店、銀行的)放錢的抽屜;銀櫃 *vt*. 耕作, 耕種 ~**age** *n*. 耕作;耕地.
tiller /'tɪlə(r)/ *n*. ①農夫②(小帆船

上的)舵柄.

tilt /tɪlt/ *v*. ①(使)傾斜②騎馬持矛衝刺③抨擊 *n*. ①傾斜;歪②騎馬持矛比武③好意的抨擊.

timber /'tɪmbə(r)/ *n*. ①木材;木料②(可作木料的)樹木;樹林③(建造屋頂,橋樑的)棟木;船骨④[美]才幹.

timbre /'tæmbrə;'tɪmbə(r)/ *n*. [法]【樂】音色;音質.

time /taɪm/ *n*. ①時間;歲月;光陰②時機;機會③時期;期間④(*pl*.)時代⑤次;回;倍⑥【樂】拍子 *vt*. 選擇…的時機;定…的時間;為…計時; **~less** *a*. 永恆的;不變的;持久的 **~ly** *a*. 適時的;及時的 **~-frame** *n*. 處理特定工作所需的時間 **~-server** *n*. 趨炎附勢的人,見風轉舵者 **~-serving** *a*. 趨炎附勢的 **~-switch** *n*. 定時開關 **~table** *n*. 時間表;時刻表;課程表 **~-worn** *a*. 陳舊的 // *at ~s* 有時;間或 *from ~ to ~* 時而 *in ~* 及時 *on ~* 準時.

timid /'tɪmɪd/ *a*. 膽小的;羞怯的 **~ity**/tɪ'mɪdətɪ/ *n*. **~ly** *ad*.

timorous /'tɪmərəs/ *a*. = timid .

timpani /'tɪmpənɪ/ *pl*. *n*. 【樂】定音鼓.

tin /tɪn/ *n*. 錫;白鐵;[英]罐頭;罐頭聽 *vt*. 將…做成罐頭食品 **~-foil** *n*. (包裝用)錫箔 **~-plate** *n*. 馬口鐵 **~-pot** *a*. 低劣的,微不足道的 **~-smith** *n*. 白鐵匠.

tincture /'tɪŋktʃə(r)/ *n*. ①【藥】酊劑②(帶有)一點點(氣味、味道) *vt*. 使帶有某種性質(色澤、氣味等).

tinder /'tɪndə(r)/ *n*. 易燃物;引火物.

tine /taɪn/ *n*. (叉的)尖齒;(鹿角的)尖杈.

ting /tɪŋ/ *n*. 丁零聲 *v*. (使)丁零丁零響.

tinge /tɪndʒ/ *n*. 淡淡的色彩;氣息;意味 *vt*. 微微地染上…;使帶有某種色彩(或意味).

tingle /'tɪŋgl/ *n*. ①刺痛感②玎璫聲 *vi*. 感到刺痛;[喻]感到激動.

tinker /'tɪŋkə(r)/ *n*. ①補鍋匠②隨便試着修理 *vi*. 隨便試着修理;瞎擺弄.

tinkle /'tɪŋkl/ *n*. 丁零聲;玎璫聲;[英俗]打電話 *v*. (使)發出玎璫聲,(使)發丁零聲.

tinsel /'tɪnsl/ *n*. (裝飾用的)光亮的金屬片(或條、綫);[貶]表面的光亮,華而不實的事物.

tint /tɪnt/ *n*. ①色度,顏色的濃淡②染髮;染髮劑 *vt*. 給…染色.

tiny /'taɪnɪ/ *a*. 很小的;微小的.

tip /tɪp/ *n*. ①尖;尖端;裝在尖頭上的東西②垃圾場;[俗]髒亂的地方③小費④實用的小竅門⑤秘密信息 *v*. ①裝尖頭;放在尖端上②(弄)傾斜;(使)翻倒③輕觸;輕擊④給小費⑤事先猜測 **~-off** *n*. 透露消息;暗示;警告 // *~ sb off* 給某人以暗示(或警告).

tippet /'tɪpɪt/ *n*. 披肩;圍巾.

tipple /'tɪpl/ *n*. [俗]酒;含酒精飲料 *vi*. 愛喝酒;酗酒.

tipster /'tɪpstə(r)/ *n*. 提供情報者;告密者.

tipsy /'tɪpsɪ/ *a*. ①[俗]微醉的②易傾斜的.

tiptoe /'tɪptəʊ/ *n*. 脚尖; *vi*. 用脚尖走.

tiptop /tip'top/*a*. 頂點的;極點的;第一流的.

TIR *abbr*. = Transport International Routier[法]國際陸路貨運(協定).

tirade /taɪ'reɪd/ *n*. 長篇的譴責;滔滔不絕的責罵.

tire /'taɪə(r)/ *v*. (使)疲勞;厭倦;不再感興趣 *n*. [美] = tyre 輪胎 ~**d** /'taɪəd/ *a*. ①疲倦的;厭煩的②陳舊的;陳腐的 ~**less** *a*. 精力充沛的;不易疲勞的 ~**some** *a*. 令人厭倦的;討厭的;沉悶乏味的 **tiring** *a*. 令人疲倦的,累人的.

tiro, tyro /'taɪərəʊ/ *n*. (*pl*. **-s**)新手;生手.

tissue /'tɪsu:/ *n*. ①【生】組織②紙巾;衛生紙;包裝紙;薄絹③一連串.

tit /tɪt/ *n*. ①【鳥】山雀②[俚]乳房;乳頭③[英俚](罵人語)無用的東西 // ~ *for tat* 以牙還牙.

Titan /'taɪtən/ *n*. 【希神】泰坦(傳說曾統治世界的巨人族的一成員);[**t-**]巨人;巨物;了不起的人.

titanic /taɪ'tænɪk/ *a*. 巨大的;極其有力的.

titanium /taɪ'teɪnɪəm/ *n*. 【化】鈦.

titbit /'tɪtbɪt/ *n*. ①量少味美的食品,珍品②花邊新聞,趣聞.

tithe /taɪð/ *n*. ①【史】(農產品)什一稅②十分之一;小部份.

titilate /'tɪtɪleɪt/ *vt*. 刺激(性感);使興奮.

titivate /'tɪtɪveɪt/ *v*. [俗]打扮;裝飾.

title /'taɪtl/ *n*. ①名稱;標題;書名②頭銜;稱號③【律】權益;權利④【體】冠軍稱號~**d** *a*. 有爵位的;有貴族頭銜的 ~**-deed** *n*. 【律】地契;房契 ~**-holder** *n*. 【體】冠軍~**-page** *n*. 書名頁~**-role** *n*. 劇名角色;片名角色.

titter /'tɪtə(r)/ *n*. 嗤笑;竊笑.

tittle-tattle /'tɪtl ˌtætl/ *n*. & *vi*. 閑聊;雜談.

titular /'tɪtjʊlə(r)/ *a*. 挂名的;有名無實的.

tizzy /'tɪzɪ/ *n*. [俗]激動或慌亂的心境.

TNT *abbr*. = trinitrotoluence【化】梯恩梯(即三硝基甲苯);黃色炸藥.

to /tu;(弱)tʊ, tə/ *prep*. 向;到;朝;對比;為了;關於;致使;按照;直至 *ad*. (用於門、窗)關上;關着;蘇醒過來;着手 // ~ *and fro* 來來回回;來來往往.

toad /təʊd/ *n*. ①【動】蟾蜍;癩蛤蟆②討厭的傢伙.

toad-in-the-hole /ˌtəʊdɪnðə'həʊl/ *n*. [英]麵拖香腸.

toadstool /'təʊdstu:l/ *n*. 【植】毒菌;有毒的蘑菇.

toady /'təʊdɪ/ *n*. 拍馬屁的人; *vi*. 諂媚;奉承.

toast /təʊst/ *n*. ①烤麵包片,吐司②祝酒;乾杯③被祝酒者 *v*. ①烤;烘;烤火②為…敬酒 ~**er** *n*. 烤麵包片器;烤麵包箱~**-master** *n*. 宴會主持人.

tobacco /tə'bækəʊ/ *n*. ①烟草;烟葉②烟草製品 ~**nist**/tə'bækənɪst/ *n*. 烟草商;烟草製品商店.

toboggan /tə'bɒgən/ *n*. 平底雪橇 *vi*. ①坐平底雪橇滑雪②突然急劇下降.

toby jug /'teʊbɪ dʒʌg/ *n*. (做成矮胖人形的)人形水罐.

toccata /tə'kɑ:tə/ *n*. [意]【樂】托卡塔樂曲.

tocsin /'tɒksɪn/ *n*. (舊或書)警鐘;警報;徵兆;可能有危險的警告.

today /tə'deɪ/ *n*. & *ad*. 今天;現今;現代.

toddle /'tɒdl/ *vi*. [俗]走路;步行;(尤指幼兒)搖搖晃晃地走.

toddy /'tɒdɪ/ *n*. 加糖和熱水的烈酒;棕櫚酒.

to-do /tə'du:/ *n*. 混亂;喧鬧.

toe /təʊ/ *n*. 腳趾;(鞋或襪等的)趾部 ~**-cap** *n*. 鞋(靴)頭;鞋尖飾皮

~-**hold** *n*. (攀登懸崖時的)小立足點;克服困難的辦法.

toff /tɒf/ *n*. [英俚](上層社會的)闊佬;衣冠楚楚的人;花花公子.

toffee; [美] **toffy** /'tɒfɪ/ *n*. 太妃糖 ~-**apple** *n*. 插在棒上塗有太妃糖的蘋果 ~-**nosed** *n*. [英俚]勢利的.

tofu /'təʊfu:/ *n*. 豆腐.

tog /tɒg/ *vt*. [俗]打扮;穿上漂亮衣服 *n*. [俗]衣服.

toga /'təʊgə/ *n*. (古代羅馬市民穿的)寬松托加袍.

together /tə'geðə(r)/ *ad*. 一起;共同;一致;同時;連續地.

toggle /'tɒgl/ *n*. 栓扣;棒形鈕扣【海】套索釘;(計算機等上的)控制開關.

toil /tɔɪl/ *n*. 苦役;苦工 *vi*. 苦幹;勞苦;緩慢困難地移動;跋涉 ~**some** *a*. 辛苦的;勞累的.

toilet /'tɔɪlɪt/ *n*. 洗手間;廁所;[舊]梳洗打扮 ~**ries** (*pl*.) *n*. 化妝品 ~-**paper** *n*. 衛生紙 ~-**roll** *n*. 衛生卷紙.

token /'təʊkən/ *n*. ①標志;象徵②證明③輔幣,代幣④紀念品;禮券 *a*. 象徵性的.

told /təʊld/tell 的過去式及過去分詞.

tolerate /'tɒləreɪt/ *vt*. ①容許;容忍;忍受②【醫】能接受藥力的;能經受治療的 **tolerable**/'tɒlərəbl/ *a*. ①可容忍的;可忍受的②尚好的;還可以的 **tolerance** /'tɒlərəns/ *n*. ①容忍;寬容②【機】(配合)公差 **toleration** /ˌtɒlə'reɪʃn/ *n*. 容忍;寬容;默認.

toll /təʊl/ *n*. ①通行費;通行稅②損失③破壞;傷亡④鐘聲 *v*. 鳴(鐘);敲鐘報告(時間、噩耗等).

tom /tɒm/ *n*. ①(= tom cat)公貓②雄性動物.

tomahawk /'tɒməhɔ:k/ *n*. (北美印地安人的)輕斧;戰斧.

tomato /tə'mɑ:təʊ; [美] tə'meɪtʊ/ *n*. (*pl*. ~**es**)番茄;西紅柿.

tomb /tu:m/ *n*. 墳墓,冢.

tombola /tɒm'bəʊlə/ *n*. [英](一種從轉筒中抽獎的)唐伯拉彩票.

tomboy /'tɒmbɔɪ/ *n*. 頑皮姑娘;男孩似的姑娘;假小子.

tome /tɒʊm/ *n*. 大冊書;學術巨著.

tomfool /'tɒmfu:l/ *a*. 極傻的;愚蠢透頂的 ~**ery** *n*. 蠢事;蠢舉.

tommy-gun /'tɒmɪ gʌn/ *n*. 衝鋒槍.

tomorrow /tə'mɒrəʊ/ *n*. 明天;明日;(不遠的)未來.

tomtom /'tɒmtɒm/ *n*. 手鼓;銅鑼.

ton /tʌn/ *n*. 噸([英] = 2240 磅;[美] = 2000 磅);貨物容積噸位;船的排水噸位;(*pl*.)大量 ~**nage** /'tʌnɪdʒ/ *n*. (船的)噸位;【商】每噸貨的運費 ~**ne**/tʌn/ *n*. 公噸(= 1000 公斤).

tone /təʊn/ *n*. ①音調;音色;語調;口吻;(樂器的)音質②風格;特徵③(顏色的)色調;光度;濃淡④(身體的)健康狀況⑤【語】抑揚,(語調的)升降 *v*. 帶某種語調(或色調);(使)緩和(down) ~**less** *a*. 缺乏聲調(色彩)的;無精打采的;呆板的 // ~ *down* (使)緩和 ~ *in* (*with sth*)色調相配 ~ *up* (使色調)更明亮;增強.

tongs /tɒŋz/ (*pl*.) *n*. 夾子;鉗子.

tongue /tʌŋ/ *n*. 舌;舌頭;語言;舌狀物 ~**tied** *a*. (由於羞怯等)說不出話的 ~-**twister** *n*. 繞口令.

tonic /'tɒnɪk/ *n*. ①補藥②[喻]振奮劑③【樂】主音.

to-night /tə'naɪt/ *n*. & *ad*. 今夜;今晚.

tonne /tʌn/ *n*. [英] = metric ton.

tonsil /'tɒnsl/ *n*. 【解】扁桃腺 ~**litis** /ˌtɒnsɪ'laɪtɪs/ *n*. 扁桃腺炎.

tonsure /'tɒnʃə(r)/ *n*. 削髮(為僧);頭上剃光的部分;禿頂.

too /tu:/ *ad*. 太;過於;也;又;還;非常;很.

took /tʊk/ take 的過去式.

tool /tu:l/ *n*. ①工具②走狗,爪牙③手段.

toot /tu:t/ *n*. ①(號角、笛等的)嘟嘟聲②[美]醉鬧;痛飲 *v*. (使)發嘟嘟聲.

tooth /tu:θ/ *n*. (*pl*. **teeth** /ti:θ/) 牙齒;齒狀物;(*pl*.)有效的力量 **~ache** *n*. 牙痛 **~brush** *n*. 牙刷 **~paste** *n*. 牙膏 **~pick** *n*. 牙籤 **~some** *a*. 好吃的;可口的.

tootle /'tu:tl/ *vi*. ①吹出嘟嘟聲;發輕柔的嘟嘟聲②[俗]信步;閑逛.

top /tɒp/ *n*. ①頂;上端;頂部②上層;首位;最高地位(成就等)③頂蓋④上衣⑤陀螺 *vt*. ①加蓋;加頂;到頂部②超過;勝過;領先③修剪頂部 *a*. 最高的;最優良的;**~less** *a*. ①無頂的,無蓋的②(女人)露出上身的;袒胸露乳的**~-boots** *n*. 馬靴**~coat** *n*. 面層油漆**~-flight** *a*. 最好的;第一流的**~most** *a*. 最高的;最上面的 // *~ secret* 絕密的.

topaz /'təʊpæz/ *n*. 黃玉;黃玉礦;黃寶石.

topi, topee /'təʊpɪ/ *n*. 遮陽帽;遮陽盔.

topiary /'təʊpɪərɪ/ *n*. 灌木修剪術.

topic /'tɒpɪk/ *n*. 論題;話題;題目**~al** *a*. 熱門話題的;有關時事的.

topography /tə'pɒgrəfɪ/ *n*. 地志;地形;地形學 **topographical** /ˌtɒpə'græfɪkl/ *a*.

topology /təʊ'pɒlədʒɪ/ *n*. 【數】拓撲學.

topper /'tɒpə(r)/ *n*. ①[俗]高頂禮帽②高檔貨.

topple /'tɒpl/ *v*. 搖搖欲墜;(使)倒塌;推翻;顛覆.

topsy-turvy /ˌtɒpsɪ'tɜ:vɪ/ *a*. & *ad*. 亂七八糟的(地);顛倒的(地).

toque /təʊk/ *n*. 無邊女帽.

tor /tɔ:(r)/ *n*. 多岩石的小山;岩石山端.

torah /'tɔ:rə/ *n*. 全部希伯來聖經.

torch /tɔ:tʃ/ *n*. 火炬;[英]手電筒(=[美]flash light) // *carry a ~ for* 愛上;單戀.

tore /tɔ:(r)/ tear 的過去式.

toreador /'tɒrɪədɔ:/ *n*. (尤指騎馬的)鬥牛士.

torment /'tɔ:ment/ *n*. 痛苦;苦惱;使人痛苦或苦惱的人或物/tɔ:'ment/ *vt*. 使痛苦;使苦惱;戲弄;折磨**~or** /tɔ:'mentə/ *n*. 折磨人的人(或東西).

torn /tɔ:n/ tear 的過去分詞.

tornado /tɔ:'neɪdəʊ/ *n*. (*pl*. **~es**) 龍捲風;旋風.

torpedo /tɔ:'pi:dəʊ/ *n*. (*pl*. **~es**) 魚雷 *vt*. ①用魚雷襲擊(或炸沉)②[喻]破壞.

torpid /'tɔ:pɪd/ *a*. ①遲鈍的;不活潑的;呆滯的②麻木的③冬眠的**~ity** /tɔ:'pɪdətɪ/ *n*. **~ly** *ad*.

torpor /'tɔ:pə(r)/ *n*. 遲鈍;麻木;懶散.

torque /tɔ:k/ *n*. 【物】扭(力)矩;轉(力)矩.

torrent /'tɒrənt/ *n*. ①急流;洪流②[喻](感情等的)迸發;(謾罵等的)連發.

torrid /'tɒrɪd/ *a*. ①炎熱的②熱情的③色情的.

torsion /'tɔ:ʃn/ *n*. 【物】扭轉;扭力;轉矩.

torso /'tɔːsəʊ/ *n*. (*pl*. **~s**) (人體的)軀幹;軀幹部分的雕像.

tort /tɔːt/ *n*.【律】侵權行為;民事過失.

tortoise /'tɔːtəs/ *n*. 龜;烏龜; **~shell** *n*. 龜甲;玳瑁殼;有棕色斑點的貓(或蝴蝶).

tortuous /'tɔːtʃʊəs/ *a*. ①曲折的;彎彎曲曲的②(政策等)欺騙性的;不正直的.

torture /'tɔːtʃə(r)/ *n*. 折磨;拷問;拷打;苦難 *vt*. 折磨;拷問;使遭受苦難.

Tory /'tɔːrɪ/ *n*. 英國保守黨黨員 *a*. 英國保守黨的 **~ism** *n*. 英國保守黨之主義.

tosh /tɒʃ/ *n*. [俚]廢話.

toss /tɒs/ *v*. ①扔;拋②(使)搖擺;(使)顛簸③給食物拌加調味品④擲硬幣决定(某事)⑤突然將(頭)一仰 *n*. ①扔;拋②搖擺;顛簸③突然仰(頭).

tot /tɒt/ *n*. 小孩;小杯的酒 *v*. 加起來;總計.

total /'təʊtl/ *a*. 總計的;全部的;全體的;完全的 *n*. 總數;總共;合計 *vt*. 計算…的總數;總數達;[美俚]完全毀壞 **~ity** /təʊ'tælətɪ/ *n*. 完全;全部;總數 **~ly** *ad*. 全部;完全.

totalitarian /ˌtəʊtælɪ'teərɪən/ *a*. 極權主義的 *n*. 極權主義者 **~ism** *n*. 極權主義.

tote /təʊt/ *n*. [俗] = totalizator(賽馬等的)賭金計算器 *vt*. ①搬運,運送;携帶②把…加起來;計算…的總數.

totem /'təʊtəm/ *n*. 圖騰;圖騰形象 **~-pole** *n*. 圖騰柱.

totter /'tɒtə(r)/ *vi*. ①蹣跚;跌跌撞撞②搖晃;搖搖欲墜.

toucan /'tuːkæn/ *n*. (美洲熱帶的)巨嘴鳥;鵎鵼.

touch /tʌtʃ/ *v*. ①(使)接觸;(使)相碰;摸②干涉;損害,傷害③吃(或喝)一點④使感動⑤涉及⑥達到⑦比得上 *n*. ①觸;接觸;觸覺②潤色;修飾③一點點④手法;風格⑤個人的技能 **~ing** *a*. 動人的;令人傷感的 **~y** *a*. ①易怒的;過敏的②難處理的 **~-and-go** *a*. [俗]沒把握的;結果難以預料的 **~down** *n*. ①(飛機)降落②[美橄欖球]底綫得分.

touché /'tuːʃeɪ/ *int*. 說得好! (贊嘆爭論中的對方言之有理等).

tough /tʌf/ *a*. ①堅韌的;堅固的;能吃苦耐勞的②[美]粗暴的;兇惡的;嚴厲的;困難的③(肉)咬不動的④強硬的,固執的⑤[俗]不幸的 *n*. [俗]惡棍;歹徒.

toupee /'tuːpeɪ/ *n*. 遮禿處的男用假髮;小頂假髮.

tour /tʊə(r)/ *n*. ①遊覽;旅行;觀光;參觀②巡迴比賽(或演出)③(軍人或外交人員在海外的)服役期,任職期 *v*. 旅行;遊覽;在…巡迴演出 **~ism** /'tʊərɪzəm/ *n*. 旅遊業 **~ist** /'tʊərist/ *n*. 旅遊者;遊客;參加巡迴比賽的運動員.

tour de force /tʊə də 'fɔːs/ (*pl*. **tours de force**) [法]絕技;杰作;絕妙的表演.

tourmaline /'tʊəməliːn/ *n*.【礦】電氣石;電石.

tournament /'tɔːnəmənt/ *n*. 比賽;錦標賽;聯賽;[舊]馬上比武.

tourniquet /'tʊənɪkeɪ/ *n*.【醫】止血帶;壓脉器.

tousle /'taʊzl/ *vt*. 弄亂(頭髮等);使蓬亂;弄皺.

tout /taʊt/ *v*. ①拉生意;兜售;招徠②

[英]出售黑市票(音樂會,比賽等的門票)兜售者// *a ticket*~票販子.

tow /təʊ/ *vt*. 拖;拉;牽引 *n*. ①拖曳;被拖的船②短麻屑;亞麻短纖維 // *in*~被拖着;[俗]伴隨;跟着 *on*~被拖着.

toward(s) /tə'wɔːd(z)/ *prep*. ①向;朝②接近;大約③對於;關於④為了;有助於.

towel /taʊəl/ *n*. 毛巾.

tower /'taʊə(r)/ *n*. 塔;城樓;塔樓 *vi*. 高聳;屹立高度超過(above, over);[喻]勝過~**ing** *a*. ①高聳的,高大的②強烈的③杰出的;卓越的// *a~of strength*(危難時)可依賴的人;中流砥柱 ~*block* 高層公寓(或辦公樓).

town /taʊn/ *n*. 鎮;市鎮;城鎮;商業區~**sfolk**, ~**speople** (*pl*.) *n*. 城鎮居民;城裏人.

toxaemia /tɒk'siːmɪə/ *n*. 【醫】毒血症.

toxic /'tɒksɪk/ *a*. 有毒的;中毒的 ~**ology**/ ˌtɒksɪ'kɒlədʒ/ *n*.【醫】【藥】毒理學;毒物學.

toxin /'tɒksɪn/ *n*. 【生】【生化】毒素.

toy /tɒɪ/ *n*. 玩具;玩物 *vi*. 不太認真地考慮(with);玩弄;心不在焉地擺弄 *a*. 作玩具用的;(指狗)小如玩具的.

trace /treɪs/ *n*. ①踪迹;足迹;痕迹;遺迹②微量;少許③挽繩 *vt*. ①追踪;跟踪;追溯;查明②敍述…的發展③畫出…的輪廓;描繪出;描摹④吃力地寫~**r** *n*. 追踪者;描繪工具;繪圖員;曳光彈;放射性示踪劑~**ry** *n*. 花格圖案;教堂窗戶上方的石花格 **tracing-paper** *n*. (透明)描圖紙 // ~*element*【化】微量元素.

trachea /trə'kɪə/ *n*. (*pl*. **tracheae** /trə'kiːiː/ 或 **-cheas**)【解】氣管.

track /træk/ *n*. ①痕迹;足迹;踪迹(輪船、飛機等的)航迹;車轍②路綫;小徑;軌道③[美]月台;站台;跑道④履帶;(録音帶的)磁道 *v*. 追踪;搜尋 // ~*events*【體】徑賽 ~*suit*(田徑)運動服.

tract /trækt/ *n*. ①廣闊的地面②區域③(宗教或政治方面的)短論;小冊子④【解】管;道.

tractable /'træktəbl/ *a*. 溫順的;易處理的;易控制的 **tractability** /ˌ-'bɪlətɪ/ *n*.

traction /'trækʃn/ *n*. ①拖拉;牽引(力)②【醫】牽引治療③附着磨擦力.

tractor /'træktə(r)/ *n*. 拖拉機;牽引車.

trad /træd/ *n*. [英俗]傳統爵士樂.

trade /treɪd/ *n*. ①貿易;交易;買賣②行業;職業③手藝 *v*. 做生意;交易;交換;[美]購物~**sman** *n*. 送貨員;店主;商人// ~*gap* 進出口差額 ~*mark* 商標 ~*union* 工會 ~*wind*【氣象】貿易風;信風.

tradition /trə'dɪʃn/ *n*. 傳統;慣例;傳說~**al** *a*. ~**alism** *n*. 傳統主義;因循守舊~**alist** *n*. 傳統主義者;因循守舊的人.

traduce /trə'djuːs/ *vt*. ①中傷;誹謗②違反;背叛.

traffic[1]/'træfɪk/ *n*. ①交通②(街上行駛的)車輛③(航綫上船隻、飛機的)行駛;運輸量④非法買賣;違法交易 ~**-lights** *n*. 交通指揮燈 // ~*island*(馬路中間的)安全島 ~*warden*(處理違章停車的)交通管理員.

traffic[2]/'træfɪk/ *vi*. (過去式及過去分詞 **trafficked**;現在分詞 **trafficking**)(尤指從事非法的或不道德的)買賣;做生意.

tragedy /'trædʒədɪ/ *n*. 悲劇;不幸事

件;慘事 **tragedian** /trə'dʒi:dɪən/ *n*. 悲劇作家;悲劇演員 **tragedienne** /trəˌdʒi:dɪ'en/ *n*. 悲劇女演員 **tragic** /'trædʒɪk/ *a*. 悲劇的;悲慘的;災難的.

tragicomedy /ˌtrædʒɪ'kɒmədɪ/ *n*. 悲喜劇.

trail /treɪl/ *n*. ①痕迹;足迹;踪迹②崎嶇小路 *v*. ①拖;拖曳②無精打采地走③落後;失利④(植物)蔓生;蔓延⑤追踪;尾隨⑥(説話聲音)逐漸變低並消失 **~er** *n*. 拖車;(汽車拖的)篷車;(電影、電視的)預告片.

train /treɪn/ *v*. ①訓練;培養②(將槍、炮、攝像機等)瞄向③使(植物)向一定方向生長 *n*. ①火車;列車②(行進中的)一隊;長列;隨行人員③一連串(事件)④思路⑤拖裾;裙裾; **~ee** /treɪ'ni:/ *n*. 受培訓者 **~er** /'treɪnə(r)/ *n*. 教練;馴獸師;馴馬師;教練機;模擬飛行裝置 **~-man** *n*. [美]列車乘務員// *~set* 玩具火車 *in~* 準備就緒.

training /treɪnɪŋ/ *n*. 培訓,訓練.

traipse /treɪps/ *vi*. [俗]疲乏地走;艱難地行走.

trait /treɪt/ *n*. 品質;特性;特點.

traitor /'treɪtə(r)/ *n*. 叛徒;賣國賊.

trajectory /trə'dʒektərɪ/ *n*. 軌迹;彈道.

tram /træm/ *n*. [英]有軌電車.

trammel /'træml/ *vt*. 束縛;妨礙;阻止 *n*. (**~s**)(*pl*.)束縛;妨礙物.

tramp /træmp/ *v*. 沉重地走;徒步旅行;步行 *n*. ①流浪漢;遊民②徒步旅行;長途步行③沉重的脚步聲④不定期貨船.

trample /'træmpl/ *v*. ①踐踏;踩壞;踏碎②重步行走③蔑視;冷酷地對待.

trampoline /'træmpəli:n/ *n*. 蹦床;彈床;彈簧墊.

trance /trɑ:ns, [美]træns/ *n*. 精神恍惚;出神;發呆.

tranche /trɑ:nʃ/ *n*. 片;一份;一部分.

tranquil /'træŋkwɪl/ *a*. 寧靜的;安寧的 **~lity** /-'kwɪlətɪ/ *n*. **~lize** /'træŋkwɪlaɪz/ *vt*. 使安靜;使鎮靜 **~lizer** *n*. 鎮靜劑.

trans- [前綴]表示"横越"、"横貫"、"超越"、"轉移"、"變化"、"在(或向)另一邊".

transact /træn'zækt/ *vt*. 辦理;處理;執行 **~ion** *n*. ①辦理;處理;執行②事務;交易③(*pl*.)學術講座;學術討論④會報;學報.

transatlantic /ˌtrænzət'læntɪk/ *a*. 大西洋彼岸的;横越大西洋的;大西洋沿岸國家的.

transceiver /træn'si:və(r)/ *n*. 【無】無綫電收發兩用機.

transcend /træn'send/ *vt*. 超出;超越;勝過 **~ence** /-dəns/ *n*. **~ent** /-dənt/ *a*. 卓越的;出類拔萃的 **~ental** /ˌ-'dentl/ *a*. 非凡的;玄妙的;超自然的.

transcribe /træns'kraɪb/ *vt*. ①抄寫;謄寫②改編(樂曲);改製(録音)③【語】用音標標出 **transcript** /'trænskrɪpt/ *n*. ①抄本;録音②[美]成績單 **transcription** /-'krɪpʃn/ *n*. ①抄寫;謄寫②抄本;録音.

transducer /trænz'dju:sə(r)/ *n*.【物】換能器;變換器.

transept /'trænsept/ *n*. 十字形教堂的耳房.

transfer /træns'fɜ:(r)/ *v*. ①遷移;調往②移交③改製(録音)④轉移;調動⑤換車(船等)/'trænsfɜ:(r)/ *n*. 遷移;轉移;調動;換車(船等);[美]換

車證 ~**able-**/'fɜːrəbl/ *a*. 可轉移的；可轉讓的 ~**ence** /'trænsfərəns/ *n*. 轉移；轉讓；調動.

transfigure /træns'fɪgə(r)/ *vt*. ①使變形②使改觀；美化 **transfiguration**/ˌ-'reɪʃn/ *n*.

transfix /træns'fɪks/ *vt*. ①刺穿②嚇呆；使麻木.

transform /træns'fɔːm/ *vt*. 徹底改變；改造 ~ **ation**/ˌtrænsfə'meɪʃn / *n*. ~**er** *n*. 變壓器.

transfusion /træns'fjuːʒn/ *n*. 輸血.

transgress /træns'gres/ *v*. 逾越；違反；違法.

transient /'trænzɪənt/ *a*. 短暫的；易逝的 **transience, transiency** *n*.

transistor /træn'zɪstə(r)/ *n*. 晶體管；晶體管收音機 ~**ized** *a*. 裝有晶體管的.

transit /'trænzɪt/ *n*. 通過；通行；運輸過程；【天】中天.

transition /træn'zɪʃn/ *n*. 轉變；過渡 ~**al** *a*.

transitive /'trænsətɪv/ *a*. 【語】及物的.

transitory /'trænsɪtrɪ/ *a*. 暫時的；瞬間的.

translate /træns'leɪt/ *v*. ①翻譯②解釋；說明③轉化；使變為 **translation** *n*. **translator** *n*. 翻譯者.

transliterate /trænz'lɪtəreɪt/ *vt*. 按另一字母體系拼出；音譯.

translucent /trænz'luːsnt/ *a*. ①半透明的②易瞭解的 **translucence** *n*.

transmigration /ˌtrænzmaɪ'greɪʃn/ *n*. ①【宗】投生；轉世②移居；移民.

transmit /trænz'mɪt/ *vt*. 傳送；傳達；傳播；傳導 **transmission** /-'mɪʃn/ *n*. ①傳送；傳播②(無綫電或電視節目的)播送③(機動車的)傳動系統

transmitter *n*. 傳播者；傳導物；發報機.

transmogrify /trænz'mɔgrɪfaɪ/ *vt*. [謔]使完全變形；使徹底改變性質.

transmute /trænz'mjuːt/ *vt*. 使變為；使完全變成… **transmutation** /ˌ-'teɪʃn/ *n*. 變形；變質；變化.

transoceanic /'trænzˌəʊʃɪ'ænɪk/ *a*. 大洋彼岸的；越洋的.

transom /'trænsəm/ *n*. ①(門、窗的)橫楣②[主美](門、窗上的)頂窗；氣窗.

transparent /træns'pærənt/ *a*. ①透明的②明顯的；無疑的③明晰的；易懂的 **transparency** *n*. ①透明②幻燈片.

transpire /træns'paɪə(r)/ *v*. ①泄漏②[俗]發生③(植物的葉子)散出(蒸汽) **transpiration** /ˌtrænspɪ'reɪʃn/ *n*. 散發(蒸汽).

transplant /træns'plɑːnt/ *v*. 移植；移種；遷移；適於移植/'trænsplɑːnt /*n*. (組織或器官的)移植 ~**ation** /ˌ-'teɪʃn/ *n*.

transport /træns'pɔːt/ *vt*. ①運輸；運送②放逐；流放 /'trænpɔːt/ *n*. ①運輸②運輸工具；車輛；運輸船；運輸機 ~**ation** /ˌ-'teɪʃn/ *n*. ~**er** *n*. (運載小汽車或沉重機器等的)大型運輸車// *in ~s of* 極其激動.

transpose /træns'pəʊz/ *vt*. 調換；使換位置；【樂】將(樂曲)變調 **transposition** /ˌtrænspə'zɪʃn/ *n*.

transsexual /trænz'sekʃʊəl/ *n*. 易性癖者；有異性轉化欲者；心態上認為自己是異性的人；(經手術)變性的人.

transship /træn'ʃɪp/ *vt*. 將(貨物)移到他船；轉運.

transubstantiation /'trænsəbˌstænʃɪ'eɪʃn/ *n*. 【宗】聖餐變

體(天主教認為聖體禮中所用的餅和葡萄酒在禮儀過程中變成基督的身體和血).

transverse /'trænzvɜːs/ *a*. 橫向的;橫切的;橫斷的.

transvestite /trænz'vestaɪt/ *n*. 好穿異性服裝的人 **transvestism** /-'vestɪzəm/ *n*.易裝癖.

trap /træp/ *n*. ①(捕捉動物的)捕機;陷阱;圈套②[喻]詭計;埋伏③困境④(排水管上的)堵臭彎頭⑤雙輪輕便馬車⑥[俚]嘴 *vt*.設陷阱捕捉;使落入圈套;使陷入困境;設計誘騙;誘捕;堵住 **~per** *n*. 設陷阱捕獸者 **~door** *n*.(地板、天花板、屋頂上的)活板門;通氣門.

trapeze /trə'piːz/ *n*. (馬戲團、體操所用的)高鞦韆;吊架.

trapezium /trə'piːzɪəm/ *n*. 【數】[美]不等邊四邊形;[英]梯形.

trapezoid /'træpɪzɔɪd/ *n*. [美]梯形;[英]不等邊四邊形.

trappings /'træpɪŋz/ (*pl*.)*n*. (尤指作為官職標志的)服飾, 禮服;(表示聲望、財富等外表的)裝飾(品).

Trappist /'træpɪst/*n*.【宗】(天主教西多會中的)特拉普派(此派嚴格遵守閉口苦修).

trash /træʃ/ *n*. ①劣貨;拙劣的作品;[美]廢物;垃圾②[美俗]被人瞧不起的人.

trauma /'trɔːmə, [美] 'traumə/ *n*. 【心】精神創傷;[俗]痛苦的經歷;不愉快的經歷;【醫】外傷;創傷.

travail /'træveɪl, [美]trə'veɪl/ *n*. ①[古或詩]辛勞;勞苦②[古]分娩的陣痛.

travel /'trævl/ *v*. ①旅行;遊歷②行進;(使)移動③出外兜銷④(指酒、魚等)被運送⑤[俗]飛馳 *n*. ①旅行;遊歷②(機件的)行程 **travel(l)er** *n*. 旅行者;旅行推銷員 **travel(l)ing** *a*. 旅行的;巡迴的 // *~ agency* (*or bureau*) 旅行社 *traveller's cheque* ([美] *traveler's check*)旅行支票.

traverse /trə'vɜːs/ *vt*. 橫越;橫斷;橫貫 *n*. ①橫斷物;橫樑②(登山)*Z* 字形攀登.

travesty /'trævəstɪ/ *n*. ①荒謬可笑的模仿②歪曲;曲解 *vt*. 荒謬地模仿;歪曲.

trawl /trɔːl/ *n*. 拖網;[美]曳釣繩 *v*. ①用拖網捕魚②[喻]搜尋 **~er** *n*. 拖網漁船.

tray /treɪ/ *n*. ①淺盤;托盤②(辦公桌上的)文件盤.

treachery /'tretʃərɪ/ *n*. 背叛;叛逆;變節行為 **treacherous** /-rəs/ *a*. 背叛的;靠不住的;危險的.

treacle /'triːkl/ *n*. 糖蜜;糖漿.

tread /tred/ *v*. (**trod** /trɒd/; **trodden** /'trɒdn/)①踩;踏;走;落足②踐踏;踩碎 *n*. ①步態;脚步聲②(台階等的)踏面 **~mill** *n*.(古時懲罰囚犯的)踏車;[喻]單調的工作.

treadle /'tredl/ *n*. (脚踏車、縫紉機等的)踏板.

treason /'triːzn/ *n*. ①謀反;叛逆②叛國(罪)③不忠;背信 **~able**; **~ous** *a*. 犯叛國罪的;謀反的.

treasure /'treʒə(r)/ *n*. ①財寶;珍寶;珍品②珍愛的人;難得的人才 *vt*. ①珍惜;珍重;珍愛②珍藏 **~r**/-rə/ *n*. 司庫;會計;財務員.

treasury /'treʒərɪ/ *n*. ①寶庫;金庫②[喻](指書等)集錦;名作選;極有價值的東西③(the **T-**)財政部.

treat /triːt/ *v*. ①對待;看待②探討;論及③治療④處理⑤款待⑥談判 *n*. ①款待②令人愉快的事物

~ment *n*. 對待;處理;治療(法).
treatise /'triːtɪz/ *n*. 論文;專著.
treaty /'triːtɪ/ *n*. ①條約;協定;協議②商定;協商.
treble /'trebl/ *a*. 三倍的;三重的【樂】高音的 *n*. 三倍;三重;【樂】最高音部 *v*. (使)成為三倍.
tree /triː/ *n*. ①樹;樹木②木料③家譜;家系圖.
trefoil /'trefɔɪl/ *n*. 【植】車軸草;三葉草.
trek /'trek/ *n*. & *vi*. 長途跋涉;徒步旅行.
trellis /'trelɪs/ *n*. ①(支撐攀緣植物的)格子籬;棚架②(窗戶等)格子.
tremble /'trembl/ *vi*. ①發抖;顫動②焦慮不安 *n*. 顫抖;抖動.
tremendous /trɪ'mendəs/ *a*. ①極大的;巨大的②[俗]極好的;非凡的.
tremolo /'tremələʊ/ *n*. (*pl*. ~s)【樂】震音,顫音.
tremor /'tremə(r)/ *n*. 微顫;抖動;(喜悅、驚恐等引起的)興奮,激動,戰慄.
tremulous /'tremjʊləs/ *a*. ①發抖的;顫抖的②怯懦的③不穩定的;歪歪斜斜的.
trench /trentʃ/ *n*. 溝;渠;戰壕 *vt*. 掘溝於…;在…挖戰壕.
trenchant /'trentʃənt/ *a*. ①(評論等)犀利的;尖銳的②有力的;中肯的.
trend /trend/ *n*. 傾向;趨勢;動向 *vi*. 趨向;有某種趨勢 **~y** *a*. [俗]時髦的;趕時髦的.
trepidation /ˌtrepɪ'deɪʃn/ *n*. ①惶恐;憂慮;恐懼②顫抖.
trespass /'trespəs/ *vi*. ①非法侵入;侵占;侵犯②打擾;妨礙③[古]犯罪 *n*. 非法侵入;[古]罪過;過失.
tress /tres/ *n*. 一綹頭髮 (*pl*.)(尤指女人的披肩)長髮.
trestle /'tresl/ *n*. (放木板、桌面等的)支架;枱架.
trews /truːz/ (*pl*.)*n*. 格花呢緊身褲.
tri- [前綴]表示"三"、"三重的".
triad /'traɪæd/ *n*. 三人組合;三種事物的組合;三合一;(T-)三合會.
trial /'traɪəl/ *n*. ①審訊;審判②試驗③磨難;【體】選拔賽 // *on* ~①受檢查;受檢驗;試用中②在受審中 ~ *and error* 反覆試驗;不斷摸索 ~ *run* 預先演練(如試車;試航;試演等).
triangle /'traɪæŋgl/ *n*. ①三角形;三角形物②三角關係 **triangular** /traɪ'æŋgjʊlə(r)/ *a*.
tribe /traɪb/ *n*. ①部落;部族②(動、植物的)族;類③一大群人;[蔑]一夥;一幫 **tribal** *a*. 部落的.
tribulation /ˌtrɪbjʊ'leɪʃn/ *n*. 苦難;患難;災難;磨難.
tribunal /traɪ'bjuːnl/ *n*. ①法官席②法庭③裁決.
tribune /'trɪbjuːn/ *n*. ①民眾領袖;民權捍衛者②講壇;(T-)(用於報刊名)論壇報.
tributary /'trɪbjʊtrɪ/ *n*. 支流; *a*. ①支流的②進貢的③從屬的.
tribute /'trɪbjuːt/ *n*. ①貢品;貢金②頌辭;稱頌.
trice /traɪs/ *n*. 瞬息,一剎那 // *in a* ~一瞬間,立即.
triceps /'traɪseps/ *n*. 【解】三頭肌.
trick /trɪk/ *n*. ①詭計,騙局②技巧,訣竅③戲法,把戲④(行為、舉止等方面的)習慣;習氣⑤(牌戲中的)一圈,一墩 *vt*. 欺騙;打扮;裝飾 **~ery** *n*. 欺騙;詭計;花招 **~ster** *n*. 騙子,魔術師 **~y** *a*. ①(工作等)需要技巧的;複雜的②(人或行為)狡猾的,詭計多端的.

trickle /'trɪkl/ *v*. (使)滴;淌;慢慢地過來(或去) *n*.滴;細流;慢慢來(或去)的少量東西.

tricolo(u)r /'trɪkələ(r), [美]'traɪkʌlə/ *n*.三色旗;(the T-)法國國旗.

tricycle /'traɪsɪkl/ *n*. (手搖或摩托)三輪車;(尤指兒童)三輪脚踏車.

trident /'traɪdənt/ *n*. 三叉戟;(T-)三叉戟飛機.

tried /traɪd/ *a*. 經過考驗的;試驗過的;可靠的.

triennial /traɪ'enɪəl/ *a*. 持續三年的;每三年一次的.

trier /'traɪə(r)/ *n*. ①試驗者②勤勞的人;盡力工作的人.

trifle /'traɪfl/ *n*. ①瑣事②少量的錢③小物件,無多大價值的東西④鬆糕 *vi*.輕視;玩弄(with) **trifling** *a*.瑣細的;微不足道的 // *a trifle* 有點兒;稍微.

trigger /'trɪgə(r)/ *n*. (槍等的)扳機;引爆器;觸發裝置;【機】扳柄 *vt*. ①扣扳機開槍;使爆炸②引發;引起.

trigonometry /ˌtrɪgə'nɒmətrɪ/ *n*. 【數】三角學.

trike /traɪk/ *n*. [口]三輪車.

trilateral /ˌtraɪ'lætərəl/ *a*. 三邊的;三方的;三國之間的.

trilby /'trɪlbɪ/ *n*. (男用)軟氈帽.

trill /trɪl/ *n*. 顫聲;【樂】顫音 *v*.發顫聲;用顫音唱.

trillion /'trɪlɪən/ *n*. [美]兆;萬億;[英]百萬兆;百億億.

trilobite /'traɪləbaɪt/ *n*. 【古生】三葉蟲.

trilogy /'trɪlədʒɪ/ *n*. (尤指小說、戲劇、歌劇)三部曲.

trim /trɪm/ *a*. ①整齊的;整潔的②苗條的③優美的 *vt*. ①修剪;整飾②刪掉;切掉;削減③裝飾④(使船、飛機)平穩;(使帆)適應風向 *n*. ①(頭髮等的)修剪②(衣服、傢具等的)裝飾物③準備;齊備 **~ming** *n*.裝飾材料;(*pl*.)修剪下來的東西;(*pl*.)配料.

trimaran /'traɪməræn/ *n*. 三體船.

trinitrotoluene /ˌtraɪˌnaɪtrəʊ'tɒljʊiːn/ *n*. 【化】三硝基甲苯(TNT 炸藥的全稱).

trinity /'trɪnətɪ/ *n*. 三人一組;三個一套;(the T-)【宗】三位一體.

trinket /'trɪŋkɪt/ *n*. 小裝飾品;廉價首飾;小玩意兒.

trio /'triːəʊ/ *n*. (*pl*. **~s**) 三人一組;三個一套;三重奏;三重唱.

trip /trɪp/ *v*. ①絆;(使)絆倒②輕快地走(跑、舞蹈);[舊俚]旅行③(使)犯過失;泄漏秘密等④打開(開關),啓動 *n*. ①(短途)旅行②絆倒③[俚](服迷幻藥後的)幻覺④開關;跳閘 **~per** *n*.(短程)旅遊者 **~ping** *a*.輕快的.

tripartite /traɪ'pɑːtaɪt/ *a*. 三部分組成的;涉及三人的;三方之間的.

tripe /traɪp/ *n*. ①牛、羊、猪等可供食用的胃,(牛、羊的)肚②廢話;拙劣的作品.

triple /'trɪpl/ *a*. 三部分的;三人的;三重的;三方的;三倍的 // *the ~ jump* 三級跳遠.

triplet /'trɪplɪt/ *n*. (*pl*.)三胞胎;三個一組的東西.

triplicate /'trɪplɪkət/ *n*. // (*in ~*)一式三份 *vt*.將…作成一式三份.

tripod /'traɪpɒd/ *n*. (照像機等的)三脚架.

tripos /'traɪpɒs/ *n*. (劍橋大學)文學士學位考試.

triptych /'trɪptɪk/ *n*.三幅相聯的圖畫;三幅相聯銀幕電影;三折寫板;三件

相聯的藝術作品.

trisect /traɪˈsekt/ *vt*.【數】將(一條綫、一個角等)三等分;把…分成三份.

trite /traɪt/ *a*. (言詞等)陳腐的;平凡的.

tritium /ˈtrɪtɪəm/ *n*.【化】氚.

triumph /ˈtraɪəmf/ *n*. ①凱旋;勝利②成功;偉大成就③喜悦 *vi*. 取勝;成功;**~al** /traɪˈʌmfl/ *a*. 勝利的;成功的;慶祝勝利的 **~ant** /traiˈʌmfnt/ *a*. ①勝利的②(因勝利而)喜氣洋洋的.

triumvirate /traɪˈʌmvɪrət/ *n*. 三人統治小組;三頭政治.

trivet /ˈtrɪvɪt/ *n*. (放鍋等的)三角架.

trivia /ˈtrɪvɪə/ *pl*. *n*. 瑣事;無足輕重的消息 **trivial** *a*. 瑣細的;無足輕重的 **triviality** /ˌ-ˈæləti/ *n*. 無關緊要;瑣事.

trod /trɒd/ tread 的過去式.

trodden /ˈtrɒdn/ tread 的過去分詞.

troglodyte /ˈtrɒglədaɪt/ *n*. ①(尤指史前的)穴居人②隱士.

troika /ˈtrɒɪkə/ *n*. ①俄式三駕馬車②三人小組;三頭政治.

Trojan /ˈtrəʊdʒən/ *n*. 古代特洛伊城居民;勤奮的人 *a*. 特洛伊城的 // *~ horse* 特洛伊木馬;內部破壞因素;內部顛覆者.

troll /trəʊl/ *n*. (斯堪的納維亞神話中的)邪惡巨人;好惡作劇但態度友善的侏儒 *vi*. (在船後拉着鈎絲)拖釣.

trolley /ˈtrɒlɪ/ *n*. ①手推車;小台車;(鐵路)查道車;②[美]有軌電車 **~-bus** *n*. 無軌電車.

trollop /ˈtrɒləp/ *n*. 懶婦;妓女.

trombone /trɒmˈbəʊn/ *n*.【樂】拉管,長號 **trombonist** *n*. 長號手.

troop /truːp/ *n*. 一群;(*pl*.)軍隊;(由成人帶領的由 16 至 32 人組成的)童子軍中隊;騎兵(或炮兵、裝甲兵)連隊 *vi*. 成群結隊地走;列隊行進**~er** *n*. 騎兵;裝甲兵;[美]州警察.

trope /trəʊp/ *n*.【修】轉義;比喻;借喻.

trophy /ˈtrəʊfɪ/ *n*. 獎品;戰利品;勝利紀念品.

tropic /ˈtrɒpɪk/ *n*. 回歸綫;(the ~s)熱帶(地區)**~al** *a*. 熱帶的;炎熱的.

trot /trɒt/ *v*. ①(馬等的)小跑, 快步走;騎(馬)小跑②(人)小步跑, 匆匆走;[俗]走;去 *n*. 疾走;小跑;(the ~s)[俚]腹瀉 // *on the* ~[俗]一個接一個;連續;忙個不停 *~ sth out*[俗]對人重彈老調;提出…供某人考慮.

troth /trəʊθ;[美]trɔːθ/ *n*. ①[古]忠誠;真實②婚約 // *plight one's ~* 訂婚.

troubadour /ˈtruːbədɔː(r)/ *n*. (11－13 世紀法國的)吟遊詩人.

trouble /ˈtrʌbl/ *n*. ①煩惱;苦惱;憂慮②麻煩;困境;不便或困難的事③疾病④故障⑤爭端;騷亂 *v*. 使煩惱;打擾;費心;費神;麻煩 **~maker** *n*. 惹事生非的人 **~some** *a*. 討厭的;麻煩的;令人煩惱的.

trough /trɒf/ *n*. ①飼料槽;排水槽;【氣】(低壓)槽②(海浪的)波谷.

trounce /traʊns/ *vt*. 擊敗;[舊]嚴厲處罰;痛打.

troupe /truːp/ *n*. (尤指巡迴演出的)戲班;演出團.

trousers /ˈtraʊzəz/ *pl*. *n*. 褲子.

trousseau /ˈtruːsəʊ/ *n*. (*pl*. **~s** 或 **~x** /-z/) 嫁妝.

trout /traʊt/ *n*. (單複同形) *n*. 鱒魚.

trowel /ˈtraʊəl/ *n*. 泥刀;抹子;(園藝用)小鏟.

troy weight /ˈtrɔɪ weɪt/ [英]金衡制;

金衡.

truant /'tru:ənt/ *n*. 懶人;逃避責任的人;逃學的學生 **truancy** /'tru:ənsɪ/ *n*. ①逃學,曠課②逃避責任 // *play* ~逃學;逃避責任.

truce /tru:s/ *n*. 停戰協定;停戰;休戰.

truck /trʌk/ *n*. [英](鐵路運貨)車皮;敞篷貨車箱;[美]卡車;手推車~**er** *n*. [美]卡車司機 // *have no* ~ *with*...不與…打交道;與…無關.

truckle /'trʌkl/ *vi*. 屈從;順從(to).

truckle-bed /'trʌkl ˌbed/ *n*. 帶脚輪的矮床(不用時置於床下).

truculent /'trʌkjʊlənt/ *a*. 好鬥的;尋釁的;愛找茬兒的 **truculence** *n*.

trudge /trʌdʒ/ *vi*. 艱難地行走;跋涉 *n*. 長途跋涉.

true /tru:/ *a*. ①真實的;真的;真正的②正確的;精確的③安放穩妥的④忠誠的 *ad*. 真正地;真實地;精確地 **truism** *n*. 自明的道理 **truly** *ad*. 真實地;誠實地;真誠地;的確~**-hearted** *a*. 忠誠的~**-life** *a*. 真實的.

truffle /'trʌfl/ *n*. 塊菌(可食用);巧克力軟糖.

trug /trʌg/ *n*. (園工用的)淺底籃.

trump /trʌmp/ *n*. ①(牌戲的)王牌②[舊俗]慷慨(忠實、肯幫忙)的人 *vt*. 以王牌取勝;捏造(罪名)傷害~**-card** *n*. 王牌;最後手段.

trumpery /'trʌmpərɪ/ *a*. [舊]華而不實的;中看不中用的.

trumpet /'trʌmpɪt/ *n*. 喇叭;號;喇叭形物 *v*. ①宣揚;鼓吹②(大象)吼叫~**er** *n*. 號手;號兵.

truncate /'trʌŋkeɪt/ *vt*. 掐頭或去尾;截短;縮短.

truncheon /'trʌntʃən/ *n*. 短棒;警棍.

trundle /'trʌndl/ *v*. (使)沉重地滾動(或移動).

trunk /trʌŋk/ *n*. ①樹幹;軀幹②主幹,主體③大衣箱;皮箱④象鼻子⑤(*pl*.)游泳褲;運動褲⑥[美](汽車尾部的)行李箱~**-call** *n*. [英舊]國內長途電話~**-road** *n*. 道路幹綫.

truss /trʌs/ *n*. ①構架;桁架②[英]乾草束;稻草捆;(疝氣患者用的)疝氣帶 *vt*. 捆綁;用構架(或桁架)支撐.

trust /trʌst/ *n*. ①信任;信賴②責任;職責③信托物;信托財產④聯合企業⑤(為保護歷史文物等活動而成立的)組織 *v*. 信任;依靠;希望;信仰~**ee** /-'ti:/ *n*. 受托人;被信托者~**ful** *a*. 相信的;沒有懷疑的~**worthy** *a*. 可信賴的~**y** *a*. [古][謔]可靠的.

truth /tru:θ/ *n*. 真實;真理;真相~**ful** *a*. 誠實的;真實的~**fully** *ad*.

try /traɪ/ *v*. ①試;嘗試;試驗;設法;努力②審問;審判③考驗④使感到非常疲勞(或艱難) *n*. ①嘗試;試驗;努力②(橄欖球)觸球~**ing** *a*. 令人難以忍受的;惱人的 // ~ *one's hand* (*at sth*)嘗試(某事).

tryst /trɪst/ *n*. 約會;約會處.

tsar /zɑ:(r);tsɑ:/ *n*. =**czar, tzar** [舊俄]沙皇.

tsetse /'tsetsɪ/ *n*. (產於熱帶非洲,咬人並使人得昏睡病的)采采蠅.

tsp *abbr*. =teaspoon.

tsunami /tsʊ'nɑ:mɪ/ *n*. 海嘯;地震海嘯.

tub /tʌb/ *n*. ①桶;盆;浴盆②洗澡③[俗]慢而笨重的船~**by** /'tʌbɪ/ *a*. 矮胖的.

tuba /'tju:bə/ *n*. 【樂】低音喇叭;大號.

tube /tju:b/ *n*. ①管;筒②(the~);[英俗]地下鐵道③[美]電子管;真空管 **tubular** /'tju:bjʊlə(r)/ *a*.

tuber /'tju:bə(r)/ *n*. 【植】塊莖;球根.

tuberculosis /tjuːˌbɜːkjʊˈləʊsɪs/ *n*. ①肺病 ②結核(病) **tubercular** /tjuːˈbɜːkjʊlə(r)/ *a*.

tuberose /ˈtjuːbərəs/ *n*.【植】晚香玉.

TUC *abbr*. = Trade Union Conference [英]職工大會.

tuck /tʌk/ *n*. ①(衣服的)縫褶;橫褶 ②[英俗](兒童喜歡吃的)點心;糖果 *vt*. ①將(衣服、紙等)打褶②掖;塞③捲起;裹起④蓋上;隱藏起 // ~ *away*[俗]儲存;隱藏 ~ *into sth*, ~ *in*[俗]大吃;盡情地吃.

Tudor /ˈtjuːdə(r)/ *n*.[英]【史】都鐸王朝(1485–1603);都鐸王朝王室成員 *a*.(建築、內部裝飾、傢具等)都鐸式的.

Tues., **Tue.** *abbr*. = Tuesday.

Tuesday /ˈtjuːzdɪ/ *n*. 星期二.

tuft /tʌft/ *n*. (頭髮、羽毛、草等的)一束;一把;一簇.

tug /tʌg/ *v*. 用力拉, 拖曳 *n*. 拉;拽;扯;拖船 // ~ *of war* 拔河遊戲.

tuition /tjuːˈɪʃn/ *n*. ①(尤指對個人或小組的)教學;講授②(尤指大學的)學費.

tulip /ˈtjuːlɪp/ *n*.【植】鬱金香;山慈姑.

tulle /tjuːl/ *n*. 薄紗.

tumble /ˈtʌmbl/ *v*. ①(使)跌倒;跌下;跌落②翻滾③匆匆地進入(或跑出)④弄亂 *n*. 跌倒;跌落;凌亂;混亂 ~**down** *a*. 倒塌的;搖搖欲墜的 ~**-drier** *n*. 烘乾機.

tumbler /ˈtʌmblə(r)/ *n*. ①平底大玻璃杯②鎖的制動栓③翻筋斗的雜技演員.

tumbrel, tumbril /ˈtʌmbrəl/ *n*. ①翻卸式肥料運送車;敞車②(尤指法國大革命時的)死囚車.

tumescent /tjuːˈmesnt/ *a*. (身體某部位)稍許腫脹的;脹起的 **tumescence** *n*.

tumid /ˈtjuːmɪd/ *a*. (身體某部位)腫起的.

tummy /ˈtʌmɪ/ *n*. (兒語)肚子.

tumour /ˈtjuːmə(r)/ *n*.【醫】腫瘤;腫塊.

tumult /ˈtjuːmʌlt/ *n*. ①騷亂;混亂②煩亂;激動③喧鬧聲;喧囂 ~**uous** /tjʊˈmʌltjʊəs/ *a*.

tumulus /ˈtjuːmjʊləs/ *n*. (*pl*. **-es** 或 ~**li**/ -aɪ/ 古冢;古墳.

tun /tʌn/ *n*. 大酒桶;大桶(216 加侖啤酒或 252 加侖葡萄酒的容量).

tuna /ˈtjuːnə/ *n*. 金槍魚.

tundra /ˈtʌndrə/ *n*.【地】凍原;苔原;凍土帶.

tune /tjuːn/ *n*. ①曲子;曲調②正確的音高③和諧;協調 *v*. ①調(樂器的)音②調(收音機等的)頻率;收聽③調整(發動機等)④使和諧 ~**ful** *a*. 和諧的;悅耳的;曲調優美的 ~**less** *a*. 不和諧的;不成調的;不悅耳的;無音調的.

tuner /ˈtjuːnə(r)/ *n*. 調音師;【無】調諧器.

tungsten /ˈtʌŋstən/ *n*.【化】鎢.

tunic /ˈtjuːnɪk/ *n*. [主英](警察、軍人等穿的)緊身上衣;(婦女穿的)寬鬆的(敞袖)束腰外衣.

tunnel /ˈtʌnl/ *n*. 地下通道;隧道;地洞 *v*. 挖掘地道(或隧道).

tunny /ˈtʌnɪ/ *n*. = tuna.

turban /ˈtɜːbən/ *n*. (穆斯林和錫克教徒纏在頭上的)包頭巾;男用頭巾;(女子的)頭巾式小帽.

turbid /ˈtɜːbɪd/ *a*. (液體)混濁的;不清的;[喻]混亂的.

turbine /ˈtɜːbɪn; ˈtɜːbaɪn/ *n*. 渦輪機;汽輪機.

turbo- /'tɜːbəʊ/ (構詞成分, 用於複合字中)表示"渦輪推動的", "有渦輪的".

turbojet /ˌtɜːbəʊ'dʒet/ *n*. 渦輪噴氣發動機;渦輪噴氣飛機.

turboprop /ˌtɜːbəʊ'prɒp/ *n*. 渦輪螺旋槳發動機;渦輪螺旋槳飛機.

turbot /'tɜːbət/ *n*. 【魚】大菱鮃(比目魚之一種).

turbulent /'tɜːbjʊlənt/ *a*. ①(風、浪等)狂暴的, 洶涌的②動亂的;混亂的;不安定的③難以控制的 **turbulence** *n*.

tureen /tə'riːn/ *n*. ①(有蓋)湯碗②(燒菜和上菜用的)蒸鍋.

turf /tɜːf/ *n*. (*pl*. **~s** 或 **turves**) ①草皮;一塊草皮②[愛爾蘭]泥炭;煤泥③(the~)跑馬場;賽馬④[俗、主美](流氓等的)地盤;勢力範圍 *vt*. 鋪草皮於…;[英俗]處理掉;弄走(out).

turgid /'tɜːdʒɪd/ *a*. ①膨脹的;浮腫的②(語言、風格等)誇張的;晦澀的.

Turk /tɜːk/ *n*. 土耳其人 **Turkey** *n*. 土耳其 **Turkish** *a*. 土耳其的;土耳其人的;土耳其語的; *n*. 土耳其語 // *Turkish bath* 土耳其浴;蒸氣浴.

turkey /'tɜːkɪ/ *n*. ①火雞;火雞肉②[美俚]失敗;慘敗 // *talk* (*cold*) ~ [口]直率地說.

turmeric /'tɜːmərɪk/ *n*. 【植】鬱金;薑黃;薑黃根粉.

turmoil /'tɜːmɔɪl/ *n*. 騷動;混亂;喧鬧.

turn /tɜːn/ *v*. ①轉;轉動;旋轉;翻轉;轉向②(潮水)上漲或回落③將…瞄準④使去往⑤繞過⑥(使)成為;變為;達到或超過(某一年齡或時間)⑦(使)變酸;(使)反胃⑧(用鏇床)鏇製 *n*. ①轉動;旋轉;轉彎②趨勢;發展變化③(路的)轉彎④輪到(機會)⑤節目;表演⑥[俗]震驚⑦身體不適 **~ing** *n*. (路的)轉彎處 **~coat** *n*. 叛徒;變節者 **~-off** *n*. 支路;岔路;令人討厭的人或事 **~-out** *n*. ①出席者;到場的人②出清;掃除③產量④穿着方式 **~-up** *n*. [口]出人意料的事件 // ~*sb* (*or sth*) *down* 拒絕;駁回 ~*sth off* 關閉;關上(電源、煤氣等);關(收音機、電視機等) ~*sth on* 打開(收音機、爐竈、暖氣等) ~*out sth* (*or sb*) 生產;製造;造就;培養 ~ *to sth or sb* 求助於;求教於.

turnip /'tɜːnɪp/ *n*. ①蘿蔔②蕪菁;甘藍.

turnkey /'tɜːnkiː/ *a*. 落成的;可交付使用的.

turnpike /'tɜːnpaɪk/ *n*. 收稅的高速公路;公路上的收稅關卡.

turpentine /'tɜːpəntaɪn/ *n*. 松脂(精);松節油.

turpitude /'tɜːpɪtjuːd/ *n*. 卑鄙;邪惡.

turquoise /'tɜːkwɔɪz/ *n*. 【礦】綠松石;青綠色.

turret /'tʌrɪt/ *n*. ①塔樓;角樓②(戰艦、坦克等上的)炮塔;(飛機上的)旋轉槍架.

turtle /'tɜːtl/ *n*. 【動】海龜;[美]龜;鱉.

turtle-dove /'tɜːtldʌv/ *n*. 【鳥】斑鳩.

tusk /tʌsk/ *n*. (象;野豬等的)獠牙;長牙.

tussle /'tʌsl/ *n*. & *vi*. 爭鬥;扭打.

tussock /'tʌsək/ *n*. ①(高出周圍其他草的)草叢②(毛髮等的)束, 簇.

tut /tʌt/ 或 **tut-tut** *int*. (表示不耐煩、不贊成等所發的)噓! 嘖! *vi*. 發出噓噓聲(表示不耐煩等情緒).

tutelage /'tjuːtɪlɪdʒ/ *n*. ①保護;監護②教導;指導.

tutelary /'tjuːtɪlərɪ/ *a*. 保護(人)的;監護(人)的.

tutor /'tju:tə(r)/ *n*. ①家庭教師;私人教師②[英]大學生的指導教師;導師③[美]大學助教④(尤指音樂方面的)教課書 *v*.個別教授;個別指導;控制(自己或自己的感情) **~ial** /-'tɔ:rɪəl/ *a*.私人教師的;個別指導的 *n*.大學導師的輔導課.

tutti-frutti /ˌtu:tɪ'fru:tɪ/ *n*. 什錦水果冰淇淋;什錦水果甜食.

tutu /'tu:tu:/ *n*. (芭蕾舞女演員穿的)短裙.

tuxedo /tʌk'si:dəʊ/ *n*. (*pl*. **~s**) [美](男用)無尾禮服;(晚會)小禮服.

TV *abbr*. = television(set)電視(機).

twaddle /'twɔdl/ *n*. 廢話;無聊的話;拙劣的作品.

twain /tweɪn/ *n*. [古]、[詩]二;二個;一對.

twang /twæŋ/ *n*. ①撥弦聲②(某些方言的)鼻音 *v*.(使弦)嘣嘣地響.

tweak /twi:k/ *vt*. & *n*. 擰;扭.

twee /twi:/ *a*. ①[英俗]故作優雅(或傷感)的②俗麗的.

tweed /twi:d/ *n*. (粗)花呢;(*pl*.)花呢服裝 **~y** *a*.[俗]常穿花呢衣服的;[英謔](鄉下有錢人那種)熱誠的.

tweet /twi:t/ *n*. 小鳥的啁啾聲 *vi*.(鳥)啁啾叫 **~er** *n*.高音喇叭.

tweezers /'twi:zəz/ *pl*. *n*. 鑷子;小鉗子.

twelve /twelv/ *num*. & *n*. 十二;十二個 **twelfth** /twelfθ/ *num*. & *n*. ①第十二(個)②十二分之一③(每月的)第十二日.

twenty /'twentɪ/ *num*. & *n*. 二十;二十個 **twentieth** /'twentɪəθ/ *num*. & *n*. ①第二十(個)②二十分之一③(每月的)第二十日.

twerp /twɜ:p/ *n*. [俗]愚蠢的人;可鄙的人;令人氣惱的人.

twice /twaɪs/ *ad*. 兩次;兩倍.

twiddle /'twɪdl/ *v*. & *n* 旋弄;捻弄;擺弄 // *~ one's thumbs* 旋弄大拇指;閒得無聊.

twig /twɪg/ *n*. 小枝;嫩枝 *v*.[英俗]意識到;了解.

twilight /'twaɪlaɪt/ *n*. ①曙光;黎明②薄暮;黃昏③(the ~)衰落期;衰退期;(人的)暮年.

twilit /'twaɪlɪt/ *a*. ①暮光(或曙光)照亮的②微明的;昏暗的;朦朧的.

twill /twɪl/ *n*. 斜紋布.

twin /twɪn/ *n*. 孿生兒之一;兩個成對或相似的東西中的一個 *a*.孿生的;成對的;兩個相似的.

twine /twaɪn/ *n*. 細繩;合股綫 *v*.(使)交織;捻;搓;纏繞.

twinge /twindʒ/ *n*. ①刺痛;陣痛;(精神上的)一陣痛苦.

twinkle /'twɪŋkl/ *vi*. ①閃爍;閃耀②(眼睛)閃閃發亮③(兩腿)迅速移動 *n*.閃爍;眼中的閃光;快速移動 // *in the twinkling of an eye* 一瞬間.

twirl /twɜ:l/ *v*. ①迅速移動;旋轉②(使)捲曲 *n*. ①快速轉動;旋轉②螺旋形的東西.

twirp /twɜ:p/ *n*. = twerp.

twist /twɪst/ *v*. ①纏繞;捻;搓;擰;扭彎;(使)壓變形②轉動;轉身③扭傷④(路、河流等)彎曲;曲折⑤歪曲 *n*. ①擰;捻;搓;纏繞;扭傷;螺旋狀;曲折②變化;發展③(性格、精神上)異常 **~er** *n*. ①不誠實的人;騙子②難題③龍捲風;旋風 **~y** *a*.曲折的;彎彎曲曲的.

twit /twɪt/ *n*. [英俗]笨蛋;蠢貨 *vt*.取笑;揶揄.

twitch /twɪtʃ/ *n*. ①抽搐;抽筋;痙攣②猛拉 *v*. ①抽搐②猛拉;急扯.

twitter /'twɪtə(r)/ *v*. ①(鳥)嘁喳地

叫②(人)嘁嘁喳喳地說;興奮(或激動)地講 *n*. ①嘁喳的叫聲②[俗]緊張;興奮 // *all of a* ～興奮的(地),緊張的(地).

two /tuː/ *num*. & . *n* 二;兩個 **～-edged** *a*. 雙刃的;同時有兩種意義或結果的 **～-piece** *n*. 兩件一套的衣服;套服 **～-way** *a*. (指開關)雙向的;(指道路)可雙向行駛的;(無綫電)收放兩用的;雙方面的.

tycoon /taɪˈkuːn/ *n*. [俗](工商業的)巨頭;大亨.

tyke /taɪk/ =tike.

tympanum /ˈtɪmpənəm/ *n*. (*pl*. **～s, tympana**)【解】中耳;鼓膜.

type /taɪp/ *n*. ①類型;樣式;種類②典型;典範③[俗]某類性格的人④(印刷用的)活字 *v*. 打字 **typist** /ˈtaɪpɪst/ *n*. 打字員 **typescript** *n*. 打字稿 **typewriter** *n*. 打字機.

typhoid /ˈtaɪfɔɪd/ (亦作 ～ **fever**) *n*.【醫】傷寒.

typhoon /taɪˈfuːn/ *n*. 颱風.

typhus /ˈtaɪfəs/ *n*.【醫】斑疹傷寒.

typical /ˈtɪpɪkl/ *a*. ①典型的;有代表性的②(某人、某事物)特有的 **～ly** *ad*.

typify /ˈtɪpɪfaɪ/ *vt*. ①作為…的代表;作為…的典型②象徵着;代表.

typography /taɪˈpɒgrəfɪ/ *n*. 凸版印刷術;鉛印術;印刷品的式樣 **typographer** *n*. 印刷工人, 排字工 **typographical** /ˌtaɪpəˈgræfɪkl/ *a*. 印刷(術)的.

tyranny /ˈtɪrənɪ/ *n*. ①暴政;苛政②殘暴;專橫;暴行;嚴酷③暴君統治下的國家 **tyrannize** /ˈtɪrənaɪz/ *v*. 暴虐統治;虐待;欺壓.

tyrant /ˈtaɪərənt/ *n*. ①暴君;專制統治者②專橫的人 **tyrannical** /tɪˈrænɪkl/ 或 **tyrannous** /ˈtɪrənəs/ *a*. 暴君的;專制的;專橫的.

tyre /ˈtaɪə(r)/ *n*. 輪胎.

tyro /ˈtaɪərəʊ/ *n*. =tiro.

tzar /zɑː(r)/ *n*. =czar, tsar.

U

U /juː/ *a*. ①[俗]上流社會的②[英](指電影)適合任何人的;老少咸宜的.

ubiquitous /juː'bɪkwɪtəs/ *a*. 無處不在的 **ubiquity** *n*.

U-boat /'juːbəʊt/ *n*. (尤指第二次世界大戰時的)德國潛水艇.

udder /'ʌdə(r)/ *n*. (牛、羊等的)乳房.

UFO *abbr*. = unidentified flying object 不明飛行物;飛碟.

ugh /ʊh, ʌh/ *int*. (表示厭惡或恐懼)唔;呃;啊.

ugly /'ʌglɪ/ *a*. ①醜陋的②難聽的③險惡的;邪惡的 **ugliness** *n*.

UHF *abbr*. = ultrahigh frequency【無】超高頻.

UHT *abbr*. = ultra heat treated(指乳品)超高溫處理.

UK *abbr*. = Uniled Kingdom(尤用於地址中)聯合王國.

ukulele /ˌjuːkə'leɪlɪ/ *n*. (流行於夏威夷的)小四弦琴.

ulcer /'ʌlsə(r)/ *n*. 潰瘍 **~ate** /'ʌlsəreɪt/ *v*. (使)生潰瘍 **~ation** /ˌ-'reɪʃn/ *n*. **~ous** /-rəs/ *a*.

ulna /'ʌlnə/ *n*. (*pl*. **ulnae**/-niː/)【解】尺骨.

ulterior /ʌl'tɪərɪə(r)/ *a*. ①隱蔽的;秘而不宣的②後來發生的.

ultimate /'ʌltɪmət/ *a*. ①最後的②主要的;根本的③[俗]不可逾越的 **~ly** *ad*.

ultimatum /ˌʌltɪ'meɪtəm/ *n*. (*pl*. **~s**, **ultimata**) 最後通牒.

ultimo /'ʌltɪməʊ/ *ad*. [拉]上個月的;前月的.

ultra- [前綴]表示"超";"過度";"極端".

ultrahigh frequeney【無】超高頻,特高頻(無綫電頻率在 3000 與 300 兆赫之間).

ultramarine /ˌʌltrəmə'riːn/ *a*. & *n*.【化】紺青色(的).

ultrasonic /ˌʌltrə'sɒnɪk/ *a*.【物】超聲的;超音速的.

ultrasound /'ʌltrəsaʊnd/ *n*.【物】超聲;超聲波.

ultraviolet /ˌʌltrə'vaɪələt/ *a*.【物】紫外的;紫外綫的.

ululate /'juːljʊleɪt/ *vi*. 嚎;悲泣,哀鳴.

umber /'ʌmbə(r)/ *n*. 赭土(顏料).

umbilical /ʌm'bɪlɪkl/ *a*.【解】臍的 // *~cord* 臍帶.

umbrage /'ʌmbrɪdʒ/ *n*. 惱火,憤怒,生氣// *give*~惹怒 *take*~(*at sth*)(對某事)感到惱火.

umbrella /ʌm'brelə/ *n*. 傘;保護傘.

umpire /'ʌmpaɪə(r)/ *n*. ①(網球、板球比賽的)裁判員②仲裁人 *v*.(當)裁判;仲裁.

umpteen /'ʌmptiːn/ *a*. 許多的;無數的.

UN *abbr*. = United Nations 聯合國.

un- / [前綴]表示①"無","不","非"②"除去","奪去"③"做相反的動作".

unabashed /ˌʌnə'bæʃt/ *a*. ①不害羞的;不難為情的②泰然自若的.

unabated /ˌʌnə'beɪtɪd/ *a*. (暴風雨、危機、爭辯等)不減弱的;依然猛烈的.

unable /ʌn'eɪbl/ *a*. ①不能的;不會的②不能勝任的.

unacceptable /ˌʌnək'septəbl/ *a*. 不能接受的;不能贊同的.
unaccountable /ˌʌnə'kaʊntəbl/ *a*. ①無法解釋的,莫名其妙的②沒有責任的.
unaccustomed /ˌʌnə'kʌstəmd/ *a*. ①不習慣的②不平常的,奇異的③不熟悉的.
unadulterated /ˌʌnə'dʌltəreɪtɪd/ *a*. ①(尤指食品)不攙雜的;純正的②[俗]地道的;十足的.
unaffected /ˌʌnə'fektɪd/ *a*. ①不受影響的;沒有變化的②真摯自然的;不裝腔作勢的.
unanimous /juː'nænɪməs/ *a*. 一致的;全體同意的 **unanimity** /ˌjuːnə'nɪmətɪ/ *n*.
unannounced /ˌʌnə'naʊnst/ *a*. & *ad*. 未經宣佈(的);未經通報姓名(的).
unanswerable /ˌʌn'ɑːnsərəbl/ *a*. 無法回答的;無可辯駁的.
unapproachable /ˌʌnə'prəʊtʃəbl/ *a*. (指人)難以接近的;不可親的.
unarmed /ˌʌn'ɑːmd/ *a*. ①無武器的;非武裝的②不用武器的;徒手的.
unashamed /ˌʌnə'ʃeɪmd/ *a*. 泰然自若的;不害羞的.
unassailable /ˌʌnə'seɪləbl/ *a*. ①攻不破的;固若金湯的②不可辯駁的;無懈可擊的.
unassuming /ˌʌnə'sjuːmɪŋ/ *a*. 不愛出風頭的;謙虛的.
unattached /ˌʌnə'tætʃt/ *a*. ①(同某團體、機構等)無關係的;無聯繫的②未結婚的;未訂婚的;無伴侶的.
unattended /ˌʌnə'tendɪd/ *a*. ①(指東西)無主的②無人管的;沒人照看的.
unavailing /ˌʌnə'veɪlɪŋ/ *a*. 無效的;無益的.
unavoidable /ˌʌnə'vɔɪdəbl/ *a*. 不可避免的;不得已的.
unaware /ˌʌnə'weə(r)/ *a*. 不知道的;未察覺的 **~s** *ad*. ①意外地;突然地②不知不覺地;無意中.
unbalance /ˌʌn'bæləns/ *v*. ①(使)失去平衡;(使)不均衡②(使)精神錯亂;使失常 **~d** *a*. ①(指人)精神失常的;錯亂的②(指意見等)偏激的;有偏見的.
unbearable /ʌn'beərəbl/ *a*. 難以忍受的;不能容忍的.
unbecoming /ˌʌnbɪ'kʌmɪŋ/ *a*. ①不相稱的;不合身的;不配的②不適當的,不得體的.
unbeknown /ˌʌnbɪ'nəʊn/ *a*. [口]不為人知的;未知的.
unbelief /ˌʌnbɪ'liːf/ *n*. 不信;無信仰.
unbelievable /ˌʌnbɪ'liːvəbl/ *a*. 令人難以置信的;令人驚訝的 **unbelieving** *a*. 不相信的;懷疑的.
unbend /ˌʌn'bend/ *v*. (過去式及過去分詞 **unbent** /ʌn'bent/) ①(使)變直;弄直②變得平易近人;變隨和.
unbending /ʌn'bendɪŋ/ *a*. 固執的;堅定的.
unbidden /ˌʌn'bɪdn/ *ad*. ①未被要求的;未受邀請的;未被命令的②自願的;自動的.
unblushing /ˌʌn'blʌʃɪŋ/ *a*. 不害臊的;不臉紅的;厚顏無恥的.
unborn /ˌʌn'bɔːn/ *a*. 未出生的;未來的;有待出現的.
unbosom /ˌʌn'bʊzəm/ *v*. 吐露(心事);說出(秘密).
unbounded /ˌʌn'baʊndɪd/ *a*. 無限的;無邊的;極大的.
unbreakable /ˌʌn'breɪkəbl/ *a*. 不易破碎的;牢不可破的.
unbridled /ˌʌn'braɪdld/ *a*. 放縱的;放肆的;激烈的.

unburden /ˌʌnˈbɜːdn/ *vt*. ①卸掉負擔;使安心②吐露;表白.

unbusinesslike /ˌʌnˈbɪznɪslaɪk/ *a*. ①不系統的;無條理的②缺乏職業規矩的.

unbutton /ˌʌnˈbʌtn/ *vt*. ①解開(鈕扣)②吐露(心事) **~ed.** *a*. 無拘束的;隨便的.

uncalled-for /ʌnˈkɔːld-fɔː(r)/ *a*. ①不必要的;多餘的②沒有理由的;無緣無故的③唐突無禮的.

uncanny /ʌnˈkænɪ/ *a*. ①奇異的;不可思議的②非凡的;意想不到的 **uncannily** *ad*.

uncared-for /ʌnˈkeəd-fɔː(r)/ *a*. 沒人照顧的;被忽視的.

unceasing /ˌʌnˈsiːˌsɪŋ/ *a*. 不斷的;始終不停的 **~ly** *ad*.

unceremonious /ˌʌnˌserɪˈməunɪəs/ *a*. ①隨便的;不拘形式的;不拘禮的②不禮貌的;不客氣的;冒失的 **~ly** *ad*.

uncertain /ʌnˈsɜːtn/ *a*. ①不確知的②靠不住的③易變的④含糊的;躊躇的 **~ly** *ad*. **~ty** *n*.

uncharitable /ˌʌnˈtʃærɪtəbl/ *a*. 苛刻的;無情的.

uncharted /ˌʌnˈtʃɑːtɪd/ *a*. ①圖上未標明的②未經探測的;未繪製成圖的③[喻]未知的;不詳的.

unchecked /ˌʌnˈtʃekt/ *a*. 未被遏止的;未受抑制的.

unchristian /ˌʌnˈkrɪstʃən/ *a*. ①違反基督教教義的;非基督徒的②野蠻的;不文明的.

uncivil /ˌʌnˈsɪvl/ *a*. 沒禮貌的;粗魯的.

uncle /ˈʌŋkl/ *n*. ①伯父;叔父;姑父;舅父;姨父②[俗](對長者的稱呼)叔叔,伯伯.

unclean /ˌʌnˈkliːn/ *a*. ①(指食物)不可食用的;(宗教上)禁食的②(精神上)不純潔的;沒節操的.

uncoil /ˌʌnˈkɔɪl/ *v*. 解開;展開;伸開.

uncomfortable /ˌʌnˈkʌmftəbl/ *a*. ①不舒適的②不安的;不自在的③不方便的 **uncomfortably** *ad*.

uncommon /ʌnˈkɔmən/ *a*. ①稀有的;不尋常的②顯著的;杰出的 **~ly** *ad*.

uncompromising /ʌnˈkɔmprəmaɪzɪŋ/ *a*. ①不妥協的;堅定的②頑固的 **~ly** *ad*.

unconcern /ˌʌnkənˈsɜːn/ *n*. 冷漠;漫不經心;沒興趣 **~ed** *a*.

unconditional /ˌʌnkənˈdɪʃənl/ *a*. 無條件的;絕對的 **~ly** *ad*.

unconfirmed /ˌʌnkənˈfɜːmd/ *a*. (指事實等)未經證實的;未確認的.

unconscionable /ʌnˈkɔnʃənəbl/ *a*. ①過份的;不合理的②無節制的.

unconscious /ʌnˈkɒnʃəs/ *a*. ①不省人事的;無知覺的②不知道的;沒注意的③無意的;不是存心的 **~ly** *ad*. **~ness** *n*.

unconsidered /ˌʌnkənˈsɪdəd/ *a*. ①(話語等)未經思考(而說出)的;隨口而出的②被忽視的;未受理會的.

uncooperative /ˌʌnkəuˈɒpərətɪv/ *a*. 不合作的;不願配合的.

uncork /ˌʌnˈkɔːk/ *vt*. ①拔去塞子②[口]流露(感情);透露.

uncouple /ˌʌnˈkʌpl/ *vt*. 使分開;使(火車車廂)脫鈎.

uncouth /ʌnˈkuːθ/ *a*. ①粗魯的;沒教養的②笨拙的;難看的.

uncover /ʌnˈkʌvə(r)/ *vt*. ①打開…的蓋子;使露出②揭露,暴露.

uncritical /ˌʌnˈkrɪtɪkl/ *a*. 不願批評的;不加批判的;無批判力的.

unction /ˈʌŋkʃn/ *n*. ①(宗教上的一種

儀式)塗油;塗油儀式②虛情假意;油腔滑調③津津有味;濃厚的興趣.

unctuous /ʌŋktjʊəs/ *a*. ①油的;含油脂的②油滑的;甜言蜜語的;假慇懃的.

undaunted /ʌn'dɔːntɪd/ *a*. 大膽的,無畏的.

undeceive /ˌʌndɪ'siːv/ *vt*. 使醒悟;使不受迷惑.

undecided /ˌʌndɪ'saɪdɪd/ *a*. ①未决的;未確定的②未下定决心的;優柔寡斷的.

undeclared /ˌʌndɪ'kleəd/ *a*. ①(指貨物)未向海關申報的;未報關的②不公開的;未公開的.

undeniable /ˌʌndɪ'naɪəbl/ *a*. 不容否認的;無可爭辯的;確實的 **undeniably** *ad*.

under /'ʌndə(r)/ *prep*. ①(位置)在…下方;在…之下②(年齡)小於;(數量)少於;(地位)低於③在…領導(指引、統治)下④根據⑤攜帶⑥在…狀態下⑦使用(某一名字);被分類為⑧(田地)種着…的 *ad*. ①在水下②無知覺地.

under- [前綴]表示①"在…下面"②"低於";"次於"③"不足","過少","過低".

underachieve /ˌʌndərə'tʃiːv/ *vi*. (尤指學習上)未發揮出潛力 **~r** *n*.

underage /ˌʌndər'eɪdʒ/ *a*. 未成年的;未達法定年齡的.

underarm /'ʌndərɑːm/ *a*. ①腋下的②(板球)低手擊出的.

underbelly /'ʌndəbelɪ/ *n*. ①下腹部;(猪的)下腹肉②薄弱的部位;弱點.

underbid /ˌʌndə'bɪd/ *vt*. (過去式及過去分詞 **underbid**)(如拍賣時)喊價低於…;比…出價低.

undercarriage /'ʌndəkærɪdʒ/ *n*. (飛機的)起落架.

undercharge /ˌʌndə'tʃɑːdʒ/ *v*. 少算價錢;要價過低.

underclothes /'ʌndəkləʊðz/ *pl*. **underclothing** /'ʌndəkləʊðɪŋ/ *n*. 內衣褲.

undercoat /'ʌndəkəʊt/ *n*. ①穿在大衣內的上衣②底漆;內塗層.

undercover /ˌʌndə'kʌvə/ *a*. 暗中的;暗中進行的;秘密的.

undercurrent /'ʌndəkʌrənt/ *n*. ①潛流;暗流②[喻]潛在的傾向.

undercut /'ʌndəkʌt/ *n*. ①[英](牛的)裏脊;軟腰肉 /ˌʌndə'kʌt/ *vt*. (過去式及過去分詞 **undercut**)②廉價出售;削價競爭.

underdeveloped /ˌʌndədɪ'veləpt/ *a*. ①發育不全的②不發達的;落後的.

underdog /'ʌndədɒg/ *n*. 弱者;處於劣勢的人(或國家).

underdone /ˌʌndə'dʌn/ *a*. 烤(或煮)得嫩的;半生不熟的.

underestimate /ˌʌndə'estɪmeɪt/ *vt*. 低估;看輕 /ˌʌndə'estɪmət/ *n*.

underfed /ˌʌndə'fed/ *a*. 未吃(喂)飽的.

underfelt /'ʌndəfelt/ *n*. 地毯墊層.

underfoot /ˌʌndə'fʊt/ *ad*. 在脚下;在地上.

undergarment /'ʌndəgɑːmənt/ *n*. 內衣;襯衣.

undergo /ˌʌndə'gəʊ/ *vt*. (**underwent** /ˌʌndə'went/ ; **undergone** /ˌʌndə'gɒn/) 經受;遭受;經歷.

undergraduate /ˌʌndə'grædʒʊət/ *n*. 大學本科生;大學生.

underground /'ʌndəgraʊnd/ *a*. & *ad*. ①地下的;在地下②秘密的(地);隱密的 *n*. ①[英]地下鐵道②地下組織;地下活動.

undergrowth /'ʌndəgrəʊθ/ *n*. (長在大

樹下的)矮樹叢.

underhand /ˌʌndəˈhænd/ *a*. ①秘密的;狡詐的;陰險的②(板球)低手擊出的.

underlay /ˈʌndəleɪ/ *n*. 襯墊;地毯下面的襯墊.

underlie /ˌʌndəˈlaɪ/ (**underlay** /ˌʌndəˈleɪ/; **underlain** /ˌʌndəˈleɪn/) *vi*. 在下面 *vt*. 是…的基礎;是…的原因;在…下面.

underline /ˌʌndəˈlaɪn/ *vt*. ①在(詞等)下面劃綫②加強;強調.

underling /ˈʌndəlɪŋ/ *n*. [蔑]部下;手下人;走卒.

undermanned /ˌʌndəˈmænd/ *a*. 人員不足的;人手不夠的.

undermentioned /ˌʌndəˈmenʃnd/ *a*. [英]下述的.

undermine /ˌʌndəˈmaɪn/ *vt*. ①在…下面挖洞(或地道);削弱…的基礎②使逐漸被削弱;暗中破壞.

underneath /ˌʌndəˈniːθ/ *prep*. 在…的下面 *ad*. ①在下面;在底下②在下部;在下層 *n*.(物體的)底部;底面.

undernourished /ˌʌndəˈnʌrɪʃt/ *a*. 營養不良的;營養不足的.

underpants /ˈʌndəpænts/ (*pl*.) *n*. (男)內褲;襯褲.

underpass /ˈʌndəpɑːs/ *n*. ①下穿交叉道;高架橋下通道②地下通道;地道.

underpay /ˌʌndəˈpeɪ/ *vt*. 付太少的工資;少付工資.

underpin /ˌʌndəˈpɪn/ *vt*. ①在下面加固;支撐②[喻]鞏固;為(論點等)奠定基礎.

underprivileged /ˌʌndəˈprɪvəlɪdʒd/ *a*. ①被剝奪基本社會權利的;沒有社會地位的②貧苦的;貧困的.

underrate /ˌʌndəˈreɪt/ *vt*. 低估;輕視.

underscore /ˌʌndəˈskɔː(r)/ *vt*. = underline.

underseal /ˈʌndəsiːl/ *n*. [英]底漆;內塗層 *vt*. 刷底漆.

undersecretary /ˌʌndəˈsekrətrɪ/ *n*. 副部長;次長;次官.

undersell /ˌʌndəˈsel/ *vt*. (過去式及過去分詞 **undersold** /ˌʌndəˈsəʊld/)廉價出售;削價競爭.

underside /ˈʌndəsaɪd/ *n*. 下側;底面;底部.

undersigned /ˌʌndəˈsaɪnd/ *a*. 在文件末尾簽名的.

undersized /ˌʌndəˈsaɪzd/ *a*. 比一般小的;個子小的;小型的.

understaffed /ˌʌndəˈstɑːft/ *a*. 工作人員太少的;人手不足的.

understand /ˌʌndəˈstænd/ (過去式及過去分詞 **understood** /ˌʌndəˈstʊd/) *vt*. ①瞭解;理解;明白②聽說;認為;獲悉③視為當然;(因含意自明而)省略 *vi*. ①懂得;理解②熟悉;瞭解 **~able** *a*. 可理解的;可以諒解的;可懂的.

understanding /ˌʌndəˈstændɪŋ/ *n*. ①理解力;悟性②懂得;知道③諒解;體諒④協定;協議 *a*. ①諒解的;寬容的②善解人意的.

understate /ˌʌndəˈsteɪt/ *vt*. ①謹慎地陳述②少報,少說 **~ment** *n*.

understudy /ˈʌndəstʌdɪ/ *n*. 預備演員;替角 *vt*. 準備當替角.

undertake /ˌʌndəˈteɪk/ *vt*. (**undertook** /ˌʌndəˈtʊk/; **undertaken** /ˌʌndəˈteɪkən/) ①擔任;承擔②答應(做);同意(做).

undertaker /ˈʌndəteɪkə(r)/ *n*. 殯儀商;承辦殯葬事宜的人.

undertaking /ˈʌndəteɪkɪŋ/ *n*. ①承辦的工作;事業;企業②承諾;保證③殯儀業.

undertone /'ʌndətəʊn/ *n*. ①低調;低音;小聲②潛在的傾向;未表明的感情(意向等)③淡色;底彩.

undertow /'ʌndətəʊ/ *n*. (海的)回流;退波;回頭浪.

undervalue /ˌʌndə'vælju:/ *vt*. 低估;輕視.

underwater /ˌʌndə'wɔ:tə(r)/ *a*. 水下的;在水下操作的;在水下用的.

underwear /'ʌndəweə(r)/ *n*. 內衣.

underweight /ˌʌndə'weɪt/ *a*. 重量不足的;重量不夠標準的 *n*. 標準以下的重量.

underworld /'ʌndəwɜ:ld/ *n*. ①陰間;地獄②黑社會;下層社會.

underwrite /ˌʌndə'raɪt/ *vt*. (**underwrote** /ˌʌndə'rəʊt/; **underwritten** /ˌʌndə'rɪtn/) ①(保險用詞)承保,簽署保險合同②認購(一個公司)未售出的全部股票③資助;提供資金給(某企業) **~r** *n*. 保險商(尤指水險商).

undeserved /ˌʌndɪ'zɜ:vd/ *a*. ①不該得的;不應得的②冤枉的 **~ly** *ad*.

undesirable /ˌʌndɪ'zaɪərəbl/ *a*. ①討厭的;令人不快的②不理想的 *n*. 討厭的人;不良分子 **undesirably** *ad*.

undeterred /ˌʌndɪ'tɜ:d/ *a*. 未受阻的;未受挫折的.

undeveloped /ˌʌndɪ'veləpt/ *a*. ①未成熟的;發育不全的②不發達的;未開發的.

undies /'ʌndɪz/ *pl*. *n*. [俗]女用內衣.

undignified /ʌn'dɪgnɪfaɪd/ *a*. 不莊重的;有損尊嚴的.

undisputed /ˌʌndɪ'spju:tɪd/ *a*. 毫無疑問的;無可爭辯的.

undistinguished /ˌʌndɪ'stɪŋgwɪʃt/ *a*. 平凡的;平庸的.

undivided /ˌʌndɪ'vaɪdɪd/ *a*. 專心的;專一的.

undo /ʌn'du:/ *vt*. (**undid** /ʌn'dɪd/; **undone** /ʌn'dʌn/) ①解開;鬆開;打開②損害,糟蹋③取消 **~ing** *n*. 毀滅(或敗落)的原因 **undone** *a*. ①解開的;鬆開的;打開的②未完成的;未做的.

undoubted /ʌn'daʊtɪd/ *a*. 無疑的;確實的.

undreamed-of /ʌn'dri:md ɒv/ 亦作 **undreamt-of** *a*. 夢想不到的;意外的.

undress /ˌʌn'dres/ *v*. (給…)脫去衣服;取掉(…的)裝飾 **~ed** *a*.不穿衣服的;裸體的.

undrinkable /ˌʌn'drɪŋkəbl/ *a*. 不適於飲用的;喝不得的.

undue /ˌʌn'dju:/ *a*. 不適當的;過度的 **unduly** *ad*.

undulate /'ʌndjʊleɪt/ *vi*. 波動;起伏;呈波浪狀 **undulation** /ˌʌndjʊ'leɪʃn/ *n*.

undying /ˌʌn'daɪɪŋ/ *a*. 不死的;不朽的;永恆的.

unearned /ˌʌn'ɜ:nd/ *a*. ①不勞而獲的(如來自投資等的)②不應得的③尚未賺得的.

unearth /ʌn'ɜ:θ/ *vt*. ①發掘;挖出②發現;揭露.

unearthly /ʌn'ɜ:θlɪ/ *a*. ①超自然的;神秘的②可怕的;鬼怪的③[俗]過早的;荒謬的.

uneasy /ʌn'i:zɪ/ *a*. ①不安的;焦慮的;不自在的②不寧靜的;不舒適的③令人煩惱的 **uneasily** *ad*. **uneasiness** *n*.

uneatable /ˌʌn'i:təbl/ *a*. 不適於食用的;吃不得的.

uneconomic /ˌʌnˌi:kə'nɒmɪk/ *a*. 不賺錢的;沒利潤的.

uneconomical /ˌʌnˌiːkəˈnɒmɪkl/ *a*. 浪費的;不經濟的.

uneducated /ʌnˈedʒʊkeɪtɪd/ *a*. ①未受教育的②缺乏教養的.

unemployed /ˌʌnɪmˈplɔɪd/ *a*. ①失業的②未利用的;空閒的.

unemployment /ˌʌnɪmˈplɔɪmənt/ *n*. 失業;失業人數.

unending /ʌnˈendɪŋ/ *a*. 無休止的;無盡的;不斷的.

unequal /ˌʌnˈiːkwəl/ *a*. ①不相等的;不同的②不平等的③不相稱的;不勝任的 **~ly** *ad*.

unequalled /ˌʌnˈiːkwəld/ *a*. ①無比的;極好的②無敵的.

unequivocal /ˌʌnɪˈkwɪvəkl/ *a*. 不含糊的;明確的 **~ly** *ad*.

unerring /ˌʌnˈɜːrɪŋ/ *a*. 沒錯誤的;準確的;沒偏差的.

UNESCO /juːˈneskəʊ/ *abbr*. = United Nations Educational, Scientific and Cultural Organization 聯合國教科文組織.

uneven /ˌʌnˈiːvn/ *a*. ①不平坦的②不規則的;變化不定的③(比賽等)不平等的;懸殊的④不公平的;不公正的.

unexceptionable /ˌʌnɪkˈsepʃənəbl/ *a*. 無可指摘的;完美的.

unexceptional /ˌʌnɪkˈsepʃənl/ *a*. 不特別的;普通的 **~ly** *ad*.

unexpected /ˌʌnɪksˈpektɪd/ *a*. 意外的;想不到的;突然的 **~ly** *ad*.

unfailing /ʌnˈfeɪlɪŋ/ *a*. ①不斷的;不變的;持久的②可靠的;確實的 **~ly** *ad*.

unfair /ˌʌnˈfeə(r)/ *a*. ①不公平的;不正當的②不守規則的;違反法規的 **~ly** *ad*.

unfaithful /ˌʌnˈfeɪθfl/ *a*. 不忠實的;不貞的 **~ly** *ad*.

unfamiliar /ˌʌnfəˈmɪlɪə(r)/ *a*. 不熟悉的;陌生的.

unfathomable /ʌnˈfæðəməbl/ *a*. ①深不可測的②難解的;深奧的.

unfavourable /ʌnˈfeɪvərəbl/ *a*. ①不順利的;不祥的②反對的;不同意的.

unfeeling /ʌnˈfiːlɪŋ/ *a*. ①冷酷的;無情的②無感覺的.

unfeigned /ʌnˈfeɪnd/ *a*. 不虛偽的;真誠的.

unfit /ˌʌnˈfɪt/ *a*. ①不適當的;不相宜的②不勝任的;無能力的③健康狀況不佳的;(精神)不健全的.

unflagging /ˌʌnˈflægɪŋ/ *a*. 不倦的;不鬆懈的.

unflappable /ˌʌnˈflæpəbl/ *a*. 從容的;鎮定的;冷靜的.

unflinching /ʌnˈflɪntʃɪŋ/ *a*. 不退縮的;無畏的;堅定的.

unfold /ʌnˈfəʊld/ *v*. ①(使)展開;攤開②表露;顯現.

unforeseen /ˌʌnfɔːˈsiːn/ *a*. 未預見到的;意料之外的.

unforgettable /ˌʌnfəˈgetəbl/ *a*. 難忘的;永遠記得的.

unfortunate /ʌnˈfɔːtʃənɪt/ *a*. ①不幸的;倒霉的②不適當的;令人遺憾的 *n*. 不幸的人 **~ly** *ad*.

unfounded /ˌʌnˈfaʊndɪd/ *a*. ①無根據的;無稽的②未建立的.

unfreeze /ˌʌnˈfriːz/ *v*. (使)解凍;(使)融化.

unfriendly /ˌʌnˈfrendlɪ/ *a*. 不友好的;有敵意的.

unfrock /ˌʌnˈfrɒk/ *vt*. ①免去聖職②開除.

unfurl /ˌʌnˈfɜːl/ *v*. 打開;展開;鋪開.

ungainly /ʌnˈgeɪnlɪ/ *a*. ①笨拙的②難看的;不雅的.

ungetatable /ˌʌngetˈætəbl/ *a*. 難達到

的;難接近的.

ungodly /ˌʌnˈgɒdlɪ/ *a*. ①不敬上帝的;邪惡的;罪孽的②[俗]很不方便的;很不合適的③荒謬的;荒唐的.

ungovernable /ˌʌnˈgʌvənəbl/ *a*. 難管制的;狂暴的.

ungracious /ˌʌnˈgreɪʃəs/ *a*. 無禮的;怨恨的;不情願的.

ungrateful /ʌnˈgreɪtfl/ *a*. ①不領情的;忘恩負義的②徒勞的;白費力氣的.

unguarded /ˌʌnˈgɑːdɪd/ *a*. ①未被看守的;未被監視的②不小心的;疏忽的;不慎重的.

unguent /ˈʌŋgwənt/ *n*. 藥膏;油膏.

unhand /ˌʌnˈhænd/ *vt*. 把手從…移開;放;釋放.

unhappy /ʌnˈhæpɪ/ *a*. ①不快樂的;愁苦的②不幸的;令人遺憾的③憂慮的;不滿意的④不適當的 **unhappily** *ad*.

unhealthy /ʌnˈhelθɪ/ *a*. ①不健康的;病態的②有害健康的;有害身心的③[俗]有生命危險的④道德敗壞的.

unheard /ˌʌnˈhɜːd/ *a*. 無人理會的;被忽視的 **~-of** *a*. 不尋常的;前所未有的.

unhinge /ʌnˈhɪndʒ/ *vt*. ①使精神失常;使發狂②使分開;使裂開.

unholy /ˌʌnˈhəʊlɪ/ *a*. ①邪惡的;有罪的②[俗]不尋常的;極度的.

unhoped-for /ʌnˈhəʊpt fɔː(r)/ *a*. 未料到的;意外的.

uni- (構詞成分)表示"一","單".

UNICEF /ˈjuːnɪsef/ *abbr*. = United Nations Children's Fund 聯合國兒童基金會.

unicorn /ˈjuːnɪkɔːn/ *n*. (神話中的)獨角獸.

unidentified /ˌʌnaɪˈdentɪfaɪd/ *a*. 無法辨別的;身份不明的.

uniform[1] /ˈjuːnɪfɔːm/ *a*. 一樣的;一致的;相同的;不變的 **~ity** /ˌjuːnɪˈfɔːmətɪ/ *n*. **~ly** *ad*.

uniform[2] /ˈjuːnɪfɔːm/ *n*. 制服;軍服 **~ed** *a*. 穿制服的.

unify /ˈjuːnɪfaɪ/ *vt*. 使合一;統一 **unification** /ˌjuːnɪfɪˈkeɪʃn/ *n*.

unilateral /ˌjuːnɪˈlætrəl/ *a*. 單方面的;一方的;片面的 **~ly** *ad*.

unimpeachable /ˌʌnɪmˈpiːtʃəbl/ *a*. 無可指摘的;無可懷疑的;可靠的.

uninformed /ˌʌnɪnˈfɔːmd/ *a*. ①消息不靈通的;缺乏瞭解的②無知的;不學無術的;未受教育的.

uninterested /ˌʌnˈɪntərɪstɪd/ *a*. 不感興趣的;漠不關心的;無動於衷的.

uninviting /ˌʌnɪnˈvaɪtɪŋ/ *a*. 無吸引力的;令人反感的.

union /ˈjuːnɪən/ *n*. ①聯合;合併②聯盟;聯邦③同盟;協會;聯合會;工會④一致;和諧;和睦⑤(管子等的)連接;結合 **unionize** *v*. 成立工會.

unionist /ˈjuːnɪənɪst/ *n*. 工會會員;工會支持者 **unionism** *n*. 聯合主義;工會主義.

unique /juːˈniːk/ *a*. ①唯一的;無雙的;獨特的②[俗]非凡的;罕有的 **~ly** *ad*.

unisex /ˈjuːnɪseks/ *a*. 男女皆宜的;不分性別的.

unison /ˈjuːnɪsn, ˈjuːnɪzn/ *n*. ①【樂】同度;同音;齊唱;齊奏②和諧;一致.

unit /ˈjuːnɪt/ *n*. ①單元;單位②(尤用於複合詞中)部件;元件;裝置③【軍】小隊;分隊;部隊④(傢具、設備等)可配成套的用具⑤最小的整數;基數 // ~ *price* 單價 ~ *trust* 投資信托公司.

Unitarian /ˌjuːnɪˈteərɪən/ *a*. 【宗】唯一神教派的;一位論派的 *n*. (基督教)

唯一神教派教徒 **~ism** *n*. 唯一神教派;上帝一位論.

unite /juːˈnaɪt/ *v*. ①(使)聯合;(使)合併;(使)團結②協力;一致行動 **~d** *a*. ①和睦的;一致的②(在政治上)聯合的;統一的.

unity /ˈjuːnətɪ/ *n*. ①整體性;一致性②單一;個體;整體的東西③和諧;協調;團結.

universal /ˌjuːnɪˈvɜːsl/ *a*. ①普遍的;一般的②全體的③全世界的;宇宙的;世界性的.

universe /ˈjuːnɪvɜːs/ *n*. ①宇宙;世界;天地萬物②恒星系;星辰系.

university /ˌjuːnɪˈvɜːsətɪ/ *n*. ①大學;綜合性大學②大學師生員工③大學校舍.

unjust /ˌʌnˈdʒʌst/ *a*. 不公平的;不當的.

unkempt /ˌʌnˈkempt/ *a*. 不整潔的;蓬亂的;邋遢的.

unkind /ˌʌnˈkaɪnd/ *a*. ①不和善的;不客氣的②刻薄的;冷酷的 **~ly** *ad*.

unknowing /ʌnˈnəʊɪŋ/ *a*. 不知道的;沒發覺的;無意的**~ly** *ad*.

unknown /ˌʌnˈnəʊn/ *a*. ①不為人所知的;無名的②不出名的;陌生的 *n*. ①不出名的人;不為人所知的事物②【數】未知數;未知量.

unlace /ʌnˈleɪs/ *vt*. 解開(鞋等的)帶子;把…鬆開.

unladen /ˌʌnˈleɪdn/ *a*. 未裝載的;卸了載的.

unlawful /ˌʌnˈlɔːfl/ *a*. 不法的;非法的.

unleaded /ˌʌnˈledid/*a*. 不含四乙基鉛的.

unleash /ʌnˈliːʃ/ *vt*. 解除管束;釋放;放開;使不受控制.

unleavened /ˌʌnˈlevnd/ *a*. ①(指麵包)沒用酵粉製作的;不含酵素的②未經感化的.

unless /ənˈles/ *conj*. 除非;如果不;要不是.

unlettered /ˌʌnˈletəd/ *a*. 沒文化的;未受教育的.

unlike /ʌnˈlaɪk/ *a*. 不像的;相異的 *prep*. ①不像…;和…不同②不符合…的特點.

unlikely /ʌnˈlaɪklɪ/ *a*. 不太可能發生的;未必真實的;未必會成功的;靠不住的.

unlimited /ˌʌnˈlɪmɪtɪd/ *a*. 無限的;極多的.

unlisted /ˌʌnˈlɪstɪd/ *a*. ①未列入表格的②[美](電話號碼)未列入電話簿的.

unload /ˌʌnˈləʊd/ *vt*. ①從…卸貨;卸(貨)②把…交給;除去;擺脫③退出…中的(子彈、膠卷) *vi* 卸貨.

unlock /ˌʌnˈlɒk/ *vt*. ①開鎖②釋放;揭示.

unlooked-for /ʌnˈlʊkt fɔː(r)/ *a*. 意外的;未預見到的.

unloose /ˌʌnˈluːs/或 **unloosen** /ʌnˈluːsn/ *vt*. 解開;鬆開;釋放.

unlucky /ʌnˈlʌkɪ/ *a*. ①倒霉的;不幸的;不吉祥的②不巧的.

unman /ˌʌnˈmæn/ *vt*. 使泄氣;使難以克制自己**~ly** *a*. 無男子氣的.

unmanned /ˌʌnˈmænd/ *a*. 無人的;無人操作的;無人駕駛的.

unmannerly /ʌnˈmænəlɪ/ *a*. 粗暴的;沒禮貌的.

unmarried /ˌʌnˈmærɪd/ *a*. 未婚的;單身的.

unmask /ˌʌnˈmɑːsk/ *v*. 揭掉(…的)假面具;揭露.

unmatched /ˌʌnˈmætʃt/ *a*. 無敵的;無比的.

unmentionable /ʌn'menʃənəbl/ *a*. 說不出口的;不宜明言的.
unmistakable /ˌʌnmɪ'steɪkəbl/ *a*. 不會弄錯的;明顯的.
unmitigated /ʌn'mɪtɪgeɪtɪd/ *a*. ①(指壞人、壞事)純粹的;十足的②未緩和的.
unmoved /ˌʌn'muːvd/ *a*. 無動於衷的;冷漠的;鎮靜的.
unnatural /ʌn'nætʃrəl/ *a*. ①不自然的;奇異的②不合人情的③極殘酷的;極邪惡的④不真誠的;勉強的 ~**ly** *ad*.
unnecessary /ʌn'nesəsrɪ/ *a*. ①不必要的;多餘的②過度的;不適宜的.
unnerve /ˌʌn'nɜːv/ *vt*. 使失去自制(或勇氣、自信) **unnerving** *a*. 令人沮喪的.
unnoticed /ˌʌn'nəʊtɪst/ *a*. 未被注意的;被忽視的.
unnumbered /ˌʌn'nʌmbəd/ *a*. ①未編號的;未計數的②數不清的;無數的.
UNO *abbr*. = United Nations Organization 聯合國組織.
unobtrusive /ˌʌnəb'truːsɪv/ *a*. ①不引人注目的②謙虛的;謹慎的 ~**ly** *ad*.
unoccupied /ˌʌn'ɒkjʊpaɪd/ *a*. ①沒人住的;未被佔用的②(指地區或國家)未被佔領的③空閒的;沒事的.
unofficial /ˌʌnə'fɪʃl/ *a*. 非官方的;非正式的.
unorthodox /ˌʌn'ɔːθədɒks/ *a*. ①非正統的②異端的;異教的.
unpack /ˌʌn'pæk/ *v*. (從包裹等裏面)將東西取出;拆(包).
unpaid /ˌʌn'peɪd/ *a*. ①未付的②(指人)不受報酬的;(指工作)沒有報酬的.
unpalatable /ʌn'pælətəbl/ *a*. ①難吃的;不可口的②令人討厭的;難以接受的.
unparalleled /ʌn'pærəleld/ *a*. 無比的;空前的.
unpick /ˌʌn'pɪk/ *vt*. 拆開(衣服等的)針脚.
unpleasant /ʌn'pleznt/ *a*. 不愉快的;令人討厭的.
unpopular /ˌʌn'pɒpjʊlə(r)/ *a*. ①不得人心的;不受歡迎的②不流行的 ~**ity** /'ʌnˌpɒpjʊ'lærətɪ/ *n*.
unprecedented /ʌn'presɪdentɪd/ *a*. 無前例的;空前的.
unpredictable /ˌʌnprɪ'dɪktəbl/ *a*. 無法預言的;(指人)不可捉摸的;多變的.
unprejudiced /ˌʌn'predʒʊdɪst/ *a*. 公平的;無偏見的.
unprepossessing /ˌʌnˌpriːpə'zesɪŋ/ *a*. 不討人喜歡的;不吸引人的;沒有魅力的.
unpretentious /ˌʌnprɪ'tenʃəs/ *a*. 不炫耀的;不自大的;謙虛的.
unprincipled /ʌn'prɪnsəpld/ *a*. 無節操的;無恥的;肆無忌憚的.
unprintable /ʌn'prɪntəbl/ *a*. (話、文章)不宜印出的;不能付印的.
unprofessional /ˌʌnprə'feʃənl/ *a*. ①(行為)違反職業準則的②(工作)外行的;馬虎粗糙的.
unprofitable /ˌʌn'prɒfɪtəbl/ *a*. 無利的;虧本的;沒有用的.
unpunished /ˌʌn'pʌnɪʃt/ *a*. 未受懲罰的.
unqualified /ʌn'kwɒlɪfaɪd/ *a*. ①不合格的;不能勝任的;無資格的②沒有限制的;無條件的;絕對的.
unquestionable /ʌn'kwestʃənəbl/ *a*. 無疑的;無可爭辯的;確實的.
unravel /ʌn'rævl/ *vt*. ①解開;拆散②弄清楚;解決;闡明 *vi*. 散開;變明

晰.

unread /ˌʌn'red/ *a*. ①(指書)未讀過的②(指人)讀書不多的;無知的.

unreadable /ˌʌn'ri:dəbl/ *a*. 晦澀難讀的;(字迹)難辨認的.

unreal /ˌʌn'rɪəl/ *a*. ①虛幻的②不真實的;不實在的.

unreasonable /ʌn'ri:znəbl/ *a*. ①(指人)不講理的②超出常情的;過度的;不合理的 **unreasonably** *ad*.

unrelenting /ˌʌnrɪ'lentɪŋ/ *a*. ①不退讓的;持續不斷的;堅持不懈的②(指人)冷酷無情的;鐵石心腸的.

unremitting /ˌʌnrɪ'mɪtɪŋ/ *a*. 不懈的;不斷的;持續的.

unrepeatable /ˌʌnrɪ'pi:təbl/ *a*. 不可重複的;一次性的;(太下流等)不能複述的.

unrequited /ˌʌnrɪ'kwaɪtɪd/ *a*. (尤指愛情)沒有回報的.

unreserved /ˌʌnrɪ'zɜ:vd/ *a*. ①(指坐位等)沒有被預訂的②無保留的;坦率的.

unrest /ˌʌn'rest/ *n*. 不穩;不安;動蕩.

unrestrained /ˌʌnrɪ'streɪnd/ *a*. 無節制的;無拘束的;放縱的;沒有控制的.

unrivalled /ʌn'raɪvld/ *a*. 無敵的;無雙的.

unroll /ˌʌn'rəʊl/ *v*. 展開;打開(捲着的東西).

unruffled /ˌʌn'rʌfld/ *a*. ①沉着的;冷靜的;從容不迫的②不混亂的.

unruly /ʌn'ru:lɪ/ *a*. 難控制的;任性的;不守規矩的.

unsaid /ˌʌn'sed/ *a*. 未說明的;未講出的;不說的.

unsaturated /ʌn'sætʃəreɪtɪd/ *a*. ①未飽和的②【化】(有機化合物)能與氫化合的.

unsavoury /ˌʌn'seɪvərɪ/ *a*. ①難吃的;難聞的②令人作嘔的;令人討厭的.

unscathed /ˌʌn'skeɪðd/ *a*. 未受損傷的;未受傷害的.

unscrew /ˌʌn'skru:/ *v*. 旋出螺釘;扭鬆;扭開.

unscripted /ˌʌn'skrɪptɪd/ *a*. (講演等)無講稿的;不用講稿的.

unscrupulous /ʌn'skru:pjʊləs/ *a*. 不講道德的;無恥的;肆無忌憚的.

unseat /ˌʌn'si:t/ *vt*. ①使從馬、自行車等上摔下②罷免;免去議席.

unseemly /ʌn'si:mlɪ/ *a*. (指行為等)不恰當的;不得體的.

unseen /ˌʌn'si:n/ *a*. ①看不見的;未被察覺的;未被看見的②(指翻譯)即席的;無準備的 *n*. ①即席翻譯②看不見的事務.

unselfish /ˌʌn'selfɪʃ/ *a*. 無私的;慷慨的.

unserviceable /ˌʌn'sɜ:vɪsəbl/ *a*. (因破損而)已經不能用的.

unsettled /ˌʌn'setld/ *a*. ①腸胃不舒服的②不穩定的;不安的③多變的;易變的;不可預見的④有待進一步討論的⑤(帳單等)未付清的.

unshakeable, unshakable /ʌn'ʃeɪkəbl/ *a*. (指信仰等)不可動搖的;堅定不移的.

unsightly /ʌn'saɪtlɪ/ *a*. 難看的;不雅觀的.

unskilled /ˌʌn'skɪld/ *a*. 無特殊技能的;不需要特殊技能的.

unsocial /ˌʌn'səʊʃl/ **unsociable** /ʌn'səʊʃəbl/ *a*. 不愛交際的;孤僻的;厭惡社交的.

unsophisticated /ˌʌnsə'fɪstɪkeɪtɪd/ *a*. ①天真的;純樸的;單純的②簡單的;不複雜的;不精細的;基本的.

unsound /ˌʌn'saʊnd/ *a*. ①不健康的;

不堅實的②有錯誤的;有缺陷的.

unsparing /ʌn'speərɪŋ/ *a*. ①慷慨的;大方的②嚴厲的;不寬恕的.

unspeakable /ʌn'spiːkəbl/ *a*. 不能用語言表達的;難以形容的.

unstable /ˌʌn'steɪbl/ *a*. ①不穩定的;易變的;難以預言的②不穩固的;不牢靠的③(性情)反覆無常的.

unsteady /ˌʌn'stedɪ/ *a*. ①不穩的;不可靠的;搖擺的②不一致的;不規則的;不均勻的.

unstinting /ʌn'stɪntɪŋ/ *a*. 大方的;慷慨的.

unstuck /ˌʌn'stʌk/ *a*. ①未粘牢的;未粘住的②分離的;鬆開的 // *come* ~ 失敗;不成功.

unstudied /ˌʌn'stʌdɪd/ *a*. ①自然的;不矯揉造作的;不裝腔作勢的②臨時的;即席的.

unsuccessful /ˌʌnsək'sesfʊl/ *a*. 不成功的,失敗的.

unsuitable /ˌʌn'sjuːtəbl/ *a*. 不合適的;不適宜的;不相稱的.

unsung /ˌʌn'sʌŋ/ *a*. ①未唱的②未被歌頌的;未被承認的.

unsure /ˌʌn'ʃɔː(r)/ *a*. 缺乏自信的;不確知的;沒把握的.

unswerving /ʌn'swɜːvɪŋ/ *a*. 堅定的;堅貞的;不變的.

untapped /ˌʌn'tæpt/ *a*. 未使用的;未開發的;未利用的.

untenable /ˌʌn'tenəbl/ *a*. (指理論)站不住脚的;不堪一擊的;難以防守的.

unthinkable /ˌʌn'θɪŋkəbl/ *a*. 難以想像的;不可思議的;不可能的.

unthinking /ˌʌn'θɪŋkɪŋ/ *a*. 未加思考的;輕率的.

untidy /ʌn'taɪdɪ/ *a*. 不整齊的;凌亂的.

until /ən'tɪl/ *conj*. 直到…為止 *prep*. 直到.

untimely /ʌn'taɪmlɪ/ *a*. ①不合時宜的②過早的.

unto /'ʌntʊ/ *prep*. [古][書]對;給;於.

untold /ˌʌn'təuld/ *a*. ①未說過的;未透露的②說不盡的;數不清的.

untouchable /ʌn'tʌtʃəbl/ *a*. ①達不到的;碰不着的;不可接觸的②無可指摘的③無可懷疑的 *n*. (印度)不可接觸的賤民.

untoward /ˌʌntə'wɔːd/ *a*. 困難重重的,不幸的;難應付的。

untried /ˌʌn'traɪd/ *a*. 未經試驗的;未經考驗的.

untrue /ˌʌn'truː/ *a*. ①不真實的;假的②不忠實的;不誠實的.

untruth /ˌʌn'truːθ/ *n*. ①謊言;假話②不真實;虛僞.

unusual /ʌn'juːʒl/ *a*. 不尋常的;奇異的;與衆不同的;有特色的.

unutterable /ˌʌn'ʌtərəbl/ *a*. 說不出的;無法形容的.

unvarnished /ˌʌn'vɑːnɪʃt/ *a*. ①未塗油漆的②[喻]未加修飾的;直率的.

unveil /ˌʌn'veɪl/ *vt*. 揭去…的面紗(或幕布等);公諸於衆;公開展出 *vi*. 揭開面紗.

unwanted /ˌʌn'wɒntɪd/ *a*. ①不必要的;多餘的②不受歡迎的.

unwarrantable /ʌn'wɒrəntəbl/ *a*. ①不正當的;無正當理由的②不可原諒的.

unwarranted /ʌn'wɒrəntɪd/ *a*. ①無根據的②未經授權的;沒正當理由的.

unwell /ˌʌn'wel/ *a*. 不舒服的;有病的.

unwholesome /ˌʌn'həulsəm/ *a*. ①不衛生的;有害健康的;有害身心的②臉色不好的;憔悴的.

unwieldy /ʌn'wiːldɪ/ *a*. 不易移動或控制的;龐大的;笨重的.

unwilling /ʌn'wɪlɪŋ/ *a*. 不情願的;不願意的;勉強的 **~ly** *ad*. **~ness** *n*.

unwind /ˌʌn'waɪnd/ *v*. (過去式及過去分詞 **unwound** /ʌn'waʊnd/)①解開;鬆開②[俗]輕鬆一下;放鬆一會兒.

unwise /ˌʌn'waɪz/ *a*. 不明智的;愚笨的.

unwitting /ʌn'wɪtɪŋ/ *a*. ①不知情的;沒察覺的②非存心的;非故意的.

unwonted /ˌʌn'wəʊntɪd/*a*.不常有的.

unworldly /ˌʌn'wɜːldlɪ/ *a*. 超凡脫俗的;非塵世的.

unworthy /ʌn'wɜːðɪ/ *a*. ①無價值的②不值得的;不配的;不相稱的.

unwrap /ˌʌn'ræp/ *vt*. 打開(包裹等).

unwritten /ˌʌn'rɪtn/ *a*. 未寫下的;不成文的;口傳的.

unyielding /ʌn'jiːldɪŋ/ *a*. ①不能彎曲的②頑強的;堅強的.

up /ʌp/ *ad*. ①向上;在上②起來;起床;不眠③上揚;上漲,上升④接近;向…去;在(大城市)⑤成碎片;分開⑥(用於短語動詞)完全;牢固⑦[俗]正在發生(或進行) *prep*.向高處;在高處;沿着 *vi*.(後面接 *and* 和另一個動詞)[俗]起立;跳起 *vt*.[俗]增加 *n*.(球着地後)彈起 **up-and-coming** *a*.[俗](指人)有很大進步的;很可能會成功的// *ups and downs* 好運和壞運的交替;盛衰;浮沉.

upbeat /'ʌpbiːt/ *n*. ①【樂】上拍;弱拍②興旺;上升 *a*.樂觀的;快樂的.

upbraid /ˌʌp'breɪd/ *vt*. 譴責;責備.

upbringing /'ʌpbrɪŋɪŋ/ *n*. (幼年的)教育;教養;養育,撫育.

upcountry /ˌʌp'kʌntrɪ/ *a*. & *ad*. 在內地(的);向內地(的).

update /ˌʌp'deɪt/ *vt*. 使現代化;使成為最新的;向…提供最新信息 /'ʌpdeɪt/ *n*. ①新的信息,新的情況;最新報導;最新校正數據②更新,(根據新的信息所作的)修正.

upend /ˌʌp'end/ *v*. 豎起;倒豎;顛倒.

upfront /'ʌpfrʌnt/*a*. [口]顯著的;重要的.

upgrade /ˌʌp'greɪd/ *vt*. 提高…的等級;提升.

upheaval /ʌp'hiːvl/ *n*. ①突然而猛烈的上衝②巨變;驟變;騷動.

uphill /ˌʌp'hɪl/ *a*. ①上坡的;上升的②[喻]費力的;困難的③位於高處的.

uphold /ˌʌp'həʊld/ *vt*.(過去式及過去分詞 **upheld** /ˌʌp'held/) ①支持,擁護②維持,保持.

upholster /ˌʌp'həʊlstə(r)/ *vt*. 為(沙發等)裝布面(墊子等);裝璜(傢具);(用地毯、傢具等)裝飾(房間) **~er** *n*.室內裝璜商;室內裝飾工 **~y** *n*.室內裝飾業;室內裝飾品.

upkeep /'ʌpkiːp/ *n*. ①保養;維修②保養費;維修費.

upland /'ʌplənd/ *n*. (常用 *pl*.)(一個國家的)高地;內地.

uplift /ˌʌp'lɪft/ *vt*. (尤指在精神等方面)提高;振奮 /'ʌplɪft/ *n*.

upon /ə'pɒn/ *prep*. =on (但表示日期時只用 on).

upper /'ʌpə(r)/ *a*. ①(指位置)上面的;較高的②(地位、等級等)較高的③北部的;北面的.

uppermost /'ʌpəməʊst/ *a*. & *ad*. 最高的(地);最主要的(地).

uppish /'ʌpɪʃ/ *a*. [主英]驕傲自大的;盛氣凌人的.

upright /'ʌpraɪt/ *a*. ①筆直的;直立的②正直的;高尚的;誠實的 *ad*.筆直

地;直立地 *n*. 直豎的柱子;豎式鋼琴.

uprising /'ʌpraɪzɪŋ/ *n*. ①叛亂;暴動②起義.

uproar /'ʌprɔː(r)/ *n*. 喧囂;鼓噪;騷動 **~ious** *a*. ①喧鬧的;興高采烈的②非常可笑的.

uproot /ˌʌp'ruːt/ *vt*. ①連根拔起②趕出家園;使背井離鄉.

upset /ˌʌp'set/ (過去式及過去分詞 **upset**) *vt*. ①弄翻;碰翻②打亂;擾亂;破壞③使心煩意亂;使苦惱④使腸胃不適 *vi*. 翻倒;傾覆;溢出 /'ʌpset/ *n*. ①傾覆;擾亂;混亂②心煩意亂;腸胃不適③(運動比賽中)出現意外的結果 // *~ the/sb's applecart* ①打亂安排;破壞計劃②推翻一種理論.

upshot /'ʌpʃɒt/ *n*. 結果;結局.

upside-down /ˌʌpsaɪd 'daʊn/ *a*. & *ad*. ①倒置的(地);顛倒的(地)②混亂的(地).

upstage /ˌʌp'steɪdʒ/ *a*. & *ad*. ①在舞台後部(的);向舞台後部(的)②[俗]勢利的(地)③諂上欺下的(地) *vt*. 突出自己;搶(某人)的戲;搶(某人)的風頭.

upstairs /ˌʌp'steəz/ *ad*. & *a*. 在樓上(的);向樓上 *n*. [俗]樓上.

upstanding /ˌʌp'stændɪŋ/ *a*. ①強健的②正派的;正直的③直立的.

upstart /'ʌpstɑːt/ *n*. 暴發戶;突然發迹的人.

upstream /ˌʌp'striːm/ *ad*. & *a*. 向上游(的);逆流(的).

upsurge /'ʌpsɜːdʒ/ *n*. ①急增,突升②突然高漲;激動.

upswing /'ʌpswɪŋ/ *n*. ①上揚;向上的擺動②改進;改善.

uptake /'ʌpteɪk/ *n*. 領會;理解(用於成語) // *quick on the ~* 理解得快 *slow on the ~* 理解得慢.

uptight /ˌʌp'taɪt/ *a*. [俗]①精神緊張的;煩惱的②有敵意的③[美]非常保守的;過於謹慎的.

up-to-date /ˌʌp tə 'deɪt/ ①新近的;時髦的②含有最新信息的;最新的.

up-to-the-minute /ˌʌp tə ðə 'mɪnɪt/ *a*. 最新的;最時髦的;最近的.

uptown /ˌʌp'taʊn/ *a*. & *ad*. [美]在住宅區(的);向住宅區(的) /'ʌptaʊn/ *n*. 住宅區.

upturn /'ʌptɜːn/ *n*. 好轉;上升;改善 **~ed** /ˌʌp'tɜːnd/ *a*. ①朝上的;向上翹的②倒過來的.

upward /'ʌpwəd/ *a*. 向上的;上升的;朝上的 **~(s)** *ad*. // *upwards of* 多於…;…以上.

uranium /jʊ'reɪnɪəm/ *n*. 【化】鈾.

Uranus /jʊə'rənəs/ *n*. ①【天】天王星②【希神】天王.

urban /'ɜːbən/ *a*. 都市的;城市的 **~ize** *vt*. 使都市化.

urbane /ɜː'beɪn/ *a*. 風度翩翩的;文雅的 **~ly** *ad*. **urbanity** /ɜː'bænətɪ/ *n*.

urchin /'ɜːtʃɪn/ *n*. ①頑童;小淘氣②街頭流浪兒.

urea /jʊə'rɪə/ *n*. 【化】尿素.

urethra /ˌjʊə'riːθrə/ *n*. 【解】尿道.

urge /ɜːdʒ/ *vt*. ①驅趕;驅策②力勸③催促;鞭策;鼓勵④力陳;力薦;強調 *n*. 強烈的欲望;衝動.

urgency /'ɜːdʒənsɪ/ *n*. ①緊急;迫切②堅持要求;強求.

urgent /'ɜːdʒənt/ *a*. 急迫的;緊急的;催促的 **~ly** *ad*.

urinal /'jʊərɪnl/ *n*. ①(尤指男人的)小便池②尿壺.

urinary /'jʊərɪnərɪ/ *a*. 尿的;泌尿器官的.

urinate /'jʊərɪneɪt/ *vi*. 排尿;小便.
urine /'jʊərɪn/ *n*. 尿.
urn /ɜːn/ *n*. ①瓮;(尤指)骨灰缸②茶桶;大茶壺;大咖啡壺.
us /ʌs, (弱)əs/ *pro*. 我們(we 的賓格).
US /ˌjuː'es/ , **USA** /ˌjuːes'eɪ/ *abbr*. = United States of America 美利堅合衆國,美國.
usage /'juːzɪdʒ/ *n*. ①用法;使用②習慣的做法;慣例③【語】慣用法.
use¹/juːs/ *n*. ①使用;利用②用途;效用③使用權;運用能力④價值;益處⑤習慣;慣例;慣用法.
use²/juːz/ *vt*. ①使用;利用②對待③消耗;用(盡)④[俗]吸(毒);[美]吸(烟) **usable** *a*.可使用的;宜於使用的// *~up* ①用光②使精疲力竭.
used¹/juːzd/ *a*. 穿過的;用過的;舊的.
used²/juːst/ *a*. (作表語)習慣於…的(to).
used to /'juːst tə/ *modal v*. (否定式used not to; usedn't to, usen't to /'juːsnt tə/)過去常常;以往慣常.
useful /'juːsfl/ *a*. ①有用的;有益的;有幫助的②[俗]有能力的;能幹的;得力的.
useless /'juːslɪs/ *a*. ①沒用的;無益的;無效果的②[俗]弱的;無能力;不能勝任的.
user /'juːzə(r)/ *n*. 使用者;用戶 **~-friendly** *a*.(尤指計算機及其軟件)便於外行使用的;不難使用的.
usher /'ʌʃə(r)/ *n*. ①(電影院等的)招待員;引座員②(帶路去見某人的)引路人③(法院等的)門房 *vt*. ①招待;引導②[喻]標志着…的開端;宣告.
usual /'juːʒl/ *a*. 通常的;平素的;照例的 **~ly** *ad*.// *as~* 像往常一樣.
usurer /'juːʒərə(r)/ *n*. 放高利貸者 **usury** /'juːʒərɪ/ *n*.高利貸;高利.
usurp /juː'zɜːp/ *vt*. ①篡奪;強奪;奪取②侵佔**~ation** *n*.
utensil /juː'tensl/ *n*. 器具;(家庭)用具,廚房.
uterus /'juːtərəs/ *n*.(*pl*. **~es** or **uteri** /'juːtəraɪ/) 【解】子宮 **uterine** /'juːtəraɪn/ *a*.
utilitarian /ˌjuːtɪlɪ'teərɪən/ *a*. ①注重實用的;極為實用的;功利的②實用主義的;功利主義的 **~ism** *n*.實用主義;功利主義.
utility /juː'tɪlətɪ/ *n*. ①有用;功用②實用;效用③公用事業(=public~).
utilize /'juːtəlaɪz/ *vt*. 利用 **utilization** /ˌjuːtəlaɪ'zeɪʃn/ *n*.
utmost/'ʌtməʊst/, **uttermost** /'ʌtəməʊst/ *a*. ①最大的;最遠的②極度的;極端的 *n*.(the ~)最大限度;最大可能// *do one's ~* 竭盡全力.
Utopia /juː'təʊpɪə/ *n*. 烏托邦;理想中完美的國度 **~n** *a*.烏托邦的;不切實際的;空幻的.
utter¹/'ʌtə(r)/ *a*. (用來強調名詞)完全的;絕對的;徹底的 **~ly** *ad*.
utter²/'ʌtə(r)/ *vt*. ①發出(聲音等)②說;表達;發言③發射;噴射 **~ance** *n*. ①說;表達②言辭;言論.
uttermost /'ʌtəməʊst/*a*. & *n*. = utmost.
U-turn /'juːtɜːn/*n*.車船等的 U 字形轉彎,180°轉彎;大轉彎.
uvula /'juːvjʊlə/ *n*. ①【解】小舌②懸壅垂.
uxorious /ʌk'sɔːrɪəs/ *a*. 溺愛妻子的;怕老婆的**~ly** *ad*.**~ness** *n*.

V

V, v /viː/ 可表示①Venerable 尊敬的②vicar 教堂牧師③valve 閥④verb 動詞⑤victory 勝利⑥voltage 電壓;伏特數⑦volt 伏特.

v. *abbr*. = versus; very.

VA. *abbr*. = ①Veterans' Administration[美]退伍軍人管理局②vicar apostolic【宗】名譽主教③volt-ampere【電】伏安④value analysis 價值分析.

vac *abbr*. = ①vacant 空的②[口]vacation 假期③vacuum 真空.

vacancy /'veɪkənsɪ/ *n*. ①空;空虛;空隙②空位,空額,空缺 **vacant** *a*. **vacantly** *ad*. 茫然,無所事事地.

vacate /və'keɪt/ *vt*. ①使空無所有,搬出,騰出②解除,空出③退出,撤退④作廢⑤休假,度假.

vacation /və'keɪʃn/ *n*. ①假期;休假②搬出;退出;辭職 **~land** *n*. 旅遊勝地,休假地 // *~school* 暑期學校; *be on ~* 放假期間.

vaccinate /'væksɪneɪt/ *v*. 接種(疫苗);種痘,打預防針; **vaccination** /ˌvæksɪ'neɪʃn/ *n*.【醫】預防注射,接種(疫苗) **vaccinator** /'væksɪneɪtə(r)/ *n*. (疫苗)接種員;接種針.

vaccine /'væksiːn/ *a*. 牛痘的;預防疫苗的 **~e** /ˌvæksɪ'niː/ *n*. 已接種牛痘者 **vaccinia** /væk'sɪnɪə/ *n*.【醫】牛痘 **vaccinial** *a*. // *~lymph* (virus)痘苗 *~farm* 疫苗培養所 *~point* 接種針.

vacillate /'væsəleɪt/ *vi* ①擺動②躊躇不決 **vacillant** /'væsɪlənt/ *a*. 搖擺不定的, **vacillation** /ˌvæsə'leɪʃn/ *n*. ①搖擺;波動;振蕩②猶豫不決;優柔寡斷.

vacua /'vækjʊə/ *n*. (**vacuum** 之複數)真空.

vacuity /və'kjuːətɪ/ *n*. ①空;空虛;真空;空間;空處②發呆③無聊,無所事事④無聊話.

vacuous /'vækjʊəs/ *a*. ①空洞的;空虛的②精神空虛的,發呆的③無所事事的.

vacuum /'vækjʊəm/ *n*. (*pl*. ~ **s, vacua**) ①真空,空處,空虛②[美口](真空)吸塵器(= ~cleaner) **~packed** *a*. 真空包裝的 // *~bottle*; *~flask* 熱水瓶 *~brake* 真空掣動器 *~pump* 真空泵 *~tube* 真空管,電子管.

V.A.D. *abbr*. = Voluntary Aid Detachment 志願輔助勤務隊.

vade mecum /ˌvɑːdɪ 'meɪkʊm/ *n*. [拉]手冊,便覽.

vagabond /'vægəbɒnd/ *n*. 流浪漢,漂泊無定的人[口]流氓,無賴 *a*. 流浪的;飄泊不定的;無賴的 **~age** *n*. 流浪(生活、習慣) **~ism** *n*. (同前者) **~ize** *vi*. 過流浪生活,流浪.

vagal /'veɪgəl/ *a*.【解】交感神經的,迷走神經的.

vagary /'veɪgərɪ, və'geərɪ/ *n*. 异想天開,妄想,幻想.

vagina /və'dʒaɪnə/ *n*. (*pl*. **~s, -nae** /-niː/)【動】鞘;【解】陰道 **~l** *a*. **vaginitis** /ˌvædʒɪ'naɪtɪs/ *n*.【醫】陰道炎.

vagitus /və'dʒaɪtəs/ *n*.【醫】嬰兒啼哭.

vagrant /'veɪgrənt/ *a*. ①流離失所的,流浪的②見異思遷的,不定的, *-n*.

流浪者;遊民;無賴;流氓; **~ly** *ad*. **~ness** *n*. **vagrancy** /'veɪgrənsɪ/ *n*. 飄泊;流浪.

vague /veɪg/ *a*. 含糊的,模糊的;籠統的;曖昧的 -*n*. 模糊不定的狀態; **~ly** *ad*. **~ness** *n*.

vagus /'veɪgəs/ *n*. (*pl*. **vagi** /-dʒaɪ/)【解】迷走神經,交感神經.

vain /veɪn/ *a*. ①徒然的,無益的②空的,空虛的③自負的,虛榮的 **~ly** *ad*. 虛妄地、無益地;自負地 **~ness** *n*. // *be~of* 自誇,自以為…了不起 *in~* 徒然,無益;輕慢地.

vainglory /ˌveɪn'glɔːrɪ/ *n*. 自負,虛榮心 **vainglorious** *a*. 過於自負的;狂妄自大的;虛榮心很強的.

Val. *abbr*. =①valentine 情人節②valuation 評價③value 價值.

valance /'væləns/ *n*. ①桌帷②(窗簾頂部)掛布框架③帷幔.

vale /veɪl/ *n*. 峪,槽,溝.

valediction /ˌvælɪ'dɪkʃn/ *n*. 告別,告別辭 **valedictory** /ˌvælɪ'dɪktərɪ/ *a*.

valence[1]/'veɪləns/ *n*.【化】(化合)價,(原子)價,【生】(效)價 = valency /'veɪlənsɪ/.

valence[2]/'væləns/ *n*. =valance.

valentine /'væləntaɪn/ *n*. 情人節禮品(卡),瓦倫丁節;情人;情書.

valerian /və'lɪərɪən/ *n*.【植】纈草,拔地麻;開花野草.

valet /'væleɪt/ *n*. 隨從;男僕; *v*. 當男侍僕;侍候.

valetudinarian /ˌvælɪtjuːdɪ'neərɪən/ *a*. & *n*. 多病虛弱的(人).

valiant /'vælɪənt/ *a*. 勇敢的,英勇的 **~ly** *ad*.

valid /'vælɪd/ *a*. ①有根據的;確鑿的;正確的②【律】有效的.

validate /'vælɪdeɪt/ *vt*. ①證實,確證②使(法律上)有效,使生效 **validation** /ˌvælɪ'deɪʃn/ *n*.

validity /və'lɪdətɪ/ *n*. ①正確,正當,妥當②【律】有效,合法性.

valise /və'liːz/ *n*. ①旅行手提包(箱)②旅行袋③背包.

valley /'vælɪ/ *n*. ①山谷;河峪②流域③【建】屋面天溝.

valor /'vælə(r)/ *n*. [美]=valour[英]勇猛,英勇,豪邁氣概.

valorize /'væləraɪz/ *vt*. 以補助形式穩定和維持(商品的)價格. **valorization** /ˌvæləraɪ'zeɪʃn/ *n*. **valorous** /'vælərəs/ *a*.

value /'væljuː/ *n*. ①價值;重要性;益處②估價,評價③(郵票)面值④等值⑤(*pl*.)道德價值;社會準則, *vt*. (**valuing, valued**)①給…估價②對…作出評價③尊重;看重 **valuable** /'væljʊəbl/ *a*. ①有價值的②貴重的③可評價的 **valuables** *n*. 貴重的物品 **valuation** /ˌvæljʊ'eɪʃn/ *n*. 估價,評價;價值【數】賦值 **~less** /'væljʊlɪs/ *a*. 沒有價值的;不足道的;無用的 **~r** /'væljʊə(r)/ *n*. 評價者,估價者 // *~-added tax* [英]增值稅 *~judgment* 對人之善惡等所作的主觀論斷,評頭品足.

valve /vælv/ *n*. ①【機】閥,活門②【解】瓣膜,殼瓣③【物】電子管,真空管 **valvular** /'vælvjʊlə(r)/ *a*.

vamoose /və'muːs/ *v*. [美俚]突然離開,跑掉.

vamp[1]/væmp/ *n*. [美俚](誘引男人的)妖婦 *v*. 以媚術誘惑(男子)以勒索錢財.

vamp[2]/væmp/ *vt*. ①給(鞋,靴)換面②修補,翻新(up)③拼湊④【樂】為(獨唱)即席伴奏 **~er** *n*. 鞋匠,即席伴奏者.

vampire /'væmpaɪə(r)/ *n*. (民間傳說中的)吸血鬼；[美俚] = vamp[1] 演妖婦角色之演員；勾引男子的女人 // ~*bat*【動】吸血蝠，魑蝠.

van[1]/væn/ *n*. ①有蓋載貨馬車；搬運車②大篷車；有蓋貨車 // ~ *line* [美]長途運輸公司.

van[2]/væn/ *n*. ①【軍】先鋒②先驅，領導人(= ~guard).

vanadium /və'neɪdɪəm/ *n*. 【化】釩 **vanadate** /'vænədeɪt/ *n*.【礦】釩酸鹽 // ~ *steel* 釩鋼.

vandal /'vændl/ *n*. 文化、藝術的摧殘者 ~ **ic** /væn'dælɪk/ *a*. ~ **ism** /'vændəlɪzəm/ *n*. ①汪達爾人的野蠻行為②(對財產尤指文化藝術品的)惡意破壞；**~ize** /'vændlaɪz/ *vt*. 破壞(公私財產，尤指文化藝術品).

Vandyke /væn'daɪk/ *n*. 范戴克(英 16 世紀畫家) // ~*beard*(下巴上的)尖髯.

vane /veɪn/ *n*. ①【氣】風向標，風信旗②(喻)隨風倒的人③(風車、推進器的)翼；葉片，葉輪.

vanguard /'vængɑːd/ *n*. ①先鋒，前衛②先進份子，先驅，前導.

vanilla /və'nɪlə/ *n*. 【植】香子蘭；香草 **vanillic** *a*.

vanish /'vænɪʃ/ *vi*. ①消失；消散；消滅②【數】成零 // ~*cream* 雪花膏 ~*ing point*(透視畫之)沒影點.

vanity /'vænətɪ/ *n*. (*pl*. **vanities**) ①空虛；無用，無益之舉②虛榮，浮華，虛榮心，自負 // ~ *case*(裝化妝品之)女用手提包.

vanquish /'væŋkwɪʃ/ *vt*. 征服，戰勝，擊敗，克服 **~able** *a*. **~er** *n*. 征服者，勝利者 // *the*~*ed* 被征服者.

vantage /'vɑːntɪdʒ/ *n*. 優勢，優越之地位 **~-ground** = ~point 有利的地位；(占)上風.

vapid /'væpɪd/ *a*. ①沒味道的，走了味的②無趣味的，沒生氣的③不尖銳不痛快的 **~ity** /væ'pɪdətɪ/ *n*. ①無味；乏味；走味，走氣②無生氣，沒精神；沒趣味 **~ly** *a*.

vapour /'veɪpə(r)/ *n*. (=[美]vapor) ①汽，蒸汽；烟霧②汽化液體或固體 **vaporize** /'veɪpəraɪz/ *v*.汽化；蒸發；揮發；**vaporizer** *n*.蒸發器，汽化器，噴霧器 **vaporous** *a*.

vapourware /'veɪpəˌweə(r)/ *n*. 【計】發表後但最終却沒上市的電腦軟件或硬件.

variable /'veərɪəbl/ *a*. ①易變的，變化無常的②可愛的 *n*. ①易變的東西②【數】變量，變數 **variability** /ˌveərɪə'bɪlətɪ/ *n*.

variant /'veərɪənt/ *a*. ①相異的，不同的，不一致的②各種各樣的 *n*. ①變體，變量②變種，異體(字) **variance** /'veərɪəns/ *n*. // *at variance* (*with*)與…不和；和…不一致.

variation /ˌveərɪ'eɪʃn/ *n*. ①變化，變動②變量，偏差③【生】變種④【樂】變奏曲 **~al** *a*.

varicella /ˌværɪ'selə/ *n*. 【醫】水痘.

varicolo(u)red /'veərɪkʌləd/ *a*. 雜色的，多色的，五彩繽紛的.

varicose /'værɪkəʊs/ *a*. (治)靜脉曲張的 // ~*veins*【醫】曲張靜脉(尤指腿部靜脉).

variegated /'veərɪgeɪtɪd/ *a*. ①雜色的，斑駁的②變化多端的，多樣化的 **variegation** /ˌveərɪ'geɪʃn/ *n*.

variety /və'raɪətɪ/ *n*. (*pl*.**-ies**) ①變化，多樣性②雜凑③異種；種類；項目④[英]雜耍表演 // ~*show*；~*entertainment* 雜耍演出.

various /'veərɪəs/ *a*. ①不同的，各種

各樣的②多樣的, 多方面的③好幾個的④各個的, 個別的 **~ly** *ad*.

varlet /'vɑːlɪt/ *n*. ①侍童, 跟班, 僕人②無賴, 歹徒, 惡棍.

varnish /'vɑːnɪʃ/ *n*. ①清漆, 罩光漆; 凡立水; 釉②光澤面, 掩飾③[英]指甲油 *-v*. 上清漆; 美化 **~ing-day**①畫展之前作者修飾作品的一天②藝術展覽開幕日.

varsity /'vɑːsətɪ/ *n*. [英口] = university 大學(校隊).

vary /'veərɪ/ *vt*. ①改變, 變更, 修改②使變化, 使多樣化 *vi*. 變化, 多樣化 **varied** *a*.

vascular /'væskjʊlə(r)/ *a*. 【生、解】脉管的, 血管的 // ~ *bundle*【植】維管束; ~ *cylinder* 維管柱; ~ *plant* 導管植物; ~ *system* 導管系統.

vas deferens /væs 'defərenz/ *n*. (*pl*. **vasa deferentia**) 輸精管.

vase /vɑːz/; [美] /veɪz/ *n*. ①花瓶; 瓶②【建】瓶飾.

vasectomy /və'sektəmɪ/ *n*. 【醫】輸精管切除(術).

vaseline /'væsəliːn/ *n*. ①【化】凡士林, 礦脂②[美俚]奶油.

vassal /'væsl/ *n*. ①(封建時代的)諸侯, 陪臣②附庸, 奴隸 **~age** /'væsəlɪdʒ/ *n*. ①陪臣身分②效忠③領地.

vast /vɑːst/ *a*. 廣闊的, 遼闊的, 浩瀚的 **~ly** *ad*. **~ness** *n*.

vat /væt/ *n*. ①大桶, 大缸②(荷蘭)液量名.

VAT *abbr*. = Value-Added Tax 增值稅.

Vatican /'vætɪkən/ *n*. 梵蒂岡(羅馬教廷所在地).

vaudeville /'vɔːdəvɪl/ *n*. ①[英]輕鬆歌舞劇②[美]雜耍③[法]諷刺民歌 // ~ *house* [美] (= [英]music hall) 雜耍場.

vault[1] /vɔːlt/ *n*. ①【建】拱頂, 穹窿②圓頂房間(地下室)[美]地下保險庫③地下靈堂 **~ed** *a*. 有拱頂的, 圓頂的.

vault[2] /vɔːlt/ *n*. & *v*. 撑竿跳; 跳躍.

vaunt /vɔːnt/ *v*. 誇張; 自我吹噓; 宣揚; 稱頌 **~ed** *a*.

VC *abbr*. = ①vice-chairman 副主席, 副議長②vice-chancellor 大學副校長, 副大法官③vice-consul 副領事④Victoria Cross[英]維多利亞十字勛章⑤volunteer corps 志願軍(隊).

VCR *abbr*. = ①video cassette recording 盒式磁帶録像②video cassette recorder 盒式録像機, 録影機.

VD *abbr*. = ①venereal disease 性病②vapour density 蒸汽密度.

V-Day /'viːdeɪ/ *n*. (第二次世界大戰的)勝利日, 勝利節.

VDU *abbr*. = visual display unit【計】視頻顯示單元(電腦信息顯示螢光屏裝置).

VE *abbr*. = value engineering 價值工程學.

veal /viːl/ *n*. ①小牛肉② = vealer /'viːlə/小牛犢.

vector /'vektə(r)/ *n*. ①【數】矢量, 向量②【生】帶菌者(體), 傳病媒介.

Veep /viːp/ *n*. [美口]①副總統(= vice-president)②要人們.

veer /vɪə(r)/ *v*. ①(風)轉變方向【氣】風向順轉②(意見等的)轉變 // ~ *and haul* 一會兒放鬆, 一會兒拉緊.

veetol /'viːtɔːl/ *n*. (飛機的)垂直起落.

vegan /'viːgən/ *n*. 嚴格的素食主義者; 不吃肉食、乳製品者 **veganism** /'vedʒənɪzəm/ *n*. 素食主義.

vegetable /'vedʒtəbl/ *n*. ①植物②蔬

菜③[美俚]植物人// ~*butter* 素黃油~*down* 木棉~*marrow*[英]菜瓜~*oystem*[美]【植】婆羅門参~*tallow* 植物脂.

vegetarian /ˌvedʒɪ'teərɪən/ *n*. & *a*. ①素食主義者(的)②只吃蔬菜、素菜(的)[美]怕吃葷腥肉類的(人) ~**ism** *n*.素食;素食主義.

vegetate /'vedʒɪteɪt/ *vi*. ①(植物)生長;像植物一樣發育②坐吃;過呆板閒靜的生活.

vegetation /ˌvedʒɪ'teɪʃn/ *n*. ①【植】營養體的生長(發育);植物(集合名詞);植被;草木②單調生活③【醫】贅生物;增殖體 **vegetative** /'vedʒɪtətɪv/ *a*.

vehement /'viːəmənt/ *a*. ①激烈的,猛烈的②激情的 **vehemence** /'viːəməns/ *n*. ~**ly** *ad*.

vehicle /'vɪəkl/ *n*. ①車輛;載運工具;飛行器②媒介質③【藥】賦形劑④【化】載色劑 **vehicular** /vɪ'hɪkjʊlə(r)/ *a*.

veil /veɪl/ *n*. ①面紗,面罩②(修女的)頭巾③幔帳,幕④口實,假托 *v*. 以面紗遮蓋;蒙蔽 ~**ed** *a*.偽裝的// *take the*~當修女.

vein /veɪn/ *n*. ①【解】靜脉;[口]血管②【植】葉脉③【動】翅脉④【地】礦,岩脉,水脉⑤裂痕,裂縫⑥紋理⑦氣質,傾向;性情,性格⑧心境,情緒 ~**ed** *a*.

Velcro /'velkrəʊ/ *n*. [美]尼龍拉帶(商標名).

veld, velt /velt/ *n*. (南非)無林草原.

vellum /'veləm/ *n*. ①精製犢皮紙,上等皮紙②皮紙,文件.

velocipede /vɪ'lɒsɪpiːd/ *n*. ①[謔]自行車②[英俚]兒童三輪脚踏車③【鐵路】輕便手壓車(=handcar).

velocity /vɪ'lɒsətɪ/ *n*. ①迅速,快速②速度;速率.

velour, velours /və'lʊə(r)/ *n*. ①絲絨,天鵝絨,棉絨②絨皮軍帽③(製帽用)毛皮.

velvet /'velvɪt/ *n*. ①絲絨、天鵝絨②(鹿角上的)絨毛③賺頭,盈利 ~**een** /ˌvelvɪ'tiːn/ *n*. 棉絨,平絨 ~**y** /'velvɪtɪ/ *a*. ①天鵝絨似的②溫和的.

venal /'viːnl/ *a*. ①可用錢買得來的,能收買的②貪財的,貪污,腐敗的 ~**ity** /viː'nælətɪ/ *n*. ~**ly** *ad*.

vend /vend/ *v*. ①賣,出售②販賣,叫賣③發表(言論) ~**ee** /ven'diː/ *n*.【律】買主 ~**er** *n*.【律】叫賣商 ~**or** =~**ing machine** 自動售貨機.

vendetta /ven'detə/ *n*. 族間世仇;長期爭鬥.

veneer /və'nɪə(r)/ *n*. ①鑲面板,表層鑲飾,護面②虛飾 // *a* ~ *of respectability* 貌似尊嚴.

venerable /'venərəbl/ *a*. 可尊敬的;年高德劭的 **venerate** /'venəreɪt/ *vt*. 尊敬,崇敬 **veneration** /ˌvenə'reɪʃn/ *n*.// ~ *antiquity* 太古;*a* ~ *building* 古建築(物)~*relic* 古代文物.

venereal /və'nɪərɪəl/ *a*. ①性交的;性病的②【藥】治性病的// ~*desire* 性欲 ~*disease* 性病,梅毒.

Venetian /və'nɪʃən/ *a*. 威尼斯(式)的 // ~*blind*【建】威尼斯式軟百葉窗簾,板簾 ~*carpet*(鋪走廊的)威尼斯地氈 ~*chalk*(裁縫用)滑石劃粉 ~*pearl* 人造珍珠~*school* 威尼斯畫派~*window*【建】三尊窗.

vengeance /'vendʒəns/ *n*. 報仇,復仇;**vengeful** /'vendʒfl/ *a*. 報仇心切的 **vengefully** *ad*. // *with a* ~[口]徹底地;過度地;猛烈地.

venial /'viːnɪəl/ *a*. 可原諒的;(罪過)不大的;輕微的 **~ity** /ˌviːnɪ'ælətɪ/ *n*. **~ly** *ad*.
venison /'venɪzn/ *n*. ①鹿肉②野味.
venom /'venəm/ *n*. ①(蛇,蜘蛛等之)毒液;毒②惡意,惡毒 *vt*. 放毒;**~ous** *a*. **~ously** *ad*.
venous /'viːnəs/ *a*. 【解】靜脉的 **~ly** *ad*.
vent[1]/vent/ *n*. ①孔,口,漏洞,噴嘴,裂口;通氣孔;烟道②(感情之)發泄;吐露 *v*. 開孔,放出,發泄,吐露.
vent[2]/vent/ *n*. 衣縫開叉處.
vent[3] = ventilation *n*. 通風.
ventilate /'ventɪleɪt/ *vt*. ①使通風;裝通風設備;開氣孔②【醫】使(血液)吸取氧氣③發泄(感情);發表(意見);公開討論 **ventilation** /ˌventɪ'leɪʃn/ *n*. **ventilator** *n*. 通風設備,氣孔.
ventral /'ventrəl/ *a*. 【解】腹部的;前面的 **~ly** *ad*.
ventricle /'ventrɪkl/ *n*. 【解】室,心室.
ventriloquist /ven'trɪləkwɪst/ *n*. 口技表演者;腹語(術)者 **ventriloquism** /ven'trɪləkwɪzəm/ *n*. 口技;腹語(術).
venture /'ventʃə(r)/ *n*. ①冒險,冒險事業;(商業)投機②投機物(船貨,商品等) *vt*. ①膽敢,冒昧②冒險 **~some** *a*. **venturous** /'ventʃərəs/ *a*. **~r** *n*. 投機者,冒險者// ~*capital*【經】風險資本 (= risk capital) *joint* ~合資經營;合資企業.
venue /'venjuː/ *n*. ①【律】犯罪地點;現場;審判地點②(指定)集合地點;立場;根據.
Venus /'viːnəs/ *n*. ①【羅神】維納斯(司愛和美的女神)②【天】金星// ~'*s flower-basket*【動】偕老同穴(一種深海海綿) ~*fly-trap*【植】捕蠅草.
veracious /və'reɪʃəs/ *a*. ①說真話的,誠實的②真實的 **~ly** *ad*. **veracity** /və'ræsətɪ/ *n*.
veranda(h) /və'rændə/ *n*. 遊廊;走廊;陽台.
verb /vɜːb/ *n*. 【語】動詞 **~al** *a*. ①言語(上)的,文字的;口頭的②逐字的③動詞的 **~ally** *ad*. **~alize** /'vɜːbəlaɪz/ *v*. 用口頭表達 **~atim** /vɜː'beɪtɪm/ *ad*, & *a*. 逐字(的).
verbatim /vɜː'beɪtɪm/ *a*. 一字不差的;逐字的.
verbena /vɜː'biːnə/ *n*. 【植】美人櫻,(戟葉)馬鞭草.
verbiage /'vɜːbɪɪdʒ/ *n*. ①囉唆,冗長②[蔑]措辭.
verbose /vɜː'bəus/ *a*. 囉唆的,嘮叨的,冗長的; **~ly** *ad*. **verbosity** /vɜː'bɒsətɪ/ *n*.
verdant /'vɜːdnt/ *a*. ①青葱的②綠葉茂盛的 **verdancy** *n*. ①翠綠,新綠②單純,幼稚 **~ly** *ad*.
verdict /'vɜːdɪkt/ *n*. ①(陪審團的)裁決②判斷,意見,决定.
verdigris /'vɜːdɪgrɪs/ *n*. 銅綠,銅銹.
verdure /'vɜːdʒə(r)/ *n*. ①青綠,新綠的嫩葉②新鮮,茂盛③風景掛毯,**verdurous** /'vɜːdʒərəs/ *a*.
verge[1]/vɜːdʒ/ *n*. ①邊緣,鑲邊②界限③權杖,節杖// *on the* ~ *of* 將近… ~*on*,接近,逼近;瀕臨 ~ *on madness* 瀕於瘋狂.
verge[2]/vɜːdʒ/ *vi*. 向…傾斜,斜向,趨向,傾向; **~r** *n*. 教堂管理人.
rerify /'verɪfaɪ/ *vt*. 證實;證明,核驗;核實 **verifiable** *a*. **verification** /ˌverɪfɪ'keɪʃn/ *n*. **verily** /'verɪlɪ/ *ad*. 真實地,真正地,肯定地
verily /'verəlɪ/ *ad*. 真正地;忠實地.

verisimilitude /ˌverɪsɪ'mɪlɪtju:d/ *n*. ①貌似真實;逼真②逼真的事物.

veritable /'verɪtəbl/ *a*. 真實的,真正的 **veritably** *ad*.

verity /'verətɪ/ *n*.(*pl*. **verities**)真實性;事實;真理.

vermicelli /ˌvɜ:mɪ'selɪ/ *n*. [意大利]通心粉麵條;掛麵.

vermicide /'vɜ:mɪsaɪd/ *n*. 殺蠕蟲劑;打蟲藥.

vermiform /'vɜ:mɪfɔ:m/ *a*. 蠕蟲狀的 // ～*appendix*【解】闌尾.

vermilion /və'mɪljən/ *n*.【化】銀朱;硫化汞 *a*.朱紅色的;鮮紅色的.

vermin /'vɜ:mɪn/ *n*. (單複數同)①害蟲;寄生蟲;害獸②害人蟲,歹徒,壞蛋; **～ous** /'vɜ:mɪnəs/ *a*.

vermouth /'vɜ:məθ, ˌvɜ:mu:θ/ *n*. 苦艾酒.

vernacular /vənækjulə(r)/ *n*. ①本國語;本地語;土話;日常口語;方言②行話;俗話;下流話.

vernal /'vɜ:nl/ *a*. ①春天的;春天似的;春天發生的②有生氣的,朝氣蓬勃的;青春的 **～ly** *ad*. **～ize** *vt*.催進發育.

vernier /'vɜ:nɪə(r)/ *n*. 【機】游標(尺),微分尺,千分尺.

veronica /və'rɒnɪkə/ *n*. ①【植】水苦蕒②=sudarium.

verruca /və'ru:kə/ *n*.(*pl*. **verrucae** /və'ru:si:/)【醫】疣,瘊子 **verruciform** *a*. 疣狀的 **verrucose** /'veru:kəs/ *a*.多疣的.

versatile /'vɜ:sətaɪl/ *a*. ①多面手的;多才多藝的②通用的,萬能的③反覆無常的 **versatility** /ˌvɜ:sə'tɪlətɪ/ *n*.

verse /vɜ:s/ *n*. ①詩句,詩行②詩篇③韵文;詩歌④(聖經中)節 **versed** *a*.(in)通曉的,精通的,有造詣的 **versify** /'vɜ:sɪfaɪ/ *vi*. 作詩,以詩表達 **versification** *n*.

version /'vɜ:ʃn/ *n*. ①翻譯;譯本;譯文②說法;不同的看法③版本;形式 // *revised*～ 修訂本.

verso /'vɜ:səu/ *n*.(*pl*. **～s**) ①書的左面;反頁;封四,封底②(貨幣、金牌的)反面,背面.

versus /'vɜ:səs/ *prep*. [拉]①【運】對(=against)②與…相對(略作 *v*.或 *vs*.).

vertebra /'vɜ:tɪbrə/ *n*.(*pl*. **vertebrae** /-bri:/)【解】脊椎骨 **～l** *a*. **～te** *n*. *a*.【動】脊椎動物(的).

vertex /'vɜ:teks/ *n*.(*pl*. **～s, -tices** /tɪsi:z/) ①頂點,絕頂②頭頂【天】天頂【幾何】(三角形的)頂點.

vertical /'vɜ:tɪkl/ *a*. 垂直的,直立的,縱的 *n*.垂直綫垂直面;垂直向; **～ly** *ad*. // ～*thinking* 按常識進行思考.

vertigo /'vɜ:tɪgəu/ *n*.(*pl*. **～es**. **-tigines** /vɜ:'tɪdʒɪni:z/)【醫】眩暈,眼花 **vertiginous** /vɜ:'tɪdʒɪnəs/ *a*. ①旋轉的②令人頭暈眼花的.

vervain /'vɜ:veɪn/ *n*.【植】(開白花,長藍、紫刺的)馬鞭草.

verve /vɜ:v;'veəv/ *n*. ①神韻②熱情,活力,生氣.

very /'verɪ/ *ad*. 很,非常,極; *-a*.(**verier**;**veriest**)真的;實在的,真正的,十足的;(在名詞前)表示強調,例如: // *the*～*thing*! 正是那個! *You are the*～*person I'm looking for*! 你正是我要找的人!.

vesicle /'vesɪkl/ *n*. 泡,囊;【醫】小水疱.

vesper /'vespə(r)/ *n*. ①金星,長庚星②【宗】晚禱鐘 **～s** *n*.(羅馬天主教的)晚禱.

vessel /'vesl/ *n*. ①容器，器皿②船，艦，飛船③【解】管，脉管，血管【植】導管④(喻，謔)人 // *the ~ s of wrath* 遭天罰的人 *the weaker ~* 女人，女性.

vest /vest/ *n*. ①[美]背心，馬甲②[英]汗衫③內衣，襯衣④女服胸前之 **V** 形飾布 *vi*. [同 in 或 with 連用] (權利財產等)屬於，歸屬 *vt*. 授與；賦與，給與；【律】授與所有權；使穿上(法衣，祭服等) // *vested interest* 既得利益.

vestal /'vestl/ *a*. 純潔的，貞潔的 // *~ virgin* 修女，處女，貞潔的女子；【羅神】獻身女竈(灶)神的處女祭司之一.

vestibule /'vestɪbjuːl/ *n*. ①門廳，門道②[美]車廂出入處通廊.

vestige /'vestɪdʒ/ *n*. ①痕迹；證據②足迹③一點兒，絲毫 **vestigial** /ve'stɪdʒɪəl/ *a*. ①尚留痕迹的②(器官)萎縮退化的.

vestiment /'vestmənt/ *n*. (= vestment)衣服(尤指法衣).

vestry /'vestrɪ/ *n*. (*pl*. **vestries**) ①祭具室②(教堂中)小禮拜室；神甫、教士的辦公室 **~man** *n*. 教區代表，教區委員.

vet /vet/ *n*. = ①veterinary surgeon 獸醫②[美]veteran 老兵 *vi*. 當獸醫 *vt*. [口]診療，治療(動物).

vetch /vetʃ/ *n*. 【植】巢菜；箭筈豌豆，苕子(飼料用).

veteran /'vetərən/ *n*. ①老手，老練的人，老兵②復員軍人，退役軍人③老樹 *a*. 老練的，經驗豐富的，由老兵組成的 // *~car* 1919 年前(尤指 1905 年前)造的老車 *V~'s Day* [美]退伍軍人節(11 月 11 日).

veterinarian /ˌvetərɪ'neərɪən/ *n*. 獸醫 *a*. = veterinary.

veterinary /'vetrɪnrɪ/ *a*. 獸醫(學)的 // *~surgeon* 獸醫.

veto /'viːtəʊ/ *n*. & *v*. (*pl*. **~es**) ①否决；禁止②否决權 **~er, ~ist** *n*. 否决者 **~less** *a*. 無否决權的.

vex /veks/ *vt*. ①使煩惱，使苦惱，使焦急，使為難②使惱怒，使生氣 **~ation** /vek'seɪʃn/ *n*. **~atious** /vek'seɪʃəs/ *a*. ①令人煩惱的，令人焦急的，氣死人的②麻煩的 // *~ed question* 長期爭論不休的問題

VHF, vhf *abbr*. = very high frequency 無綫電甚高頻.

VHS *abbr*. = Video Home System 家用(視頻系列 1/2)盒式録像機制式.

via /'vaɪə; viːə/ *n*. 道路 *-prep*. ①經過，經由，取道②憑借，以…為媒介通過(某種手段) // *~crucis* 十字架之路，苦難之路 *V~Lactea* 銀河 *~media* 中間路綫.

viable /'vaɪəbl/ *a*. ①能養活的，能生存的②可行的 **viably** *ad*. **viability** /ˌvaɪə'bɪlətɪ/ *n*. 成活力，生存能力.

viaduct /'vaɪədʌkt/ *n*. ①(山谷中的)高架橋②高架鐵路.

vial /'vaɪəl/ *n*. 小玻璃瓶；藥瓶(= phial).

viand /'vaɪənd/ *n*. ①(一件)食品②(*pl*.)菜肴，佳肴；食物.

vibes /'vaɪbz/ *n*. *pl*. ①[美口] = **vibraphone**②人與人之間的感情影響氣氛，氛圍；共鳴.

vibrant /'vaɪbrənt/ *a*. ①振動的，顫動的②響亮的③精神振奮的，生氣勃勃的 **vibrance** (= vibrancy) *n*.

vibraphone /'vaɪbrəfəʊn/ *n*. 【樂】電顫琴.

vibrate /vaɪ'breɪt/ *v*. ①搖動，振動，顫動②心中打顫；精神振奮③反響 **vi**

bration *n*. **vibrator** *n*. ①使振動的人(物)②【電】振子③振動器④【醫】振顫按摩器 **vibratory** /'vaɪbrətərɪ/ *a*.

vibrato /vɪ'brɑːtəʊ/ *n*.(*pl*. ~**s**)【樂】演奏或演唱時的顫動效果;輕微顫音.

vicar /'vɪkə(r)/ *n*. ①教區牧師,[美]教堂牧師②教皇; ~**age** /'vɪkərɪdʒ/ *n*. 教區牧師之薪俸(職位,住宅).

vicarious /vɪ'keərɪəs/ *a*. ①代理(人)的②做替身的 ~**ly** *ad*.

vice[1]/vaɪs/ *n*. ①罪惡;不道德;缺德行為;壞習慣②瑕疵,毛病,缺陷 // ~ *squad* [美]風化糾察隊(取締賣淫賭博的警察).

vice[2]/vaɪs/ *n*.【機】老虎鉗,軋鉗.

vice[3]/'vaɪsɪ/ *prep*. 代,代替.

vice- /'vaɪs-/ 前綴,表示"副","代理","次",例如: ~**-chairman** *n*. 副主席;副會長 ~**-chancellor** *n*. 大學副校長,副大法官.

vicegerent /'vaɪs'dʒerənt/ *a*. 代理的 *n*. 代理人;攝政官 **vicegerency** /ˌvaɪs'dʒərənsɪ/ *n*.(*pl*. ~**cies**)攝政,代理(職).

Vice-Pres *abbr*. = Vice-President *n*. 副總統;副會長;大學副校長;副總裁;副社長.

viceroy /'vaɪsrɔɪ/ *n*. 總督 **viceregal** /vaɪs'riːgl/ *a*. 總督的.

vice versa /ˌvaɪsɪ 'vɜːsə/ [拉]反過來,反之亦然.

Vichy water /'viːʃiː 'wɒtə(r)/ *n*. 維希礦泉水.

vicinity /vɪ'sɪnətɪ/ *n*. ①附近的②地方性的,本地的.

vicious /'vɪʃəs/ *a*. ①罪惡的;惡劣的②殘暴的,惡毒的③脾氣壞的 // ~ *circle* 惡性循環; *a* ~ *headache* 劇烈的頭痛 ~ *remark* 刻毒的話 *a* ~ *text* 錯誤百出的文本.

vicissitude /vɪ'sɪsɪtjuːd/ *n*. ①變動,變遷②榮枯盛衰(*pl*.)好、壞命運之交替.

victim /'vɪktɪm/ *n*. ①犧牲(品)②犧牲者,受害者,遭難者 ~**ize** *vt*. ①屠殺作犧牲②使犧牲;迫害 ~**ization** /ˌvɪktɪmaɪ'zeɪʃn/ *n*.

victor /'vɪktə(r)/ *n*. 勝利者,戰勝者; **victorious** /vɪk'tɔːrɪəs/ *a*. **victory** /'vɪktərɪ/ *n*.勝利,戰勝.

victoria /vɪk'tɔːrɪə/ *n*. ①【植】(南美)睡蓮,玉蓮②折篷汽車.

Victoria Cross *n*. [英]維多利亞十字勛章(最高軍功章).

Victorian /vɪk'tɔːrɪən/ *a*. 維多利亞女王(時代)的;舊式的 *n*.維多利亞時代的人.

victual /'vɪtl/ *n*.(*pl*.)食物[美]剩飯 *v*.(**-ling, -led**)供給食物;儲備糧食 ~**ler** /'vitlə/ *n*.食物供應者.

vicuña, vicugña /vɪ'kjuːnə/ *n*. [西]①南美駱馬②駱馬絨(呢).

vide /'vaɪdiː/ *v*. [拉]見,參閱,如: ~ **ante** /'æntɪ/見前; ~**infra** /'ɪnfrə/見下; // ~ *p*. *30* =vp. 30;見 30 頁 ~ *post* 見後.

videlicet /vi'diːlɪset/ *ad*. [拉]即,就是說,(略作 **viz.**).

video /'vɪdɪəʊ/ *n*. & *a*. 電視(的);視頻(的);影像(的); *v*.(~**ing**, ~**ed**)録像 ~**disc** *n*.録像盤,開卷式録像帶 ~**phone** *n*.電視電話 ~**tape** *vt*. 給…録像 ~**text** *n*.將電腦中儲存的信息顯示在電視屏幕上 // ~ *cassette*; ~ *cartridge* 録像帶暗盒,盒式録像帶; ~ *cassette-recorder* 録像機 ~ *nasty* 色情,兇殺暴力録相片 ~ *tape n*.録像(磁)帶 *v*.將電視節目

錄在磁帶上.

Videotex(t) /'vɪdɪəʊteks(t)/ *n*. 【計】=view data 視傳(系統).

vie /vaɪ/ *vi*. (**-d**; **vying**) 競爭 *vt*. 冒…危險.

Vietcong /ˌvjet'kɒŋ/ *n*. 越共;越共成員.

Vietnamese /ˌvjetnə'mi:z/ *a*. 越南的;越南人的;越南語的; *n*. ①越南人②越南語.

view /vju:/ *n*. ①看,望;眺望,展望;觀察,考察②視力,視域,眼界③風景,情景,景色④看法,見解 *v*. ①看,望,眺望②觀察,視察③【律】查驗,檢查④揣度,估料,認為⑤用電視觀看 **~er** *n*. 觀看者,觀衆,電視觀衆,觀察者 **~finder** *n*.【攝】取景器 **~phone** *n*. 電視電話 = picture phone// *in~of* ①在看得見的地方②鑒於;由…看來 *on~* 供人觀看,展示.

Viewdata /'vju:deɪtə/ *n*. 用戶間以電話進行計算機聯網從而在屏幕上獲得訊息處理結果(商標名).

vigil /'vɪdʒɪl/ *n*. 守夜,熬夜,通宵護理(病人) **~ant** /'vɪdʒɪlənt/ *a*. 守夜不睡的;時時警惕的;警戒的 **~ance** /'vɪdʒɪləns/ *n*.

vigilante /ˌvɪdʒɪ'læntɪ/ *n*. [美]自警團團員 //~*corps* 自警團.

vignette /vɪ'njet/ *n*. ①書籍章頭章尾的小花飾(小插圖)②(簡短優美的)描述;簡介.

vigour /'vɪgə(r)/ *n*(=[美]vigor) ①精力,活力②氣力;生氣;體力③氣魄;精神 **vigorous** /'vɪgərəs/ *a*. **vigorously** *ad*.

Viking /'vaɪkɪŋ/ *n*. 北歐(尤指斯堪的納維亞)海盜.

vile /vaɪl/ *a*. ①卑劣的②極壞的;討厭的 **~ly** *ad*. **~ness** *n*.

vilify /'vɪlɪfaɪ/ *vt*. ①說…壞話,誣衊,誹謗,辱罵②貶低 **vilification** /ˌvɪlɪfɪ'keɪʃn/ *n*. **vilifier** /'vɪlɪfaɪə(r)/ *n*. 誹謗者,中傷者.

villa /'vɪlə/ *n*. ①別墅②[英]郊區住宅.

village /'vɪlɪdʒ/ *n*. ①村莊,鄉村②村落,村社 **~r** *n*. 村民.

villain /'vɪlən/ *n*. ①壞蛋,壞人②反面角色 **~ous** *a*. **~y** *n*. ①卑劣;兇惡;腐化墮落②壞事;罪惡.

villein /'vɪleɪn/ *n*. [英]【史】隸農.

vim /vɪm/ *n*. [口]力氣,精力,活力.

vinaigrette /ˌvɪnɪ'gret/ *n*. ①調味酸醬油②(澆沙拉之)香醋油.

vindicate /'vɪndɪkeɪt/ *vt*. ①辯解;辯護②證明…的正當;維護 **vindication** /ˌvɪndɪ'keɪʃn/ *n*.

vindictive /vɪn'dɪktɪv/ *a*. ①復仇的,報復的②深仇切恨的 **~ness** *n*. **~ly** *ad*.

vine /vaɪn/ *n*. ①藤;有蔓植物②葡萄樹(=[美]grape-~) **~dresser** *n*. 修剪葡萄枝的人 **~yard** /'vɪnjəd/ *n*. 葡萄園.

vinegar /'vɪnɪgə(r)/ *n*. ①醋②尖酸刻薄 **~y** *a*. ①醋似的,酸的②(性情)乖戾的 **~blink**[美]白葡萄酒.

viniculture /'vɪnɪˌkʌltʃə(r)/ *n*. (釀酒)葡萄栽培.

vino /'vi:nəʊ/ *n*. [意,西]葡萄酒,果酒 **~us** /'vaɪnəs/ *a*.

vintage /'vɪntɪdʒ/ *n*. ①葡萄收穫(期)②葡萄收穫量③佳釀美酒 //~*car* (1919 – 1930 年間)造的汽車 ~*wine* 陳年佳釀 ~*year* 佳釀酒釀成之年份.

vintner /'vɪntnə(r)/ *n*. [主英](葡萄酒)酒商.

vinyl /'vaɪnl, vɪnɪl/ *n*. 【化】乙烯基 // ~*plastic* 乙烯基塑料; ~*resin* 乙烯基樹脂.

vinylon /'vaɪnɪlɒn/ *n*. 【織】維尼綸(聚乙烯醇縮纖維).

viol /'vaɪəl, 'vɪəl/ *n*. 中世紀六弦提琴.

viola[1] /'vaɪələ/ *n*. 【植】堇菜(屬).

viola[2] /vɪ'əʊlə, 'vɪələ/ *n*. 【樂】中提琴.

violate /'vaɪəleɪt/ *vt*. ①違犯, 違反, 破壞②褻瀆, 污辱③妨礙, 侵犯, 侵入④強姦 **violation** /ˌvaɪə'leɪʃn/ *n*. **violator** /'vaɪəleɪtə(r)/ *n*. 違犯者; 侵擾者.

violent /'vaɪələnt/ *a*. ①猛烈的, 狂暴的②厲害的③激烈的; 熱烈的④強暴的; 暴虐的 **violence** *n*. **~ly** *ad*.

violet /'vaɪələt/ *n*. 【植】紫羅藍, 藍光紫; 堇菜 **the March** ~ = the sweet~ *n*. 香堇菜(花) // ~ *ray* 【物】紫射綫.

violin /ˌvaɪə'lɪn/ *n*. 【樂】小提琴; 小提琴手 **~ist** *n*. 小提琴家.

violoncello /ˌvaɪələn'tʃeləʊ/ *n*. (*pl*. **~s**) 【樂】大提琴.

VIP *abbr*. = very important person *n*. 要人, 要員, 大人物.

viper /'vaɪpə(r)/ *n*. ①【動】毒蛇, 蝰蛇②毒品販子.

virago /vɪ'rɑːgəʊ/ *n*. (*pl*. **~(e)s**) 潑婦、悍婦.

viral /'vaɪrəl/ *a*. 【醫】病毒性的; 病毒引起的.

virgin /'vɜːdʒɪn/ *n*. ①處女②童貞修女; *a*. 處女的; 像處女的; 易害羞的; 純潔的; 新鮮的 **~ity** /və'dʒɪnətɪ/ *n*. 童貞; 純潔 // ~*soil* 處女地, 生荒地; ~*stand* 原始林.

virginal /'vɜːdʒɪnl/ *a*. 處女的; 像處女的; 純潔的 *n*. 小型單音弦古鋼琴.

virile /'vɪraɪl/ *a*. 男性的; 有男子氣概的.

virology /vaɪə'rɒlədʒɪ/ *n*. 病毒學(= viruology).

virtual /'vɜːtʃʊəl/ *a*. ①實際上的, 實質上的, 事實上②【物】虛的③有效的 **~ly** *ad*. // ~ *ampere* 【電】有效安培 ~ *displacement* 【物】虛位移 ~ *height* 【物】有效高度 ~*-image* 【物】虛像.

virtue /'vɜːtʃuː/ *n*. ①品德; 德行②善行; 美德; 貞操③價值; 優點; 長處 **virtuous** /'vɜːtʃʊəs/ *a*. ①有道德的; 善良的②貞潔的 **virtuously** *ad*. // *by*~*of* = *in*~*of* 靠, 因, 靠…的力量.

virtuoso /ˌvɜːtʃʊ'əʊzəʊ/ *n*. (*pl*. **~s, -si** /-ziː/) ①藝術鑒賞家(愛好者)②藝術大師; 名家(尤指)音樂演奏名手 **~ship** = **virtuosity** /ˌvɜːtʃʊ'ɒsətɪ/ *n*. ①藝術鑒別力②藝術(尤指是音樂)上的熟練技巧③藝術鑒賞界.

virulent /'vɪrʊlənt/ *a*. ①劇毒的; 致命的②病毒的, 致病性強的; 惡性的③惡毒的, 惡意的 **~ly** *ad*. **virulence** /'vɪrʊləns/ *n*. ①有毒; 毒力; 毒性②刻毒, 惡毒.

virus /'vaɪərəs/ *n*. ①【醫】病毒; 過濾性病原體②計算機病毒 **viral** /'vaɪrəl/ *a*. 病毒的; 病毒所致的.

visa /'viːzə/ *n*. & *vt*. (出入境)簽證(= visé).

visage /'vɪzɪdʒ/ *n*. 臉; 面貌; 容貌; 外表.

vis-à-vis /ˌviːzɑː'viː/ *n*. ①相對的人【物】, 對方, 對談者, 對舞者②面對面的談話; 密談 *-a*. 相對的*-ad*. 面對面, 對坐着*-prep*. 在…的對過, 對着, 對於.

viscera /'vɪsərə/ *n*. (**viscus** 之複數)

①內臟,臟腑②內容 **~l** *a*. ①內臟的②內心的③本能的;食欲的.

viscid /'vɪsɪd/ *a*. ①粘的,粘膠的②半流體的; **~ity** /vɪ'sɪdətɪ/ *n*. **~ly** *ad*.

viscose /'vɪskəʊz/ *n*.【化】粘膠液,粘膠(纖維).

viscount /'vaɪkaʊnt/ *n*. 子爵 **~cy, ~y, ~ship** *n*. 子爵之地位(頭銜,身份) **~ess** *n*. 子爵夫人,女子爵.

viscous /'vɪskəs/ *a*. 粘的;【物】粘性的; **viscosity** /vɪ'skɒsətɪ/ *n*. **~ly** *ad*. // ~ *fluid* 粘滯流體.

visible /'vɪzəbl/ *a*. ①可見的,看得見的,肉眼能見的②顯著的,明白的 **visibly** *ad*. 顯然,明明白白 **visibility** /ˌvɪzə'bɪlətɪ/ *n*. ①能見度;可見物;可見性②可見距離;視界③顯著,明顯度.

vision /'vɪʒn/ *n*. ①視力,視覺②洞察,想像力③景像,光景④幻影,幻覺⑤【修】想像描述 **~ary** /'vɪʒənrɪ/ *a*. ①幻想的,幻影的②空想的,非現實的 *n*. 幻想家,夢想者,空想家.

visit /'vɪzɪt/ *vt*. ①拜訪,訪問,探望,遊覽,參觀②視察,調查,巡視,(醫生)出診 **~able** *a*. 適於拜訪的;值得訪問的 **~ant** *n*. (特指身份高的)來訪者,貴賓 *a*. 來訪的 **~ation** /ˌvɪzɪ'teɪʃn/ *n*. (正式的)訪問;視察;巡視;天罰;禍福報應 **~or** *n*. ①訪問者,來賓,遊客,參觀者②巡視員③(*pl*.)【運】客隊,來訪隊 **~orial** /ˌvɪzɪ'tɔːrɪəl/ *a*. 訪問的,巡視的.

visiting /'vɪzɪtɪŋ/ *a*. & *n*. 訪問(的);視察(的) // ~ *book* 來賓留名簿 ~ *card* 名片 ~ *day* 會客日,接見來客日 ~ *fireman* [美俚]遊客 ~ *scholar* 訪問學者 *on* ~ *terms* 關係甚密的相互訪問.

visor /'vaɪzə(r), viːzə/ *n*. ①頭盔上的面罩②帽舌,遮陽③【機】護目鏡,遮陽板.

vista /'vɪstə/ *n*. ①展望;峽峪風光;遠景②瞻望前途③追溯往事.

VISTA /'vɪstə/ *abbr*. = Volunteers in Service to America(美國)為美國服務志願隊(上貧苦地區服務).

visual /'vɪʒʊəl/ *a*. ①視覺的,觀看的②看得見的③光學的④形像化的 **~ise** /'vɪʒʊəlaɪz/ *v*. (= ~ize)(使)顯現;想像;(使)形像化,具體化 **~ization** /ˌvɪʒʊəlaɪ'zeɪʃn/ *n*. **~ly** *ad*. // ~ *aids* 直觀教具 ~ *display unit* 可視顯示單位 ~ *field* 視野 ~ *pollution*(市内廣告牌等造成的)視覺污染 ~ *resolution* 視力分析率 ~ *sensations* 視覺.

vital /'vaɪtl/ *a*. ①生命的;維持生命所必需的;有生命力的;生氣勃勃的②生死攸關的;致命的;重要的; **vitals** *n*. (*pl*.)要害器官(心,肺,腦等);要害;核心 **~ly** *ad*. **vitality** /vaɪ'tælətɪ/ *n*. ①生命力,活力,體力②生氣 // ~ *statistics* ①人口動態統計②[謔]女性身材尺寸,三圍(指胸圍,腰圍和臀圍).

vitamin /'vɪtəmɪn/ *n*. 維他命,維生素.

vitiate /'vɪʃɪeɪt/ *vt*. ①損害弄壞②使失效③使道德敗壞 **vitiation** /ˌvɪʃɪ'eɪʃn/ *n*.

viticulture /'vɪtɪkʌltʃə(r)/ *n*. 葡萄栽培(學).

vitreous /'vɪtrɪəs/ *a*. 玻璃的;透明的 // ~ *body* 眼睛玻璃體 ~ *humour*(眼睛的)玻璃液.

vitrify /'vɪtrɪfaɪ/ *v*. (過去式及過去分詞 **-fied**)玻化,使玻璃化; **vitrification** /ˌvɪtrɪfɪ'keɪʃn/ *n*. = vitrifaction.

vitriol /'vɪtrɪəl/ *n*. ①【化】硫酸(鹽,礬)②刻薄話 **~ic** /ˌvɪtrɪ'ɒlɪk/ *a*.

vituperate /vɪ'tju:pəreɪt/ *vt*. 罵,責罵,辱罵; **vituperation** *n*. **vituperative** *a*.

viva[1]/'vi:və/ [意]嘆詞:萬歲:歡呼聲=[法]vive.

viva[2]/'vaɪvə/ *n*. 口頭進行的考試,口試=viva voce.

vivace /vɪ'vɑ:tʃɪ/ *ad*. [意]【樂】活潑地(速度極快).

vivacious /vɪ'veɪʃəs/ *a*. ①快活的,活潑的,生氣勃勃的②長命的,難殺死的 **vivacity** /vɪ'væsətɪ/ *n*. 活潑,快活.

vivarium /vaɪ'veərɪəm/ *n*. (*pl*. **~s**, **~ia**) 生態動物園,生態飼養場(室,箱).

viva voce /ˌvaɪvə 'vəusɪ/ *ad*. [拉]大聲地,口頭地, *n*.口試.

vivid /'vɪvɪd/ *a*. ①活潑,生動②鮮明的③如在眼前的 **~ly** *a*. **~ness** *n*.

viviparous /vɪ'vɪpərəs, vaɪ-/ *a*. ①【動】胎生的②【植】株上萌發.

vivisection /ˌvɪvɪ'sekʃn/ *n*. 活體解剖 **~ist** *n*.活體解剖者.

vixen /'vɪksn/ *n*. ①雌狐②潑婦,悍婦 **~ish** *a*.

viz(.) /vɪz/ *abbr*. = videlicet,通常讀作 namely.

vizi(e)r /vɪ'zɪə(r), vɪ'zɪə/ *n*. (伊斯蘭國)大臣.

vizor /'vaɪzə(r)/ *n* (=visor)頭盔上的面罩.

VLF *abbr*. = very low frequency【無】甚低頻.

V-neck /'vi:nek/ *n*. V字形領口,三角領口 **~ed** *a*.

V.O.A. *abbr*. = Voice of America 美國之音.

vocabulary /və'kæbjulərɪ/ *n*. ①詞匯,詞彙②用詞範圍③詞匯量 // *~ control* 詞匯控制; *~ entry* (詞典中)條目.

vocal /'vəukl/ *a*. ①聲的,聲音的②口頭的③有聲音的【樂】聲樂的;歌唱的 **~s** *pl*. *n*. 流行音樂的歌唱部分; **~ly** *ad*. **vocalise** /'vəukəlaɪz/ *n*. 【樂】(不用歌詞而用元音練唱),練聲 **vocalist** *n*. 【樂】聲樂家,歌唱家 **~ize** /'vəukəlaɪz/ *vt*. ①使發聲,清晰地發音,有聲化②使發成元音(濁音),元音化 **vocalization** *n*. ①發聲法,有聲化②【樂】練唱,練聲,(特指元音練唱法) // *~ cords* (*bands*)【解】聲帶.

vocalic /vəu'kælɪk/ *a*.【語】元音的,多元音的 *-n*.元音.

vocation /vəu'keɪʃn/ *n*. ①天命;天職②職業,行業③(對某種職業的)適應性,才能 **~al** *a*. **~al education** *n*. 職業教育// *~al school* 職業學校 *~al diseases* 職業病 *~al studies* 業務學習.

vocative /'vɒkətɪv/ *a*. & *n*.【語】呼格(的);呼喚語.

vociferate /və'sɪfəreɪt/ *v*. 大聲叫喊着說;叫嚣,喧鬧 **vociferation** /vəuˌsɪfə'reɪʃn/ *n*.

vociferous /və'sɪfərəs/ *a*. 大聲叫嚷的;喧鬧的 **~ly** *ad*.

vocoder /'vəuˌkəudə(r)/ *n*. [美]語音編碼機.

voder /'vəudə(r)/ *n*. 語音合成器(= voice operation demonstrator).

vodka /'vɒdkə/ *n*. [俄]伏特加(酒).

vogue /vəug/ *n*. ①時髦,風氣,時尚,流行②時髦的事物(人物)流行物//

in～(十分)流行 *give*～*to* 使流行.

voice /vɔɪs/ *n*. ①聲音;嗓音;鳴聲②發聲能力;語言③代言人【語】語態④歌喉,嗓子 **～ed** *a*. 有聲的;濁音的 **～less** /'vɔɪslɪs/ *a*. ①無聲的,沉默無言的②無發言(投票)權的③發清音的 **～r** *n*. ①調音者②表示意見者,投票者// ～*over* 電視畫外音[評論員,解說員說話] －*vt*. 旁白敍述.

void /vɔɪd/ *a*. ①空的,空虛的②沒有的③[詩]無益的④【律】無效的 *n*. ①空虛,空處,空隙,空席,真空②空虛的感覺,寂寞的心情 -*vt*. ①排泄、放出②使無效,取消.

voile /vɔɪl, vwɑːl/ *n*. [法]【紡】巴里紗(透明薄紗).

vol. *abbr*. =①volume②volcano③volunteer.

volatile /'vɒlətaɪl/ *a*. ①揮發的②快活的,輕快的③易變的;反覆無常的;輕浮的 **volatility** /ˌvɒlə'tɪlətɪ/ *n*. 揮發性 **volatilization** /vəˌlætɪlaɪ'zeɪʃn/ *n*. 揮發(作用).

vol-au-vent /ˌvɒləʊ'vɒŋ/[法]*n*. 魚肉香菇餡餅.

volcano /vɒl'keɪnəʊ/ *n*. (*pl*. ～**(e)s**) 火山 **volcanic** /vɒl'kænɪk/ *a*.

vole /vəʊl/ *n*. 【動】田鼠.

volition /vəʊ'lɪʃn/ *n*. 意志(力),决心 // *of one's own*～出於本人自己的意志.

volley /'vɒlɪ/ *n*. ①排槍,齊射②(質問的)連發③[網,足球](不待球着地)擋擊,飛踢 -*v*. ①齊射,迸發②飛擊,飛踢 //～*ball*【運】排球～*baller* 排球運動員.

volt /vəʊlt/ *n*. 【電】伏(特) **voltaic** /vɒl'teɪɪk/ *a*. 電流的,伏打的 **～age** /'vəʊltɪdʒ/ *n*. 【電】電壓,伏特數 **～meter**【電】電壓表,伏特計.

volte-face /ˌvɒlt'fɑːs/ *n*. [法]轉向;逆轉,變卦,180度轉變.

voluble /'vɒljʊbl/ *a*. ①流利的,流暢的,口若懸河的,善辯的②易旋轉的 **volubility** /ˌvɒljʊ'bɪlətɪ/ *n*. ①(口才,文章)流暢,流利②旋轉性 **volubly** *ad*.

volume /'vɒljuːm/ *n*. ①卷,冊,書籍②【物、樂】音量;強度,響度③(常 *pl*.)大塊,大量,許多④體積,容積,分量,額 **voluminous** /və'luːmɪnəs/ *a*. ①卷數多的;大部頭的②很多的;容積大的,廣大的 **volumetric** /ˌvɒljʊ'metrɪk/ *a*. 測量容積的.

voluntary /'vɒləntrɪ/ *a*. ①自願的,自發的②故意的,有意的③【生理】隨意的④【律】無償的 *n*. 教堂中風琴獨奏 **voluntarily** *ad*.

volunteer /ˌvɒlən'tɪə(r)/ *n*. ①自願者,志願者②志願兵,義勇軍 *vi*. ①志願;當志願兵②【律】無償讓渡讓受人.

voluptuous /və'lʌptʃʊəs/ *a*. ①淫逸的②肉欲的,色情的,妖嬈的 **voluptuary** /və'lʌptʃʊərɪ/ *n*. & *a*. 縱欲的人,迷戀酒色的(人).

volute /və'luːt/ *n*. ①渦漩形(物)②盤蝸(飾)③集氣環.

vomit /'vɒmɪt/ *v*. 嘔吐,吐出, *n*. 吐出物;吐劑;髒話.

voodoo /'vuːduː/ *n*. ①[美]伏都教;巫術信仰②伏都教徒,黑人巫師.

voracious /və'reɪʃəs/ *a*. ①貪吃的;狼吞虎咽的②貪心的 **～ly** *ad*, **voracity** /vɔː'ræsətɪ/ *n*. 貪食,暴食,貪婪.

vortex /'vɔːteks/ *n*. (*pl*. ～**es** /-ɪz/, ～**tices** /-tɪsiːz/) ①漩渦;旋風②渦流.

votary /'vəʊtərɪ/ *n*. (*pl*. ～**ries**) ①皈依者,信仰者,信徒②熱心者;愛好

者;提倡者.

vote /vəʊt/ *n*. ①投票;表决②投票權;選舉權;投票人③選票;得票數④一群投票者 *vt*. 給…投票, 投…的票;投票表决;提議;選舉 **~r**/'vəʊtə/ *n*. 投票者, 選舉人 // *be ~d* [美]被公認為 *~(a measure) through* 使(議案)表决通過 *~by ballot* 無記名投票 *~down* 否决 *~for* 投票贊成.

votive /'vəʊtɪv/ *a*. 奉獻的;還願的;誠心祈求的 **~ly** *ad*.

vouch /vaʊtʃ/ *vi* 保證, 擔保, 作證 *vt*. ①保證②確定, 斷言 **~er** *n*. ①保證人, 證明人②證件, 收據, 憑單.

vouchsafe /vəʊtʃ'seɪf/ *vt*. 賜;允諾.

vow /vəʊ/ *n*. 誓言, 誓約 *v*. 起誓, 發誓;許願.

vowel /'vəʊəl/ *n*. 【語】元音(字母) *a*. 元音的 *vt*. 加元音於….

vox /vɒks/ *n*. [拉] (*pl*. **voces** /'veʊsiːz/) 語言, 聲音, 呼聲 **~pop** [美](電視、無綫電中)民意測驗採訪.

vox populi /vɒks 'pɒpjʊlaɪ/ *n*. 人民呼聲;輿論.

voyage /vɔɪɪdʒ/ *n*. 航海;航行;旅行;航程 *v*. 航行, 渡過, 飛過 ~charter【海】航次租賃 ~policy【海】航次保險 **~r** *n*. 航行者, 旅行者.

voyeur /vɔɪ'jɜː(r)/ *n* [法]【醫】觀淫癖患者 **~ism** *n*. 觀淫癖 **~istic** *a*.

VS. *abbr*. = ①veterinary surgeon 獸醫② verse 韻文③versus 對.

V-sign /'viːsaɪn/ *n*. 舉手露中指食指成V形, 表示勝利(原英國首相邱吉爾在二次大戰勝利時, 作過此手勢).

VSO *abbr*. = Voluntary Service Overseas 志願海外服務(隊).

VSOP *abbr*. = very superior old pale 上等陳白蘭地(酒).

VTOL *abbr*. = vertical takeoff and landing(飛機)垂直起落.

VTR *abbr*. = ①video tape recorder 視頻信號磁帶記録器;磁帶録相機② video tape recording(磁帶)録相.

vulcanize, -ise /'vʌlkənaɪz/ *vt*. 使硫化, 在…中加硫, 使硬化 *vi*. 硫化, 硬化 **vulcanization** /ˌvʌlkənaɪ'zeɪʃn/ *n*. 硫化(作用) **vulcannite** *n*. 硬橡皮.

vulgar /'vʌlgə(r)/ *a*. ①平民的, 民衆的②庸俗的, 粗俗的;下流的③通俗的, 大衆的 **~ly** *ad*. **vulgarian** /vʌl'geərɪən/ *n*. 粗俗的人, 庸俗的暴發戶 **vulgarism** /'vʌlgərɪzəm/ *n*. ①粗俗, 庸俗②粗俗話, 詞語之非規範用法 **vulgarity** /vʌl'gærətɪ/ *n*. 粗俗語, 粗俗行為 **vulgarize** /'vʌlgəraɪz/ *vt*. 使庸俗, 庸俗化, 大衆化, 通俗化 **vulgarization** *n*. **~fraction** 普通分數.

Vulgate /'vʌlgeɪt/ *n*. 公元四世紀的拉丁文聖經.

vulnerable /'vʌlnərəbl/ *a*. ①易受攻擊;損壞的②易受傷的;脆弱的 **vulnerability** /ˌvʌlnərə'bɪlətɪ/ *n*. **vulnerably** *ad*.

vulnerary /'vʌlnərərɪ/ *a*. 醫治創傷的;敷創傷的 *n*. 創傷愈合劑.

vulpine /'vʌlpaɪn/ *a*. 狐狸的;狐狸似的;狡猾的.

vulture /'vʌltʃə(r)/ *n*. 兀鷹, 禿鷲, 雕.

vulva /'vʌlvə/ *n*. (*pl*. **~vae** /-viː/, **~s**) 【解】女陰;外陰;陰戶.

vying /'vaɪɪŋ/ vie 的現在分詞 -*a*. 競爭的.

W

W, w /'dʌblju:/ 可表示【化】元素鎢 tungsten 之化學符號 = wolfram 也表示①warden 看守②warehouse 倉庫③watt(s)瓦(電力單位)④weight 重量 ⑤ Wednesday 星期三 ⑥ west(ern)西.

WA *abbr*. = ① West Africa 西非 ② Western Australia 西澳大利亞 ③ with average【險】(承保單獨海損)水漬險.

WAC *abbr*. = Women's Army Corps [美]陸軍婦女隊.

wack /wæk/ *n*. [美俚]怪人 **~y** /'wækɪ/ *a*. (**wackier, wackiest**)[美俚]古怪的;壞的;有害的;瘋瘋癲癲的 **wackiness** *n*.

wad /wɒd/ *n*. ①(軟綿綿的)一團,一撮 ② 一卷, 一捆 (紙, 布) *v*. (**wadding, wadded**)①弄成一團,捲成一卷 ② 填塞 (以軟料) **wadding** /'wɒdɪŋ/ *n*. 填料,填絮,填塞.

waddle /'wɒdl/ *vi*. 搖搖擺擺地走 *n*. 搖擺的步子.

wade /weɪd/ ①蹚,蹚過②費力地前進 **~r** /'weɪdə/ *n*. ①蹚水的人, 涉渡者② 長腿水鳥 (*-pl*.) ③ 涉水長膠靴.

wadi /'wɒdɪ/ *n*. = wady (*pl*. **-dies**) 北非及阿拉伯地區只在雨季有水的乾涸河床.

wafer /'weɪfə(r)/ *n*. ①薄脆餅乾②圓片;薄片;膠紙③【醫】(包藥用)糯米紙④【宗】聖餅(不醱酵圓麵包) ~ **thin** 極薄的 = wafery /'weɪfərɪ/ .

waffle /'wɒfl/ *n*. ①奶蛋格子餅, 華夫餅乾②[美俚]含糊不清地說,寫.

waft /wɒft, wɑ:ft/ *vt*. 吹送, 飄送, 使飄浮 *n*. ①浮動,飄浮②一陣風③飄揚物.

wag /wæg/ *vt*. (~**ging, -ged**) 搖, 擺動(尾巴等); *vi*. 不停地動;喋喋不休[俚]動身出發 *n*. ①搖動, 擺動②愛說笑的人,滑稽角色③[英俚]逃學 = play ~ 及 ~ it **~gish** /'wægɪʃ/ *a*. 玩笑的;詼諧的 **~tail** *n*. 長尾小鳥 // *The tail ~s the dog*. 上下顛倒;小人物掌大權.

wage /weɪdʒ/ *n*. ①(常 *pl*.)工資②報應 *vt*. ①實行, 進行;作(戰)② [俚]僱傭 **~worker** *n*. = ~earner. 僱傭勞動者 // ~ *day* 發工資日 ~ *freeze* [英]工資凍結 ~ *hike* 加薪 *time ~s* 計時工資 *~s by the piece* 計件工資 *get good ~s* 拿高薪.

wager /'weɪdʒ(r)/ *n*. 賭注, 打賭 *vt*. 打賭, 擔保.

waggle /'wægl/ *v*. & *n*. = wag 搖動, 擺動 **waggly** *a*.

wag(g)on /'wægən/ *n*. ①(兩馬以上四輪)運貨馬車②(火車)無蓋貨車③手推車 **~er** /'wægənə/ *n*. 運貨馬車車夫.

waif /weɪf/ *n*. ①流浪者, 無家可歸的人, (特指)流浪兒②無主動物③無重物品, 漂流物.

wail /weɪl/ *v*. & *n*. ①痛哭, 大哭, 慟哭②悲哀 **~er** *n*. 慟哭者, 哀悼者 // *Wailing Wall* 哭泣牆, 飲泣牆.

wain /weɪn/ *n*. [詩] = wagon.

wainscot /'weɪnskət/ *n*. & *v*.【建】護壁板 **~ing ~ting** /'weɪnskətɪŋ/ *n*. 護壁材料.

waist /weɪst/ *n*. ①腰;腰部;腰身②[美]背心 = ~coat, **~band**, **~belt** *n*.腰帶,褲帶 **~line** *n*. 腰圍.

wait /weɪt/ *v*. ①等,等待,等候②服侍,伺候③躭擱 **~er** /'weɪtə/ *n*. 侍者,侍應員,服務員;盆,托盤 **~ress** *n*. 女侍應員,侍女 // *~ing list* 候補[申請]人名單 *~ing room* 候車室,候診室 *~and-see attitude* 觀望態度.

waive /weɪv/ *vt*. ①放棄(權利,要求等),撤回;停止②暫時,擱置,推延③不予考慮,撇開 **~er** *n*.【律】棄權,放棄聲明書.

wake[1] /weɪk/ *v*. (**woke** /wəʊk/ , **waked; waked, woken** /'wəʊkən/) *v*. ①醒,醒來,醒着②警覺,醒悟③蘇醒,活過來 *vt*. ①弄醒、叫醒;使覺醒,使振作 *n*. 守靈 **~ful** *a*. 睡不着的,醒着的,不眠的 **~fulness** *n*. **~en** /'weɪkən/ *vi*. 醒來,醒着 *vt*. 弄醒;喚醒,使覺醒,振作,鼓勵.

wake[2] /weɪk/ *n*. (船駛過時的)尾波,航迹,踪迹 // *in the ~of* 在…後接踵而來.

walk /wɔːk/ *vi*. ①走,步行②走着去,散步③帶着走,領着走 *n*. ①行走,步行;徒步;散步②步法,步態③步行距離,步程④【運】競走⑤步道,人行道 ~ **about** *n*. 散步,閒步 **~away** /'wɔːkəweɪ/ *n*. 輕而易舉的勝利(工作) **~down** *n*. 地下室,地下商場 **~er** /'wɔːkə/ *n*. ①步行者;散步者②助步車 **~ie-talkie** /ˌwɔːkɪ 'tɔːkɪ/ *n*. 步話機 **W ~-man** /'wɔːkmən/ *n*. 帶耳塞之小收録機 (= personal stereo)(商標名) **~on** *n*. 跑龍套(演員) **~out** *n*. ①罷工(者),罷課(者)②退席抗議 **~over** /'wɔːk'əʊvə(r)/ *n*. 一帆風順;輕易得勝 **~up** *n*. & *a*. ①無電梯設備的(公寓)②臨街的 // *~ into* ①走進②不情願地見面 *~one's chalk(s)* [俚]不辭而別 *~in darkness* 過罪孽生活 *~in sb's shoe* 仿效(某人) *~of life* = *~in life* 職業,身份(各階層).

walking /'wɔːkɪŋ/ *n*. & *a*. 步行,步態(的) // *~dictionary* 活字典 *~stick* 手杖 *~ticket* = ~papers 解僱通知.

wall /wɔːl/ *n*. ①牆壁,圍牆;城牆②障壁,堤防③内壁 *vt*. 築牆圍起來,築城防禦 **~flower** *n*. ①【植】桂竹香②牆花(舞會中沒有舞伴的女子) **~paper** *n*. 糊壁紙 **~-to-~** *a*. (地氈)鋪滿地板的 // *go over the* ~ [美俚]越獄 *go to the* ~ 陷入絕境(事業)失敗 *hang by the* ~ 被遺忘.

wallaby /'wɒləbɪ/ *n*. (*pl*. **-bies**) ①【動】鷚;小種袋鼠②[俚]澳洲人.

wallet /'wɒlɪt/ *n*. 錢包,皮夾子.

walleyed /wɔːl'aɪd/ *a*. ①白星眼的,眼大而閃亮的②[俚]喝醉了的.

wallop /'wɒləp/ *vt*. (**walloping, walloped**) [口]猛擊;擊潰,打垮;衝過去,笨拙的走 *n*. 笞打,[美口]強烈快感; *a*. 巨大的 **~er** *n*. ①猛擊者,痛毆者②特大物,怪物 // *go (down)*~ 唏哩嘩啦地落下.

wallow /'wɒləʊ/ *vi*. (豬等在泥、水中)翻滾,打滾;[喻]沉迷 *n*. (水牛等)打滾(的泥潭) // *~in money* 非常有錢.

wally /'wɒlɪ/ *n*. (*pl*. **-lies**) ①[俚]笨人②玩物;裝飾物.

walnut /'wɔːlnʌt/ *n*. 【植】胡桃,核桃(樹).

walrus /'wɔːrəs/ *n*. (*pl*. **-s, -es**) 【動】海象;[美俚]矮胖子.

waltz /'wɔːls/ *n*. 華爾茲舞(曲);圓舞

(曲)[喻]輕鬆愉快的工作 *v*. 跳華爾茲舞;旋轉;輕易地進行.

wampum /'wɒmpəm/ *n*. (從前北美印第安人用作貨幣和裝飾品的)貝殼串珠.

wan /wɒn/ *a*. ①蒼白的,沒有血色的②病弱的.

wand /wɒnd/ *n*. ①(柳樹等的)嫩枝,細枝②(魔術師的)短杖,權杖.

wander /'wɒndə(r)/ *vi*. ①(無目的地)漫步,漫遊;徘徊,流浪,漂移②迷路,走岔 **~er** /'wɒndərə(r)/ *n*. 流浪者,漫遊者,彷徨者,迷路的動物 **~lust** /'wɒndəlʌst/ *n*. 旅行熱,流浪癖.

wane /weɪn/ *vi*. (月)缺損,虧;(光,勢)衰落,減少 // *on the* ~ (月亮)正在虧缺中,衰落中,減少 ~ *to the close* 接近末尾; *wax and* ~ 盈虧;盛衰.

wangle /'wæŋgl/ *vt*. [口]①用計謀辦到,巧妙取得②脱身(困境)③哄騙;偽造 *n*. 詭計;花言巧語.

want /wɒnt / *vt*. ①(想)要,想得到②需要,必要③徵求④通緝⑤缺少,欠缺,不夠 *-n*. ①不足,缺乏,需要②窮困,貧困,匱乏 **~ed** *a*. 警方追捕的 **~ing** *a*. ①短缺的;不足的②低能的; *-prep*. 缺,短少 // *in*~ 貧窮 ~*ad*. 招聘,(求職)廣告.

wanton /'wɒntən/ *a*. ①放肆的,放縱的;任性的;變化無常的;魯莽的;荒唐的;胡作非為的②行為不檢的③淘氣的,頑皮的④毫無理由的 *vt*. 揮霍無度;浪費 **~ly** *ad*.

wapiti /'wɒpɪtɪ/ *n*. (*pl*. **~s**[集合詞]~)【動】(北美)馬鹿.

war /wɔː(r)/ *n*. ①戰爭;軍事②兵學,戰術③武器,兵器④鬥爭;不和 *a*. 戰爭的 *-v*. (**~ring** **~red**)打仗,作戰;鬥爭,競爭 **~ring** *a*. 交戰的,勢不兩立的 **~fare** /'wɔːfeə/ *n*. 戰爭戰事,戰爭狀態 **~head** *n*. 彈頭 **~like** /wɔːlaɪk/ *a*. 戰爭的,軍事的,好戰的 **~monger** *n*. 戰爭販子 **~mongering** *n*. 鼓吹戰爭行為 **~path** 征途 **~ship** = **~vessel** *n*. 軍艦 **~weary** *a*. 厭戰的 // ~ *baby*①戰時出生的孩子;士兵的私生子②因戰爭需要發展的工業 ~ *crime* 戰爭罪 ~ *criminal* 戰犯 ~ *cry* 戰鬥吶喊 ~ *fatigue* 厭戰(情緒).

warble /'wɔːbl/ *v*. ①(鳥)啼囀②用顫音唱,唱歌 **~r** *n*. ①鳴禽;(顫音)歌手②【動】苔鶯③【物】顫音器.

ward /wɔːd/ *n*. ①監視,監護,守護②【律】受監護人③選區,行政區④病房⑤牢房 **~room** *n*. 軍艦上的軍官休息室 **~ship**/'wɔːdʃɪp/ *n*. 監護(權) // ~*off* 避開或退却.

warden /'wɔːdn/ *n*. ①看門人,看守人;保管人,[美]典獄長②負責監督執行各種規定,條例的官員 **~ship** /'wɔːdnʃɪp/ *n*. 看守人的職位(職權).

warder /'wɔːdə(r)/ *n*. ①(監獄)看守;保管員;守望員,衛兵②權杖 **wardress** /'wɔːdrɪs/ *n*. [英]監獄女看守.

wardrobe /'wɔːdrəʊb/ *n*. ①衣櫥②藏衣室③行頭,(全部)服裝.

ware /weə(r)/ *n*. ①[用於複合詞]製品,成品,器皿[如 hardware, ironware]②(*pl*.)商品,貨品 *vt*. 小心,留心,注意;避免 **~house** /'weəhaʊs/ *n*. ①倉庫,貨棧②批發站;大零售店.

warlock /'wɔːlɒk/ *n*. 巫師,術士.

warm /wɔːm/ *a*. ①暖和的,溫暖的②熱情的,熱心的③熱烈的④親熱的⑤(顏色)有溫暖感的,暖色的,濃艷的

vt.使暖,加溫 ~**blooded** *a*.【動】溫血的,熱血的,熱情的 ~**corner** *n*.[口]激戰地區;不愉快的處境 ~**er** *n*.取暖器,加溫器 ~**ly** *ad*. ~**th** /wɔːmθ/ *n*. ①溫暖,暖和②熱心,熱情,興奮,誠懇 // ~*up* /'wɔːm'ʌp/ ①加溫,使變暖②熱身,作準備,預熱.

warn /wɔːn/ *vt*. ①警戒,警告;訓誡②預先通知 ~**ing** /'wɔːnɪŋ/ *n*. ①警告,警戒②預告,通知.

warp /wɔːp/ *vt*. ①使捲曲,翹曲,扭歪②歪曲,偏歪;曲解 *n*.歪曲,乖戾【紡】(織物的)經紗 ~**er** *n*.【紡】整經工,整經機.

warrant /'wɒrənt/ *n*. ①正當理由②授權證書③保證④【律】搜查證 ~**y** /'wɒrəntɪ/ *n*. ①保證書②根據,理由③授權(證)【律】保單 ~**ee** /ˌwɒrən'tiː/ *n*.【律】被保證人 ~**er** /'wɒrəntə(r)/ = ~**or** *n*. 擔保人 ~**-officer** *n*.[英美陸海空軍]准尉.

warren /'wɒrən/ *n*. ①養兔場②人口擁擠的公寓(地區,大雜院) ~**er** /'wɒrənə(r)/ *n*.養兔場主,養兔場看管人.

warrier /'wɒrɪə(r)/ *n*. 勇士,力士,武士.

wart /wɔːt/ *n*.【醫】疣,肉贅,瘊子 ~**y** /'wɔːtɪ/ *a*.(**-ier**; **-iest**)疣似的;有瘊子的 ~**-hog** *n*.【動】非洲野生疣豬.

wary /'weərɪ/ *a*.(~**ier**; ~**iest**)小心的,留神的;謹慎的 **warily** /'weərəlɪ/ *ad*. **wariness** *n*.

was /wɔːz(弱)wəz/ *v*. be 的過去式(用於第一、三人稱單數).

wash /wɒʃ/ *vt*. ①洗,洗滌②洗掉,洗去,洗淨③冲洗,冲選④(浪)冲擊,冲刷⑤淡淡着色於 ~**able** *a*.經洗的,耐洗的 ~**er** /'wɒʃə(r)/ *n*. ①洗滌者②洗衣機③【機】墊圈 ~**ing** *n*.[集合詞]需洗的衣物,洗出物 ~**basin** *n*.洗臉盆 ~**board** *n*.洗衣板【建】壁脚板 ~**cloth** *n*.毛巾(= rag) ~**out** *n*.潰敗,冲潰 ~**room** *n*.盥洗室,廁所 ~**-sale** *n*.[美](股票的)虛拋 ~**stand** *n*.臉盆架 ~**tub** *n*.洗衣盆,洗滌槽 ~**-up** *n*.【礦】冲洗出之礦沙量 // ~*away* 冲走 ~*down* 洗掉,冲下,冲服 ~*up* 飯後洗刷碗碟等 ~*hand of it* 洗手不幹.

wasp /wɒsp/ *n*. ①黃蜂②暴躁的人,脾氣不好的人 ~**ish** *a*.脾氣不好的 // ~*waist*(束緊之)細腰.

Wasp /wɒsp/ *n*.[謔]祖先是英國新教徒的美國人.

wassail /'wɒseɪl/ *n*. 宴會,歡宴;宴會的祝酒 *v*.祝酒,乾杯,痛飲.

waste /weɪst/ *a*. ①荒蕪的,不毛的;未開墾的②廢弃的,多餘的 *v*. ①浪費,糟蹋②毀壞③使荒蕪④消耗,使衰弱,蹂躪 *n*. ①浪費②(常 *pl*.)荒地,荒野;荒漠,荒蕪③消耗,損耗,衰弱 **wastage** /'weɪstɪdʒ/ *n*.浪費,損耗;廢料 ~**ful** *a*.浪費奢侈的,揮霍的 ~**fully** *ad*. ~**er** *n*. ①浪費者,揮霍者②[口]無用的人③浪費者④廢品⑤破壞者⑥【醫】瘦弱嬰兒 ~**bin** *n*.垃圾桶 ~**-butt** *n*. ①客棧老闆②[謔]小飯店 ~**land** *n*.荒地,荒漠 // ~*paper basket* 廢紙簍.

wastrel /'weɪstrəl/ *n*. ①流浪兒童②飯桶③浪費者.

watch /wɒtʃ/ *n*. ①手錶,鐘錶②值夜,值班,守夜,看守人,哨兵③看守,監視;注意;警戒 *v*. ①注視,注意②看守,觀察③守候,看着④期待,等候⑤望着 ~**able** *a*.值得注意的 ~**er** *n*.看守人,值班員;守夜人,哨兵 ~**ful**

a. 留心的,注意的,小心提防的,警惕的~**fully** *ad*. ~**fulness** *n*. ~**-dog** *n*. 看門狗,監視者~**-man** *n*. 看守人,更夫,夜班警衛員~**word** *n*. = password 口令暗號// ~*one's time* 等待時機 ~*out* 注意.

water /'wɒtə(r)/ *n*. ①水②水域,水道,領水,領海③水位,水深,水面④分泌液,體液[如尿,汗,口水等] -*vt*. 澆水,灌溉,注水於…,給…水喝,給水①在(織物上)加波紋②攙水,冲淡 *vi*. ①(動物)飲水,加水②淌眼淚,垂涎,渴望~**-bed** 電熱溫水褥,裝水橡皮褥 ~**-buffalo** 水牛 ~**-butt** 盛雨水桶 ~**-closet** 廁所~**-colour** *n*. 水彩畫~**colourist** *n*. 水彩畫家~**course** *n*. 水道,運河,河床~**cress** *n*.【植】水田芹~**ed-down** 稀釋,冲淡的~**fall** *n*. 瀑布~**front** *n*. 水邊;濱河(湖)地;河濱馬路~**-hole** *n*. 水坑~**-ice** 人造冰,水冰~**-lily**【植】睡蓮~**-line** *n*. (吃)水綫~**lock** *n*. 水閘~**logged** *a*. 水澇的,水浸泡的~**mark** *n*. 水印 *v*. 印水印(在紙上)~**-melon** *n*. 西瓜~**proof** *a*. 防水的,不透水的 *n*. 防水布~**shed** *n*. [英]分水嶺~**shoot** *n*. 排水管~**-skiing** *n*.【運】(汽艇拖的)滑水~**tight** *a*. 不漏水的,不透水的~**way** *n*. 水路,航道~**-wheel** 水車,揚水車~**-white** *a*. 無色的;清澈的~**worn** *a*. 水蝕的~**y** *a*. ①水汪汪的②攙水的③淡的,無味的 // ~ *cure* 水療(法) ~ *ing place*(牛馬)飲水處,水療場;海水浴場 *fresh* ~淡水 *hold* ~不漏水;(理由)站得住脚 *piped*(*running*)~自來水~*polo*【體】水球.

watt /wɒt/ *n*.【電】瓦特[電力單位] ~**age** /'wɒtɪdʒ/ *n*.【電】瓦數.

wattle /'wɒtl/ *n*. ①枝條,籬笆(條)②(火鷄等的)垂肉.

wave /weɪv/ *n*. ①波浪,碎浪②波動,波浪形③波紋,波綫④(用手)揮動 -*v*. ①搖,揮②使招展③揮手表示④弄成波浪形~**-hopping**【空】掠水飛行~**length** *n*. 波長~**y** *a*. 波狀的,起伏的,波濤洶湧的// ~*band*【無】波段.

waver /'weɪvə(r)/ *vi*. ①搖擺,顫動②動搖③猶豫不决~**er** *n*. 動搖者,猶豫不决者.

wax[1] /wæks/ *n*. ①蠟②蠟狀物③耳垢④火漆 *v*. 上蠟於;用蠟擦;灌(唱片)~**en** *a*. 蠟製的~**wing** *n*. 連雀;~**work** *n*. 蠟像.

wax[2] /wæks/ *vi*. ①大起來,增大②(月亮)漸漸變大變圓.

wax[3] /wæks/ *n*. [英口]生氣,發怒~**y** [俚]生氣的// *in a* ~氣忿.

way /weɪ/ *n*. ①路,道路②路程③路綫,途中④方向⑤方法,手段⑥方式,樣子⑦習慣,風氣⑧[口]狀況~**farer** /'weɪfeərə(r)/ *n*. 趕路的人,旅客~**lay** /ˌweɪ'leɪ/ *vt*. 埋伏等候,伏擊~**-out** *a*. [美口]極不尋常的,標新立異的~**side** *a*. & *n*. 路邊~**ward** *a*. ①任性的,剛愎自用的②反覆無常的~**wardness** *n*.

WC *abbr*. = ①water closet 廁所,盥洗室②without charge 免費.

wd *abbr*. = ①would②wiring diagram 電路圖,接綫圖.

we /wiː 弱 wɪ/ *pro*. (*pl*.) ①我們(主格)②大家,人們.

weak /wiːk/ *a*. ①弱的,無力的②軟弱,薄弱的③淡薄的④不中用的⑤【商】疲軟的~**en** /'wiːkən/ *v*. ①使弱,削弱②冲淡,變得拿不定主意~**ling** *a*. & *n*. 虛弱的人,低能者~**ly** *a*. (~**lier**, ~**liest**)軟弱的,虛弱的; -*ad*. 軟弱地,優柔寡斷地~**ness**

n.懦弱;優柔寡斷;弱點;癖好;毛病.

weal /wiːl/ *n*. ①福利②腫起傷痕.

wealth /welθ/ *n*. ①財富,財產②富裕③豐富,富饒,大量~**y** *a*. ~**iness** *n*.

wean /wiːn/ *v*. ①使斷奶②使從…中解脫③使放弃 *n*.嬰兒;小孩.

weapon /'wepən/ *n*. 武器,兵器;鬥爭工具;~**ry** *n*.武器庫.

wear /weə(r)/ *v*. (**wore** /wɔː(r)/ ; **worn**/wɔːn/) ①穿着,戴着,掛着,佩着,帶着②呈現着,表現出③磨損,用舊④使疲乏 -*n*.穿着,佩戴;穿戴的東西;服裝;磨損;~**able** /'weərəbl/ *a*.可穿的,適於穿着(佩戴)的~**er** *n*.穿着者,佩戴者~**ing** *a*.令人發倦的~**on** *v*.(時間的)消逝~**out** *vt*. ①穿壞,穿舊②耗盡;使疲乏不堪~**well** *a*.經用;顯得年輕 // ~*and tear* 消磨,消耗磨損.

weary /'wɪərɪ/ *a*. (~**ier**; ~**iest**) ①疲倦的,睏乏的②感到厭倦的③令人厭倦的;乏味的 -*vt*.使疲倦,使疲乏,使生厭,發膩,煩擾 **wearily** *ad*. **weariness** *n*. **wearisome** *a*.令人厭倦的;乏味的.

weasel /'wiːzl/ *n*. ①【動】鼬鼠,黃鼠狼②[美口]鬼鬼祟祟的人.

weather /'weðə(r)/ *n*. ①天氣,氣候②時候;處境;狀況~**-beaten** *a*.飽經風霜的~**cock** *n*.風標,風信雞(=~vane)~**forecast** *n*.天氣預報~**man** *n*.[口]天氣預報員~**ometer** *n*.老化試驗器~**report** *n*.天氣預報 // ~ *permitting* 天氣良好時 *under the* ~[俚]①身體不舒服;②經濟困難.

weave /wiːv/ *vt*. (**wove** 或 **weaved**, **woven** 或 **weaved**) ①織,編結②[喻]構成,編成,設計③曲曲彎彎前進 *vi*.織布,編織~**r** /'wiːvə(r)/ *n*.織工,編製者.

web /web/ *n*. ①蜘蛛網②織物③(水鳥)蹼,掌皮;~**bed** *a*.有蹼的~**bing** *n*.(作馬肚帶用的)編織帶,厚邊【動】蹼.

wed /wed/ *vt*. (~**ded**, ~**ed**) ①與…結婚②嫁,娶,使,結婚③使結合; *vi* 結婚~**ded** *a*. ①結了婚的②固執的~**ding** *n*.婚禮;婚宴;結婚(紀念)~**in** *n*.集體結婚~**lock** /'wedlɒk/ *n*.婚姻;結婚狀態[生活].

Wed. *abbr*. = Wednesday.

wedge /wedʒ/ *n*. 楔子;尖劈[喻]楔機 *v*.用楔子楔牢;擠進;用楔子劈開.

Wednesday /'wenzdɪ/ *n*. 星期三.

wee /wiː/ *a*. (**weer** /'wiːə/ ; **weest** /'wiːɪst/)小小的,極小的.

weed /wiːd/ *n*. ①雜草,野草②廢物,沒出息的人③瘦長個子的人 *v*.除草;清除,清理,淘汰~**er** *n*.除草機;除草人~**y** /'wiːdɪ/ *a*. ①雜草多的②不中用的③細瘦的 // ~*out* 清除,肅清.

weeds /wiːdz/ *n*. *pl*. 寡婦的喪服.

week /wiːk/ *n*. ①星期;週②星期日以外的六天;工作日~**ly** *a*. & *ad*. 一星期一次(的),週刊的~**lies** *n*. *pl*.週刊,週報~**day** *n*.平日;~**end** *n*.週末(現指星期六,日).

weep /wiːp/ *vi*. (**wept** /wept/)①哭泣;悲嘆;嘆息②流淚,滴下;③滲出,分泌出;~**y** *a*. ①淚汪汪的②哭泣的 // ~*away* 在哭泣中渡過; ~*Irish* 假哭 ~*oneself out* 盡情痛哭 ~*out* 邊哭邊說 ~*ing willow* 垂柳.

weeper /'wiːpə(r)/ *n*. ①哭喪者②號哭者③喪章④寡婦用黑面紗.

weevil /'wiːvl/ *n*. 【蟲】象鼻蟲.

weft /weft/ *n*. ①緯綫,緯紗②【海】信

號旗,求救信號.

weigh /weɪ/ *v*. ①稱,量;(用手)掂估②衡量,估量…優劣③壓下④使吃重,使垂頭喪氣⑤衡量,估計⑥慎重考慮~**anchor** *v*.起錨,開船~**bridge** *n*.枱秤,地磅~**man** *n*.過磅員.

weight /weɪt/ *n*. ①重量;體重;重力(地心)引力②斤兩,份量③砝碼,秤砣④重擔,重壓,重任⑤重要性,影響力⑥權重; -*v*.在…上加重,裝載,使員擔,折磨,壓迫~**ily** *ad*. ~**ing** *n*.額外津貼~**less** *a*.無重的,失重的~**lessness** *n*.失重, ~**lifting** *n*.【體】【運】舉重~**lifter** *n*.舉重運動員~**y** *a*. (~**ier**, ~**iest**) ①重的,有份量的,有權勢的②重要的,重大的③沉重的,承受不了的.

weir /wɪə(r)/ *n*. ①堰,(導流)壩②水口③(捕魚的)魚梁.

weird /wɪəd/ *a*. ①怪誕的,神怪的,不可思議的②[口]離奇的,古怪的③令人不愉快的;叫人毛骨悚然的 -*n*.命運;預言;前兆~**ly** *ad*. ~**o** *n*.怪人.

welch = **welsh** /welʃ/ *v*.賴債溜走;逃避義務.

welcome /'welkəm/ *a*. (~**r**; ~**st**) ①受歡迎的,吃香的②可喜的 -*n*. ①歡迎,款待②隨君使用,不用謝. *v*. (**welcoming, welcomed**)歡迎~**r** *n*.歡迎者; // ~ *mat* 歡迎墊,(門口擦鞋棕墊).

weld /weld/ *n*. 焊接(點),熔接點 *v*.焊接~**er** *n*.焊工;焊接機.

welfare /'welfeə(r)/ *n*.福利;興隆 // ~*state* 福利,國家; ~*work* 福利事業(工作).

well[1]/wel/ *a*. & *ad*.(**better, best**) ①好②適當,恰當,正好③足夠,完全,充分④很,相當⑤有理由⑥健康的,令人滿意的~**-being** *n*.生活安寧,幸福,福利~**-built** *a*.身體強壯的,好體格的~**-disposed** *a*.好意的;性情(情緒)好的~**-done** *a*.幹得出色的;煮透的; ~**-fixed** *a*.[美]①興旺的②喝醉了的~**-founded** *a*.有理由的,有根據的~**-handled** *a*.處理得當的 ~**-heeled** *a*. [美]富有的 ~**-known** *a*.衆所周知的,著名的~**-meaning** *a*.善意的,好心的~**-nigh** /'welnaɪ/ *ad*.幾乎 ~**-off**; ~**-to-do** *a*.富裕的,小康的~**-spoken** *a*.說話得體的;說得巧妙的~**-timed** *a*.正合時宜的;合拍的~**worn** *a*.用舊了的;陳腐的.

well[2]/wel/ *n*. ①水井,油井,油氣井②泉水,源頭③【礦】豎井,升降機井道④(漁船的)養魚艙,(法庭的)律師席.

wellies /'welɪz/ *n*. (*pl*.) = wellingtons 惠靈頓長靴.

wellingtons /'welɪŋtənz/ *n*. *pl*. = ~boots 惠靈頓長靴.

welsh /welʃ/ *v*. 不付賭金而溜掉,賴帳(=welch).

Welsh /welʃ/ *a*. 威爾士(人)的;威爾士語的~ **rabbit** *n*.熔化乾酪 = ~rarebit(前者為誤用).

welt /welt/ *n*. ①貼邊,滾邊,貼縫②鞭痕;[口]鞭打 *v*. ①給…縫上滾邊②鞭打.

welter /weltə(r)/ *n*. 混亂;打滾;翻騰;起伏.

welterweight /'weltəweɪt/ *n*. ①重量級騎師②次重量級拳師(摔跤手)[體重 147 磅為專業級, 76 公斤為業餘級].

wen /wen/ *n*. 【醫】皮脂腺囊腫,粉瘤.

wench /wentʃ/ *n*. ①少女;少婦;鄉下姑娘②下層女子(尤指女僕).

wend /wend/ *v*. (~**ed, went**)走往,去,赴

wensleydale /'wenzlɪdeɪl/ *n*. 溫斯利代爾乾酪.

went /went/ *v*. (go 的過去式).

wept /wept/ *v*. (weep 的過去式及過去分詞).

were /wɜː(r);弱 wə(r)/ *v*. be 的過去式,用於複數,虛擬語氣中.

we're /wɪə(r)/ = we are.

weren't /wɜːnt/ *v*. = were not.

wer(e)wolf /'wɪəwʊlf/ *n*. (*pl*. ~**wolves**)【神】能變成狼的人,狼人.

west /west/ *n*. ①西,西方,西部(地區)②西洋,西歐及美洲 *ad*. 在西部,在西方,向西方~**erly** *a*. 西的,西部(方)的,向西的,從西邊來的~**ern** /westən /*a*. ①西的,西方的;向西的 -*n*. ②[美]西部電影 ~**erner** /'westənə/ *n*. (美國)西部人;西歐人,西方人~**ernize** /'westənaɪz/ *vt*. 使西方化~**ward** /'westwəd/ *ad*. 向西方 *a*. 向西的~**wards** *ad*. // *go*~向西去;[俚]上西方;死 ~*bound a*. 西行的,向西的 ~*by north* 西偏北 *W*~*End* 倫敦西區 *W*~*Point* 西點軍校.

wet /wet/ *a*. (**wetter, wettest**)①濕,潮濕的②未乾的③[美俚]允許賣(製)酒的,不禁酒的④[俚]喝醉了的⑤愚蠢的 *n*. ①濕氣,水分②雨,雨天③[俚]酒④[俚]笨蛋 *v*. (**wet** 或 **wetted**)①弄濕②喝酒以表慶賀~**back** *n*. [美](非法入境或帶進美國的)墨西哥農業工人~-**blanket** *vt*. 用濕氈壓滅(火)~**land** *n*. 沼澤地~**nurse** *n*. 乳母,保姆 *vt*. 當乳母 // ~*dream* 夢遺 ~*goods*[俚]酒 ~*hen* [美]討厭的夥伴 ~*pack*【醫】濕裹法 ~*suit* 保溫潛水衣.

wether /'weðə(r)/ *n*. 閹過的羊.

whack /wæk/ *n*. & *v*. ①[口]用力抽打②[俚]一份一份分開,分配③嘗,嘗試~**ed** *a*. 耗盡的~**er** *n*. [方]用力抽打的人;大謊話~**ing** *n*. 毆打 *a*. [口]巨大的.

whale /weɪl/ *n*. 【動】鯨;龐然大物 **whaling** *n*. 捕鯨~**r** *n*. 捕鯨者,捕鯨船~**bone** *n*. 鯨鬚(骨)鯨骨製品~**fishery** *n*. 捕鯨業;捕鯨場 // *a*~*of* [美俚]大量的,了不起的 *a*~*on*[at, for]非常會…的,…極好的.

wham /wæm/ *v*. (~**ming**, ~**med**)[美俚]使勁打,重擊 *n*. 重擊;重擊聲~**my** /'wæmɪ/ *n*. [美俚]不祥之物,咀咒.

wharf /wɔːf /*n*. (*pl*. **wharves**, ~**s**)碼頭~**age** /'wɔːfɪdʒ/ *n*. 碼頭費,碼頭業務(貨物之裝卸,入倉庫).

what /wɒt/ *a*. ①[疑問]甚麼? ②[嘆]多麼! 真! *pro*. ①[疑問]甚麼? 甚麼東西? 怎樣的人? ~**ever** *pro*. ①[關係代詞]甚麼都②[連接代詞]無論,不管 *a*. ①[關係形容詞]無論甚麼…都;②[疑問形容詞]無論怎樣~**for** *n*. 各樣的物品,難於描述的人(事);喜愛的東西 **whatsoever** /ˌwɒtsəʊ'evə(r)/ *a*. (= at all) // ~**for**? = why? 為甚麼? 為何?.

wheat /wiːt/ *n*. 【植】小麥 ~**ear** /'wiːtɪə/ *n*. ①麥穗②【鳥】麥鷚~**en** *a*. ~**germ** *n*. [美]麥芽精~**meal** *a*. & *n*. 本色小麥粉(並非全麥粉).

wheedle /'wiːdl/ *v*. 哄,騙;用甜言蜜語引誘.

wheel /wiːl/ *n*. ①輪,車輪②繞樞軸旋轉③[口]自行車(*pl*.)汽車 *v*. ①推動,拉動,開動(車)②用車運送③旋轉④騎脚踏車⑤急轉彎(走)~**barrow** *n*. 獨輪手推車~**base** *n*.

【機】軸距 **~chair** *n*. 輪椅 **~clamp** *n*. 扣留違章停車的輪夾 **~-dealer** = **~er**[美俚]手腕潑辣的事業家(投機商、政客等) **~dealing** *n*. 精明的交易(計劃等) **~ing** *n*. ①車運；騎自行車②旋轉③行車情況(鑒定) // *~ and deal*[美俚]不受一切約束的獨斷獨行，掌握支配權 *~ing and dealing* 以精明方法甚至不擇手段取得成功.

wheeze /wiːz/ *v*. 喘息；喘着氣說話 **wheezy** *a*. **wheezily** *ad*.

whelk /welk/ *n*. ①【動】油螺，峨螺②條痕；鞭痕③【醫】丘疹.

whelp /welp/ *n*. ①小狗；(獅，虎，狼等的)仔②[蔑]孩子，小鬼 *v*. 生子，下仔.

when /wen/ *ad*. ①[疑問]甚麼時候，幾時，何時②[關係，引導定語，從句]當…時候 *conj*. ①當…時②剛…就③如果④既然 *pro*. [疑問]甚麼時候；*n*. 時候，時間；日期；場合 **~ever** *ad*. & *conj*. 無論甚麼時候；隨時；一…就；每次…總是.

whence /wens/ *ad*. & *conj*. [古]從哪裏；為甚麼 *n*. 來源，根源.

where /weə(r)/ *ad*. [疑問]在哪裏；向哪裏；哪裏 *pro*. 哪裏，甚麼地方 *conj*. 在[去]…的地方 **~about** = **~abouts** *ad*. [疑問]在哪一帶，在甚麼地方附近 **~as** /weəˈæz/ *conj*. ①鑒於②而，却，倒；其實 **~by** /weəˈbaɪ/ *conj*. ①[疑問]憑甚麼，依甚麼，怎樣，怎麼 **~fore** *ad*. [疑問]為甚麼，何以②[關係]因此，所以；*-n*. 原因，理由 **~upon** /ˌweəəˈpɒn/ *ad*. ①[疑問] = **whereon** 在甚麼上面，在甚麼，在誰身上②[關係]於是；因此 **~ver** /ˌweərˈevə/ *conj*. 無論甚麼地方 *ad*. [強調]究竟在哪裏 **~withal** /ˈweəwɪðɔːl/ [古]① *ad*. (= ~ with /weəwɪθ/)[疑問]用甚麼；[關係]用以② *n*. /ˈweəwɪðɔːl/ 必要的資金；資力；手段.

wherry /ˈwerɪ/ *n*. (*pl*. **wherries**) ①擺渡小船②平底駁船.

whet /wet/ *vt*. (**whetted**) ①磨，磨快②刺激，加強；助長(食欲，好奇心) *n*. ①研磨②開胃藥 **~stone** *n*. ①磨(刀)石②刺激品，激勵物.

whether /ˈwəðə(r)/ *conj*. ①[接間接疑問的名詞從句]是不是…，…還是②[接讓步的副詞從句]不管，無論(★可同 if 互換).

whey /ˈweɪ/ *n*. 乳清 **~faced** *a*. 臉色蒼白的，失色的；**~ey** /ˈweɪɪ/ *a*. 似乳清的；含乳清的.

which /wɪtʃ/ *a*. ①[疑問]哪一個，哪個；哪些②[關係]這個，哪個③[連接]無論哪個 *pro*. ①[疑問]哪個，哪一個；哪些②[關係]這(個)，那(個) **~ever** /wɪtʃevə(r) /*a*. ①[關係]無論哪一個②[強調疑問]究竟哪一個.

whiff /wɪf/ *n*. ①一陣風；一口(烟)味②【商】小雪茄烟③一種暗示，綫索.

Whig /wɪg/ *n*. (英國自由黨前身)輝格黨黨員.

while /waɪl/ *conj*. ①當…的時候，與…同時②而，但是，可是，却是，反過來③雖則，儘管 *n*. 一段時間；一會兒 **whilst** /waɪlst/ *conj*. (= **while**) **worthwhile**/ *a*. 值得(的) // *~ away* (*time*)消磨(時間)閒混 *all the ~* 始終，一直 *once in a ~* 時常，有時.

whim /wɪm/ *n*. 忽然產生的念頭；奇想；任性 **~sey** = **whimsy** /ˈwɪmzɪ/ *n*. ①異想天開②奇形怪狀③反覆無常 **~sical** /ˈwɪmzɪkl/ *a*. **~sicality**

/ˌwɪmzɪ'kæləti/ *n*.

whimper /'wɪmpə(r)/ *v*. 抽噎,嗚咽;(狗等)悲嗥 *n*.啜泣,嗚咽;怨聲.

whin /wɪn/ *n*.【植】荆豆【地】暗色岩.

whine /waɪn/ *n*. & *v*. ①悲嗥,哀訴,訴怨②(發)牢騷 **whining** /'waɪnɪŋ/ *n*. & *a*.

whinge /'wɪndʒ/ *n*. & *v*. 抱怨.

whinny /'wɪnɪ/ *v*.(~**ing**, ~**nied**)(馬的)嘶叫聲;嘶聲說話;慨然表示(答應) *n*.嘶聲.

whip /'wɪp/ *v*.(~**ping**, ~**ped**)①鞭打,抽打;鞭策②猛然,抓住,採取突然行動③攪打④打(蛋,牛奶)起沫⑤[口]擊敗,逃走⑥列隊,糾集 *n*. ①鞭子②督促議員出席重要會議的議院督導員及其命令③攪打成的食品 ~**cord** *a*.绷緊的,堅強的 *n*.鞭打的人~**lash** *n*. ①鞭頭繩②鞭打~**lash injury** *n*.(由於汽車突然開,停,顛簸引起的)頭部受傷~**ing boy** *n*.替罪羊,受鞭伴讀~**ing top** *n*.抽鞭陀螺~**-round** *n*.[英口]勸募捐款 // ~*hand* 執鞭之手;右手;優勢.

whippet /hwɪpɪt/*n*.用作賽狗用的小靈狗.

whir(r) /wɜː/ *v*. & *n*. 呼呼地飛或旋轉(聲音).

whirl /wɜːl/ *v*. ①旋轉,捲成漩渦②頭暈眼花③(車、人)飛跑;急行 *n*. ①旋轉,旋風,漩渦②混亂③輪,環 ~**pool** *n*.渦流,漩渦~**wind** *n*.旋風[喻]猛烈之勢力 *a*.迅猛異常的.

whir(r) /hwɜː(r)/ *n*.呼呼聲;嗡嗡聲.

whisk /wɪsk/ *v*. ①撢,拂,掃②打,攪拌③突然帶走 *n*.拂塵,撢帚;攪拌器.

whisker /'wɪskə(r)/ *n*.(*pl*.)①連鬢鬍子,絡腮鬍子;觸鬚,(狗貓等的)鬍鬚~**ed**, ~**ry** *a*.有鬍鬚的 // *lose by a* ~[美運]以極小的分差輸掉.

whisky[1]/'wɪskɪ/ *n*. 威士忌酒 **whiskey** 美國本地產威士忌.

whisky[2]/'wɪskɪ/ *n*. 兩輪輕便馬車.

whisper /'wɪspə(r)/ *n*. & *v*. ①低聲說話,耳語②密談,告密;背後談論③(風等)沙沙地響④悄悄囑咐.

whist /wɪst/ *n*. 惠斯特牌戲(四人玩) ~**drive** *n*.惠斯特牌賽.

whistle /'wɪsl/ *v*. ①吹口哨②鳴汽笛③吹哨,鳴笛通知 *n*.口哨,汽笛,警笛;嘘聲 **whistling** *n*. & *a*.吹笛(的)~**-blower** *n*.[美俚]告密者,揭發者~**stop** *n*.[美口]快車不停之小站 // *blow the* ~*on*[口]告發或制止.

whit /wɪt/ *n*.一點點,絲毫 // *not a* ~ = *no* ~一點兒也不….

white /waɪt/ *a*. ①白(色)的,雪白的②蒼白的③白種人的④潔白的,善良的⑤淺色的⑥[英]咖啡加牛奶的 *n*. ①雪白②白種人③眼白④蛋白 ~**n** /'waɪtn/ *v*.使白,漂白,塗白;變白~**ness** *n*. **whitish** /'waɪtɪʃ/ *a*.微白的,帶白色的~**-bait** *n*.【魚】銀魚 ~**book** *n*.白皮書~**-collar** *a*.白領的,腦力勞動者~**wash** *n*. ①石灰水;②粉刷③【運】零分慘敗 *v*.粉刷,刷白 // ~*elephant* 白象,[俚]廢物,累贅 ~*fish*【動】白鯨,白蛙;洋方頭魚 ~*flag* 白旗,降旗,休戰旗 ~*fox*【動】北極狐 ~*goods*①家用的漂白織物②家庭大型用具[如電冰箱,洗衣機,(電)烤箱等] ~*hot* 白熱的 ~*knight*【經】白衣騎士,援助面臨被收購的公司的救星;~*lie* 圓場謊;小謊 ~*metal* 白色金屬;白合金 ~*mixture* 緩瀉藥 ~*money* 銀幣 ~*mule* [美俚]私酒 ~*paper* 白皮書 ~

sauce 奶油調味白汁.

whither /'wɪðə(r)/ *a*. [古]①[疑問]到哪裏,在甚麼地方②[關係]向何處; *n*. 去處,目的地 // *no*. ~無去處,不到任何地方.

whiting /'waɪtɪŋ/ *n*. ①【魚】小鱈魚,鱈②白堊粉,鉛粉.

whitlow /'wɪtləʊ/ *n*. 【醫】甲溝炎,指[趾]頭膿炎.

Whitsun /'wɪtsn/ *n*. 【宗】聖靈降臨節(復活節後第七個禮拜天).

whittle /'wɪtl/ *v*. 切,削;削減,減少,損害 // ~ *down* 或 ~ *away* 逐步削減或逐漸消耗.

whizz, whiz /wɪz/ *v*. (**whizzing, whizzed**) ①發出呼嘯聲,颼颼作聲②颼地快速飛過 *n*. (*pl*. **whizzes**)嘘聲,[口]伶俐的人;能手 **whizzer** *n*. ①[俚]尤物,能手②離心乾燥機.

who /huː/ *pro*. (賓格 **whom**;所有格 **whose**)①[疑問]誰,甚麼人,怎樣的人? ②[關係]哪位? **whoever** /huː'evə(r)/ *pro*. (賓格 **whomever**;所有格 **whosever**)①任何人;誰(都),甚麼人(都)②不管誰…,無論甚麼人 // *W*~'*s W*~名人錄;人名詞典.

WHO *abbr*. = World Health Organization 世界衛生組織.

whoa /wəʊ/ *v*. ①遏! (令馬停住)②[謔]停止.

whodun(n)it /huː'dʌnɪt/ *n*. [美俚]偵探小說(電影,戲劇).

whole /həʊl/ *a*. ①全部的,整個的②完全的,完整無損的③無疵的,無恙的④【數】整數的,不含分數的 *n*. 整個,全部,全體;統一體,總體 **wholly** /'həʊlɪ/ *ad*. **~cheese** *n*. [美俚]自我中心的人 **~coloured** *a*. 純色的 **~-hearted** *a*. 全心全意的 **~meal** *n*. & *a*. (不去麩的)粗麵粉(的) **~sale** *a*. 批發的,躉賣的 **~saler** /'həʊlseɪlə(r)/ *n*. 批發商 **~some** /'həʊlsəm/ *a*. ①適合衛生的,有益健康的②安全的 // *on the* ~大體上,總之,從總體來看.

whom /huːm/ *pro*. **who** 之賓格(口語中常用 who 代替).

whoop /huːp/ *n*. & *v*. ①高呼,吶喊②嗬嗬的叫喊③發哮喘聲④哄抬(價錢) // ~*s and jingles*[俚]發酒瘋.

whoopee /'wʊpiː/ 嘆詞,喝! 嗬! [表示高興快樂].

whooping cough /'huːpɪŋ kɒf/ *n*. 【醫】百日咳.

whoopla /'huːplɑː/ *n*. [美口]狂歡,嬉鬧,痛飲;大吹大擂.

whop /wɒp/ *v*. [口]鞭打;打敗,打跨; ~*n*. 重打(聲) **~per** /'wɒpə(r)/ *n*. ①[口]龐然大物②彌天大謊; **~ping** *a*. 極大的,荒唐的.

whore /hɔː(r), hɒə/ *n*. ①妓女②出賣信仰(才能)者 *v*. 賣淫.

whorl /wɜːl/ *n*. ①【植】葉輪②手指螺紋③螺環.

whose /huːz/ *pro*. **who, which** 之所有格①[疑問]誰的;②[關係]那個人的;那些人的;他(她)的;他們(她們)的.

why /waɪ/ *ad*. [疑問]為甚麼? *pro*. (*pl*. **whys**)①原因,理由,②難解的問題.

wick /wɪk/ *n*. ①燈芯;蠟燭芯②吸油繩.

wicked /'wɪkɪd/ *a*. ①邪惡的,不道德的②頑皮的,淘氣的[俚]極好的 **~ly** *ad*. **~ness** *n*.

wicker /'wɪkə(r)/ *a*. 樹枝藤條編的; **~work** *n*. 藤製品.

wicket /'wɪkɪt/ *n*. ①(大門上的)便門

②【板球】三柱門~**keeper** *n*.板球守門員.

wide /waɪd/ *a*. ①寬闊的②闊廣的③廣博的;廣泛的④差距大的,差得遠的⑤充分張開的 *ad*. ①廣闊地②遠遠③張得很大 **~ly** *ad*. **~n** /'waɪdn/ *v*. 弄闊,放寬,擴大 **~-awake** /'waɪdə'weɪk/ *a*. 完全清醒的,機警的 **~-eyed** *a*.睜大眼睛的 **~spread** *a*.廣佈的,蔓延的,普遍的 // *far and* ~到處.

widow /'wɪdəʊ/ *n*. 寡婦 *v*.使成寡婦 **~ed** *a*. **~er** *n*. 鰥夫 **~hood** /'wɪdəʊhʊd/ *n*.寡婦之身份.

width /wɪdθ/ *n*. 廣闊;寬度;幅度;幅員.

wield /wiːld/ *vt*. ①揮動②使用③支配;掌握(權力).

wife /waɪf/ *n*.(*pl*. **wives** /waɪvz/) ①妻子②婦人③[美俚]脚鐐 **~ly** = **~like** *a*.妻子的,像妻的.

wig /wɪg/ *n*. 假髮 **~ged** *a*.戴假髮的.

wigeon /'wɪdʒən/ *n*.(= widgeon)【鳥】野鴨,水鳧.

wigging /'wɪgɪŋ/ *n*. [英口]責罵,叱責.

wiggle /'wɪgl/ *v*. ①搖擺,扭動②用櫓划船 *n*. ①快速擺動②奶油青豆燒魚(蝦等) **~r** *n*.【動】孑孓; **wiggly** *a*.

wight /'waɪt/ *n*. ①生物;動物②[古]人.

wigwam /'wɪgwæm/ *n*. 北美印第安人的帳篷;棚屋.

wilco /'wɪlkəʊ/ *int*.行! 可以! 照辦.

wild /waɪld/ *a*. ①野生的;未馴養的②荒野的③未開化的④狂暴的,任性的⑤散亂的,邋遢的 **~ly** *ad*. **~ness** *n*. **~cat** *n*. ①野貓,山貓②違反合同的野貓罷工 **~life** *n*.野生動物(植物) **wilds** *n*.無人居住之荒野 // **~-***goose chase* 無益(無望)的追求 **W~** *West* 荒蠻的美國西部.

Wildebeest /'wɪldɪbiːst/ *n*.【動】角馬(=gnu).

wilderness /'wɪldənɪs/ *n*. 荒地,荒蕪(荒涼)之地方.

wildfire /'waɪldfaɪə(r)/ *n*. 野火,磷火,鬼火 // *spread like* ~像燎原的火一樣迅速蔓延.

wile /waɪl/ *n*. 詭計,奸計,欺騙(手法) **wily** /'waɪlɪ/ *a*.

wilful /'wɪlfl/ *a*. ①任性的,固執的②故意的 **~ly** *ad*. **~ness** *n*.

will /wɪl; 弱 wəl, l/ *v*.(過去式 **would, 'd**)作助動用①[表示將來或現在的意願]要,希望②[表示堅持,固執拒絕等]總是③[表示習慣,習性]時常,經常,往往 *n*. /wɪl/ ①意志②决心③願望,志向④遺囑 **~ing** *a*. ①情願的,欣然②自願的,自動的 **~ingly** *ad*. **~ingness** *n*.情願,樂意 **~power** *n*.意志力.

willies /~wɪlɪz/ *n*.(*pl*.) // *give one the* ~[俚]使人害怕(緊張,發抖).

will-o'-the-wisp /ˌwɪl ə ðə 'wɪsp/ *n*. ①鬼火,磷火②幻影③不可捉摸的東西(人)④行踪不定的人.

willow /'wɪləʊ/ *n*. ①柳(樹)②柳木 **~y** *a*.苗條的 // *a weeping* ~垂柳 *wear the green* ~①戴孝②失戀.

willy-nilly /'wɪlɪ ˌnɪlɪ/ *n*.(澳洲)大旋風 *ad*.無可奈何地,不管願意不願意.

wilt /wɪlt/ *v*. 枯萎,凋謝;憔悴,[喻]頹喪.

wimp /wɪmp/ *n*. [口]軟弱無能的人 **~y** *a*.

wimple /'wɪmpl/ *n*.(中東婦女及修

女戴的)頭巾.

win /wɪn/ *v*.(**winning, won**) ①勝,贏②奪得(獎品等)掙得,爭取③博得,贏得(名譽,稱讚,愛情) *-n*.[口]勝利,成功 ~**ner** /'wɪnə(r)/ *n*. 勝利者,贏家 ~**ning** *n*. ①勝利;佔領;成功② (*pl*.)獎金,獎品 *a*. 得人歡心的;可愛的 // ~*over* 爭取過來.

wince /wɪns/ *vi*. & *n*. (由於疼痛,吃驚等)畏縮,退縮.

winceyette /ˌwɪnsɪ'et/ *n*.【紡】英國棉織絨布.

winch /wɪntʃ/ *n*. 絞盤,絞車 *v*. 用絞車吊起.

wind[1] /wɪnd/ *n*. ①風,氣流②吹風,暗示③空談④呼吸⑤腸氣,屁⑥吹來的氣味;臭迹⑦風聲,傳説 ~**bag** *n*. ①氣囊②滿口空話的人 ~**-break** *n*. 防風林;防風設備,擋風牆 ~**-cheater** *n*. 風衣,防風上衣(= parka) ~**fall** *n*. ①意外好運,橫財②風颳下的果實 ~**mill** *n*. (磨坊)風車 ~**pipe** *n*.【解】氣管 ~**-pollinated** *a*.【植】風媒傳播花粉的 ~**proof** *a*. 不透風的,防風的 ~**screen** *n*. (汽車前方)擋風玻璃 ~**-sleeve**, ~**-sock** *n*.【機場】風向袋,套筒風標 ~**surfing** *n*.【運】滑浪風帆 ~**-swept** *a*. 擋風的;任風吹颳的 ~**ward** *a*. & *n*. 頂風(的)迎風(的) ~**y** *a*. 有風的,多風的 // ~ *instrument*【樂】管樂器,吹奏樂器.

wind[2] /waɪnd/ *v*. (~**ed**, **wound** /waʊnd/) 吹(笛,喇叭等).

wind[3] /waɪnd/ *v*. (**wound**, ~**ed**) ①捲繞,纏繞②上發條,搖轉③絞起,捲揚④蜿蜒前進 // ~ *up* ①捲緊,捲攏,絞起②使振作精神③解散(公司等);終止,結束(談話).

windlass /'wɪndləs/ *n*. 絞車,捲揚機,起錨機.

window /'wɪndəʊ/ *n*. ①窗;窗戶;窗框;窗玻璃;櫥窗②【計】屏幕視窗③【宇】(火箭等)最佳發射時限(= launch~)④大氣窗⑤讓人們瞭解的機會,場合 ~**-dressing** *n*. 櫥窗,裝飾(法);炫耀 ~**envelope**(露出信紙上收信人姓名,住址的);開窗信封 ~**-shopping** *n*. 逛商店,只觀看櫥窗而不購買 ~**-sill** *n*.【建】窗台.

wine /waɪn/ *n*. ①酒,葡萄酒②果酒 // ~*and dine* 好酒好菜招待;酒足飯飽.

wing/wɪŋ/ *n*. ①翅膀;翼②機翼③翼面,側面④側廳,側樓⑤政黨内部派系,(左、右)翼 *v*. ①給…裝上翅膀②飛過,飛跑,飛快行進 ~**ed** *a*. ①有翼的②飛快的 ~**er** *n*.【運】翼(左、右翼運動員) ~**manship** *n*. 飛行技術 ~**span** *n*.【空】翼展 ~**spread** *n*.【空】翼距 // ~*commander*[英]空軍中校.

wink /wɪŋk/ *vi*. ①眨眼②使眼色③假裝沒看見;寬恕;默許④閃爍 *n*. ①眨眼②瞬間,瞬息③(*pl*.)小睡片刻 ~**er** *n*. ①使眼色的人②眼睫毛.

winkle /wɪŋkl/ *n*.【動】食用峨螺,濱螺 *v*. ~**out** 剔出,抽出,揭出(秘密等);逐出 ~**picker** *n*.[俚]尖頭鞋,火箭鞋.

winnow /'wɪnəʊ/ *vt*. ①揚(場),簸(穀),篩(糠)②甄別,挑選,辨別(真假)③鼓吹,吹亂.

winsome /'wɪnsəm/ *a*. 贏得人注意的;迷人的;可愛的.

winter /'wɪntə(r)/ *n*. 冬,冬天;冬季 *vt*. 過冬,越冬,使受凍;使萎縮 ~**berry** *n*.【植】冬青 ~**solstice** *n*. 冬至 **wintry** *a*. 冬天的;冬天似的;荒涼的 ~**sports**(尤指雪上,冰上的)冬季運動.

wipe /waɪp/ *v*. ①擦, 揩; 擦去, 消除②【機】拭接(鉛管) *n*. 擦, 拭, [口]打; [喻]拒絕; [俚]手絹 **~r** *n*. (即 **windscreen ~r**) 汽車擋風玻璃的刮水器, 雨刷; *~out* 擦去; 還清(債); 雪(耻); 殲滅[俚]殺死.

wire /'waɪə(r)/ *n*. ①金屬綫; ②【電】導綫; 綫路③鐵絲網④電報 *-v*. ①給…打電報②配綫 **wiring** /'waɪərɪŋ/ *n*.【電】綫路; 配綫; 接綫; 架綫 **wiry** /'waɪərɪ/ *a*. 金屬綫的; 鐵絲似的, 堅韌的 **~-haired** *a*. 剛毛的 **~man** *n*. ①報務員②綫路工③架綫工 // *~netting* 鐵絲網 *~tapping* [美]竊聽.

wireless /'waɪəlɪs/ *a*. 無綫的, 無綫電的 *n*. 無綫電收音機.

wisdom /'wɪzdəm/ *n*. ①智慧, 聰明, 才智②知識, 學問③金言; 格言 // *~tooth* 慧齒, 智齒.

wise[1] /waɪz/ *a*. ①有智慧的, 聰明的②博學的③明白的 **~acre** /'waɪzeɪkə(r)/ *n*. 自作聰明的(蠢)人 **~crack** *n*. [美俚]俏皮話, 妙語 *v*. 說俏皮話 **~ly** *ad*.

wise[2] /waɪz/ *n*. [古]方式, 方法; 程度 *vt*. 指點; 勸導; 迫使.

-wise /-waɪz/ [後綴]表示: 方法, 方式; 方向; 如 **clock~** 順時針方向.

wish /wɪʃ/ *vt*. ①希望, 但願②想, 要(跟不定式 to do)③祝願 *n*. ①願望; 祝願; 請求②希求的事情 **~bone** *n*. (鳥胸的)叉骨 **~ful** *a*. 渴望, 向往 **~ful thinking** *n*. 如意算盤; 痴心妄想.

wishy-washy /'wɪʃɪˌwɒʃɪ/ *n*. [蔑]淡而無味之飲料.

wisp /wɪsp/ *n*. ①小捆, 把; 束, 股②瘦小纖細的東西(人) **~y** *a*. ①小捆狀的②飄渺的.

wisteria /wɪ'steərɪə/ *n*. (= **wistaria** /wɪ'steərɪə/) 紫藤.

wistful /'wɪstfl/ *a*. ①渴望的②愁悶的 **~ly** *ad*. **~ness** *n*.

wit /wɪt/ *n*. ①智慧; 理智; 理解②機智, 才智, 妙語③頭腦, 敏捷的人④才華橫溢之話語, 文章 *v*. (過去式 **wist**) 知道 **~ster** *n*. 妙語連珠的人; **~ticism** /'wɪtɪsɪzəm/ *n*. 名言; 妙語, 俏皮話 **~tily** /'wɪtɪlɪ/ *ad*. 機智地; 詼諧的 **~ty** /'wɪtɪ/ *a*. 聰明的, 機智的, 會說俏皮話的 // *at one's ~'s end* 智窮才盡, 毫無辦法 *out of one's ~* 神經錯亂 *to ~* 即, 也就是說(= namely, that is to say).

witch /wɪtʃ/ *n*. ①妖巫, 巫婆②妖婦, 迷人的女子③刁刻的女人 **~craft** *n*. 妖術; 魅力 **~-hunt** *n*. 以莫須有罪名進行政治迫害 // *~-doctor* 巫醫.

with /wɪð/ *prep*. ①和…一起, 和…同時②和, 跟③用④伴隨着; 具有⑤和…一致; 贊成⑥由於, 因為⑦對於; 關於⑧由…看來⑨雖, 雖有 **~in** *prep*. & *ad*. ①在…內, ②在…的範圍內 **~out** *prep*. ①沒有; 不②在…外面.

withdraw /wɪð'drɔː/ *vt*. (**~ drew** /'druː/ ; **~drawn** /'drɔːn/)①縮回②抽回, 領回, 使退出③回收(通貨); 提取(存款)④撤退(軍隊)⑤撤銷 **~al** *n*. **~drawn** *a*. ①孤獨的, 離群的②偏僻的.

wither /'wɪðə(r)/ *v*. ①枯萎, 萎謝, 衰弱②(希望等)破滅, 消衰, **~ing** *a*. ①使枯萎的, 摧毀性的②令人侷促的(眼光, 話語).

withers /'wɪðəz/ *n*. *pl*. 馬肩隆[馬肩骨間隆起處].

withhold /wɪð'həʊld/ *vt*. (**~holding**, **~held**) ①壓住, 制住, 抑制②勒住, 扣住, 不(答應) *vi*. 抑制, 忍住.

withstand /wɪð'stænd/ *vt*. (~**stood** /'stʊd/)抵擋,擋住;頂住;反抗;經得起,耐得住.

witness /'wɪtnɪs/ *n*. ①證人,目擊者②證據;證實,證明 *v*. 親眼看見,目擊,目睹【律】簽名作證;表明 ~**-box** [英]法庭證人席.

wittingly /'wɪtɪŋlɪ/ *ad*. 故意地;有意地.

wives /waɪvz/ *n*. wife 的複數.

wizard /'wɪzəd/ *n*. 術士,男巫,魔術師[美口]奇才~**ry** *n*.妖術,法術.

wizened /'wɪznd/ *a*. 枯萎的.

woad /wəʊd/ *n*. ①【植】菘藍②菘藍(靛青)染料.

wobble /'wɒbl/ *v*. & *n*. = wabble ①搖搖擺擺地移動②搖動 **wobbly** /'wɒblɪ/ *a*. 搖擺不穩的.

wodge /wɒdʒ/ *n*. [英口]一大塊,一大團.

woe /wəʊ/ *n*. ①悲哀,悲痛,苦惱②災難,禍~**ful** *a*.悲傷的,悲慘的;悲哀的~**fully** *ad*. ~**begone** /'wəʊbɪgɒn/ *a*. ①悲哀的,憂愁的②愁眉苦臉的.

wok /wɒk/ *n*. (中國)鐵鍋,鑊.

woke /wəʊk/ *v*. (wake 的過去式)醒來;過去分詞 **woken**.

wold /wəʊld/ *n*. 荒瘠不毛之高原,荒原.

wolf /wʊlf/ *n*. (*pl*. **wolves** /wʊlvz/)①狼②[俚]色鬼 *v*.狼吞虎咽地吃// *cry*~發出假警報 ~*whistle* 色鬼對婦女調情所發出的怪聲口哨.

wolfram /'wʊlfrəm/ *n*. 【化】鎢 (= tungsten).

wolverine /'wʊlvəriːn/ *n*. (北極)狼獾.

woman /'wʊmən/ *n*. (*pl*. **women** /'wɪmɪn/)女人,婦人,成年女性,婦女~**hood** *n*.(女子)成年身份;女性~**ish** *a*.女人氣的;軟弱的~**ly** *a*.女子氣的;溫柔的~**izer** *n*.女性化的(男)人// ~'*s lib* = ~'s liberation 婦女解放運動 ~'*s rights* 女權(運動).

womb /wuːm/ *n*. 子宮,孕育處.

wombat /'wɒmbət/ *n*. [澳洲]袋熊.

won /wʌn/ *v*. win 之過去式及過去分詞.

wonder /'wʌndə(r)/ *n*. ①驚奇,驚嘆②不可思議,奇妙,奇迹,奇觀,奇異的事情(東西) *v*.驚奇,驚訝,詫異;覺得奇怪;感到懷疑 *a*.驚人的成功~**drug** *n*.靈丹妙藥~**ful** /'wʌndəfl/ *a*. ①令人驚奇的,奇異的②[口]好極的;精彩的~**fully** *ad*.~**land** *n*.仙境,奇境~**ment** *n*. ①驚奇,驚愕;驚嘆②奇迹,奇觀③好奇心 **wondrous** /'wʌndrəs/ *a*.令人驚嘆的,驚异的.

wonky /'wɒŋkɪ/ *a*. [英俚]搖搖晃晃的;靠不住的.

wont /wəʊnt/ *a*. [只作表語]慣常,習以為常 *n*.習慣.

won't /wəʊnt/ =will not .

woo /wuː/ *vt*. ①向…求婚,求愛②追求③死氣白賴地請求;勸說~**er** *n*.求婚者;追求者.

wood /wʊd/ *n*. ①樹林,森林②木質③木材,木頭,木柴~**ed** *a*. ①樹木茂密的,多樹林的②木質的~**en** /'wʊdn/ *a*. ①木製的②木然的,無表情的,木頭人似的~**y** /'wʊdɪ/ *a*. ①樹木繁茂的②木本的,木質的,木頭般的~**bine**(= ~bin) *n*.裝木材的大箱;~**cock** *n*.【鳥】丘鷸~**craft** *n*.林中作業技術~**cut** /'wʊdkʌt/ *n*.木刻;版畫~**cutter** *n*.伐木工人,樵夫~**house** *n*.木材貯藏所,柴房~**land** *n*.森林地(帶)~**pecker** *n*.【鳥】

啄木鳥 ~**pigeon** *n*.【鳥】斑鳩 ~**ranger** *n*.[美]森林巡視員~**wind** *n*.木管樂器~**work** *n*.木製品;木結構;木工活~**working** *n*. & *a*.木器製造(的)~**worm** *n*. 鑽(蛀)木蟲.

woof /wuːf/ *n*. ①緯綫②織物.

woofer /ˈwufə(r)/ *n*. 低音喇叭 ~**-and-tweeter** *n*.高低音兩用喇叭.

wool /wul/ *n*. ①羊毛②絨綫;毛織品;呢絨~**len**, [美]**woolen** /ˈwulın/ *a*.羊毛的,毛織的,呢絨的 *n*.毛綫,絨綫,毛織品~**ly** *a*.(~**lier**; ~**liest**) ①羊毛的②毛茸茸的③朦朧的;(聲音)嘶啞的 *n*.[口]毛綫衣~**ly-headed**, ~**ly-minded** *a*.頭腦不清的,糊塗的~**-gathering** *n*.茫然空想;做白日夢 **woolsack** /wulsæk/ *n*. ①羊毛袋,②[英]上院議長職位.

woozy /ˈwuːzı/ *a*. (**woozier**, **wooziest**) [美俚]頭昏眼花的,眩暈的.

word /wɜːd/ *n*. ①單詞,(*pl*.)歌詞,台詞②談話,言語③音信,消息④諾言⑤命令;口令 *-v*.用話表達,說,措辭~**age** /ˈwɜːdıdʒ/ *n*. ①措辭,用字②詞彙(量)③囉唆,冗長~**ing** /wɜːdıŋ/ *n*.用字,措辭~**less** *a*.沉默~**perfect** *a*.能一字不差熟背的 ~**y** *a*.(~**ier**, ~**iest**)①言語的;口頭的②囉唆的~**iness** *n*. // ~ *processor* 電腦文字處理器~ *processing* 進行計算機文字處理 *break one's* ~食言,失信,毀約 *go back on one's* ~背弃諾言,食言 ~ *for* ~逐詞地 ~ *of honour* 以名譽擔保的諾言.

wore /wɔː, wɒə/ *v*. wear 之過去式.

work /wɜːk/ *n*. ①工作,勞動,操作,活計②業務,事務,事業③作業,任務,功課④針綫活,加工⑤著作,作品⑥工廠⑦機械功 *v*. ①工作,做生活,幹活②運轉③做工,做事④計算,解决⑤研製;製訂⑥耕耘⑦完成~**able** /ˈwɜːkəbl/ *a*.可應用的,可行的,行得通的;可運轉的,可加工的;可耕種的~**aday** *n*.平日,工作日~**aholic** /ˌwɜːkəˈhɒlık/ *n*.[口]廢寢忘食工作的人~**er** *n*.工人,工作者,工作人員~**force** *n*.【經】勞動力,勞動大軍~**house** *n*.救濟院,貧民習藝所[美]感化院,勞動教養院. ~**man** *n*.(*pl*.~**men**)工人,(體力)勞動者~**manship**) *n*.手藝,技巧,(製品之)巧拙,工作質量~**-out** *n*.緊張的(體育)鍛練,選拔賽,【經】市場疲軟~**shop** *n*. ①工場,車間,作坊②(專題)討論會③實驗班④創作室~**shy** *a*.厭惡工作的 *n*.懶漢;~**top** *n*.廚房中進行食物加工的枱面 // ~ *out* ①通過努力獲得成功②精心作出③製訂出(方案) ~ *to rule*[美]按章怠工.

working /wɜːkıŋ/*a*.工作的;作業的;工人的~**class** *a*.工人階級~**party** *n*.專案調查組.

world /wɜːld/ *n*. ①世界,地球②宇宙,天體,天地③人類④人世間,現世⑤…界⑥社會~**ly** *a*.(~**lier**, ~**liest**)①世間的②世俗的③追名逐利的~**weary** *a*.厭世的~**wide** *a*.全世界範圍內的,世界性的 // ~ *without end* 永遠,永久.

worm /wɜːm/ *n*. ①蟲,蠕蟲,蛆②蝸輪軸傳動裝置,(蒸餾器的)螺旋管③[俚]十分討厭的沒有骨氣的人④腸道寄生蟲 *v*.蟲一般地爬,慢慢前進~**cast** *n*.蚯蚓屎~**-eaten** *a*.蟲蛀的,過時的~**fence**[美] *n*.曲折栅欄~**y** *a*.(~**ier**, ~**iest**)①蟲多的,蟲蛀的②卑劣的.

wormwood /ˈwɜːmwud/ *n*. ①【植】苦艾,茵蔯②奇耻大辱③苦惱,痛苦.

worn /wɔːn/ *v*. wear 之過去分詞.

worry /'wʌrɪ/ *v*.(**worrying, worried**) ①使煩惱,使苦惱;使擔心;使憂慮②焦慮,操心,發愁③(狗等)不斷地咬住折磨 -*n*.苦惱,麻煩,愁悶,操心 **~wart** /'wʌrɪwɔːt/ *n*.[美口]因微小事而終日煩惱的人.

worse /wɜːs/ *a*. [**bad, ill** 之比較級]; *ad*.[**badly;ill** 之比較級]更壞,更糟 **worst** /wɜːst/ *a*. & *ad*.最壞,最糟(的) **worsen** /'wɜːsn/ *vt*. 使更壞,損壞.

worship /'wɜːʃɪp/ *n*. ①【宗】禮拜②崇拜,仰慕,敬仰 *v*.(**~ping, ~ped**)參拜,崇拜,禮拜,敬仰,做禮拜 **~per** *n*.禮拜者,做禮拜的人 **~ful** *a*. ①可貴的,可尊敬的②有價值的③虔敬的.

worsted /'wʊstɪd/ *n*. 精紡絨綫(毛綫) *a*.絨綫做的.

wort /wɜːt/ *n*. (啤酒原料)麥芽汁.

worth /wɜːθ/ *a*. ①值得…②有…價值的;值… *n*.價值,真價,值(多少錢的東西)**~less** *a*.無價值的,不足取的 **~ily** *ad*. **~iness** *n*. **~while** /wɜːθ'waɪl/ *a*.值得出力的,值得一幹的;很好的. **~y** /'wɜːðɪ /*a*. 有價值的;可尊敬的;有道德的.

would /wʊd/ *v*. will 的過去式,用來表達其過去的將來和虛擬語態;也可表達一種習慣行動,請求和假想 **~-be** *a*.自稱的,冒充的,所謂的 **wouldn't** = would not// ~*rather* 寧可,寧願.

wound[1]/wuːnd/ *n*. 傷,負傷,創傷;屈辱,苦痛; *v*. 傷害,打傷, **~ed** /'wuːndɪd /*a*.受傷的.

wound[2]/waʊnd/ *v*. wind 之過去式及過去分詞.

wove /waʊv/ *v*. weave 之過去式 **woven** /'waʊvn/ 為過去分詞.

wow /waʊ/ *int*.哎唷! [表示驚訝,快樂,痛苦] -*n*.[美俚](戲劇等)極為成功.

wpm *abbr*. = words per minute 每分鐘(打印)字數.

wrack /ræk/ *n*. ①海草②失事船隻③水氣,霧氣.

WRAF *abbr*. = Women's Royal Air Force [英]皇家空軍婦女隊.

wraith /reɪθ/ *n*. ①幻影②鬼魂,鬼.

wrangle /'ræŋgl/ *v*.爭吵 *n*.口角,拌嘴,爭論**~r** /'ræŋglə(r)/ *n*. ①爭吵者②(美西部)牧人.

wrap /ræp/ *v*. (**wrapping, wrapped**) ①捲,包裹②隱蔽③摺疊,纏繞④包起來,穿起來; *n*.披肩;圍巾,罩衫,外套,大衣 **~per** *n*. ①包裝者②包裝紙,封套③膝毯,披肩;包袱(布) **~ping** *n*.包裝材料 // ~*up*①包起來,②用衣物裹暖和③[口]總結,結論.

wrasse /ræs/ *n*. 【魚】隆頭魚(多種顏色海魚).

wrath /rɒθ/ *n*. ①憤怒,激怒②報仇雪恥**~ful** *a*.

wreak /riːk/ *vt*. ①泄(怒);雪(恨)②懲罰,報仇.

wreath /riːθ/ *n*. (*pl*. **~s** /riːðz/)花環,花冠,花圈 **wreathe** /riːð/ *v*. ①編扎成花圈②用花圈(環)裝飾③盤纏,纏住.

wreck /rek/ *n*. ①(船隻)失事,遭難;破壞,毀壞②失事船;破毀物;殘骸,落魄者 *v*.破壞,摧毀使遇險 **~age** /'rekɪdʒ/ *n*.失事,遇難;毀壞;殘骸;漂流物**~er** *n*. ①使船隻失事的人②劫掠失事船隻的人;破壞者③搶救失事船者;打撈船;救險車.

wren /ren/ *n*. ①【鳥】鷦哥②[美]女

子,女大學生.

wrench /rentʃ/ *vt*. ①擰,扭轉②扭傷③曲解,歪曲 *n*. ①擰②扭傷③[美]活動扳手,扳鉗④悲痛的分別.

wrest /rest/ *vt*. ①用力擰絞②勉強取得,費力奪取.

wrestle /'resl/ *v*. ①【體】摔跤,角力②搏鬥,格鬥③戰鬥,苦鬥 **~r** *n*. 摔跤運動員;搏鬥者.

wretch /retʃ/ *n*. ①可憐的人,苦命人;倒霉蛋②卑劣無耻之徒,壞傢伙 **~ed** /'retʃɪd/ *a*. ①不幸的,可憐的,悲慘的②不堪的,實在不行的 **~edly** *ad*. **~edness** *n*.

wrier /raɪə(r)/ *a*. **wry** 之比較級(最高級:**wriest**).

wriggle /'rɪgl/ *v*. ①蠕動,扭動②用計逃脫 *n*. 蠕動,蠢動.

wright /raɪt/ *n*. 工人,製作者,工匠;常用於複合詞中,如:**play ~***n*. 劇作家 **wheel ~***n*. 輪匠,車輪製造人.

wring /rɪŋ/ *v*. (**~ing, wrung**)①絞,擰,扭②絞出,榨出,敲詐,勒索③折磨.

wrinkle[1] /'rɪŋkl/ *n*. ①好主意,妙計,新招②方法,技巧.

wrinkle[2] /rɪŋkl/ *n*. 皺褶,皺紋 *v*. 起皺 **wrinkly** /'rɪŋklɪ/ *a*. 有皺紋的,易皺的.

wrist /rɪst/ *n*. 手腕 **~watch** *n*. 手錶.

writ /rɪt/ *n*. ①文書,文件②【律】公文,令狀;票.

write /raɪt/ *v*. (**writing, wrote, written**)①寫,記,録,抄②寫作③寫信給…**~r** *n*. ①作者,作家②書寫者③打字機;記録器 **~ off** *n*. 注銷(債款等),一筆勾銷;(壞得無法修復而)報廢 **~ up** *n*. 捧場文章.

writhe /raɪð/ *v*. (**~d**; **~d** [詩] **writhen** /rɪðən/)扭,扭歪;翻騰;蠕動;折騰;耍賴打滾;痛苦不堪.

wrong /rɒŋ/ *a*. ①不好的②錯誤的,不正確的③有毛病的 *n*. ①不正,邪惡;壞事,罪惡②過失,錯誤,不當之處;冤枉 *vt*. 損害;不公正地對待;虐待;侮辱;冤枉;誤解 **~doer** /'rɒŋduːə(r)/ *n*. 做壞事的人;罪犯 **~ful** /'rɒŋfl/ *a*. 不正當的,非法的,不好的 **~fully** *ad*.

wrote /rəʊt/ *v*. write 之過去式.

wrought /rɔːt/ *v*. [古]work 之過去式及過去分詞 *a*. 製造的;精製的 **~ iron** *n*. 鍛鐵,熟鐵.

wrung /rʌŋ/ *vi* wring 之過去式及過去分詞.

wry /raɪ/ *a*. (**wrier, wryer**; **wriest**; **wryst**)①扭歪的;歪曲的;歪斜的;錯誤的;不當的;牽強附會的②諷刺的 **wryly** /'raɪlɪ/ *ad*.

WS *abbr*. = Weather Station *n*. 氣象站.

wt *abbr*. = ①weight 重量②watt【電】瓦③warrant 保證.

WTO *abbr*. *n*. = World Trade Organization 世界貿易組織.

WWI *abbr*. = World War One 第一次世界大戰.

WWII *abbr*. = World War Two 第二次世界大戰.

wych-elm /'wɪtʃ elm/ *n*. 【植】(產於歐亞洲的)大葉榆木.

wynd /waɪnd/ *n*. (蘇格蘭)小巷,胡同.

X

X, x /eks/ (*pl*. **X's, x's** /'eksɪz/) 可表示①一個錯②接吻的符號③乘法符號④第一個未知數⑤羅馬數字 X =10⑥[喻]未知的人, 難預測的事物, 東西⑦用×號表示劃去, 刪掉.

X-chromosome【生】**X** 染色體(成對存在於女性).

Xe【化】**xenon** 氙之化學符號.

xenon /'ziːnɒn/ *n*.【化】氙(存在於空氣中量極少的無色、無味氣體).

xenophobia /ˌzenə'fəʊbɪə/ *n*. 畏懼和憎惡外國; 仇外 **xenophobic** /ˌzenə'fəʊbɪk/ *a*.

Xerox /'zɪərɒks/ *n*. ①靜電印刷品, 複印製品[原為商標名]②靜電複印機 *v*. 用靜電複印機複印, 音譯為"施樂".

XL *abbr*. = extra large *a*. [服裝尺碼] 特大號.

X-mas /'krɪsməs/ *n*. = Christmas 聖誕節.

X-rated /'eksreɪted/ *a*. (美國電影等) X 級的; 青少年禁看的; 淫穢的.

X-ray /'eksˌ reɪ/ *a*. ①愛克斯光射綫; 即倫琴射綫(能穿透過某些固體物質)②**X** 光照片; **X** 光照相, **X** 光透視 *vt*. /'eksˌreɪ/ 用 X 光射綫透視檢查 [攝影, 治療] // ~ *telescope*【天】*X* 射綫望遠鏡 ~ *therapy*【醫】**X** 光射綫療法, 放射療法; ~ *tube X* 綫管.

Xrds, X roads = cross-roads/ *n*. 交叉道口, 十字路口.

X-rts *abbr*. = ex rights【股】無權認購新股.

X.S. *abbr*. = extra strong *a*. 特強的.

XTC *n*. = Ecstasy 狂喜; 入迷, 銷魂; 精神恍惚.

Xtra /ekstrə/ 無綫電聯絡時用的字母 x 的代稱.

xtry *abbr*. = extraordinary 特別的; 額外的; 異常的.

XW *abbr*. = ex warrants 無認股證書.

X·Wt *abbr*. = experimental weight 實驗重量.

XX *abbr*. = ①double X [啤酒強度標記]②【生】同配子型[雌性].

XX.H. *abbr*. = double extra heavy 特超重的.

XX.S. *abbr*. = double extra strong 特超強的.

XXX *abbr*. = triple X [啤酒強度標記].

xylem /'zaɪlem/ *n*.【植】木質部 // ~ *ray* 木射綫.

xylophone /'zaɪləfəʊn/ *n*. ①【樂】木琴②木質震動計.

xylose /'zaɪləʊs/ *n*.【化】木糖.

xyst /zɪst/ *n*. = xystus /'zɪstəs/ *n*. (*pl*. **-ti** /taɪ/)(古代羅馬的)室內運動場; 柱廊; 園內林蔭道.

Y

Y, y /waɪ/ (*pl*. **Y's; y's** /waɪz/) 可表示①第二個未知數②【化】元素釔(yttriurm)之符號③Young Men's Christian Association 基督教青年會④yard(s)碼⑤year(s)年.

yacht /jɒt/ *n*. 快艇, 遊艇 ~**ing** /'jɒtɪŋ/ *n*.快艇駕駛(法);乘遊艇旅遊 **yachtsman** /'jɒtsmən/ *n*.快艇駕駛人~**swoman** *n*.快艇女駕駛員.

ya(h) /jɑː/ = yes.

yahoo /jə'huː; jɑː'huː/ *n*. ①[美]粗漢②人面獸心者.

yak[1]/jæk/ *n*.【動】西藏牦牛.

yak[2]/jæk/ *v*. (**yakked** /jækt/)[擬聲詞]閑扯, 沒完沒了地談 -*n*.[美俚]①閑扯②噱頭, 哄堂大笑.

Yale /jeɪl/ *n*. ①耶魯大學②碰鎖, 撞鎖(= ~lock). // ~*man* 耶魯畢業生.

yam /jæm/ *n*.【植】[美]山芋, 甘薯;[蘇格蘭]馬鈴薯, 土豆, [中國]山藥.

yank /jæŋk/ *vt*. & *vi*. [美口]猛拉, 使勁拉.

Yankee, Yank /'jæŋkɪ, jæŋk/ *n*. & *a*. ①[俚]楊基佬②(指南北戰爭時的)北軍; 北部人③美國佬式(的); ~**rails** *n*.[英俚]美國鐵路股票; ~**ism** *n*.美國佬脾氣;美國腔.

yap /jæp/ *vi*. (**yapping, yapped**)①小狗狂吠②大聲罵;胡扯;[美]發牢騷;找碴兒 -*n*. ①[美俚]亂咬聲②[俚]嘴③年輕無賴, 歹徒④發牢騷;叫嚷.

yard[1]/jɑːd/ *n*. ①圍場, 院子②(學校内的)運動場③場地;工場;製造場;堆置場.

yard[2]/jɑːd/ *n*. ①碼(合三英尺約0.9144公尺)②一碼長的東西 ~**goods** *n*.匹頭, 布匹, 織物~**stick** *n*.碼尺(衡量標準);檢驗標準.

yarmulke /'jʌmʊlkə/ *n*. (猶太人在正式場合所戴的)圓頂小帽.

yarn /jɑːn/ *n*. ①紗, 紗綫, 毛綫, 人造絲②[俚]故事;奇談③謊話, 謠言 // *spin a* ~ 隨便(編)講個故事.

yarrow /'jærəʊ/ *n*.【植】歐蓍草.

yashmak /'jæʃmæk/ *n*. (伊斯蘭教婦女出門戴的只露眼睛的)面紗.

yaw /jɔː/ *v*.【海, 空】偏航;搖搖晃晃地前進;盤旋.

yawl /jɔːl/ *n*. 二桅帆船;船載小艇.

yawn /jɔːn/ *v*. ①打呵欠②張開大口③打着呵欠說話 -*n*. ①呵欠, 張開大口②裂縫, 裂口~**ing** *a*.

yaws /jɔːz/ *n*. *pl*.【醫】雅司病(一種熱帶慢性痘疹皮膚傳染病).

Y-chromosome【生】*n*. **Y** 染色體(成對存在於男性).

yd. *abbr*. = yard(s).

ye /jiː, jɪ/ *pro*. (*pl*.) 是 **thou** 的複數[俚, 方] = you.

yea /jeɪ/ *ad*. [古] = yes.

yeah /jeə/ *ad*. [美口] = yes.

year /jɪə(r), jɜː(r)/ *n*. ①年, 歲;一年②年度③(*pl*.)年紀, 年齡, 歲數(表示年歲時 years 常省)~**book** *n*.年鑿, 年報; ~**ling** /'jɪəlɪŋ/ *n*.一歲仔, 一歲的孩子~**long** *a*.整整一年的;繼續一年的~**ly** *a*.一年一次的, 每年的 // *a* ~ *and a day*【律】滿一年 *all the* ~*round* 一年到頭 ~*after* ~一年一年地 ~*by*~年年;逐年 ~*in*, ~*out* 年復年, 一年又一年地;始

終.

yearn /jɜːn/ *vi*. ①想念, 向往, 懷念②渴望, 熱望~**ing** /'jɜːnɪŋ/ *n*.

yeast /jiːst/ *n*. ①酵母(菌)②酸酵粉, 酵母片~**y** *a*.

yeld /jeld/ *a*. [蘇格蘭]①不妊的, 不育的②不產乳汁的.

yell /jel/ *v*. 叫喊, 大嚷, 喊加油, (突然)大笑 *n*. 大聲叫喊, [美](拉拉隊的)呼喊聲.

yellow /'jeləʊ/ *a*. ①黃(色)的, 金黃色的②[卑]膽小的; 沒骨氣的 *n*. ①黃色, 金黃色, 檸檬黃, 蛋黃②【醫】黃疸; 膽小, 懦弱 *v*. 染成黃色, 弄成黃色~**-livered** *a*. [美]膽小的 // ~ *card* 黃牌(亮黃牌以示運動員犯規, 兩次就得退出比賽) ~ *fever* 黃熱病(熱帶地區由蚊子傳染的重病) ~ *hammer*【鳥】鵐鴨, [美]金翼啄木鳥 ~ *jaudice* 黃疸 *Y* ~ *Pages* [美]電話查號簿.

yelp /jelp/ *n*. & *v*. (狗)汪汪地叫, 吠, 叫喊.

yen[1] /jen/ *n*. (單複數同形) 圓, 日元(日本貨幣單位, 略作¥).

yen[2] /jen/ *n*. [俚](漢語中的)癮, 渴望.

yeoman /'jəʊmən/ *n*. (*pl*. ~**men**) ①[英]【史】自由民②自耕農~**ry** /'jəʊmənrɪ/ *n*. 自由民, [英]義勇騎兵 // ~ *of the guard* (英國王的)親衛兵.

yes /jes; jəh/ 嘆詞, [肯定、同意的回答]是; 是的, 對的[不管問話方式如何, 如回答的事實是肯定的, 就用 yes]~**man** *n*. 唯唯諾諾的人, 隨聲附和的人.

yesterday /'jestədɪ/ *ad*. & *n*. ①昨天②過去, 昔日③最近.

yet /jet/ *ad*. ①還; 現在還是, 依然②還(沒有…)③現在, 已經④又, 再, 更, 此外還⑤回頭 *conj*. 雖然…但是, 可是.

yeti /'jetɪ/ *n*. [藏語](喜馬拉雅山的)雪人(=Abominable Snowman).

yew /juː/ *n*. 【植】紫杉.

YHA *abbr*. = Youth Hostels Association 青年招待所協會.

Yiddish /'jɪdɪʃ/ *n*. 依地語, 意第緒語(猶太人使用之國際語).

yield /jiːld/ *v*. ①生出, 產生②給予; 讓與; 讓渡; 放弃③讓步, 投降; 屈從④彎曲⑤好轉 *n*. ①出產②產量, 收成③收益④屈服⑤極限~**ing** *a*. ①有出產的②易受影響的, 易說服的③易彎曲的, 會變形的.

yippee /'jɪpiː/ 嘆詞: 好哇! 妙! [表示快樂, 愉快].

YMCA *abbr*. = Young Men's Christian Association 基督教青年會.

yob /jɒb/ *a*. (= yobbo) [英俚]小壞蛋, 壞傢伙.

yodel, yodle /'jəʊdl/ *n*. 岳得爾調(用假嗓子和正常調交替唱) *v*. (**yodelling, yodelled**)用岳得爾調唱(呼喊).

yoga /'jəʊgə/ *n*. 【宗】瑜伽; 瑜伽苦行(修行)**yogi** /'jəʊgɪ/ *n*. 瑜伽論者, 瑜伽修行者.

yoghort, yoghurt, yogurt, yoghourt /'jɒgət/ *n*. [土耳其]酸乳酪.

yoke /jəʊk/ *n*. ①軛, 軛狀扁擔②羈絆, 束縛; (外族)統治; 【鐵】護軌夾 *v*. ①給…上軛, 把(牛, 馬)套在(車上)②結合, 連合, 配合 // ~ *fellow*, ~ *mate* 同事, 夥伴.

yokel /'jəʊkl/ *n*. 莊稼漢, 鄉下佬, 土包子.

yolk /jəʊk/ *n*. ①蛋黃, 卵黃②羊毛油脂~**y** *a*.

Yom-Kippur /ˌjɒm ˈkɪpə(r)/ *n*. 贖罪日[猶太曆七月十日](=Day of Atonement).

yon /jɒn/ *a*. & *ad*. [古,方,詩]=yonder.

yonder /ˈjɒndə(r)/ *a*. & *ad*. 在那邊,遠處(的),那裏(的).

yonks /jɒŋks/ *pl.n*. 很久很久.

yoo-hoo /ˈjuːˌhuː/ 嘆詞 *n*. 喂,唷嗬(以引起注意).

yore /jɔː(r), jɒə/ *n*. 昔,往昔(現僅用於 of 後).

Yorkshire pudding /ˌjɔːkʃə ˈpʊdɪŋ/ *n*. 約克郡布丁(常夾牛肉一起吃).

you /juː, 弱 ju/ *pro*. (*pl*. *sing*. 同) ①第二人稱:你,您,你們的主格和賓格 ②各位,諸位③(泛指一般)人,任何人.

young /jʌŋ/ *a*. (**~er** /ˈjʌŋgə(r)/; **~est** /-gɪst/) ①年輕的,幼嫩的②年少氣盛的,朝氣勃勃的 *n*. (動物)仔;青年,年輕人 **~ish** *a*. 相當年輕的,還年輕的 **~ster** *n*. 年輕的,活潑少年.

your /jɔː(r), jʊə/ *a*. [you 之所有格],你(們)的 **~s** *pro*. ①你(們)的東西 ②來信,尊函 **~self** [*pro*.] (*pl*. **~selves**)你自己(你們自己).

youth /juːθ/ *n*. (*pl*. **~s** /juːðz/) ①少年,小時候,青少年時代,青春時期,青年時代②年輕人,小伙子③青年(男,女) **~ful** /ˈjuːθfl/ *a*. 青年特有的;年輕的 **~fulness** *n*. // *~club* 青年俱樂部 *~hostel* 青年招待所(為渡假青年學生提供便宜的食宿).

yowl /jaʊl/ *n*. & *vi*. 悲號,長吼,狂嘯.

yoyo /ˈjəʊjəʊ/ *n*. (*pl*. **yoyos**) 牽綫木輪玩具(商標名);[美俚]遲鈍愚蠢的人.

YTS *abbr*. = Youth Training Scheme 青年培訓方案.

yucca /ˈjʌkə/ *n*. 【植】(熱帶生長的)絲蘭花.

yucky, yukky /ˈjʌkɪ/ *a*. (**yuckier, yuckiest** 或 **yukkier, yukkist**) [美俚]令人討厭的,令人作嘔的.

Yugoslavian /ˌjuːgəʊˈslɑːvɪən/ *a*. & *n*. (=Yugoslav) 南斯拉夫人(的).

Yule /juːl/ *n*. [詩]聖誕節,聖誕節期間.

yummy /ˈjʌmɪ/ *a*. (**yummier, yummiest**) [口]好吃的;美味的.

Yuppie /ˈjʌpɪ/ *n*. (由 Young Urban Professional 三個大寫字頭 + ie 組成)雅皮士(指一批受過高等教育,幹着高工資職業,生活入時的青年人).

YWCA *abbr*. = Young Women's Christian Association 基督教女青年會.

Y2K-bug /waɪ tuː keɪ bʌg/ *n*. = the millennium bug 千年蟲.(因踏入 2000 年而產生的電腦故障)

Z

Z, z /zed/ *n*.(*pl*.**Z's, z's** /zedz;[美] ziːz/) 可表示【數】第三個未知數.

Z., z = ① zone 區 ② zenith distance【天】天頂距③ zero 零.

zabaglione /ˌzɑːbəl'jəuniː/ *n*. [意大利]消食甜酒(一種易消化的甜食,用鷄蛋、糖和馬爾薩拉白葡萄酒調水而成.

zany /'zeɪnɪ/ *a*.(**zanier, zaniest**) 荒唐可笑的;愚笨的 *n*.小丑,笨蛋.

zap /zæp/ *v*.(**zapping, zapped**)[美俚]①打敗;(開槍)打死②遙控操縱速變電視頻道③快速移動.

zeal /ziːl/ *n*. 熱心,熱誠,熱情;奮發 **zealot** /'zelət/ *n*.熱心人,狂熱者 **~ous** /'zeləs/ *a*.**~ously** *ad*.

zebra /'zebrə/ *n*.【動】斑馬～ **crossing** *n*.斑馬綫(人行橫道) **zebrine** /'ziːbraɪn/ **zebroid** /'ziːbrɔɪd/ *a*.(像)斑馬的.

zebu /'ziːbjuː/ *n*.【動】(印度)瘤牛,封牛.

Zen /zen/ *n*.(佛教的)禪(宗).

zenith /'zenɪθ/ *n*. ①【天】天頂②頂點,極點,全盛.

zephyr /'zefə(r)/ *n*. 和風,微風.

zeppelin /'zepəlɪn/ *n*. 齊柏林圓筒形飛艇(泛指 airship).

zero /'zɪərəu/ *n*.(*pl*.**~s, ~es**) ①【數】零,零號②零位,零點,起點,零度③無④最低點 *a*.零(度)的;【氣】雲幕低於 50 英尺,能見度小於 165 英尺的// ～*hour* 預定行動開始時刻,嚴格考驗的起點 ～*in on* 瞄準目標,[口]集中於….

zest /zest/ *n*. ①欣賞,享受②富於刺激性③風味,趣味④檸檬或橘子皮⑤熱情;熱心.

zigzag /'zɪgzæg/ *a*. **Z** 字形的,鋸齒形的 *v*.(**zigzagged**)作之字形轉彎,急轉 *ad*.曲折地.

zilch /zɪltʃ/ *n*. [美俚]無;烏有;零.

zinc /zɪŋk/ *n*.【化】鋅(Zn).

zing /zɪŋ/ *n*. ①[擬聲]尖嘯聲②熱情;活力;興致;風趣.

zinnia /'zɪnɪə/ *n*.【植】百日草.

Zionism /'zaɪənɪzəm/ *n*. 猶太復國主義 **Zionist** *n*. & *a*.猶太復國主義者(的).

zip /zɪp/ *n*. ①拉鎖,拉鏈②呼嘯而過的聲音③[俚]零分④精力,活力 *v*.(**zipping, zipped**)拉上拉鏈 // *ZIP code* /'zɪpkəud/ *n*.(美國)郵區編碼.

zircon /'zɜːkɒn/ *n*.【礦】鋯石～**ium** /zɜː'kəunɪəm/ *n*.【化】鋯(Zr).

zither /'zɪθə(r)/ *n*.【樂】齊特拉琴(一種古撥弦樂器).

zizz /zɪz/ *n*. [英俚]打盹,打瞌睡.

zloty /'zlɒtɪ/ *n*.(*pl*.**~s**) 玆羅提(波蘭貨幣單位).

Zn=zinc【化】鋅.

zodiac /'zəudɪæk/ *n*.【天】黃道帶,黃道十二宮圖,**~al** /zəu'daɪəkl /*a*.

zombie, zombi /'zɒmbɪ/ *n*.(*pl*.**~s**) ①起死回生巫術②殭屍;回魂屍③行動僵直不靈的人.

zone /zəun/ *n*. ①地帶②區,區域,範圍③圈,帶 *vt*.用帶圈繞;把…分成地帶;**zonal** /'zəunl/ *a*.帶狀的// ～*defence* 區域聯防 ～*time* 地方時間.

zoo /zuː/ *n*. (*pl*. ~**s**) 動物園.

zoology /zəʊ'ɒlədʒɪ/ *n*. 動物學 **zoological** /ˌzəʊə'lɒdʒɪkl/ *a*. zoological garden 動物園 (= zoo) **zoologist** /zəʊ'ɒlədʒɪst/ *n*. 動物學家.

zoom /zuːm/ *v*. ①快速上升;激增②嗡嗡地活動③大獲成功④【攝】可變焦(距)鏡頭(即~**lens** = ~**er**).

ZT *abbr*. = ①zone time 區時②zero time 零時.

zucchini /zʊ'kiːnɪ/ *n*. (*pl*. **zucchinis**)【植】綠皮西葫蘆.

Zulu /'zuːluː/ *n*. & *a*. (非洲)祖魯人(的);祖魯語(的).

zygote /'zaɪgəʊt/ *n*.【生】合子,接合孢子;受精卵.

zyme /zaɪm/ *n*.【生化】酶.

zz = zigzag

ZZZ(zzz)漫畫中表示鼾聲的符號.

附錄

P.690-720

附錄一　標點符號使用法

apostrophe 撇號（’）：

撇號（’）與 s 連用表示所有格。與單數名詞連用時撇號加在 s 前（例：father’s day）；與複數名詞連用時，撇號加在該名詞詞尾（例：ladies’ night）。複數名詞詞尾不是 s 時也用 ’s。（例：children’s toys）。除了少數慣例外，專有名詞以 s 結尾時，一般也加上 ’s（例：Frances’s , the Lewis’s）

brackets 括號（　）：

括號（　）用作分隔某些句子的部分。條件是省略括號的內容後，句子意思仍然完整，且標點用法亦不受括號部分影響，例：The girl in the room (singing loudly) is my classmate. 如果想在引句中加插己見，加插的部分則要用方括號。例：He [the Director] nearly lost his temper。

capital letters 大寫：

句子或引語的第一個字母要大寫；專有名詞、人物及機構的名稱、頭銜也要大寫，如Christmas、Mr Chan、Dr Wong、Red Cross。假如名稱或頭銜含有 the 作為首字，這個 the 要大寫。

colons and semicolons 冒號（：）及分號（；）：

二者用作表示比用逗號大、但比用句號小的分隔。
冒號用作驟然分隔兩個有關的陳述句，也用於引出一串詞、引文或撮要。例：The contents included: a ball pen, a memo pad, and a digital organizer。如果接著的內容另起新行，冒號之後可加破折號。
分號可代替連詞連接兩句或句子的兩部分，例如I know she has the key ; I saw it.

commas 逗號（,）：

1. 逗號用作把句子斷開，或形成句子中的稍微停頓，如 East or west, home is best.；
2. 逗號用作把一串名詞、形容詞或短語分成個別單元，例如 She has bought two skirts, three handbags, and four scarves。在這串詞語中出現的最後一個逗號（即在 and 或 or 前的逗號）可以省略。在一串形容詞中的最後一個形容詞及後隨名詞之間，一般不加逗號，例如She is a humble, clever, young lady.。
3. 正如破折號（dash）及括號（bracket）一樣，逗號也用作把一個詞或短語與主句分開，而該主句在語法上仍是獨立完整的。逗號表示稍微分隔；破折號表示的分隔有斷續意味；括號則表示明確的分隔。例如：
   Looking up, I saw him enter.
   This year - which has been dry - is bad for crops.
   He hates to be left alone (especially at night) and therefore he begged his mother not to go to the cinema.
4. 當兩個短語由一個連詞連接起來時，而又表達了對比，就加上逗號，例如 Hurry up, or you will be late.
5. 稱呼某人時，在名字或稱謂前後都加上逗號，例如 Good morning, Mrs Li, how do you do?

exclamation marks 嘆號（!）：

嘆號只能用於真正的嘆語之後，不能用於一般陳述語。

full stops (periods) 句號（.）：

句號一般只在帶有主要動詞的完整句子末出現。
句號也用於縮略語及代表整個詞的首字母之後（如：abbr.、e.g.、N.Y.）。但由一個詞的首字母及其末字母構成的縮略語，通常都把句號省去（如 Mrs、St、Rd）。一些常用的縮寫名稱，如NATO、AIDS、PRC、UFO，都不用句號。因語言運用經常轉變，以上只概括了一般習慣用法。

hyphens 連（字）號（-）：

複合詞如 blow-up 或 golden rule，或附有前綴的詞，如 unpaid，可用或可不用連(字)號。一般來説，新構成的複合詞帶有連(字)號；變舊或熟悉後，連(字)號會省去；而當複合形容詞放在一個名詞前，該複合形容詞應帶有連(字)號，以強調該詞的各組成部分不能獨立使用，例如 three-legged table。

inverted commas (quotation marks, quotes) 雙/單引號 (“ ”/‘ ’)：

1. 雙引號用於直接引語，不用於間接引語。如果在主句中加插引語，通常該引語前後都帶逗號。
2. 單引號用於直接引語或一句話語內的稱謂/引語。例如："Mother often says 'Do the right thing at the right time'", she said, "and I think it's quite right."

question marks 問號（？）：

問號只用於直接問句末，不用於間接問句末。

附錄二　不規則動詞表

不定式	過去式	過去分詞
abide	abided, abode	abided, abode
arise	arose	arisen
awake	awoke	awoken
backbite	backbitten	backbitten
backslide	backslid	backslid
be (am/is/are)	was, were	been
bear	bore	borne
beat	beat	beaten
become	became	become
befall	befell	befallen
beget	begot	begotten
begin	began	begun
behold	beheld	beheld
bend	bent	bent
beseech	besought, beseeched	besought, beseeched
bet	bet	bet
bid	bade, bid	bidden, bid
bind	bound	bound
bite	bit	bitten
bleed	bled	bled
bless	blessed	blessed,blest
blow	blew	blown
break	broke	broken
breed	bred	bred
bring	brought	brought
broadcast	broadcast	broadcast
build	built	built
burn	burnt, burned	burnt, burned
burst	burst	burst
bust	bust, busted	bust, busted
buy	bought	bought
cast	cast	cast
catch	caught	caught

chide	chided, chid	chided, chid, chidden
choose	chose	chosen
cleave	cleaved, clove, cleft	cleaved, cloven, cleft
cling	clung	clung
come	came	come
cost	cost	cost
creep	crept	crept
crow	crowed, crew	crowed
cut	cut	cut
deal	dealt	dealt
dig	dug	dug
dive	dived,dove	dived
do	did	done
draw	drew	drawn
dream	dreamt, dreamed	dreamt,dreamed
drink	drank	drunk
drive	drove	driven
dwell	dwelt	dwelt
eat	ate	eaten
fall	fell	fallen
feed	fed	fed
feel	felt	felt
fight	fought	fought
find	found	found
flee	fled	fled
fly	flew	flown
forbear	forbore	forborne
forbid	forbade, forbad	forbidden
foretell	foretold	foretold
forget	forgot	forgotten
forgive	forgave	forgiven
forsake	forsook	forsaken
forswear	forswore	forsworn
freeze	froze	frozen
gainsay	gainsaid	gainsaid
get	got	got
gild	gilded, gilt	gilded, gilt
gird	girded, girt	girded, girt

give	gave	given
go	went	gone
grind	ground	ground
grow	grew	grown
hang	hung, hanged	hung, hanged
have (has)	had	had
hear	heard	heard
heave	heaved, hove	heaved, hove
hew	hewed	hewed, hewn
hide	hid	hidden
hit	hit	hit
hold	held	held
hurt	hurt	hurt
inlay	inlaid	inlaid
input	input, inputted	input, inputted
inset	inset	inset
keep	kept	kept
ken	kenned, kent	kenned
kneel	knelt	knelt
knit	knitted, knit	knitted,knit
know	knew	known
lay	laid	laid
lead	led	led
lean	leant, leaned	leant, leaned
learn	learnt, learned	learnt, learned
leave	left	left
lend	lent	lent
let	let	let
lie	lay	lain
light	lighted, lit	lighted, lit
lose	lost	lost
make	made	made
mean	meant	meant
meet	met	met
miscast	miscast	miscast
misdeal	misdealt	misdealt
mishear	misheard	misheard
mishit	mishit	mishit

mislay	mislaid	mislaid
mislead	misled	misled
misread	misread	misread
misspell	misspelt, misspelled	misspelt, misspelled
misspend	misspent	misspent
mistake	mistook	mistaken
misunderstand	misunderstood	misunderstood
mow	mowed	mown, mowed
outbid	outbid	outbid
outdo	outdid	outdone
outfight	outfought	outfought
outgrow	outgrew	outgrown
output	output, outputted	output, outputted
outrun	outran	outrun
outsell	outsold	outsold
outshine	outshone	outshone
overbid	overbid	overbid
overcome	overcame	overcome
overdo	overdid	overdone
overdraw	overdrew	overdrawn
overeat	overate	overeaten
overfly	overflew	overflown
overhang	overhung	overhung
overhear	overheard	overheard
overlay	overlaid	overlaid
overpay	overpaid	overpaid
override	overrode	overridden
overrun	overran	overrun
oversee	oversaw	overseen
overshoot	overshot	overshot
oversleep	overslept	overslept
overtake	overtook	overtaken
overthrow	overthrew	overthrown
pay	paid	paid
plead	pleaded, pled	pleaded, pled
prepay	prepaid	prepaid
prove	proved	proved, proven
put	put	put

quit	quit, quitted	quit, quitted
read	read	read
rebind	rebound	rebound
rebuild	rebuilt	rebuilt
recast	recast	recast
redo	redid	redone
rehear	reheard	reheard
remake	remade	remade
rend	rent	rent
repay	repaid	repaid
rerun	reran	rerun
resell	resold	resold
reset	reset	reset
resit	resat	resat
retake	retook	retaken
retell	retold	retold
rewrite	rewrote	rewritten
rid	rid	rid
ride	rode	ridden
ring	rang	rung
rise	rose	risen
run	ran	run
saw	sawed	sawn, sawed
say	said	said
see	saw	seen
seek	sought	sought
sell	sold	sold
send	sent	sent
set	set	set
shake	shook	shaken
shed	shed	shed
shine	shone	shone
shoe	shod	shod
shoot	shot	shot
show	showed	shown,showed
shrink	shrank, shrunk	shrunk
shut	shut	shut
sing	sang	sung

sink	sank	sunk
sit	sat	sat
slay	slew	slain
sleep	slept	slept
slide	slid	slid
sling	slung	slung
slink	slunk	slunk
slit	slit	slit
smell	smelt, smelled	smelt, smelled
smite	smote	smitten
speak	spoke	spoken
speed	sped, speeded	sped, speeded
spell	spelt, spelled	spelt, spelled
spend	spent	spent
spill	spilt, spilled	spilt, spilled
spin	spun, span	spun
spit	spat, spit	spat, spit
split	split	split
spoil	spoilt, spoiled	spoilt, spoiled
spread	spread	spread
spring	sprang	sprung
stand	stood	stood
stave	staved, stove	staved, stove
steal	stole	stolen
stick	stuck	stuck
sting	stung	stung
strew	strewed	strewed, strewn
stride	strode	stridden
strike	struck	struck
string	strung	strung
strive	strove	striven
sublet	sublet	sublet
swear	swore	sworn
sweep	swept	swept
swell	swelled	swollen, swelled
swim	swam	swum
swing	swung	swung
take	took	taken

teach	taught	taught
tear	tore	torn
tell	told	told
think	thought	thought
thrive	thrived, throve	thrived, thriven
throw	threw	thrown
thrust	thrust	thrust
tread	trod	trodden, trod
unbend	unbent	unbent
underbid	underbid	underbid
undercut	undercut	undercut
undergo	underwent	undergone
understand	understood	understood
undertake	undertook	undertaken
underwrite	underwrote	underwritten
undo	undid	undone
unfreeze	unfroze	unfrozen
unsay	unsaid	unsaid
unwind	unwound	unwound
uphold	upheld	upheld
upset	upset	upset
wake	woke	woken
wear	wore	worn
weave	wove, weaved	woven, weaved
wed	wedded, wed	wedded, wed
weep	wept	wept
wet	wet, wetted	wet, wetted
win	won	won
wind	wound	wound
withdraw	withdrew	withdrawn
withhold	withheld	withheld
withstand	withstood	withstood
work	worked, wrought	worked, wrought
wring	wrung	wrung
write	wrote	written

附錄三　度量衡表

公制

(計量單位的代號放在括弧內)

一、長度

微米 micron(μ)	= 1/1000000米
忽米 centimillimetre(cmm)	= 1/100000米
絲米 decimillimetre(dmm)	= 1/10000米
毫米 millimetre(mm)	= 1/1000米
厘米 centimetre(cm)	= 1/100米
分米 decimetre(dm)	= 1/10米
米 metre (m)	
十米 decametre (dam)	= 米的十倍
百米 hectometre (hm)	= 米的百倍
公里(千米) kilometre (km)	= 米的千倍

1米 = 3市尺 = 39.37吋(或3.28呎)

10米 = 3市丈

1公里 = 2市里

二、重量(質量單位名稱同)

毫克 milligramme (mg)	= 1/1000000公斤
厘克 centigramme (cg)	= 1/100000公斤
分克 decigramme (dg)	= 1/10000公斤
克 gramme (g)	= 1/1000公斤
十克 decagramme (dag)	= 1/100公斤

百克 hectogramme (hg) = 1/10公斤
公斤 kilogramme (kg)
公擔 quintal (q) = 公斤的百倍
噸 metric ton (M.T.); tonne (t) = 公斤的千倍

1克 = 2市分 = 15.432喱 (grains)
100克 = 2市兩
1公斤 = 2市斤 = 2.2046磅 (pounds)
1公擔 = 2市擔

三、容量

毫升 millilitre (ml) = 1/1000升
厘升 centilitre (cl) = 1/100升
分升 decilitre (dl) = 1/10升
升 litre (l)
十升 decalitre (dal) = 升的十倍
百升 hectolitre (hl) = 升的百倍
千升 kilolitre (kl) = 升的千倍

1分升 = 1 市合
1升 = 1市升 = 0.9081乾量夸脫 (dry quart)
= 1.0567液量夸脫 (liquid quarts)
10升 = 1市斗
100升 = 1市石 = 2.838蒲式耳(bushels)
= 26.418加侖(gallons)

四、面積

方毫米 square millimetre (mm^2) = 1/100方厘米
方厘米 square centimetre (cm^2) = 1/100方分米

方分米 square decimetre (dm^2) = 1/100方米
方米 square metre (m^2)
百方米 square decametre (dam^2) = 方米的百倍
萬方米 square hectometre (hm^2) = 1/100方公里
方公里 square kilometre (km^2)
1方公里 = 0.3861方哩

五、地積

1方米 square metre (m^2) = 1公厘 centiare
公厘 centiare (ca) = 1/100公畝
公畝 are (a)
公頃 hectare (ha) = 100公畝
1方米 = 1550方吋
1公畝 = 119.6方碼
1公頃 = 15市畝 = 2.471噷

六、體積

立方毫米 cubic millimetre(mm^3) = 1/1000立方厘米
立方厘米 cubic centimetre(cm^3) = 1/1000立方分米
立方分米 cubic decimetre(dm^3) = 1/1000立方米
立方米 cubic metre(m^3)
1立方米 = 1.308立方碼

英美制

一、長度

12吋 inches (in., pl.in. or ins; 符號")
= 1呎 foot(ft., sing.& pl.; 符號')

3呎 feet = 1碼 yard (yd., pl.yd. or yds.)

$5\frac{1}{2}$ 碼 yards or $16\frac{1}{2}$呎 feet

= 1桿 rod(rd.) or pole(p.) or perch(p.)

40桿 rods = 1浪 furlong(fur.)

8浪 furlongs or 1760碼 yards or 5280 呎 feet

= 1哩 mile(m. or mi.)

3哩 miles = 1里格 (land)league

1吋 = 2.54厘米

1呎 = 0.3048米

1碼 = 0.9144米

1哩 = 1.6093公里

二、測鏈

7.92吋 inches = 1令 link (li.)

100令 links or 66 呎 feet = 1鏈 chain(ch.)

10鏈 chains = 1浪 furlong (fur.)

80鏈 chains = 1哩 mile (mi.)

1令 = 20.12厘米

1鏈 = 20.12米

三、面積

144方吋 square inches(sq. in.)

= 1方呎 square foot(sq. ft.)

9方呎 square feet = 1方碼 square yard(sq. yd.)

$30\frac{1}{4}$ 方碼 square yards = 1方桿 square rod(sq. rd.) or square pole or square perch (sq. p.)

160方桿 square rods or
4840方碼 square yards or
43560方呎 square feet = 1 噉 acre(A.)

1方吋 = 6.452方厘米
1方呎 = 929方厘米
1方碼 = 0.8361 方米
1噉 = 40.4687 公畝 = 0.4047公頃

四、地積

625方令 square links(sq. li.)
= 1方桿 square pole (sq. p.)
16方桿 square poles = 1方鏈 square chain (sq. ch.)
10方鏈 square chains = 1 噉 acre (A.)
640噉 acres = 1方哩 square mile (sq. mi.) or 1段 section (sec.)
36方哩 square miles = 1區 township(tp.)

1方哩 = 259公頃 = 2.59方公里
1區 = 9324公頃 = 93.24方公里

五、體積

1728立方吋 cubic inches (cu. in.)
= 1 立方呎 cubic foot (cu. ft.)
27立方呎 cubic feet = 1 立方碼 cubic yard (cu. yd.)

1 立方吋 = 16.387立方厘米
1 立方呎 = 0.0283立方米
1 立方碼 = 0.7646立方米

六、圓周

60秒 seconds (") = 1 分 minute (')
60分 minutes = 1 度 degree (°)
90度 degrees = 1 象限 quadrant
4象限 quadrants or
360度 degrees = 1圓周 circle

七、海程

6呎 feet = 1 噚 fathom(f. or fm.)
100噚 fathoms = 1 鏈 cable's length
10鏈 cables' lengths = 1 浬 nautical mile
(英制 1 浬為 6080呎，1鏈為 608呎；美制 1 浬為 6080.2呎，1 鏈為 720呎或 120噚)
3浬 nautical miles = 1 水程里格 marine league
60浬 nautical miles = 1 度 degree
1 噚 = 1.829米
1 浬 = 1853.2米 (英制)；1853.248米 (美制)

八、乾量

2品脱 pints(pt.) = 1 夸脱 quart (qt.)
4夸脱 quarts = 1 加侖 gallon (gal.)
2加侖 gallons = 1 配克peck (pk.)
4配克 pecks = 1 蒲式耳 bushel (bu.)
〔英制 1 乾量夸脱等乾美制 1.0320乾量夸脱；
1 加侖= (英制) 277.274立方吋，
= (美制) 268.803立方吋〕

九、液量

4及耳 gills(gi.)	= 1品脫 pint (pt.)
2品脫 pints	= 1夸脫 quart (qt.)
4夸脫 quarts	= 1加侖 gallon (gal.)

〔英制 1 液量夸脫等於美制 1.2003液量夸脫；
1 加侖 = (英制) 277.274立方吋，
= (美制) 231立方吋〕

十、藥量

60米尼姆 minims or 滴 drops (m)	= 1液打蘭 fluid dram (f3)
8液打蘭 fluid drams	= 1液唡 fluid ounce (f℥)
(英制) 20，(美制) 16液唡 fluid ounces	= 1品脫 pint (O.or o.)
8品脫 pints	= 1加侖 gallon (C. or c.)

1液唡 = 0.2976分升 = 0.0297升

十一、常衡

16打蘭 drams (dr.)	= 1唡 ounce (oz.)
16唡 ounces or 7000喱 grains	= 1磅 pound (lb.)
14磅 pounds	= 1㖊 stone (st.)
(英制) 112，(美制) 100磅 pounds	= 1呾 hundredweight (cwt.)
2000磅 pounds	= 1噸 ton or 短噸 short ton (s.t.)
2240磅 pounds	= 1長噸 long ton (l.t.)

1唡 = 28.3495克
1磅 = 0.4536公斤
1短噸 = 907.18公斤
1長噸 = 1016.05公斤

十二、金衡

3.086喱 grains (gr.)	= 1克拉 carat (car.)
24喱 grains	= 1本尼威特 pennyweight (dwt.)
20本尼威特 pennyweights	= 1唡 ounce (oz. t.)
12唡 ounces or 5760喱 grains	= 1磅 pound (lb. t.)

1克拉 = 200毫克
1唡 = 31.1035克
1磅 = 0.3732公斤

十三、藥衡

20喱 grains (gr.)	= 1吩 scruple (s. ap. or ℈)
3吩 scruples	= 1打蘭 dram (dr. ap. or ʒ)
8打蘭 drams	= 1唡 ounce(oz. ap. or ℥)
12唡 ounces	= 1磅 pound (lb. ap. or ℔)

1吩 = 1.296克
1打蘭 = 3.888克

附錄四　常見地名表

Afghanistan /æf'gænɪstɑːn / 阿富汗
Africa /'æfrɪkə / 非洲
Albania /æl'beɪnɪə / 阿爾巴尼亞
Algeria /æl'dʒɪərɪə / 阿爾及利亞
America → (the) United States (of America)
Andorra /æn'dɔːrə / 安道爾
Angola /æŋ'gəʊlə / 安哥拉
Anguilla /æŋ'gwɪlə / 安圭拉島
(the) Antarctic /æn'tɑːktɪk / 南極地區
Antigua /æn'tiːgə / 安提瓜島
(the) Arctic /'ɑːktɪk / 北極地區
Argentina /ˌɑːdʒən'tiːnə / the Argentine /'ɑːdʒəntaɪn / 阿根廷
Asia /'eɪʃə / 亞洲
Australasia /ˌɒstrə'leɪʃə / 澳大拉西亞
Australia /ɒ'streɪlɪə / 澳大利亞
Austria /'ɒstrɪə / 奧地利
(the) Bahamas /bə'hɑːməz / 巴哈馬
Bahrain, Bahrein /bɑː'reɪn / 巴林
(the) Baltic /'bɔːltɪk / 波羅的海地區
Bangladesh /ˌbæŋglə'deʃ / 孟加拉國
Barbados /bɑː'beɪdɒs / 巴巴多斯
Belgium /'beldʒəm / 比利時
Belize /be'liːz / 伯利茲
Benin /be'niːn / 貝寧
Bermuda /bə'mjuːdə / 百慕大
Bhutan /buː'tɑːn / 不丹
Bolivia /bə'lɪvɪə / 玻利維亞
Botswana /bɒt'swɑːnə / 博茨瓦納
Brazil /brə'zɪl / 巴西
Britain → Great Britain
Brunei /'bruːnaɪ / 文萊
Bulgaria /bʌl'geərɪə / 保加利亞
Burkina Faso /bɜːˌkiːnə 'fæsəʊ / 布基納法索
Burma /'bɜːmə / 緬甸
Burundi /bʊ'rʊndɪ / 布隆迪
Cambodia /kæm'bəʊdɪə /（舊稱 Kampuchea）柬埔寨
Cameroon /ˌkæmə'ruːn / 喀麥隆
Canada /'kænədə / 加拿大
(the) Caribbean /ˌkærɪ'biːən / 加勒比
Central African Republic /ˌsentrəl ˌæfrɪkən rɪ'pʌblɪk / 中非共和國
Ceylon /sɪ'lɒn / → Sri Lanka
Chad /tʃæd / 乍得
Chile /'tʃɪlɪ / 智利
China /'tʃaɪnə / 中國
Colombia /kə'lɒmbɪə / 哥倫比亞
Commonwealth of the Independent States /'kɒmənwelθ əv ðɪ ˌɪndɪ'pendənt steɪts / 獨立國家聯合體（獨聯體）
Congo /'kɒŋgəʊ / 剛果
Costa Rica /ˌkɒstə 'riːkə / 哥斯達黎加
Cuba /'kjuːbə / 古巴
Cyprus /'saɪprəs / 塞浦路斯
(the) Czech /tʃek / 捷克
Denmark /'denmɑːk / 丹麥

Dominica /dəˈmɪnɪkə, ˌdɒmɪˈniːkə/ 多米尼加
(the) Dominican Republic /dəˌmɪnɪkən rɪˈpʌblɪk/ 多米尼加共和國
Ecuador /ˈekwədɔː(r)/ 厄瓜多爾
Egypt /ˈiːdʒɪpt/ 埃及
El Salvador /el ˈsælvədɔː(r)/ 薩爾瓦多
England /ˈɪŋglənd/ 英格蘭
Equatorial Guinea /ˌekwəˌtɔːrɪəl ˈgɪnɪ/ 赤道幾內亞
Ethiopia /ˌiːθɪˈəʊpɪə/ 埃塞俄比亞
Europe /ˈjʊərəp/ 歐洲
Fiji /ˌfiːˈdʒiː/ 斐濟
Finland /ˈfɪnlənd/ 芬蘭
France /frɑːns/ 法國
Gabon /gæˈbɒn/ 加蓬
Gambia /ˈgæmbɪə/ 岡比亞
(Federal Republic of) Germany /(ˌfedərəl rɪˌpʌblɪk əv) ˈdʒɜːmənɪ/ 德意志聯邦共和國
Ghana /ˈgɑːnə/ 加納
Gibraltar /dʒɪˈbrɔːltə(r)/ 直布羅陀
Great Britain /ˌgreɪt ˈbrɪtn/ also 亦稱 (the) United Kingdom (of Great Britain and Northern Ireland) 英國；大不列顛及北愛爾蘭聯合王國
Greece /griːs/ 希臘
Grenada /grɪˈneɪdə/ 格林納達
Guatemala /ˌgwɑtəˈmɑːlə/ 危地馬拉
Guiana /gɪˈɑːnə, gɪˈænɑ/ 圭亞那地區
Guinea /ˈgɪnɪ/ 幾內亞
Guyana /gaɪˈænə/ 圭亞那
Haiti /ˈheɪtɪ/ 海地
Holland /ˈhɒlənd/ （亦稱 the Netherlands /ˈneðələndz/）荷蘭
Honduras /hɒnˈdjʊərəs/ 洪都拉斯
Hong Kong /ˌhɒŋ ˈkɒŋ/ 香港
Hungary /ˈhʌŋgərɪ/ 匈牙利
Iceland /ˈaɪslənd/ 冰島
India /ˈɪndɪə/ 印度
Indonesia /ˌɪndəˈniːzɪə/ 印度尼西亞
Iran /ɪˈrɑːn/ （舊稱 Persia）伊朗
Iraq /ɪˈrɑːk/ 伊拉克
Irish Republic /aɪrɪʃ rɪˈpʌblɪk/ 愛爾蘭（共和國）
Israel /ˈɪzreɪl/ 以色列
Italy /ˈɪtəlɪ/ 意大利
Ivory Coast /ˌaɪvərɪ ˈkəʊst/ 象牙海岸
Jamaica /dʒəˈmeɪkə/ 牙買加
Japan /dʒəˈpæn/ 日本
Java /ˈdʒɑːvə/ 爪哇
Jordan /ˈdʒɔːdn/ 約旦
Kampuchea /ˌkæmpʊˈtʃɪə/ → Cambodia
Kenya /ˈkenjə/ → 肯尼亞
Korea /kəˈrɪə/ 朝鮮；韓國：North Korea 北朝鮮；South Korea 南韓
Kuwait /kʊˈweɪt/ 科威特
Laos /ˈlɑːɒs/ 老撾
Lebanon /ˈlebənən/ 黎巴嫩
Lesotho /ləˈsuːtuː/ 萊索托
Liberia /laɪˈbɪərɪə/ 利比里亞
Libya /ˈlɪbɪə/ 利比亞
Liechtenstein /ˈlɪktənstaɪn/ 列支敦士登
Luxemburg /ˈlʌksəmbɜːg/ 盧森堡
Madagascar /ˌmædəˈgæskə(r)/ 馬達加斯加

Malawi /məˈlɑːwɪ/ 馬拉維
Malaysia /məˈleɪzɪə/ 馬來西亞
Mali /ˈmɑːlɪ/ 馬里
Malta /ˈmɔːltə/ 馬爾他
Mauritania /ˌmɒrɪˈteɪnɪə/ 毛里塔尼亞
Mauritius /məˈrɪʃəs/ 毛里求斯
Mediterranean /ˌmedɪtəˈreɪnɪən/ 地中海地區
Melanesia /ˌmeləˈniːzɪə/ 美拉尼西亞
Mexico /ˈmeksɪkəʊ/ 墨西哥
Micronesia /ˌmaɪkrəʊˈniːzɪə/ 密克羅尼西亞
Monaco /ˈmɒnəkəʊ/ 摩納哥
Mongolia /mɒŋˈgəʊlɪə/ 蒙古
Montserrat /ˌmɒntsəˈræt/ 蒙塞拉特
Morocco /məˈrɒkəʊ/ 摩洛哥
Mozambique /ˌməʊzæmˈbiːk/ 莫桑比克
Namibia /nəˈmɪbɪə/ 納米比亞
Nauru /ˈnaʊruː/ 瑙魯
Nepal /nɪˈpɔːl/ 尼泊爾
(the) Netherlands → Holland
New Zealand /ˌnjuː ˈziːlənd/ 新西蘭
Nicaragua /ˌnɪkəˈrægjʊə/ 尼加拉瓜
Niger /niːˈʒeə(r)/ 尼日爾
Nigeria /naɪˈdʒɪərɪə/ 尼日利亞
Norway /ˈnɔːweɪ/ 挪威
Oman /əʊˈmɑːn/ 阿曼
(the) Pacific /pəˈsɪfɪk/ 太平洋地區
Pakistan /ˌpɑːkɪˈstɑːn/ 巴基斯坦
Palestine /ˈpæləstaɪn/ 巴勒斯坦
Panama /ˈpænəmɑː/ 巴拿馬
Papua New Guinea /ˌpæpʊə ˌnjuː ˈgɪnɪ/ 巴布亞新幾內亞
Paraguay /ˈpærəgwaɪ/ 巴拉圭
Persia /ˈpɜːʃə/ → Iran
Peru /pəˈruː/ 秘魯
(the) Philippines /ˈfɪlɪpiːnz/ 菲律賓
Poland /ˈpəʊlənd/ 波蘭
Polynesia /ˌpɒlɪˈniːzɪə/ 波利尼西亞
Portugal /ˈpɔːtʃʊgl/ 葡萄牙
Puerto Rico /ˌpwɜːtəʊ ˈriːkəʊ/ 波多黎各
Qatar（亦稱 Katar）/ˈkʌtɑː(r)/ 卡塔爾
Romania /ruːˈmeɪnɪə/ 羅馬尼亞
Russia /ˈrʌʃə/ 俄羅斯
Rwanda /rʊˈændə/ 盧旺達
Saudi Arabia /ˌsaʊdɪ əˈreɪbɪə/ 沙特阿拉伯
Scotland /ˈskɒtlənd/ 蘇格蘭
Senegal /ˌsenɪˈgɔːl/ 塞內加爾
(the) Seychelles /seɪˈʃelz/ 塞舌爾
Siam /saɪˈæm/ → Thailand
Sierra Leone /sɪˌerə lɪˈəʊn/ 塞拉利昂
Singapore /ˌsɪŋəˈpɔː(r)/ 新加坡
Slovakia /sləʊˈvækɪə/ 斯洛伐克
Somalia /səˈmɑːlɪə/ 索馬里
South Africa /ˌsaʊθ ˈæfrɪkə/ 南非
Spain /speɪn/ 西班牙
Sri Lanka /ˌsriːˈlæŋkə/（舊稱 Ceylon）斯里蘭卡
Sudan /suːˈdɑːn/ 蘇丹
Sumatra /sʊˈmɑːtrə/ 蘇門答臘
Surinam /ˌsʊərɪˈnæm/ 蘇里南
Swaziland /ˈswɑːzɪlænd/ 斯威士蘭
Sweden /ˈswiːdn/ 瑞典
Switzerland /ˈswɪtsələnd/ 瑞士
Syria /ˈsɪrɪə/ 敘利亞
Tahiti /tɑːˈhiːtɪ/ 塔希提島

Taiwan /taɪ'wɑːn / （舊稱 Formosa）台灣
Tanzania /ˌtænzə'nɪə / 坦桑尼亞
Thailand /'taɪlænd / （舊稱 Siam）泰國
Tibet /tɪ'bet / 西藏
Timor, East /ˌiːst 'tiːmɔː(r) / 東帝汶
Togo /'təʊgəʊ / 多哥
Tonga /'tɒŋə / 亦稱 /'tɒŋgə / 湯加
Trinidad /'trɪnɪdæd / and Tobago / tə'beɪgəʊ / 特立尼達和多巴哥
Tunisia /tjuː'nɪzɪə / 突尼斯
Turkey /'tɜːkɪ / 土耳其
Uganda /juː'gændə / 烏干達
(the) United States of America /juːˌnaɪtɪd ˌsteɪts əv ə'merɪkə / 美利堅合眾國
Uruguay /'jʊərəgwaɪ / 烏拉圭
Venezuela /ˌvenɪ'zweɪlə / 委內瑞拉
Vietnam /ˌvjet'næm / 越南
Wales /weɪlz / 威爾士
Western Samoa /ˌwestən sə'məʊə / 西薩摩亞
(the Republic of) Yemen /'jemən / 也門（共和國）
Yugoslavia（舊稱）/ juːgəʊ'slɑːvɪə / 南斯拉夫
Zaire /zɑː'ɪə(r) / 扎伊爾
Zambia /'zæmbɪə / 贊比亞
Zimbabwe /zɪm'bɑːbwɪ / 津巴布韋

附錄五　常見英語人名（男）

Aaron /'eərən/ 阿倫
Adam /'ædəm/ 亞當
Adrian /'eɪdrɪən/ 阿德里安
Alan /'ælən/ 艾倫
Albert /'ælbət/ 艾伯特
Alfred /'ælfrɪd/ 阿爾弗雷德
Alexander /ˌælɪg'zɑ:ndə(r)/ 亞歷山大
Alvin, Alwin, Alwyn /'ælvɪn/ 阿爾文
Amos /'eɪməs/ 阿摩司
Andrew /'ændru:/ 安德魯
Angus /'æŋgəs/ 安格斯
Ant(h)ony, Atonie /'æntənɪ/ 安東尼
Archibald /'ɑ:tʃɪbɔ:ld/ 阿奇伯德
Arnold /'ɑ:nəld/ 阿諾德
Arthur /'ɑ:θə(r)/ 亞瑟
Aubrey /'ɔ:brɪ/ 奧布里
Baldwin /'bɔ:ldwɪn/ 伯德溫
Baron /'bærən/ 巴侖
Barry /'bærɪ/ 巴里
Bartholomew /bɑ:'θɒləmju:/ 巴梭羅繆
Basil /'bæzl/ 巴茲爾
Benjamin /'bendʒəmɪn/ 本傑明
Bernard /'bɜ:nəd/ 伯納德
Bert → Albert, Gilbert, Herbert
Bertrand /'bɜ:trənd/ 伯臣
Bill 比爾 → William
Bob → Robert
Boris /'bɒrɪs/ 鮑里斯
Brant /'brænt/ 布蘭特
Bryan, Brian /'braɪən/ 布賴恩
Bruce /bru:s/ 布魯斯
Byron /'baɪrən/ 拜倫
Calvin /'kælvɪn/ 喀爾文
Carl /kɑ:l/ 卡爾
Cecil /'sesl/ 塞西爾
Charles /tʃɑ:lz/ 查爾斯，查理斯
Christopher /'krɪstəfə(r)/ 克里斯托弗
Clark /klɑ:k/ 克拉克
Clifford /'klɪfəd/ 克利福德
Clyde /klaɪd/ 克萊德
Cyril /'sɪrəl/ 西里爾
Dale /deɪl/ 戴爾
Daniel /'dænɪəl/ 丹尼爾
Darren /'dærən/ 達倫
David /'deɪvɪd/ 大衛
Den(n)is /'denɪs/ 丹尼斯
Derek /'derɪk/ 德里克
Dexter /'dekstə(r)/ 德克斯特
Dick /dɪk/ 迪克 → Richard
Dominic /'dɒmɪnɪk/ 多米尼克
Donald /'dɒnəld/ 唐納德
Douglas /'dʌgləs/ 道格拉斯
Duke /'dju:k/ 杜克
Dwight /dwaɪt/ 德懷特
Earl(e) /'ɜ:l/ 厄爾
Edgar /'edgə(r)/ 埃德加
Edmund /'edmənd/ 埃德蒙
Edward /'edwəd/ 愛德華
Elliot /'əlɪət/ 艾略特
Elmer /'elmə(r)/ 埃爾默
Elton /'eltən/ 伊爾頓
Eric, Erick /'erɪk/ 埃里克

Ernest, Ernesto /ˈɜːnɪst/ 歐內斯特
Eugene /juːˈdʒiːn/ 尤金
Felix /ˈfiːlɪks/ 費利克斯
Ferdinand /ˈfɜːdɪnænd/ 費迪南德
Floyd /flɔɪd/ 弗洛伊德
Francis /ˈfrɑːnsɪs/ 弗朗西斯
Frank /fræŋk/ 弗蘭克
Frederick, Frederic /ˈfredrɪk/ 弗雷德里克
Gabriel /ˈgeɪbrɪəl/ 加布里埃爾
Gary /ˈgærɪ/ 加里
Gaspar /ˈgæspə(r)/ 加斯珀
Gavin /ˈgævɪn/ 加文
Gene → Eugene
Geoffrey, Jeffrey /ˈdʒefrɪ/ 傑弗里
George /dʒɔːdʒ/ 喬治
Gerald /ˈdʒerəld/ 傑拉爾德
Gilbert /ˈgɪlbət/ 吉爾伯特
Godfrey /ˈgɒdfrɪ/ 高弗里
Gordon /ˈgɔːdn/ 戈登
Grant /grɑːnt/ 格蘭特
Gregory /ˈgregərɪ/ 格里高里
Gustave /gʌsˈtɑːv/ 古斯塔夫
Guy /gaɪ/ 蓋伊
Hal → Henry
Hale /ˈheɪl/ 赫爾
Harold /ˈhærəld/ 哈羅德
Harry /ˈhærɪ/ 哈里 → Henry
Harvey /ˈhɑːvɪ/ 哈威
Henry /ˈhenrɪ/ 亨利
Herbert /ˈhɜːbət/ 赫伯特
Homer /ˈhəʊmə(r)/ 霍默
Horace /ˈhɒrɪs/ 霍瑞斯
Howard /ˈhaʊəd/ 霍華德
Hugh /hjuː/ 休
Humphrey /ˈhʌmfrɪ/ 韓福瑞，漢弗萊
Ian /ˈiːən/ 伊恩
Isaac /ˈaɪzək/ 艾薩克
Ivan /ˈaɪvən/ 伊凡
Jack /dʒæk/ 傑克 → John
Jacob /ˈdʒeɪkəb/ 雅各布
James /dʒeɪmz/ 詹姆斯
Jason /ˈdʒeɪsn/ 賈森
Jeffery → Geoffrey
Jeremy, Jeremiah /ˈdʒerəmɪ/ 傑里米
Jerome /dʒəˈrəʊm/ 傑羅姆
Jesse /ˈdʒesɪ/ 傑西
Jim, Jimmy → James
John /dʒɒn/ 約翰 → Sean
Joseph /ˈdʒəʊzɪf/ 約瑟夫
Julian /ˈdʒuːlɪən/ 朱利安
Justin /ˈdʒʌstɪn/ 賈斯廷
Keith /kiːθ/ 基思
Kelvin /ˈkelvɪn/ 凱爾文
Kenneth /ˈkenɪθ/ 肯尼思
Kent /ˈkent/ 肯特
Kevin /ˈkevɪn/ 凱文
Kirk /kɜːk/ 柯克
Kyle /ˈkaɪl/ 凱爾
Lance /lɑːns/ 蘭斯
Lawrence, Laurence /ˈlɒrəns/ 勞倫斯
Leo /ˈliːəʊ/ 利奧
Leslie /ˈlezlɪ/ 萊斯利
Louis /ˈluːɪ/ 路易斯
Luke /luːk/ 盧克
Luther /ˈluːθə(r)/ 路德
Lynn /lɪn/ 林恩
Malcolm /ˈmælkəm/ 馬爾科姆
Manuel /ˈmænjʊəl/ 曼紐爾
Mark /mɑːk/ 馬克

Marlon /ˈmɑːlən/ 馬倫
Martin /ˈmɑːtɪn/ 馬丁
Matthew /ˈmæθjuː/ 馬修
Maurice /ˈmɒrɪs/ 莫里斯
Max /mæks/ 馬克斯
Melvin /ˈmelvɪn/ 梅爾文
Michael /ˈmaɪkl/ 邁克爾
Miles, Myles /maɪlz/ 邁爾斯
Morgan /ˈmɔːgən/ 摩根
Nathan /ˈneɪθən/ 內森
Ned → Edmund
Neil, Niel, Neal /niːl/ 尼爾
Nicholas /ˈnɪkələs/ 尼古拉斯
Nigel /ˈnaɪdʒl/ 奈傑爾
Noel /ˈnəʊəl/ 諾埃爾
Norman /ˈnɔːmən/ 諾曼
Oliver, Olivier /ˈɒlɪvə(r)/ 奧利弗
Oscar /ˈɒskə(r)/ 奧斯卡
Owen /ˈəʊɪn/ 歐文
Patrick /ˈpætrɪk/ 帕特里克
Paul /pɔːl/ 保羅
Percy /ˈpɜːsɪ/ 珀西
Peter /ˈpiːtə(r)/ 彼得
Philip /ˈfɪlɪp/ 菲利普
Ralph /rælf/ 拉爾夫
Randolph /ˈrændɒlf/ 倫道夫
Raymond /ˈreɪmənd/ 雷蒙德
Richard /ˈrɪtʃəd/ 理查德
Rick, Rickie, Ricky → Eric
Robert /ˈrɒbət/ 羅伯特
Robin /ˈrɒbɪn/ 羅賓
Rock /rɑːk/ 洛克
Rodney /ˈrɒdnɪ/ 羅德尼
Roger /ˈrɒdʒə(r)/ 羅傑
Roland /ˈrəʊlənd/ 羅蘭德
Ronald /ˈrɒnəld/ 羅納德
Roy /rɔɪ/ 羅伊
Rudolph, Rudolf /ˈruːdɒlf/ 魯道夫
Russell /ˈrʌsl/ 拉塞爾
Samuel /ˈsæmjʊəl/ 塞繆爾
Sandy → Alexander
Scott /skɒt/ 斯科特
Sean /ʃɔːn/ 肖恩
Sebastian /sɪˈbæstɪən/ 塞巴斯蒂安
Simon /ˈsaɪmən/ 西蒙
Spencer, Spenser /ˈspensə(r)/ 斯賓塞
Stanley /ˈstænlɪ/ 斯坦利
Stephen, Steven /ˈstiːvn/ 史蒂文
Steward, Stuart /ˈstjʊːət/ 斯圖爾特
Sydney, Sidney /ˈsɪdnɪ/ 西德尼
Sylvester, Silvester/sɪlˈvestə(r)/ 西爾維斯特
Ted, Teddy → Edward, Theodore
Terence, Terrence /ˈterəns/ 特倫斯
Theodore /ˈθiːədɔː(r)/ 西奧多
Thomas /ˈtɒməs/ 托馬斯
Timothy /ˈtɪməθɪ/ 蒂莫西
Todd /tɔd/ 陶德
Tony /ˈtəʊnɪ/ 托尼 → Anthony
Tracy /ˈtreɪsɪ/ 特雷西
Victor /ˈvɪktə(r)/ 維克托
Vincent /ˈvɪnsnt/ 文森特
Vivian, Vyvian /ˈvɪvɪən/ 維維安
Wallace /ˈwɒlɪs/ 華理士
Walter /ˈwɔːltə(r)/ 沃爾特
Warren /ˈwɒrən/ 沃倫
Wayne /weɪn/ 韋恩
William /ˈwɪlɪəm/ 威廉
Xavier, Javier /ˈzævɪə/ 塞維爾

附錄六　常見英語人名(女)

Abigail /'æbɪgeɪl/ 愛比蓋爾
Ada /'eɪdə/ 埃達
Agatha /'ægəθə/ 阿加莎
Agnes /'ægnɪs/ 阿格尼絲
Alexandra /ˌælɪg'zɑːndrə/ 亞歷山德拉
Alice /'ælɪs/ 艾麗絲
Alison /'ælɪsn/ 艾莉森
Amanda /ə'mændə/ 阿曼達
Amelia /ə'mɪljə/ 艾米莉亞
Amy /'eɪmɪ/ 埃米
Andrea /'ændrɪə/ 安德烈亞
Angela /'ændʒələ/ 安傑拉
Ann, Anne /æn/ 安，安妮
Annabelle /'ænəbel/ 安納貝爾
Antonia /æn'təʊnɪə/ 安東尼婭
April /'eɪprəl/ 艾裴莉
Arlene / ɑː'lɪn/ 艾蓮
Athena /ə'θiːnə/ 雅典娜
Audrey /'ɔːdrɪ/ 奧德麗
Barbara /'bɑːbrə/ 巴巴拉
Beatrice, Beatrix /'bɪətrɪs/ 碧翠絲
Betsy /'betsɪ/ 貝齊 → Elizabeth
Beryl /'berəl/ 貝麗爾
Betty /'betɪ/ 貝蒂 → Elizabeth
Beverly /'beveəlɪ/ 貝弗莉
Blanche / blɑːntʃ/ 布蘭奇
Brenda /'brendə/ 布蓮達
Bridget, Bridgit /'brɪdʒɪt/ 布麗奇特
Brook(e) /brʊk/ 布魯克
Candice, Candace, Candis /'kændɪs/ 坎迪斯
Carol, Carroll /'kærəl/ 卡羅爾
Caroline, Carolyn /'kærəlaɪn; 'kærəlɪn/ 卡羅琳
Catherine, Katherine /'kæθrɪn/ 凱塞琳
Cecilia /sɪ'siːlɪə/ 塞西莉亞
Charlotte /'ʃɑːlət/ 夏洛特
Cheryl /'tʃerəl/ 謝麗爾
Chloe /'kləʊɪ/ 克洛伊
Christine /'krɪstiːn/ 克里絲廷
Claire, Clare /kleə(r)/ 克萊爾
Constance /'kɒnstəns/ 康斯坦絲
Crystal /'krɪstl/ 克莉絲多爾
Cynthia /'sɪnθɪə/ 辛西婭
Daisy /'deɪzɪ/ 黛西
Daphne /'dæfnɪ/ 達夫妮
Dawn /dɔːn/ 道恩
Deborah /'debərə/ 德波拉
Denise, Denice /də'niːz/ 丹尼絲
Diana, Diane /daɪ'ænə; daɪ'æn/ 黛安娜
Dilys /'dɪlɪs/ 迪莉斯
Dolores /'dɔlərəs/ 多洛里絲
Donna /'dɒnə/ 唐娜
Dora /'dɔːrə/ 多拉
Doris /'dɒrɪs/ 多麗絲
Dorothy /'dɒrəθɪ/ 多蘿西
Edith /'iːdɪθ/ 伊迪絲
Elaine /ɪ'leɪn/ 伊萊恩
Eleanor, Eleanore /'elɪnə(r)/ 伊琳諾
Elizabeth /ɪ'lɪzəbəθ/ 伊麗莎白

Ella /'elə/ 埃拉 → Eleanor
Ellen /'elən/ 埃倫 → Helen
Elsie /'elsɪ/ 埃爾西 → Alice, Elizabeth
Emily /'eməlɪ/ 埃米莉
Emma /'emə/ 埃瑪
Enid /'i:nɪd/ 安妮德
Ernestina → Tina
Esther /'estə(r)/ 艾絲達
Ethel /'eθl/ 艾瑟兒
Etta → Henrietta
Eunice /'ju:nɪs/ 尤妮絲
Eve /i:v/ 伊芙
Evelyn /'i:vlɪn/ 伊夫林
Faith /feɪθ/ 費思
Fay, Faye /feɪ/ 費伊
Fiona /fɪ'əʊnə/ 菲奧娜
Flora /'flɔ:rə/ 費洛拉
Florence /'flɒrəns/ 弗洛倫斯
Frances /'frɑ:nsɪs/ 弗洛西絲
Freda /'fri:də/ 弗蕾達
Gail /geɪl/ 佳兒
Genevieve /'dʒenə'vi:v / 吉娜維夫
Georgia /'dʒɔ:dʒɪə/ 喬治婭
Ginny → Virginia
Gloria /'glɔ:rɪə/ 格洛麗亞
Grace /greɪs/ 格雷絲
Greta → Margaret
Gwendolyn, Gwendoline /
'gwendəlɪn/ 格溫德琳
Hannah /'hænə/ 漢納
Harriet /'hærɪət/ 哈麗艾特
Hazel /'heɪzl/ 黑茲爾
Heather /'heðə(r)/ 希瑟
Helen /'helɪn/ 海倫
Henrietta /ˌhenrɪ'etə/ 亨莉埃塔
Hester /'hestə(r)/ 賀絲達
Hilary /'hɪlərɪ/ 希拉里
Hilda /'hɪldə/ 希爾達
Holly /'hɔlɪ/ 霍莉
Hope /həʊp/ 霍普
Ida /'aɪdə/ 艾達
Ingrid /'ɪŋgrɪd/ 英格里德
Irene /aɪ'ri:n/ 艾琳
Iris /'aɪərɪs/ 艾里絲
Isabel, Isobel /'ɪzəbel/ 伊莎貝爾
Ivy /'aɪvɪ/ 艾維
Jacqueline /'dʒækəlɪn/ 傑奎琳
Jane /dʒeɪn/ 簡
Janet /'dʒænɪt/ 珍妮特
Janice /'dʒænɪs/ 賈妮絲
Jean, Jeanne /dʒi:n/ 吉恩
Jennifer /'dʒenɪfə(r)/ 珍妮弗
Jessica /'dʒesɪkə/ 傑西卡
Jill, Gill /dʒɪl/ 吉爾
Joan /dʒəʊn/ 瓊
Joanne /dʒəʊ'æn/ 喬安
Jocelyn /'dʒɒslɪn/ 賈思琳
Jodie /'dʒəʊdɪ/ 喬蒂
Josephine /'dʒəʊzəfi:n/ 約瑟芬
Joyce /dʒɔɪs/ 喬伊絲
Judith /'dʒu:dɪθ/ 朱迪思
Judy /'dʒu:dɪ/ 朱迪
Julia /'dʒu:lɪə/ 朱莉婭
Juliet, Juliette /'dʒu:lɪət/ 朱麗葉
June /dʒu:n/ 朱恩
Karen /'kærən/ 卡琳
Katherine, Catherine /'kæθrɪn/ 凱瑟琳
Kathleen /'kæθli:n/ 凱思琳 →
Catherine
Kay, Kaye /keɪ/ 凱伊

Kelly /ˈkelɪ/ 凱莉
Kimberly /ˈkɪmbəlɪ/ 金芭莉
Laura /ˈlɔːrə/ 勞拉
Lee /liː/ 莉
Leila, Lela /ˈliːlə/ 莉拉
Lesley /ˈlezlɪ/ 萊斯莉
Lillian, Lilian /ˈlɪlɪən/ 莉蓮
Linda /ˈlɪndə/ 琳達
Lisa, Liz → Elizabeth
Lois /ˈləʊɪs/ 洛伊絲
Lorraine /lɔˈreɪn/ 洛琳
Louise /luːˈiːz/ 路易絲
Lucy, Lucille /ˈluːsɪ/ 露西
Lydia, Lidia /ˈlɪdɪə/ 莉迪亞
Lynn /lɪn/ 琳恩
Mabel /ˈmeɪbl/ 梅布爾
Madeline /ˈmædəlɪn/ 馬德琳
Mamie /ˈmeɪmɪ/ 梅米
Marcia /ˈmɑːsɪə/ 馬西婭
Mandy → Amanda
Margaret, Marguerite /ˈmɑːgrɪt/ 瑪格麗特
Margarita → Rita
Maria /məˈrɪə/ 瑪麗亞
Marian, Marion /ˈmærɪən/ 瑪麗安
Marina /məˈrɪnə/ 馬蓮娜
Martha /ˈmɑːθə/ 馬莎
Mary /ˈmeərɪ/ 瑪麗 → Maria
Maxine /mækˈsɪn/ 瑪克辛
May /meɪ/ 玫
Michelle /mɪˈʃel/ 米歇爾
Mildred /ˈmɪldrɪd/ 米爾德莉
Miranda /mɪˈrændə/ 米蘭達
Molly /ˈmɒlɪ/ 莫莉
Monica /ˈmɒnɪkə/ 莫妮卡
Nancy /ˈnænsɪ/ 南希
Naomi /ˈneɪəmɪ/ 內奧米
Natalie /ˈnætəlɪ/ 納塔利
Nell, Nellie → Helen
Nicola /ˈnɪkələ/ 妮可拉
Nina /ˈniːnə/ 妮娜
Noel, Noelle /ˈnəʊəl/ 諾埃爾
Nora /ˈnɔːrə/ 諾拉
Norma /ˈnɔːmə/ 諾瑪
Odelette /əʊdəˈlet/ 奧德列特
Olivia /əˈlɪvɪə/ 奧利維亞
Page /peɪdʒ/ 蓓姬
Pamela /ˈpæmələ/ 帕梅拉
Patricia /pəˈtrɪʃə/ 帕特里夏
Paula /ˈpɔːlə/ 葆拉
Pearl /pɜːl/ 佩兒
Peggy /ˈpegɪ/ 佩吉 → Margaret
Penelope /pəˈneləpɪ/ 佩妮洛普
Phoebe /ˈfiːbɪ/ 菲比
Phyllis, Phillis /ˈfɪlɪs/ 菲莉斯
Polly /ˈpɒlɪ/ 波莉
Priscilla /prɪˈsɪlə/ 普里西拉
Rachel /ˈreɪtʃl/ 蕾切爾
Rebecca /rɪˈbekə/ 麗貝卡
Renée /rəˈneɪ/ 蕾妮
Rhoda /ˈrəʊdə/ 羅達
Rita /ˈriːtə/ 麗塔 → Margarita
Roberta /rəˈbɜːtə/ 羅波塔
Rose /rəʊz/ 羅絲
Rosemary /ˈrəʊzmərɪ/ 羅絲瑪麗
Roxanne /rɒkˈsæn/ 洛克仙妮
Ruby /ˈruːbɪ/ 露比
Ruth /ruːθ/ 露思
Sabina /sæˈbaɪnə/ 莎賓娜
Sally /ˈsælɪ/ 莎莉 → Sarah

Samantha /sə'mænθə/ 薩曼莎
Sandra /'sɑːndrə/ 桑德拉 → Alexandra
Sarah, Sara /'seərə/ 莎拉
Selina, Selena / sə'lɪnə / 瑟琳娜
Sharon /'ʃærən/ 雪倫
Sheila /'ʃiːlə/ 希拉
Shirley /'ʃɜːlɪ/ 雪莉
Sibyl, Sybil /'sɪbəl/ 西比爾
Silvia, Sylvia /'sɪlvɪə/ 西維亞
Sophia /sə'faɪə/ 索菲婭
Stella /'stelə/ 斯特拉
Stephanie /'stefənɪ/ 斯蒂芬妮
Susan /'suːzn/ 蘇珊
Tammy /'tæmɪ/ 泰米
Teresa, Theresa /tə'riːzə/ 特里薩
Thelma /'θelmə/ 塞爾瑪
Tiffany /'tɪfənɪ/ 蒂芙妮
Tina /'tiːnə/ 蒂娜 → Christina, Ernestina
Toni /'təʊnɪ/ 冬妮 → Antonia
Tracy /'treɪsɪ/ 特蕾西
Ursula /'ɜːsjʊlə/ 厄休拉
Valentina /vælən'tɪnə/ 維倫蒂娜
Valerie, Valery /'vælərɪ/ 瓦萊麗
Vanessa /və'nesə/ 瓦內莎
Vera /'vɪərə/ 薇拉
Veronica /və'rɒnɪkə/ 維朗妮卡
Victoria /vɪk'tɔːrɪə/ 維多利亞
Viola /'vaɪələ/ 維奥拉
Violet /'vaɪələt/ 維奧萊特
Virginia /və'dʒɪnɪə/ 弗吉尼亞
Vivian, Vivien /'vɪvɪən/ 維維安
Wanda /'wɒndə / 溫達
Wendy /'wendɪ/溫迪 → Gwendoline, Genevieve
Winifred /'wɪnɪfrɪd/ 溫妮費德
Xenia /'zɪnɪə/ 芝妮亞
Yvonne /ɪ'vɒn/ 伊芳
Zoe /'zəʊɪ/ 佐伊

表一：唐的家庭 (男方稱呼)

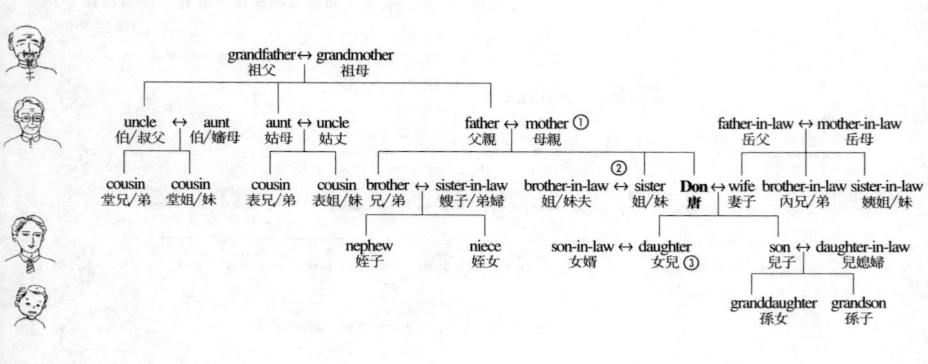

↔ = 夫妻關係

① 唐母親的父母及兄弟姊妹之稱呼，同表二。

② 唐姐妹的孩子稱呼同表二。

③ 唐女兒的孩子稱呼同表二。

表二：瓊的家庭（女方稱呼）

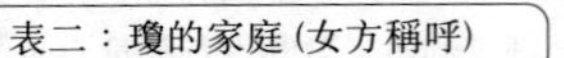

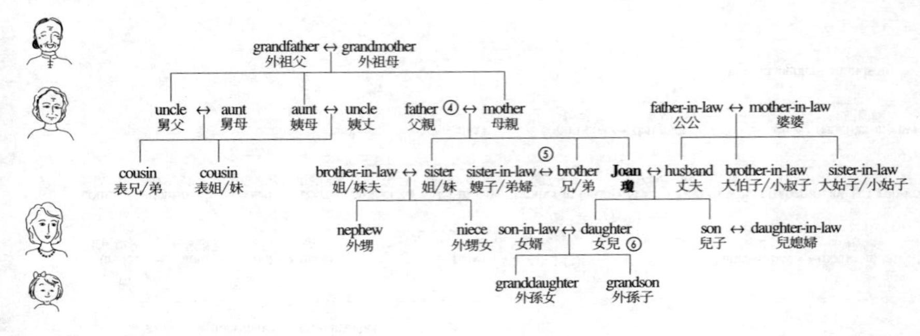

↔ = 夫妻關係

④ 瓊父親的父母及兄弟姊妹之稱呼，同表一。

⑤ 瓊兄弟的孩子稱呼同表一。

⑥ 瓊兒子的孩子稱呼同表一。

實用英語圖解

P.722-795

(1) HUMAN BODY 人體

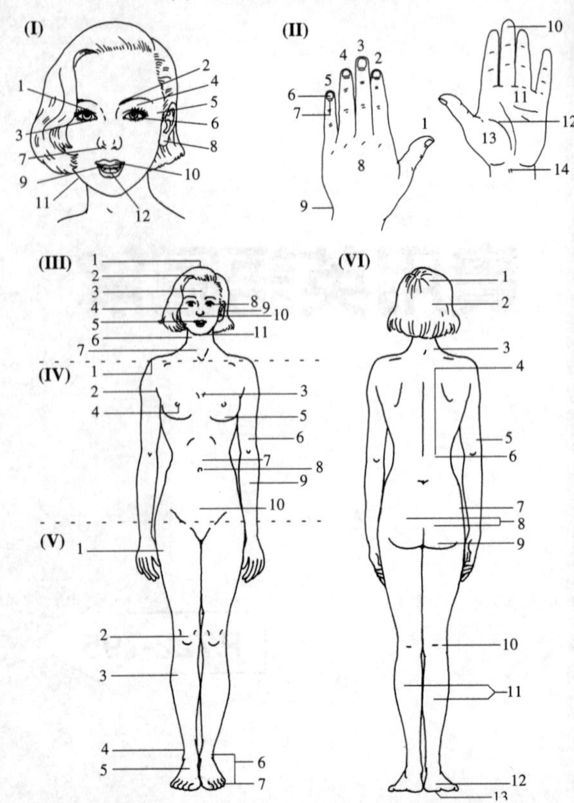

(I) Face 臉

1. eyelashes 睫毛
2. eyebrow 眉
3. cornea 角膜
4. eyelid 眼皮
5. temple 太陽穴
6. pupil 瞳孔
7. nostril 鼻孔
8. earlobe 耳垂
9. tooth/teeth 牙齒
10. lip 唇
11. jaw 頜
12. tongue 舌

(II) Hand 手

1. thumb 拇指
2. forefinger or index finger 食指
3. middle finger or long finger or second finger 中指
4. ring-finger 無名指
5. little finger 小指
6. nail 指甲
7. moon 月牙兒，健康圈
8. back of the hand 手背
9. wrist 腕
10. finger-cushion 指掌
11. palm of the hand or thenar 手掌
12. life-line or line of life 生命線
13. ball of the thumb 拇指腕掌
14. pulse artery, pulse 脈管，脈

(III) Head 頭

1. vertex or crown of the head 頭頂
2. hair 頭髮
3. forehead 額
4. cheek 頰
5. mouth 口
6. neck 頸
7. throat 喉 (嚨)
(gorge of a man: Adam's apple)
8. eye 眼
9. ear 耳
10. nose 鼻
11. chin 頦

(IV) Trunk 胴，軀幹

1. shoulder 肩
2. armpit 腋窩
3. chest 胸
4. nipple 乳頭
5. breasts or bosom 乳房
6. upper arm 上臂，上胳膊
7. belly or abdomen 腹
8. navel 臍
9. forearm 下臂，肱
10. groin 腹股溝

(V) Leg 腿

1. thigh 股，大腿
2. knee 膝
3. lower leg 脛，小腿
4. ankle 踝
5. instep 跗，腳面
6. foot 足，腳
7. toe 趾

(VI) Back view 背面

1. crown (of the head) 髮旋
2. back of the head 頭後部
3. nape of the neck 項 (部)
4. back 背 (脊)
5. elbow 肘
6. loin or waist 腰部
7. hip 髀
8. haunch or hinder parts or buttocks 臀部
9. buttock 臀，屁股
10. hollow of the knee 膕
11. calf 腓，腿肚
12. heel 踵，腳跟
13. sole 跖，腳掌

(2) MAN'S CLOTHES 男士服裝

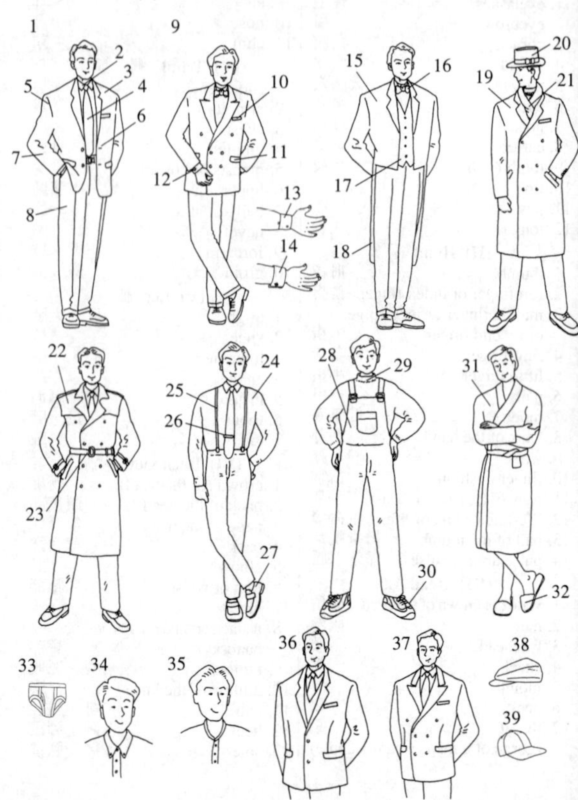

1. business suit 套頭西裝
2. collar 領頭
3. jacket 茄克/上裝
4. tie 領帶
5. seam 線縫
6. button hole 鈕洞
7. sleeve 袖子
8. trousers 褲子
9. dinner jacket/ tuxedo 小禮服
10. top pocket 胸袋
11. side pocket 橫袋
12. cufflinks 袖扣
13. single cuff 袖口
14. double cuff 覆袖口
15. swallow tail / evening dress suit 燕尾服
16. bow tie 蝴蝶結
17. waistcoat 背心
18. coattail 下翼子
19. overcoat 大衣
20. soft felt hat 呢帽
21. muffler 圍巾
22. ulster 風大衣
23. belt 腰帶
24. white shirt 白襯衫
25. braces / suspenders 背帶
26. tie clip 領帶夾
27. loafers 便鞋
28. overall 工人褲
29. turtleneck 高領
30. sneakers 膠底運動鞋
31. nightshirt 長睡衣
32. slippers 拖鞋
33. (jockey) shorts/ underpants 內褲
34. button-down collar 鈕扣衣領
35. collarless/ granddad collar 無領
36. single-breasted jacket 單排鈕扣上衣
37. double-breasted jacket 雙排鈕扣上衣
38. cap 鴨舌帽
39. baseball cap 棒球帽

(3) WOMAN'S CLOTHES 女子服裝

1. suit 套裝
2. jacket 短上衣
3. pencil skirt 半截直身裙
4. flat shoe 平底鞋
5. scarf 領巾
6. blouse 襯衣
7. pleated skirt 褶裙
8. high-heel shoe 高跟鞋
9. pullover 套頭毛衣
10. cardigan 開襟毛衣
11. wedding dress 結婚禮服
12. veil 面紗
13. train 拖裙
14. evening dress 晚禮服
15. lace 花邊
16. stole 披肩
17. bra 乳罩
18. briefs 三角褲
19. (bikini) panties 內褲
20. camisole 襯衣背心
21. slip 連身襯裙
22. half slip 襯裙
23. pantyhose 褲襪
24. stockings 長筒絲襪
25. handbag 手提包
26. shoulder bag 掛包
27. tote bag 大手提包
28. ring 介指
29. earrings 耳環
30. necklace 項鏈
31. chain 鏈條
32. bracelet 手鐲

(4) HOUSES 房屋

(I)

(II)

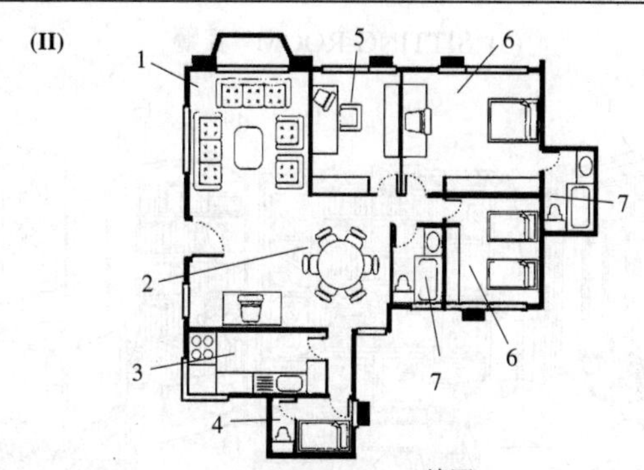

(I) General Plan 總圖

1. roof 屋頂
2. skylight 天窗
3. chimney 煙窗
4. lightning-conductor 避雷針
5. aerial, antenna 天線
6. first floor =〔美語〕second floor 二樓
7. shutter 百葉窗
8. ground floor =〔美語〕first floor 一樓，底樓
9. window 窗
10. window-sill 窗台，窗盤
11. window shade 窗口遮陽篷
12. windowpane 窗玻璃
13. front door 前門
14. door lamp 門燈
15. front garden 前花園
16. gate 大門
17. gate post 門柱
18. name plate 名牌
19. letter box 信箱
20. fence 圍欄，柵欄
21. rows of dwelling houses 數排住宅
22. pavement 人行道，便道
23. street 街道
24. country house villa 郊舍，別墅
25. apartment house 公寓
26. log cabin 木屋
27. suburban colony 郊外住宅區

(II) Floor Plan 平面圖

1. sitting room 客廳
2. dining room 飯廳
3. kitchen 廚房
4. servant's room 傭人房
5. study 書房
6. bedroom 臥室
7. bathroom 浴室

(5) SITTING-ROOM 客廳

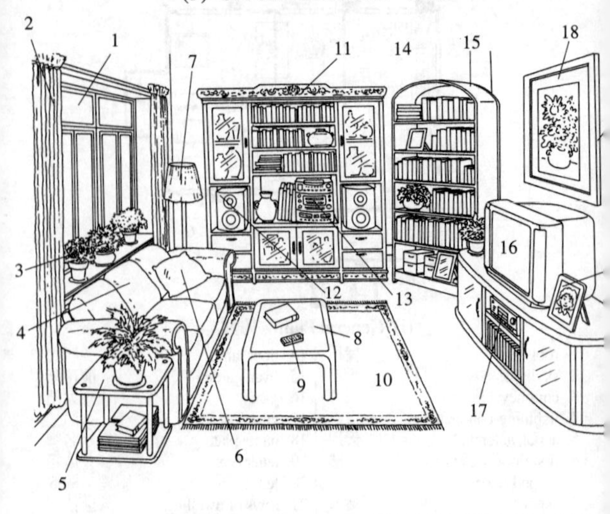

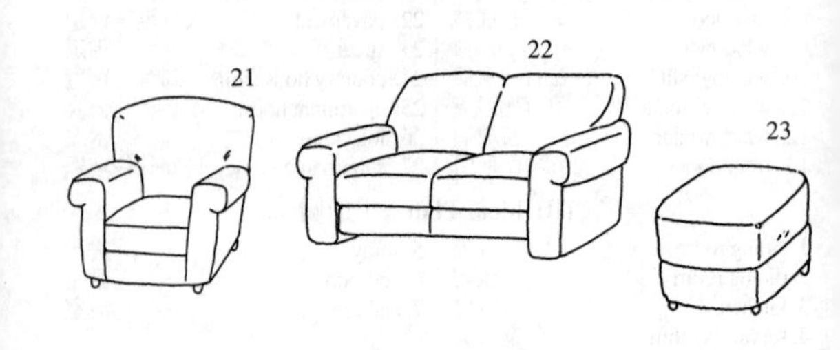

24

25

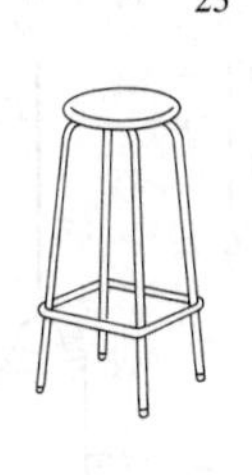

26

1. window 窗
2. curtain 簾
3. plant 盆栽
4. settee/ sofa/couch 長沙發
5. side table 矮檯
6. pillow 靠枕
7. lampshade 燈罩
8. end table/ coffee table 茶几
9. remote control 遙控器
10. carpet 地毯
11. wall unit 組合櫃
12. speaker 喇叭箱
13. stereo system 立體聲音響
14. wall 牆
15. bookcase 書櫥/ 書架
16. television set 電視機
17. video cassette recorder (VCR) 錄像機
18. painting 畫
19. frame 畫框
20. picture/photograph 相片
21. armchair 扶手椅
22. loveseat 雙人沙發
23. stool 矮凳
24. rocking chair 搖椅
25. stool 凳子
26. high chair 高腳椅

(6) DINING-ROOM 飯廳

(I)

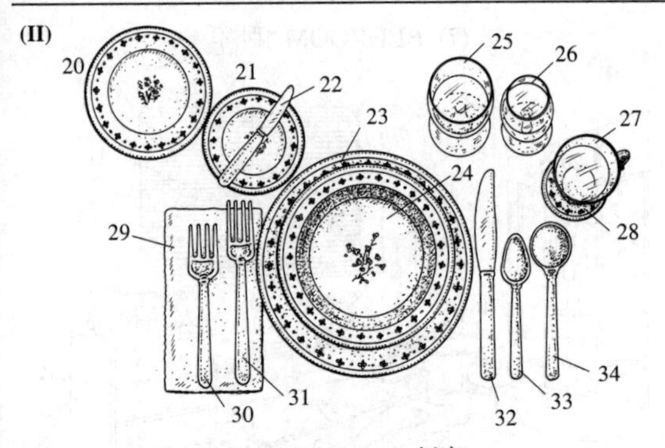

(I) Dining Room 飯廳

1. wall cupboard 吊櫃
2. candle 蠟燭
3. candlestick 蠟燭台
4. pitcher 水罐
5. glass 水杯
6. chandelier 吊燈
7. cupboard 瓷器碗櫥
8. china 瓷器
9. coffee pot 咖啡壺
10. teapot 茶壺
11. salt shaker 鹽瓶
12. pepper shaker 胡椒瓶
13. creamer 奶油罐
14. butter dish 牛油碟
15. sugar bowl 糖罐
16. lazy susan 旋轉面
17. dining table 餐桌
18. table cloth 檯布
19. dining chair 餐椅

(II) A Place Setting 餐具擺設

20. salad plate 沙拉盤
21. bread and butter plate 麵包、牛油盤
22. butter knife 牛油刀
23. dinner plate 菜盤
24. soup bowl 湯碗
25. water glass 水杯
26. wine glass 酒杯
27. cup 茶杯
28. saucer 碟
29. napkin 餐巾
30. salad fork 沙拉叉
31. dinner fork 叉
32. knife 刀
33. teaspoon 茶匙
34. soup spoon 湯匙

(7) BEDROOM 卧室

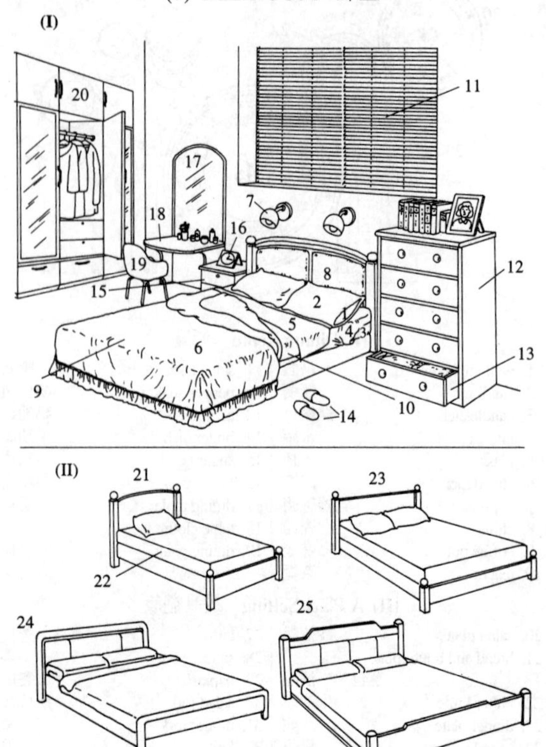

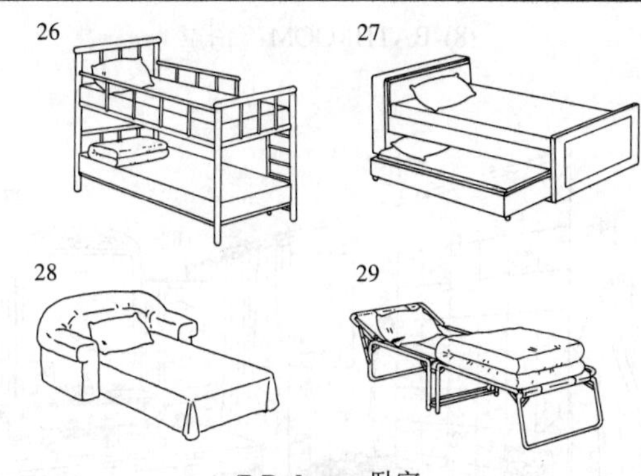

(I) Bedroom 臥室

1. pillow	枕頭	11. blinds	百葉簾
2. pillow case	枕套	12. chest	五斗櫃
3. fitted sheet	床套	13. drawer	抽屜
4. flat sheet	床單	14. slipper	拖鞋
5. quilt	被	15. night table	床頭櫃
6. bedspread	被罩	16. alarm clock	鬧鐘
7. bedside lamp	床頭燈	17. mirror	鏡
8. headboard	床頭板	18. dresser/bureau	梳妝臺
9. bed	床	19. dressing stool	化妝椅
10. mattress	床墊	20. wardrobe	衣櫃

(II) Types of Beds 不同種類的臥床

21. single bed	單人床	26. bunk bed	雙層床
22. mattress	床墊	27. trundle bed	帶輪矮床
23. double bed	雙人床	28. sofa bed	沙發床
24. queen-size bed	大號床	29. cot	折疊床
25. king-size bed	特大號床		

(8) BATHROOM 浴室

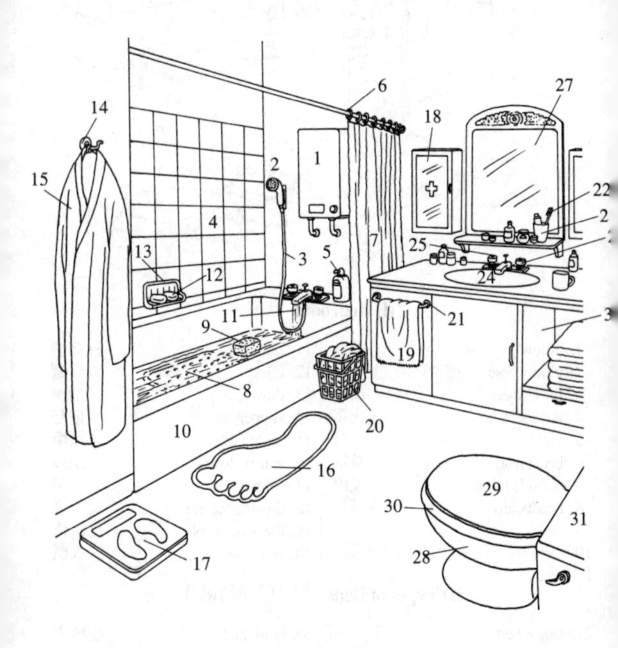

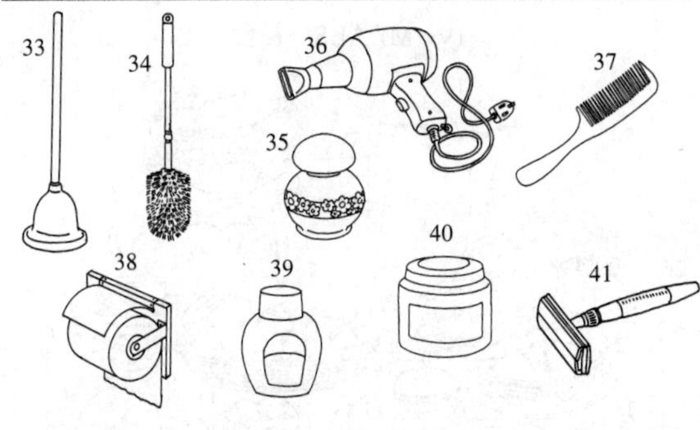

1. water heater 熱水器
2. shower 淋浴器
3. pipe 水管
4. tiled wall 花磚牆
5. soap dispenser 液體肥皂
6. shower curtain ring 淋浴簾圈
7. shower curtain 淋浴簾
8. rubber mat 防滑墊
9. sponge 海綿
10. bathtub 浴盆，浴缸
11. bath water 浴水
12. bath soap 肥皂
13. soap dish 肥皂盤
14. clothes rack 衣架
15. bath gown 浴衣
16. bath mat 浴室地蓆
17. bathroom scales 體重計
18. medicine cabinet/ medicine chest 藥櫃
19. hand towel 手巾
20. hamper 衣桶
21. towel rail 毛巾架
22. tooth brush 牙刷
23. glass 玻璃杯
24. wash basin 盥洗盆
25. hot water tap 熱水龍頭
26. cold water tap 冷水龍頭
27. mirror 鏡子
28. water closet, toilet 抽水馬桶
29. lid 馬桶蓋
30. seat 座板
31. tank 水箱
32. towel shelf 毛巾櫃
33. plunger 通廁器
34. toilet brush 馬桶刷
35. air refreshment 空氣清新器
36. hair dryer 吹風
37. comb 梳子
38. toilet paper 衛生紙
39. cold cream 冷霜
40. shaving cream 刮臉膏，剃鬚膏
41. safety razor 安全剃刀

(9) MEALS 餐食

1
2
3
4
5
6
7
8
9
10
11
12
13
14
15
16
17
18
19
20
21
22
23
24
25
26
27
28
29
30

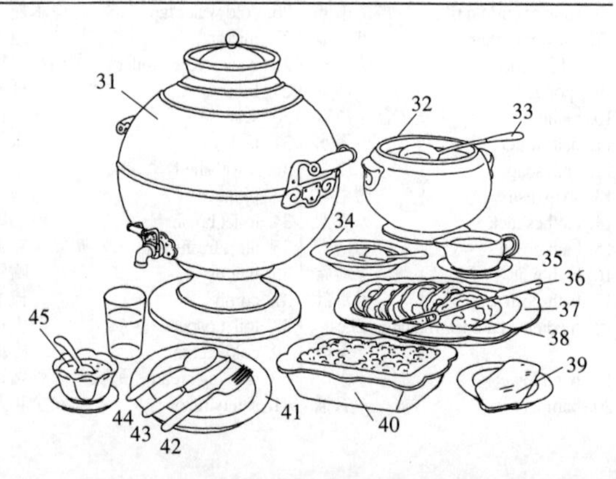
31
32
33
34
35
36
37
38
39
40
41
42
43
44
45

1. coffee pot	咖啡壺	23. bun	果子麵包
2. water jug	水壺	24. sandwich	三明治
3. fruit bowl	果盤	25. sugar tongs	糖夾
4. egg-cup	蛋杯	26. tray	盤子
5. teapot	茶壺	27. sugar bowl	糖缸
6. tea-cup	茶杯	28. tea-spoon	茶匙
7. saucer	淺碟	29. cup	杯子
8. roll	麵包捲	30. milk jug	牛奶壺
9. bread basket	麵包籃	31. samovar	茶炊
10. croissant	牛角麵包	32. tureen	湯碗
11. cheese	芝士，乾酪	33. soup-ladle	湯杓
12. slice of bread	麵包片	34. soup plate	湯碟
13. bread-plate	麵包盤	35. gravy-boat	肉汁碗
14. pudding	布丁	36. meat fork	肉叉
15. jello	果凍	37. platter	大盤子
16. ice cream	冰淇淋	38. sliced meat	肉片
17. butter	牛油，黃油	39. napkin	餐巾
18. salt cellar	鹽瓶	40. salad dish	色拉(沙律)盤
19. pepper cellar	胡椒瓶	41. dinner plate	餐碟
20. hamburger	漢堡	42. fork	叉
21. egg, ham and bread	雞蛋、火腿和麵包	43. knife	刀
		44. table-spoon	湯匙
22. hot dog	熱狗	45. dessert	甜品

Reference 參考

breakfast	早餐	pork chop	豬排
lunch	午餐	pudding	布丁
brunch	早午餐	ice-cream	冰淇淋，雪糕
supper	晚餐	sausage	香腸
dinner	晚餐，正餐	bacon	燻肉
salad	色拉，沙律	toast	多士，吐司
soup	湯	potato chips	薯條
grilled chicken	燒雞	fish chips	炸魚
beefsteak	牛排		

(10) ELECTRICAL APPLIANCES 家用電器

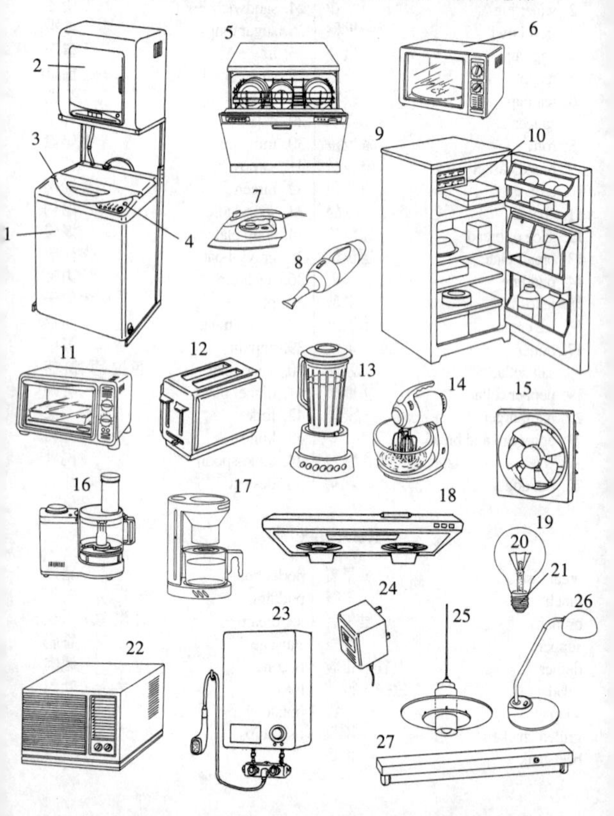

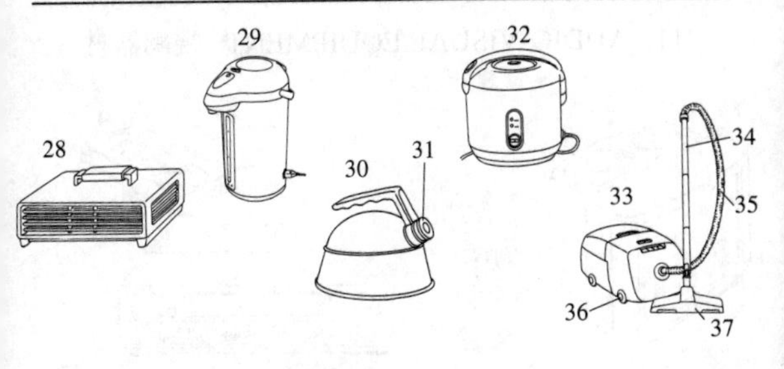

1. washing machine/washer 洗衣機
2. dryer 烘衣機
3. lid of washing drum 洗衣滾筒蓋
4. program selector panel 程序選擇表板
5. dishwasher 洗碗機
6. microwave 微波爐
7. iron 熨斗
8. hand vacuum 手提吸塵器
9. refrigerator 電冰箱，雪櫃
10. freezer 冷藏箱
11. oven 烤爐
12. toaster 烤麵包機
13. blender 攪拌機
14. egg beater 打蛋機
15. ventilator 抽氣機
16. food processor 剁碎機
17. coffeemaker 咖啡機
18. kitchen ventilator 抽油煙機
19. electric bulb 電燈泡
20. tungsten filament 鎢絲
21. spiral 螺旋
22. air-conditioner 冷氣機，空調機
23. water heater 熱水爐
24. adapter 變壓器
25. pendant lamp 吊燈
26. reading lamp, table lamp 檯燈
27. fluorescent lamp 光管
28. electric radiator 電暖爐
29. electric vacuum flask 電暖水瓶
30. whistling kettle 鳴笛水壺
31. whistle 汽笛
32. rice cooker 電飯鍋
33. vacuum cleaner 吸塵器
34. extension tube 伸縮管
35. hose 軟管
36. castor 腳輪
37. nozzle 吸塵嘴

(11) AUDIO-VISUAL EQUIPMENT 視聽器材

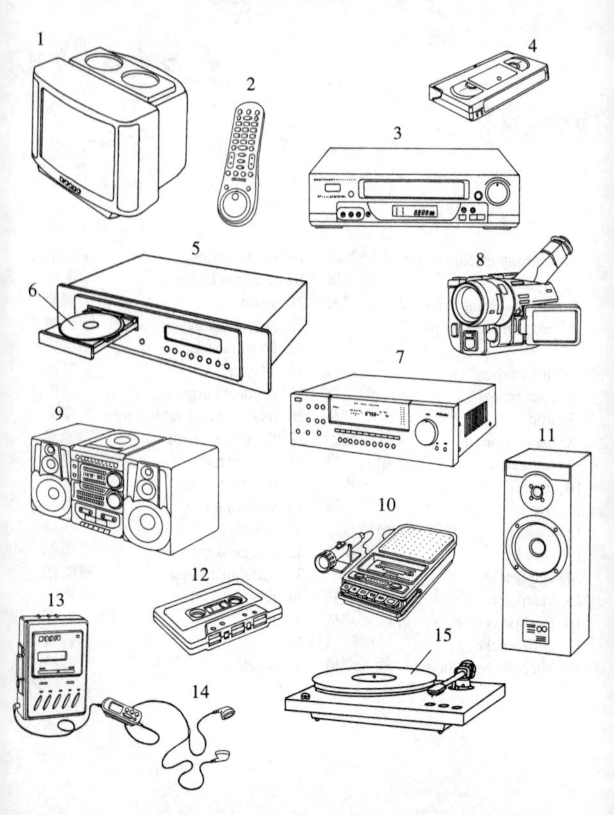

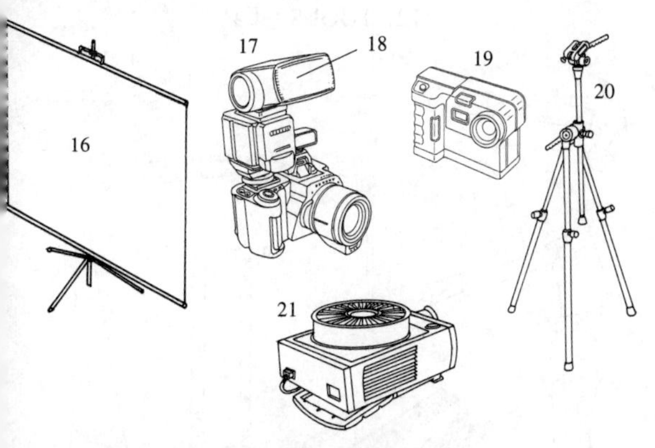

1. TV/ television set	電視機	11. speaker	喇叭箱
2. remote control	遙控器	12. tape cassette	卡式錄音帶
3. VCR/ video casette recorder 錄像機		13. walkman	隨身聽
		14. headphones	耳機
4. videotape	錄像帶	15. record	唱片
5. CD player	雷射唱機	16. screen	屏幕
6. CD	雷射唱片	17. camera	照相機
7. amplifier	擴音機	18. flash attachment	閃光燈
8. video camera	攝錄機	19. digital camera	數碼相機
9. stereo system	立體聲音響	20. tripod	三腳架
10. tape recorder	小錄音機	21. slice projector	幻燈機

Reference 參考

MD	微型雷射唱片	VCD	小影碟
MD player	微型雷射唱機	VCD player	小影碟機
LD	雷射影碟	DVD	數碼影碟
LD player	雷射影碟機	DVD player	數碼影碟機

(12) TOOLS 工具

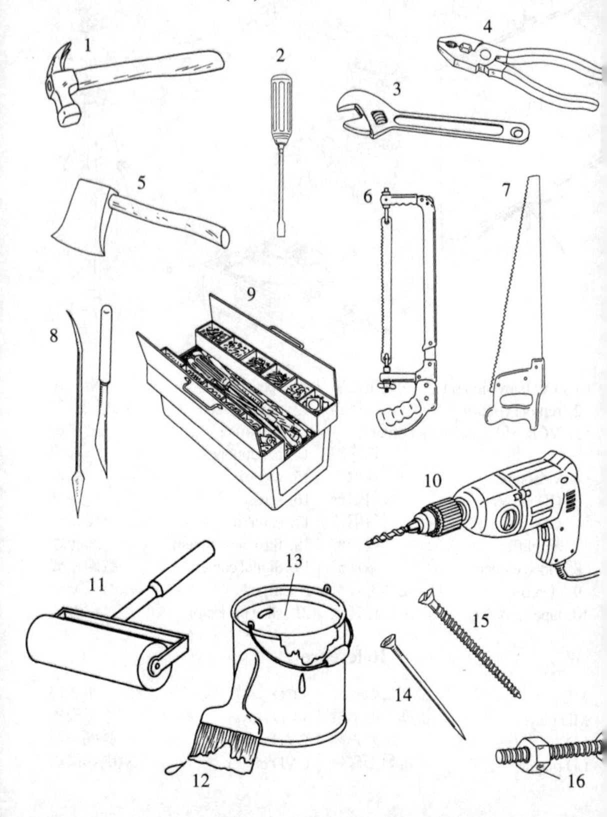

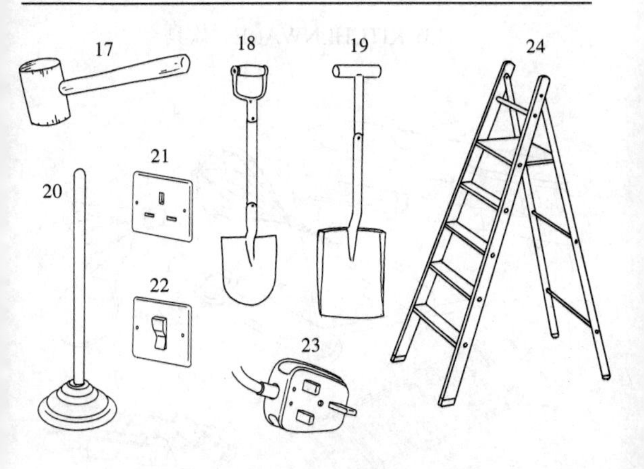

1. hammer	鐵槌	13. paint	油漆
2. screwdriver	螺絲起子	14. nail	釘子
3. wrench	扳手	15. screw	螺絲
4. pliers	鉗子	16. nut	螺帽
5. hatchet	手斧	17. mallet	錘
6. hacksaw	弓鋸	18. spade	鏟
7. saw	手鋸	19. shovel	鐵鍬
8. scraper	刮刀	20. plunger	通渠吸盤
9. toolbox	工具箱	21. outlet	電源插座
10. electric drill	電鑽	22. switch	電開關
11. (paint) roller	滾筒	23. plug	插頭
12. paintbrush	漆刷	24. stepladder	四腳梯

(13) KITCHENWARE 炊具

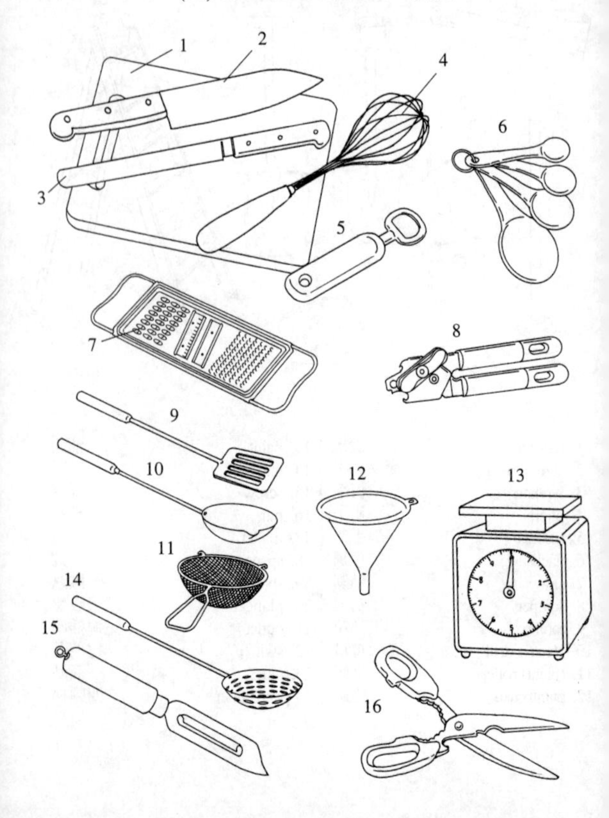

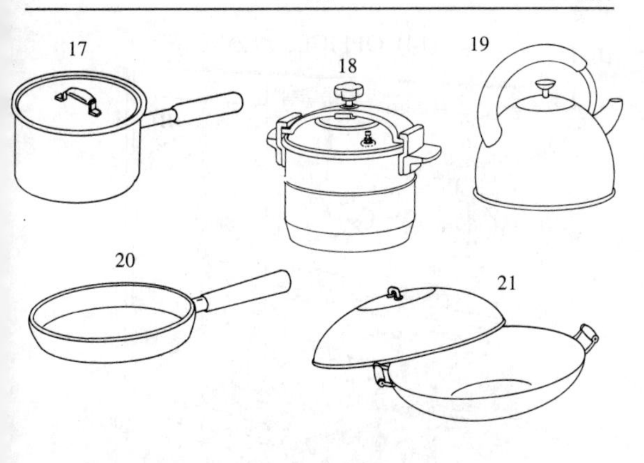

1. chopping board	砧板	12. funnel	漏斗
2. cook's knife	廚刀	13. kitchen scales	廚房秤
3. cleaver	切肉刀	14. skimmer	漏杓
4. whisk	攪拌器	15. peeler	削皮刨
5. bottle opener	開瓶器	16. nutcracker	堅果鉗
6. measuring spoons	計量匙	17. saucepan	長柄鍋
7. grater	擦碎板	18. pressure cooker	高壓鍋
8. tin opener	開罐頭器	19. kettle	水壺
9. turner	鍋鏟	20. frying pan	煎鍋
10. ladle	湯杓	21. wok	鑊
11. sieve	篩		

(14) OFFICE 辦公室

(I)

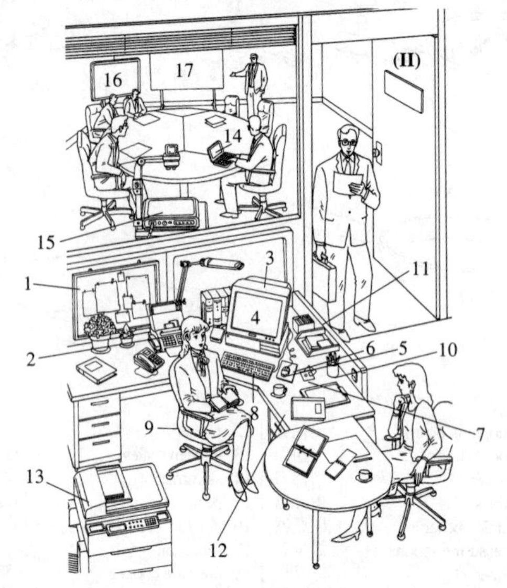

(III)

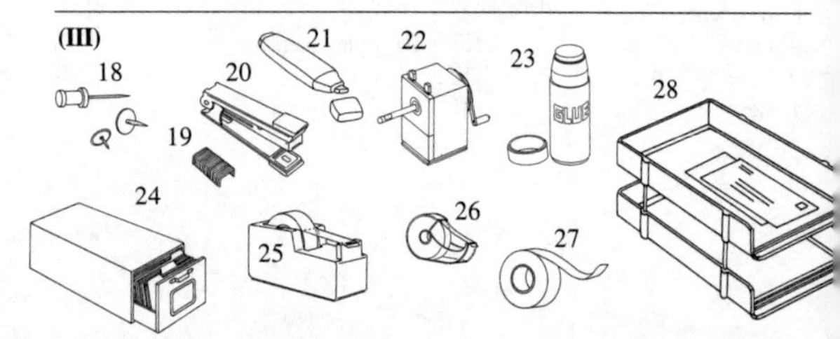

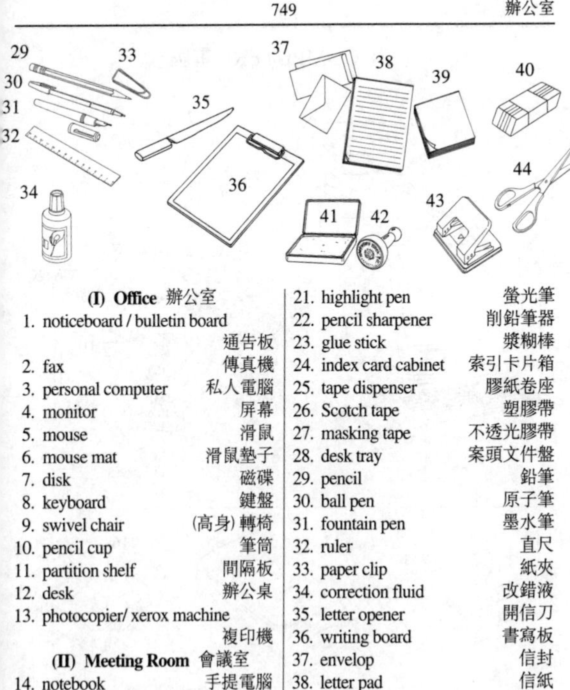

(I) Office 辦公室

1. noticeboard / bulletin board 通告板
2. fax 傳真機
3. personal computer 私人電腦
4. monitor 屏幕
5. mouse 滑鼠
6. mouse mat 滑鼠墊子
7. disk 磁碟
8. keyboard 鍵盤
9. swivel chair (高身) 轉椅
10. pencil cup 筆筒
11. partition shelf 間隔板
12. desk 辦公桌
13. photocopier/ xerox machine 複印機

(II) Meeting Room 會議室

14. notebook 手提電腦
15. overhead projector 投影機
16. whiteboard 白寫板
17. screen 屏幕

(III) Stationery 文儀用品

18. thumb tacks 圖釘
19. staples 釘書釘
20. stapler 釘書機
21. highlight pen 螢光筆
22. pencil sharpener 削鉛筆器
23. glue stick 漿糊棒
24. index card cabinet 索引卡片箱
25. tape dispenser 膠紙卷座
26. Scotch tape 塑膠帶
27. masking tape 不透光膠帶
28. desk tray 案頭文件盤
29. pencil 鉛筆
30. ball pen 原子筆
31. fountain pen 墨水筆
32. ruler 直尺
33. paper clip 紙夾
34. correction fluid 改錯液
35. letter opener 開信刀
36. writing board 書寫板
37. envelop 信封
38. letter pad 信紙
39. memo pad 記事紙
40. rubber 橡皮，擦膠
41. ink pad 印台
42. chop 印、章
43. punch 打孔機
44. pair of scissors 剪刀

(15) COMPUTER 電腦

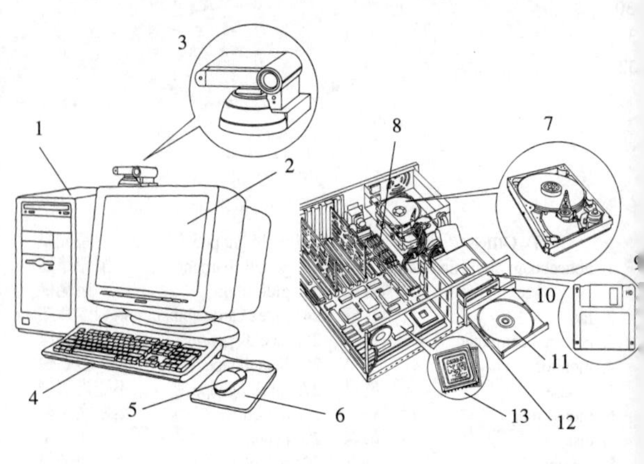

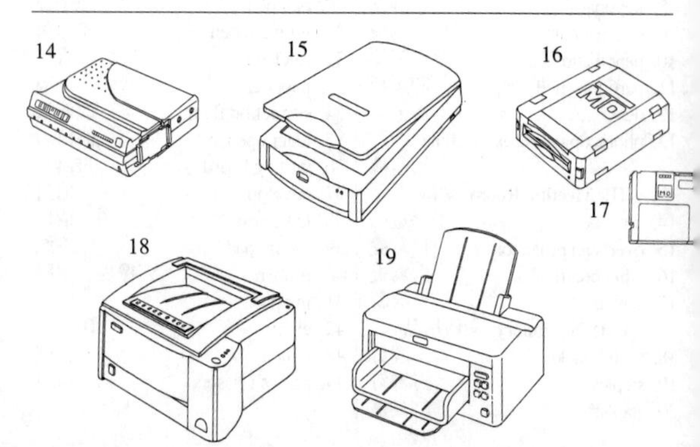

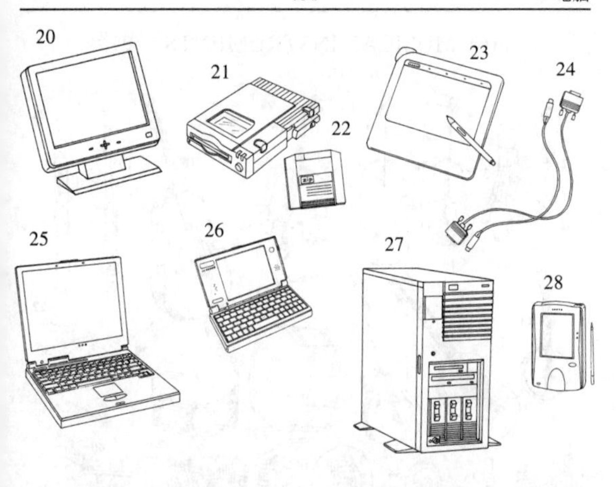

1. system unit 主機
2. monitor 屏幕
3. video camera 視像攝錄機
4. keyboard 鍵盤
5. mouse 滑鼠
6. mouse mat 滑鼠墊
7. harddisk 硬件
8. RAM (random access memory) 隨機存取存儲器
9. floppy disk 磁碟
10. floppy disk drive 磁碟驅動器
11. CD-ROM 光碟
12. CD-ROM drive 光碟驅動器
13. CPU (central processing unit) 中央處理器
14. modem 調節解調器
15. scanner 掃描器
16. MO drive 可重寫光碟驅動器
17. MO 可重寫光碟
18. laser printer 雷射打印機
19. inkjet printer 印墨打印機
20. LCD monitor 液晶體屏幕
21. zip drive 極碟驅動器
22. zip disk 極碟
23. Chinese write pad 中文手寫板
24. cable 電線
25. notebook 手提電腦
26. mini notebook 迷你型手提電腦
27. server 伺服器
28. palm-size personal computer 掌上型電腦

(16) MUSICAL INSTRUMENTS 樂器

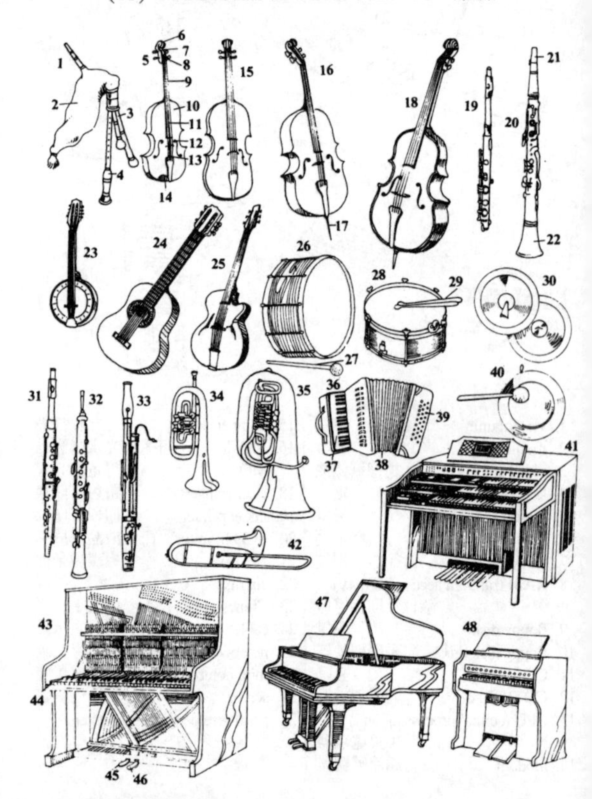

1. bagpipe 風笛
2. bag 風囊
3. drone 低音管
4. chater 指管
5. violin 小提琴
6. scroll 琴頭
7. tuning peg 弦軸
8. pegbox 弦槽
9. neck 琴頸
10. resonating body 共鳴箱
11. strings 琴弦
12. F-hole 音孔
13. bridge 琴馬
14. chin rest 腮托
15. viola 中提琴
16. violoncello 大提琴
17. spike 支柱
18. double bass 低音大提琴
19. piccolo 短笛
20. clarinet 單簧管
21. mouthpiece 嘴子
22. bell 喇叭口
23. banjo 班卓琴
24. guitar 結他，吉他
25. jazz guitar 爵士樂結他
26. bass drum 大鼓
27. stick 鼓槌
28. side drum 小軍鼓
29. drumstick 鼓槌
30. cymbals 鈸
31. flute 長笛
32. oboe 雙簧管
33. bassoon 巴松管，大管
34. trumpet 小號
35. tenor horn 次中音號
36. accordion 手風琴
37. keyboard 琴鍵
38. bellows 風箱
39. bass stop 低音鍵鈕
40. gong 鑼
41. electronic organ 電子琴
42. trombone 長號，伸縮管
43. upright piano 立式鋼琴
44. keyboard 琴鍵
45. left pedal 左踏板
46. right pedal 右踏板
47. grand piano (演奏用) 大鋼琴
48. harmonium 簧風琴

(17) MATHEMATICS 數學

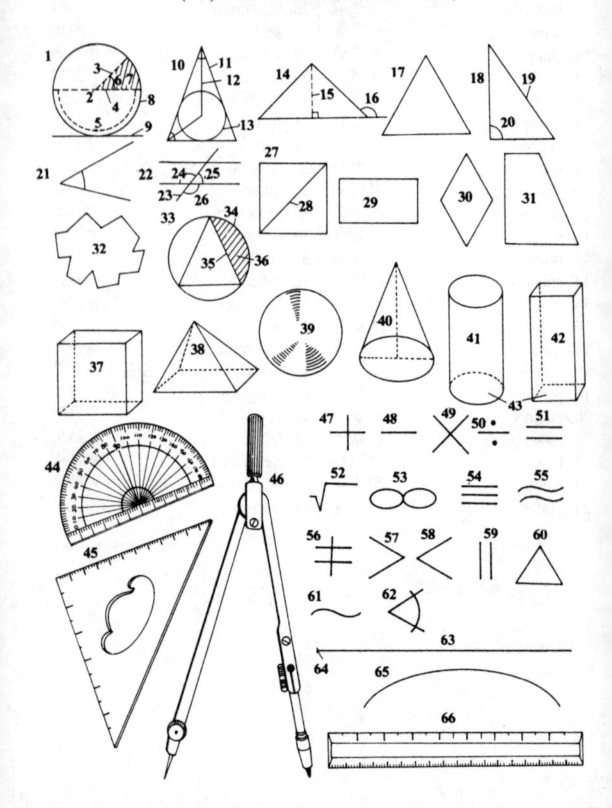

1. circle 圓
2. centre 圓心
3. radius 半徑
4. diameter 直徑
5. semicircle 半圓
6. centre angle 圓心角
7. sector 扇形
8. circumference 圓周
9. tangent 切線
10. triangle 三角形
11. side 邊
12. bisector 分角線
13. inscribed circle 內切圓
14. isoceles triangle 等腰三角形
15. height 高
16. exterior angle 外角
17. equilateral triangle 等邊三角形
18. right-angled triangle 直角三角形
19. hypotenuse 斜邊
20. right angle 直角
21. angle 角
22. parallel lines 平行線
23. cutting line 截線
24. interior angle 內角 (此為obtuse angle鈍角)
25. interior angle 內角 (此為acute angle銳角)
26. exterior angle 外角
27. square 正方形
28. diagonal 對角線
29. rectangle 長方形
30. rhombus 菱形
31. trapezium 梯形
32. polygon 多邊形
33. circumcircle 外接圓
34. arc 弧
35. chord 弦
36. segment 弓形
37. cube 立方體
38. pyramid 稜錐
39. sphere 球體
40. cone 圓錐
41. cylinder 圓柱
42. quadratic prism 方形稜柱
43. base 底
44. protractor 量角器
45. set square 三角板
46. compasses 圓規
47. plus sign 加號
48. minus sign 減號
49. multiplication sign 乘號
50. division sign 除號
51. equals sign 等號
52. radical sign 根號
53. infinity 無窮大
54. identity sign 恆等號
55. approximately equal to 近似於
56. unequal to 不等於
57. greater than 大於
58. less than 小於
59. parallel sign 平行符號
60. triangle symbol 三角形符號
61. similarity sign 相似符號
62. angle symbol 角符號
63. straight line 直線
64. end 端
65. arc 弧
66. ruler 直尺

(18) CHEMISTRY LABORATORY 化學實驗室

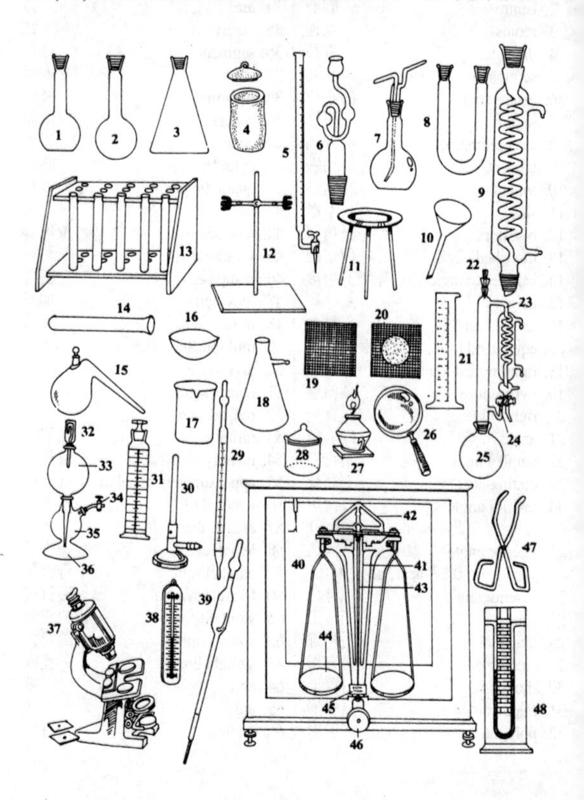

1. flat-bottomed flask 平底燒瓶
2. round-bottomed flask 圓底燒瓶
3. conical flask 錐形燒瓶
4. crucible 坩堝
5. burette 滴定管
6. air lock 安全漏斗
7. wash-bottle 洗瓶
8. U-tube U形試管
9. coiled-condenser 蛇形冷凝管
10. funnel 漏斗
11. tripod 三腳架
12. burette stand 滴定管架
13. test tube rack 試管架
14. test tube 試管
15. retort 曲頸甑
16. evaporizing dish 蒸發皿
17. beaker 燒杯
18. filter flask 吸濾瓶
19. wire gauze 鐵絲網
20. wire gauze with asbestos centre 石棉芯鐵絲網
21. measuring cylinder 量筒
22. distillation apparatus 蒸餾器
23. condenser 冷凝器
24. return tape 回流旋塞
25. distillation flask 蒸餾燒瓶
26. magnifying glass 放大鏡
27. alcohol burner 酒精燈
28. weighing bottle 稱量瓶
29. graduated pipette 吸量管
30. Bunsen burner 本生燈
31. measuring flask 量瓶
32. gas generator 氣體發生器
33. overflow container 溢流容器
34. gas outlet 排氣管
35. container for the solid 固體容器
36. acid container 酸容器
37. microscope 顯微鏡
38. thermometer 溫度計
39. pipette 移液管
40. analytical balance 分析天平
41. column 立柱
42. balance beam 天平橫樑
43. pointer 指針
44. scale pan 稱盤
45. scale 刻度尺
46. stop knob 制動旋鈕
47. crucible tongs 坩鍋鉗
48. manometer (正負)氣壓計

(19) CAR 汽車

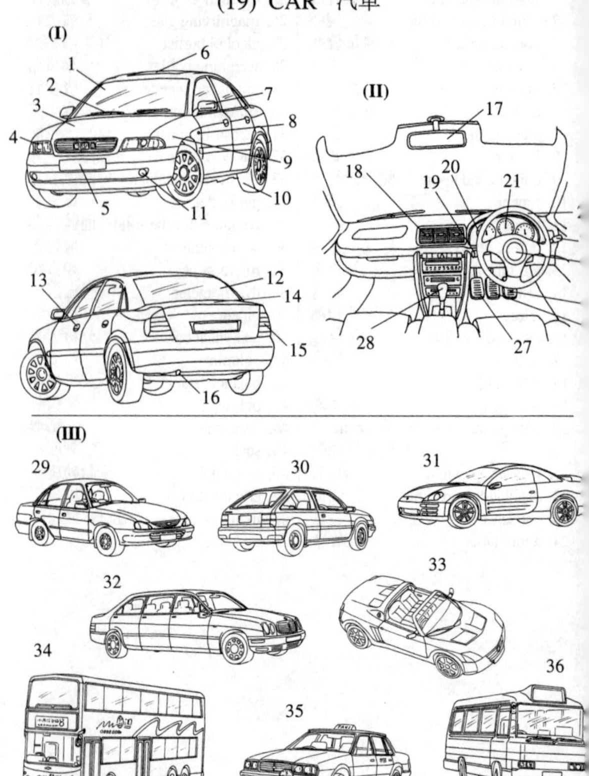
(I)
1
2
3
4
5
6
7
8
9
10
11
12
13
14
15
16
(II)
17
18
19
20
21
27
28
(III)
29
30
31
32
33
34
35
36

(I) Car 汽車

1. windscreen 擋風玻璃
2. windscreen wipers 刮水器
3. bonnet 引擎蓋
4. headlight 車頭燈
5. number plate 號碼牌
6. sunroof 活動頂板
7. wing mirror 側鏡
8. sidelight 側燈
9. wing 翼子板
10. tyre 輪胎
11. indicator 轉向指示燈
12. rear window 後窗
13. door handle 車門把手
14. boot 行李箱
15. rear light 車尾燈
16. exhaust pipe 排氣管

(II) The Interior of a Car 汽車內部

17. rear-view mirror 後望鏡
18. air vent 通風口
19. ignition 點火裝置
20. speedometer 車速計
21. petrol gauge 汽油計量器
22. steering wheel 方向盤
23. indicator switch 轉向指示燈開關
24. horn 喇叭按鍵
25. accelerator 油門踏板
26. brake 煞車踏板
27. clutch 離合器踏板
28. gear lever 變速桿

(III) Types of Vehicles 不同種類的車輛

29. sedan 轎車
30. hatchback 艙蓋式轎車
31. sports car 跑車
32. limousine 長身高級轎車
33. convertible 敞篷汽車
34. double-decker bus 雙層公共汽車
35. taxi 計程車
36. minibus 小型公共汽車，小巴
37. bulldozer 推土車
38. jeep 吉普車
39. lorry / truck 貨車
40. vehicle tanker 運油車
41. container truck 貨櫃車

(20) BICYCLE & MOTORCYCLES 腳踏車與摩托車

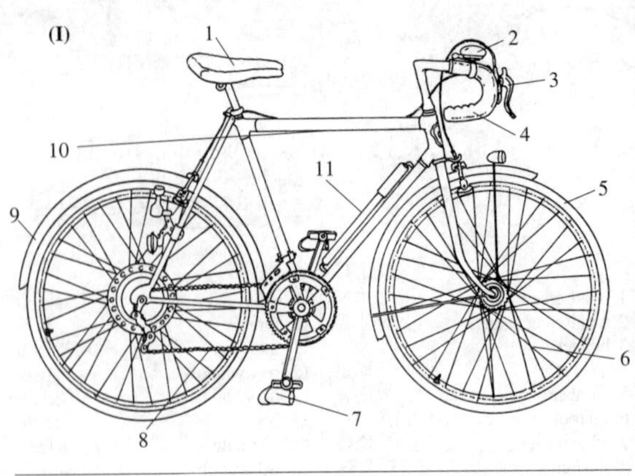

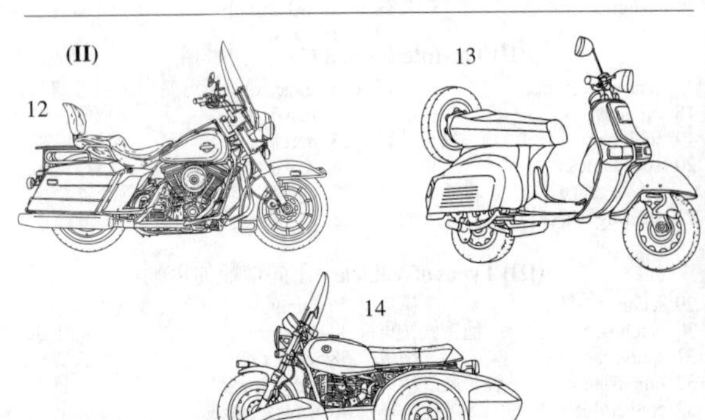

(I) Bicycle 腳踏車

1. saddle 鞍座
2. bell 鈴
3. brake lever 制車手柄
4. handlebars 把手
5. tyre 輪胎
6. spokes 輻條
7. pedal 踏板
8. chain 鏈條
9. mudguard 擋泥板
10. crossbar 橫樑
11. pump 打氣筒

(II) Types of Motorcycles 不同種類的摩托車

12. four-cylinder motorcycles 四汽缸重型摩托車
13. scooter 低座小型摩托車
14. sidecar machine 帶邊斗發動機

(21) SHIPS 船

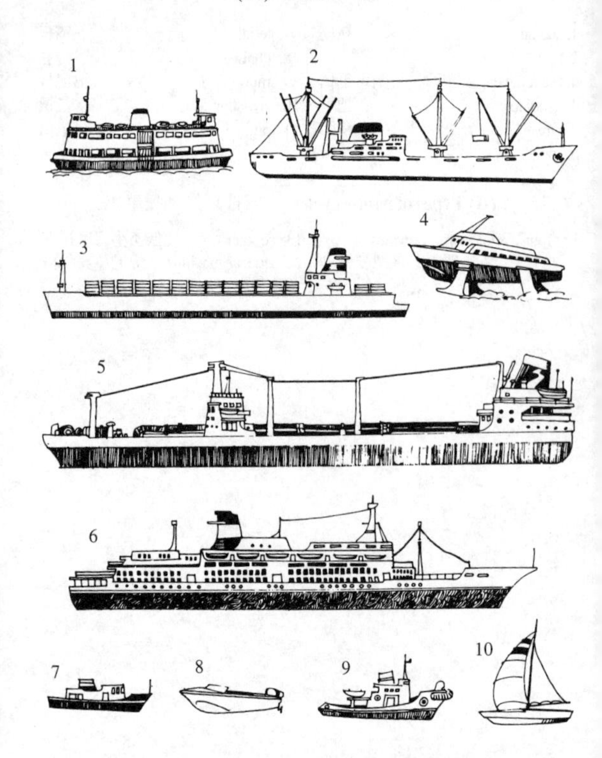

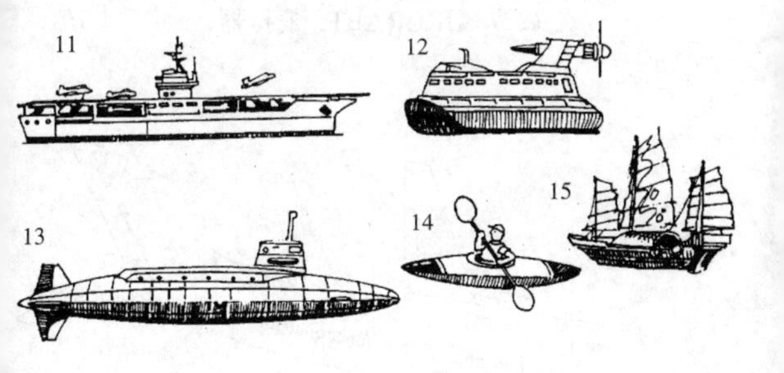

1. ferry 渡輪
2. cargo ship 貨船
3. container ship 貨櫃船
4. hydrofoil 水翼船
5. crude carrier 運油輪
6. passenger liner 定期客船
7. pilot boat 引航船
8. speed boat 快艇
9. tug boat 拖船
10. sailing boat 帆船
11. aircraft carrier 航空母艦
12. hovercraft 氣墊船
13. submarine 潛水艇
14. canoe 獨木舟
15. junk 帆船

(22) AIRCRAFT 飛行器

(I)

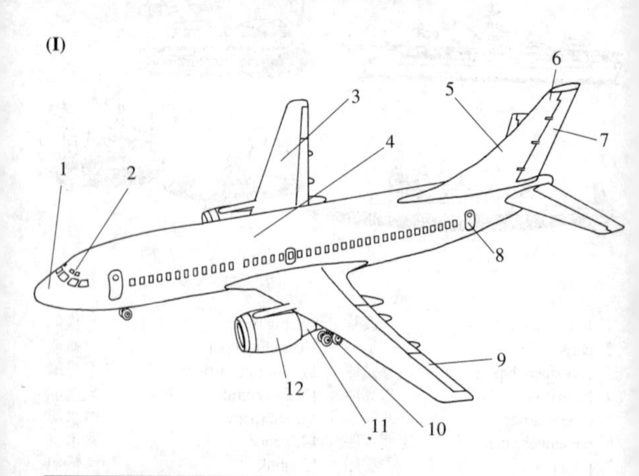

(II)

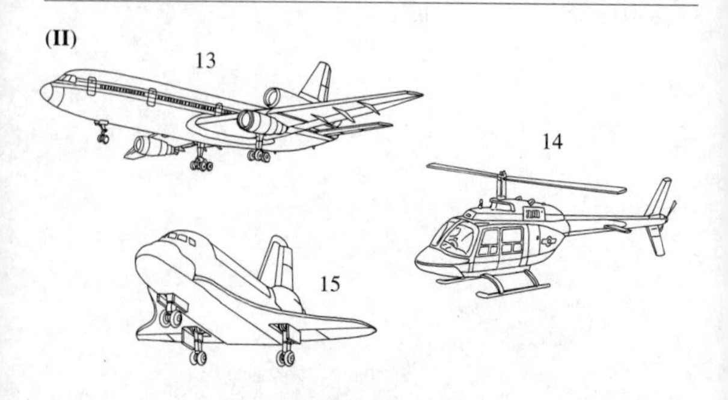

(I) Aircraft 飛行器

1. nose	機首	7. rudder	方向舵
2. cockpit	駕駛艙	8. hatch	艙口
3. wing	機翼	9. wing flap	副翼
4. fuselage	機身	10. undercarriage	起落架
5. fin	安定翼	11. jet engine	噴氣式發動機
6. tail	機尾	12. cowing	發動機罩

(II) Types of Aircrafts 不同種類的飛行器

13. jumbo jet	大型噴射式客機	15. space shuttle orbiter	太空穿梭機
14. helicopter	直升機		

(23) SPORTS I 運動 I

1. baseball	棒球		11. basketball	籃球
2. lacrosse, hockey	曲棍球		12. shoot	投籃
3. squash	壁球		13. tennis	網球
4. handball	手球		14. serve	發球
5. football, soccer	足球		15. golf	高爾夫球
6. kick	踢球		16. volleyball	排球
7. table tennis	乒乓球		17. bowling	保齡球
8. badminton	羽毛球		18. American football	美式橄欖球
9. softball	壘球		19. billiards	台球，撞球
10. pitch	投球		20. water polo	水球

(24) SPORTS II 運動 II

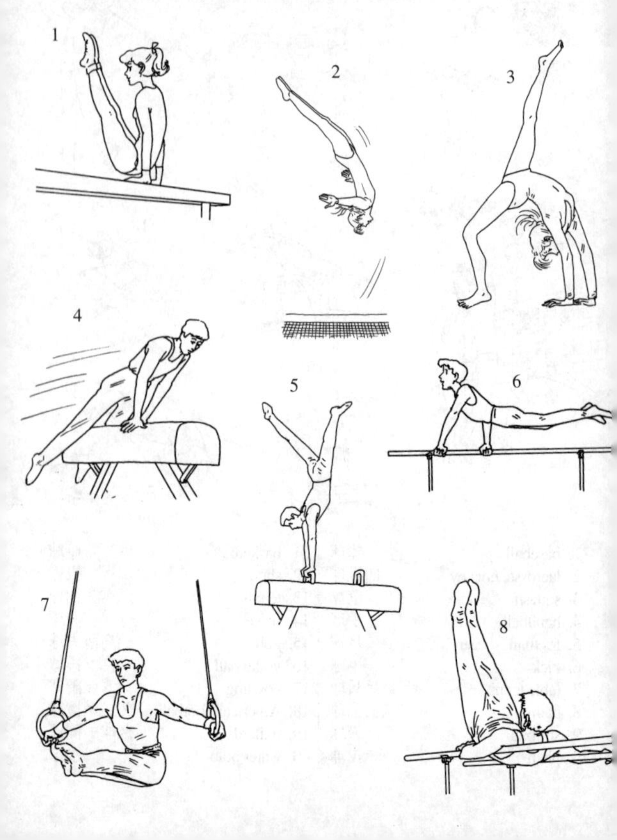

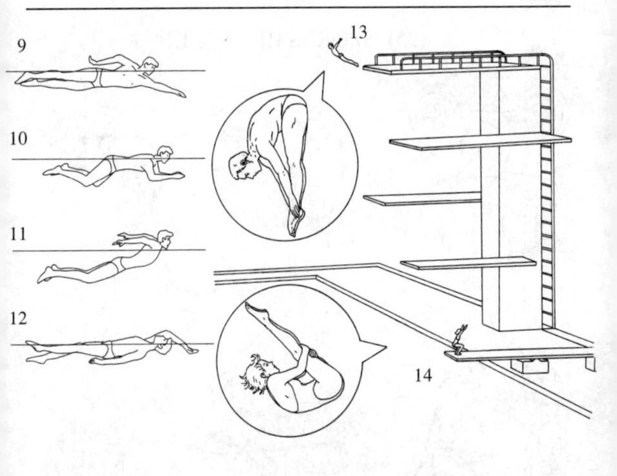

1.	balance beam	平衡木
2.	trampoline	蹦床
3.	free exercise	自由體操
4.	vaulting horse	跳馬
5.	pommel horse	鞍馬
6.	horizontal bar	單杠
7.	rings	吊環
8.	parallel bars	雙杠
9.	crawl stroke	爬泳，捷泳
10.	breaststroke	蛙泳
11.	butterfly stroke	蝶泳
12.	backstroke	背泳
13.	highboard diving	高台跳水
14.	springboard diving	彈板跳水

(25) SPORTS III 運動 III

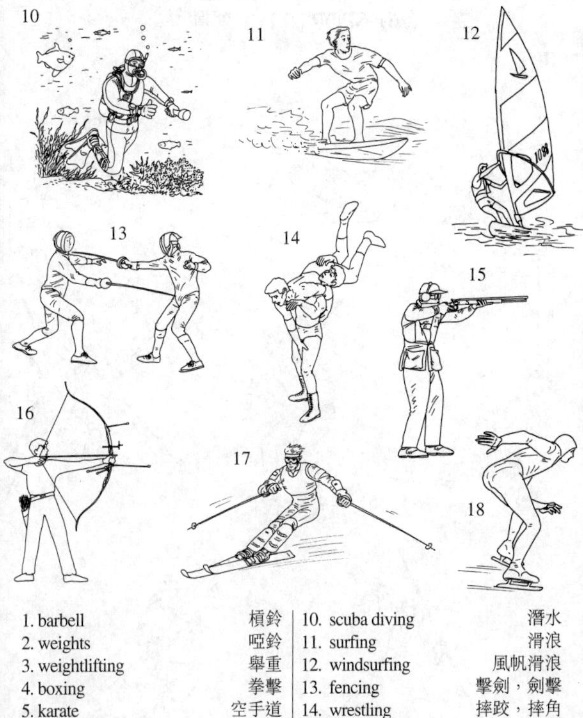

1. barbell 槓鈴
2. weights 啞鈴
3. weightlifting 舉重
4. boxing 拳擊
5. karate 空手道
6. kungfu 功夫
7. canoeing 划艇
8. (white water) rafting (激流) 划艇
9. snorkeling 潛泳
10. scuba diving 潛水
11. surfing 滑浪
12. windsurfing 風帆滑浪
13. fencing 擊劍，劍擊
14. wrestling 摔跤，摔角
15. shooting 射擊
16. archery 射箭
17. skiing 滑雪
18. ice skating 溜冰

(26) SPORTS IV 運動 IV

(I)

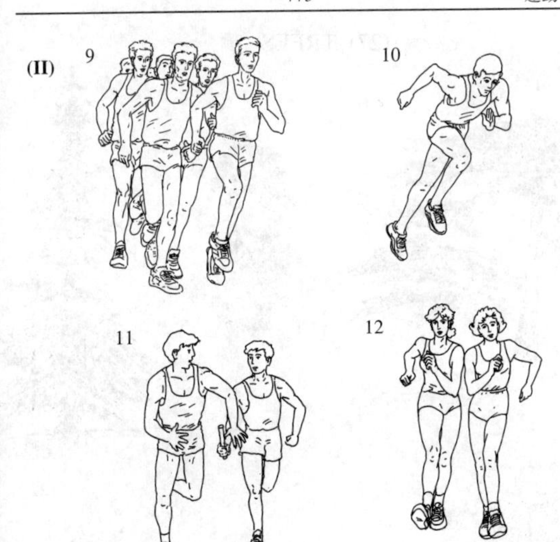

(I) Field Event 田賽

1. pole vault	撐竿跳高	5. discus	擲鐵餅
2. hurdles	跨欄	6. long jump	跳遠
3. high jump	跳高	7. javelin	擲標槍
4. shot put	推鉛球	8. hammer	擲鏈球

(II) Track Event 徑賽

9. marathon	馬拉松賽跑	11. relay	接力
10. running	賽跑	12. walking	競步

(27) TREES 樹

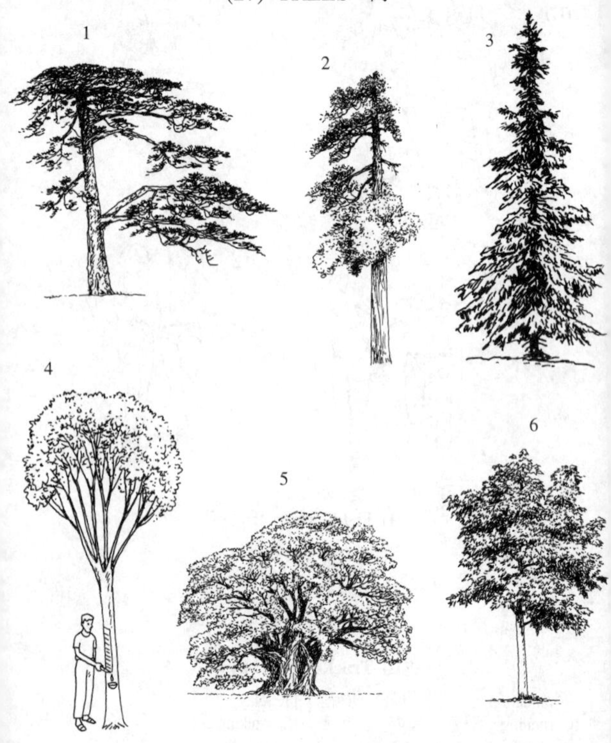

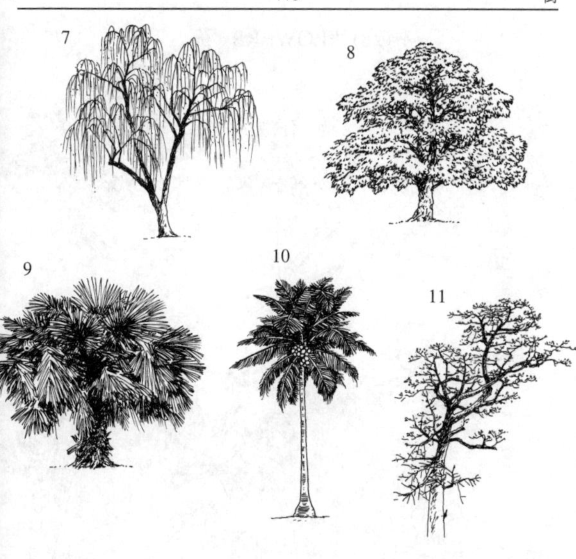

1. pine 松樹
2. cypress 柏樹
3. fir 冷杉，樅樹
4. rubber tree 橡膠樹
5. banyan 榕樹
6. Chinese parasol 梧樹
7. willow 柳樹
8. mulberry 桑樹
9. palm tree 葵樹
10. coconut palm, coconut tree 椰樹
11. kapok 木棉

(28) FLOWERS 花

1 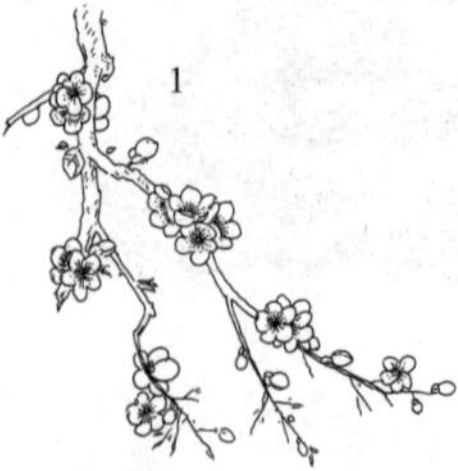
2 
3 
4 
5 
6 
7 
8 
9

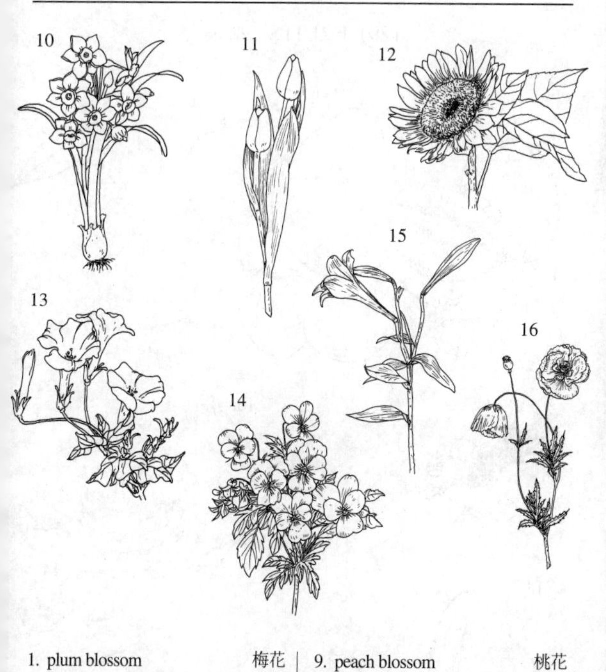

1. plum blossom 梅花
2. orchid 蘭花
3. chrysanthemum 菊花
4. azalea 杜鵑
5. rose 玫瑰
6. sword lily 劍蘭
7. lotus (flower) 蓮花
8. cherry blossom 櫻花
9. peach blossom 桃花
10. narcissus, daffodil 水仙
11. tulip 鬱金香
12. sunflower 向日葵
13. morning glory 牽牛花
14. pansy 三色堇
15. lily 百合花
16. poppy flower 罌粟花

(29) FRUITS 水果

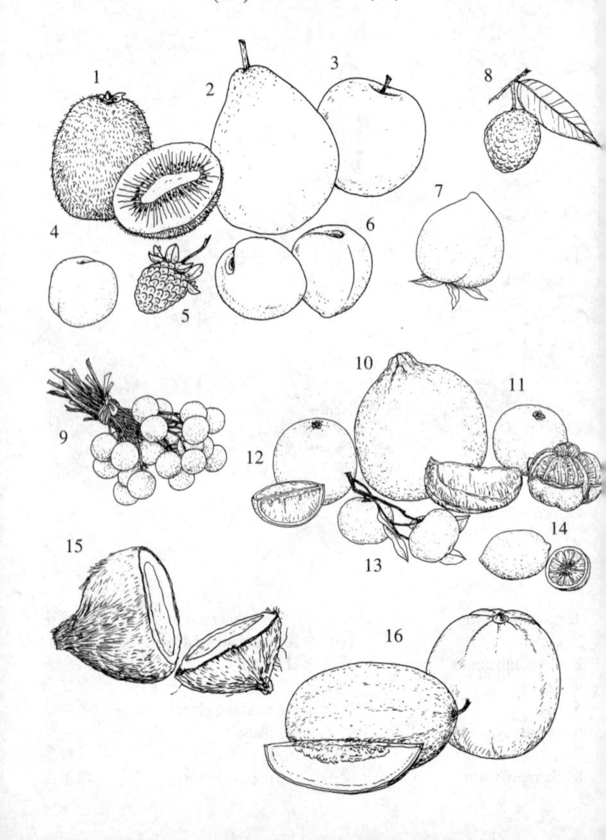

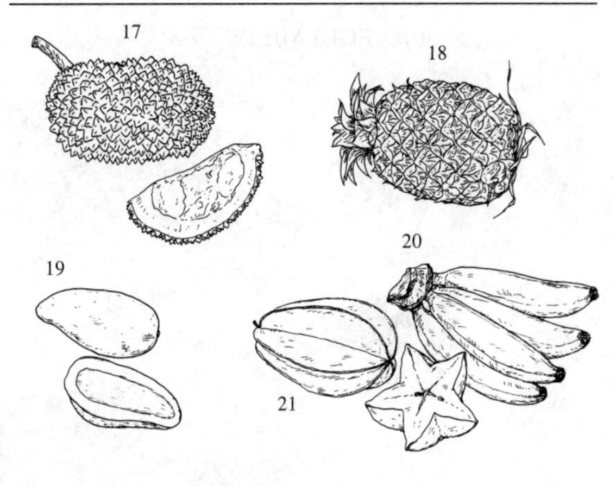

1. kiwi fruit	奇異果/獼猴桃	12. orange	橙
2. pear	梨子	13. tangerine	桔
3. apple	蘋果	14. lemon	檸檬
4. apricot	杏子	15. coconut	椰子
5. strawberry	草莓	16. hami melon	哈蜜瓜
6. plum	李子	17. durian	榴槤
7. peach	桃	18. pineapple	菠蘿
8. lychee, litchi	荔枝	19. mango	芒果
9. longan	龍眼	20. banana	香蕉
10. pomelo	柚	21. star fruit	楊桃
11. mandarin orange	柑		

(30) VEGETABLES 蔬菜

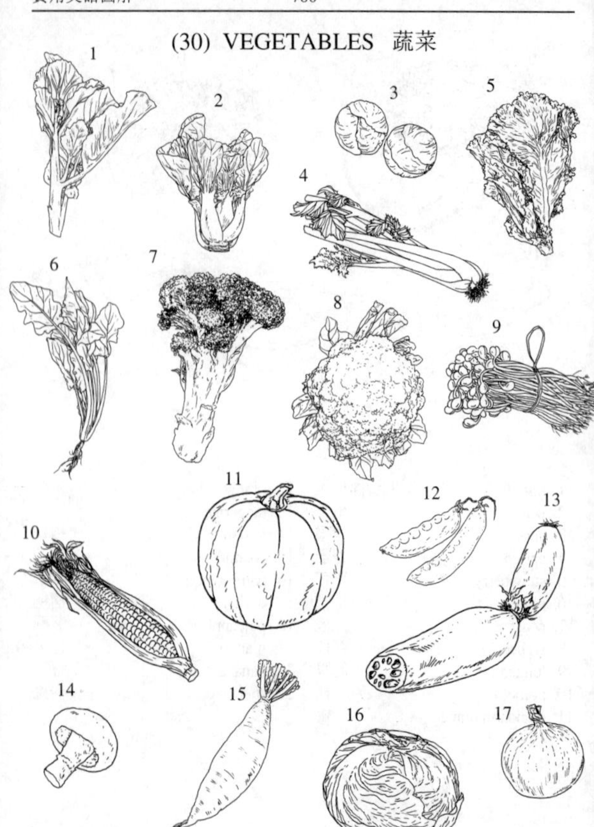

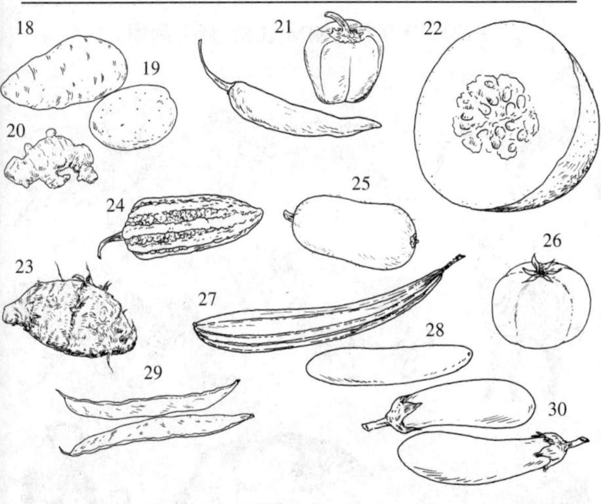

1. chinese kale/ chinese broccoli	芥蘭	16. cabbage	捲心菜
2. chinese white cabbage	白菜	17. onion	洋蔥
3. brussel sprouts	球芽甘藍	18. sweet potato	蕃薯
4. celery	西芹	19. potato	馬鈴薯
5. lettuce	生菜/萵苣	20. ginger	薑
6. spinach	菠菜	21. pepper	辣椒
7. broccoli	西蘭花	22. wax gourd	冬瓜
8. cauliflower	椰菜花	23. taro	芋頭
9. bean sprout	豆芽	24. bitter gourd	苦瓜
10. corn	玉米	25. hairy gourd	節瓜/ 毛瓜
11. pumpkin	南瓜	26. tomato	蕃茄
12. pea	豌豆	27. silk gourd	絲瓜
13. lotus root	蓮藕	28. cucumber	黃瓜
14. mushroom	蘑菇	29. string bean	四季豆
15. turnip	蘿蔔	30. eggplant	茄子

(31) WILD ANIMALS 野生動物

1. camel 駱駝
2. cheetah 非洲獵豹
3. lion 獅子
4. zebra 斑馬
5. rhinoceros 犀牛
6. tiger 老虎
7. leopard 豹
8. wolf 狼
9. panda (大)熊貓
10. kangaroo 袋鼠
11. koala 無尾熊/樹熊
12. walrus 海象
13. squirrel 松鼠
14. seal 海豹
15. hippopotamus 河馬
16. bat 蝙蝠
17. crocodile 鱷魚
18. fox 狐狸
19. bear 熊
20. gorilla 大猩猩
21. elephant 象
22. monkey 猴子
23. giraffe 長頸鹿
24. deer 鹿

(32) DOMESTIC ANIMALS 家畜

1. horse	馬	9. chicken	雞
2. donkey	驢	10. rabbit	白兔
3. pig	豬	11. buffalo	水牛
4. cat	貓	12. ox	公牛
5. dog	狗	13. cow	母牛
6. pigeon	白鴿	14. sheep	綿羊
7. duck	鴨	15. goat	山羊
8. goose	鵝		

(33) BIRDS 鳥

1. woodpecker 啄木鳥
2. swan 天鵝
3. ostrich 駝鳥
4. owl 貓頭鷹
5. crane 鶴
6. cuckoo 杜鵑，布谷鳥
7. kingfisher 翠鳥
8. parrot 鸚鵡
9. flamingo 紅鶴
10. heron 蒼鷺
11. gull 鷗
12. eagle 鷹
13. sparrow 麻雀
14. crow 烏鴉
15. penguin 企鵝
16. swallow 燕子
17. pelican 鵜鶘

(34) SEA ANIMALS 海洋動物

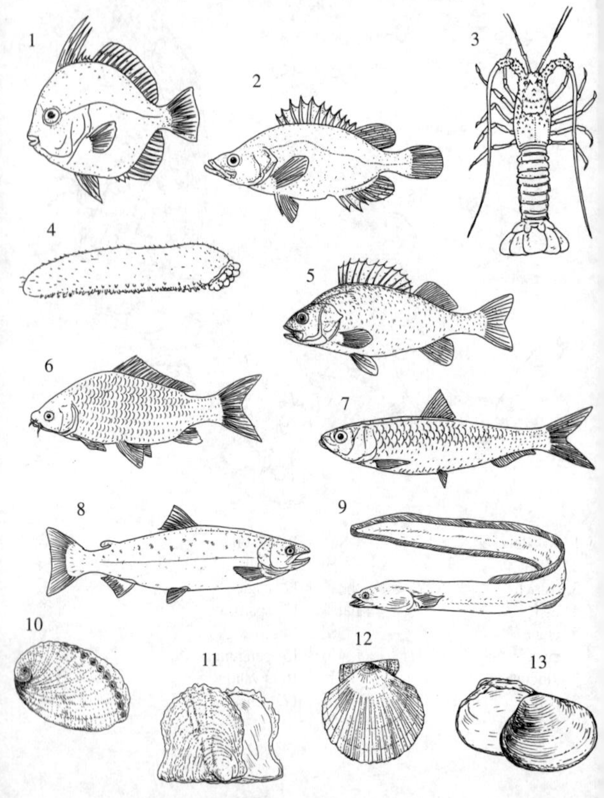

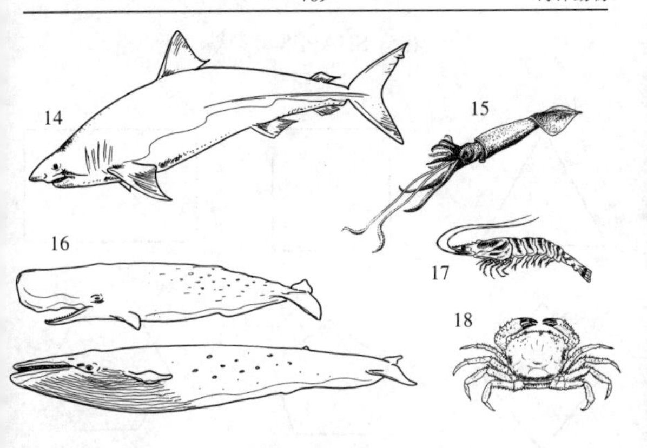

1. pomfret 鯧魚 / 鯧魚
2. chinese perch 桂魚
3. lobster 龍蝦
4. sea cucumber 海參
5. perch 鱸魚
6. carp 鯉魚
7. sardine 沙丁魚
8. salmon 鮭，三文魚
9. eel 鰻
10. abalone 鮑魚
11. oyster 蠔
12. scallop 元貝
13. mussel 蛤貝
14. shark 鯊魚
15. cuttlefish 烏賊
16. whale 鯨魚
17. shrimp 蝦
18. crab 蟹

(35) SHAPES 形狀

1

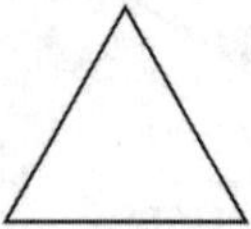

2

3

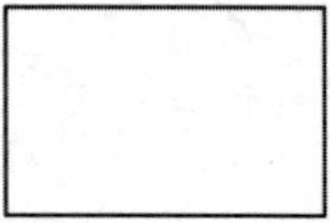

4

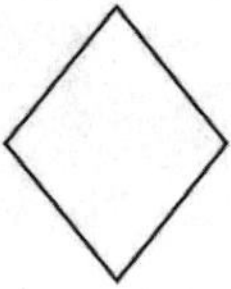

5

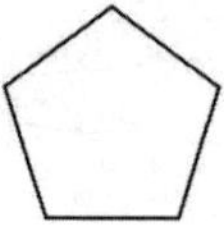

6

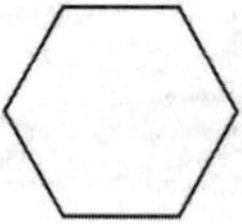

7

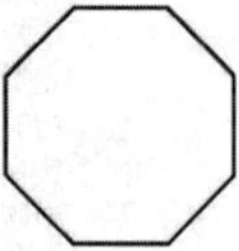

8

9

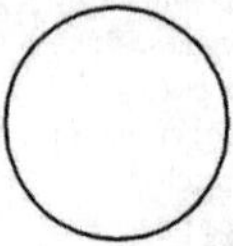

10

11

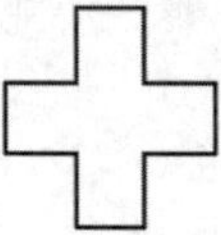

12

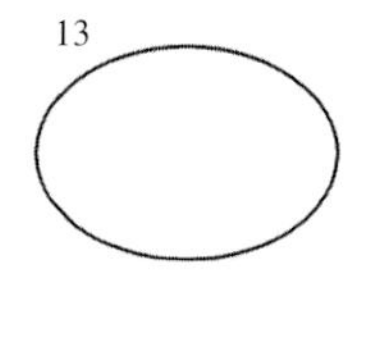

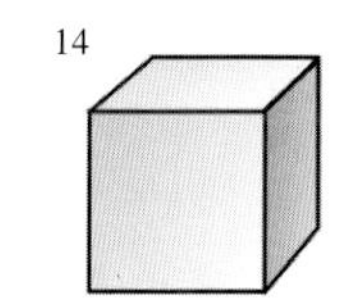

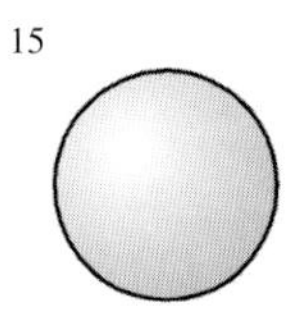

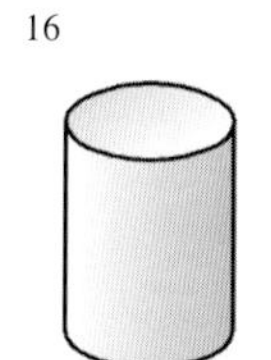

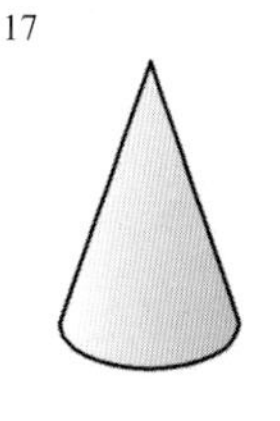

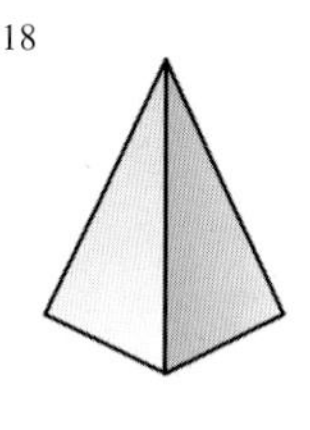

1. triangle 三角形
2. square 正方形
3. rectangle 長方形
4. diamond 菱形
5. pentagon 五邊形
6. hexagon 六邊形
7. octagon 八邊形
8. star 星形
9. circle 圓形
10. heart 心形
11. cross 十字形
12. crescent 月牙形
13. oval 橢圓形
14. cube 正立方體
15. sphere 球形
16. cylinder 圓柱體
17. cone 圓錐體
18. pyramid 錐體

(36) PATTERNS 圖案

1. striped 條紋
2. pinstripe 細條紋
3. polka dot 圓點花紋
4. checked 方格圖案
5. plaid 格子花紋
6. paisley 渦旋花紋
7. print 印花
8. flowered 小花/碎花
9. plain 單色無圖案花紋
10. herringbone 人字形圖案
11. zigzag Z字形

(37) COLOURS 顏色

1. white 白色
2. black 黑色
3. pink 粉紅色
4. turquoise 青綠色
5. sky-blue 天藍色
6. navy blue 深藍色
7. grassgreen 草綠色
8. scarlet 鮮紅色
9. beige 米黃色
10. blue 藍色
11. lilac 淡紫色
12. crimson 深紅色
13. rubia 茜草紅色
14. prussian blue 普魯士藍色
15. cream 淡黃色
16. peach 桃色
17. maroon 栗色
18. brown 棕色
19. gold 金色
20. silver 銀色
21. mustard 芥末色
22. grey 灰色
23. apple green 蘋果綠色
24. tangerine 橘紅色
25. olive green 橄欖綠色
26. tan 棕黃色
27. red 紅色
28. green 綠色
29. khaki 土黃色
30. violet 藍紫色
31. turquoise blue 綠松石藍色
32. magenta 紫紅色
33. yellow 黃色
34. purple 紫色
35. orange 橙色
36. jade 碧玉色

商務袖珍詞典系列

商務
袖珍漢英詞典
CP
CHINESE - ENGLISH
POCKET DICTIONARY

開本：64開
頁數：968頁
收詞：24,000

新袖珍日漢詞典
ポケット
日中辭典

開本：64開
頁數：688頁
收詞：超過30,000

袖珍法漢詞典
DICTIONNAIRE
DE POCHE
FRANÇAIS
-CHINOIS

開本：64開
頁數：664頁
收詞：26,000

袖珍德漢詞典
DEUTSCH—
CHINESISCHES
TASCHEN-
WÖRTERBUCH

開本：64開
頁數：652頁
收詞：30,000

袖珍西漢詞典
DICCIONARIO
DE BOLSILLO
ESPAÑOL-CHINO

開本：64開
頁數：692頁
收詞：30,000

袖珍葡漢詞典
PEQUENO DICIONÁRIO
PORTUGUÊS-CHINÊS

開本：64開
頁數：752頁
收詞：超過30,000

開本：64開
頁數：824頁
收詞：30,000

開本：64開
頁數：580頁
收詞：12,000

袖珍英語詞林
——漢英索引八萬詞
THESAURUS
80,000
THE COMMERCIAL PRESS

開本：64開
頁數：336頁
收詞：80,000